KB152127

Second Edition

환자 구조 및 이송

저자 이재민 · 윤형완

Second Edition

환자 구조 및 이송

Emergency

Rescue and Transportation

첫째판 1쇄 인쇄 | 2019년 2월 20일
첫째판 1쇄 발행 | 2019년 3월 4일
첫째판 2쇄 발행 | 2021년 9월 13일
둘째판 1쇄 발행 | 2022년 3월 25일
둘째판 2쇄 발행 | 2023년 9월 14일

지 은 이 이재민, 윤형완
발 행 인 장주연
출 판 기 획 최준호
출 판 편 집 이다영
표지디자인 김재욱
편집디자인 이은하
일 러 스 트 김경열
발 행 처 군자출판사(주)
등록 제4-139호(1991. 6. 24)
본사 (10881) 파주출판단지 경기도 파주시 회동길 338(서패동 474-1)
전화 (031) 943-1888 팩스 (031) 955-9545
www.koonja.co.kr

ISBN 979-11-5955-858-0

정가 42,000원

Second Edition

환자 구조 및 이송

Emergency Rescue and Transportation

저자

이재민 Lee Jae-min
- 1급 응급구조사
- 전남소방본부 119구급대원(前)
- 광주보건대학교 응급구조학과(現)

윤형완 Yun Hyeong-wan
- 1급 응급구조사
- 전북소방본부 119구급대원(前)
- 전주비전대학교 응급구조학과(現)

감수

박희진 Park Hee-jin
- 이학박사
- (사)한국응급구조학회 이사장(前)
- 서영대학교 응급구조학과(前)
- 남부대학교 응급구조학과 겸임교수(現)

신동민 Shin Dong-min
- 미국응급구조사
- 한국응급구조학회 회장(前)
- 한국교통대학교 응급구조학과(現)

머리말

introduction

우리나라 응급구조사는 응급의료체계내에서 다양한 사고현장으로 응급 출동하여 환자상담 · 구조 · 이송처치 등 많은 각종 현장에서 구급 · 구조업무를 담당하고 있다. 이에 현장상황과 직무에 맞는 교재를 개발하여 응급구조학과관련 학생 및 현장직무업무에서 종사하는 응급구조사에게 현장 실무능력을 향상시킬 수 있도록 도움을 주고자 집필하였다.

환자의 신속한 구조를 위해서는 출동단계에서부터의 현장평가/계획이 이루어져야 하고, 현장상황과 손상된 환자에게 적절하게 적용할 수 있는 최선 · 최상의 응급처치와 장비가 사용되어야 환자를 안전하게 구조할 수 있을 것이다. 아무리 훌륭한 응급의료종사자와 시설을 갖추었다 할지라도 외딴 곳에 응급환자가 발생하여 신속하고 적절한 응급처치 및 구조가 이루어지지 않는다면, 환자에게는 심각한 합병증과 불이익이 발생할 수밖에 없다. 이에 응급구조학을 공부하는 학생들과 응급구조사 선생님이 현장에서 적절하게 활용할 수 있도록 각 Chapter별로 이해하기 쉽게 설명 및 요약 정리하였고 현장사진을 추가하였다.

환자구조 및 이송은 21세기 사회 안전망 구축에 반드시 필요한 인력인 응급구조사가 업무를 최상으로 수행할 수 있도록 술기 및 실무능력을 향상시킬 수 있도록 구성되어있다. 제1부에서는 구급차 운행 및 구조, 제2부에서는 응급의료장비 그리고 제 3부에서는 대량재해와 추가로 '9장 위험물 사고관리' 및 '10장 테러에 대한 대응'을 현장 실무에 맞게 내용을 정리하여 응급구조사를 위한 전문응급구조학 총론 내용을 다루었다.

향후에도 지속적인 연구 및 노력으로 우리나라의 현실에 맞게 수정 · 보완할 것이며, 새로운 지식과 술기를 끊임없이 전달할 수 있도록 노력하겠다. 또한 본서가 나오도록 조언해 주신 지인분들과 사진촬영에 협조해 준 응급구조사 선생님과 학생들에게도 감사드린다.

'환자구조 및 이송' 이라는 교재가 개정되고 다시 나오기까지 시간과 노력을 아끼지 않은 박희진 교수님, 신동민 교수님 그리고 세심한 배려를 하신 군자출판사 장주연 사장님과 편집부 선생님께 마음속 깊이 감사의 말씀을 전하며 원고를 정리하는 동안 시간 · 공간적 소통을 하지 못한 점에 대해서 사랑하는 가족에게 미안한 마음을 전하고 싶다.

2022년 2월

선도해 나가는 응급구조사를 바라는 마음으로

저자 대표 : **이 재 민**

환자구조 및 이송
CONTENT

Chapter 1. 구급차 운행

Chapter 2. 환자의 이송

Chapter 3. 구출과 구조

Chapter 4. 수난구조

Chapter 5. 장비운영

Chapter 6. 기도관리 및 환기

Chapter 7. 대량재해 총론

Chapter 8. 재해유형별과 재해와 관련된 질병

환자구조 및 이송
CONTENT

Chapter 9. 위험물 사고 관리

Chapter 10. 테러에 대한 대응

05 PART
부 록

구급차 운행 및 구조

PART 01

01 구급차 운행

1 개요

현대의 의미의 구급차는 1972년 나폴레옹 군대의 외과의사인 도미니크 장 래리(Dominique Jean Larrey)와 퍼시(Percy)가 야전 의무대 창설계획을 수립하고 전쟁터에서 부상당한 군인들을 치료 가능한 후방으로 이송하기 위한 포장마차로부터 시작되었다. 당시 구급차인 "Ambulance Volantes"는 부상자를 전투가 끝날 때까지 전장에 방치해 두었던 당시 상황에서는 아주 큰 진전이었다. 그러나 환자를 이송하지 못한 공백시간(Therapy free interval) 48시간은 부상자 사망률이 46%에 이르렀으나 1854년 Crimia 전쟁에서 나이팅게일의 활약과 1864년 앙리 뒤낭의 노력으로 국제적십자가 창설되어 부상당한 군인들이 전쟁터 현장에서 인도적 차원의 응급처치를 받을 수 있었다(그림 1-1).

제1차 세계대전 동안에는 총과 대포를 비롯한 전쟁수단이 발전되어 참호 속의 상황은 점점 더 참혹한 양상으로 변해 갔다. 이에 Sirhugh Owen-Thomas는 Ring Splint를 고안하여 폐쇄성 대퇴골 골절을 고정함으로써 현장 사망률을 80%에서 20%로 감소시킨 계기로 현장 응급처치의 개념이 인정되어 참호속의 부상자를 응급처치할 수 있게 되었다.

1938년 독일의 Martin Kirscher에 의해 현장에서 빠른 이송이 부상자 사망률을 감소시킨다는 개념이 도입되었다. Martin Kirscher는 "의사가 부상자에게로 가야지 부상자가 의사에게로 와서는 안 된다."라고 하여 빠른 이송의 개념을 정립하였으며 제2차 세계대전 후인 1956년 K.

그림 1-1. 미국 남북전쟁 당시의 구급차

移動病院出現

京城의 急救車昨日부터 運轉

대한민국 최초의 동력 구급차(추정)

그림 1-2. 이동병원출현(동아일보, 1938년 10월 11일)

전주예수병원 최초의 구급차(2010년 3월 5일)

1972년 전주소방서 구급차

1987년 원주소방서 119구급차량

그림 1-3. 구급환자 이송 구급차량

H. Bauer에 의해 재차 강조되었다. 이에 1957년에는 의사가 탑승한 구급차가 출범하였다.

우리나라에서는 1906년에 최초로 구급차가 도입되었고, 1906년 이전까지는 들것에 응급환자를 눕힌 상태에서 이송하였다. 그 이전에는 장의 차량이 흔히 사용되었다(그림1-2). 이후 1938년 경성 소방서에 구급차가 도입되어 운행되었고 재난이나 사고현장을 비롯해 모든 응급환자를 대상으로 출동했으며 전화번호 119를 통해 이용됐다. 대한민국 최초의 동력 구급차 기록이며 119구급차라는 것이다. 1950년대 전주예수병원에서 구급차를 운영한 기록이 있으며, 1962년 개정 의료법에서 종합병원은 '구급실'과 '구급거'를 운영해야 한다고 규정하고 있다. 이외에도 경찰 등에서 필요에 따라 구급차를 운영했던 것으로 추측된다. 한편, 1972년에 전주 소방서에서 구급차를 운영한 기록이 있다. 응급치료를 위한 의료장비는 거의 없었고, 환자 곁에서 응급처치할 수 있는 대원은 없었고 환자실의 공간은 매우 좁았다. 이에 더 좋은 응급의료장비가 필요하게 되었다.

1982년 3월, 서울에 9대의 구급차를 갖춘 소방 구급대가 창설되면서 비로소 119 구급차의 시대가 열려 현재까지 이어지고 있다(그림 1-3). 한편, 1994년 응급의료에 관한 법률에서 "응급환자이송업"을 허가하였고 이에 따른 사설 구급차도 활동하고 있는데, 주로 병원간 이송을 담당한다.

Tip. 응급의료에 관한 법률 시행규칙 제39조 응급구조사의 배치

구급차등의 운용자는 응급환자를 이송하거나 이송하기 위하여 출동하는 때에는 법 제48조의 규정에 따라 그 구급차등에 응급구조사 1인 이상이 포함된 2인 이상의 인원이 항상 탑승하도록 하여야 한다. 다만, 의료법에 의한 의사 또는 간호사가 탑승한 경우에는 응급구조사가 탑승하지 아니할 수 있다.

Tip. 의료법 제9조 종합병원(법률 제1035호, 1962. 3. 20)

본법에서 종합병원이라 함은 의료를 행하는 장소로서 보건사회부령으로 정하는 진료전문과목중 적어도 내과, 외과, 소아과, 산부인과, 안과, 이비열후과, 피부과, 비뇨기과, 정신신경과, 방사선과, 임상병리과 및 치과로 구분되고 다음 각호에 해당하는 인원과 시설을 구비한 것을 말한다.
① 보건사회부령으로 정하는 인원삭의 각과전문의사, 치과의사, 약사, 간호원 및 기타 종사원
② 각과 전문의 진료실
③ 입원실
④ 수술실 및 산실
⑤ 구급실 및 구급거
⑥ 임상병리검사시설
⑦ 방사선장치
⑧ 조제실
⑨ 소독시설
⑩ 급식시설
⑪ 난방시설
⑫ 급수시설
⑬ 세탁시설

⑭ 오물처리시설
⑮ 병이해부실
⑯ 연구실
⑰ 강의실
⑱ 도서실
⑲ 기타 보건사회부령으로 정하는 시설

국내의 구급차는 공식적으로 표준화된 규격과 사양을 갖추지 않았고, 먼저 도입된 미국의 구급차는 응급구조사가 활동할 수 있는 응급의료장비와 공간이 만족되는 기준에 의거(정부규정)하여 제작되고 있었다. 미국의 구급차 설계의 가장 중요한 것은 차량의 폭과 길이가 증가하고, 환자가 위치하는 높이가 더 높아졌다. 국내에서도 2000년 7월에 개정된 응급의료에 관한 법률시행 규칙 안에서 구급차의 사용범위와 구급차의 장비 및 관리, 정부가 추천하는 형태의 구급차 제원에 대한 내용이 법제정 되었고, 2015년 9월 30일에 수정되어 구급차의 기준에서 구급차 운행연한을 9년으로 정하고 있다.

병원 전 응급처치의 모든 목적은 응급구조사 및 구급차가 현장에 도착하지 않는다면 결코 달성할 수 없다. 구급차를 운전하기 위해서는 평소 자가용을 운전할 때와 다른 특별한 요소들을 포함하여 도로 위에서의 모든 위험적인 요인을 알아야 할 것이다. 이러한 위험성을 인지하여야 하는 것은 구급차를 운전하는 대원의 책임이다.

구급차 운행의 목적은 환자의 생명유지 및 보존하면서 신속하고 안전하게 응급의료기관으로 이송하는 것이다. 응급구조사가 구급차를 운행하다보면, 삶과 죽음의 갈림길에 선 응급환자를 자주 접하게 된다. 이런 경우 환자를 응급의료기관으로 이송하다 교통사고가 발생하면 본연의 목적을 달성하지 못하는 경우가 적지 않게 발생한다. 현장출동이나 현장에서 응급의료기관까지 신속하게 움직인다는 것은 응급구조사의 마음을 조급하게 만들고, 선행된 조급한 마음은 '안전'을 간과하게 된다. 응급구조사가 과속과 주의의무를 무시하게 되면 응급환자와 동료의 생명도 위태롭게 만들 수 있다.

Tip. 도미니크 장 래리(Dominique Jean Larrey, 1766-1842)

피레네 산맥 근처의 마을에서 출생한 프랑스 외과의사, 군의관으로 완전히 새로운 야전외과의 창시자로 간주되고 있으며, 과다출혈에 수반되는 증세에 처음으로 쇼크라는 명칭을 사용하였다. 많은 나라들이 그의 앰뷸런스를 모방했다.
'응급의사들의 아버지'로 불린다. 응급환자 치료 시 지금도 그 본질에 있어서 유효한 조직 및 치료원칙을 마련했기 때문이다. 전쟁터에서 부상당한다는 사실은 19세기 초까지 죽음과 거의 같은 의미였는데, 총탄, 포탄, 총검 등의 의해 부상을 당

하거나 불구가 된 군인들은 즉각적인 의사의 도움없이 방치되었기 때문이다. 여러 날이 지나서 전쟁의 승패가 갈린 후에야 비로소 소수의 생존자들을 모을 수 있었다. 그러면 수레에 실린 채 험한 길을 따라 멀리 떨어진 후방에 있는 야전병원으로 옮겨졌다. 야전병원은 대부분 교회나 공공건물 또는 가능한 강물에 인접한 장소에 설치되었다. 부상자들은 담요나 짚을 깔지 않은 채 의사의 도움을 기다려야 하는 경우가 대부분이었다. 하지만 거의가 창상, 감염, 파상풍, 가스괴저(Gas gangrene) 등에 의해 그 전에 이미 생명을 잃었다. 그럼에도 불구하고 이런 야전병원은 살아남을 수 있는 유일한 기회였다.

1729년부터 오스트리아와 프로이센을 상태로 전쟁을 벌였던 프랑스 혁명군에서 군의관으로 복무했을 때 이미 부상을 당하거나 불구가 된 군인들의 혹독한 운명은 래리에게 충격을 주었다. 래리는 자원봉사자, 간호병들과 함께 전쟁터에서 부상당한 전우들을 사선 바로 뒤로 빼내오게 된 동기에 대해 이렇게 말했다. "의사는 인도주의 정신의 후원자여야 한다. 의사는 죄 없는 사람과 죄 있는 사람에게 똑같이 붕대를 감아줘야 한다. 의사에게 상관이라면 병든 생명체뿐이다." 래리는 이런 견지에서 적군의 부상자들도 치료를 했는데, 물론 그 때문에 많은 비난을 받기도 했다.

주임의사가 되자 래리는 모둔 저항을 물리치고 '앰뷸런스'라는 착상을 관철시켰다. 처음에는 3명의 기마 외과의사와 간호병 1명으로 이루어진 부대였다. 이들은 응급처치를 제공하기 위해 붕대용품과 외과도구를 실은 말들을 몰고 다녔다. 이런 식으로 응급처치부대가 탄생했는데, 이들은 가벼운 쌍두마차에 붕대용품과 도구 외에 세척을 위한 대야와 부상자 2명을 수용할 수 있는 바구니를 싣고 다녔다. 그래서 전쟁터에서 이미 지혈을 하고 응급붕대를 감고, 응급절단을 실시할 수 있었는데, 최전선 후방에 있는 야전병원으로 수송하는 도중에 실질적인 생존기회를 가질 수 있도록 부상자들을 안정시키는 조치들이었다.

2 구급차의 구조적 측면

국내 구급차는 응급환자를 의료기관으로 이송할 때까지 최소한의 응급처치를 시행할 수 있도록 응급의료관리 운영규칙, 구급차 사용규칙, 구급차 사용 추천요령 및 교통안전기준에 적합하게 구급차의 내부를 제작하도록 하였다.

구급차의 구조에는 심폐소생술을 시행하기 위한 공간, 산소를 투여할 수 있는 장비, 무선통신장비, 필요한 의료장비의 보관 장소, 환자와 응급구조사를 위한 공간들 있다. 응급구조사를 위해서는 도심 또는 지방과 관계없이 응급의료에 필수적인 장비를 모두 갖추도록 넓은 공간과 장비 수납공간이 있어야 한다. 그러나 우리나라의 도심 및 시내 도로는 좁고, 구불구불하며, 자동차가 진입하기 어려운 골목이 있다는 것을 고려하여 국내의 환경 및 도로 특성에 맞는 구급차의 개발이 되고 있지만 더 발전되어야 할 것이다.

1) 구급차를 위한 기본 요건

구급차는 구급차 운전자의 공간과 환자의 공간으로 나누어서, 2명의 응급구조사와 2명의 환자를 태울 수 있게 고안된 응급처치를 위한 차량을 구급차로 정의하고 있다. 이송 도중 1명의 환자가 계속 심폐소생술을 받을 수 있는 공간이 갖추어져야 한다. 또한, 현장에서나 이송 도중 응급처치를 시행할 수 있는 장비와 필요한 물품을 갖추어야 하고, 응급구조사와 환자를 위험한 환경에서 보호하고 구조도 할 수 있는 장비가 적재될 수 있어야 한다. 또한, 구급차와 응급의료진, 공공 안전기관, 119구급상황관리센터(구급상황관리자)와 항상 무선으로 통신할 수 있는 통신장비가 갖추어져야 한다. 구급차는 가장 안전하고 편안하게 구조되어서 이송 중에도 환자상태나 손상이 악화하지 않도록 해야 한다.

그림 1-4. 특수 구급차 : 응급환자이송 및 진료에 적합하도록 된 구급차

그림 1-5. 일반 구급차 : 환자 이송에만 주로 이용되는 구급차

2) 구급차의 구조

정부가 추천하는 구급차의 형태도 초기보다는 아주 세밀해졌으며 들것, 척추고정판, 의료장비 보관함, 수액 걸이, 산소통과 인공기도, 응급구조사석, 환풍기, 경광등 및 경음기, 커튼, 에어컨 등이 기본적으로 적재되어야 한다. 미국은 주마다 구급차 면허에 있어서 각자의 기준을 가지고 있는 반면에 일본에서는 전국적으로 일원화된 규격과 장비를 갖추고 있다. 우리나라는 구급차의 형태에 따라서 구급차를 다음 2가지로 나누고, 이에 따라서 구급차가 갖추어야 할 의료장비의 기준(표 1-1)을 달리하고 있다(그림 1-4, 그림 1-5).

Tip. 구급차 특징

구급차는 응급환자의 이송, 응급의료를 위한 장비 · 인력 운반 등 응급의료의 목적에 이용되는 자동차이다. 구급차 안에는 부상자가 눕는 침대나 각종 의료 기구, 의약품 등이 비치되어 있고, 구급대원이 탑승하여 부상자의 응급처치를 도울 수 있는 공간이 확보되어 있어야 한다. 구급차는 종류에 따라 구비해야 하는 의료장비, 의약품, 규격, 표시 등의 기준이 다르게 적용되며, 국내에서 운용 중인 구급차 유형은 화물차 개조형, 승합차 개조형, 외국차 수입형 등 세 가지 형태로 구분할 수 있다.

Tip. 구급차 종류

(1) 일반구급차 : 위급의 정도가 중하지 아니한 응급환자의 이송에 주로 사용되는 구급차
(2) 특수구급차 : 위급의 정도가 중한 응급환자의 이송에 적합하도록 제작된 구급차
(3) 중환자용 특수구급차 : 심정지, 급성심근경색, 급성뇌졸중, 중증 외상 환자 등 중환자의 이송에 적합하도록 제작된 구급차

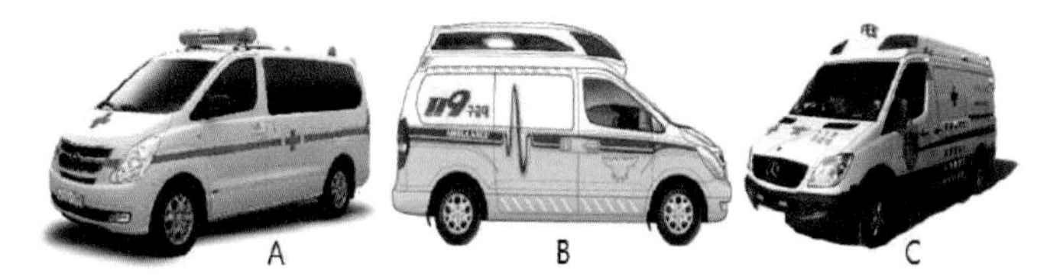

A : 일반구급차, B : 특수구급차, C : 중환자용 특수구급차

3) 외부 인식

구급차를 일반차들과 구분하기 위해서, 바깥색은 흰색 바탕이고, 주황색 띠와 푸른색 글자와 문장을 넣어야 한다. 문장이나 마크를 표시하기 위한 재료는 어두운 곳에서도 반사될 수 있어야 한다. 국내의 경우에도 '생명의 별(star of life)' 마크를 이용하고 있다(그림 1-6). 생명의 별은 구급차의 측면, 뒷면, 지붕에 표시해야 하고, 구급차 고유숫자, 종류, 색, 경고등, 회전등의 위치 등을 따로 정하고 있다. 사이렌은 높이를 변화할 수 있어서 다른 차량의 운전자들이 소리를 알아들을 수 있어야 한다.

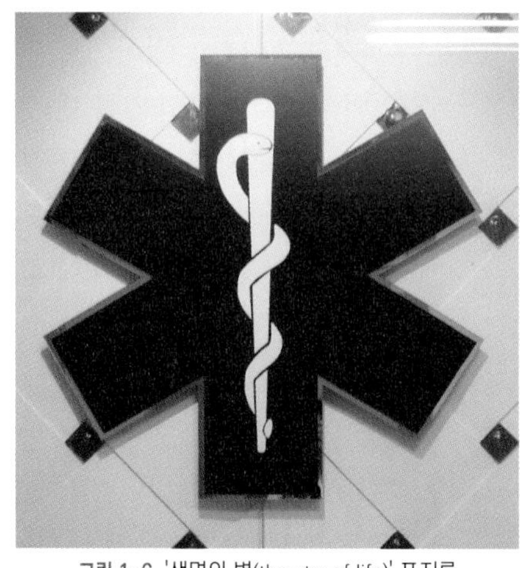

그림 1-6. '생명의 별(the star of life)' 표지를 옆 · 뒷면과 지붕에 표시한다.

Tip. 구급차의 기준 및 응급환자이송업의 시설 등 기준에 관한 규칙 제3조 구급차의 표시

① 구급차는 바탕색이 흰색이어야 하며, 전 · 후 · 좌 · 우면 중 2면 이상에 각각 별표 1의 녹십자 표시를 하여야 한다. 다만, 「119구조 · 구급에 관한 법률」에 따른 119구조대 및 119구급대의 구급차에 대해서는 소방관계법령에서 따로 정할 수 있다.
② 구급차 전 · 후 · 좌 · 우면의 중앙 부위에는 너비 5센티미터 이상 10센티미터 이하의 띠를 가로로 표시하여야 한다. 이 경우 띠의 색깔은 「응급의료에 관한 법률 시행규칙」 제38조제1항에 따른 특수구급차(이하 "특수구급차"라 한다)는 붉은색으로, 같은 항에 따른 일반구급차(이하 "일반구급차"라 한다)는 녹색으로 한다.
③ 특수구급차는 전 · 후 · 좌 · 우면 중 2면 이상에 붉은색으로 "응급출동"이라는 표시를 하여야 한다.
④ 일반구급차는 붉은색 또는 녹색으로 "환자이송" 또는 "환자후송"이라는 표시를 할 수 있다. 다만, "응급출동"이라는 표시를 하여서는 아니 된다.
⑤ 구급차의 좌 · 우면 중 1면 이상에 구급차를 운용하는 기관의 명칭 및 전화번호를 표시하여야 한다.
※ 소방 119 구급차는 「119 구급차 색상 디자인 표준 도색지침」과 소방관계 법령에 따라 표시

4) 구급차의 차대

차대는 승차 시에 부드러운 느낌을 주고 하중이 실렸을 때 지면에서 최소한 15 cm의 높이를 유지해야 하고, 30 cm 깊이의 물에서도 운행할 수 있어야 한다.

구급차는 강력한 제동능력과 튼튼하고 안전한 타이어를 갖추어야 하고, 지역과 기후에 따라서는 4륜 구동이 요구될 수 도 있을 것이다. 구급차의 차체는 트럭 위에 얹힐 수 도 있으며, 국내에서도 제작되고 있다.

구급차의 전체 길이는 환자실과 운전실의 구조가 따로 각각 설계되었는지 또는 운전석이 따로 얹혀는지에 따라 다양할 수 있다. 국내의 구급차의 기준을 보면, 구급차 환자실의 길이는 운전석과의 구획 칸막이에서 뒷문의 안쪽 면까지 250 cm 이상이어야 하고, 간이침대 매트리스의 끝에서 뒷문의 안쪽 면 사이에는 25 cm 이상의 공간이 있어야 한다. 구급차 환자실의 너비는 간이침대를 바닥에 고정시켰을 때 적어도 한쪽 면과의 통로가 25 cm 이상이어야 한다. 구급차 환자실의 바닥에서 천장 안쪽 면까지의 높이는 특수구급차는 150 cm 이상, 일반구급차는 120 cm 이상이어야 한다.

5) 구급차 차체

차체는 안전해야 하고 내부로 돌출되거나, 환자나 응급구조사에게 위험한 것이 없어야 한다. 구급차는 내부 온도가 조절되고, 외부와 격리되며 쉽게 청소될 수 있어야 한다. 또한, 내부공간이 충분하여 2명의 들것 환자와 2명의 응급구조사가 탈 수 있어야 하고, 그 외의 응급장비와 응급 물품이 적재될 수 있어야 한다. 앞면과 뒷면의 출입문과 환자실의 측면 문을 제

외하고는 창문이 없어야 한다. 운전자와 환자실 사이에는 직접적인 출입문이 필요하며, 통로가 있다면 그 문은 운전자 측에서 잠글 수 있어야 한다. 운전실과 환자실 사이에 통로가 없다면, 운전자와 환자실 사이에는 창문이나 통화 장치가 설치되어야 한다. 운전자가 야간에 운행 시에는 후미에 있는 등으로부터 시야가 차단되어야 한다. 구급차의 환자실은 다음과 같다.

① 표준 들것(길이 1.9 m, 폭 58 cm)이 위치할 수 있도록 발쪽으로는 33 cm, 머리 쪽은 63 cm의 여유가 있어야 한다.

② 환자실 폭은 2개의 표준 들것이 들어갈 수 있어야 한다.

③ 들것 사이에 응급구조사가 위치하여 심폐소생술을 실시할 수 있도록 60 cm 폭의 공간이 필요하다.

③ 들것 아래에서는 응급구조사의 발이 자유롭게 움직일 수 있는 공간이 필요하다.

④ 최소한 내부 천장의 높이는 152 cm이다.

⑤ 들것 사이의 통로에는 돌출이 없어야 하고, 환자의 머리나 가슴 위에도 없어야 한다.

⑥ 이송 도중 필요한 장비는 환자실 안쪽의 장비함에 항상 비치되고 고정되어야 한다(그림 1-7).

⑦ 모든 물품은 안정된 위치에 놓아서 사고 시 위험한 손상이 발생하지 않도록 한다.

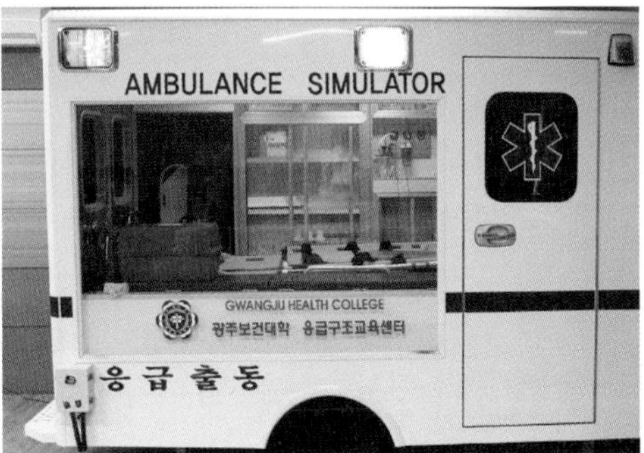

그림 1-7. 적절하게 외부 표시가 된 구급차

6) 구급차 규격

(1) 구급차의 법적 근거

① 응급의료에 관한 법률 시행규칙 제38조(구급차 등의 장비 및 관리)

㉠ 구급자동차는 위급의 정도가 중한 응급환자의 이송에 적합하도록 제작된 구급차(이하 "특수구급차"라 한다)와 위급의 정도가 중하지 아니한 응급환자의 이송에 주로 사용되는 구급차(이하 "일반구급차"라 한다)로 구분한다.

㉡ 응급의료 전용헬기의 장비 · 의약품 · 환자인계점 관리 등에 관한 기준이 있다.

㉢ 구급차등에 갖추어야 하는 의료장비 · 구급의약품 및 통신장비의 기준이 있다(별표 16).

㉣ 구급차 장착 장비의 기준과 장비장착에 따른 정보 수집 · 보관 · 제출 방법 및 동의 절차에 관한 사항이 있다(별표 16의2).

㉤ 구급차등에 갖추어야 하는 의료장비 · 구급의약품 · 통신장비 등의 관리와 구급차등에 관한 관리기준이 있다(별표 17).

② 구급차의 기준 및 응급환자 이송업의 시설 등 기준에 관한 규칙

③ 자동차 및 자동차 부품의 성능과 기준에 관한 규칙 제58조(경광등 및 사이렌)

④ 자동차 관리법 제3조(자동차의 종류)

⑤ 119 구조 · 구급에 관한 법률 시행규칙 제7조(119 구급대에서 갖추어야 할 장비의 기준) 등

(2) 형태

① 승합 자동차 또는 화물 자동차로 지붕 구조의 덮개

② 간이침대, 보조 들것을 실을 수 있는 크기의 문

7) 구급차의 환자실 내부 표면

① 설치된 장치는 표면에 견고하게 부착되어야 하며 날카로운 부분이 없도록 할 것

② 노출된 구조물의 가장자리는 16분의 5 cm 이상의 반지름으로 깎아 내고, 노출된 모서리는 10분의 12 cm에서 10분의 25 cm의 반지름으로 둥글게 하여야 할 것

③ 환자실 표면

㉠ 비누나 물이 스며들지 아니할 것

㉡ 살균할 수 있을 것

㉢ 곰팡이에 저항성이 있을 것

㉣ 열에 강할 것

㉤ 청소하기가 쉬울 것

8) 구급차 내부장치

구급차의 기준 및 응급환자이송업의 시설 등 기준에 관한 규칙에 의거하여 구급차의 내부에 갖추어야 할 장치의 기준은 별표 2와 같다(표 1-1).

표 1-1. 구급차의 내부에 갖추어야 할 장치의 기준

구분	장치	형식 · 형태 · 재질 등의 기준	설치 기준
1. 공통	가. 간이침대 (Main Stretcher)	1) 시트의 재질은 가죽 · 인조가죽 또는 비닐이어야 한다. 2) 침대의 금속부분은 강하고 가벼운 알루미늄 재질이어야 한다. 3) 차량에서 분리가 가능하고 견고하게 부착할 수 있는 부속장치가 있어야 한다. 4) 시트에는 가슴 · 엉덩이 · 발목 등 3개 이상의 부위를 고정시킬 수 있는 환자고정장치를 설치하여야 한다. 이 경우 띠는 가죽 · 나일론 등 쉽게 끊어지지 않는 재질이어야 하고, 쉽게 조이고 풀 수 있는 조임쇠가 있어야 한다.	1식(평상시는 차량에 부착)
	나. 보조 들것 (Sub-Stretcher)	들것의 지지대는 가볍고 강한 재질이어야 하며, 접고 펼 수 있는 형태여야 한다.	1식(평상시는 접어서 한쪽 면에 부착하여 보관)
	다. 갈고리	1) 비닐팩으로 된 정맥주사용 수액 세트 등을 걸 수 있는 형태여야 한다. 2) 접으면 부착 면과 평행상태를 유지하여야 하며, 접고 펼 수 있는 구조여야 한다.	1개 이상(천장 또는 옆면에 부착)
	라. 의료장비함	여러 의료장비를 신속하고 쉽게 이용할 수 있도록 보관할 수 있어야 한다.	1개 이상
	마. 응급의료인 좌석	간이침대 옆 또는 앞에 고정식 또는 접이식으로 설치하여야 한다(일반구급차에 간이침대 옆에 긴 의자가 설치되어 있는 경우 긴 의자로 대체할 수 있다).	1개
	바. 조명장치	1) 환자실의 이동조명장치를 제외한 모든 조명을 켰을 경우 구급차 간이침대 표면에서 측정 시 150럭스 이상이 되어야 한다. 2) 환자실의 조명등은 천장에 부착되어야 하고, 흰색 외에 색깔이 있는 조명등을 사용하지 않아야 한다. 3) 조명등에는 조명등이 깨질 경우 인체에 영향을 미치지 않도록 플라스틱 덮개를 설치하여야 한다.	2개 이상
	사. 이동조명장치	1) 이동시키면서 환자의 신체 부위를 비추기 쉽도록 설치하여야 한다. 2) 이동조명장치는 조명장치보다 밝은 조도를 가져, 환자 국소 처치시 활용할 수 있어야 한다.	1개
	아. 환풍기	환자실 내부 뒷면의 천장에 설치하여야 한다.	1개 이상
	자. 전기공급장치 (콘센트)	환자실에 설치하여야 한다.	2개 이상
	차. 기타	「응급의료에 관한 법률 시행규칙」 별표 16에 따른 의료장비 등을 갖출 수 있는 공간 및 설치대를 마련하여야 한다.	부착물을 견고하게 부착할 수 있는 적정한 수의 부속장치 설치

구분	장치	형식 · 형태 · 재질 등의 기준	설치 기준
2. 특수 구급차	가. 간이침대 (Main Stretcher)	공통사항에 다음의 사항이 추가되어야 한다. 1) 접고 펼 수 있는 것으로서 네 바퀴가 달려 밀거나 당겨서 손쉽게 옮길 수 있어야 한다. 2) 침대의 윗부분을 올리고 내릴 수 있는 장치를 갖춘 구조여야 한다.	
	나. 긴 의자	1) 환자를 실은 상태로 보조 들것을 놓을 수 있는 규모여야 한다. 2) 보조 들것을 고정할 수 있는 장치가 있어야 한다. 3) 간이침대와 긴 의자 사이에는 사람이 다닐 수 있는 공간이 있어야 한다.	
	다. 물탱크와 연결된 싱크대	1) 재질은 플라스틱 또는 알루미늄 등 가볍고 잘 부서지지 않는 것으로 한다. 2) 배수가 잘 되어야 하고, 사용한 물을 저장하였다가 버릴 수 있는 설비를 연결하여야 한다.	1개(환자실 내부의 1개 모퉁이에 설치)
	라. 교류발생 장치	1) 의료장비 등에 사용할 수 있는 교류전기를 발생시킬 수 있어야 한다. 2) 환자실에 있는 전기공급장치에 연결하여 전기를 사용할 수 있어야 한다.	

9) 구급차 용도

응급환자의 이송 등 응급의료의 목적에 이용되는 자동차 말한다. 구급차의 용도로는 아래와 같고, 다른 용도에의 사용은 금지된다(응급의료법 제45조 참고).

① 응급환자 이송

② 응급의료를 위한 혈액, 진단용 검사대상물 및 진료용 장비 등의 운반

③ 응급의료를 위한 응급의료종사자의 운송

④ 사고 등으로 현장에서 사망하거나 진료를 받다가 사망한 사람을 의료기관 등에 이송

⑤ 그 밖에 보건복지부령으로 정하는 용도

시 · 도지사 또는 시장 · 군수 · 구청장은 응급의료법 제45조 제44조의2제2항(구급차등의 운용신고 등)을 위반한 구급차등의 운용자에 대하여는 그 운용의 정지를 명하거나 구급차등의 등록기관의 장에게 해당 구급차등의 말소등록을 요청할 수 있다. 이 경우 말소등록을 요청받은 등록기관의 장은 해당 구급차등에 대한 등록을 말소하여야 한다.

10) 속도와 가속도

모든 장비와 물품을 모두 실은 구급차는 속도와 가속도를 낼 수 있어야 한다. 고속도로의 주행 중 위치를 유지하고 위험 상황을 피할 수 있어야 하고, 속도와 가속도의 한계는 교통량 속에서 구급차의 안정성을 유지할 수 있도록 고안되어야 한다.

구급차 운전자는 갖추어야 할 사실들을 명심하면서 운전을 해야 한다.

① 방어적이고 안전 운전해야 한다.
② 높은 속도의 운전훈련, 구급차운영의 판단력, 환자안전의 우선주의를 가져야 한다.
③ 과속은 정지거리가 길어지며, 위험한 상황이 발생했을 때 피하기 어렵다.
④ 과속은 교통사고(출돌 가능성)를 증가시킨다.
⑤ 구급차를 운행할 때에는 항상 탑승자 모두 안전띠를 착용해야 한다.
⑥ 응급상황과 다른 사람의 안전을 고려해야 하는 경우만 교통법규를 지키지 않아도 된다.
  ㉠ 비응급 상황에서는 속도제한, 정지등과 양보표시, 다른 법과 제한된 운행규칙들을 지켜야 한다.
⑦ 교차로에서는 항상 조심해서 접근하고, 갑작스러운 회전을 하지 않는다.

3 구급차량 운전자의 조건과 적성

현재 우리나라에서는 도로교통법 제80조 관련하여 제한을 두고 있다. 예를 들면, 1종 보통면허(대형면허, 보통면허, 소형면허, 특수면허)로도 긴급자동차를 운전할 수 있으나, 12인승 이하 승용 및 승합차에 한하며, 그 외의 특수긴급자동차를 운전하기 위해서는 1종 대형면허를 소지하여야만 한다. 또한 구급차를 운전하기 위해서 법에 따른 조건과 응급이송에 관한 중요성을 이해하고 특수한 상황에서도 합리적이고 안전한 운행방법을 알고 있어야 한다.

일반적으로 응급구조사는 구급차 운전을 위한 적절한 적성이 필요한데, 이런 적성이란 운전에 적합한 시력, 청력, 운동능력, 정신적 판단능력 등을 골고루 갖추어 교통정보에 대하여 신속 · 정확한 인지와 인지된 정보를 분석 · 종합하여 정확한 판단과 신속한 조작으로 이어지는 과정에 적합한 능력을 소지한 것을 말한다. 응급구조사가 적합한 능력을 갖추기 위해서는 몇 가지 조건들이 필요하다(표 1-2).

표 1-2. 운전 적성 조건

의학적인 조건	- 마음과 몸이 건강
기능적인 조건	- 반응시간의 적정 - 일정한 수준이상의 시력 - 시각, 지각과 반응 동작이 균형 있게 일치
심리적인 조건	- 자기 억제력이 강함 - 주의집중

Tip. 도로교통법 제80조 운전면허

② 지방경찰청장은 운전을 할 수 있는 차의 종류를 기준으로 다음 각 호와 같이 운전면허의 범위를 구분하고 관리하여야 한다. 이 경우 운전면허의 범위에 따라 운전할 수 있는 차의 종류는 행정자치부령으로 정한다.

1. 제1종 운전면허
   가. 대형면허, 나. 보통면허, 다. 소형면허,
   라. 특수면허(대형견인차면허, 소형견인차면허, 구난차면허)
2. 제2종 운전면허
   가. 보통면허, 나. 소형면허, 다. 원동기장치자전거면허
3. 연습운전면허
   가. 제1종 보통연습면허, 나. 제2종 보통연습면허

③ 지방경찰청장은 운전면허를 받을 사람의 신체 상태 또는 운전 능력에 따라 행정자치부령으로 정하는 바에 따라 운전할 수 있는 자동차등의 구조를 한정하는 등 운전면허에 필요한 조건을 붙일 수 있다.

④ 지방경찰청장은 제87조 및 제88조에 따라 적성검사를 받은 사람의 신체 상태 또는 운전 능력에 따라 제3항에 따른 조건을 새로 붙이거나 바꿀 수 있다.

구급차를 운전하기 위한 가장 기초적인 조건으로는 의학적으로 몸과 마음이 건강하여야 한다. 사고의 유형 중 신체적 결함이 원인이 된 사고들이 잦다는 것은 이미 밝혀진 사실이다. 운전자는 핸들을 잡고 체인지 레버를 조작하고 각종 페달을 밟기 위해서 손, 발은 물론 상당 시간 운전대에 앉아서 때로는 몸을 돌려서 좌우 후방의 안전을 확인하여야 하는데, 이러한 신체의 동작이 운전에 견딜 수 있는 운동능력을 갖추고 있어야만 한다. 또한, 단순한 기계적 작업과는 달라서 높은 지적능력이 필요하다. 교통이 빈번한 도로상에서 각종 상황과 차량흐름 변화에 대처해서 적절하고 신속한 판단이 요구되기 때문이다.

통계청 자료에 의하면 부주의로 인한 사고가 전체사고의 50%에 이르고 있다. 예를 들면 교차로사고, 추돌사고, 끼어들기 사고 등이 그런 부주의로 인한 사고라고 할 수 있겠다. 응급이송을 하는 응급구조사는 일반 운전자와는 달리 응급상황에서 고도의 판단력이 요구되는데 이는 많은 경험과 교육을 통해서 가능하며, 정서적으로 안정되지 아니하고 자기억제력이 저하되면 주변 교통상황에 부주의하게 되고 판단력이 저하되어 본인은 물론 응급환자와 동료의 생명을 위태롭게 만들게 된다. 따라서 응급이송의 임무를 완료하기 위해서는 신체적, 정신적인 조건뿐만이 아니라 많은 경험과 교육들이 필요하다.

Tip. 소방공무원 채용 시험 신체 조건표

부분별	합격기준
체격	체격이 강건하고 팔 · 다리가 완전하며, 가슴 · 배 · 입 · 구강 · 내장의 질환이 없어야 한다.
시력	두 눈의 나안(裸眼)시력이 각각 0.3 이상이어야 한다.
색신(色神)	색각이상(色覺異狀){색맹 또는 적색약(赤色弱)을 말한다}이 아니어야 한다.
청력	청력이 완전하여야 한다.
혈압	고혈압(수축기혈압이 145 ㎜Hg을 초과하거나 확장기 혈압이 90 ㎜Hg을 초과하는 것) 또는 저혈압(수축기혈압이 90 ㎜Hg 미만이거나 확장기혈압이 60 ㎜Hg 미만인 것)이 아니어야 한다.
운동신경	운동신경이 발달하고 신경 및 신체에 각종 질환의 후유증으로 인한 기능상 장애가 없어야 한다.

4 호위차량 이용

경험이 없는 구급차 운전자가 호위(에스코트, escorts) 차량을 너무 가까이 따라가다가 앞의 차량이 갑자기 정차했을 때 정지를 하지 못하는 경우가 많이 발생하여 경찰에서 구급차를 호위할 때에는 추가적인 위험이 발생한다.

① 구급차 운전자는 앞뒤로 호위차량에 둘러싸였을 때 다른 차량의 운전자들은 하나의 차량이 또 다른 차량을 호위하고 있다는 사실을 알지 못할 가능성이 있다는 걸 기억해야 한다. 대부분 운전자는 응급차량 운행과정을 거치지 않는다. 따라서 다른 운전자는 호위차량이 지나간 다음 바로 구급차 앞에 정지할 수도 있다.

② 도로나 고속도로에서 일반 운전자가 사이렌을 듣거나 특히 백미러로 보았을 때는 호위차량의 처음 차량을 보았을 것이다.

③ 호위와 관련된 위험성 때문에 구급차 운전자가 현장이나 병원위치를 잘 몰라서 경찰의 도움을 받아야 할 때를 제외하고는 호위를 권장하지는 않는다.

④ 구급차와 경찰차는 제동 거리가 다르다. 구급차가 경찰차에 너무 가깝게 뒤 따라간다면 경찰차가 급제동하는 경우 충돌할 수 있다.

⑤ 구급차와 경찰차는 가속력이 다르다. 그 결과 구급차 운전자는 경찰차를 뒤따라가지 못할 수 있다. 두 자동차 간의 거리가 멀어질수록 다른 자동차가 끼어들어 사고가 발생할 위험이 커진다.

⑥ 다른 자동차의 운전자는 구급차와 경찰차가 같이 이동하고 있다는 것을 인식하지 못할 수도 있다. 경찰차가 지나가면 다른 자동차가 구급차 앞으로 끼어들 수도 있다.
⑦ 너무 천천히 호위하는 것은 약간 권위적일 뿐만 아니라 위험하기도 하다.

구급차를 따라가게 된다면 그 차량과 충분한 안전거리를 확보하여 다른 운전자와 구급차 운전요원이 여유롭게 대처하고, 갑작스럽게 어떤 차량이 끼어들었을 때 안전하게 멈출 수 있는 시간을 갖도록 하여야 한다. 또 하나의 잠재적 위험성은 환자의 가족이 구급차를 바로 뒤따라서 병원까지 가는 경우에 발생할 수 있다. 구급차와 일반 차들은 뒤따라가는 차를 보기 어렵기 때문이다. 갑작스럽게 구급차가 멈춰야 하는 상황에서 자칫 뒤차와 충돌할 우려가 있는 것이다. 환자 가족들에게 미리 구급차를 바짝 뒤따라오지 않도록 주의를 주어야 한다(그림 1-8). 자기 자신을 보호해야 하고, 어떤 경고 장치든 사용횟수를 최소화하고 꼭 필요한 경우에만 써야 한다.

많은 차량이 동시에 출동할 때의 위험은, 특히 같은 방향으로 가까이에서 함께 출동할 때, 호위출동에서 발생하는 위험과 같다. 또한 두 대의 차량이 동시에 같은 교차로에 접근했을 때 위험성은 더 높다. 서로 양보할 수 없을 뿐만 아니라 다른 운전자들은 첫 번째 차량에는 양보하지만 두 번째 차량은 양보하지 않을 수 있다. 동시에 많은 차량이 운행될 때는 교차점에서 특별한 주의가 필요하다.

5 안전운전에 영향을 미치는 요소

사람은 우수한 감각 장치를 가지고는 있지만 잘 활용하느냐, 못 하느냐 하는 것은 모름지기 의식 활동의 여하에 달린 것이다. 시각적 자극 · 청각적 자극 · 기타 각종정보는 감각기로 받아들여 각 신경을 통하여 전달되어지게 되고 중추에 전달된 정보는 기억중추 · 종합중추 등의 보조를 얻어서 처리 판단되어 행동으로서의 동작을 결정하게 된다. 이런 동작을 결정하고 실행하는데 영향을 미치는 요소는(표 1-3) 구급차량 운전자뿐만 아니라 모든 운전자에 공통된 요소들이나 응급이송의 임무를 수행할 응급구조사에게는 더욱 밀접하고 상호 연관성이 있는 요소들이다. 이러한 요소들에 의하여 긴급출동 중 사고가 증가하느냐 감소하느냐와 밀접한 관련이 있다.

응급구조사가 출동 중에 발생하는 교통상황은 매우 종합적이고 즉흥적이다. 사고를 피해 응급이송이라는 목적을 달성하기 위해서는 운전자의 인지기능, 운동기능, 지능, 주의력, 판단력, 성격, 운전자의 정서적인 측면 등이 정상적인 상태로 유지된 상태에서 사고를 줄일 수 있다.

표 1-3. 안전운전에 미치는 요소

1) 생리적 특성	2) 심리적 특성	3) 성격 특성
가. 연령 나. 인지기능 (1) 시력 (2) 심시력 (3) 시야 (4) 현혹시력 (5) 야간시력 (6) 동체시력 (7) 색채 식별능력 (8) 청력 다. 운동기능 (1) 신체적 조건 (2) 신체적 질환 (3) 정신적 질환	가. 지능 나. 주의력 다. 판단력 라. 성격 마. 정서적 측면 (1) 감정운전 (2) 자기과신 (3) 신경질	※ 심 시 력 : 위치 관계를 입체적 3D(입체적) 개념으로 인지하는 눈 ※ 현혹시력 : 차의 라이트를 직접 눈에 받으면 눈부심 때문에 순간적으로 시력을 잃어버리는 정도, 눈이 정상 시력으로 회복될 때까지는 보통 3초로부터 10초 정도까지 걸림 ※ 동체시력 : 움직이는 사물을 보는 시력과 그에 대한 반응정도

1) 구급차 안전에 영향을 주는 요소

구급차 사고는 대개 안전해 보이는 상황에서 많이 발생한다. 구급차 사고에 대한 18년간의 뉴욕시 통계에 따르면, 전형적으로 구급차 충돌 사고는 교차로(72%), 낮(67%), 건조한 도로(60%), 맑은 날씨(55%) 순으로 발생한다. 교차로를 주행하는 경우 최대한 주의를 기울여야 하고, 다음과 같은 사항을 고려하여야 한다.

① 구급차의 제동거리
② 경광등과 사이렌이용
③ 도로교통법
④ 소속 기관의 관리운영규정
⑤ 교차로를 안전하게 통과하는데 필요한 적정속도 등

구급차 충돌사고가 많은 교차로를 안전하게 통과하기 위한 이용 가능한 정보는 다음과 같다.

① 정지신호에 멈추고 조심히 통과한다.
② 교차로에서는 항상 서행한다.
③ 다른 자동차의 운전자들이 구급차 운전자의 의도를 알 수 있도록 눈을 맞춘다.

④ 구급차 면책 사항을 이용하는 경우에는 경광등과 사이렌을 적절하게 사용한다.
⑤ 경광등과 사이렌의 기능은 시민들에게 통행권이나 차선을 양보해 달라고 부탁하는 것이다.
⑥ 교차로에서는 항상 다른 자동차 운전자의 왼쪽으로 추월한다. 경우에 따라 중앙선을 침범해서 조심스럽게 추월해야 할 수도 있다. 교차로에서 다른 자동차 오른쪽으로 추월을 하는 것은 구급차에 차선을 양보하기 위해 오른쪽으로 이동하기 때문에 충돌 사고를 발생시킬 수 있다.
⑦ 구급차가 교차로를 통과하는 데 걸리는 시간을 예측할 수 있어야 한다. 교차로를 안전하게 지나갈 수 있는지를 효과적으로 판단할 수 있어야 한다.
⑧ 교차로에 있는 보행자를 주의 깊게 관찰한다. 보행자가 구급차가 아닌 다른 방향을 쳐다보고 있다면, 구급차 방향으로 접근하는 긴급자동차를 보고 있는 것일 수도 있다.
⑨ 무게를 가지고 달리는 구급차는 급제동을 할 수 없다는 것을 기억한다. 구급차의 속도가 약 50 km/h 정도의 느린 속도에서도 아주 짧은 거리에서는 급정지할 수 없다. 교차로를 통과할 때는 제동거리가 짧도록 브레이크의 사용을 고려해야 한다.

추가로 구급차 사고는 다음 여러 가지에 영향을 받는다.
① 대개 **주중**에는 사람들이 출퇴근을 하므로 교통체증이 심하다.
② 사무실이 밀집된 주요 도로에서의 **출퇴근 시간**에 교통체증이 더 심각하다.
③ **날씨**에 영향을 받는다.
  ㉠ 역풍이 불거나 눈이 많이 내리면 운행속도 감소 및 출동시간이 지연된다. 또는 날씨가 좋지 않을 때는 차간거리를 늘려서 운행한다.
④ **도로공사와 보수 활동**으로 교통이 심하게 혼잡할 수 있으므로 도로공사 지역을 미리 파악하고 출동계획을 세우도록 한다.
⑤ **철도**와 도로와의 교차점이 있는 지역에서는 느린 긴 화물열차 때문에 교통이 막히는 경우가 있으므로 우회도로를 파악하여 출동체계를 확보한다.
⑥ **다리**를 건너거나 **터널**을 통과하는 것은 출퇴근 시간에는 지연될 수 있다.
  ㉠ 다리 때문에 도로 앞에 차량이 멈춰있다는 것을 잊어버리는 경우에 발생하기 쉽다.
⑦ **등하교 시간**에는 제한속도가 더 낮아지기 때문에 도로교통의 흐름이 느려진다.
  ㉠ 응급차량은 붉은 등을 반짝이면서 정차해 있는 **통학버스**를 앞지르지 않는다(그림 1-9).
  ㉡ 어린이들은 응급차량을 좋아해서 종종 도로 안으로 구경하러 올 수 있다.
  ㉢ 응급차량은 **학교나 운동장**에 접근할 때 속도를 낮추고 학교교차로에서는 신호하는 사람의 지시에 따른다.

Tip. 긴급차량의 과속의 문제

응급구조사는 짧은 시간 내에 응급환자를 병원으로 안전하게 이송해야 하므로 충분한 훈련과 경험이 있어야 한다. 이러한 모든 지식을 활용하여야 한다. 대부분의 경우에 환자가 현장에서 적절히 응급처치되어 상태가 안정되어 있다면, 이송하는 차량의 속도를 높이는 것은 불필요하고 바람직하지 않다. 오히려 위험할 수 있다. 그럼에도 불구하고 응급환자를 이송할 때 응급구조사가 과속을 유발하는 원인은 다음과 같다.

① 119구급상황관리자의 경험부족 : 경험이 부족한 구급상황관리자는 자신도 모르게 흥분하여 응급차량의 과속을 유발한다. 따라서 119구급상황관리자는 신고자를 정신적으로 안정시킬 수 있는 노련함을 갖추고 있어야 한다.

② 응급차량의 장비 부족 : 환자상태를 안정시키는데 필요한 장비를 갖추지 못한 응급구조사는 차량 내부에서 충분히 응급처치를 할 수 없으므로 병원으로 최대한 빨리 가기 위해 과속을 하게 된다.

③ 응급구조사의 훈련부족 : 훈련이 부족하거나 환자를 처치할 수 있다는 신념이 부족한 경우, 응급처치를 시행하는 응급구조사로서의 역할보다는 오직 병원으로 이송하는 과정에서 과속을 하게 된다.

④ 운전요령의 미숙 : 부적절한 운전능력이다. 응급차량을 안전하게 운행하는 훈련을 받지 못한 응급구조사는 상황에 따라서 운전법을 적절하게 할 수 없기에 과속만이 유일한 응급차량 운행방법이라고 착각하게 된다.

그림 1-9. 붉은 등을 반짝이면서 정차해 있는 통학버스를 앞지르지 않는다.

6 불리한 환경상황

대부분은 맑고 화창한 날씨에도 자신을 보이도록 하거나 다른 운전자의 행동을 예측하는 데 많은 어려움을 겪는다. 게다가 약간 나쁜 날씨, 안개, 먼지바람, 미끄러운 아스팔트 등의 조건은 보통 운전자들을 완전히 당황하게 만들어 버린다. 이러한 상황에서는 최대한 조심하고 주의를 기울이고 다른 운전자들을 예상하기 위해 노력해야 한다. 조금이라도 시야가 안 좋다면 더욱 주의를 기울이고 동료가 최악의 결정을 할 경우까지 예상해야 한다. 사실 이런 상황에서는 자신도 믿어서는 안 된다. 천천히, 주의 깊게 운전하고 겨울철이든 태풍 철이든 산불 기간이든 혹은 그 지역에 응급구조사에게 시련을 주는 어떤 악천후든지 그 전에 응급차량 운전 수업에 참여했던 것들을 기억해내야 한다.

7 구급차 안전운행

1) 구급차 운행

구급차를 운행하기에 앞서서 선행되어야 할 조건들이 있다. 안전한 운행을 위해서는 환자의 응급처치에 있어서도 중요한 요소이고, 구급차 운전에는 훈련과 판단력이 필요하다. "연습은 완전함을 만든다"라는 말처럼, 응급구조사는 언제나 어떠한 장소이거나 어떤 차량에서도 주행연습을 숙달될 때까지 연습해야 한다.

구급차에서는 탑승한 모든 사람들은 안전벨트를 항상 착용해야 한다. 안전벨트는 의심할 여지없이 모든 구급차 또는 응급차량에서 가장 중요한 안전장치이다. 이에 현장 출동 중이나 환자 응급치료 시행 중에도 가능한 안전벨트를 착용해야 한다.

대부분의 구급차 운행에 있어서는 일정한 도로를 따라 주행하지만, 예기치 못한 상황에 대비하여 다른 도로망도 알고 있어야 하고(그림 1-10), 대형 재난이 발생한 경우에는 모든 공공기관과 응급의료기관 등이 참여해야 하고, 안전이 확인된 도로망으로만 주행하는 것이 바람직하다. 구급차 운전자는 뜻하지 않은 교통체증을 접하게 되면 119구급상황관리자에게 연락하여 다른 운전자에게 교통체증에 대해 알려주어 다른 도로망을 이용하도록 해야 한다.

대부분 도로에서 좌측 차로가 가장 적은 교통량이 보이고, 다른 차선은 오른쪽으로 이동하여 도로를 확보해 줄 수 있기 때문에 여러 차선이 있는 (고속)도로에서는 구급차가 가장 좌측 차선을 이용하는 것이 바람직하며, 구급차를 운행하는 운전자는 항상 방어운전을 해야 한다.

그림 1-10. 다른 도로망 파악(구급차 '높이제한' 걸려 두동강)

이러한 방어운전은 다음 같은 상황에서 모든 가능성을 열어두고 안전운행을 해야 한다.

① 주위 차량의 운전자가 운전미숙
② 주위 차량의 부주의로 인해 사고
③ 신호가 없는 도로 등

구급차가 안전 운행을 하기 위해서는 다음과 같다.

① 긴급자동차에 대한 특례 올바르게 사용
  ㉠ 응급구조사는 환자의 안녕을 위해서 절대적으로 필요할 때만 통행우선권을 활용한다.
  ㉡ 무조건 과속으로 운행하는 것은 자신과 환자에게 위험을 가할 수 있으므로 가능한 억제한다.
② 경음기 과신 금기
  ㉠ 구급차 장비 중에게 가장 많이 남용되는 것의 하나가 경음기이다.
  ㉡ 방음된 차량내부의 운전자, 가속할 경우, 라디오를 틀어놓았을 경우, 에어컨이나 히터가 작동될 경우에는 경고음을 듣지 못한 경우가 많다.
③ 다른 도로망 계획
  ㉠ 도심이나 외곽의 여러 도로망을 숙지하여 목적지까지 최단거리와 최소 시간에 도착할 수 있도록 이송로를 결정해야 한다.
  ㉡ 실제 이송로를 적절히 변경하는 것이 속도를 증가시키는 것보다 시간을 절약할 수 있다.
  ㉢ 자주 막히는 도로, 신호등이 많은 도로망을 잘 숙지하여 주변의 도로를 선택하는 것이 바람직하다.

④ 안전한 교차로 통과

㉠ 구급차 경고음에 의해 다른 운전자는 오른쪽으로 자동차를 이동하여 멈추거나 오른쪽으로 위치하여 이송로를 확보해 줄 거라 생각하지만 이는 잘못된 판단이고, 이런 경우 구급차는 과속하게 되어 사고를 유발하게 된다.

㉡ 신호가 바뀌는 순간, 초록신호가 점멸되려고 할 때 고속으로 질주하게 되면 심각한 사고가 발생한다.

⑤ 안전 운행을 위한 지침 이행

㉠ 교통이 혼잡한 도로를 피한다.

㉡ 일방통행로는 가급적 피한다.

㉢ 도착 시에는 안전한 곳에 주차한다(주행방향에 반대로 주차하는 경우에는 전조등(headlights)을 끄고 비상등으로 경고를 한다).

㉣ 긴급한 경우를 제외하고는 제한 속도를 준수한다.

㉤ 교통흐름에 따라 구급차를 주행한다.

㉥ 병원으로 이송 중에는 가급적 경음기를 사용하지 않는다.

㉦ 비상등과 경음기는 다른 운전자에게 경고하기 위한 목적으로도 사용될 수 있다.

㉧ 항상 안전거리를 유지한다(예 : 시속 60 km이면 17 m/sec로 주행하므로 앞 차량과 최소 34 km 이상 되도록 안전거리를 유지한다).

Tip. 자동차 조명

① 전조등(headlights) : 조명과 신호를 위해 차량 앞쪽에 있는 규정 조명 장치

② 방향 지시등(turn signal) : 차량의 방향을 바꿀 때나 다른 차량에게 일시적 위험 상태임을 신호하기 위해 단속적으로 빛을 내는 발광 장치

구급차가 출동 명령을 받고 움직인다는 것은 무엇을 의미하는 것인가? 명령을 받은 주체는 응급구조사와 구급차가 될 것이며, 응급구조사와 구급차는 응급이송이라는 같은 목적을 가

지고 차고지를 떠나 현장과 응급실을 거쳐 귀소하게 될 것이다. 임무를 완수하기 위해서는 운전자와 구급차 모두가 교통사고를 일으킬 만한 모든 요소를 제거할 필요가 있다. 구급차에 적재된 장비와 청결 등의 조건이 완료된 상태를 전제로 운전자와 일반 자동차의 배려가 필요한 부분들을 살펴보아야 한다.

① 신체 · 정신적으로 건강해야 한다.

㉠ 응급구조사는 구급차를 운행에 방해가 되는 어떠한 신체적 결함이나 운전을 불가능하게 하는 의료상의 상태, 즉 감기약, 진통제, 진정제(잠이나 반응을 느리게 유도) 등을 복용했거나 음주 후에는 운전을 해서는 안 된다.

㉡ 마리화나, 코카인, 환락 약물, 항히스타민제 같은 약, 각성제, 정신안정제를 복용한 상태에서는 절대 운전하지 않는다.

㉢ 정신적으로 건강하고 감정을 통제할 수 있어야 한다. 정서적으로 안정된 운전자는 극한 상황이나 정신적 충격에서도 구급차를 안전하게 운전할 수 있다. 구급차 운전자가 경광등과 사이렌을 작동 시에 당황하고 감정에 변화가 발생한다면 운전자로 적합하지 않다.

㉣ 스트레스를 받아도 수행할 수 있어야 한다.

㉤ 운전 시 필요하다면 안경이나 콘택트렌즈를 착용한다.

② 교통법규에 정통하고 안전운전을 위한 강한 신념을 가지고 있어야 한다.

㉠ 운전자가 지녀야 할 능동적인 태도를 가져야 하지만 과도한 자신감을 갖고 위험을 무릅쓰지 않아야 한다.

③ 운전 중의 위험방지를 위한 운전기술이나 지식을 갖추고 있어야 한다.

㉠ 다른 운전자에게 인내심을 갖는다. 항상 사람들이 응급차량에 대한 반응이 다양하다는 사실을 기억한다. 화내지 말고 다른 운전자의 나쁜 습관을 이해하고 인내하도록 노력한다.

㉡ 제한된 면허증으로는 절대 운전하지 않는다.

④ 교통사고 발생 시 적절한 조치를 마련할 지식이나 방법을 갖추고 있어야 한다.

⑤ 개인적 스트레스, 질병, 피로, 졸음에 따라 자신의 운전 능력을 평가한다.

⑥ 운전자가 현장과 주변 교통상황에 대하여 정통해야 한다.

⑦ 운전자가 운전하고자 하는 구급차량의 장치의 조작에 정통해야 한다.

⑧ 운전자가 교대시간에 충분히 점검하고, 이상한 상태가 없는지 확인해야 한다.

만일 응급구조사의 심리적 또는 피로 누적 등으로 인하여 출동 임무수행에 문제가 있을 수 있다면 예비 인력을 준비하고 피로가 누적된 대원은 다음 임무를 수행하기에 충분한 휴식을 배려해 주어야 한다.

위의 배려조건들이 충족되었다면, 응급구조사는 확보된 지역의 교통상황 및 도로망으로 최단거리와 최단시간에 임무 수행함과 동시에 안전함과 신속함에 대한 서비스의 질을 높일 것이다.

Tip. 응급의료에 관한 법률 제47조 구급차 등의 장비

① 구급차 등에는 응급환자에게 응급처치를 할 수 있도록 의료장비 및 구급의약품 등을 갖추어야 하며, 구급차 등이 속한 기관 · 의료기관 및 응급의료지원센터와 통화할 수 있는 통신장비를 갖추어야 한다.

② 구급차에는 응급환자의 이송 상황과 이송 중 응급처치의 내용을 파악하기 위하여 보건복지부령으로 정하는 기준에 적합한 다음 각 호의 장비를 장착하여야 한다. 이 경우 보건복지부령으로 정하는 바에 따라 장비 장착에 따른 정보를 수집 · 보관하여야 하며, 보건복지부장관이 해당 정보의 제출을 요구하는 때에는 이에 따라야 한다.

1. 구급차 운행기록장치 및 영상기록장치(차량 속도, 위치정보 등 구급차의 운행과 관련된 정보를 저장하고 충돌 등 사고발생 시 사고 상황을 영상 등으로 저장하는 기능을 갖춘 장치를 말한다)
2. 구급차 요금미터장치(거리를 측정하여 이를 금액으로 표시하는 장치를 말하며, 보건복지부령으로 정하는 구급차에 한정한다)
3. 「개인정보 보호법」 제2조제7호에 따른 영상정보처리기기

③ 제1항에 따라 갖추어야 하는 의료장비 · 구급의약품 및 통신장비 등의 관리와 구급차등의 관리 및 제2항에 따른 장비의 장착 · 관리 등에 필요한 사항은 보건복지부령으로 정한다.

④ 제2항 제3호에 따른 장비는 보건복지부령으로 정하는 구급차 이용자 등의 동의 절차를 거쳐 개인영상정보를 수집하도록 하고, 이 법에서 정한 것 외에 영상정보처리기기의 설치 등에 관한 사항은 「개인정보 보호법」에 따른다.

Tip. 구급차등에 갖추어야 하는 장비의 관리기준(응급의료에 관한 법률 시행 규칙 제38조 제4항), [별표 17]

1. 감염예방을 위하여 구급차등은 주 1회 이상 소독하고, 구급차등에 갖추어진 의료장비도 사용 후 소독하여야 하는 등 청결하게 관리되어야 한다.
2. 감염관리를 위한 소독약제, 감염관리방법 등 기타 세부 사항은 보건복지부장관이 정하는 방법에 따른다.
3. 구급차등의 의료장비, 구급의약품, 통신장비, 구급차 운행기록장치 및 영상기록장치, 구급차 요금미터장치 및 영상정보처리기기가 항상 사용 가능한 상태로 유지되어야 한다.
4. 구급차등의 연료는 최대주입량의 4분의 1 이상인 상태로 유지되어야 하는 등 차량 자체는 항상 사용 가능한 상태로 유지되어야 하며 정기점검 등이 이루어져야 한다.
5. 사고를 대비한 책임보험 및 종합보험에 가입되어 있어야 하고, 비상등, 신호탄, 소화기 및 보온포가 준비되어야 한다.

6. 구급차등의 통신장비는 응급의료지원센터 및 응급의료기관과 항상 교신이 이루어 질 수 있도록 관리되어야 한다.
7. 구급차는 「구급차의 기준 및 응급환자이송업의 시설 등 기준에 관한 규칙」에서 정하는 사항에 따라 관리 · 운영되어야 한다.
8. 구급차등의 내부에 환자 또는 그 보호자가 잘 볼 수 있도록 해당 구급차등의 이송처치료의 금액을 나타내는 표를 부착하여야 하고, 환자를 이송하는 경우에는 환자 또는 그 보호자에게 구급차의 이송요금에 관한 사항을 알려야 한다.
9. 구급차 요금미터장치가 장착된 구급차의 내부에는 신용카드 결제기를 설치하여야 하고, 환자를 이송하는 경우에는 요금미터장치를 사용하여 운행하여야 하며, 환자 또는 그 보호자가 신용카드 결제를 요구하면 응하여야 한다.
10. 구급차등의 운행기록을 기재하는 구급차등 운행기록 대장을 비치 · 작성하고 구급차등 운용자는 이를 3년간 보관하여야 한다.

2) 구급차 운전대를 잡는 방법

구급차량 운전자는 앞차의 전방까지 시야를 멀리 두면서 운전대의 10시 방향과 2시 방향에 손을 가볍게 올려놓는다. 특별한 상황이 아니면 절대 한 손으로 운전하지 말아야 한다. 운전대를 돌리는 시간은 차량의 속도와 비례하여 곡선도로나 차선을 변경하기 위해 운전대를 돌릴 경우에는 달리는 차량의 속도에 알맞게 회전시켜야 한다. 만약 고속으로 달리는 상황에서 운전대를 급회전(우측 손이 2시 방향, 좌측 손이 10시 방향)시키면 차량이 전복될 위험성이 크다(그림 1-11).

그림 1-11. 운전대 잡는 법
직진으로 주행할 때에 운전사의 손은 운전대의 10시 방향(왼손)과 2시 방향(오른손)으로 위치시킨다. 왼쪽으로 회전할 때는 오른손이 운전대를 따라 미끄러지는 동안 왼손이 시계 반대 방향으로 당기는 것에 의해 시작된다. 운전사의 손은 겹쳐져서는 안 된다.

3) 긴급자동차에 대한 특례

구급차를 비롯한 긴급차량이 종종 사고를 일으키는 원인이 되는 뉴스를 종종 볼 수가 있다. 이들 긴급자동차는 왜 사고가 나는 것일까? 모든 일반차량들이 긴급자동차에 대한 방어운전이나 양보운전을 한다면 사고는 일어나지 않을 것이나, 일반차량 운전자들은 이러한 긴급자동차의 갑작스러운 출현에 미처 방어할 준비나 양보할 준비가 되지 않아 교차로나 신호등이 있는 도로에서 사고가 자주 발생하게 된다. 이는 구급차량을 운전하는 응급구조사가 긴급자동차에 대한 특례의 잘못된 적용 및 이해로 인하여 신호위반이나 교차로 등의 도로를 가로질러 운전하기 때문이다. 법에서 제시한 우선 통행 및 특례법은 모든 사고에 대한 방어막이나 면죄부가 될 수가 없다. 이는 사고를 일으키지 아니하고 운전할 때 발생하는 긴급차량의 예외 조건일 뿐이다. 예를 들어, 구급차가 응급상황이 아닌 상태에서 과속하거나 불법 유턴을 한다면 차량이나 운전자에게 범칙금이나 벌점을 부여하게 된다. 이러한 긴급자동차에 대한 특례법을 잘못 인지하고 운행하다 보면 곤혹스럽게 될 것이다. 따라서 구급차를 운전할 때에는 교통법규를 준수하고 부득이한 경우에는 주위의 교통상황을 잘 살펴 환자와 대원의 생명을 위태롭게 만들지 말아야 한다.

Tip. 도로교통법 제2조 정의

① "긴급자동차"란 다음 각 목의 자동차로서 그 본래의 긴급한 용도로 사용되고 있는 자동차를 말한다.
가. 소방차
나. 구급차
다. 혈액 공급차량
라. 그 밖에 대통령령으로 정하는 자동차

구급차량 운전자가 다른 차량의 안전에 대해 정당하지 못하게 운전하는 경우, 교통위반 과태료, 재판, 감금 등 결과에 책임을 질 준비를 해야 한다. 다음은 전형적으로 구급차 운행을 규제하는 법률에 포함된 주의사항이다.

① 차량에 적합한 운전면허증을 소지해야 하며 훈련과정을 완수해야 한다.
② 응급상황에 출동하거나 환자나 부상자의 응급이송을 하는 경우 구급차 운전자에게 적용되는 법률 내에서 특권을 준다.
③ 특권은 예외적으로 무모한 운전을 하거나, 다른 사람의 안전을 무시하면서 운전을 할 경우에는 구급차량 운전자에게 특권을 주지 않는다.
④ 특권은 운전자가 법률에 명시된 방법으로 경고 장치를 사용하는 경우에만 적용된다.

Tip. 도로교통법 시행령 제3조 긴급자동차의 준수 사항

① 긴급자동차(제2조 제2항에 따라 긴급자동차로 보는 자동차는 제외한다)는 다음 각 호의 사항을 준수하여야 한다. 다만, 법 제17조 제3항의 속도에 관한 규정을 위반하는 자동차등을 단속하는 긴급자동차와 제2조 제1항 제5호에 따른 긴급자동차는 그러하지 아니하다.

1. 「자동차관리법」 제29조에 따른 자동차의 안전 운행에 필요한 기준(이하 "자동차안전기준"이라 한다)에서 정한 긴급자동차의 구조를 갖출 것
2. 사이렌을 울리거나 경광등을 켤 것(법 제29조에 따른 우선 통행, 법 제30조에 따른 특례 및 그 밖의 법에 규정된 특례를 적용받으려는 경우에만 해당한다)

② 제2조 제1항 제5호의 긴급자동차와 같은 조 제2항에 따라 긴급자동차로 보는 자동차는 전조등 또는 비상표시등을 켜거나 그 밖의 적당한 방법으로 긴급한 목적으로 운행되고 있음을 표시하여야 한다.

대부분의 법류에서는 구급차량 운전자에게 다음과 같이 허가하고 있다.

① 사적인 재산을 침해하지 않고 생명이 위험하지 않은 한 어디든지 차량을 주차할 수 있다.

② 정지 신호등, 깜빡이는 붉은 정지 신호등, 정지 표지판을 지나쳐 갈 수 있다.

㉠ 응급차량 운전자에게 완전히 정지하고 나서 주위를 관찰하면서 조심스럽게 통과한다.

㉡ 운전자가 속도를 늦추면서 조심해서 운행하도록 하고 있다.

③ 도로가 주행하는 데 문제가 없는지 확인하면서 적절한 신호등을 켜고, 다른 사람의 생명이나 재산에 피해를 주지 않도록 조치하고 난 후, 통행금지 지역으로 다른 차량을 지나쳐 갈 수 있다. 붉은 등을 깜빡이고 주행하고 있는 학교 버스를 추월해서는 안 된다. 학교 버스 운전자가 학생들을 내려주고 난 후 붉은 등을 끌 때까지 기다려야 한다.

④ 다른 차선으로 운행을 해야 할 경우에는 신호하면서 세심한 주의를 필요로 한다.

⑤ 응급상황에서는 다른 차선이나 특정방향으로의 운전할 수 없는 운행법규를 무시할 수 있다.

Tip. 도로교통법 제34조의2 정차 또는 주차를 금지하는 장소의 특례

제32조 제6호 또는 제33조 제4호에 따른 정차나 주차가 금지된 장소 중 지방경찰청장이 안전표지로 구역 · 시간 · 방법 및 차의 종류를 정하여 정차나 주차를 허용한 곳에서는 제32조 제6호 또는 제33조 제4호에도 불구하고 정차하거나 주차할 수 있다.

구급차 운행 중 충돌사고가 발생하면, 두 가지 주요한 문제에 기인하여 법률을 해석할 것이다.

① 다른 사람의 안전을 충분히 고려했는가?

㉠ 무엇보다도 구급차량 운전자에게는 중요시되는 사항이다.

② 응급상황이었는가?

㉠ 진정한 응급상황이란 응급구조사는 얻을 수 있는 최선의 정보에서 환자의 생명이 위험하거나 사지가 손실될 가능성이 있는 경우를 말한다. 응급구조사가 출동명령을 받았을 때 충분한 정보가 없을 경우가 있으므로 '충돌' 사고에는 응급출동을 해야 할 것이다. 그러나 사고현장에 도착해서 환자상태가 치명적인 손상 없이 안정적이라면 응급상황이 아니다. 응급상황이 아닌 경우에는 경고등과 사이렌을 켜고 병원으로 신속하게 이송하는 것은 바람직하지 않다.

Tip. 도로교통법 제30조 긴급자동차에 대한 특례

긴급자동차에 대하여는 다음 각 호의 사항을 적용하지 아니한다.

1. 제17조에 따른 자동차등의 속도 제한. 다만, 제17조에 따라 긴급자동차에 대하여 속도를 제한한 경우에는 같은 조의 규정을 적용한다.
2. 제22조에 따른 앞지르기의 금지
3. 제23조에 따른 끼어들기의 금지

4) 대체 경로의 선택

구급차가 응급환자나 손상환자가 있는 현장 도착하는 시간이 지연될 경우, 운전자는 다른 경로를 선택하거나 다른 구급차의 출동 요청을 고려해야 한다. 변화하는 상황이 출동에 영향을 미치기 때문에 계획하고 지역 지형 및 도로를 파악할 수 있는 자세한 지도를 가져야 한다. 지도에는 학교, 다리, 터널, 철도, 교차로, 심한 정체 지역과 같은 교통문제가 있는 지점이 나타나 있어야 하고 또한 도로와 건물공사 지역이나 장, 단기 우회로와 같은 일시적인 문제도 표시되어야 한다.

차고 및 사무실에도 지도를 두고 구급차 안에도 지도를 비치하여 교통에 문제점이 발생하면 빠르고 안전하게 목적지에 있는 응급환자나 손상환자에게 갈 수 있는 대체 경로를 선택할 수 있어야 한다.

Tip. 특수상황에서의 구급차 운행

① 빙판길, 눈길, 자갈길 이나 모래가 있는 길 등 기후와 도로상태가 열악한 경우에는 우선적으로 감속 운행을 한다.

② 물기 있는 도로에서 주행시에 차가 옆으로 밀리는 현상을 수막현상(Hydroplaning)이라 한다.

㉠ 자동차 시속 50 km 이상의 속도가 되면 도로표면의 물은 자동차 바퀴의 접촉면을 채우기 때문에 바퀴가 도로표면에서 뜬 상태가 된다.

㉡ Hydroplaning 현상이 생기게 되면 구급차 운전자는 브레이크를 꽉 밟지 말고 서서히 작동시켜서 조금씩 속도를 줄어야 한다.

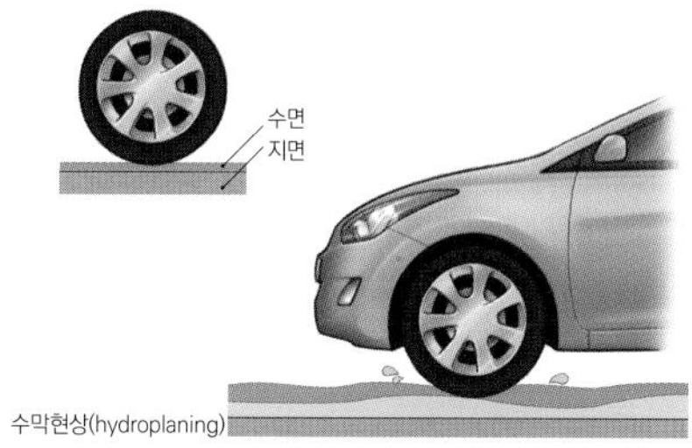

③ 물속 주행

㉠ 물이 고여 있는 도로 주행은 피한다.

㉡ 피할 수 없다면 감속하고 와이퍼를 작동한다.

㉢ 물 속에서 나온 후에는 제동부분을 마를 때까지 브레이크를 여러 번 밟아 주어 물기를 제거한다.

④ 시계의 감소

㉠ 안개, 눈이나 비가 내린 경우에는 좁아지고 가려진 시야로 인해 감속 운행을 해야 하고, 야간에는 하향등만 사용하여 최상의 시야를 확보해야 한다.

㉡ 구급차 운전자는 주간에도 전조등을 사용하여 다른 운전자에게 시야를 넓혀주어야 한다.

⑤ 기름 종류의 약체가 도로 표면에 흐른 경우 또는 도로표면이 결빙된 경우

㉠ 구급차 바퀴의 마찰력이 감소하기 때문에 상당히 위험하다. 이에 양질의 4계절 바퀴와 적절한 속도로 안전 운행한다.

㉡ 추운환경에서는 스노타이어를 이용하여 미끄러움을 방지한다.

㉢ 다리나 육교를 주행할 경우 결빙될 확률이 높기 때문에 주의하여 운행한다.

8 응급현장에서의 구급차 주차

대부분이 차량 흐름 상황에서 주차할 때에는 교통의 조절과 흐름을 위해서 적절한 곳에 정차하고, 흐름을 방해하지 않도록 사고차량 옆에 주차하지 말고, 주행방향 앞이나 뒤에 위치시

킨다. 사고 현장에서 구급차로 자신을 막아서 보호하고 차량 흐름 방향으로 앞바퀴가 향하게 끔 차를 세우도록 해야 한다. 만약 업무 중에 헤드라이트의 불빛이 필요하거나 화재진압을 위해 출구 전면으로 접근하는 경우라면 적절할 것이다. 하지만 구급차는 뒤쪽에서 환자를 싣기 때문에 구급차를 구석으로 대는 경우에는 적절하지 않다. 뒤쪽을 보호하고, 환자를 싣기 위한 최적의 위치로 주차해야 한다. 단, 구급차가 현장에 가장 먼저 도착했을 경우는 예외이다. 나중에 현장에서 이동해야 할 수도 있다는 걸 꼭 기억해야 한다(그림 1-12).

1) 사고현장에서의 구급차의 정차 및 주차

응급구조사는 출동 중 입수되는 현장정보(무전이나 신고 사항들)를 가지고 구급차의 위치를 어느 곳에 얼마나 거리를 두고 주차 시킬 것인지와 구조차나 경찰차 등의 지원차량과 함께 출동되는지를 확인하여 사전 주차계획을 출동 중에 세워야 한다.

① 현장에 최초로 도착하는 경우(먼저 도착한 경우)
   ㉠ 동료와 환자에게 잠재적인 위험요소가 있는지 현장평가를 수행한다.
   ㉡ 위험한 지역을 설정한다.
   ㉢ 주행 중인 자동차의 운전자에게 경고 할 수 있도록 사고현장 도착 전(후방) 15 m에 주차를 시키고(사고 잔해의 전방 주차), 가능한 한 빨리 신호탄을 쏘아 올리거나 비인화성 경고 장치를 설치한다.
② 현장의 안전이 이미 확보된 경우(후 도착한 경우)
   ㉠ 다른 자동차의 교통흐름에 방해되지 않도록 사고현장을 지난 후(전방) 15 m에 주차한다.
   ㉡ 현장에 있는 응급 의료팀에 의해 사고현장 지휘체계가 이미 확립된 경우, 응급구조사는 현장 도착 전부터 지시사항을 전달받을 수 있다. 예를 들어, 다발성 사고의 경우, 어느 곳에 주차하고, 누구에게 보고할 것인지를 알려준다.
③ 자동차 화재가 없는 경우에는 현장에서 최소 15 m 떨어진 곳에 주차한다.
④ 자동차 화재가 있는 경우에는 현장에서 최소 30 m 떨어진 곳에 주차한다(그림 1-13).
⑤ 유독가스가 누출되는 경우에는 오르막길 또는 바람이 불어오는 반대방향에 주차한다.
⑥ 인화물질이 흐르고 있으면 흐름의 반대쪽에 위치시킨다. 언덕이나 커브가 있는 도로에 주차시킬 때에는 반드시 바퀴에 고임목을 고이고, 차량의 후방에 경고표지판을 설치한다.
⑦ 폭발물이 탑재한 차량인 경우에는 현장에서 600-800 m 떨어진 장소에 주차한다.
⑧ 전봇대 전선줄이 현장에 늘어진 경우에는 전봇대와 전봇대 사이를 반경으로 하는 원의 밖에 주차한다.
⑨ 현장에 주 · 정차시키는 경우 주행방향과 같은 방향으로 위치시킨다.

⑩ 차량의 후방에 위치시킬 경우에는 비상등과 표지판을 이용하여 뒤에 오는 차량이 당황하거나 충돌하지 않도록 조치하여야 한다.

㉠ 구급차 뒷문이 열려있는 경우 비상등과 경광등을 보지 못하거나 전방주시를 소홀히 하여 사고가 일어날 수 있다. 빨간색 경고등의 빛은 술에 취했거나 피로에 지친 운전자를 끌어당긴다는 연구 결과도 있다.

㉡ 구급차를 갓길에 주차하며 전조등을 끄고, 자동차 깜빡이를 사용하는 것이 좋다.

㉢ 양쪽 동시에 깜빡이는 점멸등은 주행 중인 자동차가 구급차의 크기와 위치를 식별하는 데 도움이 된다.

㉣ 현장에 최초로 도착하였을 경우 구조작업 도중 또는 응급처치 중에 달려오는 차량에 의하여 발생하는 사고를 예방하여야 한다.

⑪ 현장상황 상 부득이하게 차량의 흐름을 방해하게 될 경우에는 최대한 신속하게 환자를 안전한 장소로 옮겨 응급처치를 시행하고, 차량 흐름에 방해가 최소화되도록 노력하여야 한다.

⑫ 사고현장을 지나는 차량에 의하여 응급구조사와 경찰 및 환자들이 상처를 입거나 심지어는 사망하는 사고가 드물지 않게 발생한다. 따라서 가능한 사고현장에서는 대원과 환자의 안전을 제일 우선으로 생각하고 이에 맞게 행동하여야 한다.

⑬ 사고현장에 구급차를 주차하는 경우 여러 상황을 고려하여야 한다(표 1-4).

⑭ 가능하다면 경찰이 도착할 때까지 동료에게 교통통제 도움을 요청한다.

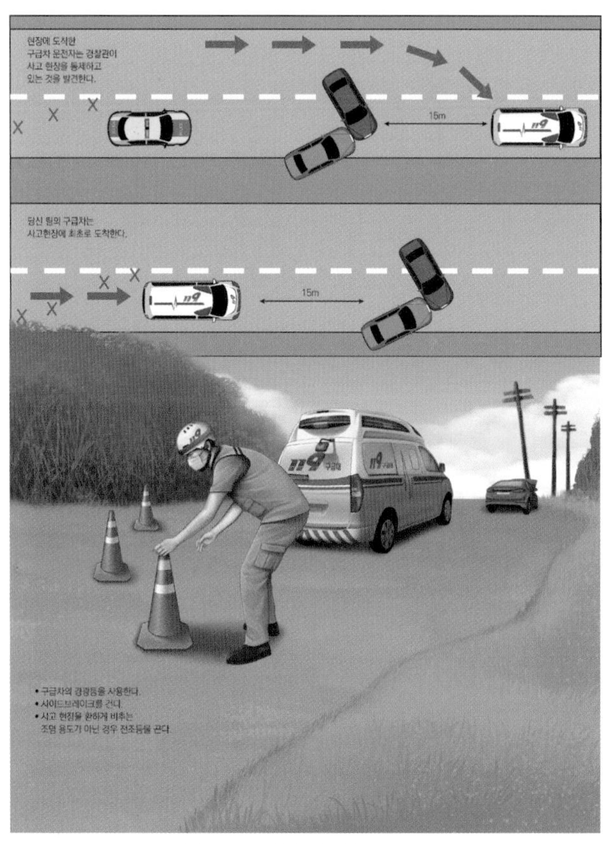

그림 1-12. 사고현장에서의 구급차 주차

고속도로에서의 교통사고와 교통이 혼잡하여 차들이 서행하는 곳 또는 교차로일 경우에 구급차의 주차 위치는 달라질 것이다. 또한, 구조차나 견인차 및 경찰차 같은 지원부서 차들의 예상 도착시각에 의해서도 구급차의 위치가 달라진다. 하지만 사전 예상한 주차 위치와 현장 상황으로 인한 현장에서의 주차 위치는 변경될 수도 있다.

표 1-4. 구급차의 정차 및 주차

① 출동한 대원의 안전을 고려해서 위치시킨다.
② 사고현장 바로 옆에 위치하여 교통의 흐름을 방해하지 말아야 한다.
③ 최초 현장도착시에는 사고현장의 전방 15 m에 위치시킨다.
④ 차량화재가 있는 경우 30 m 떨어진 곳에 정차시킨다.
⑤ 선착한 구조차 또는 경찰차량이 있다면 사고현장의 후방에 위치시킨다.
⑥ 전선줄이 늘어져 있는 경우 전봇대 간의 반경으로 하는 원의 밖에 위치시킨다.
⑦ 폭발물 등을 탑재한 차량이 사고가 난 경우는 600-800 m 떨어진 곳에 위치시킨다.
⑧ 인화물질 등의 위험물이 흐를 경우 반대쪽에 정차시킨다.
⑨ 유독가스 등을 탑재한 차량의 사고의 경우 바람이 불어오는 반대 방향 또는 언덕위에 위치시킨다.

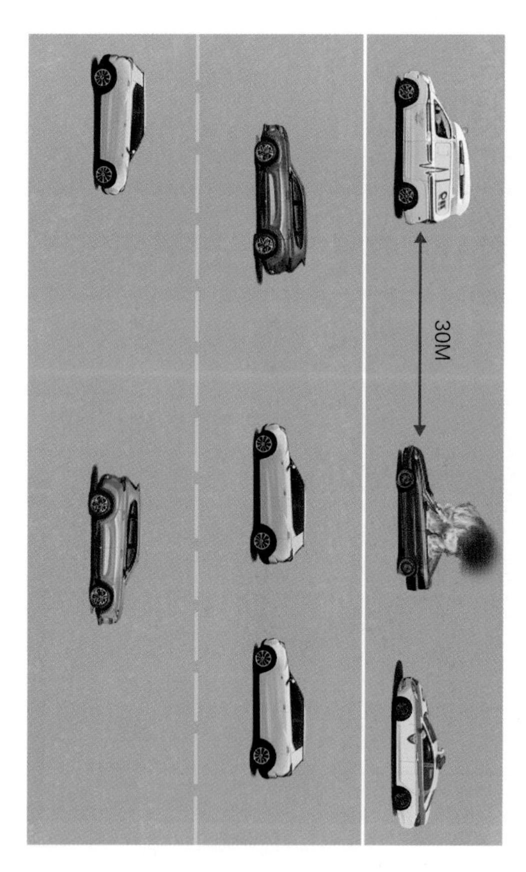

① 차량의 경고등을 켠다.
② 고인목을 설치한다.
③ 사고현장에 불필요한 전조등은 끈다.

그림 1-13. 최대한 안전을 확보하는 차량 위치선정

구급차를 후진할 때는 거울(back mirror or side mirror)의 사각지대가 크므로 보행자나 물체, 다른 차량에 부딪힐 위험이 있다는 사실을 알아야 한다. 가능하다면 구급차 뒤에 안내자를 활용하여 후진하는 데 도움을 받도록 한다(그림 1-14).

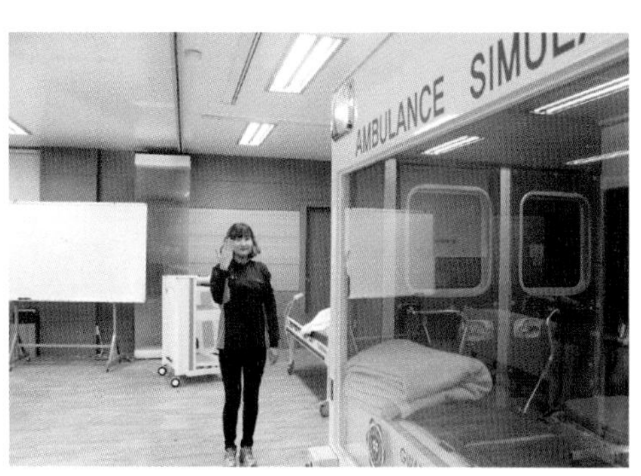

그림 1-14. 구급차 후진할 때는 안내자의 도움을 받도록 한다.

대부분 응급의료시스템에서는 구급차의 후진에 대한 규칙을 두고 있다. 구급차의 후진은 수리비가 드는 구급차 손상의 가장 큰 원인이 된다. 가능하다면 구급차를 후진해야 하는 상황을 피하는 게 좋고, 꼭 해야 하는 경우에는 다음의 규칙을 따른다(표 1-5).

표 1-5. 구급차의 후진

① 보조자를 둔다.
② 차량을 후진하기 전에 보조자와 협의한다.
③ 보조자는 항상 보이는 위치에 있어야 하고, 보조자가 보이지 않는다면 보일 때까지 구급차를 정지한다.
④ 움직이기 전에 수신호에 대해 의견이 일치하여야 한다.
⑤ 움직이는 동안 보이지 않는 위험에 대한 경고 소리를 들을 수 있도록 창문을 내려야 한다.
⑥ 후진 전에 차량 뒤쪽으로 가서 주위를 살핀다. 지상의 물체들은 후진으로 움직이는 동안 보이지 않을 수 있다.
⑦ 구급차가 움직이는 동안 소리가 나는 경고 장치를 이용한다.

일단 구급차를 주차하면, 사이드 브레이크를 올리고, 구급차가 다른 차량과 충돌했을 때 앞으로 나가는 움직임을 저지할 수 있도록 타이어 바퀴 밑에 고임목을 단단하게 설치해야 한다.

응급구조사는 현장평가를 수행하고 모든 필요한 감염차단장비와 위험물질 예방조치를 취하도록 한다.

2) 구급차 주차

구급차가 불필요하게 교통의 흐름을 방해하는 경우에는 일반 대중들이 가끔 불평하곤 한다. 응급구조사가 사람의 생명을 구하기 위해 도로를 차단하는 것을 왜 일반인들이 반대하는지 이해하기 어려울 것이다. 하지만 만일 응급구조사가 안전을 이유로 도로를 차단하여 구급차를 주차할 필요가 있다면 그렇게 할 수 있다. 다만, 사고와 관련되지 않은 다른 사람들에 대한 배려가 있어야 한다(그림 1-15). 예를 들면, 아파트에 주차할 때, 다른 사람들이 지나가야 할 경우도 있기에 다른 차량을 방해하지 않도록 주차하여야 한다.

그림 1-15. 사고와 관련되지 않은 다른 사람들에 대해 배려해야 한다.

건조한 날씨에는 차량 하부의 뜨거운 열기에 의해 잔디에 화재가 발생할 수 있다. 흐린 날씨에는 구급차 무게로 인해 진흙 길이 되고 구급차가 빠져나오기 어렵게 될 수 있다. 야간에 도로 옆에 주차하는 경우는 특히 위험하다. 일부 운전자들은 사고광경으로 인해 주의가 분산되어 한쪽으로 미끄러지거나 주차된 구급차와 충돌할 수 있다. 또는 모든 경광등을 켜는 경우보다 휴대용 조명등을 사용하는 것이 더 안전할 수도 있다. 마찬가지로 반대쪽에서 주행하는 차량의 시야가 차단되는 것을 막기 위해 전조등(headlight)은 꺼야 하고, 특히 2차선 도로인 경우는 더욱 주의해야 한다.

도로상에서 차 밖으로 나갈 때는 항상 눈에 잘 띄는 보호의류를 입어야 한다. 반사 조끼는 가벼울 뿐만 아니라 낮과 밤 모두 눈에 잘 띄는 장점이 있다. 충돌사고로 인해 환자 구출작업이 필요한 경우에는 고성능의 보호의류를 입어야 한다.

3) 사고현장의 교통정리

사고현장에서 응급구조사가 제일 먼저 고려해야 할 사항은 환자의 안전과 응급처치이다. 하지만 현장에 도착해 보면 교통통제를 담당할 경찰관을 찾아보기가 어려울 때가 빈번하다. 이렇게 구급차가 최초 도착하여 주위 사람들에게 도움을 청하고, 때론 동료가 경찰관이 도착할 때까지 교통정리를 하도록 지시하여 응급구조사가 응급처치하는 동안 방해와 위협을 받지 않도록 조치하여야 한다. 교통통제의 목적은 교통을 원활히 하는 것과 같은 장소에서 비슷한 사고가 일어나지 않도록 통제하는 것이다. 따라서 경찰관이 도착하기 전에 환자가 안정되었거나 응급처치 및 안전한 이송이 완료되면 원활한 교통의 흐름을 위하여 교통통제를 하여야 하고 경찰차가 도착하면 경찰관에게 통제 업무를 인계하고 본연의 업무수행으로 돌아가야 할 것이다.

9 타인의 안전을 위한 고려

응급구조사는 공공을 위해 존재한다. 자격증이나 장비, 매일 이용하는 무선주파수와 매일 달리는 도로도 마찬가지이다. 업무를 수행하기 위해 몇 가지 교통법을 어길 수 있는 직업적 특권도 그러하다. 응급차를 운전하는 대원은 너무 과속으로 달리거나 먼저 가려고 하는 것 때문에 일반 국민들이 불편할 수 있다는 점을 깊이 명심해야 한다.

이러한 특권을 남발하다가는 국민 및 같이 일하는 동료를 죽인 후에 매일 커다란 좌절감을 느껴야 할 것이다. 이런 일들은 언제나 순식간에 일어나버린다. 속도가 '응급의료체계'에서 가장 중요하다고 하는 경우도 있으나, 지식은 '전문적인 응급의료체계'의 필수라는 격언이 안전을 확보하게 한다. 응급구조사가 된다면 다른 어떤 응급의료종사자보다도 많은 훈련과 경험을 하게 될 것이다. 꼭 전문가가 되어야 한다.

10 구급차의 경고장치 사용

구급차에는 경고 장치와 경음기 등이 설치되어야 한다. 정부에서 추천한 구급차에서는 장방형의 경광등 및 경음기가 부착되어 있다. 경음기의 스피커는 2개가 바람직하며, 때로는 특별한 소리를 발산하는 경고음도 필요할 수 있다. 회전 경고등과 일반 경고등은 차량의 지붕에 일자형으로 설치되어야 한다.

구급차는 항상 대중과 소통하는 광고판 4면을 가지고 있다. 응급구조사는 다른 이의 안전을 존중한다는 것을 시민에게 알려주고, 환자나 보호자에 대한 응급구조사들의 신념을 보여준다.

Tip. 제3조 구급차의 표시

① 구급차는 바탕색이 흰색이어야 하며, 전 · 후 · 좌 · 우면 중 2면 이상에 각각 별표 1의 녹십자 표시를 하여야 한다. 다만, 「119구조 · 구급에 관한 법률」에 따른 119구조대 및 119구급대의 구급차에 대해서는 소방관계법령에서 따로 정할 수 있다.
② 구급차 전 · 후 · 좌 · 우면의 중앙 부위에는 너비 5센티미터 이상 10센티미터 이하의 띠를 가로로 표시하여야 한다. 이 경우 띠의 색깔은 「응급의료에 관한 법률 시행규칙」 제38조제1항에 따른 특수구급차(이하 "특수구급차"라 한다)는 붉은색으로, 같은 항에 따른 일반구급차(이하 "일반구급차"라 한다)는 녹색으로 한다.
③ 특수구급차는 전 · 후 · 좌 · 우면 중 2면 이상에 붉은색으로 "응급출동"이라는 표시를 하여야 한다.
④ 일반구급차는 붉은색 또는 녹색으로 "환자이송" 또는 "환자후송"이라는 표시를 할 수 있다. 다만, "응급출동"이라는 표시를 하여서는 아니 된다.
⑤ 구급차의 좌 · 우면 중 1면 이상에 구급차를 운용하는 기관의 명칭 및 전화번호를 표시하여야 한다.
[전문개정 2014. 7. 1.]
구급차의기준및응급환자이송업의시설등기준에관한규칙[보건복지부령 제9호, 1995.7.31., 제정]
[보건복지부령 제539호, 2017. 12. 1., 일부개정]

응급차량의 안전운행은 경고 장치를 적절하게 사용하면서 확실한 응급 방어 운전연습이 병행될 때만 가능한 것이다. 119신고접수시스템의 기술적인 진보와 전화상담원의 중증도 분류 적절성에도 불구하고 대부분 구급차는 신고자에게 출동 시 조명등과 사이렌을 사용한다. 반면 환자를 싣고 병원으로 이송하는 경우의 조명등과 사이렌의 활용여부는 전문응급구조사의 판단에 따라 달라진다(경고등과 사이렌 사용은 치명적이거나 위험, 응급상황에만 사용). 연구에 의하면 다른 차량 운전자들은 구급차가 15-30 m 정도의 거리에서 다가올 때까지 구급차를 발견하거나 사이렌 소리를 듣지 못할 수도 있다. 그러므로 경고등과 사이렌을 울리면서 운행한다고 해서 안전하다고 생각하는 것은 잘못된 것이다.

1) 적정한 주의

구급차를 운행할 때 조명등과 사이렌을 사용하도록 하는 법규로 정해져 있다. 적정한 주의란 다른 운전자에게 현재 긴급운행 중이라고 경고하려는 수단으로 조명등과 사이렌을 사용할 수는 있지만, 다른 사람들의 안전을 주의하여 운행해야 한다는 점에 대한 면책이 되지는 않는다는 것이다.

Tip. 응급구조사의 준수사항(응급의료에 관한 법률 시행규칙 제32조 관련)

① 구급차내의 장비는 항상 사용할 수 있도록 점검하여야 하며, 장비에 이상이 있을 때에는 지체 없이

정비하거나 교체하여야 한다.

② 환자의 응급처치에 사용한 의료용 소모품이나 비품은 소속기관으로 귀환하는 즉시 보충하여야 하며, 유효기간이 지난 의약품 등이 보관되지 아니하도록 하여야 한다.

③ 구급차의 무선장비는 매일 점검하여 통화가 가능한 상태로 유지하여야 하며, 출동할 때부터 귀환할 때까지 무선을 개방하여야 한다.

④ 응급환자를 구급차에 탑승시킨 이후에는 가급적 경보기를 울리지 아니하고 이동하여야 한다.

⑤ 응급구조사는 구급차 탑승시 응급구조사의 신분을 알 수 있도록 소속, 성명, 해당자격 등을 기재한 아래 표식을 상의 가슴에 부착하여야 한다.

2) 사이렌

사이렌은 청각 경고 장치로 일반적으로 응급구조사가 혼잡한 도로에서 긴급차량임을 표시하는 방법으로 경음기를 가장 많이 사용하고 있다. 그러나 실제로 사이렌을 울리며 응급환자를 이송할 때 많은 운전자가 잘못 사용하는 것이 청각용 경고 장치이다. 다른 운전자들이 청각용 경고 장치에 양보를 하지 않는 경우가 있다. 또 다른 차량 운전자 경우에는 구급차에 탑승한 환자, 구급차 운전자에 대한 사이렌의 효과를 고려해야 한다.

① 사이렌을 사용해야 하는 경우만 사용한다.

㉠ 구급차는 구급현장으로 출동할 땐 항상 사이렌을 사용하도록 하고 있다. 많은 운전자 중에는 사이렌이 울릴 때 법으로 구급차에 허가된 우선 통행권이 남용되고 있다고 생각한다. 따라서 심각한 환자를 이송하는 경우에만 위험을 감수할 필요성이 있으며 모든 사람의 안전을 위해 적정한 주의를 행하여야 한다.

② 모든 운전자가 사이렌 경적을 들을 것으로 생각하지 않는다.

㉠ 건물, 나무, 밀집한 관목 숲으로 인하여 사이렌 소리가 들리지 않을 수도 있다.

③ 심장질환 등의 환자들은 사이렌이 계속 울리면 공포와 불안이 증가하여 스트레스가 쌓여 환자의 상태가 악화될 수 있다.

④ 다른 운전자의 특이한 운전방식에 대비해야 한다.

㉠ 응급구조사는 운행 시 사이렌 소리를 들었지만 무시하는 운전자가 있다는 것을 항상 생각해야 한다.

- 운전자들은 사이렌이 지속적으로 울리더라도 구급차에게 덜 양보하는 경향이 있다.

㉡ 어떤 운전자는 사이렌 소리에 당황할 수 있다는 것을 예상할 수 있어야 한다.

- 사이렌을 끄고 차량방송장치를 켜서 "우측으로 비켜서 정차해 주십시오. 감사합니다"라고 정중하게 말한다. 처음 말했을 때 잘 알아듣지 못한 경우가 발생할 수 있으므로 반복해서 말한다.

㉢ 항상 다른 운전자 운전이 서툴 수 있다는 것을 고려한다.

⑤ 구급차 운전자도 계속 울리는 사이렌 소리에 영향을 받는다.

㉠ 실험에 따르면 경험이 없는 구급차 운전자의 경우 계속해서 사이렌이 울리면 16-25 km/hr 정도 운전속도를 높이는 경향이 있다.

㉡ 어떤 경우에는 운전자가 사이렌 소리가 울리지 않을 때는 쉽게 통과할 수 있었던 커브를 사이렌을 울리면서 운행할 때는 통과하지 못했다.

㉢ 장시간 동안 사이렌을 사용할 경우 구급차 운전자의 청력 문제뿐만 아니라 불안감이 증가할 수 있다.

⑥ 다른 차 가까이에 서서 사이렌을 울리지 않도록 한다.

㉠ 다른 차량 운전자가 브레이크를 급히 밟음으로 인해서 구급차 운전자는 제때에 멈추지 못할 수 있다. 차량이 앞에 가까이 있을 때는 경적을 사용한다.

㉡ 절대로 누군가를 놀라게 하기 위해 사이렌을 사용해서는 안 된다.

⑦ 사이렌은 상황에 따라서 적절하게 사용해야 한다.

㉠ 구별 없이 사이렌을 사용하지 말고 다른 차량의 운전자를 위협주기 위해서 사용하지 않는다.

㉡ 반드시 필요한 경우 외에는 사이렌의 사용을 최소화한다.

⑧ 고속으로 달리면 다른 운전자들은 사이렌 소리를 즉시 알아차리지 못할 수도 있다.

㉠ 구급차를 운전하는 본인이 듣는 것만큼 다른 차량의 운전자들이 잘 들을 수 있다고 믿고 경음기에 전적으로 의존하지 않아야 한다. 교통사고를 일으키는 경우가 많은 사례이다.

㉡ 다른 운전자가 백미러로 경광등을 볼 수 있을 때까지 충분한 거리를 확보한다. 구급차를 보면 본능적으로 급정거해버릴 수 있다는 점을 예상해야 한다(그림 1-16).

⑨ 상대 차량의 신호를 봤을 때는 완전히 멈추고 다른 운전자에게 시간을 준 다음 진행하며 당신의 의도를 예상할 수 있게 한다.

⑩ 사이렌을 사용하지 않고도 긴급차량임을 표시하여야 한다.

㉠ 응급이송 차량임을 표시하기 위해서는 경광등 및 전조등과 비상점멸등 등을 사용하여 긴급자동차임을 표시할 수 있다. 이러한 경광등 및 전조등과 비상점멸등 등은 일반 운전자의 룸미러나 사이드미러로 쉽게 보일 수 있다.

Tip. 경음기 사용 시 주의사항

① 필요한 경우가 아니면 가급적 사용을 자제한다.

② 일반 운전자 모두가 경음기 소리를 인지한다고 생각해선 안 된다.

③ 경음기 소리에 놀란 운전자가 돌발 행동을 할 수 있으므로 방어운전 준비를 해야 한다.

④ 경음기 소리에 환자의 상태가 악화 될 수 있다.
⑤ 부득이하게 경음기 사용 시 환자에게 사전 통보하도록 한다.

Tip. 운전자들이 양보하지 않는 이유

① 응급이송에 대한 불신임(선행권 남용포함)
② 미숙한 운전자의 심리적 불안감
③ 방음된 차량
④ 기계음에 묻혀 인지하지 못함

그림 1-16. 적정한 주의 : 차의 경광등과 사이렌은 실제보다 더 놀라게 하고 짜증나게 할 수 있다.

3) 경적

경적(horn)은 모든 구급차에 갖추어져 있는 기본적인 장비이다. 경험이 많은 응급구조사는 구급차의 경적을 적절하게 사용하게 되면 사이렌만큼 효율적이라는 것을 알 것이다.

① 경적이나 경광등 등은 먼저 길을 갈 수 있는 권리를 정중히 요청할 수 있는(당연하게 요구하는 것이 아닌) 도구로 생각해야 한다.
② 다른 운전자가 길을 양보하지 않았을 때 실망스럽더라도 감정을 조절해야 한다. 침착성을 잃거나 잠재적으로 잃을 수 있는 상황이 닥치면 곧바로 이에 대응하는 것은 피하는 것이 좋다.

4) 시각적 경고 장비

주간과 야간에 관계없이 구급차가 도로에 있는 경우, 육안으로 식별할 수 있도록 전조등을 켠다. 전조등 외에 보조등이 설치된 경우에는 야간에만 사용한다. 아마도 가장 유용한 등은 자동차의 전면 중앙에 위치한 것이다. 일반적으로 이 불빛은 앞 자동차의 백미러를 통해 쉽게 확인할 수 있다.

모든 구급차가 갖추어야 할 기본적인 장비이며 다음과 같은 사항을 준수해야 한다.

① 구급차를 도로에 있을 때 주차할 때는 항상(밤이나 낮) 헤드라이트를 켜야 한다.
  ㉠ 헤드라이트를 켜서 다른 운전자에게 구급차가 잘 보일 수 있도록 한다.
  ㉡ 시야가 좋지 않거나 비가 와서 창문 와이퍼를 사용할 때마다 모든 차량에 헤드라이트를 사용할 수 있다.
  ㉢ 낮이나 밤에도 차량의 크기나 위치를 확인시킬 수 있도록 점등하여 운행하여야 한다.

② 차량 끝의 모서리에 있는 커다란 등은 교대로가 아니라 세로나 가로로 같이 깜빡여야 한다.
  ㉠ 다가오는 다른 차가 주차된 구급차의 전체 크기를 파악할 수 있다.
  ㉡ 모든 운전자와 보행자가 360° 어디에서나 쉽게 구분할 수 있도록 해야 한다.

③ 일반적으로 조명기구에 하나의 조명체계만을 사용하는 것보다 단일광 전구와 플래시라이트를 혼합하는 것이 가장 좋다.

④ 사방 회전등과 방향 지시등은 응급조명으로 사용할 수 없다.
  ㉠ 일반차와 매우 혼돈되고, 회전등은 방향 지시등의 기능과 비슷해서 혼돈될 수 있다.

⑤ 응급출동일 때, 현장으로 운행 중 또는 병원으로 이송 중이든지 모든 응급조명을 사용해야 한다.
  ㉡ 어디서나 구급차를 쉽게 확인할 수 있어야 한다.

구급차가 항상 응급조명을 사용한다면 시민들에게는 매우 혼란스러울 것이다. 항상 조명등을 사용한다면 다른 차량 운전자가 양보하지 않을 수도 있다. 따라서 경고등과 사이렌 사용은 아주 위급하거나 응급상황에서만 사용해야 한다.

11 구급차의 장비와 준비물품

구급차 장비와 준비 물품들은 응급구조사의 손에 쉽게 닿을 수 있도록 적절히 배치되어야 한다. 그러므로 구급차를 제작하는 경우에는 응급장비나 물품들의 크기와 용도를 고려하여 제작되어야 한다. 그리고 전기 공급을 위하여 전기단자를 적절한 위치에 전류로 설정되어야 한다. 구급차에 적재하는 응급장비는 국가에서 허용하는 것만을 적재하도록 하며, 응급구조사가 사용할 수 없는 장비는 싣지 말아야 한다. 구급차의 기본 물품은 응급의료에 관한 법률 시행규칙 별표 16(제38조 제2항 관련)과 같다(표 1-5, 표 1-6).

응급현장에서 사용되기 위한 많은 물품은 현장 상황에서 효과적으로 사용하기 위해 최상의 상태로 유지해야 한다.

① 구급차에 비치된 약물은 유효기간이 있기 때문에, 매 근무교대 시 유통기한을 반드시 확인하고 유통기한이 얼마 남지 않은 약물을 먼저 사용될 수 있도록 표시하고 사용 및 폐기한다.

② 마약성 진통제와 같은 관리대상 약물을 사용한 경우 근무교대가 시작하고 끝나는 시점에 확인하고 서명한다.

③ 물품들을 소홀히 다루어서 파손 및 불량이 되지 않아야 한다.

④ 소독 유효기간이 지나 응급현장에서 사용할 수 없으면 안 된다. 매주 1회에 "장비 점검 및 소독 점검하는 날"을 정해 점검 및 장비 소독을 시행한다.

⑤ 응급구조사는 전염성 질환이 의심되는 환자를 이송 한 후에는 반드시 적절한 방법으로 구급차 소독을 한다(그림 1-17).

⑥ 구급장비에서 발생할 수 있는 문제를 사전점검을 통해서 문제가 있는 장비로 인해 환자가 손상되거나 응급구조사가 부상을 입는 위험성을 감소시킬 수 있다.

⑦ 장비와 물품의 배치는 응급상황에서 흔히 사용되는 빈도수에 따라 적절히 배치되어야 한다. 그러나 생명유지와 직접적인 관련이 있는 장비와 물품들은 환자와 가장 가까운 장소에 배치해 손쉽게 사용할 수 있도록 해야 한다(그림 1-18).

㉠ 들것 머리 부분 : 기도유지, 인공호흡과 산소공급에 필요한 장비 비치

㉡ 들것 측면 부분 : 순환기 계통에 대한 응급처치 장비나 물품, 출혈에 대한 지혈장비, 혈압계 등

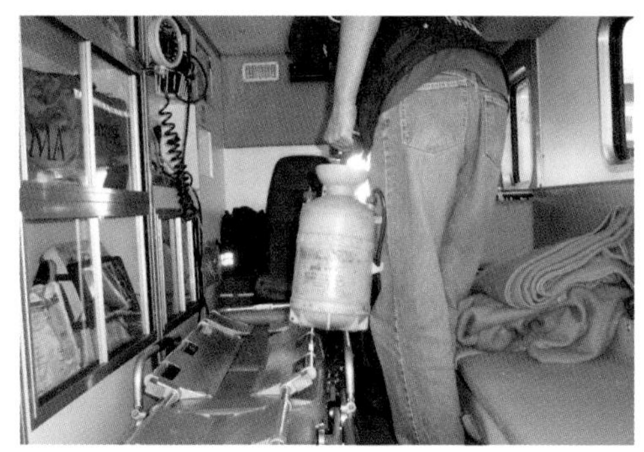

그림 1-17. 구급차 소독

그림 1-18. 구급차 내부 장비와 물품 배치

응급의료장비와 준비 물품들은 다음과 같은 특징이 있다.

① 내구성이 강하다.

㉠ 구급차 내에서뿐만 아니라 현장으로 장비를 이동할 가능성이 크다.

② 소형이다.

㉠ 운반이 쉽도록 가볍고 크기가 작아야 한다.

③ 표준화된 장비를 적재한다.

㉠ 응급구조사가 다른 구급차를 이용해도 눈에 익은 장비나 물품이어야 한다.

㉡ 장비를 이용하는 데 어려움이 없어야 한다.

구급차 내 보관함은 다음과 같은 주의사항이 있다.

① 쉽게 열리도록 해야 한다.

㉠ 이송 도중 차량의 흔들림으로 보관함이 열리지 않아야 한다.

② 잠금장치가 있어야 한다(개방방법은 간단해야 한다).

③ 재질은 가능한 투명한 것을 사용하여 안의 내용물을 쉽게 알 수 있도록 해야 한다.

㉠ 재질이 투명하지 않은 경우 : 내용 목록을 외부에서 표시하여 신속히 인지할 수 있도록 한다.

Tip. 정기적으로 점검해야 하는 항목은 다음과 같다.

① 자동제세동기(AED)	② 혈당측정기	③ 심장 모니터
④ 호기말이산화탄소분압 측정기	⑤ 산소공급 장비	⑥ 자동 이송용 인공호흡기(ATV)
⑦ 산소포화도 측정기	⑧ 흡인기	⑨ 후두경 날
⑩ 발광 탐침	⑪ 펜라이트	⑫ 배터리로 작동되는 기타 장비

1) 특수구급차 및 일반구급차 장비와 물품

응급현장에서 사용되기 위한 많은 물품은 현장 상황에서 효과적으로 사용하기 위하여 최상의 상태를 유지해야 한다. 즉, 물품들을 소홀히 다루어서 파손되거나 작동이 되지 않는다면 의미가 없으며, 또한 소독 유효기간이 지난 물품을 실으면 현장에서도 사용할 수 없기 때문이다. 장비와 물품의 배치는 응급상황에서 흔히 사용되는 빈도수에 따라서 적절히 배치되어야 한다. 1년에도 3-4차례밖에 사용되지 않는 장비나 물품을 가장 가까운 곳에 위치시키면 비효율적일 것이다. 그러나 생명유지와 직접적인 관련이 있는 장비와 물품들은 환자와 가장 가까운 장소에 배치해야 한다(표 1-6, 표 1-7).

표 1-6. 특수 구급차에 갖추어야 할 의료장비 · 구급의약품 및 통신장비의 기준

구분	장비 분류	장 비
가. 환자 평가용 의료장비	신체검진	가) 환자감시장치(환자의 심전도, 혈중산소포화도, 혈압, 맥박, 호흡 등의 측정이 가능하고 모니터로 그 상태를 볼 수 있는 장치) 나) 혈당측정기 다) 체온계(쉽게 깨질 수 있는 유리 등의 재질로 되지 않은 것) 라) 청진기 마) 휴대용 혈압계 바) 휴대용 산소포화농도 측정기
나. 응급 처치용 의료장비	1) 기도 확보 유지	가) 후두경 등 기도삽관장치(기도삽관튜브 등 포함) 나) 기도확보장치(구인두기도기, 비인두기도기 등)
	2) 호흡 유지	가) 의료용 분무기(기관제 확장제 투여용) 나) 휴대용 간이인공호흡기(자동식) 다) 성인용 · 소아용 산소 마스크(안면용 · 비재호흡 · 백밸브) 라) 의료용 산소발생기 및 산소공급장치 마) 전동식 의료용 흡인기(흡인튜브 등 포함)
	3) 심장 박동 회복	자동제세동기(자동심장충격기, Automated External Defibrillator)
	4) 순환 유지	정맥주사세트
	5) 외상 처치	가) 부목(철부목, 공기 또는 진공부목 등) 및 기타 고정장치(경추 · 척추보호대 등) 나) 외상처치에 필요한 기본 장비(압박붕대, 일반거즈, 반창고, 지혈대, 라텍스장갑, 비닐장갑, 가위 등)
다. 구급 의약품	1) 의약품	가) 비닐 팩에 포장된 수액제제(생리식염수, 5%포도당용액, 하트만용액 등) 나) 에피네프린(심폐소생술 사용용도로 한정한다) 다) 아미오다론(심폐소생술 사용용도로 한정한다) 라) 주사용 비마약성진통제 마) 주사용 항히스타민제 바) 니트로글리세린(설하용) 사) 흡입용 기관지 확장제
	2) 소독제	가) 생리식염수(상처세척용) 나) 알콜(에탄올) 또는 과산화수소수 다) 포비돈액

표 1-7. 일반 구급차에 갖추어야 할 의료장비 · 구급의약품 및 통신장비의 기준

구분	장비 분류	장 비
가. 환자 평가용 의료장비	신체 검진	가) 체온계(쉽게 깨질 수 있는 유리 등의 재질로 되지 않은 것) 나) 청진기 다) 휴대용 혈압계 라) 휴대용 산소포화농도 측정기
나. 응급 처치용 의료장비	1) 기도 확보 유지	기도확보장치(구인두기도기, 비인두기도기 등)
	2) 호흡 유지	가) 성인용 · 소아용 산소 마스크(안면용 · 비재호흡 · 백밸브) 나) 의료용 산소발생기 및 산소공급장치 다) 전동식 의료용 흡인기(흡인튜브 등 포함)
	3) 순환 유지	정맥주사세트
	4) 외상 처치	외상처치에 필요한 기본 장비(압박붕대, 일반거즈, 반창고, 지혈대, 라텍스장갑, 비닐장갑, 가위 등)
다. 구급 의약품	1) 의약품	가) 비닐 팩에 포장된 수액제제(생리식염수, 5%포도당용액, 하트만용액 등) 나) 에피네프린(심폐소생술 사용용도로 한정한다) 다) 아미오다론(심폐소생술 사용용도로 한정한다)
	2) 소독제	가) 생리식염수(상처세척용) 나) 알콜(에탄올) 또는 과산화수소수 다) 포비돈액

※ 선박 및 항공기에 갖추어야 하는 의료장비 · 구급의약품 및 통신장비의 기준은 보건복지부장관이 따로 정하여 고시한다.

※ 소방119 구급차의 구급장비 기준은 『구급장비 기준 제2조(구급차의 장비 기준)에 따른다.
[소방방재청 고시 제2013-4호, 2013. 2. 25. 제정], [119구급대원 현장응급처치 표준지침]

2) 환자 치료를 위한 장비

(1) 환자 이송장비

각 구급차에는 바퀴 달린 들것, 접는 들것, 응급구조사가 계단이나 좁은 공간에서 환자를 운반할 수 있는 다용도 들것 등을 갖추어야 한다. 접을 수 있는 들것은 한 단위로서 결합할 수 있다. 들것은 움직이거나 적재하기 쉽고, 청소나 소독이 간편해야 한다. 접는 들것은 편평해야 하고, 펼쳐진 상태에서는 환자가 지면보다 높게 위치해야 한다.

① 바퀴 달린 구급차 들것

㉠ 바퀴가 달린 들것은 높이를 조정할 수 있다.

- 질병 및 손상환자를 환자상태에 따라 자세를 취할 수 있다.

㉡ 가장 낮은 위치에서 고정됐을 때 제일 윗부분이 구급차의 바닥에서 20-30 cm에 위

치한다.

㉢ 들것의 상부는 위쪽으로 60° 기울일 수 있게 하여 Fowler's position(반 좌위)으로 환자를 위치시킬 수 있다.

㉣ 머리를 밑으로 숙이거나 하지를 높이는 Trendelenburg position(트렌델렌버그 자세)을 취할 수 있게 10°를 기울일 수 있다.

㉤ 기도유지를 위해서 환자가 Supine position(바로 누운 자세)거나 Prone(엎드린 자세) 또는 Lateral position(옆으로 누운 자세)을 취하기 위하여, 들것은 길이가 1.9 m이여야 하고, 폭은 50 cm 이상이어야 한다.

㉥ 들것은 250-300 kg의 무게를 지탱할 수 있도록 견고해야 한다.

㉦ 고정 끈을 준비해서 환자가 들것에서 떨어지거나 머리나 발끝 쪽으로 미끄러지지 않도록 하여 환자의 낙상을 방지할 수 있는 보호 받침이 장치되어야 한다.

㉧ 들것의 본체와 매트리스 사이에는 유사시 척추고정판을 환자 밑에 깔아서 심폐소생술을 효과적으로 시행할 수 있도록 분리되어야 바람직하다(그림 1-19).

㉨ 정맥 수액 보관함의 분리 받침대가 있다.

㉩ 구급차에서 들것을 꺼낼 때나 차량에 적재할 때 들것 다리가 자동으로 펴지고 접어지는 것이 바람직하다. 이는 응급구조사가 들것을 쉽게 내리고 적재할 수 있으며, 응급상황에서는 환자를 신속하게 싣고 빠르게 이동할 수 있다.

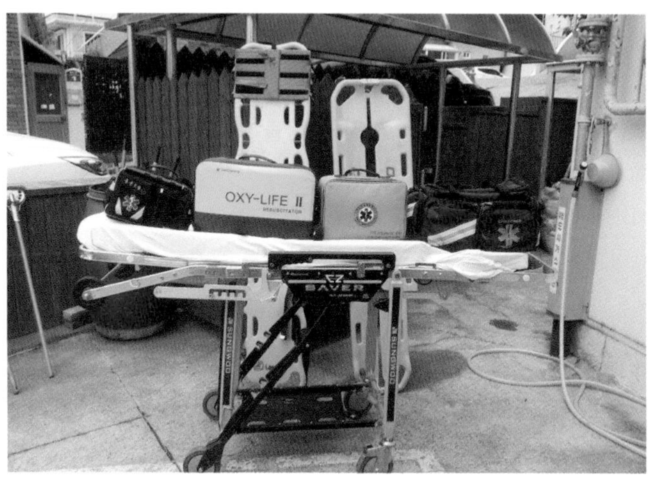

그림 1-19. 바퀴 달린 구급차용 들것으로 X-ray가 투과될 수 있는 제거 가능한 판넬 또는 판이 위에 설치되어 있다.

② **접이식 들것** : 간이침대가 너무 무겁거나 넓을 때 앙와위 자세로 환자를 계단으로 이동할 때 사용

③ **계단형 접는 의자** : 환자를 앉은 자세로 계단으로 이동할 때 사용
④ **분리형 들것** : 좁은 공간에서 환자의 움직임을 최소화하여 들어 올릴 때 사용
⑤ **바구니 또는 스토크스(stokes) 들것** : 장거리 환자운반이나 high-angle, off-the-road 구조할 때 사용
⑥ **소아용 안전 좌석**(선택 사항) : 영아나 소아를 구급차로 이송할 때 사용

(2) 기도유지, 환기 소생술을 위한 장비

기도를 개방, 유지하고 호흡을 보조하기 위해 많은 장비를 갖춰야 한다(그림 1-20).

① 인공기도(airway)는 응급구조사가 사용할 수 있으므로 성인, 소아, 영아용 입인두기도기와 14-30 Fr까지 크기의 부드러운 코인두기도기를 적재한다.
② 환기가 필요하거나 기관내삽관을 시행하지 않은 환자를 환기할 경우에 사용할 일방향 밸브가 있는 포켓 마스크 2개를 적재한다.
③ 후두경과 기도삽관 튜브를 적재한다.
④ 환자에게 100% 산소를 투여할 수 있는 수동식 재충전 백-밸브 마스크(성인, 소아, 영아) 그리고 다양한 크기의 마스크를 준비해서 환자의 얼굴에 단단하게 밀착되도록 한다.
⑤ 마스크에는 공기쿠션이 있어야 한다.
⑥ 마스크는 환자의 피부색 변화와 구토 여부, 호흡 이상들을 관찰할 수 있도록 투명한 재질로 제작된 것이 바람직하다.
⑦ 흡인기는 구강 내의 이물질(혈액, 구토물, 타액, 점액 등)을 신속히 제거하여 기도를 유지하기 위해서는 필요하다.
⑧ 경련 혹은 발작을 하는 경우에 환자의 혀를 보호하기 위해 혀 보호기(tongue protector)가 준비되어야 한다.

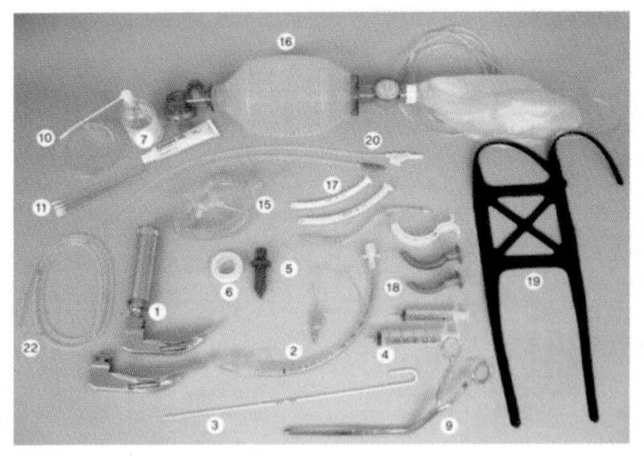
그림 1-20. 기도유지, 환기 소생을 위한 장비

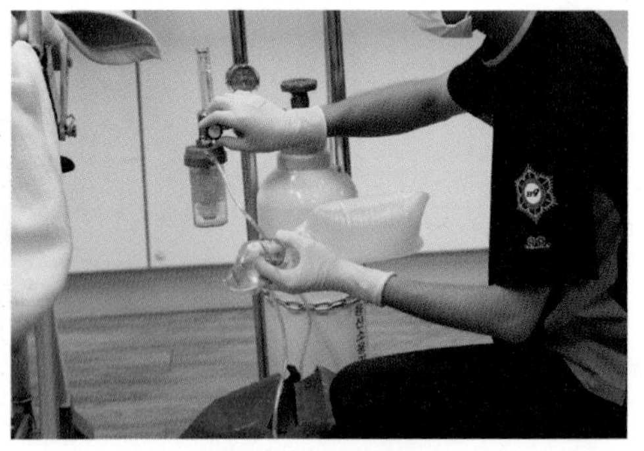
그림 1-21. 산소 공급 장치

(3) 산소요법

정부에서 추천한 구급차 내 산소공급 장치는 1,000-3,000 L 산소통이다. 구급차는 2개의 산소 공급장치(고정 및 휴대용)가 장착되어 있어 2명의 환자에게 동시에 산소를 공급할 수 있다.

① 고정된 산소공급 장치는 구급차 내에서 환자에게 산소를 공급한다. 전형적인 설치는 최소 3,000 L의 저장소, 30-70 psi (50 psi)의 압력으로 2단계 조절기, 연결 장치, 감압 밸브, 무중력 유량계로 구성된다.

㉠ 유량계 : 들것의 머리맡에 위치한 응급구조사가 쉽게 알아볼 수 있어야 한다.

㉡ 산소 투여 튜브, 투명 마스크, 조절기를 손쉽게 사용할 수 있어야 한다.

㉣ 공급 장치는 최소 분당 15 ℓ 의 산소를 투여할 수 있어야 한다(그림 1-21).

㉤ 백-밸브 마스크와 같이 사용할 수 있어야 한다.

㉥ 산소의 공급관 : 산소마스크와 백-밸브 마스크 등의 호흡 기구에 연결되어 있어야 한다.

㉦ 산소마스크 : 반쯤 열리고 밸브가 없고 투명하고 일회용이어야 한다. 성인, 소아, 유아를 위해서 다양한 크기가 있어야 한다.

㉧ 코 내로 산소를 공급할 수 있는 코비관(nasal catheter)도 필요하다.

② 1시간 이상 환자를 이송하는 경우에는 기도의 건조화를 막기 위해 산소에 습기를 제공할 수 있는 가습기가 부착되어야 한다. 1시간 이내로 산소를 투여하는 경우에는 가습기가 필요하지 않으며, 가습기가 멸균 상태로 유지되지 않으면 호흡기 감염의 위험성이 높다.

③ 휴대용 산소통은 차량 밖의 현장에서 신속히 사용할 수 있도록 구급차의 문 근처에 위치해야 한다.

㉠ 연결 장치, 압력계, 속도계, 공급튜브, 산소마스크로 구성되어야 한다.

㉡ 최소 350 ℓ 를 투여할 수 있는 휴대용 산소공급 장비 2개, 15 ℓ /min의 산소를 투여할 수 있는 조절기가 있어야 한다.

④ 구급차에는 복합 기능 조절기가 장착된 경우가 많아서 liter-flow 산소, 흡인, 그리고 양압 환기에 사용할 수 있다.

⑤ 여분의 탱크에 누수검출기(hydrostat)의 최근 검사 날짜가 인쇄되어 있는 D, E 또는 D 산소 실린더가 있다.

⑥ 인공호흡 기구 : 특수 구급차의 기본 장비에 휴대용 인공호흡기가 포함되었듯이 수동적으로 사용할 수 있는 백-밸브 마스크와 산소통은 반드시 갖추어야 한다.

⑦ 백-밸브 마스크가 필요하다(그림 1-22).

㉠ 호흡정지 시에는 일반적인 산소마스크와 비강 산소투여기로 인위적인 산소투여를 시행할 수 없기 때문에 필요에 따라 산소를 투여하여 인공호흡을 유도할 수 있다.

ⓛ 백-밸브 마스크는 2개를 갖춘다(1개는 차량 내에서 사용, 다른 하나는 백-밸브 마스크와 휴대용 산소통이 같이 하나의 단위로 갖추어 차량 밖 현장에서 사용할 수 있다).

ⓒ 수동으로 호흡량과 호흡 횟수를 조절할 수 있고 전력은 재충전할 필요가 없는 백-밸브 마스크 타입(bag-valve-mask type)의 휴대용 인공호흡기가 필요하다.

ⓔ 산소통에 부착할 경우 환자에게 거의 100%의 산소를 공급할 수 있다.

⑧ 청소와 소독이 쉬워야 한다.

⑨ 소아용 백-밸브 마스크도 비치되어야 한다(소아용부터 성인용까지의 다양한 크기의 마스크를 준비). 즉, 얼굴의 크기에 따라서 적당한 마스크를 선택해야만 적절한 산소를 투여할 수 있다.

⑩ 비재호흡 마스크

⑪ 비강 캐뉼라

⑫ 유량 제한 산소 동력 환기 장치 1개

⑬ 소아에게 블로바이(blow-by)[1] 산소 투여하기 위한 플라스틱 컵 1개(안면텐트 face tent, 그림 1-23).

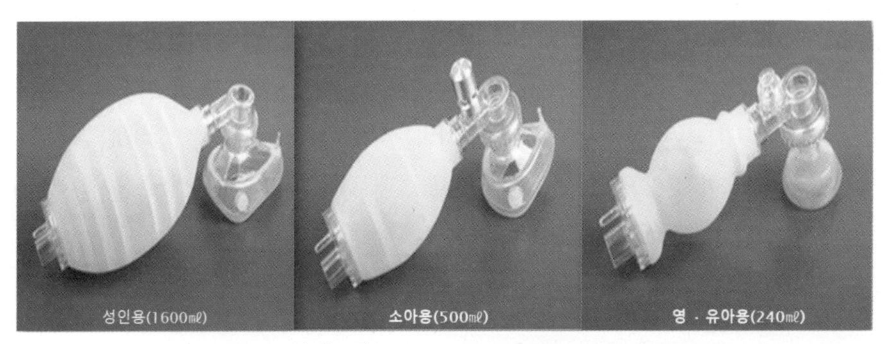

그림 1-22. 백 밸브 마스크(성인, 소아, 영・유아용)

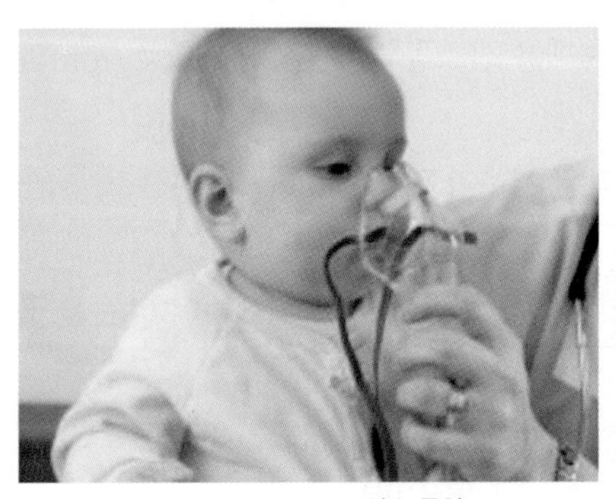

그림 1-23. blow-by 산소 투여

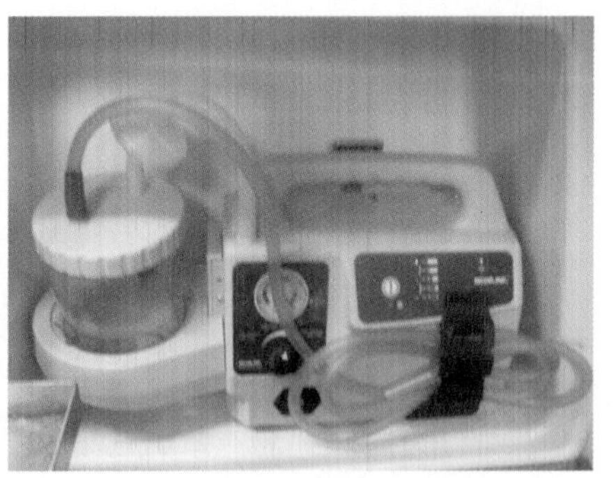

그림 1-24. 흡입장비

1) **blowby** : 실린더와 피스톤 사이로 압축 또는 폭발 가스가 새는 것을 말한다.
가스가 피스톤(피스톤 링)과 실린더의 틈새 또는 밸브 등을 통해 이상 유출하는 현상을 말한다.

(4) 흡인장비

휴대용 흡인기와 차량에 고정된 흡인기가 모두 갖춰져야 한다(그림 1-24). 흡인장비 구성용품 및 주의사항은 다음과 같다.

① 환자 머리 쪽에 앉은 사람이 쉽게 사용할 수 있어야 한다.

② 구성용품은 본체, 흡인관, 연결관, 부서지지 않는 수집병, 흡인관을 깨끗이 씻는 증류수

③ 흡인기에 연결되는 흡입관은 환자의 구강 내로 삽입되어 이물질을 제거하게 된다.

④ 고정된 흡인장비는 공급 튜브 끝에서 분당 30 L/min 이상의 공기유량을 충분히 제공할 수 있어야 한다.

㉠ 흡인 튜브의 흡인관을 막았을 때 4초 이내에 300 mmHg 이상의 진공압력이 전달되어야 한다.

㉡ 소아에게 사용할 때에는 흡인관의 흡입력을 조절하여 사용한다.

⑤ 흡인관은 단단한 재질보다는 약간 부드러운 것이 바람직하다.

㉠ 끝이 딱딱하고 지름이 크고 꼬이지 않는 튜브가 있어야 한다.

㉡ 여러 종류의 멸균 카테터가 있어야 한다.

⑥ **휴대용** 흡인장비는 배터리, 손이나 발 운동, 산소, 압축 공기로 작동된다.

⑦ 구경이 큰 양커 팁(Yankauer tip) 뿐만 아니라, 튜브의 규격에 맞아야 한다.

⑧ 흡인관을 구강 내로 삽입할 때에는 환자의 위치와 관계없이 기도까지 도달하는 것이 바람직하지만, 환자의 호흡이 정상이면 구강 내에만 위치하도록 한다.

㉠ 부적절한 삽입으로 인하여 구토를 유발할 수 있으므로 주의한다.

⑨ 모든 흡인기의 구성물들은 쉽게 청소되고 소독될 수 있는 종류이어야 한다.

(5) 심폐소생술 보조장비

구급차에서 심폐소생술과 제세동을 시행하기 위해서는 다음과 같은 장비가 갖춰져 있어야 한다.

① CPR 시 필요한 짧은 척추고정판 또는 긴 척추고정판

② 자동 제세동기(AED)

③ 병원까지 이송시간이 15분 이상 소요될 경우에는 자동심폐소생기(Thumper)를 사용하여 CPR이 시행될 수 있도록 한다.

운행 중인 구급차 내에서 흉부압박을 수행하는 것은 상당히 어려우며, 설령 시행한다고 하여도 정지된 상태에서 시행하는 것보다 효율성이 40-50% 정도이다. 그러므로 운행 중인 구급차 내에서는 자동으로 흉부압박을 가할 수 있는 장비를 이용하는 것이 바람직하다. 구급차 안에서 흉부압박과 인공호흡을 시행하기는 기술적으로도 상당히 어려운 문제이다. 그러므로

흉부압박과 인공호흡을 자동으로 시행해 주는 장비를 사용하면 다른 처치를 동시에 수행하기가 매우 수월할 것이다(그림 1-25).

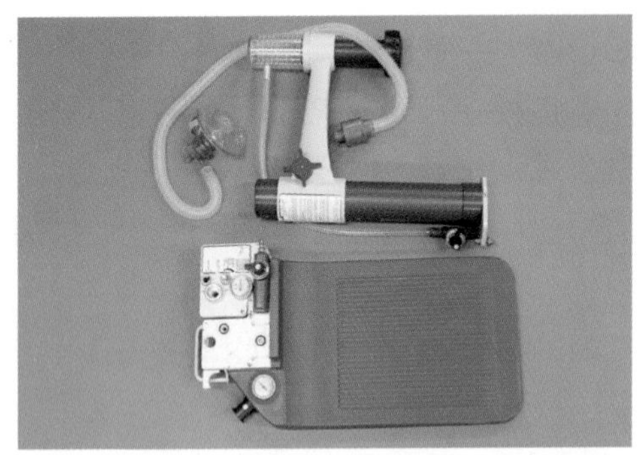

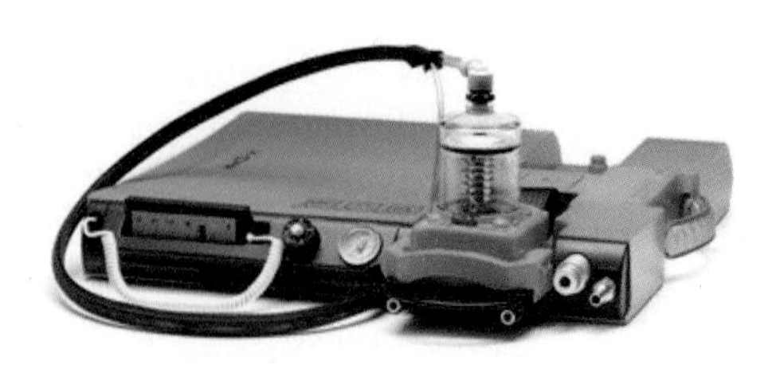

그림 1-25. (좌) 자동심폐소생기(Thumper), (우) X-CPR

4) 환자 처치를 위한 물품

(1) 기본 공급 물품

구급차에는 다음과 같은 물품이 기본적으로 적재되어있어야 한다(표 1-8).

표 1-8. 기본 공급 물품(119구조 · 구급에 관한 법률 및 소방력 기준에 관한 규칙)

물품명	개수	물품명	개수
베개	2개	혈압계	1개
베개보	2장	청진기	1개
시트	2장	가위	1쌍
담요	4장	1회용 컵	1꾸러미
수건	4장	깨지지 않는 물 그릇	1개
일회용 구토물 용기	6개	젖은 수건	1꾸러미
1회용 화장지	2상자	차가운 팩	4개
변기	1개	암모니아 흡인기	6개
소변기	1개	세척용액	4개
일회용 온도계	2개	결박 용구	2개
모래주머니	4개	소모품이나 쓰레기를 담는 쓰레기통	1개

(2) 1차 평가와 중점 평가 장비

휴대용 선입 장비(first-in kit)는 모든 형태와 크기를 딱딱한 용기나 부드러운 봉지에 넣을 수 있다. 휴대용 장비에는 다음과 같은 준비품목들이 포함된다(그림 1-26).

① 기도, 기도흡인, 감염통제, 개인용 보호장비(일반응급구조사가 사용할 수 있는 성인 및 소아용 기관내삽관 장비)

② 호흡, 청진기, 일방향 밸브와 산소 투입구가 달린 포켓 마스크, 백-밸브 마스크, 산소통, 산소공급 장비

③ 순환, 혈압 커프, 붕대와 드레싱, 압박붕배, 자동 제세동기

④ 목과 척추 고정, 경성 경추보호대

⑤ 신체를 노출하기 위한 가위와 덮을 담요

⑥ 활력징후 측정 장비

㉠ 혈압계(소아용, 성인용, 그리고 비만 성인용으로 구분)

㉡ 청진기(성인용과 소아용)

㉢ 체온계와 저체온 온도계[적어도 27℃ (82℉)까지 내려가는 온도계]

㉣ 펜 라이트

㉤ 휴대용 지침서(소아의 활력징후와 다른 정보를 신속하게 알 수 있는 지침서)

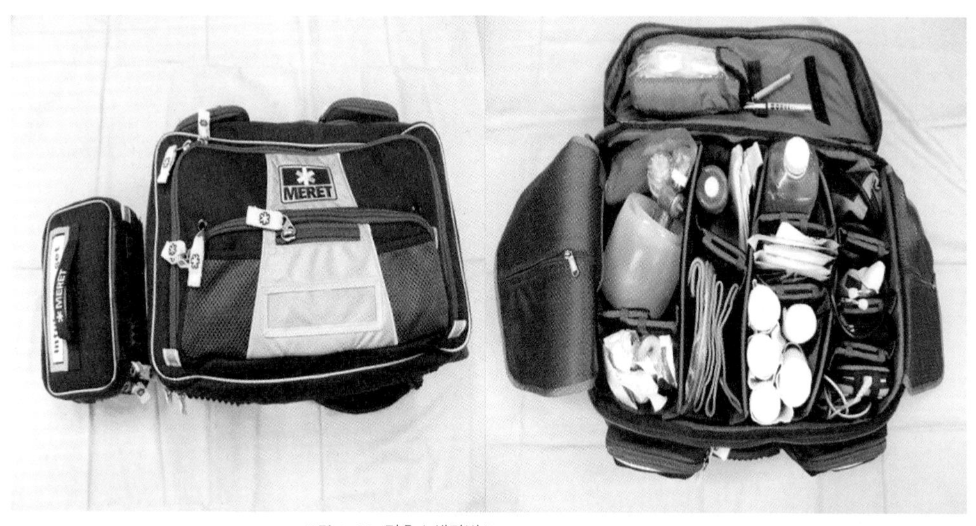

그림 1-26. 기초소생가방(환자평가 및 간단한 응급처치)

(3) 골절 고정 장비와 준비물품

구급차에는 손상된 사지의 처치와 척추손상(골절이나 탈구)이 의심되는 경우에 고정하기 위한 다양한 장비를 갖춰야 한다.

① 통증과 부종이 있는 변형된 허벅지를 고정하기 위한 성인용, 소아용 **견인부목**(traction splint)

② 사지와 하지를 고정하기 위한 패드를 댄 부목판, 상자부목, 나무부목, 공기부목, 진공부목, 사다리부목, 박스부목, 알루미늄 지주와 Velcro fastener가 있는 연성부목, 패드를 댄 알루미늄(SAM)부목, 극저온의 가스가 주입된 부목(그림 1-27)

③ 골절된 손가락을 고정하기 위한 설압자

④ 부목과 같이 사용하고 붕대와 삼각건을 만들 수 있는 삼각형 붕대

⑤ 부목을 고정하기 위한 여러 개의 두루마리 접착 붕대

⑥ 손상된 사지에 사용하는 화학적 냉각 팩 6개

⑦ 몸 전체를 고정하기 위해 speed clip이나 Velcro 끈이 달린 긴 척추고정판 2개

⑧ 성인용, 소아용의 다양한 크기의 경성 경추고정장비

⑨ 척추 손상 가능성이 있는 좌상 환자를 위한 KED, XP1, Kansas Board, LSP halfback board

⑩ 운반 장비에 환자를 고정하기 위한 air-craft-style 버클이나 D-ring이 달린 9피트 2인치의 끈

⑪ 두부고정 장비(Headband, Bashaw CID, Ferno Head Immobilizer)나 담요

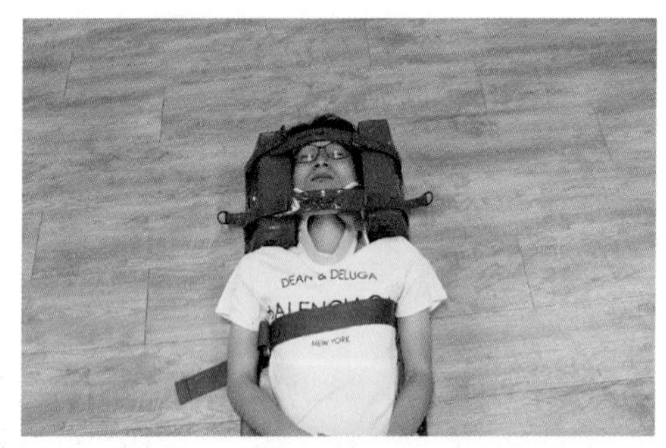

두부고정장비

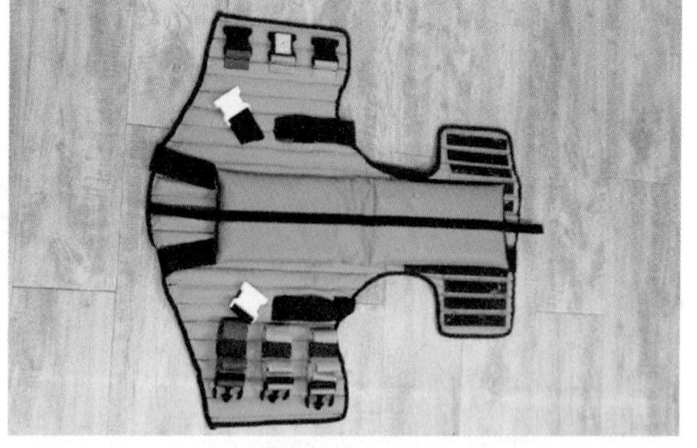

척추손상 환자를 위한 KED

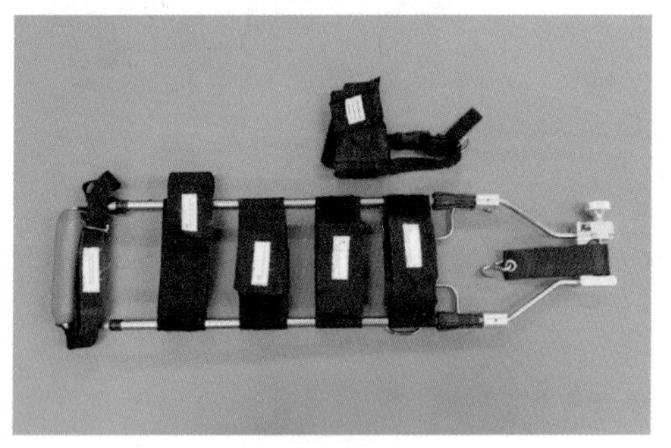

견인부목

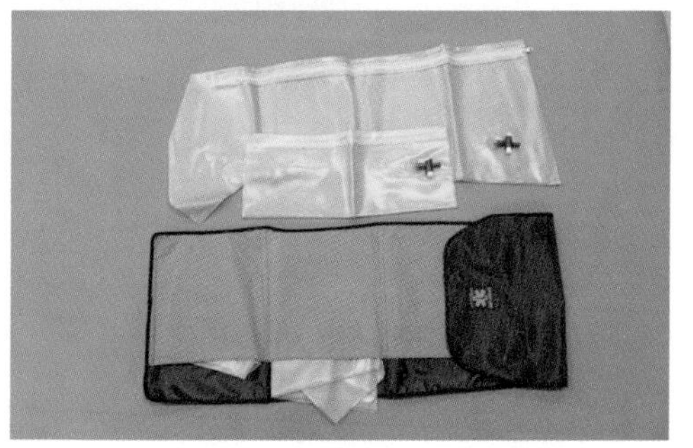

공기부목

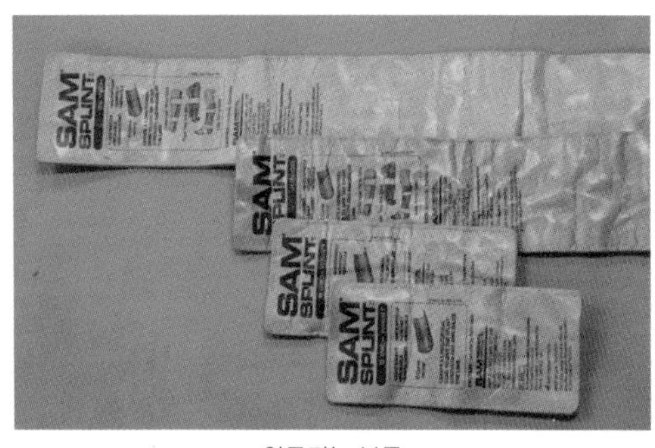

알루미늄 부목

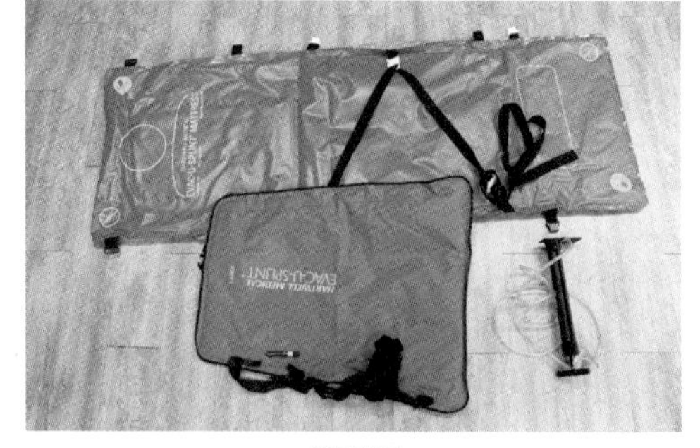

진공부목

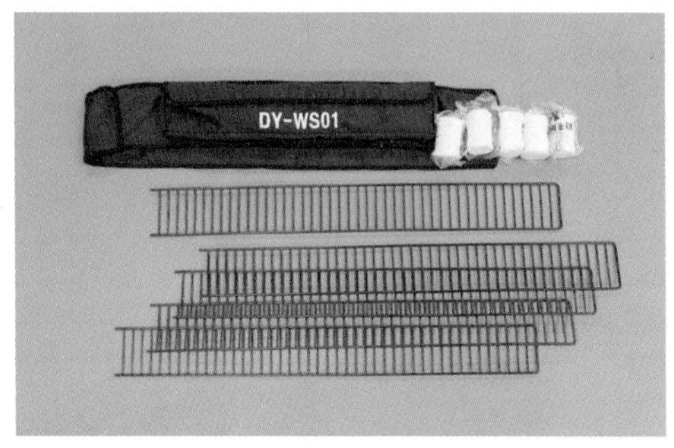

철사부목

Velcro 끈이 달린 패드부목

그림 1-27. 골절 고정 장비와 준비물품

(4) 상처 및 쇼크 처치를 위한 준비물품

구급차에는 여러 가지 붕대 및 드레싱 재료로 개방성 상처를 치료하고 지혈하기 위해 물품들을 갖춰야 한다.

① 멸균 거즈 패드(큰 것; 4×4인치, 작은 것; 2×2인치)와 거즈 10-20장을 1개로 포장하여 소독한 것을 10개씩 준비

② 5×9인치 혼합 드레싱

③ 일반적인 멸균 드레싱(복합 외상 드레싱), 대략 10×36인치 정도

④ 탄력붕대 : 큰 것(6인치)과 작은 것(4인치)을 각각 10개씩 준비

⑤ 필름 테이프 : 넓은 것으로 복부나 흉부의 내부 장기가 돌출 시
개방성 흉부상처와 내장적출을 봉인하기 위한 압박붕대

⑥ 압박붕대처럼 다양하게 사용하며 체온유지 및 신생아에게 산소텐트를 만들어 주기 위한 알루미늄 호일(별도 포장으로 멸균되어 있는 상태)

⑦ 화상 물품(burn kit) - 멸균 화상시트 또는 포장된 화상처치 장비(그림 1-28)

⑧ 경미한 상처를 처치하기 위한 포장된 접착밴드(1×3/4인치와 1×1/2인치)

⑨ 반창고 : 저자극성 접착테이프
⑩ 삼각건과 붕대를 고정하기 위한 큰 안전핀 4개
⑪ 붕대용 가위
⑫ 성인용, 유아용 쇽방지용하의(PASG)
⑬ 체온을 유지하기 위한 알루미늄 담요(구조 담요)

그림 1-28. 화상물품(burn kit)

(5) 출산 준비물품

응급 상황에서 분만 처리 시 기본적으로 사용할 수 있는 장비로 분만용 응급장비를 반드시 준비해야 하고, 식품의약품안전처 허가 받은 제품이어야 한다. 일회용 물품 꾸러미에서 제공되는 멸균 출산장비에는 다음과 같은 물품이 포함되어야 한다(그림 1-29).

① 멸균 외과용 장갑 여러 개
② 탯줄 집게(umbilical clamp) 또는 탯줄 테이프 4개
③ 멸균 외과용 가위 1개
④ 고무 밸브 주사기(3온스-고무로 된 구형의 흡인기)
⑤ 4인치 거즈 패드 12장
⑥ 멸균 처리 장갑 4개
⑦ 소독수건 5개
⑧ 아기 보온담요 1장(receiving 담요)
⑨ 영아 포대기
⑩ 방수용 패드
⑪ 산과용 패드
⑫ 탯줄용 가위
⑬ 1상자 위생적인 수건(냅킨-각각 포장되고 멸균된 것)
⑭ 큰 비닐봉지 2개
⑮ 영아용 모자 2개

각 구급차는 현장이나 병원으로부터 신생아를 이송하기 위하여, 단독으로 혹은 들것에 고정하여 이동할 수 있는 신생아 보육기(incubator)를 적재할 수 있어야 한다. 보육기는 충분한 산소와 습도 제공, 체온 조절, 응급 시 신생아의 **머리 부분**에서의 처치를 수행할 수 있어야 한다. 이러한 목적들을 위해 적절한 크기의 인공호흡 장치와 구강흡인장치를 갖추어야 한다.

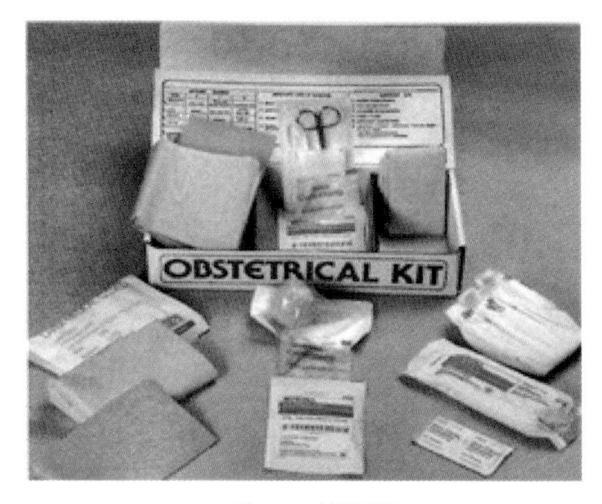

그림 1-29. 분만세트

(6) 급성중독, 뱀 교상, 화학화상, 당뇨 응급상황에 대한 처치를 위한 약물, 장비, 준비물품

정해진 용량의 활성탄(activated charcoal)과 구토 시럽(syrup of ipecac)이 마실 물과 컵과 함께 비치돼야 한다.

① 구토에 대비하여 구토물을 담을 수 있는 비닐 주머니가 갖추어져야 한다.
② 지역 중독센터 또는 응급센터가 있으면 해당 전화번호가 중독 장비(poisoning kit)에 기재되어야 한다.
③ 독성 물질에 노출된 후에는 피부와 눈을 닦는데 필요한 장비와 물품이 갖춰져 있어야 한다.
④ 뱀에 물렸을 때 사용되는 장비는 위험한 독사들이 있는 지역의 구급차에 준비되어야 한다.

응급처치 장비에는 중독을 방지하는 여러 가지 장비들이 있다. 다음과 같은 물품들이 포함되어야 한다.

① 독을 희석하기 위해 마실 물
② 활성탄
③ 종이컵과 구강 투여를 위한 장비
④ 눈이나 피부를 멸균된 물로 씻기 위한 장비
⑤ 뱀 물린 상처에 응급처치를 위한 수축 밴드
⑥ 포도당 연고

(7) 응급장비 가방

운전자가 구급차를 주차하는 동안, 구급차를 떠나서 현장의 환자에게로 가는 응급구조사가 휴대할 응급장비 가방이 구급차에 비치되어 있어야 한다.

이 구급장비 가방은 다음과 같은 것들을 포함한다.

① 가볍고 튼튼해야 한다.

② 방수되고 열기 쉬우며 안전해야 한다.

③ 중독센터를 포함하여 응급구조사가 꼭 알아야 할 공공기관이나 특수 의료기관의 전화번호가 기재되어 있어야 한다.

응급장비 가방에 들어 있어야 할 물품은 다음과 같으나 지역이나 여건에 따라서 변경될 수 있다(그림 1-30).

□ 삼각건
□ 혀 보호기(bite block)
□ 인공기도(airway)
□ 혈압계, 청진기, 손전등
□ 소독된 거즈(큰 것, 작은 것)
□ 암모니아
□ 가위
□ 상처 드레싱 물품
□ 백-밸브 마스크(bag-valve mask)
□ 휴대용 흡인기
□ 체온계, 일회용 반창고
□ 간단한 환자 보고서
□ 여러 넓이의 반창고
□ 탄력 붕대
□ 지역 의료진에 의해서 필요하다고 인정되는 다른 물품들

그림 1-30. 전형적인 응급장비 가방, 이 장비는 가볍고 강하고 방수가 되며 쉽게 열릴 수 있어야 한다.

4) 환자 감염통제, 안위, 보호물품

구급차에 다음과 같은 준비품들이 갖춰져 있어야 한다.

① 베개 및 베개보 4개

② 여분 시트 2장

③ 담요 4장

④ 일회용 구토물 용기 6개
⑤ 일회용 변기, 소변기, 화장실 휴지
⑥ 화장지 2통
⑦ 일회용 종이컵 1팩
⑧ 젖은 수건 1팩
⑨ 멸균된 물 또는 식염수 4ℓ
⑩ 연성 부목 4개
⑪ 생물학적 위험물질 보관 봉지 또는 폐기물
⑫ 쓰레기 처리를 위한 큰 노란 봉지 1팩
⑬ 중급 소독제(결핵균인 mycobacterium tuberculosis를 파괴한다)
⑭ Lysol 같은 저급 소독
⑮ 1 : 100 수준의 정렬된 빈 스프레이 병, 플라스틱 물병, 출혈된 혈액을 제거하기 위한 표백제가 든 플라스틱 병(필요하다면 매일 표백제 1과 물 100의 분량을 측정하여 혼합물을 만든다)
⑯ 응급구조사가 사용할 눈 보호대 또는 보호용 안경
⑰ 차량(BLS 또는 ALS) 용 물품 용기 상자와 약 상자(ALS 팀)
⑱ 라텍스, 비닐이나 인조장갑 보관함
⑲ 개인별 N-95나 HEPA 호흡기

5) 안전장비와 기타 장비

환자가 발생한 현장은 비바람이나 폭풍이 치는 환경 혹은 추운 환경일 수도 있으며, 주위가 식별되지 않을 정도로 어두운 경우도 있다. 이러한 환경에서 환자와 응급구조사의 안전을 유지하기 위해서는 다음과 같은 장비가 필요하므로 구급차에는 구조사의 안전을 위한 개인보호용 장비, 경고, 표시, 불을 밝히는 장비, 위험물질 통제 장비, 그리고 접근과 해체를 위한 도구가 적재되어 있어야 한다.

① 응급출동지침서
② 병원 전 처치 보고서(PCRs), 다른 기록 형식
③ 중증도 분류표와 기록지 등
  ㉠ command 조끼
  ㉡ 대량재해 사고 시 현장 치료 영역에 따른 붉은색, 초록색, 검은색, 노란색의 방수포
④ 대량재해 사고 관리 일지
⑤ 대원 개인안전장비(안전모; 얼굴막이가 있는 것, 보호복, 보호용 안경, 장갑)
⑥ 바퀴 고임목
⑦ 쌍안경

⑧ 일회용 타이벡[2](Typeck) 낙하복
⑨ 조명탄(2개의 신호탄 : 다른 차량을 안전한 도로로 유도하는 것)
⑩ 휴대용 무전기
⑪ 큰 투광조명등/스포트라이트(2개의 이동 가능한 일광 조명등)
⑫ 반사되는 또는 불빛을 비추는 경고등
⑬ 소화기
⑭ 소아 환자를 위한 동물 인형
⑮ 선택 준비물품
㉠ 자기 충족 호흡 기구(SCBA)
㉡ 농축 스포츠음료(게토레이)와 소생 부위 냉각기

현장에서 사고환자를 구출할 수 있는 간단한 구조장비가 갖추어져야 한다. 구급차의 조건에는 구조장비에 대한 구체적인 언급이 없다. 하지만 간단한 구조장비는 적재되어 있어야 한다(그림 1-31).

① 쇠 지렛대, 망치, 도끼, 바퀴 받침대, 쇠톱
② 반지 절단기
③ 스프링이 들어간 중심 펀치
④ 작은 망치, 지렛대, 다른 접근 도구
⑤ 머리가 편평한 도끼 또는 만능도끼
⑥ 낙하 로프
⑦ 만능 로프 등

방진안경

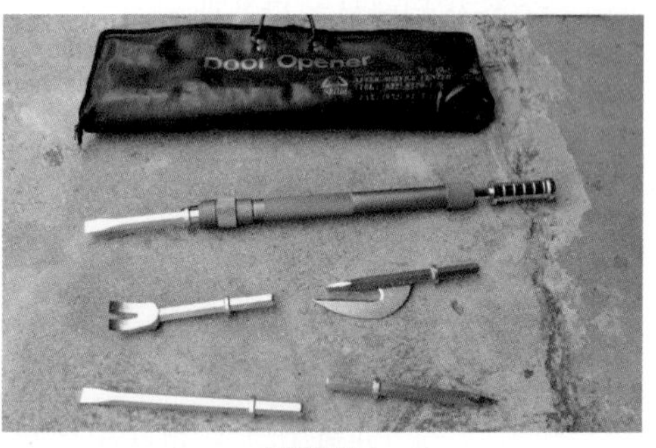

도어오프너

2) 고밀도 폴리에틸렌을 극세 섬유로 방사시켜 고열로 스펀 접착제 제조공업에 의하여 개발된 부직포이다. 이것은 종이보다 가볍고, 필름보다 강하고, 일반 천보다 다양한 용도로 쓰인다. 방수성, 투습성, 복사열 차단 등의 여러 우수 특성들을 지니고 있다.

휴대용 무전기

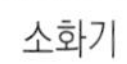

소화기

개인로프

구조로프

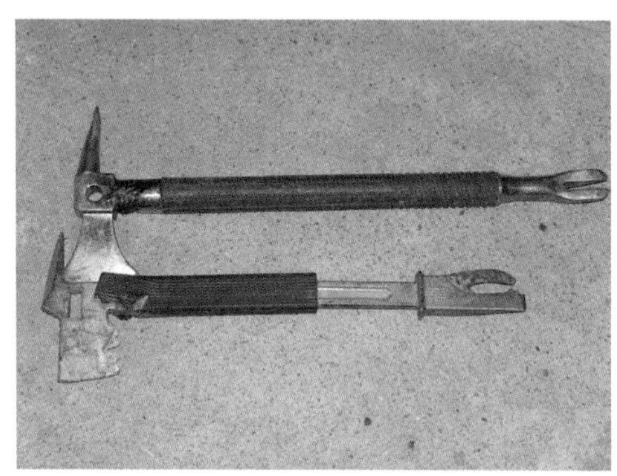

만능도끼

망치

그림 1-31. 안전장비와 기타 장비

12 구급차 관리

응급구조사는 구급차의 관리에 책임이 있다. 정부에서도 구급차량의 세부관리 기준을 정하여 관리하고 있다. 구급차의 외관은 청결하게 관리되어야 한다.

① 외관이 찌그러져 있거나 도색이 벗겨져 있지 말아야 한다.
② 외부에 흙이나 먼지 등이 과도하게 묻지 않아야 한다.
③ 안전하고 이동 시 쉽게 알아볼 수 있어야 한다.
④ 정기적으로 일반적인 검사를 해야 하는데, 정비표를 이용(장비 교체와 필요한 장비 공급)한다.
㉠ 차체 점검표, 제동장치, 배터리, 엔진 냉각 시스템, 유액의 양, 팬 벨트, 냉각수와 호스, 내 · 외부의 전등, 경고 장치와 경음기 등
㉡ 바퀴의 압력 및 손상 정도 측정
㉢ 차량 문의 상태
㉣ 온도 조절 장치
㉤ 통신 장비
㉥ 연료 및 용액(엔진오일, 냉각수, 트랜스미션 오일, 파워 스티어링, 파워브레이크 등)
㉦ 시험 운행 및 와이퍼 검사
㉧ 응급의료장비와 물품
㉨ 차량공구
⑤ 응급의약품은 출동이 **끝날 때마다** 다시 채워 넣어야 한다.
⑥ 일반적 검사의 첫 번째 종류는 매일 변화하는 것에 대한 검사이다.
⑦ 구급차는 사고에 대비하여 책임보험과 종합보험에 가입하여야한다.
※ 구급차등에 갖추어야 하는 장비의 관리기준(응급의료에 관한 법률 시행규칙 제38조 제5항 관련 별표 17)

1) 일일점검(수시)

일일점검은 하루에 한 번 이상 점검하는 것으로 매일 교대 점검 시간에 실시하며, 안전운행에 필요한 기본적인 항목에 대해 점검을 한다. 점검 항목은 다음과 같다.

(1) 시동 전 구급차 점검

구급차가 차고에 주차되어 있을 때 다음과 같이 점검한다.
① 차량의 몸체를 점검한다. 안전운행을 방해할 수 있는 위험한 요소가 있는지 확인한다.
② 바퀴의 압력과 타이어의 손상정도를 점검한다.

㉠ 정상적인 운행에서 타이어는 충격을 흡수한다(그림 1-32).

㉡ 모든 타이어에 공기압을 측정해서 적절하게 팽창되어 있는지 확인한다.

그림 1-32. 와이퍼, 타이어 등을 점검한다.

③ 창문과 거울을 점검한다(그림 1-33).

- 깨진 유리나 헐겁거나 손상된 부분이 있는지 살피고, 각 창문의 내부가 깨끗한지 확인한다.

그림 1-33. 창문, 문, 거울을 확인한다.

④ 모든 문의 상태와 잠금장치 그리고 창문 작동 여부를 확인한다.

⑤ 엔진 냉각 시스템의 구성요소를 점검(냉각수와 호스 상태 등)한다(그림 1-34).

냉각수

라지에이터

그림 1-34. 냉각시스템

⑥ 엔진 오일과 브레이크, 핸들 액과 같은 액체량을 점검한다.

㉠ 연료 탱크 : 특별한 상황이 아니라면 최소한 1/4 이상 채워져야 한다.

- 연료통 주위에 누유 흔적이 있는지 확인한다.

㉡ 용액 : 엔진오일, 냉각수, 미션 오일, 동력 방향조절(파워스티어링, 그림 1-35), 파워브레이크, 유리 세척액

그림 1-35. 파워스티어링 오일(탱크 옆면에 표시된 HOT 「MAX」와 「MIN」사이에 오일 수준이 있는지 확인한다).

⑦ 배터리를 점검한다(표 1-9).

표 1-9. 배터리 충전 지시계

표시창 상태	배터리 상태	필요 조치 사항
녹색	장상	사용 가능
흑색	충전 부족	배터리 충전 필요
흰색	액부족	배터리 교환

⑧ 차량 내부와 물품들이 깨끗한지 혹은 파손되었는지를 점검한다.

㉠ 매 출동 후에 구급차의 내부를 청소하고 오염을 제거해야 한다.

㉡ 부서지거나 손상된 장비는 바로 교환해야 한다.

⑨ 경적 및 사이렌 소리가 최고조로 작동되는지 확인한다.

⑩ 안전벨트가 손상이 있는지 점검한다.

⑪ 운전석을 편안하게 하고 핸들과 페달 작동이 잘 되는지 점검한다.

⑫ **출동 후** 항상 보충하고 연료를 확인한다.

⑬ 차량 공구

Tip. 시동 전

① 외관 : 마크 · 엠블럼 부착물, 차량의 변형 · 파손 · 부식
② 누유 : 엔진 오일, 파워스티어링 오일, 차동기어 오일, 브레이크 오일, 쇽업쇼버 오일
③ 누수 : 냉각수 및 냉각 라인
④ 배선 체결 : 배터리 터미널
⑤ 타이어 : 타이어 상태
⑥ 기타 : 안전벨트, 연료량 등

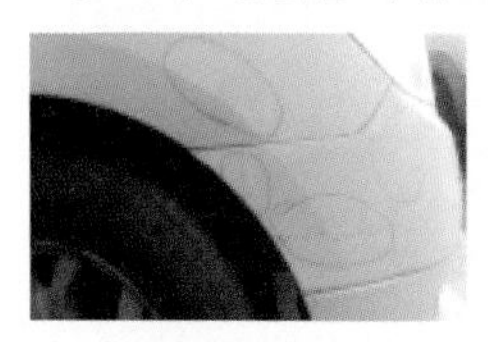
파손

마크

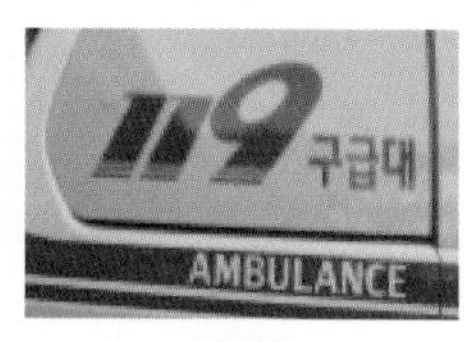

엠블럼

엠블럼

(2) 시동 중 구급차 점검

응급구조사가 구급차량에 시동을 걸어본다. 자동차 배기가스에 문제가 있으면 구급차를 차고에서 밖으로 주차한다. 주차 브레이크를 "주차" 상태로 변환시키고 동료 응급구조사에게 바퀴에 고임목을 설치하게 하여 차량을 고정한다. 그리고 다음 단계를 실행한다.

① 계기판을 확인(오일 압력, 엔진 온도, 자동차의 전기체계)한다(그림 1-36).
② 제동장치(브레이크 페달을 밟아본다) 및 핸들링을 정비하기 위해서 매일 시험 운행한다.
　㉠ 페달이 적절하게 밟히는지 또는 부적절한지 확인한다.
③ 사이드 브레이크를 점검한다. 사이드 브레이크가 잠겨져 있는지 확인 후 주차상태로 변환한다.
④ 창문의 와이퍼와 워셔액이 작동되는지 확인한다.
　㉠ 창문과 거울의 청결도와 위치의 검사 : 적절한 기능을 위해서 와이퍼를 검사한다.
⑤ 모든 내 · 외부의 전등, 경고 장치와 경음기 등을 작동시킨다.
　㉠ 동료에게 구급차 주위를 돌게 해서 불빛과 회전등의 작동을 확인한다(그림 1-37).
　㉡ 동료에게 구급차를 돌면서 헤드라이트, 방향 지시등, 사방등, 브레이크등, 사이드와 후미의 조명등, 운전석표시등을 확인한다(그림 1-38).

그림 1-36. 계기판과 통신장비를 확인한다.

그림 1-37. 내 · 외부의 경고 장치와 경음기 등을 점검한다.

경광등

작업등

전조등

후미등

그림 1-38. 각종 등화장치가 미점등되거나 불량한지 점검한다.

⑥ 운전석과 환자 칸의 온도조절장치(냉 · 난방 장비) 작동을 확인한다.
⑦ 변속기 액을 확인한다.
⑧ 통신 장비(차량 내 고정용과 무선전화뿐만 아니라 휴대용 통신장비)를 점검한다.
 ㉠ 119구급상황관리센터 및 응급의료기관과 항상 교신이 이루어질 수 있도록 관리한다.
⑨ 차량에 후진 경고 장비가 장착되어 있는 경우에는 후진시킬 때 후진 경고가 작동하는지 확인한다.
⑩ 응급의료 장비와 물품 : 산소, 응급장비 가방, 흡인기 등을 점검한다.

Tip. 시동 중

① 시동 : 시동, 계기판
② 장치 성능 : 경광등 · 등화장치, 사이렌, 와이퍼, 냉난방장치
③ 제동장치 : 풋 브레이크, 주차 브레이크
④ 통신장비 : UHF, TRS
⑤ 영상장치 : 영상정보장치(CCTV), 웹패드, 내비게이션
⑥ 환자실 내 주요 장치 등

(3) 시동정지 후 구급차 점검

① 누유 : 엔진 오일, 브레이크 오일, 변속기 오일, 파워스티어링 오일 등

② 누수 : 냉각수

③ 기타 : 장비별 특성에 따라 추가

2) 정기(주간)점검

구급차를 정기적으로 일주일에 한 번 이상 점검하는 것으로 특정 요일을 정해 놓고 매주 정기적으로 점검을 실시하며, 일일점검과 병행하여 보다 세밀한 점검을 실시한다. 구급차 차체와 엔진 부속물들은 일반적인 차량이나 트럭보다 더 많은 부하를 받게 된다. 그러므로 정기적인 예방 관리를 위하여 제조업체의 권고 사항을 엄격히 따라야 한다. 특히 윤활유와 필터 교환, 트랜스미션과 다른 서비스, 브레이크, 휠 정비, 휠 베어링, 방향전환(스티어링) 부속에 신경을 써야 한다. 많은 출동횟수가 장기적인 관리 요구를 결정하는 데 도움을 주기 때문에, 출동한 거리기록계를 포함하여 허브(Hobbs)나 엔진 운전시간을 사용하고 있다. 응급처치 보고양식과 같이 지역이나 개인에 따른 차량운행이 일반적 검사양식에 영향을 줄 수 있다. 효과적인 관리를 위해서는 일목요연하게 검사항목을 기록한 검사양식을 검사 기간별로 스스로 개발해야 한다. 이 검사양식을 사용해서 중복되거나 생략되는 것이 없어야 한다. 이 양식은 다음의 검사를 위해 법률적 문서로 보관해야 한다.

3) 환자 칸의 준비물품과 장비 점검

엔진을 끄고 환자 칸과 차량 외형을 모두 점검한다.

① 환자 칸 내부를 확인 및 점검한다.

㉠ 내부 표면과 실내장식에 손상이 있는지를 살핀다. 오염물질이 제거되었는지, 환자 칸이 깨끗한지를 확인한다.

② 처치물품과 장비를 확인한다.

㉠ 물품들을 점검하면서 완전성, 상태, 작동상태를 확인한다.

㉡ 산소탱크의 압력을 확인한다. 공기부목을 부풀려서 공기가 새지 않는지 점검한다. 환자에게 사용할 산소 장비가 적절히 작동하는지 점검한다.

㉢ 구조장비가 녹이 슬거나 청결한지 점검한다.

㉣ 배터리를 작동시켜서 배터리가 충분한지를 확인한다. AED와 같은 장비는 추가로 점검해서 잘 작동이 되는지 확인한다.

㉤ 구급차에 갖춰진 모든 장비와 물품을 점검하고 검사보고서에 기록한다.

③ 점검이 끝나면 검사보고서를 작성한다.

㉠ 문제가 있는 장비는 교체하고 부족한 물품은 보충한다.

④ 감염방지 장비와 차량을 깨끗하게 한다.

㉠ 구급차를 깨끗하게 관리해서 지역주민들에게 자신이 소속되어 있는 기관의 이미지를 높인다. 자신의 직업과 업무에 자부심을 가진 사람은 긍지를 가지고 구급차도 잘 관리한다.

1. 구급차 일일점검부

(앞쪽)

소속	정부물품식별번호	차량번호

□ 점검결과

점검구분	점검항목		점검내용	점검결과(0000년) 월일/단위						
시동 전	외관	마크·엠블럼 부착물	부착물 탈락·훼손 수	개						
		차량의 변형·파손	변형 및 파손부위 개소	개소						
	누유 누수	차동기어·액슬 오일	바닥 누유·누수 흔적	유·무						
		브레이크 오일								
		쇽업소버 오일								
		엔진오일								
		파워오일								
		냉각수								
		에어탱크·호스 누기	에어압력 게이지 압력	kg/㎠						
	배선 체결	배터리 터미널	터미널·배선 체결	적·부						
	타이어	타이어 상태	편 마모·트레드 마모·카커스(골격) 손상·공기압(육안점검) 등	개 (종류)						
시동 중	시동	시동	시동	가·부						
		계기판	시동 후 점등된 경고등 수 (parking, 안전벨트 제외)	개 (종류)						
	장치 성능	경광등·등화장치	손상·미점등 장치 수	개						
		싸이렌	음량 크기·제어성	적·부						
		크레인 또는 윈치 (옵션으로 탑재된 경우)	작동	가·부						
			작동 시 이음	유·무						
	제동 장치	브레이크	정지 시 밀림	유·무						
		배기브레이크	작동	가·부						
			작동 표시등 점등	가·부						
		주차브레이크	경사지 또는 2단 출발 시 밀림	유·무						
	기타	장비별 특성에 따라 추가								

210㎜×297㎜[백상지 80g/㎡]

(뒤쪽)

정지 후	누유 누수	차동기어·엑슬 오일	바닥 누유·누수 흔적	유·무						
		브레이크 오일								
		쇽업소버 오일								
		엔진오일								
		냉각수								
			장비 점검자							
			장비 관리자							

□ 결과조치

날짜	부적합 사항		조치사항	장비 관리자
	항목	내용		
				(인)

유 의 사 항

출처: 소방장비관리규칙 [별지 제9호 서식] <개정 2012.12.28.>

2. 구급차동차 정기 점검부

(앞쪽)

소속	정부물품식별번호	차량번호

□ 점검결과

점검구분	점검항목		점검내용	점검결과(0000년)						
				월일 / 단위						
시동 전	오일	엔진오일	게이지에 의한 오일량 (MIN ~ MAX)	적 • 부						
		브레이크 오일								
	기타	캡	틸팅 작동	가 • 부						
		냉각수	게이지에 의한 수량 (MIN ~ MAX)	적 • 부						
		워셔액								
		에어클리너	더스트 인디케이터 (적색 도달 여부)	여 • 부						
		발전기 배선	터미널 • 배선 체결	적 • 부						
	윤활장치	그리스자동주입기	주입 • 도포	적 • 부						
		동력추진축								
		타이로드 엔드								
시동 중	오일	자동미션오일	게이지에 의한 오일량	적 • 부						
	장치성능	자동이탈식 수구	키 ON시 자동이탈	가 • 부						
		조명장치	외부조명등, 작업등 미점등	개						
	제동장치	브레이크	정지 시 밀림	유 • 무						
		배기브레이크	작동	가 • 부						
			작동 표시등 점등	가 • 부						
		주차브레이크	경사지 또는 2단 출발 시 밀림	유 • 무						
	조명장치	조명탑	작동 시 이음 확인	유 • 무						
			조명등 미점등 개수	개						
		발전기	시동	가 • 부						
			게이지에 의한 오일량 (MIN ~ MAX)	적 • 부						
		배전반	시험스위치 작동 시 차단기 작동	가 • 부						

(뒤쪽)

시동 중	□ 배연 장치	송풍기	작동 시 이상 진동	유 • 무						
			회전수 조절	가 • 부						
		배연기	작동 시 이상 진동	유 • 무						
			회전수 조절	가 • 부						
		고발포기	작동 시 이상 진동	유 • 무						
			회전수 조절	가 • 부						
	기타	장비별 특성에 따라 추가								
정지 후	타이어	마모	편마모	유 • 무						
			트레드 마모	유 • 무						
			카커스(골격) 손상	유 • 무						
			장비 점검자							
			장비 관리자							

□ 결과조치

날짜	부적합 사항		조치사항	장비 관리자
	항목	내용		
				(인)
				(인)
				(인)
				(인)
				(인)
				(인)
				(인)
				(인)
				(인)

13 구급차의 출동

응급출동의 지령을 받게 되면 응급구조사는 어느 경로를 이용하여 안전하게 현장에 도착할지 결정하여야 한다. 교통이 혼잡한 구간은 가능한 한 피하여야 한다. 학교부근 지역은 수업이 시작하고 끝나는 시간이 특히 위험하기 때문에 가능한 한 피하여야 한다. 철도 건널목이나 공사지역 등을 파악하고 있어야 한다. 현장으로 출동하기 전에 근무하는 지역의 최선의 경로를 알아야 한다.

때때로 지령의 내용에 따라 대응하는 방법이 달라지기도 한다. 신고내용에 어린이라든가 심각한 외상의 경우에는 속도가 안전보다 더 중요하다고 생각하고 주의를 덜 기울이고 운전하려 할 것이다.

동료직원과 관련된 사고일 때에 구급차 운전대원을 급해지게 만드는 경우는 없을 것이다. 응급상황의 전문가로서 신고내용이 응급구조사의 판단에 영향을 주지 않도록 하여야 한다. 항상 주의를 기울여 운전해야 한다.

14 구급차 주 들것을 이용한 환자탑승 및 내리기

구급차에 환자를 싣거나 내릴 때는 환자가 안전하고 신속하게 움직여질 수 있도록 주의를 기울여야 한다. 대부분 환자는 들것을 이용하여 구급차에 싣는다. 하지만 일부의 경우는 응급구조사의 약간의 도움으로 구급차 환자실에 스스로 타는 경우가 더 안전할 수도 있다. 들것이든 일반 좌석이든 간에 반드시 환자의 어깨와 허벅지 벨트를 고정하여야 한다.

환자의 보호자나 동승자가 탑승하는 경우 일반적으로는 구급차의 앞쪽 좌석에 안전띠를 매고 탑승한다. 예외적인 경우도 있는데, 예를 들면 어린이 환자의 부모라든가 환자와의 통역이 필요한 경우 등이다. 죄수의 이송과 같이 경찰의 동승이 필요한 경우에는 환자 옆에 경찰이 착석하여야 한다. 모든 경우에 탑승자들은 이용 가능한 고정 장치를 이용하여 고정되어야 한다. 다수의 환자를 이송하는 경우에는 가장 심각한 환자를 마지막에 탑승시키는 것이 내릴 때 가장 빨리 내릴 수 있기 때문에 바람직하다.

환자를 구급차에 탑승시킬 때는 구급차에 어떤 장비들이 실려 있는지에 따라 다음의 순서대로 실시한다(그림 1-39).

① 들것의 바퀴는 땅바닥에 있는 채로 들것의 머리 부분은 구급차의 환자실 쪽 위로 기울

인다. 들것의 머리 쪽 아래에 있는 보조바퀴 2개가 틀을 따라서 움직이도록 붙인다(1단계).

② 환자의 무게를 2개의 머리 쪽 보조바퀴와 다리 쪽 응급구조사에 의지한 채 들것의 옆쪽으로 가서 고정쇠를 해제하고, 들것 아래쪽을 들어 올려 들것이 완전히 접히도록 한다. 들것의 하부 쪽 바퀴와 머리 쪽 보조 바퀴는 수평이 된다(2단계).

③ 들것의 나머지 부분을 구급차의 뒤쪽으로 밀어 넣어 6개의 바퀴에 힘이 가해지도록 한다(3단계).

④ 들것을 밀어 넣어 들것 아래쪽 부분이 단단한 고정쇠에 의해 고정되도록 한다. 고정쇠는 들것의 바닥이나 환자실의 옆쪽에 있다(4단계).

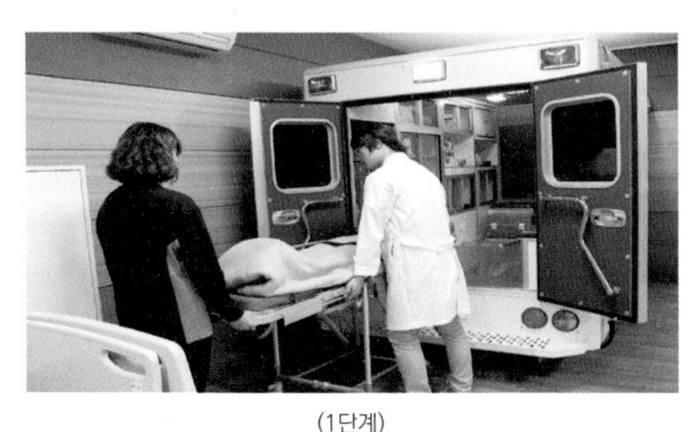

(1단계)

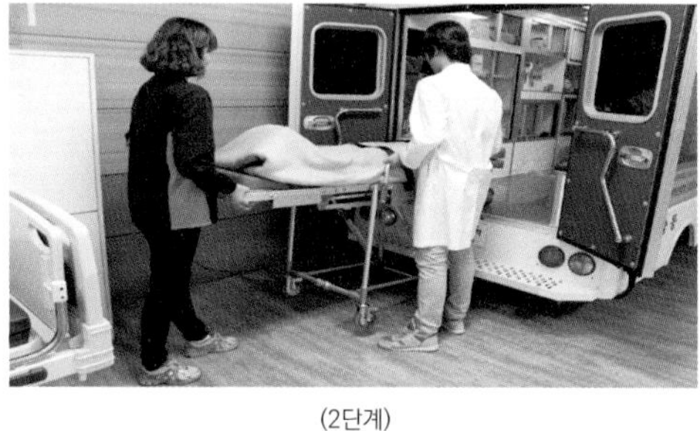

(2단계)

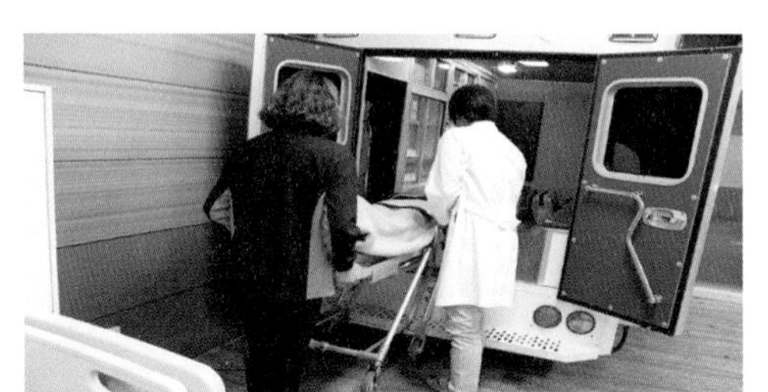

(3단계)

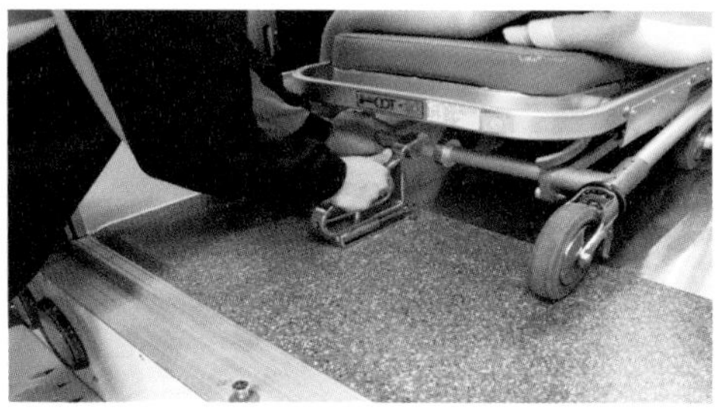

(4단계)

그림 1-39. 환자 탑승시키기

대부분 구급차는 혼자서 들것을 구급차에 실을 수 있는 구조로 되어있다. 이 경우 구급차의 뒤쪽에 들것이 들리면서 실을 수 있는 장치가 갖춰져 있다. 구급차의 머리 쪽 보조 바퀴를 이 장치에 대고 동료대원이 들것의 바퀴를 들어 올리는 동안 앞쪽으로 밀어 넣는다. 모든 잠금장치가 고정되었는지 눈으로 확인해야 한다. 해당 지역의 지침에 확실히 따라야 한다. 환자를 내릴 때는 다음의 단계를 따라야 한다(그림 1-40).

① 환자가 들것에 고정되어 있는지 확인한다(1단계).

② 머리와 다리 쪽 고정 장치를 해제한다(2단계).

③ 들것이 고정 장치에서 빠지도록 위로 들어 올리면서 앞으로 끈다(3단계).

④ 동료대원이 들것의 옆쪽에서 조심스럽게 들것을 구급차 밖으로 끌어준다(4단계).

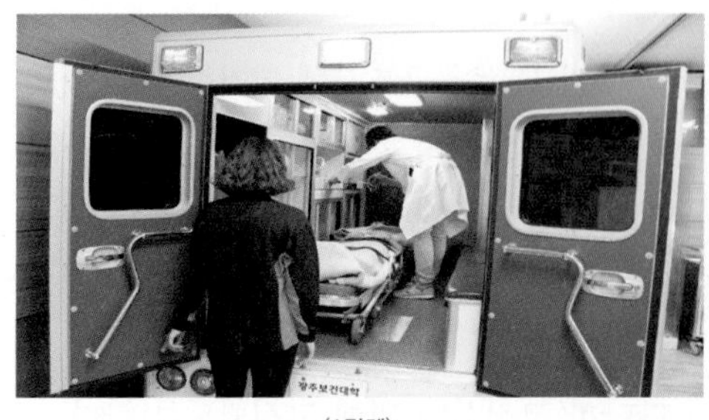

(1단계)

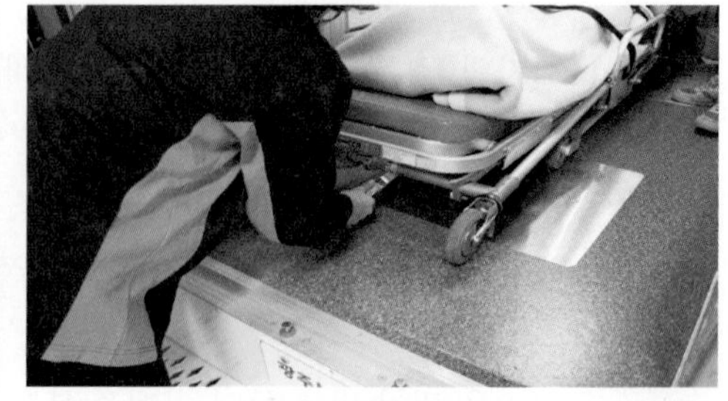

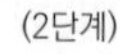

(2단계)

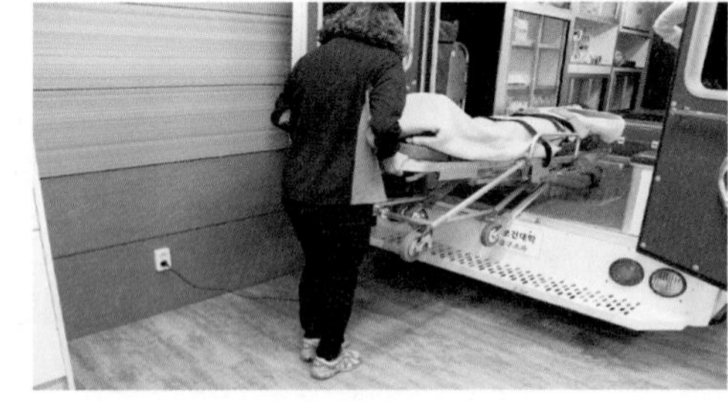

(3단계)

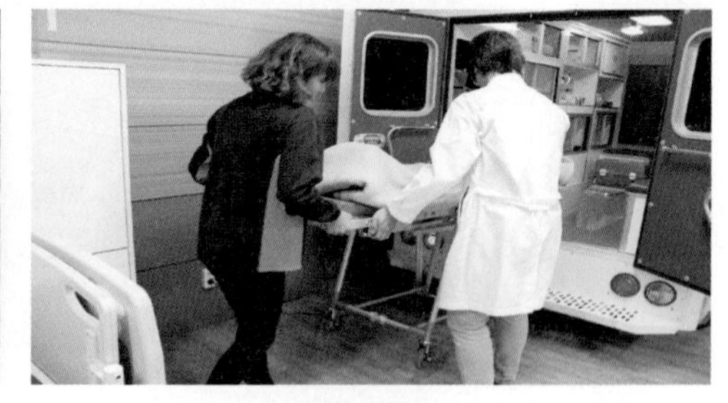

(4단계)

그림 1-40. 환자 내리기

15 들것 안전 고정장치(Safety Restraints)의 사용

표준운영절차(SOP)에 의하면 환자뿐 아니라 구급차 안의 모든 사람은 안전띠를 착용하여야 한다(그림 1-41). 어린이들은 들것이 적절히 고정하기 어렵다면 들것 위에 올려놓고 이송해서는 안 된다. 어린이에게 어른용 좌석벨트를 채우는 것은 바람직하지 않다. 여러 가지 어린이 고정 장치가 있지만, 이것들도 정확하게 사용하는 것을 더 권장한다. 물론 구급차를 운전하는 응급구조사도 좌석벨트를 사용하여야 한다. 또 환자실에서 응급처치하는 동안에도 고정 장치를 활용하여야 한다.

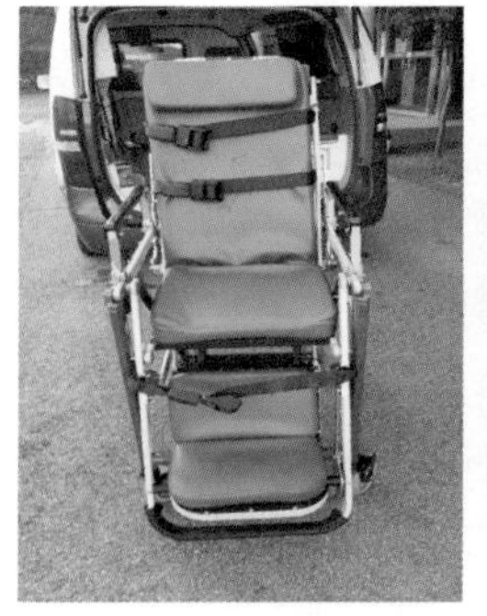

그림 1-41. 들것 안전띠 및 들것 안전 고정장치

02 환자의 이송

1 개요

현장에 도착하면 응급구조사의 안전과 환자의 안전을 먼저 생각하고, 안전이 확인된 후에는 환자의 생명을 위협하는 문제점에 관심을 가지고 우선순위를 결정하여 응급치료 한다. 환자의 우선순위 및 이송시키는 데 있어서 기본 인명구조술의 ABC's는 가장 중요하다. 때로는 현장에서 환자를 구출하기 전에 혈관 정맥로 확보하는 것이 필요한 경우가 있다. 응급처치가 끝난 후에는 들것이나 기타 응급 장비를 사용하여 환자 체위를 적절히 유지하며 이송시킨다.

들것이나 운반 도구는 환자와 가까운 장소에 위치시켜서 가능한 이동 거리를 짧게 하는 것이 바람직하다. 들것으로 환자 이송시키는 동안에는 환자의 움직임을 최소화한다. 척추고정판이나 분리형 들것(scoop stretcher)에 환자를 눕히면, 병원으로 도착한 후에 방사선 촬영이 쉬우며 환자의 움직임도 최소화할 수 있으므로 바람직하다. 환자 이동에 대한 순위와 계획 수립하여 서두르지 않는 것이 바람직하다. 이러한 계획 수립이 환자의 추가손상 및 악화를 방지한다.

환자 이송은 적어도 2명의 응급구조사가 시행하며, 더 많은 인원이 필요하면 도움을 줄 수 있는 사람을 현장에서 자원봉사자로 선발한다. 현장에서 자원 봉사자 및 초기반응자의 경우에는 환자를 이송시키기 전에 이송 방법과 역할에 대하여 간단하고 자세히 설명해 준다. 환자의 이송 방법은 환자를 들어 올리고, 내리고, 당기고 고정하는 것 등이다. 만일 이러한 구조작업 중에 하나라도 부적당하면 손상 정도가 더욱 악화된다.

손상 환자는 긴 척추고정판이나 분리형 들것(scoop stretcher)에 눕혀야 하며 필요하면 주위의 도움을 청해야 하고, 위험한 환경에서는 응급처치나 평가를 시행하기 이전에 환자를 안전한 장소로 이동시켜야 한다. 환자를 들것에 완전히 고정하고 이송하는 것은 연습과 훈련을 통하여 습득해야 한다. 응급구조사가 여러 상황에서 가장 바람직한 방법을 시행하기 위해서는 여러 가지 방법을 꾸준히 연습하는 것이다. 환자 이송이 완료된 후에 응급구조사는 사용한 방법의 타당성을 평가해야 한다. 구조의 결과는 응급구조사의 능력에 의하여 결정되므로, 응급구조사가 현장에서 적절한 판단을 내리고, 현장이 안전한 환자와 현장이 위험한 환자를 이동시키는 방법을 교육하는 것이 중요하다.

2 환자의 이송

1) 환자이송의 목적

(1) 환자의 생명을 구함과 동시에 보다 나은 의료시설로 이송하여 부작용을 최소화하며 양질의 의료서비스를 제공하는 데 있다.

(2) 환자 상태에 알맞은 최선의 방법을 선택하여 손상을 줄이는 데 있다.

(3) 적절하고 알맞은 의료처치를 하기 위해 환자에게 불필요한 시간 낭비와 방해를 주지 않기 위해서 이송한다.

2) 환자이송의 일반원칙

(1) 가능한 안전하고 신속하게 이송한다.

(2) 가장 적절한 방법으로 확실하게 목적하는 의료시설로 이송한다.

(3) 환자의 상태를 우선 고려한다.

(4) 부주의한 행동으로 환자 상태가 악화되지 않도록 이송한다.

(5) 임종호흡(a dying patient) 상태의 환자나 심하게 손상당한 환자는 가능한 응급구조사의 도움을 받고 현장에서 응급처치 하는 것이 좋다.

(6) 환자의 생명이 위험을 받을 경우(화재나 낙화물질, 유독 기체 등)에는 응급구조사가 위험하므로 응급환자를 가능한 빨리 안전한 장소로 옮긴다.

3) 환자이송의 주의사항

(1) 이송 전 환자에게 필요한 응급처치를 한다.

(2) 환자운반에 필요한 장비(들것이나 모포 또는 구급차 등)를 미리 준비한다.

(3) 환자를 어떠한 자세로 운반하는가를 결정한다.

(4) 필요한 응급처치를 재검토하고 의복을 느슨하게 하고 환자의 보온에 유의한다.

(5) 환자운반에 필요한 인원이나 절차를 미리 준비한다.

(6) 가능한 빠르고 안전한 운반경로를 선택한다.

4) 환자의 운반방법

환자를 운반하는 데에는 한 사람이나 여러 사람의 협조를 받아 운반하는 방법이 있다. 환자를 운반하기 전에 응급처치 하는 것을 잊어서는 안 되며, 환자가 의식이 없으면 환자를 옮기기 전에 가능한 빨리 환자평가를 하여 환자 상태에 알맞은 응급처치가 이루어져야 옮길 수 있다. 또한, 옮기는 도중에도 환자의 상태(호흡, 맥박, 안색, 표정 등)를 파악하여 이상이 있으면 움직임을 중단하고 원인을 살핀다.

환자를 옮기려면 여러 가지 기구와 장비가 필요하다. 즉 손 의자, 의자, 모포, 들것 등 가능한 환자가 편한 것을 선택한다. 부상의 상태와 심각성, 도움을 주는 사람의 수, 유용하게 사용할 수 있는 기구와 개수, 환자 이송장소까지의 거리와 이동 경로 등을 고려해야 한다.

Tip. 환자운반

환자를 운반하는 방법은 상처의 응급처치와 다름없이 중요한 일이다. 옮기는 방법이 잘못되면 도리어 나쁜 결과를 가져오는 수가 있습니다.
① 편안하게, 가장 적절한 방법으로 확실하게, 안전하게 옮긴다.

(1) 환자운반 역학의 원칙

환자운반 역학(body mechanics)이란 신체를 적절히 사용함으로써 부상을 방지하며 들어 올리고 운반하기를 쉽게 하는 것이다. 환자를 한 장소에서 다른 곳으로 옮길 때는 명확한 계획이 수립되어야 하고, 필요에 따라서는 들것, 담요, 부목, 가죽, 끈 등과 같은 장비와 보조도구 등을 사용해야 한다. 환자를 들어 올리기 전에 다음과 같은 것들을 고려해야 한다.

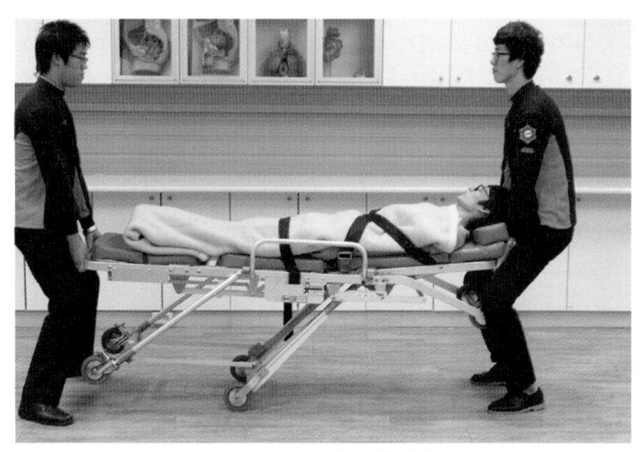

그림 2-1. 주 들것 들어올리기

(가) 환자를 고정하고 감싸서 이송시킬 때, 고려해야 할 요소
① 이송 중 실제적이고 잠재적인 위험이 포함된 환자의 문제점
② 응급구조사와 환자의 안전에 장애가 되는 위험과 제약
③ 보조 장비나 도움을 줄 수 있는 보조자의 필요 여부
④ 응급구조사의 자신과 동료의 신체적, 기술적 능력이나 제약

(나) 환자 이송방법으로 환자를 들어 올리는 원칙은 다음과 같다.
① 굴리거나 밀고, 당길 수 없는 환자만 들어 올린다.
② 응급구조사가 부담 없이 들어 올릴 수 있는 체중을 들어 올린다.
　㉠ 나이, 성별, 근육 정도와 상태에 따라 최대 체중을 개별화시켜라.
③ 응급구조사 자신의 신체적 특성과 응급구조사의 자신 또는 동료가 물체를 들기 어려운 신체적 한계에 대해 알아야 한다.
　㉠ 비슷한 힘과 키를 가진 응급구조사들이 함께 들어 올리면 훨씬 쉬울 것이다.
④ 응급구조사의 발을 적절히 위치시킨다. 단단하고 편평한 바닥 위에서 어깨 너비로 발을 벌려야 한다.
⑤ 계획을 세우고 나서, 들어 올리고 운반할 계획을 동료와 서로 의논한다.
　㉠ 환자를 안위와 응급구조사들의 안전을 위해 이동 과정 동안 계속하여 대화한다.
⑥ 이동할 때는 가장 강한 근육(이두박근, 사사두근, 둔근)을 사용한다.
⑦ 한쪽 발을 다른 쪽보다 약간 앞쪽으로 하면서 바닥에 양발을 편평하게 유지시켜 단단한 지지 기초를 설정한다.
⑧ 환자의 몸무게가 양쪽 발에 균등하게 나누어지도록 한다.
⑨ 응급구조사의 머리를 똑바로 세우고 부드럽게 조정하며 움직인다. 갑작스럽고 급격한 움직임은 지나치게 근육을 긴장시키고 상해를 입힌다.
⑩ 근육 운동을 조정하면서 천천히 움직인다.
　㉠ 환자나 들것을 운반할 때 걸음은 어깨 넓이보다 길거나 넓어서는 안 된다.
⑪ 들어 올리는 힘이 허벅지와 엉덩이 근육에 의해 주어지는 것이 확신되면, 환자를 들어 올릴 때는 무릎을 곧게 편다.
⑫ 들어 올릴 때나 엉덩이를 안으로 밀어 넣을 때 응급구조사의 어깨를 척추와 골반에 대해 일직선으로 맞추면서 복부에 힘을 준다.
⑬ 중력의 중심이 한쪽으로 치우치지 않도록 하고 근육이 지나치게 긴장하지 않도록 한다.
⑭ 허리 높이보다 낮은 곳에서 들어 올릴 때는 무릎을 구부리고 등은 곧게 편 후에 다리를 펴면서 일어난다. 즉, 들어 올릴 때는 허리를 사용하지 말고 다리를 이용하여 들이 올려

야 한다.

⑮ 방향을 바꿀 때는 동작을 꼬아서(twisting) 회전하는(rotation)것보다는 선회 축 이동(pivoting movement)을 한다.

㉠ 응급구조사의 어깨가 골반과 일치하도록 유지한다.

㉡ 몸을 틀거나 비틀지 말고, 들어 올릴 때 다른 동작을 하게 되면, 부상의 원인이 될 수 있다.

⑯ 한 손으로 들어 올릴 때는 한 쪽으로 몸을 굽히는 것을 피해야 한다. 허리를 곧게 세우고 고정한다.

⑰ 물체를 가능한 한 몸 가까이 붙여야 한다. 인체 역학상 들어 올리는 동안 다리를 사용할 수 있게 된다. 몸에서 멀어질수록 부상의 가능성은 커진다.

⑱ 계단으로 환자를 이동할 때는 들것보다는 계단용 들것을 사용해야 한다. 그리고 등을 곧게 세워야 하며, 무릎을 구부리고 허리가 아닌 엉덩이로부터 몸을 숙여야 한다.

⑲ 가능하면 정상 균형을 유지하기 위해 뒤쪽보다는 앞쪽으로 한다. 만약 뒷걸음으로 계단을 내려가야 한다면 보조자에게 등을 받쳐달라고 부탁한다(그림 2-27).

⑳ 가능하다면 보조 장치를 최대한 사용한다.

그림 2-2. 들어올리기 동작

환자의 이송이 끝나면 병원 관계자에게 안전하게 인계한다. 환자를 이동시키는 응급구조사는 이송 계획과 각자의 임무가 무엇인지를 알아야 한다. 환자가 응급의료센터로 안전하게 인계되었으면, 다음 출동을 위한 준비를 해야 한다. 이동하는 동안에 발생했던 문제점들을 다시 검토하고, 개선점에 대하여 평가회 혹은 토론회를 가져야 한다. 재검토와 평가를 통하여 수정하거나 추가할 사항이 명확해지고, 교육이나 훈련방법이 개선된다. 이러한 과정을 통하여 응급구조사는 더욱 자신감을 느끼게 되며, 응급처치나 업무 능력이 향상될 것이다.

3 환자이송이 필요한 경우 상황에 따른 이송 순위

1) 긴급/응급이송

환자의 주위에 화재와 같은 위험요소가 있는 경우와 응급의료진의 신속하고 전문적인 응급처치가 필요한 경우에는 응급이송이 필요하며, 이 경우 환자는 가능한 빨리 이송되어야 한다. 그러나 도움을 요청할 시간적 여유가 있다면 1인 구조법을 시도하지 말아야 한다.

2) 비응급 이송

환자가 다른 응급의료종사자의 도움이 필요하여 이송하게 된다면 비응급 이송이 적용되며, 이 경우 이송 전이나 이송 중에 손상부위에 대하여 정확한 판단이 있어야 한다.

Tip. 빨리 안전한 장소로 이동해야 할 경우

① 환자가 불타고 있는 건물 내에 있는 경우
② 유독가스가 있을 경우와 같이 위험한 요소가 환자 주위에 있는 경우
③ 환자가 위치한 장소나 부적절한 체위 때문에 필요한 응급처치를 시행할 수 없는 경우

4 환자를 이동장비에 옮기기

1) 척추손상이 의심되는 환자

① 척추손상이 의심되는 환자는 이동하기 전에 머리, 목, 척추 등을 고정해야 한다.
② 환자가 차량에 앉아 있다면, 짧은 고정대나 조끼형 구조장비로 환자를 고정한 다음 긴 척추고정판을 이용해야 한다.
③ 환자가 누워있거나 앉아 있는 경우엔 직접 긴 척추고정판으로 옮길 수 있다.
④ 긴 척추고정판은 바퀴가 달린 구급차 들것에 올려서 병원으로 이송한다.

⑤ 반드시 척추 손상의 우려가 있는 환자를 안정화하는 것은 필수적이다.

2) 척추손상이 의심되는 않은 환자

① 사지운반 : 팔다리 부상환자를 들것이나 계단형 의자에 옮기는데 사용한다. 누워있거나 앉아 있는 환자를 들어 올리는 방법이다.

② 직접 들기 : 땅에서 직접 들것에 옮기는 데 사용한다.

③ 시트 당기기법 : 들것으로 옮길 때 사용한다.

④ 직접운반 : 침대에서 또는 침대 높이에 위치한 들것에 옮길 때 사용한다.

5 환자이송의 원칙

1) 긴급이동

무너질 위험이 있는 빌딩 안 혹은 불이 붙은 차 안에 환자가 있다면 속도가 무엇보다도 중요한 문제일 것이다. 환자를 먼저 안전한 장소로 이동하고 난 후, 추정진단을 하고, 환자의 척추를 고정하거나 들것을 옮겨야 할 것이다. 그리고 긴급이동이 요구되는 상황에는 다음과 같다.

① 현장이 위험한 경우이며, 응급구조사 자신과 환자 보호를 위하여, 재빨리 환자를 이동시켜야 한다.

㉠ 현장이 위험한 경우에는 통제 불가능한 교통체증, 화재나 화재의 위험이 있는 곳, 폭발 가능성, 감전이나 유독가스, 방사능의 위험이 있는 지역 등이 해당한다.

② 환자의 생명이 위험한 상황인 경우 응급처치를 위해서 환자를 안전하고 적당한 장소로 옮겨야 한다.

㉠ 심폐소생술을 하기 위해 환자를 단단하고 평평한 바닥으로 옮겨야 한다.

㉡ 과다한 출혈인 경우 환자를 지혈하기 위해서 옮겨야 하는 경우도 있다.

③ 응급구조사가 다른 환자를 돌봐야 할 경우에 긴급이동을 한다.

㉠ 현장에 환자의 생명이 위험한 환자가 여러 명이 발생한 경우, 환자를 한 곳으로 이동시킬 수도 있다.

긴급이동(emergency move)에 있어 환자에게 가장 큰 위험은 척추부상이 악화될 수도 있다는 것이다. 환자의 생명을 보호하기 위해서 빨리 이동해야 하므로, 완전한 척추보호가 불가능할 가능성이 있다. 그러므로 부상의 악화를 방지하거나 최소화하기 위해서 몸의 긴 축 방향(long axis)으로 환자를 움직여야 한다. 몸의 긴 축이란 머리끝에서부터 척추를 따라 몸의 중심으로 이어지는 선을 말한다.

끌기(drag)라 불리는 몇 가지의 급박한 상황의 이동법이 있다. 만약 환자가 지면이나 바닥에 있다면 환자의 경부와 견갑부 부위의 옷을 잡아당기고 끌면서 현장에서 이동할 수 있다. 더욱 간편한 방법으로는 환자를 담요 위에 놓고 담요를 끌면서 이동하는 방법이다. 따라서 옷이나 발, 어깨 또는 담요 등을 잡고 환자를 끌어당긴다. 이러한 이동은 목이나 척추 보호를 할 수 없고, 척추손상을 더욱 악화될 가능성이 있으므로 긴급할 때에만 사용된다. 긴 축 방향 끌기(long-axis drag)는 어깨 부분을 붙잡고 끌어줌으로써 몸은 자연스러운 자세가 되며, 척추와 팔다리는 정상적인 배열상태로 되는 것이다. 그 밖에 끌기 및 운반과 부축법 등이 있다.

(1) 환자 끌기

항상 누워있는 환자의 몸을 끌 때는 머리에서 발까지의 긴 축(long axis)방향으로 끌어야 한다(**drags**). 절대 옆에서 끌지 말아야 하며, 아울러 몸을 굽히거나 비틀어서는 안 된다.

□ 긴급이동 시 1인 끌기법

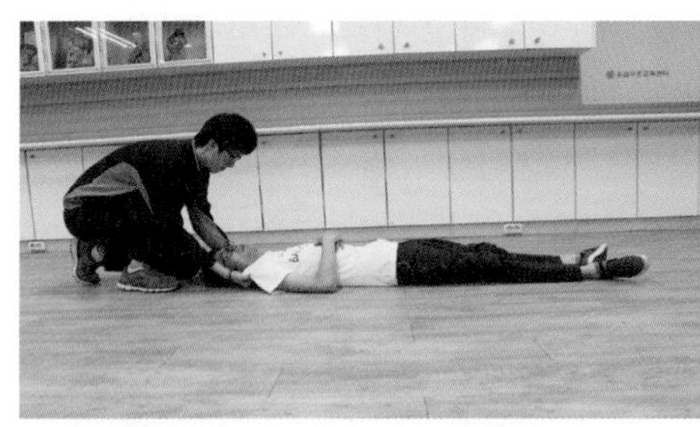

① 옷 끌기

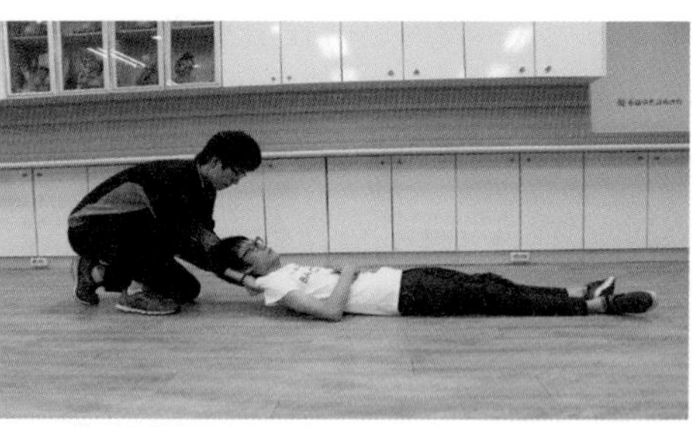

② 경사 끌기(머리부위를 항상 먼저 끌 것)

③ 어깨 끌기(신체 끌기법)

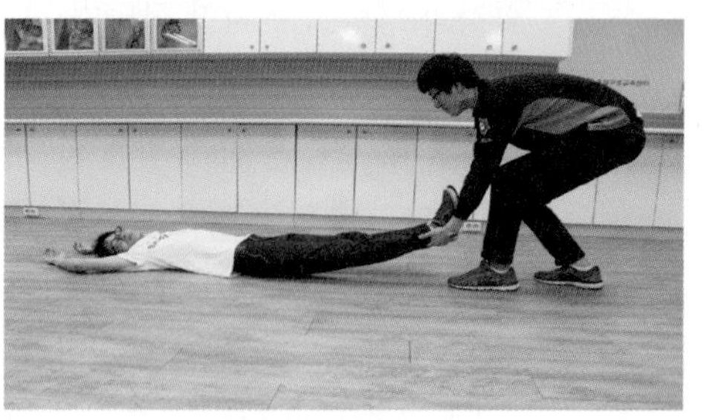

④ 다리 끌기(환자의 머리를 부딪치지 않도록 주의)

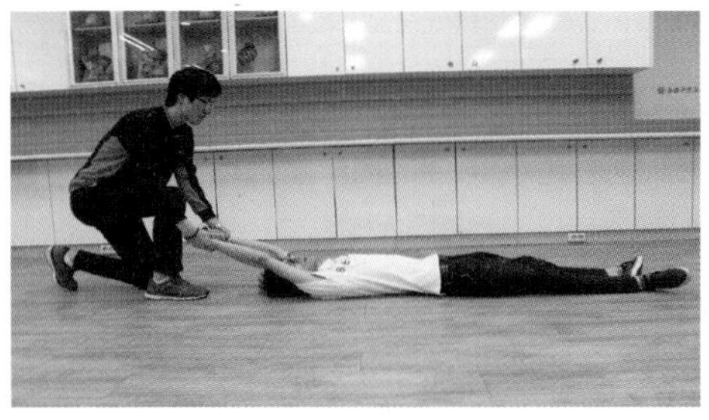

⑤ 팔 끌기

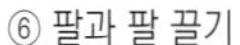

⑥ 팔과 팔 끌기

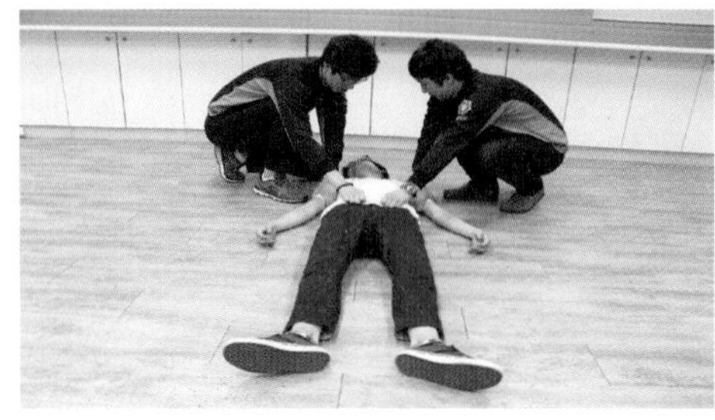

⑦ 바지 끌기

⑧ 담요 끌기

그림 2-3. 응급이동시 일인 끌기 법

Tip. 끌기 설명

① 어깨 끌기 : 응급구조사는 환자 상체를 잡고서 환자 체중을 자신의 어깨와 팔의 힘으로 지탱하며 끈다.
② 옷 끌기 : 응급구조사는 환자의 의복을 잡고서 장축(long axis)에 일치하게 끌어당겨야 한다. 응급구조사는 자신의 다리와 등의 근육을 사용하고, 팔을 곧게 뻗어서 가장 강하게 끌어당길 수 있다.
③ 담요 끌기 : 응급구조사는 환자를 견인하기 위하여 담요를 사용할 수 있다. 이때 다리와 배부(背部) 근육을 사용하고 팔을 곧게 뻗음으로써 가장 강하게 끌어당길 수 있다. 담요로 몸을 둘러싸야 하는데, 이것은 환자의 머리, 경부, 사지를 보호해 주고 떠받쳐 준다.
④ 소방관 끌기 : 환자를 눕히고 손을 함께 묶는다. 환자의 발을 벌린다. 몸을 구부려 환자의 팔을 당신의 목에 걸치게 한 후, 서서히 응급구조사 및 구조대원은 몸을 일으키고 손과 무릎을 이용하여 기어간다. 이때 환자의 머리를 가능한 낮게 있도록 한다.

(2) 환자 운반법

① 부축법

환자의 손을 잡고 환자의 팔을 응급구조사 및 구조대원의 목 주위에 두른다. 다른 팔은 환자의 허리에 두르고, 환자가 안전하게 걸을 수 있게 돕는다. 위험 수준에 도달하면 이동기술을 바꿀 준비를 하고, 이때 환자에게 말을 걸어서 평평하지 않는 땅이나 장애물 등에 대해 알려주도록 한다.

② 안기법

환자의 등을 감싸서 손을 어깨 아래 넣고, 다른 팔은 환자의 무릎 아래 넣은 후 들어 올린다. 만약 환자가 의식이 있으면 가까운 쪽에 있는 환자의 팔을 응급구조사 및 구조대원의 어깨에 올리도록 한다. 이 방법은 응급구조사의 등에 상당한 하중을 주기 때문에 주로 가벼운 환자의 운반에 적절한 방법이다.

그림 2-4. 부축법

그림 2-5. 안기법

③ 어깨운반법

부상에 지장이 없을 때 응급구조사 및 구조대원이 화재 현장에서 구출하는 것처럼 어깨에 환자를 걸치고 옮긴다면 보다 먼 거리를 갈 수 있다.

그림 2-6. 어깨운반법(1인 구조)

그림 2-7. 어깨운반 이동

Tip. 1인 부축법(side crutch support)

환자는 자신의 몸무게를 어느 정도 버텨야 한다. 응급구조사는 환자가 지탱할 수 없는 체중만 지지하면 된다. 응급구조사는 환자의 균형 상실과 갑작스러운 체중의 부과에 주의한다. 응급구조사는 환자의 손상 부위 반대쪽에 서야 한다.

Tip. 안기 운반법(1인 구조)

응급구조사의 팔, 어깨 등이 상당한 체중을 견뎌야 한다. 균형과 체중의 전이로써 할 수 있다. 환자 체중의 앞쪽 중심점은 응급구조사의 팔에 있기 때문에 환자를 이동시키는 동안에 응급구조사는 균형을 유지하는데 주의한다.

Tip. 어깨운반법(1인 구조)

균형과 체중의 전이는 환자의 상체를 응급구조사의 어깨에 걸쳐 끌어올려 달성할 수 있다. 동시에 응급구조사는 자신의 엉덩이를 환자의 엉덩이 아래로 내리고 무릎을 구부리고 응급구조사는 발로 균형을 유지하면서 다리로 들어 올린다. 갑작스러운 체중 이동으로 균형이 상실되는 것을 조심해야 한다.

④ 매기운반법

환자를 세워서 응급구조사 및 구조대원의 등에 댄 다음, 환자의 팔을 응급구조사 및 구조대원의 어깨에 올리고 가슴 부근에서 팔을 교차시킨다. 가능한 환자의 팔을 곧게 펴고 응급구조사 및 구조대원 어깨에 환자의 겨드랑이가 오게 한다. 환자의 팔목을 잡고 구부려서 응급구조사 및 구조대원 등위로 들어 올린다.

그림 2-8. 매기운반법

⑤ 업기 운반법

환자가 일어서도록 한 후 환자의 손을 응급구조사 및 구조대원의 어깨에 걸쳐놓고 가슴에서 손을 교차시킨다. 몸을 굽혀 환자를 업는다. 환자가 자신의 팔을 잡고 있는 동안, 다리를 잡고서 등위로 환자를 들어 올린다. 팔을 환자 무릎 아래로 넣어서 손목을 잡는다.

그림 2-9. 업기법 1

그림 2-10. 업기법 2

Tip. 업기 운반법(1인 구조)

응급구조사는 환자 체중의 대부분을 자신의 등에서 다리를 따라 견뎌야 한다. 무릎과 엉덩이를 굽히고 다리로 지탱하여 들어 올리면 환자의 체중을 전이할 수 있다. 응급구조사는 환자의 다리 위치에 항상 관심을 두어야 한다. 환자를 업는 운반법으로, 환자의 양팔을'X'자로 하여 응급구조사의 양손으로 잡는다.

⑥ 2인 부축법

환자의 팔을 두 응급구조사의 어깨에 걸친다. 응급구조사 및 구조대원은 한쪽 팔로는 환자의 손을 잡고, 또 다른 팔은 환자의 허리에 두른 다음 환자가 안전하게 걸을 수 있게 돕는다. 환자는 자신의 몸무게를 견뎌야 한다. 응급구조사는 환자에게 요구되는 체중 부분만을 지탱해 주면 된다. 응급구조사는 환자의 균형 상실과 갑작스러운 체중 부담에 항상 경계심을 가져야 한다.

⑦ 2인 소방관 부축법

누군가 한 응급구조사 및 구조대원이 환자를 들어 올린다. 이때 다른 응급구조사 및 구조대원은 환자의 위치가 잘 잡히도록 옆에서 돕는다.

그림 2-11. 2인 부축법

그림 2-12. 2인 소방관 부축법

⑧ 안장 운반법(네손 안장법)

2명의 응급구조사 및 구조대원이 양팔을 이용하여 서로의 다른 쪽 팔을 마주 잡아서 사각형(□) 모양의 안장을 만들고 이때 환자는 양손으로 응급구조사 및 구조대원의 어깨를 안전하게 잡는다.

안장 운반법 엉덩이와 무릎을 구부리고 다리를 지탱하여 들어 올림으로써 균형 있고 쉽게 들어 올릴 수 있다.

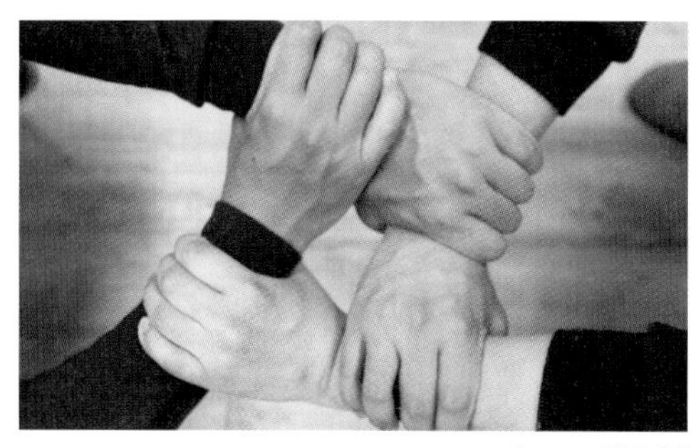

그림 2-13. 안장 운반법(seat lift and carry)

⑨ 양손안장법

응급구조사 및 구조대원은 한쪽 팔을 이용하여 서로의 다른 쪽 팔을 마주 잡아서 -자 모양의 안장을 만들고 나머지 한쪽 팔은 환자의 등을 받친다. 안장운반법은 엉덩이와 무릎을 구부리고 다리를 지탱하여 들어 올림으로써 균형 있고 쉽게 들어 올릴 수 있다.

그림 2-14. 양손안장법

⑩ 무릎-겨드랑이 들기법

응급구조사 및 구조대원들은 구령으로 서로의 움직임을 맞춘다. 환자의 양손을 가슴 위로 엇갈리게 놓고 환자의 겨드랑이를 통해서 응급구조사 및 구조대원의 팔을 집어넣어 양팔을 붙잡는다. 다른 응급구조사 및 구조대원은 다리를 붙잡는다. 응급구조사 및 구조대원은 자신의 엉덩이와 무릎을 구부리고 양쪽 다리를 이용하여 환자를 들어 올려 균형을 잡는다. 이 상태는 흉곽에 압박이 가해지기 때문에 환자가 어느 정도 불편을 느낄 수 있다.

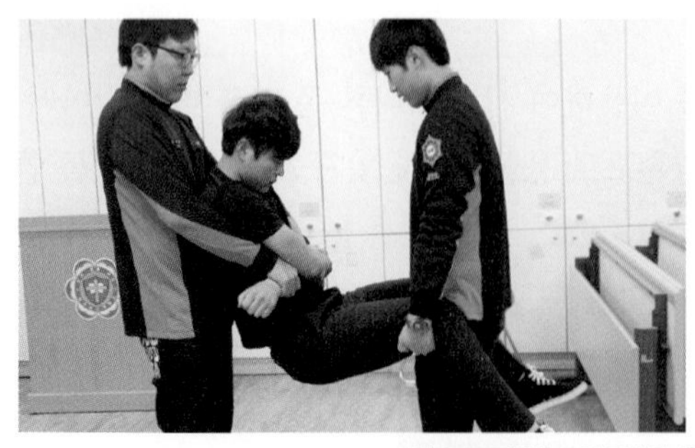
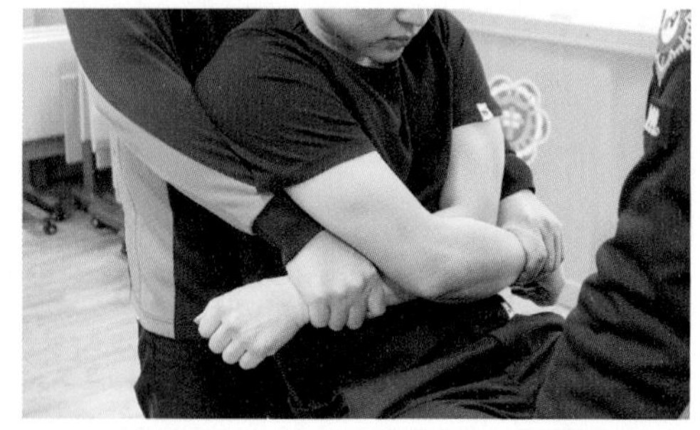

그림 2-15. 무릎 – 겨드랑이 운반법(extremity lift and carry).

⑪ 의자운반법

응급구조사 및 구조대원이 좁은 통로나 계단에서 이동 시에 쓸모가 있다. 환자의 체중을 받쳐 줄 만한 의자를 사용한다.

그림 2-16. 무릎-겨드랑이 들기법

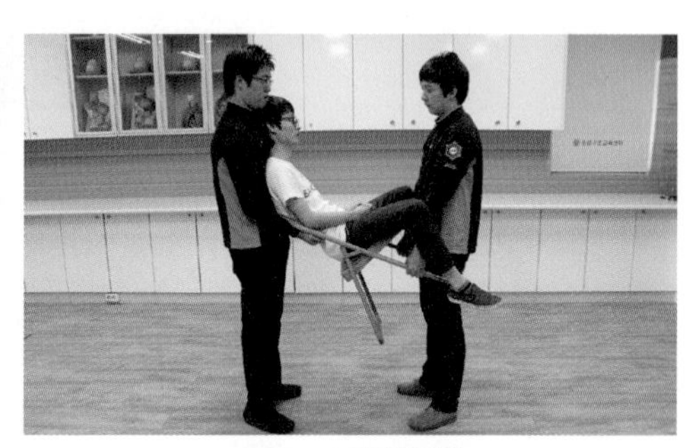

그림 2-17. 의자운반법

⑫ 수평운반법

응급구조사 및 구조대원 3명에서 6명의 대원이 환자의 양편에 자리를 잡고 환자 밑으로 손을 맞잡아서 운반한다. 이때는 척추가 움직이지 않도록 하는 것이 중요하다.

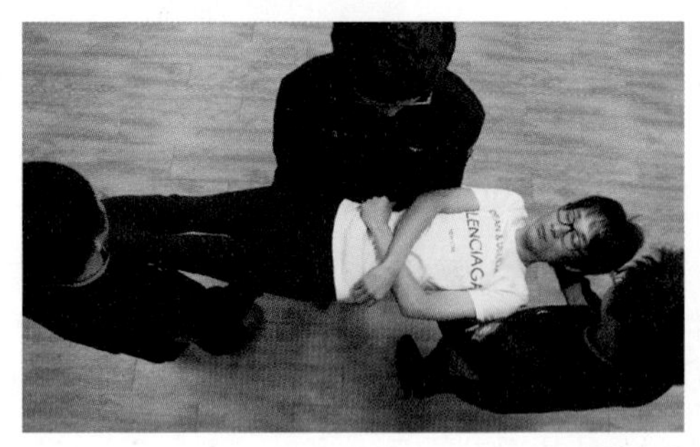

그림 2-18. 수평운반법

2) 응급이동

응급이동(urgent move)은 환자가 생명의 위협을 받고 있어서 빨리 이송되어 응급처치를 받아야 할 경우에 요구된다. 긴급이송과 달리, 응급이동은 척추부상의 예방조치가 필요하며, 응급이동에는 다음과 같다.

① 응급환자를 빨리 이송해야만 꼭 필요한 응급처치를 실행할 수 있는 경우

㉠ 환자의 호흡 상태가 불규칙하거나, 쇼크(shock)나 정신상태 변화로 응급처치하기 위해 이송이 되어야 하는 경우를 말한다.

② 현장의 상황들이 환자의 건강을 악화시키는 경우이다.

㉠ 환자가 열이나 추위 때문에 건강이 급격히 악화될 경우에는 빨리 이송되어야 한다.

긴 척추고정판으로 환자를 이송하는 것은 아주 목숨이 위급하거나 척추부상의 위험이 의심스러운 경우에 사용되는 응급이동이다. 만약 환자가 땅에 반듯하게 누워 있다면, 정확한 굴리기 연습법을 한 후 척추고정대에 안전하게 고정되면, 척추고정대와 환자는 들것에 의해 구급차에 실려져야 한다. 통나무 굴리기 방법을 실시하기 위해 환자에게 몸을 뻗을 때, 인체 역학의 원칙을 기억해야 한다. 응급구조사 및 구조대원의 등은 곧게 세우고 엉덩이부터 구부려서 어깨 근육을 이용해 굴리기를 돕는다.

응급이동의 다른 예로는 환자를 빨리 차량 밖으로 구조하는 경우이다. 만약 환자가 치명적인 손상을 입었다면, 차 안에서 짧은 척추고정대나 KED로 환자를 고정하는 것에 시간을 많이 소모하는 것은 치명적일 수 있다. 빨리 구조를 해야 하는 경우에는 응급구조사 및 구조대원들은 환자를 차에서 긴 척추고정판에 옮길 때 장비를 사용하기보다는 단순히 손으로 척추를 고정하는 빠른 과정을 실행해야 한다.

3) 비응급이동

즉각적인 생명의 위협이 없을 때는 이송준비가 된 다음 비응급이동(non-urgent move)을 사용하여 환자를 이송해야 한다. 우선 현장평가와 부목 고정과 같은 현장 응급처치가 먼저 해결되어야 한다. 비응급이동은 부상이나 추가의 손상을 방지하고, 환자가 느끼는 고통, 불안감을 해소하려는 방법으로 실행되어야 한다.

비응급이동을 실시할 경우 환자는 현장평가와 응급처치를 받은 장소에서 환자 이송 장비로 옮겨져야 한다. 비응급이동에 사용되는 장비로는 다음과 같은 것들이 있다.

① 다양한 유형의 들것

② 이송 장비에 옮기는 방법

③ 병원에서 시트를 사용하는 방법

④ 환자를 들어 올리는 방법

⑤ 병원 들것 위로 환자를 옮기는 방법 등

4) 비응급이송의 원칙

① 응급구조사의 육체적인 능력과 한계를 염두에 두고 무리하지 말아야 한다.
   ㉠ 응급구조사의 능력과 한계를 넘으면 도움을 청하여야 한다.
② 응급구조사가 환자를 이송할 수 없다고 판단되면 환자를 옮기려는 행동을 시행하지 말아야 한다.
③ 모든 업무를 수행할 때에는 균형을 유지하도록 하여야 한다.
④ 환자를 이송하면서 걸을 때는 한 발짝 한 발짝 확실하게 움직여야 한다.
⑤ 환자나 들것은 일정하고 확실하게 잡아야 한다.
⑥ 환자를 들거나 내릴 때는 허리를 사용하지 말고 다리를 이용하여야 한다. 그리고 가능한 허리를 꼿꼿이 세우고 무릎을 구부렸다 펴면서 환자를 들어 올린다.
⑦ 환자를 잡거나 이동할 때에는 다리를 꼿꼿이 세우고 어깨와 허리의 근육을 사용하여야 한다.
⑧ 어떤 물체를 잡아당기는 행위를 하는 경우에도 허리를 꼿꼿이 세우고 팔과 어깨를 이용하여 잡아당겨 야 한다.
⑨ 모든 행위를 시행할 때에는 동료와 잘 협조하면서 천천히 그리고 부드럽게 수행한다.
⑩ 모든 환자를 이동할 때에는 가능한 팔을 몸체에 밀착시켜 균형을 유지하도록 한다.
⑪ 모든 근육을 장시간 수축시키지 말아야 한다.

(1) 들것 올리기

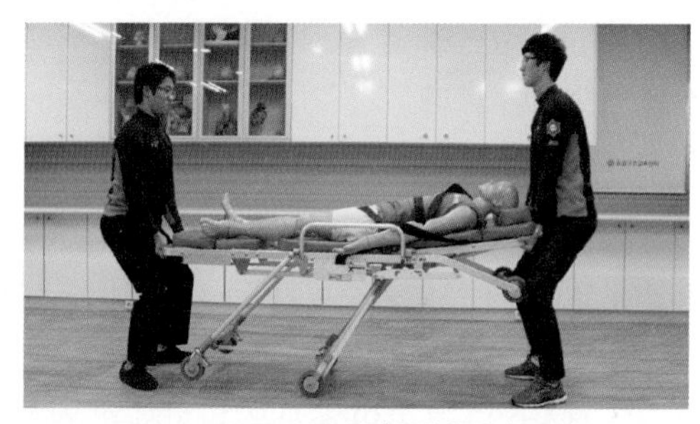

그림 2-19. 주 들것 들어올리기

그림 2-20. 긴 척추고정판 들어올리기

(2) 직접 들어올리기

직접 들어올리기는 척추손상이 의심되지 않고 지면에 앙와위로 누워있는 환자에게 적용된다. 환자를 먼 거리에 있는 주 들것에 옮길 때 주로 이 방법을 사용한다. 만약 환자가 반 복와위 혹은 측와위 자세로 발견되었다면 환자를 통나무 굴리기(log-rolled) 해야 한다. 직접 들어올리기는 응급구조사 또는 구조대원 3인이 있어야 하지만 2인이 할 수도 있다. 직접 들어올리기의 방법은 다음과 같다.

① 응급구조사 1은 환자의 머리 쪽, 응급구조사 2는 환자의 허리 쪽, 응급구조사 3은 환자의 무릎 쪽에 위치한다. 모든 응급구조사는 똑같이 무릎을 꿇는 것이 좋다.

② 응급구조사 1은 한쪽 팔을 환자의 목과 어깨 부위에 쓸어안으며 머리를 지지한다. 다른 팔은 환자 등 쪽 아랫부분을 잡는다.

③ 응급구조사 2는 두 팔을 환자의 허리 아래에 놓고 다른 두 명의 응급구조사는 팔을 등 쪽 중간 혹은 엉덩이 아래쪽으로 밀어 넣는다.

④ 응급구조사 3은 한쪽 팔을 환자의 무릎 아래에 다른 팔은 엉덩이에 놓는다.

⑤ 응급구조사 1이 지시를 하면, 다른 응급구조사들은 무릎 위까지 환자를 들어 올리고 각자 팔을 무릎에 올려놓고 환자를 지지한다.

⑥ 신호하면, 각각 환자를 가슴 쪽으로 감싸 안는다. 다시 신호하면, 환자를 안은 채 일어서서 구급차로 이동시킨다.

⑦ 구급차용 주들것에 환자를 내려놓을 때는 역순으로 하면 된다.

그림 2-21. 직접 들어올리기

(3) 계단 이동하기

① 계단 이송을 위해 척추고정판이나 들것으로 환자를 운반할 때는 환자가 몸통 상부와 양 겨드랑이를 가로 지르는 벨트가 적절히 착용 되었는가를 확인하여야 한다. 이때 자유로워야 하며 고정판에 환자를 고정하기 위해 아랫배와 접한 넓적다리의 주변(서혜부)에 벨트 착용을 해야 한다.

② 긴 척추고정판이나 들것으로 환자를 싣고 계단을 내려갈 때는 환자의 머리 부분이 발

부분보다 더 높이 올려 지도록 해야 한다.

③ 들것으로 계단을 오를 때에는 척추고정판이나 들것에 들어 올려 두부 쪽이 먼저 가야 한다.

④ 들것 대신에 계단식 의자로 환자를 운반할 때는 무릎을 구부리고 환자의 무게를 유지하며 가능한 신체 가까이 팔을 붙인다.

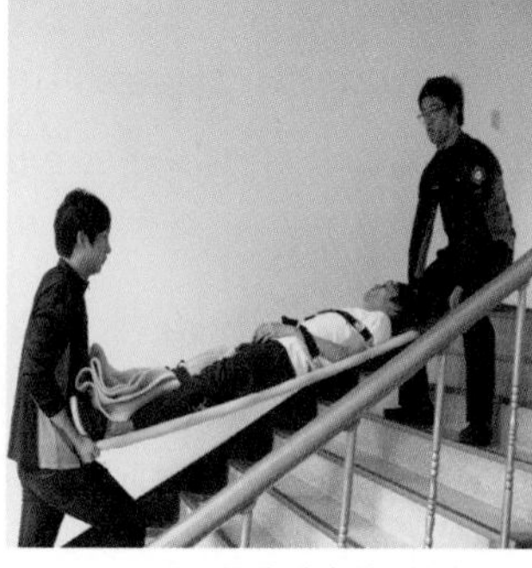
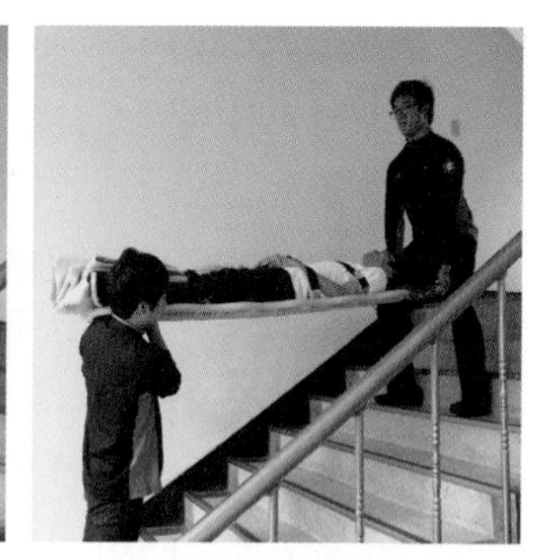

그림 2-22. 들것 계단 이동하기

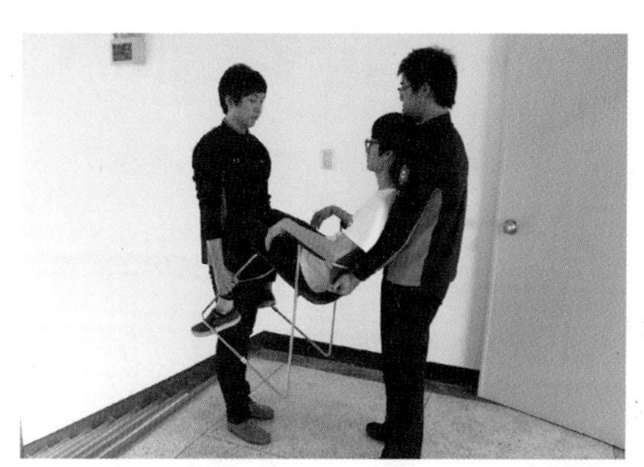
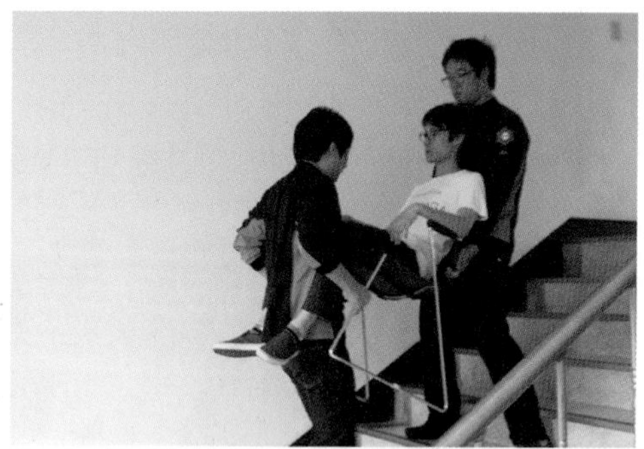

그림 2-23. 의자 계단 이동하기

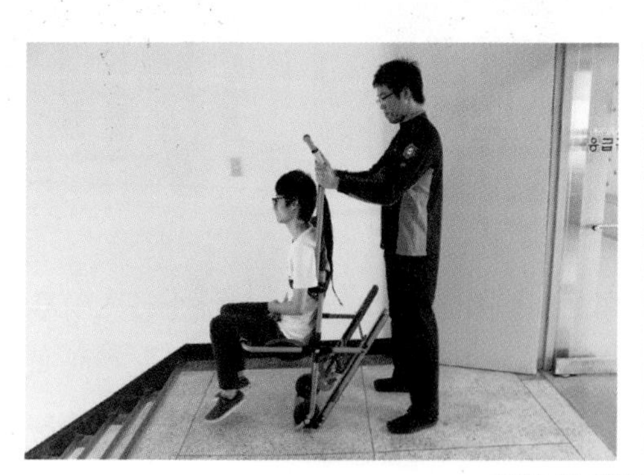

그림 2-24. 의자 계단 이동하기

(4) 다이아몬드형 운반

환자가 백보드에 앙와위로 있거나 구급차 침대 위에 누워 있든지 아니면 반좌위 자세로 있다면 환자의 무게는 그 장비의 양 끝에 똑같이 작용하지 않을 것이다. 수평자세에서 환자 무게의 68-78%는 몸통에 치중해 있다. 그러므로 환자 체중은 장치의 발 부위보다는 머리 부위 쪽으로 더 의존하게 된다.

백보드나 들것으로 다이아몬드형 운반을 할 경우에는 4명의 응급구조사 또는 구조대원이 필요하다. 응급구조사 1은 들것의 머리 부위에, 응급구조사 2는 다리 부위에, 그리고 응급구조사 3과 응급구조사 4는 몸통 부위의 양쪽에서 운반하게 된다.

① 환자 쪽으로 얼굴 방향을 하면서 백보드를 들어 올려야 한다.
② 일단 들어 올리고 나면 환자의 발끝 쪽에 있는 응급구조사는 전방을 향해 돌아서야 한다.
③ 양 측면에 있는 응급구조사들은 환자의 머리 쪽에 있는 손을 돌려서 잡고 환자의 다리 쪽 보드를 잡고 있던 손을 놓는다.
④ 측면에 있는 응급구조사들은 환자의 다리 쪽을 향해 방향을 돌린다. 모든 응급구조사는 같은 방향으로 환자를 운반하여 걸어간다.

그림 2-25. 다이아몬드형 운반

(5) 한 손으로 이송하기

① 응급구조사 4명은 들것의 양쪽에 양손을 사용하면서 각각 얼굴을 마주 보고 앉는다.
② 운반할 수 있는 높이까지 들것을 들어 올린다.
③ 걸어갈 방향으로 돌아서 한 손을 놓는다.

그림 2-26. 한 손으로 이동하기

표 2-1. 들것으로 환자운반을 위한 지침

① 들어 올려야 할 환자의 체중과 팀 능력의 한계를 알 수 있는지 확인하라.
② 지속적인 대화를 통해 다른 팀 구성원과 응급구조사의 이동에 대해 조정하라.
③ 응급구조사의 등을 쭉 편 자세로 유지하면서 운반한다.
④ 환자의 체중을 가능한 한 응급구조사 자신의 신체 가까이 하라.
⑤ 환자를 운반 중일 때는 몸을 비틀지 마라.
⑥ 허리가 아니라 엉덩이에 수축 힘을 주고 무릎을 굽힌다. 허리에 의존하여 척추에 지나치게 힘을 가하지 마라.

(6) 좁은 문 이동하기

① 멈추어서 통로를 뚫고 나갈 때까지 환자 쪽을 향해 방향을 돌린다.
② 통로가 매우 협소하면 측면에 응급구조사들은 움직일 필요가 있다. 한 사람은 두부 쪽으로 가서 들것을 함께 든다. 한 사람은 발 쪽에 있는 응급구조사 앞으로 가서 등을 지지하며 통로를 안내한다.

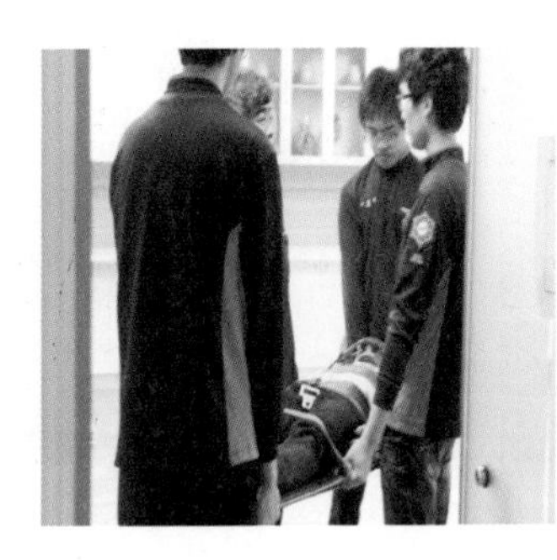
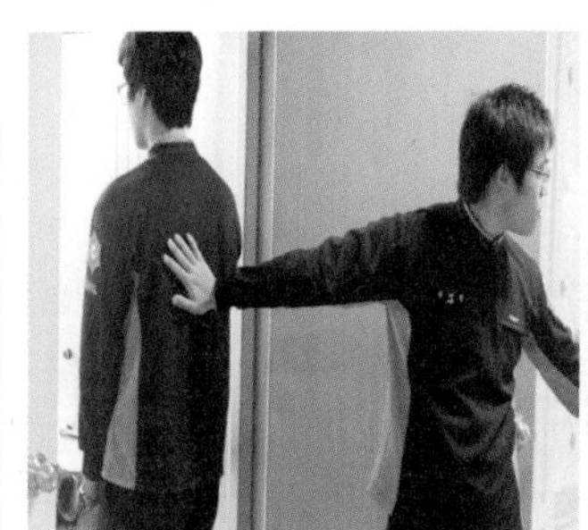
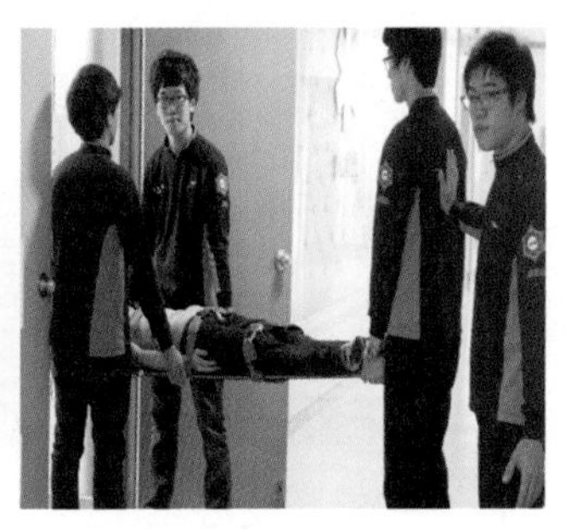

그림 2-27. 좁은 문 이동하기

(7) 병원 침대 위로 환자 옮기기

병원에 도착하면 구급차의 들것으로부터 병원의 침대로 환자를 옮겨야 한다. 이때 환자를 이동하기 위해 다음과 같은 방법을 사용한다.

(가) 환자를 분리형 들것을 사용하여 다른 곳으로 이동하는 방법

① 들것을 침대와 평행하게 놓고 그 상태에서 들것을 고정하고 들고 있어야 한다.
② 환자를 들것에서 침대로 옮긴다.
③ 필요하면 고정된 들것을 제거해준다. 응급구조사는 자신의 몸에 최대한으로 팔을 가깝게 유지해 환자의 체중 전이를 가장 훌륭히 할 수 있다. 또한 자신의 머리를 들어 올리고 등을 곧게 편다.

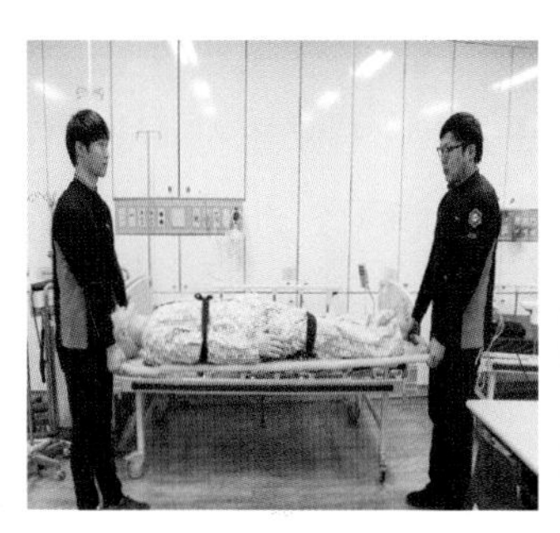
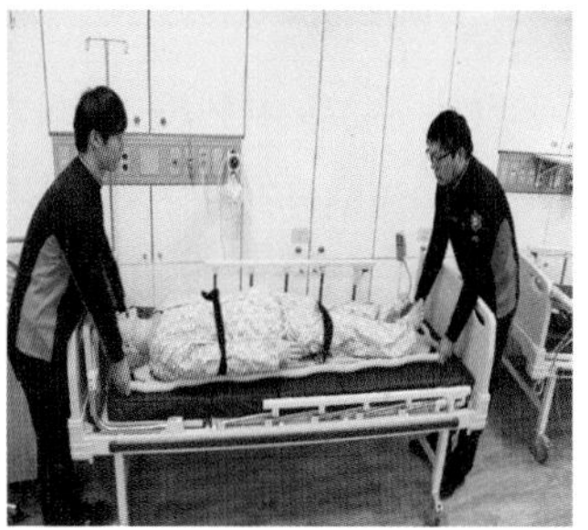
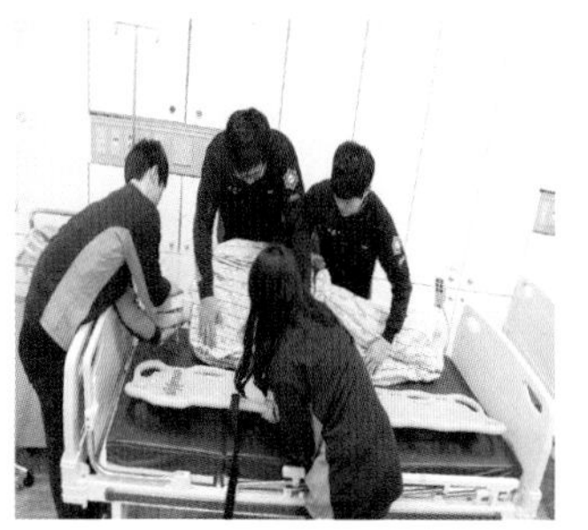

그림 2-28. 침대 위로 이동하기

(나) 시트 당기기법

① 응급구조사들은 구급차 간이침대의 높이를 높여, 병원 들것 옆에 위치시킨다. 병원 직원은 환자를 받기 위해 병원 들것의 머리 부분을 낮추거나 높이는 등의 조절을 한다.

② 환자를 안전하게 옮기기 위해 응급구조사들과 병원 직원들이 함께 환자 양쪽의 담요 자락을 주름지게 모아 붙잡고 팽팽히 잡아당긴다.

③ 어깨, 상체 중간, 엉덩이, 무릎 근처의 지지점에서 주름지게 모아진 담요를 붙잡고, 한번에 환자를 병원 들것으로 미끄러지듯 옮긴다.

④ 환자가 들것의 가운데에 놓였는지 확인한다. 응급실 직원들에게 환자를 인계하기 전에 반드시 들것의 난간을 올린다.

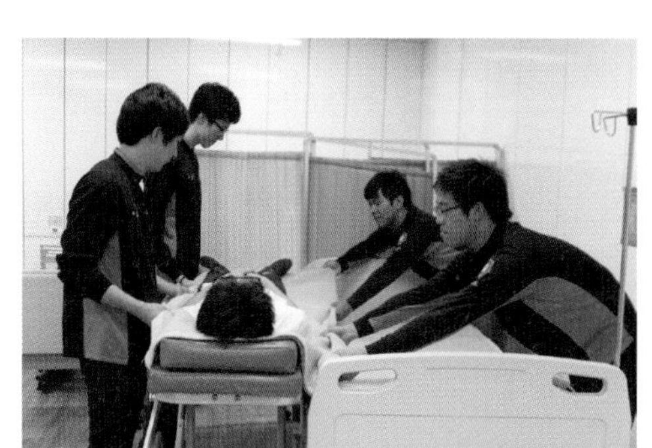
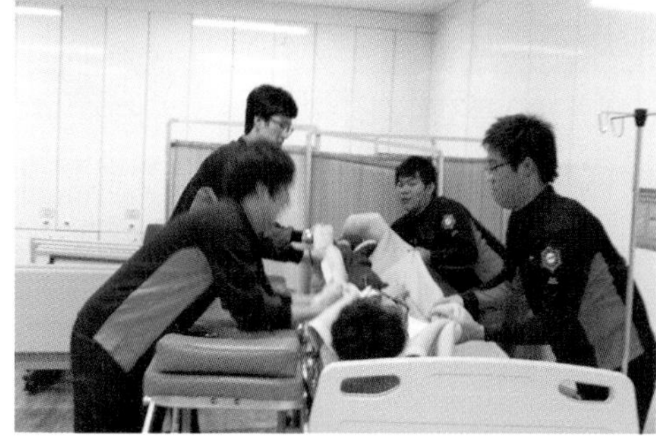
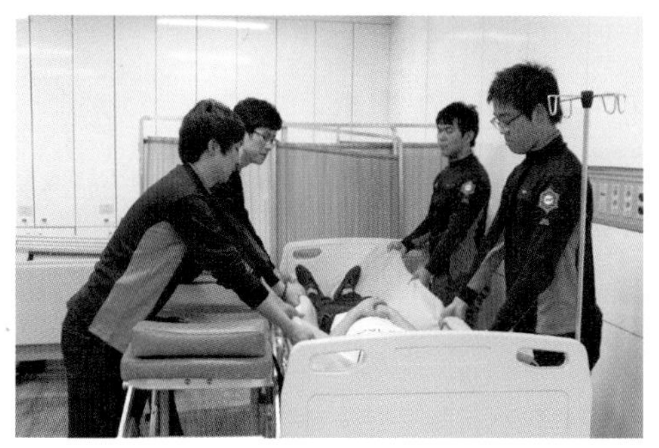
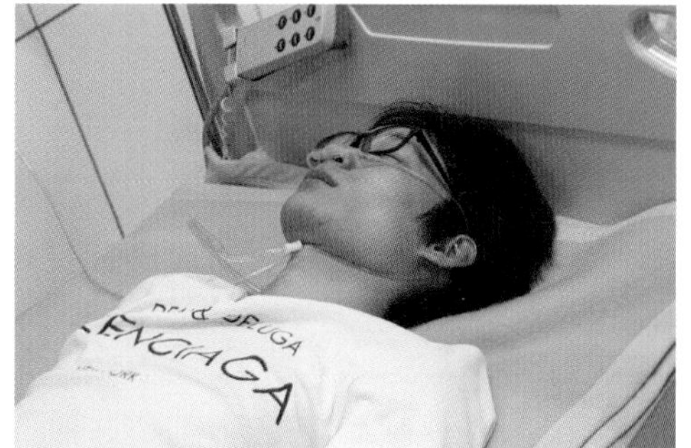

그림 2-29. 들것에서 침대로 환자 옮기기

(8) 지면-들것으로 이동법

지면에서 통나무굴리기 방법(log roll)을 시행한 뒤 환자를 시트나 담요를 사용하여 환자를 지면에서 들것으로 이동하는 방법이다. 환자가 지면-들것으로 이동하기 위해 다음과 같은 방법을 사용한다.

① 지면에서 통나무굴리기 방법(log roll)을 시행한 뒤 환자를 척추고정판으로 옮긴다.

② 응급구조사는 환자를 척추고정판에 잘 고정한다.

③ 응급구조사는 엉덩이와 무릎을 굽히고 다리를 이용하여 환자와 함께 척추고정판으로 들어 옮긴다.

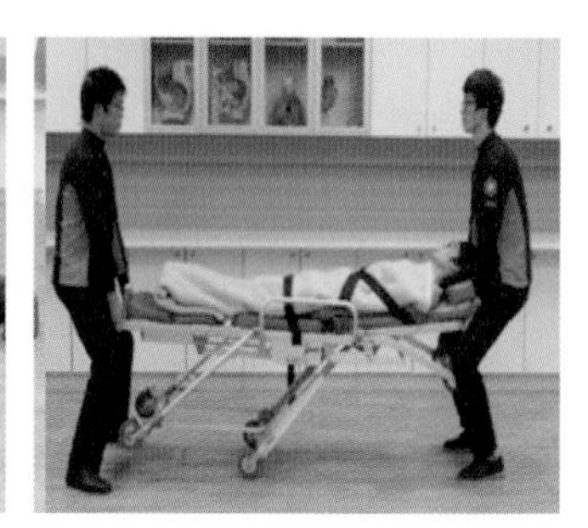

그림 2-30. 지면 - 들것 이동법

(9) 들것에 환자를 실은 채로 구급차 내로 이동하는 방법

(가) 들것 수직상승법

① 한 명의 응급구조사는 들것의 머리 쪽을, 다른 응급구조사는 발 쪽을 잡는다. 무릎과 엉덩이는 구부리고 팔을 편 채로 가능하면 등을 곧게 펴준다. 침대의 발 쪽 부위의 풀림 장치를 작동한다.

② 들어올리기는 두 다리를 편 채로 부드럽게 진행한다.

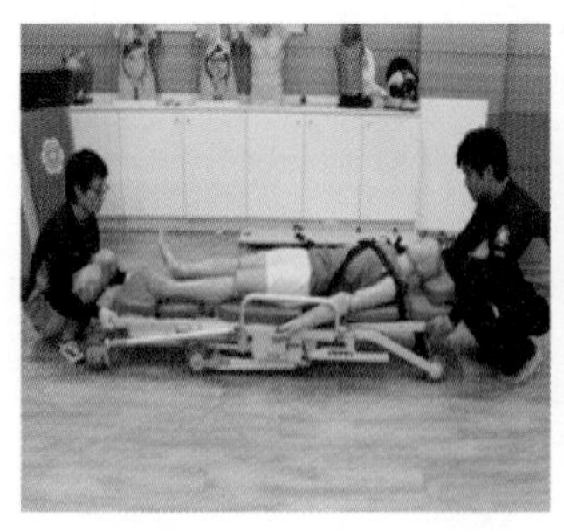
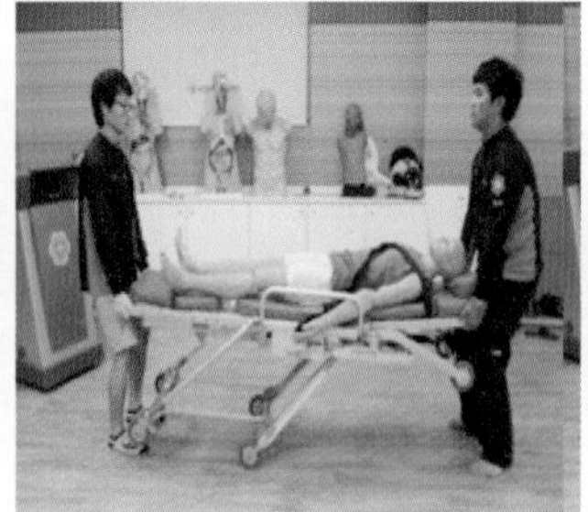
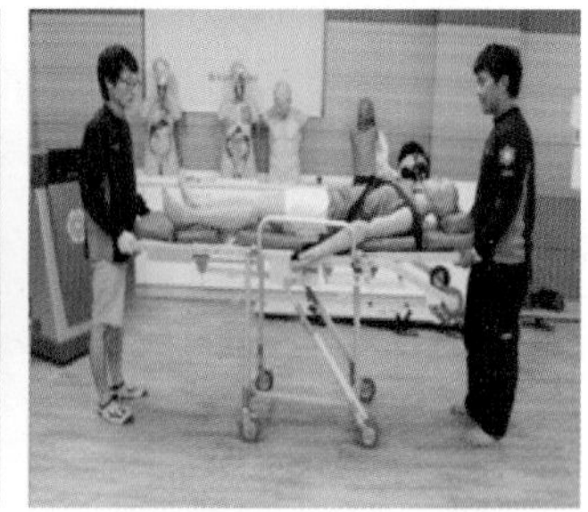

그림 2-31. 들것 수직상승법

③ 응급구조사들은 동시에 들것의 양쪽 끝과 양쪽 측면을 잡고 들어 올린다.

(나) 들것 – 계단이동법

① 응급구조사들은 구령으로 서로의 움직임을 일치시킨다. 가죽 끈이나 다른 고정 장비를 이용하여 환자를 안전하게 한다.
② 환자를 한쪽으로 치우치게 하여 환자가 미끄러져 내려가는 것을 막아야 한다.
③ 들것은 가능하면 같은 높이를 유지한다.
④ 계단 아래쪽에 1명의 응급구조사만 있으면 주위의 사람들에게 도움을 요청한다.

(다) 들것 – 장애물 이동법

① 장애물이 소방용 호스나 턱이 있는 경우에는 들것을 같은 높이로 유지하면서 들것을 장애물 위로 들어 올려야 한다.

(10) 특별한 환자의 감싸는 방법

환자를 특별하게 감싸서 이동해야 하는 경우는 다음과 같다.

(가) 뇌졸중 등 의식불명 환자 측면 감싸기 이동법(그림 2-32).

환자를 옆으로 누인다. 베개나 말아 놓은 담요로 굴절된 사지, 두부, 배부 등을 지탱해준다.

(나) 고관절 탈구 환자 고정 이동법(그림 2-33).

환자를 편안한 상태로 누이고 베개나 말아 놓은 담요로 손상당한 다리를 받쳐준다.

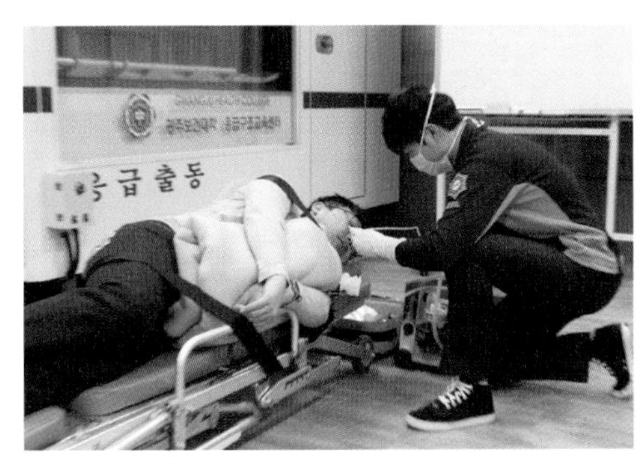

그림 2-32. 뇌졸중 등 의식불명 환자 이동법

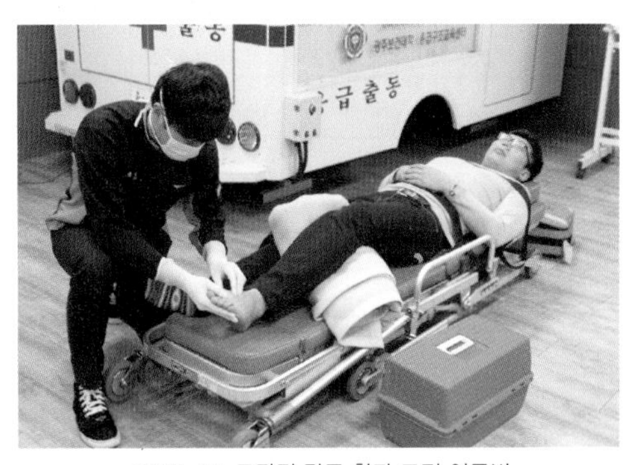

그림 2-33. 고관절 탈구 환자 고정 이동법

(다) 소아 환자 고정 이동법(그림 2-34).

① 들것과 장비의 크기가 소아에게 맞지 않은 경우가 있으면, 다른 도구를 이용하여 소아에게 맞게 고정한다. 척추고정판으로 대체해서 사용할 수도 있다.
② 가능하다면 소아의 크기에 맞는 장비를 사용한다.

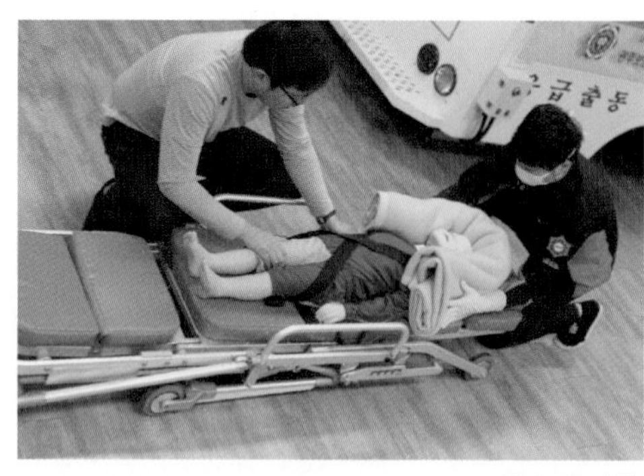

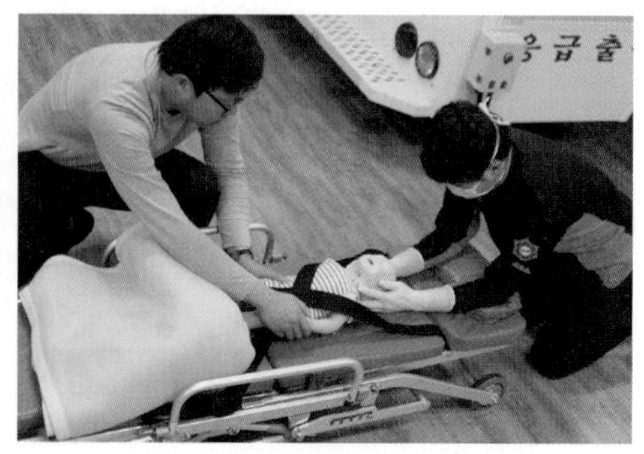

그림 2-34. 소아 · 영아 고정 이동법

(라) 장신 환자 고정 이동법

짧은 척추고정판이 달린 들것을 펴면 키가 매우 큰 환자에게 도움이 된다. 들것의 머리 부분에 척추고정판을 설치하여 응급 차량의 문 뒤에 가까이 대도록 한다(그림 2-35).

(마) 난폭 환자 고정 이동법

분리형 들것(scoop stretcher)은 환자뿐만 아니라 응급구조사를 보호할 수도 있다(그림 2-36).

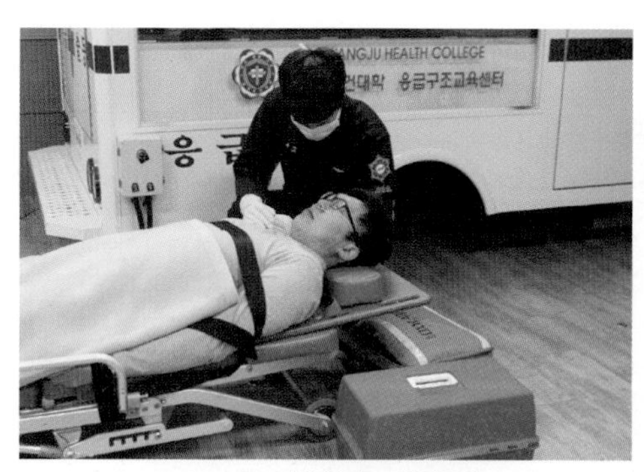

그림 2-35. 장신 환자 고정이동법

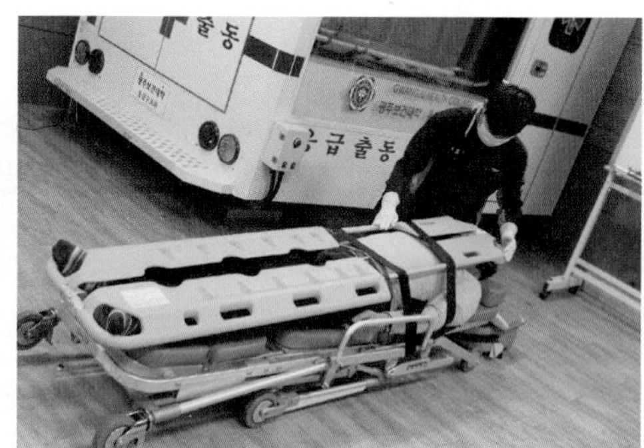

그림 2-36. 난폭 환자 고정이동법

6 환자의 고정 장비

1) 척추손상

분명한 척추손상이 어느 부위에 발생했는지 상관없이 척추손상 환자의 처치방법은 같다. 먼저 초기평가와 빠른 외상평가를 시행한 후 처치의 우선순위를 결정한다. 환자를 고정하는 방법을 결정하는 데 있어 이와 같은 과정이 중요할 것이기 때문이다.

척추 손상 가능성이 있는 환자와 손상 정도가 확실치 않은 사고 피해자의 경우 모두 다음과 같이 응급처치를 한다.

① 우선 환자에게 접근하자마자 머리와 목을 손에 의해 중립자세로 고정한다. 환자가 통증을 호소하지 않으며, 머리가 중립자세로 쉽게 옮겨진다면 머리를 중립적인 일렬 자세로 놓는다. 통증을 호소하고 머리를 움직이기가 쉽지 않다면 머리를 발견된 자세 그대로 유지한다. 환자가 척추고정판에 적절히 고정될 때까지 손으로 머리를 고정한다.

② 기도, 호흡, 순환상태를 평가한다. 필요하면 하악견인법으로 기도를 개방하고 머리를 중립상태로 유지한다.

③ 신속한 외상평가 시 머리와 목 부위를 평가한 후 경성 경추보호대를 착용시킨다. 적절한 크기가 아닐 경우 환자에게 이롭기보다는 더 해를 끼치게 된다. 즉, 경추보호대가 너무 크면 목을 과신전시키게 되며, 너무 적으면 목에 굴곡이 일어날 수 있다. 또한, 경추보호대가 기도를 폐쇄시키지 않는지 확인한다. 경추보호대만으로는 완전히 움직임을 방지할 수 없기 때문에 경추보호대를 착용시킨 후 환자를 척추고정판에 고정할 때까지 머리를 손으로 계속 고정한다.

2) 빠른 환자구출법

응급처치의 우선순위가 높아서 짧은 척추고정판이나 구출조끼를 사용할 시간적인 여유가 없을 때, 또는 현장의 위험성 때문에 환자를 신속히 옮겨야 하거나 더 심각한 손상 가능성이 있는 다른 환자들에게 접근해야 할 때, 환자를 손으로 고정하고 긴 척추고정판으로 이동해야 한다.

① 손으로 환자의 두부와 목을 고정하고, 초기 환자평가를 수행한다.

② 환자에게 경추보호대를 착용시킨다.

③ 긴 척추고정판을 의자 위에 놓고 가볍게 환자 밑으로 넣는다.

④ 두 번째 응급구조사가 자동차의 열린 문 옆에 가까이 서서 경추고정 지지를 교대한다.

⑤ 환자의 목, 몸통, 다리를 조심스럽게 지지하면서 환자를 돌린다.

⑥ 척추고정판에 다리를 들어주면서 등을 낮추어 댄다.

⑦ 환자를 긴 척추고정판 위로 완전히 올려놓는다.

⑧ 환자는 즉시 차량으로부터 구급차로 이동시킨다. 가능한 한 환자를 긴 척추고정판 위에 안전하게 고정한다.

표 2-2. 빠른 구출법이 요구되는 상황

① 차량이나 현장이 안전하지 않을 때
② 차량으로부터 구출 전 환자평가가 적절히 이루어질 수 없을 때
③ 환자를 앙와위 자세로 즉시 바꿀 필요가 있을 때
④ 즉각적인 병원이송의 필요성이 있을 때
⑤ 다른 심한 손상 환자로의 접근을 막고 있을 때

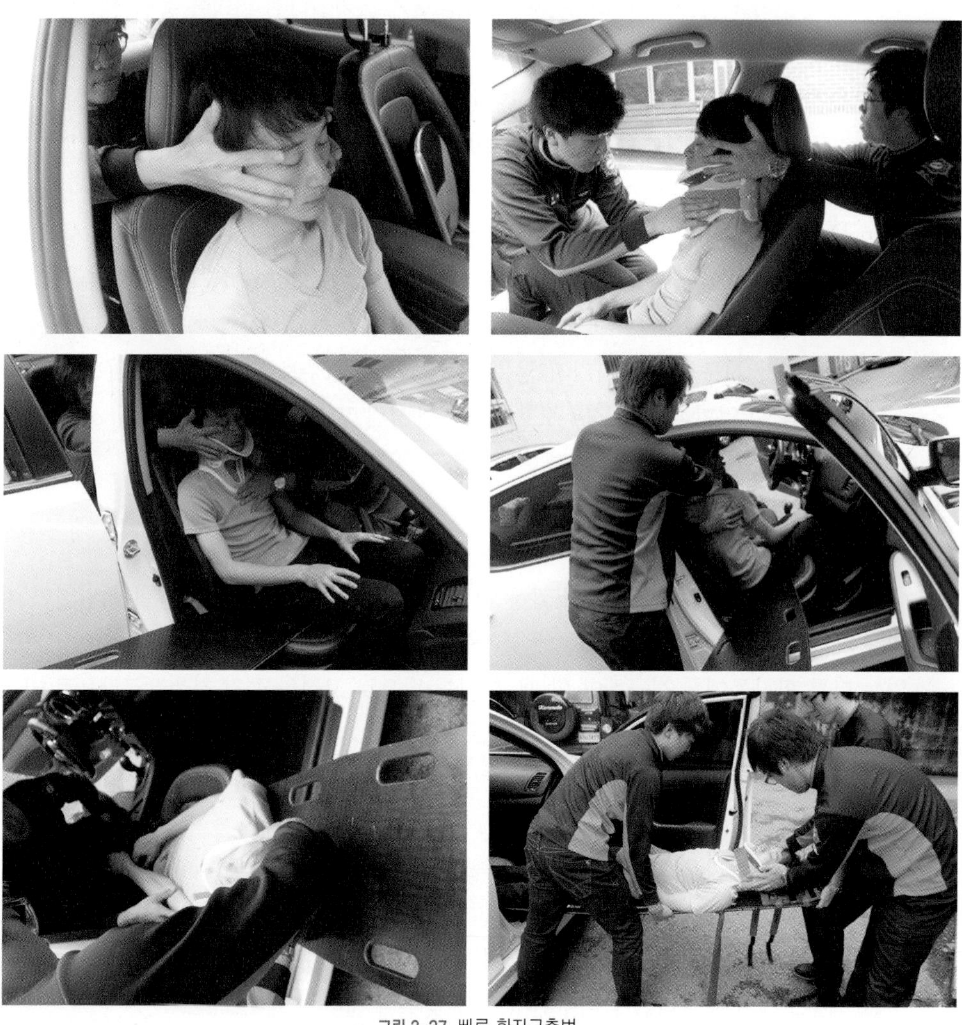

그림 2-37. 빠른 환자구출법

7 환자의 이송 장비

이송 장비를 사용하는 데에는 특별한 기술이 필요하다. 모든 장비는 응급구조사가 환자를 안정시키고 옮기는데 이용될 수 있다. 응급구조사는 환자를 옮기는데 이용될 수 있는 모든 도구를 완벽하게 숙지하여야 하며, 조작 미숙이나 부적절한 사용 등으로 환자에게 손상이 가해지는 일이 없도록 한다. 환자를 신속하고 안전하게 운반하고 이송하기 위해서는 다양한 환자 운반과 고정 및 구출 등에 필요한 장비의 사용법을 익히고 빠르고 정확한 환자의 구출과 장애물 제거요령 등을 습득해야 한다.

1) 주들 것, 바퀴 들것, 구급차 주 들것

구급차용 들것에 바퀴가 있고 높이가 고정되어 있거나 자동으로 조절할 수 있다. 현대화된 응급 차량에 주로 설치되어 있다(main stretcher, wheeled stretcher). 이것의 단점은 들어올리기 힘들다는 것이다. 들것의 측면에 부착된 보호대와 제어용 가죽 끈은 환자를 보호해 준다. 들것에는 안락한 매트리스가 있어야 하고 들것의 매트리스 아래에는 척추고정판을 위치시키면 심폐소생술을 시행할 때에 흉부 압박을 효율적으로 시행할 수 있다(그림 2-38).

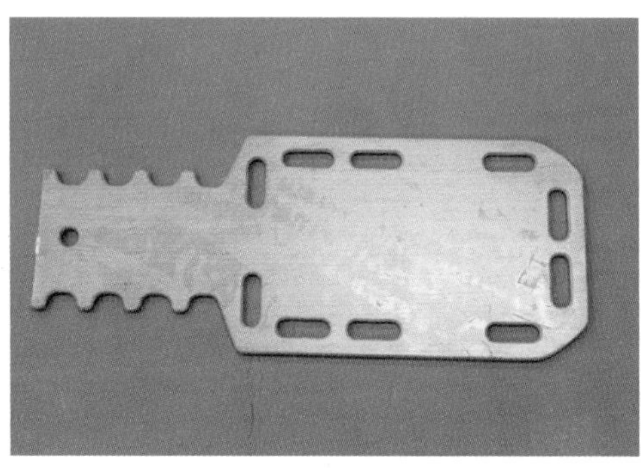

그림 2-38. 짧은 척추고정판

Tip. 짧은 척추고정판은 심폐소생술을 효율적으로 실시할 수 있도록, 들것 받침포의 아래에 설치한다.

(1) 용도

환자를 이송할 때 구급차에 환자를 싣고 내리는 데 사용하는 환자 운반용 장비이다.

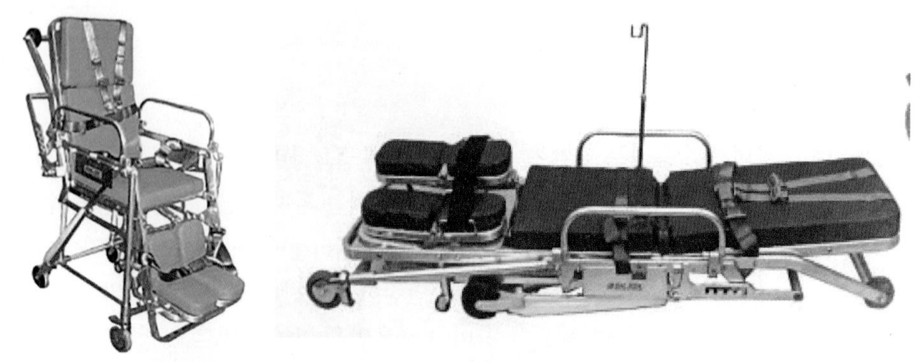

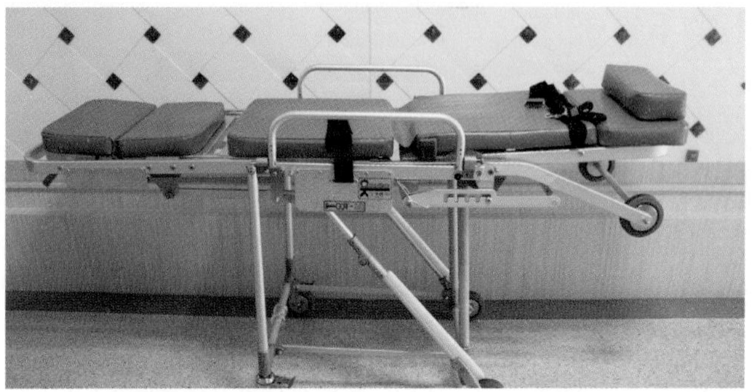

그림 2-39. 주 들것

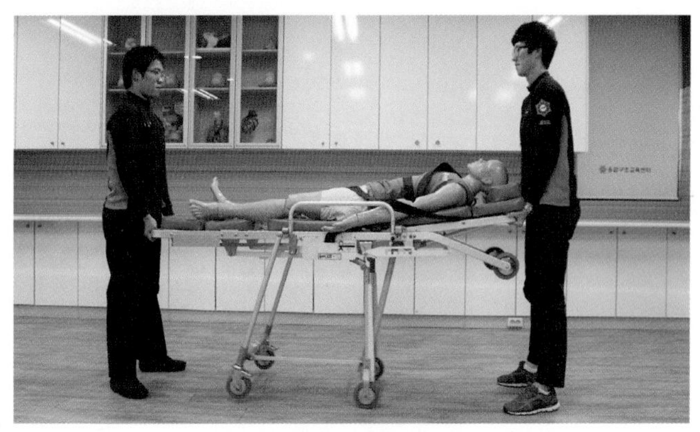

그림 2-40. 주 들것 들어올리기

(2) 장점

① 바퀴가 있어 환자를 쉽게 이동할 수 있으며, 응급구조사의 체력소모를 줄일 수 있다.

② 운반자가 들것을 힘들여 들지 않고 펼쳐진 상태로 구급차에 밀어 넣을 수 있으며 들것을 잡아당겨 꺼내면 자동으로 다리가 펼쳐진다.

③ 등반의 높이 조정이 가능하여 상하 등 체위변형이 가능하므로 심장질환자 등에 유용하다.

④ 단계적 변형이 가능한 경우에는 의자형 등으로 변환할 수 있어 승강기 등 좁은 장소에서도 사용할 수 있다.
⑤ 들것이 측면에 부착된 보호대와 안전띠는 이동 시 환자를 보호해 준다.

(3) 단점

① 바퀴가 있어 환자의 이동에 편리하나 평평한 지형에서만 사용할 수 있다.
② 높이를 조정하여 앉은 상태가 된 들것을 굴리면 무게 중심 위치가 높아서 쉽게 뒤집어질 수 있다.

(4) 사용방법

① 환자의 발쪽이 진행 방향으로 위치하도록 하고, 환자의 머리 쪽은 응급구조사가 위치하도록 하여 진행한다.
② 구급차 탑승 시에는 환자의 머리가 앞으로 향하도록 한다.
③ 가능하면 2인 이상으로 짝수의 응급구조사가 환자를 이송하도록 한다.
④ 환자를 구급차로 옮긴 후에는 구급차에 들것을 고정해야 한다.

2) 휴대용 들것

들것을 들어올리기 쉬우나, 공간이동이 어렵다. 휴대용 들것 안에 긴 척추고정판을 넣고 사용하면 맨홀구조, 비탈길 구조, 항공구조 등에도 적용된다.

그림 2-41. 휴대용 들것(potable stretcher)

3) 계단용 들것

길이를 줄여 의자형으로 만들어 사용할 수 있도록 설계된 장비로 모퉁이, 좁은 공간, 계단에서의 이동, 협소한 장소에서 환자를 옮길 수 있도록 설계되었다. 호흡곤란 환자 등 앉은 자세로 이동에 유용하다(그림 2-42).

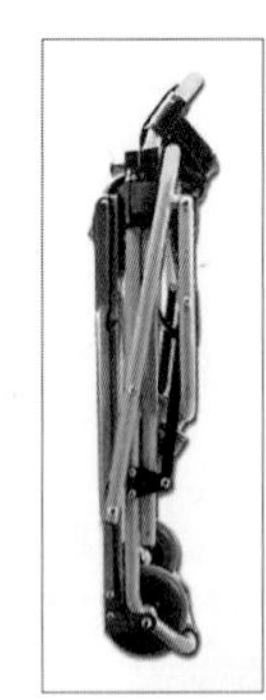
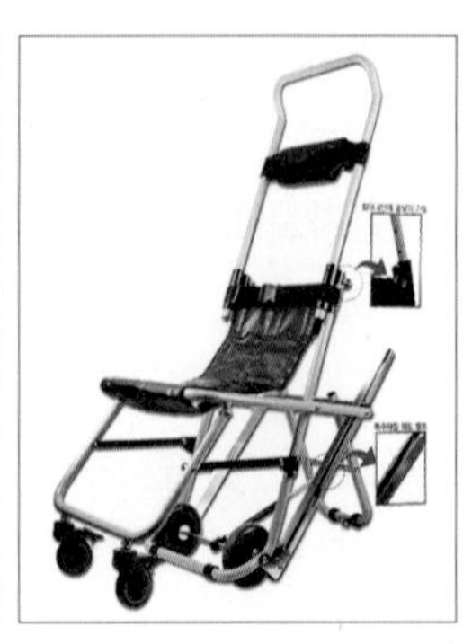

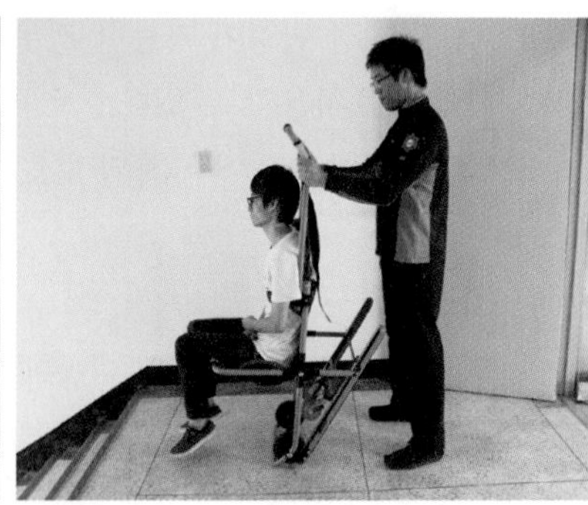

그림 2-42. 계단용 들것(stair chairs)

4) 다목적용 들것

(1) 용도

응급상황 발생 시 환자의 자세에 따라 들것 형태를 변형시켜 환자를 운반할 수 있는 이송 장비이다(그림 2-43).

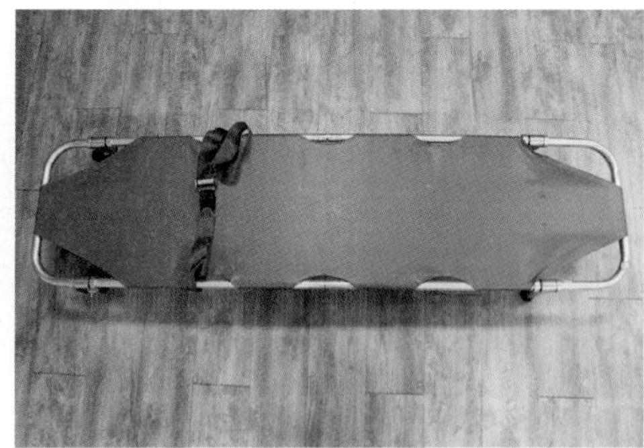

그림 2-43. **다목적용 들것**(combination stretcher)

(2) 장점

① 휠체어, 의자형 들것, 일반 들것의 용도로 사용이 가능하다.

㉠ 의자 형태로 변형되고 바퀴가 부착되어 있어 휠체어 기능을 하여 엘리베이터(elevator), 계단 등 좁은 공간에서 환자 운반이 가능하다.

㉡ 펼쳐진 상태에서는 일반 들것으로 사용할 수 있다.

② 호흡곤란 환자 등 누운 자세로 이동할 수 없는 환자의 운반에 적합하다.

③ 접어서 보관할 수 있어 보관이 편리하다

5) 의자 이동법

의자형 들것(stair chair)이나 곧은 등의자(straight back chairs)는 다른 방법으로는 할 수 없는 좁은 복도, 작은 승강기, 혹은 가파른 계단에서 환자를 옮기는 데 효과적인 방법이다(그림 2-44, 2-45).

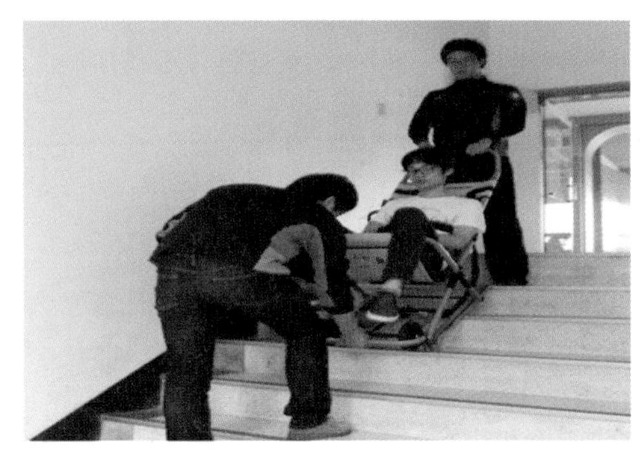
그림 2-44. 의자형 들것(stair chair)

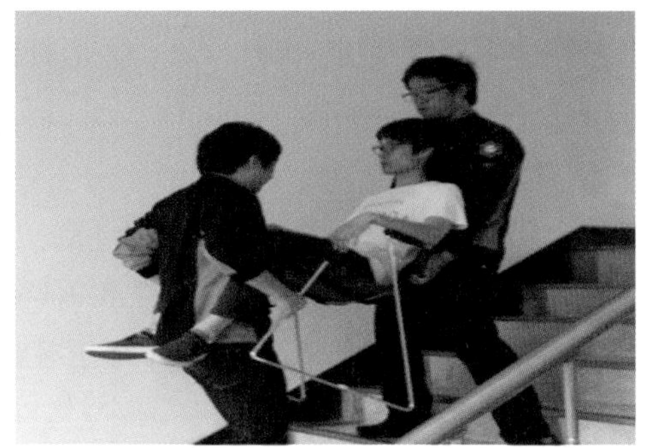
그림 2-45. 곧은 등의자(straight back chairs)

6) 분리형 들것

(1) 용도

환자의 체위를 크게 움직이지 않고도 바닥에서 들것으로 환자를 옮길 수 있는 장비이다. 그러나 척추손상이 의심되는 환자에게서 고정하는 데에는 효과가 작은 것이 단점인 장비이다. 긴 척추고정판과 다른 점으로는 환자의 체위 변화를 하지 않고도 환자의 고정과 운반을 할 수 있다는 것이다.

분리형 들것의 사용에 익숙해지기 위해서는 상당한 연습이 필요하며, 중앙 받침이 없으므로 환자의 등이 외부에 노출된다. 그러므로 추운 환경에서는 신체로부터 열전도가 크기 때문에 체온이 저하될 가능성이 높으므로 주의해야 한다(그림 2-46).

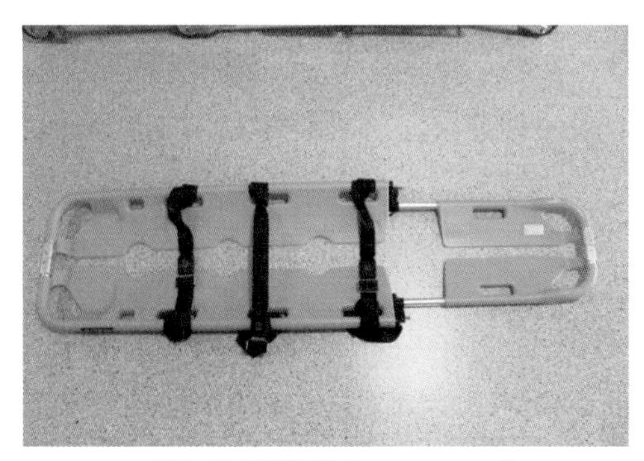
그림 2-46. 분리형 들것(scoop stretcher)

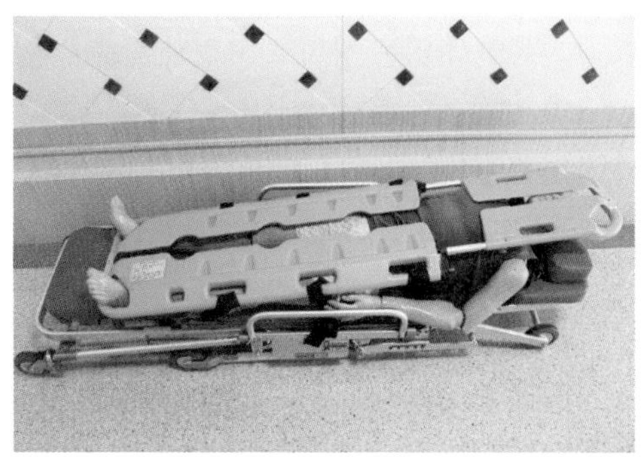
그림 2-47. 난폭환자 고정 이동법

(2) 장점

① 양쪽으로 분리되므로 누워있는 환자를 움직이지 않는 상태에서 들어 올려 추가 손상을 방지하면서 운반할 수 있다.
② X-선 투시가 가능하다.
③ 난폭환자를 들것 위에 눕힌 후 고정할 때 추가 장비로 유용하다(그림 2-47).
④ 분리형 들것(scoop stretcher)은 환자뿐만 아니라 응급구조사를 보호할 수도 있다.

(3) 단점

① 초기의 환자 체위가 누운 자세로 있는 경우에만 사용할 수 있다.
② 들것 중앙에 받침이 없으므로 척추손상 환자를 고정하는 데에는 효과가 작다.
③ 추운 환경에서는 신체로부터 열전도가 크기 때문에 체온 저하의 가능성이 높다.

(4) 사용방법

① 똑바로 누워있는 환자와 분리형 들것이 일직선이 되도록 위치한 후 환자 키에 맞도록 들것의 길이를 조절하고 신장하고 분리형 들것의 길이가 일치하는가를 확인한다.
② 측정한 분리형 들것을 두 명의 응급구조사가 구령에 맞추어 양 끝(상단과 하단)의 결합 버튼을 눌러 분리형 들것을 분리한다.
③ 들것을 환자 양 측면에서 환자 등 아래에 조심스럽게 삽입한다(환자의 양옆으로 밀어 넣으면서 환자의 신체 양쪽을 손으로 약간 들어준다).
④ 들것의 양쪽 끝을 맞춘 후 양 끝의 결합 버튼을 결합하고 고정벨트로 고정한 후 분리형 들것과 함께 환자를 구급차 들것 위에 위치시킨다.

7) 가변형 들것

(1) 용도

유연성 있는 장비로 고정과 구출을 할 수 있고 제한된 공간에서 유용하다(그림 2-48).

(2) 장점

① 천, 고무, 기타 유연성 있는 재료로 만들어져 좁고 제한된 공간에 유용하다.
② 들것의 주머니 사이로 얇은 판자 또는 긴 척추고정판을 넣어 사용할 수 있고

그림 2-48. 가변형 들것(flexible stretcher)

머리 고정 장비로 고정할 수 있어 경·척추손상환자에게도 유용하다.

③ 3면에 손잡이가 있어 측위 이동이 가능하여 좁고 제한된 공간의 이동에 유용하다.

8) 접이식 들것

(1) 용도

응급환자 발생 시 환자를 신속하게 운반할 수 있고 접어서 보관할 수 있는 장비이다(그림 2-49, 2-50).

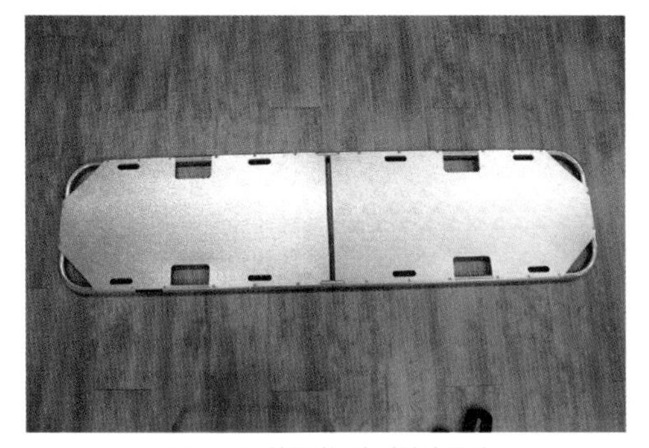

그림 2-49. 알루미늄판 접이식 들것

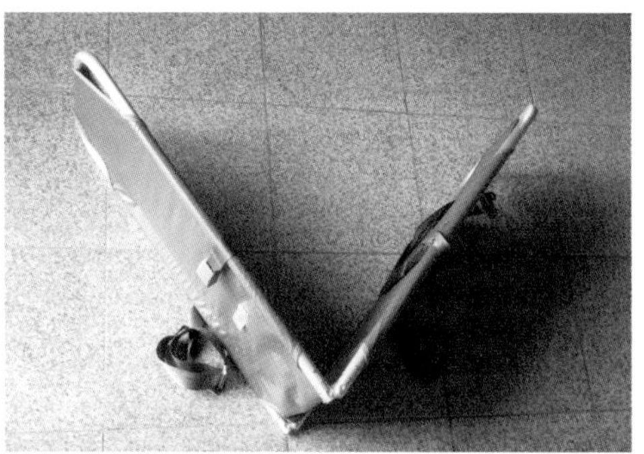

그림 2-50. 천식 접이식 들것

(2) 장점

① 재해사고로 대량 환자가 발생하였을 때 환자를 신속하게 운반하기에 쉽다.

② 접어서 보관하거나 휴대할 수 있고 가벼워 환자에 접근이 쉽다.

(3) 단점

알루미늄판으로 되어 있는 접이식 들것(folding stretcher)은 척추보호가 가능하지만, 그 외 접이식 들것은 척추보호 및 두부고정이 어렵다.

9) 바구니형 들것

(1) 용도

바구니 모양으로 생긴 들것에 환자를 실어 운반하는 장비로 분리형과 일체형이 있다. 바구니 들것은 산악, 수상 등 거친 지형에서의 구조작업이나 헬기 이송 때 이용되며, 추운 환경에서 환자의 체온을 유지하기 위해서도 사용된다. 환자의 신체를 보호해 주는 장점이 있다.

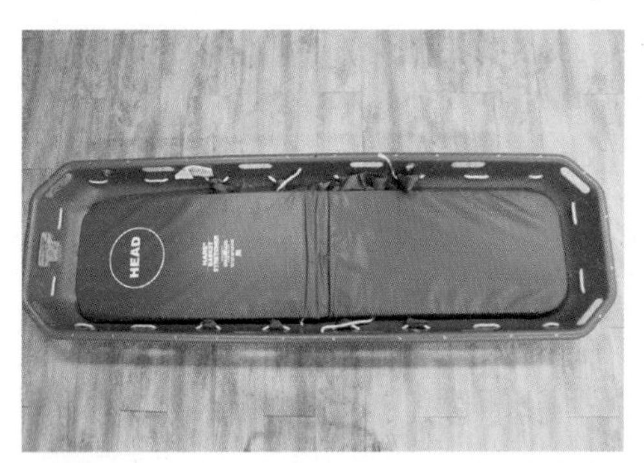

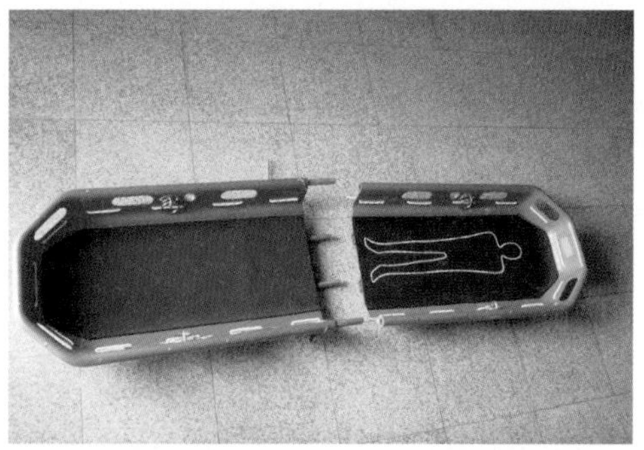

그림 2-51. 바구니형 들것(basket stretcher; rescue blanket)

(2) 기능

① 바구니 모양으로 이송 중 환자의 추락을 방지하면서 환자를 편안하고 안전하게 운반할 수 있다.

② 수평 및 수직구조에 활용하여 환자를 한 단계에서 다른 단계로 이동할 수 있다.

③ 산악, 눈판 등 거친 표면에서 환자를 이동할 때 유용하다.

④ 산악, 눈판, 수중 등에서 환자를 이송할 때 사용되며, 때로는 험한 지형에서 항공기로 환자를 옮기는 경우에도 사용한다.

⑤ 척추손상이 의심되는 환자를 구출하는 데 쉽다.

(3) 사용방법

① 반으로 분리된 바구니 들것을 견고하게 결합한다(분리형).

② 바구니의 발 받침목을 받쳐주어 환자를 편안하게 해 준다.

③ 바구니 들것에 환자를 위치시킨 후 들것과 환자 사이 빈 공간은 담요나 시트 등으로 채워 견고히 고정하여 움직임을 최소화한다.

④ 척추손상이 의심되는 환자의 경우 바구니 들것을 안전로프로 연결하여 수평을 유지하면서 이동하면 높은 곳에 고립되었거나 추락한 환자를 안전하게 구출할 수 있다.

⑤ 바구니 들것을 안전로프로 연결하여 이동할 때 두부손상 환자는 두부를 높인 위치로 조정하며, 쇼크의 경우에는 하지를 높인 위치로 조절하여 이송할 수 있다.

⑥ 수직으로 세운 자세로 구조하는 방법은 척추에 압박을 일으킬 수 있어 일반적으로 사용하지 않지만, 바스켓 들것에 환자의 앞면과 뒷면에 분리형 들것을 위치시켜 고정하면 현재 수직구조 방법 중에서는 척추를 최대한 안정시킬 수 있다.

⑦ 산악, 눈판 등 거친 표면에서는 끌면서 이동할 수 있다.

10) 구조용 들것

좁은 맨홀, 붕괴한 건물, 산악 등 구출과 이송이 까다로운 환경에서 환자를 안전하게 고정하여 구출하고 환자를 이송할 수 있다. 머리를 보호할 수 있는 고정대가 있고 들어 올릴 수 있는 손잡이가 있고, 복부와 하지를 고정할 수 있는 끈이 있다.

그림 2-52. 구조(산악)용 들것(rescue stretcher)

11) 구조담요(방한포)

추운 환경에서 환자의 체온을 유지하기 위하여 사용된다. 이것은 특수한 재료로 만들어진 것으로 체온유지에는 가장 바람직하다. 방한포를 넓게 편 후에 환자를 위치시키고, 환자를 감싸서 고정한다. 방한포의 양옆에 있는 손잡이를 이용하여 환자를 들어 올린다(그림 2-53). 손상환자가 아닌 경우에는 담요의 양쪽에 있는 손잡이를 이용하여 환자를 이송할 수 있다.

(1) 사용방법

① 방한포(rescue blanket, **구조담요**)를 넓게 편 후에 환자를 위치시킨다.
② 환자를 감싸서 고정한다.
③ 방한포의 양옆에 있는 손잡이를 이용하여 환자를 들어 올린다.

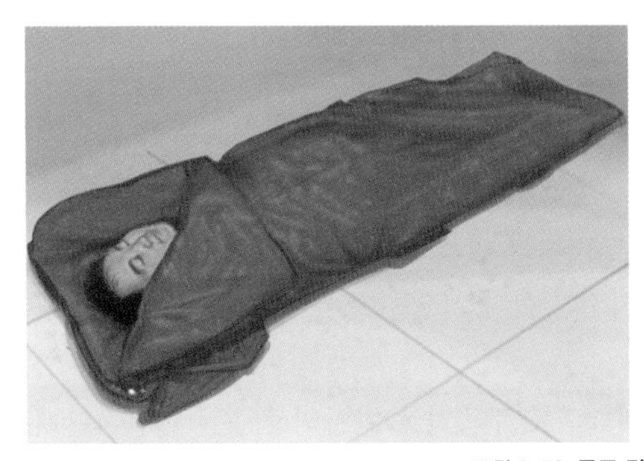

그림 2-53. **구조 담요**(방한포) 사용법.

Tip. 들것(Stretcher)의 종류와 특성

① 바퀴 들것(wheeled stretcher) : 들것에 바퀴가 달린 것으로, 현대화된 응급차량에 주로 설치되어있다. 이것의 단점은 들어올리기 힘들다는 것이다.
② 휴대용 들것(portable stretcher) : 들것을 들어올리기 쉬우나, 공간이동이 어렵다.
③ 계단용 들것(stair chairs) : 층계를 이용해야 할 장소나 협소한 장소에서 환자를 옮길 수 있도록 설계되었다.
④ 척추고정판(back boards) : 척추손상이 있는 환자에서 척추를 고정할 수 있도록 설계되어 있으며, 길이에 따라서 긴 것과 짧은 것이 있다. 척추고정판도 짧은 거리의 환자 이동에 사용할 수 있다.
⑤ 분리형 들것(scoop stretcher) : 척추손상이 의심되는 환자에게서 고정을 위한 장비이다. 긴 척추고정판과 다른 점이며 장점은 환자의 체위 변화를 하지 않고도 환자의 고정과 운반을 할 수 있다는 것이다.
⑥ 구출 고정대(extrication device) : 짧은 고정판과 같은 용도로 사용되지만, 짧은 척추고정판보다는 조작이 간편하며 환자의 운반이 다소 편리하다.
⑦ 구조용 들것(rescue stretcher) : 붕괴한 건물에서 지상으로 환자를 이동하거나 좁은 맨홀 등의 공간에서 환자를 이동하는 경우에 사용한다.
⑧ 바구니 들것(rescue blanket) : 추운 환경에서 환자의 체온을 유지하기 위하여 사용된다. 환자의 신체를 보호해 주는 장점이 있다.
⑨ 구조담요(rescue blanket) : 추운 환경에서 환자의 체온을 유지하기 위하여 사용된다. 손상 환자가 아닌 경우에는 담요의 양쪽에 있는 손잡이를 이용하여 환자를 이송할 수 있다.

8 환자 이송 전 준비사항과 이송 중 처치

이송 전 준비사항과 이송 중의 처치는 구급차가 현장으로 출동하여 응급구조사는 현장에 있는 환자 상태를 평가 및 응급처치를 하고, 환자를 안전하게 구급차로 이송할 상황은 다음과 같을 것이다.

1) 현장의 상황이 위험 또는 우선순위가 높은 환자인 경우에는 환자를 빠른 이송해야 할 경우도 있을 것이다.
2) 환자가 척추손상이 의심되는 환자라면 머리를 손으로 고정 및 경추보호대를 착용시킨 후 환자를 척추고정판에 옮겨서 이송시켜야 한다.

환자이송에 있어서 어려운 상황이 발생하더라도 구급차로 환자의 이송은 다음 4단계로 수행되어야 한다.

① 1 단계 : 적절한 환자 운반 장비를 선택한다.

㉠ 바퀴 달린 구급차 들것은 환자를 구급차로 이송할 때 가장 일반적으로 사용되는 장비이다.

② 2 단계 : 이송을 위해 환자를 감싼다(package).

㉠ "환자를 감싼다"라는 것은 환자의 이송준비와 환자와 운반 장비를 하나로 합치기 위해 요구되는 작업과정이다. 환자나 손상 부위를 잘 감싸서 상태가 악화되지 않도록 해야 한다.

㉡ 환자 상태에 따라 적절한 응급처치를 하고, 관통한 물체는 고정하고, 환자를 이송하기 전에 드레싱과 부목이 적절하게 고정되었는지 확인해야 한다. 적절하게 감싼 환자는 환자 운반 장비로 고정한다.

㉢ 심각한 손상을 입은 외상환자를 감싸는 데 많은 시간을 소비하지 않는다. 심각한 외상환자는 신속하게 병원으로 이송한다. 적절하게 감싼다 해도 환자가 사망한다면 최상의 응급처치를 제공할 수 없다. 환자를 덮어서 체온을 유지하고, 물질에 노출되지 않도록 하고, 사생활을 보호한다.

㉣ 체온을 유지하기 위해서는 따뜻한 날씨에는 홑겹 담요 한 장이나 시트 하나만이 필요할 것이고, 추운 날씨에는 시트와 담요를 사용해서 환자의 체온을 유지한다. 외부 맨 위의 시트와 담요를 환자의 턱 밑까지 덮는다. 시트와 담요가 헐겁지 않게 하려고 들것의 발쪽과 측면 매트리스 아래로 끼워 넣는다. 과도하게 난방이 되지 않도록 하고 환자를 구급차에 탑승시킨 후 적절한 온도를 유지한다. 춥거나 축축한 날씨에는 환자의 얼굴만 남기고 머리를 감싼다.

③ 3 단계 : 환자를 구급차로 이동한다.

㉠ 이송장비는 환자를 안전하게 고정할 수 있도록 최소 3개의 고정 끈이 있어야 한다. 첫 번째는 흉부에, 두 번째는 엉덩이나 허리에, 세 번째는 하지에 위치시켜 고정한다. 네 번째 고정 끈이 있는 경우, 고정끈 두 개를 흉부에 교차하여 묶는다. 환자 상체를 들것 가죽 띠로 묶고 들것의 끈으로 고정한다. ㉡ 심폐소생술(CPR)을 실시해야 하는 환자를 포함하여 모든 환자는 구급차로 이송하기 전에 환자 이송장비에 고정되어야 한다. 환자가 척추고정판과 같은 장비에 고정되어 있지 않고 구급차 들것 위에만 놓여 있으면 차량이 갑작스럽게 정지하는 때를 대비하여 환자가 앞으로 미끄러지지 않도록 들것에 고정하는 어깨 고정끈을 사용해야 한다.

④ 4 단계 : 환자를 구급차 안으로 싣는다.

㉠ 사고현장에서 환자를 싣고 병원까지 이송하여 의료진에게 환자를 인계하기 전까지 구급차 운전자와 탑승한 응급구조사가 환자에 대한 모든 책임을 갖게 된다.

1) 이송 전 환자준비(지상이송)

환자를 이송하는 중에는 환자의 상태가 악화하여도 충분한 조치를 하기가 어려우므로, 또한 현장에서 병원까지 이송하는 과정에서 환자 상태가 악화할 가능성이 크기 때문에 환자 상태를 다시 점검해야 한다. 환자를 구급차에 싣는 순간부터 신중히 처리해야 하며, 이송 중에 발생할 수 있는 환자 상태의 변화에 대처할 수 있어야 한다. 응급구조사는 이송할 의료기관과의 긴밀한 통신 연락을 취해야 한다. 이송할 환자를 다시 환자의 상태를 확인하고, 병원으로의 이송 중에 환자상태가 악화하지 않도록 다음과 같은 사항을 점검해야 한다.

① 중간마다 환자평가를 수행한다.

㉠ 의식이 있는 환자는 들것위에서 자세만 바로 해 준다면 어려움 없이 호흡할 것이다.

㉡ 기도가 유지된 무의식 환자라면 일단 환자를 회복 자세로 취하게 한다.

② 구급차 안에서 들것을 적절하게 고정한다.

㉠ 병원으로 이송하는 동안 항상 환자가 안전한지 확인한다.

㉠ 문을 닫기 전과 구급차 이송 전에 간이침대가 안전하게 고정되어 있는지를 확인한다.

③ 환자를 고정한다.

㉠ 구급차로 이송하는 동안 환자는 들것에 고정되어 있어야 한다.

㉡ 척추손상 가능성이 없는 무의식환자나 의식수준의 변화가 있는 환자는 회복자세(측와위)로 바꾸어 기도개방을 유지하고 이물질(침)의 배출을 증진한다.

㉢ 호흡곤란이 있으나 척추손상 가능성이 없는 환자는 앉은 자세로 이송한다.

㉣ 쇼크 환자는 다리를 20-30 ㎝ 정도 들어 올리고 이송한다.

㉤ 척추손상이 의심되는 환자는 긴척추고정판에 고정한 후 함께 들것위에 고정해야 한다.

㉥ 심폐소생술을 실시한다면 환자는 앙와위자세로 고정(지속적 기도검사, 흡인 장비를 준비)한다.

㉦ 환자를 들것으로 현장에서 구급차로 이송할 때부터, 환자실 안으로 이송할 때까지 고정끈으로 단단히 고정해야 한다. 고정끈이 너무 꽉 조여지면 순환이나 호흡을 방해하고 통증을 초래할 수 있다.

④ 호흡이나 심장 합병증에 대비한다.

㉠ 심정지로 진행될 것 같다면, 이송을 시작하기 전에 짧은 척추고정판이나 딱딱한 CPR 판을 매트 아래에 넣는다.

⑤ 압박하는 옷을 풀어준다.

㉠ 순환과 호흡을 방해할 수 있다. 넥타이와 벨트를 풀고 목 주위의 옷들을 느슨하게 풀어준다.

㉡ 고정끈 때문에 말려있는 옷은 펴준다. 옷이 가랑이에 말려 있으면 환자가 고통스럽다는 사실을 기억해야 한다. 압박하는 환자의 옷을 느슨하게 하기 전에 환자에게 설명하고 실행한다.

⑥ 붕대를 점검한다.

㉠ 적절히 착용된 붕대일지라도 구급차로 이송 중에 느슨해지거나 풀어질 수 있다. 붕대가 적절하게 감겨 있는지를 꼭 확인해야 한다. 다시 심한 출혈이 시작될 수 있다.

㉡ 상처부위가 시트나 담요로 덮여 있으면 병원에 이송될 때까지 출혈을 확인하지 못할 수도 있다.

⑦ 부목을 점검한다.

㉠ 고정장비도 이송하는 동안 느슨해질 수 있다.

㉡ 붕대나 삼각건은 척추고정판에 제대로 잠겨 있는지를 확인한다.

㉢ 공기부목 점검은 부목이 적절하게 팽창되어 있는지 손끝으로 확인한다.

㉣ 견인부목 점검은 심장에서 먼 쪽(원위부) 맥박, 운동기능, 감각기능을 확인하여 부목을 착용시킨 후 사지의 혈액순환이 원활한지 점검한다.

㉤ 이송하는 동안 구급차가 흔들리면 부목을 안전하고 적절하게 적용할 수가 없기 때문에 신속한 응급이송이 아니면 구급차로 이송하기 전에 완수해야 한다.

⑧ 환자와 동행해야 하는 친척과 친구를 탑승시킨다.

㉠ 가능하면 다른 교통수단을 찾아보도록 한다.

㉡ 보호자가 병원으로 갈 수 있는 다른 방법이 없다면 운전석 옆에 탑승하도록 한다. 환자처치에 방해가 될 수 있으므로 환자 칸에는 탑승시키지 않는다.

㉢ 가족에게 안전띠를 착용하도록 한다.

⑨ 개인적 물건(소지품)을 싣는다.

㉠ 지갑, 가방, 환자의 소지품을 환자와 함께 싣고 간다면, 구급차 안에 적절히 탑재되었는지 확인한다.

㉡ 사고현장에서 환자소지품을 싣는다면, 경찰에게 응급구조사가 무엇을 가져가는지 말한다.

㉢ 환자의 물품을 보호하기 위해 보고서(환자 기록지 및 별도 보고양식)를 작성한다.

⑩ 환자를 안심시킨다.

㉠ 질병이나 손상환자는 구급차로 이송될 때 불안해한다. 친절하게 대화를 하면서 다정스럽게 손을 잡고 환자를 진정시킨다.

Tip. 이송 전 환자준비(지상이송)

① 환자는 침대에 단단히 고정되고, 환자 침대는 구급차에 정확히 고정되었는지 확인한다.

② 부목, 척추 고정장비나 압박붕대 등은 적절히 고정되었는지 확인한다.

③ 환자를 압박하는 의류는 느슨하게 해준다.

④ 안전띠나 고정 장치가 환자의 가슴을 압박하여 호흡에 방해되는지 확인한다.
⑤ 출발 전 측정한 생체징후는 안정되어 있는가를 확인 및 기록한다.
⑥ 가족이나 친구 1명을 동승시켜 환자를 안심시키고, 필요하면 지형 정보를 얻는다.
⑦ 환자의 소지품을 모두 실렸는지 확인하고 보고서에 작성한다.
⑧ 출발 전에 간단한 자기소개나 인사말로 환자를 안심시키도록 한다.

환자이송 준비가 끝났으면, 구급차 운전자에게 병원으로 출발하라고 신호하고, 이송순위가 높은 응급환자라면 대부분의 준비단계(옷을 느슨하게 하고, 붕대와 부목이 잘 착용 되어 있는지 확인하고 환자를 안정시키고, 활력징후 측정)는 이송을 지체하기보다는 이송 중에 실시하는 것이 좋다.

2) 이송 중의 환자 처치

환자를 이송할 때는 2명 이상이 좋지만, 구급차 환자 칸에는 적어도 한 명의 응급구조사가 탑승해야 한다. 이송 중에도 환자 상태가 악화할 수 있으며, 구급차의 주행에 따른 진동, 흔들림 등으로 구토를 하거나 고정 장비가 느슨해질 수 있으므로, 환자 상태를 계속 관찰해야 한다.

① 응급구조사는 현장에서 출발한다는 것을 이송할 병원의 의료진에게 연락한다.
② 환자에게 필요한 응급처치를 계속 시행한다.
  ㉠ 환자를 구급차에 옮기기 전에 인명소생술을 시작했다면, 병원으로 이송하는 동안에도 계속되어야 한다.
  ㉡ 기도확보, 구강 내 이물질 제거 등의 처치를 계속 시행한다.
  ㉢ 초기 환자평가 시 나타나는 문제점들에 대하여 재평가를 하고 적절한 응급처치를 제공한다.
③ 추가적인 환자 정보를 기록한다.
  ㉠ 환자가 의식이 있고 위험한 상태가 아니면, 환자에 대한 정보(병력, 증상 등)를 기록한다.
  ㉡ 병원으로 이송하는 동안 정보를 수집하는 것은 두 가지 목적이 있다.
    - 보고서 작성을 돕는다.
    - 환자는 정보를 제공하면서 일시적으로 안정을 되찾을 수 있고, 환자를 처치하는 병원 응급의료종사자에게 도움을 준다. 환자에게 안정감을 주면서 비공식적인 자세로 질문을 한다.
④ 이송 중 평가를 수행하고 활력징후를 반복적으로 측정하여 환자 상태를 파악한다.
  ㉠ 활력징후의 변화는 환자 상태의 변화를 가리킨다는 것을 유념한다.
  ㉡ 활력징후를 기록하고 병원에 도착하자마자 응급의료진에게 환자상태의 변화를 보

고할 준비를 한다.

- 불안정한 환자의 경우에는 5분마다 활력징후를 재평가한다.
- 안정된 환자는 15분마다 평가한다.

⑤ 병원의료진에게 도착 예정시간을 알린다.

⑥ 붕대와 부목을 재확인한다.

㉠ 상처 치료 부위의 상태 등을 점검하고, 각종 장비의 고정 상태를 관찰한다.

⑦ 환자가 구토한다면 감염방지를 위해 마스크와 보호용 안경, 휴대용 장갑을 착용한 후 환자의 구토물을 수집한다.

㉠ 구토물이 흡입되지 않도록 환자에게 적절한 자세를 취해준다.

㉡ 흡인 장비를 준비하고 환자의 입 옆에 구토물을 담을 통이나 봉지 등을 즉시 준비한다.

㉢ 환자가 구토를 끝냈을 때, 구토물은 수건으로 용기를 덮은 다음 응급의료종사자에게 전달한다.

- 구토물은 중독환자 응급처치 시 매우 중요한 자료가 될 수 있다.

⑧ 환자와 대화를 하면서 환자의 감정을 조절한다. 대화는 불안해하는 아이를 안심시킬 수 있다.

⑨ 환자의 상태를 관찰하면서 구급차 운전자에게 차량 속도나 운전방법을 조언하도록 한다.

㉠ 구급차 운전자에게 운행속도를 적절하게 유지하거나 환자 상태에 따라 운행할 수 있도록 조언이 필요할 수 있다.

㉡ 구급차 운전자는 구급차와 탑승자에게 책임이 있지만, 환자와 부상자를 보호하는 것은 응급구조사의 책임이다. 따라서 구급차 운전자는 상황에 따라서 응급구조사가 조언하는 대로 구급차를 운전해야 한다.

㉢ 조명이나 사이렌의 사용에 대한 결정은 항상 환자의 의학적 상태를 고려해서 결정한다.

⑩ 이송 중 심정지가 발생했을 경우에는 즉시 차량을 멈춰 심폐소생술을 시행한다.

㉠ 응급구조사가 자동제세동기(AED)를 사용하는 동안 운전자에게 구급차를 정지시키도록 한다.

㉡ 회복될 수 없다고 판단되면, 다시 구급차를 출발시키고, 응급의료종사자에게 심정지 사실을 알리도록 한다.

㉢ 응급구조사가 일반적으로 심정지 환자에 대비해서 환자의 등과 침대 매트리스 사이에 경성 장비를 설치했다면, 간이침대를 수평자세로 내려서 심폐소생술을 실시한다. 또 짧은 척추고정판이나 심폐소생술판을 환자 밑에 설치하여 효과적으로 흉부

압박이 실시되도록 한다.

⑪ 이송 중에 구급차와 병원과의 상호연락은 상당히 중요하다.

㉠ 병원 응급의료진에게 준비할 시간을 부여한다.

㉡ 이송 중에 환자 상태가 악화되면 지도의사에게 의료지도를 받아 전문응급처치를 시행할 수 있다.

Tip. 이송 중에 병원으로의 통신연락

① 이송할 병원을 호출하여 소속 구급차를 말한다.

② 환자의 정보를 제공한다.

㉠ 연령과 성별 그리고 사고 경위

㉡ 주증상과 간단한 병력

㉢ 생체징후, 이학적 소견, 신경학적 소견

③ 예상되는 진단과 향후 필요할 것으로 생각되는 사항을 연락한다.

④ 구급차 내에서 시행하고 있는 응급처치에 대하여 통신한다.

⑤ 병원에 도착 예정시각을 통보한다.

3) 응급의료진에게 환자인계

응급구조사는 환자를 응급의료진에게 이차적인 손상 없이 안전하게 인계하기 위해서는 응급의료진에게 인계될 때까지 환자 상태에 따라서 적절한 응급처치가 지속해서 시행될 수 있도록 해야 한다.

① 임상적인 질병이나 손상환자에게 시행해야 할 것을 알아보기 위해서 확인해야 한다.

㉠ 응급실이 몹시 혼잡하다면, 응급실에 응급처치할 장소와 의료진이 배치되는 동안 환자를 구급차에 편안하고 안정된 상태로 탑승시켜 놓는 것이 더 효과적이다.

㉡ 어떠한 상황에서도 병원으로 이송하여 환자를 침대에 눕히고 응급의료진에게 인계되기 전까지는 환자 혼자 남겨두지 않도록 한다. 병원 의료진에게 직접 인계하지 않고 방치한 상태에서 환자 상태가 악화되었다면 응급구조사는 환자에 대한 유기의 책임을 져야 한다.

② 필요하다면 응급의료진을 돕고 구두보고를 한다. 이송 중 환자평가에 대한 환자상태를 모두 알린다.

③ 환자 응급처치가 끝나면, 병원전처치보고서(PCR: Prehospital Care report)를 작성한다.

㉠ '보고서 작성이 완료될 때까지 업무가 끝나지 않았다'는 것을 기억한다.

④ 환자의 소지품을 인계한다.

㉠ 환자의 소지품이나 개인물품들이 응급구조사에게 위임되었다면, 환자의 소지품을 책임을 질 수 있는 응급의료종사자에게 인계한다.

⑤ 응급의료종사자에게 도움이 필요한지 물어보고 필요 없다면 병원을 떠난다. 공식적인 업무는 아니다.

3) 출동의 종결

구급차 운행은 다음 출동을 위해 필요한 물품 및 장비가 준비될 때까지 완전히 종료된 것은 아니다. 응급구조사의 마지막 단계에서 업무는 단순히 시트를 새것으로 교체하고 구급차를 청소하는 것 이상을 포함하고 있다. 병원에서 사무실 차고로 돌아오는 동안, 도착한 후 많은 업무를 완수해야 한다.

(1) 병원

사무실 차고 등 대기하고 있는 동안 구급차를 담당하는 응급구조사는 다음 출동을 위한 준비를 시작해야 한다. 응급구조사는 다음 환자를 위해 구급차의 장비 및 사용할 물품을 신속하게 준비해야 하며, 큰 노력을 기울여야 한다.

① 재질이 튼튼한 고무장갑을 착용하고 신속하게 구급차 내의 환자실을 청소한다. 감염방지 계획에 따라 생물학적 위험물질을 처리한다. 생물학적 위험물질로는 오염된 드레싱과 사용한 흡인 카테터(catheter)가 있다.

㉠ 차 바닥에 묻어있는 혈액, 구토물 및 체액으로 인해 오염된 모든 장비를 닦는다. 그리고 일회용 수건을 사용하여 혈액이나 체액을 닦고 사용한 수건은 붉은 봉지에 넣는다.

㉡ 사용한 붕대, 사용하지는 않았지만 개봉한 드레싱이나 유사한 물품들과 쓰레기는 제거하고 처리한다.

㉢ 환자실에 먼지를 제거한다. 더럽혀진 바닥의 진흙과 물을 닦아낸다.

㉣ 더러운 천이나 담요가 깨끗하게 세탁될 수 있도록 봉지에 넣는다.

㉤ 구토물, 소변, 배설물의 냄새를 중화하기 위해 방취제를 사용한다. 냄새 제거를 위해 다양한 스프레이와 농축액을 사용할 수 있다.

② 호흡장비를 준비한다.

㉠ 일회용이 아닌 백-밸브 마스크와 재사용이 가능한 호흡보조 및 흡입장비를 청소하고 적절하게 소독하여, 다른 환자에게 전염되지 않도록 오염물질을 제거한다.

㉡ 사용한 일회용 물품을 비닐봉지에 넣고 밀봉한다.

③ 소독해야 할 물품을 대체한다.

㉠ 병원과 물품공급을 대체하기로 동의를 한 경우에는 사용한 소독물품을 1대 1의 비

율로 대체한다.

④ 장비를 교환한다.

㉠ 부목, 척추고정판 같은 물품들을 교환한다.

㉡ 구급차는 다음 출동을 위해 완전하게 장비를 갖춘 상태로 차고로 귀환할 수 있다.

㉢ 장비 교환이 가능하다면, 신속하게 장비의 완전성과 작동이 잘 되는지 점검해야 한다.

㉣ 장비 일부가 파손되었거나 완전하지 않다면, 관계자에게 알리고 장비를 수리하거나 교체해야 한다.

⑤ 구급차에 간이침대를 준비한다. 다음은 바퀴 달린 들것을 준비하는 데 사용될 수 있는 다양한 방법이다.

㉠ 가능하다면 들것을 최고 수준으로 올린다. 이렇게 하면 사용하는 과정이 더 쉬워지기 때문이다. 들것의 측면 레일을 낮추고 고정끈을 풀어서 평평하게 해준다.

㉡ 담요와 베개를 더럽혀지지 않도록 깨끗한 표면 위에 올려놓는다.

㉢ 더러워진 리넨을 모두 제거하고, 지정된 저장소에 넣는다.

㉣ 혈액이 보이지 않는다면, 식품의약품안전처 지정 저급 소독제로 매트리스 표면을 닦는다. 혈액은 1 : 100(표백제/물)의 혼합물을 사용하여 닦아내야 한다.

㉤ 매트리스를 뒤집어 준다. 뒤집어 사용하면 더 오래 사용할 수 있다.

㉥ 매트리스에 맨 아래 시트를 중심에 놓고 완전히 편다. 전체 크기의 침대 시트를 사용한다면 먼저 세로로 길게 접는다.

㉦ 일회용 패드를 매트리스 중앙에 놓는다.

㉧ 안전끈의 버클을 채우고 여분의 고정끈으로 감싼다.

㉨ 옆 레일과 발 받침대를 들어 올린다.

이렇게 하면 다음 환자를 위한 들것의 준비가 끝났다. 이 방법은 바퀴 달린 구급차 들것을 준비하는 다양한 기법의 하나이다. 어떠한 방법이든 다음과 같은 **목적**에 맞아야 한다.

① 다음 출동을 위한 준비는 가능한 신속하게 수행되어야 한다.

② 리넨과 담요, 오목주머니는 모두 들것 위에 **깨끗**하게 보관되어야 한다.

③ 간이침대는 구급차에 **대체**되어야 한다.

④ 일회성 아닌 환자처치 물품은 모두 **교환**되어야 한다.

⑤ 병원에 보관된 장비를 **확인**해야 한다.

(2) 사무실 차고로의 복귀

환자 이송을 마치고 안전하게 돌아오는 것은 매우 중요한 일이다. 구급차 운전자는 병원으로 환자를 이송하는 동안에는 차량의 안전운행을 위한 모든 수단을 취해야 한다. 안전운행을 위해 항상 **방어운전**을 해야 하며, 운전자와 탑승자 모두 안전띠를 착용해야 한다.

① 응급구조사가 차고로 귀환하면서 출동서비스가 필요한지, 필요하지 않은지를 119구급상황관리센터에 무선으로 알아본다.

㉠ 119구급상황관리센터가 출동 준비를 마친 구급차가 있다는 것을 알지 못하고 다른 구급차를 추가로 호출하여 지원한다면, 귀중한 시간을 낭비할 수도 있다.

② 필요하다면 구급차를 환기한다.

㉠ 병원으로 이송한 환자가 공기를 통해 전염되는 환자이거나 병원에 있는 동안 불쾌한 냄새를 제거하지 못했다면, 환자실의 창문 그리고 에어컨이나 환기 시스템을 이용하여 환기한다.

③ 구급차에 연료를 주유한다.

㉠ 구급차의 연료는 구급차가 응급현장에 출동하여 환자를 안전하게 병원으로 이송할 수 있을 정도로 주유가 되어 있어야 한다. 우리나라에서는 주유 계량기가 일정 수준(1/4 이상)에 다다르도록 하고 있다.

(3) 사무실 차고

사무실 차고로 돌아온 경우, 구급차가 서비스를 하기 전, 또는 다음 출동을 준비하기 전에 많은 업무를 수행해야 한다. 오늘날 감염병 예방에 대한 보호조치를 강조하는 것을 생각할 때, 응급구조사도 감염으로부터 보호하기 위해 모든 예방조치를 취할 필요가 있다. 응급구조사는 기관의 감염방지 계획에 따라 활동해야 한다. 오염된 린넨, 구급장비, 호흡장비 사용 및 구급차 내부를 청소할 때는 항상 장갑을 착용해야 한다.

① 심하게 오염된 리넨은 생물학적 위험 보관함에 넣고, 오염되지 않은 리넨은 일상적인 바구니에 넣는다.

② 환자에게 접촉된 장비는 모두 닦는다.

㉠ 들것 커버를 쓸고, 각각의 고무제품, 비닐, 캔버스 천을 닦고 나서 비누와 물로 씻는다.

③ 사용한 비닐, 일회용 호흡보조 및 흡입장비를 닦고 소독한다.

㉠ 장비를 분해해서 표면이 모두 노출되도록 한다.

㉡ 감염방지 계획에 규정된 청소용액을 커다란 플라스틱 함에 채운다.

㉢ 적절한 솔로 내부와 외부를 닦는다. 내부 표면을 작은 병 솔로 닦고, 반면에 외부는 손 또는 못솔로 닦는다. 더럽혀진 물질은 모두 깨끗하게 제거한다.

㉣ 물품을 수돗물로 씻는다.

㉤ 식약청 허가 살균용액에 물품을 담근다.

㉥ 희석, 취급 안전, 침수시간에 대한 지시를 따른다.

ⓢ 규정된 침수시간 후에 환기가 잘되는 깨끗한 장소에 장비를 걸어두고 12-24시간 동안 건조한다.

④ 환자실을 청소하고 살균한다.

㉠ 식약청 허가 소독제를 사용하여 고정장비나 환자 체액에 접촉된 표면을 닦는다.

⑤ 서비스를 위해 스스로 준비한다.

㉠ 손톱 밑 부위에 유의하면서 철저하게 손을 씻는다. 오염물이 축적되어서 응급구조사 뿐만 아니라 응급구조사와 접촉하는 모든 사람에게 전염될 수 있다는 것을 기억한다.

㉡ 오염된 옷을 갈아입는다. 특히 전염병 환자에 노출되었다면, 가능한 신속하게 오염된 옷을 세탁한다. 여분의 작업복을 휴대하는 것이 좋으며, 각 기관에는 세탁기와 건조기가 있어야 한다. 혈액이나 체액으로 오염된 옷을 세탁하기 위해 집으로 가져가는 것은 감염방지 규정에 어긋난다.

⑥ 소독할 물품을 구조대 보관소에 있는 물품으로 교환한다.

⑦ 응급의료서비스의 절차에 따라 산소통을 교환하거나 산소를 보충한다.

⑧ 응급처치 장비를 교체한다.

⑨ 필요하다면 운행 후 구급차 보존 상태를 점검한다.

㉠ 차량 점검 시 이상한 점을 발견한다면, 구급차를 수리하거나 관계자에게 알려서 대처한다.

⑩ 구급차를 청소한다.

㉠ 조명등이 깨지거나, 유리와 차체에 손상, 문의 작동, 수리나 교체가 필요한 부분이 있는지를 확인한다.

⑪ 빨리 끝내지 못한 출동보고서를 작성하고, 서비스 준비 상황을 보고한다.

9 특수 환자 다루기

환자의 운반 및 이송 전이나 병원으로의 이송 후에도 구급대원은 환자에 대한 응급처치 및 다양한 유형의 환자를 다루는 방법에 능숙해야 한다.

1) 감염병 환자 다루기

감염병 환자를 다루는 데 있어서 몇 가지 요점을 다시 반복해 본다. 감염 환자를 처치하는 경우에는 다음과 같은 사항을 준수해야만, 환자나 응급구조사의 안전을 최대로 보장할 수 있다.

① 매각할 수 있는 일회용 장비와 물품을 사용한다. 재사용할 수 있는 것은 사용 후에 깨끗이 소독시킨 후 사용한다(그림 2-54).

② 환자를 진료할 때마다 손을 철저히 씻는다. 비누로 손을 깨끗이 씻으며, 특히 항균성 비누와 도찰제(살갗에 발라 문질러서 스며들게 하는 외용제)를 사용하면 병원균의 확산을 더욱 감소시킬 수 있다.

③ 오염되었거나 감염된 것들은 철저히 처리한다. 환자에게 사용된 것들은 이중 가방에 담아서 쓰레기통에 버린다. 백밸브마스크, 부목, 경추고정장비, 들것 등과 같이 재사용이 가능한 장비는 소독용 비누로 씻어 준다. 백밸브마스크처럼 작은 장비는 소독용 압력기에 넣어 소독한다. 침대나 침대 받침이 오염되었다면 햇빛에 말려서 소독한다.

④ 감염병 환자에 노출된 의복은 모두 세탁한다. 의복은 뜨거운 비눗물로 세탁한 후에 건조기로 말린다. 날마다 깨끗한 의복을 사용한다.

⑤ 최적의 상태로 자신의 건강을 유지한다. 계획에 따라서 최신의 방법으로 자신을 면역한다. 환자가 전염병을 가지고 있다는 것을 미리 알면, 어느 정도의 예방책으로 응급구조사나 구급차가 오염되는 것을 막을 수 있다.

⑥ 감염병 환자를 다루기 위해 취해야 할 예방책으로는 다음과 같다.

㉠ 감염 환자를 다루기 위해서는 깨끗한 작업복을 착용한다.

㉡ 외과용 마스크를 착용하며, 환자에게도 착용시킨다.

㉢ 출발하기 전에 필요한 기본 장비만 구급차에 적재한다.

㉣ 가능하면 한번 쓰고 매각할 수 있는 일회용 장비를 사용한다.

㉤ 소독된 포로 상처를 감싸고, 소독된 침대보로 환자를 감싼다.

㉥ 이송이 끝난 뒤 근무복을 벗을 때에는 오염물의 확산을 최소화하기 위하여 안과 밖을 뒤집는다.

㉦ 구급차를 깨끗이 하고 소독한다. 모든 분비물이나 내용물은 즉시 물로 씻어낸다.

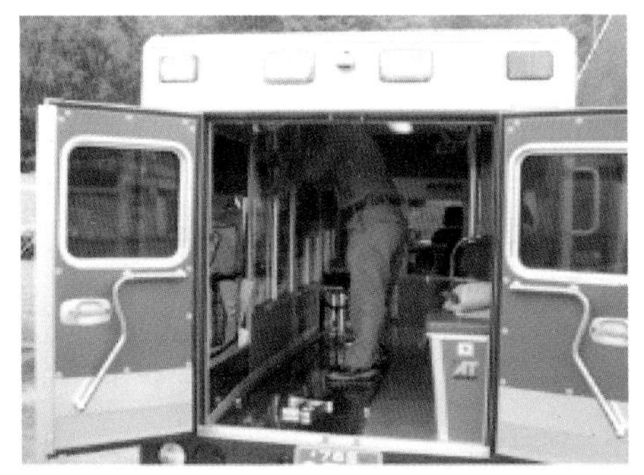

그림 2-54. 환자 이송 후 복귀한 응급구조사는 구급장비 및 차량을 소독한다.

전염병이 유행하는 경우에는 환자의 체액이나 분비물(특히 혈액, 구토물, 배변)에 접할 가능성이 크므로 일회용 장갑을 사용한다. 특히 환자에게 사용되었던 장비나 환자를 만진 손을 자주 씻는 것이 바람직하다. 구급대원을 포함하여 감염자와 접촉할 기회가 있는 소방, 경찰 등의 구조요원들을 위한 제도적 장치가 갖추어져야 하며, 여기에는 면역법, 추가접종법, 감염 예방책, 감염 시의 치료법이 포함된다.

Tip. 전염병 환자를 다루는 법

① 매각할 수 있는 일회용 장비와 물품을 사용하라. 재사용할 수 있는 것은 사용 후 깨끗이 씻거나 소독시킨 후 사용한다.
② 다른 환자를 진료할 때마다 손을 철저히 씻어라.
③ 오염되었거나 감염된 것들을 모두 알맞게 처리하라.
④ 전염병 환자에 노출된 옷가지는 모두 세탁한다.
⑤ 최적의 수준에서 자신의 건강을 유지하라.
⑥ 필요한 장비만 적재한다.

2) 소아 환자 다루기

소아 환자를 다루기 위해 아래와 같은 상황을 유의한다.

① 성인보다 체중이 가볍고 체형이 작아서 이송하기는 쉽다.
② 스스로 느끼고 있는 증상에 대하여 충분히 표현하기 어려운 경우가 있으므로 그와 관련된 정보를 얻기가 어렵다.
  ㉠ 낯선 사람을 두려워하므로 소아 환자를 치료하고 이송하기 위해서는 가족이나 보호자가 옆에 있으면 소아 환자 다루기가 더욱 수월하다.
③ 소아 환자의 응급처치에 자신감을 얻기까지는 기본평가에 약간씩 변화를 준다.

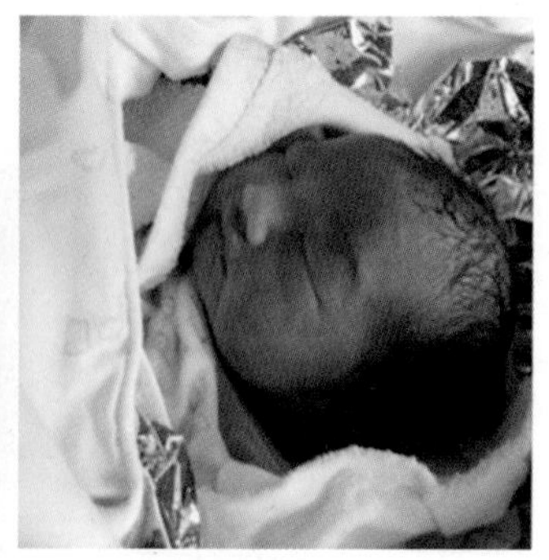

그림 2-55. 소아는 두려움이 많고 체온손실이 받기 때문에 기본적인 방법을 약간 변화시켜야 한다.

④ 이송 장비는 성인의 체형을 기준으로 제작되었으므로, 소아 환자를 들것에 고정하기 어려운 경우가 많으며 이송 중에 환자가 떨어질 수도 있다(그림 2-55).

⑤ 소아는 체중보다 체표면적이 크기 때문에 체온 손상이 쉬우므로 어릴수록 체온보존에 관심을 기울여야 한다. 이 문제점이 가장 중요한 문제점이다.

㉠ 체온유지를 위하여 보온기나 방한포 이용하여 체온 손실을 감소시킬 수 있다.

㉡ 소아의 머리 부위를 잘 덮어주거나 모자를 씌워주어 체온 손실을 감소시킬 수 있다.

3) 노령 환자 다루기

나이 든 환자를 이송시킬 때 주의해야 할 사항으로 이송할 때는 아주 천천히 시행하고 조심해야 한다. 노령자는 신체를 움직이는 데 느리고, 시력과 청력이 저하된 상태이므로, 이차적인 손상의 위험이 매우 높다(그림 2-56). 노령 환자 및 폐경기 여성은 뼈엉성증(골다공증)을 동반하고 있는 경우가 많으므로, 가벼운 충격에도 쉽게 골절이 되기 쉽다. 또한 응급구조사는 노인에게 현재 진행되고 있는 모든 것에 대하여 분명하고 직접 이야기해 주도록 해야 한다. 퉁명함이나 조급함을 나타내지 말고 환자를 안심시켜 조용한 상태를 유지함으로써 노령 환자를 성공적으로 돌볼 수 있다(그림 2-57).

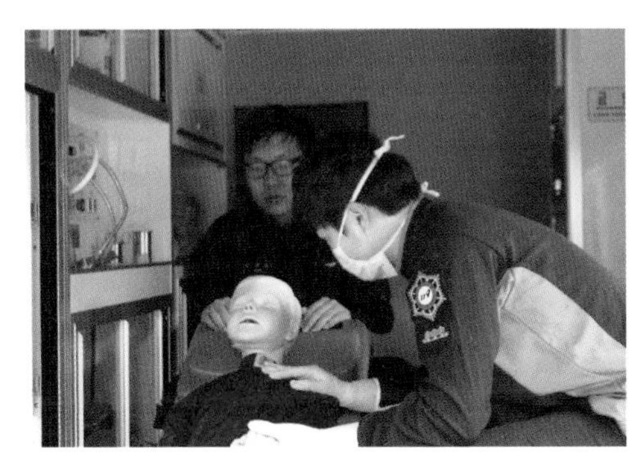

그림 2-55. 소아 환자를 이송할 때는 안정성이 요구된다. 들것이 성인 환자를 이송하기 위해 제작되었기 때문이다.

그림 2-56. 노령 환자는 움직임이 느리고, 시력과 청력이 저하되어 있으므로 주의해야 한다.

4) 신체장애 환자 다루기

이들은 신체 움직임이 둔하기 때문에 외상에 노출될 위험이 높다. 신체적인 단점으로 인하여 병적 골절의 위험이 높다. 신체장애 환자를 대할 때는 천천히 그리고 간단히 이야기하는 것이 바람직하다. 신체장애 환자에게는 따뜻한 배려와 관심을 쏟아야 한다.

10 항공이송

의료용 항공기(air ambulance)의 이용이 점차 증가하고 있다. 원거리에 위치한 의료기관이나 섬 지방 혹은 산악지형에서 환자를 이송할 때 주로 이용되고 있다. 1870년 자동차를 이용하여 환자를 이송하기 이전에도 항공기가 이용되었다. 러시아의 파리 공격 시 160명의 다친 군인과 시민들이 뜨거운 공기로 부풀린 기구로 안전하게 이송되었다.

헬리콥터를 이용한 항공이송이 처음으로 시도된 것은 6 · 25전쟁이었다. 헬리콥터 이송은 처음에는 이송 능력이 제한적이었지만, 이후 월남 전쟁 때 더 본격적으로 항공이송이 전개되었다. 한국전쟁 때 이송 시스템은 매우 잘 작동하여 부상병의 58%가 2시간 내 치료를, 85%가 6시간 내 치료를 받을 수 있었다고 한다.

베트남전은 밀림이 우거져 있고 적들이 밀림 속으로 산개해 있는 지형에서 전통적 운송 방법은 소용이 없었으며 헬리콥터가 적합한 운송 수단이었다. 베트남전 동안 약 7,000대의 헬리콥터가 운용되었고, 12만 명의 사상자를 수용하였으며, 목적지까지 35분 걸렸다고 한다. 부상병은 부상 상태에 따라 전선에서 치료가 가능한 병원으로 바로 이송되었고(그림 2-57), 때로는 병원선으로 이송되었다.

그림 2-57. 최초로 헬리콥터 수송이 시작된 한국전쟁

Tip. **한국전쟁(1950-1953) : 현관수술 등 미세수술 반전, 이송방법(헬리콥터)과 수혈방법 개선**

응급구조사는 앞으로 환자이송에 항공기를 많이 이용할 것이다. 의료용 항공기는 2가지 유형이 있으며, 하나는 헬리콥터이며 다른 하나는 고정 날개를 갖춘 항공기이다(그림 2-58). 고정 날개 항공기는 160 km 이상의 거리에 위치하는 병원으로 환자를 이송하는 데 보통 이용된다. 좀 더 짧은 거리에서는 헬리콥터가 더 효과적이다. 환자를 항공이송할 경우에는 응급구

조사보다 특별히 훈련된 의료요원들이 탑승하게 된다. 고정 날개 항공기로 환자를 이송할 때에도 응급구조사는 탑승할 것이다. 헬리콥터는 응급처치를 위하여 점점 필요한 존재가 되고 있다. 산악이나 섬이 많은 국내에서도 활용될 가능성이 높다. 안전하고 효과적으로 항공이송을 이용하기 위해서 응급구조사는 항공이송과 관련된 사항들을 정확히 인지해야 한다.

한국전쟁이나 월남 전쟁에서의 경험이 말해 주듯이, 환자의 생명은 손상부터 완전한 치료까지 걸리는 시간과 밀접한 관계가 있다. 다친 군인을 군 의료기관으로 이송하는 방법으로 사용되던 헬리콥터가 이제는 응급환자를 의료기관으로 이송하는 데 이용되고 있다. 대부분 헬리콥터는 직선으로 100 km/hr 이상의 속도로 날아가므로, 이송시간을 현저히 줄일 수 있으며, 산악지형과 같은 험한 지역에서도 환자를 구조할 수 있으므로 응급의료에는 필수적이라 하겠다. 잘 훈련된 응급구조사가 함께 타면 이송 중에도 각종 응급처치를 시행할 수 있다. 항공기에 탑승할 수 있는 응급구조사는 항공교육을 마친 응급구조사, 응급의료진, 응급간호사이다.

응급의료에 이용되는 헬리콥터에는 여러 가지 종류가 있으나 위험성은 같다. 항공이송은 고도상승에 따른 여러 가지 변화 이외에도, 항공기의 진동과 소음, 환자의 공포심 등의 의하여 육상이송보다 환자에 가해지는 위험성이 2배 정도 높으므로, 만약 육상이송이 가능하다면 항공이송은 가능한 피해야 한다.

고정날개 회전날개 헬리콥터 항공기

그림 2-58. 의료용 항공기(2가지 유형)는 환자의 이송에서 점점 중요한 역할을 맡게 된다.

1) 항공이송을 위한 결정

항공이송 요청은 다음과 같은 경우에 응급의료통신관리자에게 무선/유선으로 제안할 수 있다.

① 응급구조사가 항공구조가 필요할 경우

㉠ 헬리콥터에 의해 받을 수 있는 높은 수준의 생명 보조 응급처치가 필요한 경우

㉡ 시간이 생명인 중재 응급처치를 필요로 하고, 의료용 헬리콥터로 환자를 적정한 의

료시설로 신속하게 이송해야 할 경우

㉢ 구급차에 의해 제공하기 힘든 치료나 특수 치료에 대한 신속한 접근이 필요한 경우에는 항공 의료 이송이 먼저 고려

㉣ 구급차를 통해 접근할 수 없거나 지연되는 지리적으로 고립된 장소에 위치한 경우

㉤ 현지 응급의료체계의 자원이 부족한 경우

㉥ 의료용 항공기는 기상이 허용한 경우(결빙, 강설, 최저 기상조건 등)에 모든 지역 주민에게 언제나 제공될 수 있는 자원으로 인식되어야 한다. 환자는 초기 고정과 결착을 통해 항공이송 준비가 되어야 한다.

② 경찰서, 소방서, 응급의료체계의 상부기관이 사고현장에서 구조 요청한 경우

항공구조를 요청할 때에는 다음과 같은 상황을 응급의료통신관리자에게 정확하게 말하여야 한다.

① 응급구조사의 성명

② 전화번호(연락용 무선 주파수, 휴대폰 회신 번호)

③ 기관명

④ 현지 기상 상태

⑤ 유해 물질의 여부

⑥ 환자의 수

⑦ 기본적인 의료적 설명

㉠ 전복사고

㉡ 9 m 높이에서 추락한 환자에서 의식이 없는 경우

㉢ 가슴 총상 등

② 상황의 특성

③ 주요지점을 포함 정확한 위치

㉠ 36° 15.50N 혹은 37° 45.50W처럼 수치

㉡ 시간

㉢ 시간의 소수점까지 포함된 GPS 위치 정보(경도와 위도)

㉣ 가장 인접한 교차로나 도로

㉤ 가장 근접한 도시나 마을

㉥ 사고 장소의 주소

㉦ 잘 알려진 지형물(예 : 학교, 건물 등)

④ 안전 착륙지역의 정확한 지점

⑤ 시계 방향을 기준으로 방향 지시(조종사 방향의 기준은 항상 12시 방향)

(1) 운행적 원인

① 장거리 외상센터 또는 특별한 의료기관으로 신속한 이송해야 할 경우
  ㉠ 이송 거리가 너무 멀어서(회전날개나 고정익 항공기와 같은) 항공 이송이 필요할 수도 있다.

② 우선순위가 높은 긴급환자의 구출이 지연되어서 신속한 이송해야 할 경우

③ 환자가 헬리콥터로만 이송할 수 있는 장거리 이송해야 할 경우
  ㉠ 산악지형과 같이 구급차로 접근하기 힘든 지역에 있는 경우
  ㉡ 수상 이송이 불가능한 환자를 섬에서 구출해야 하는 경우

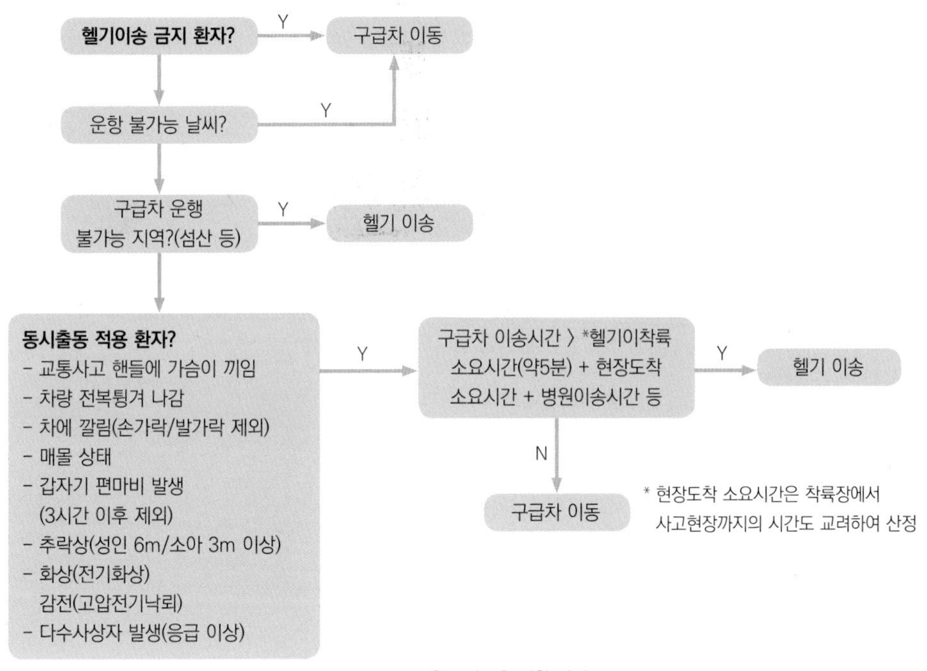

그림 2-59. 항공이송을 위한 결정

Tip. 범부처 응급의료헬기 공동운영 규정

✓ 제2조(정의) 1. "응급의료헬기"란 국방부, 보건복지부, 경찰청, 해양경찰청, 소방청, 산림청이 운영하는 헬리콥터로서 「응급의료에 관한 법률」 제2조 제4호에 따른 응급의료종사자 등이 탑승하여 같은 조 제1호에 따른 응급환자를 이송하는 헬리콥터를 말한다.

✓ 제4조(출동요청 접수 · 대응) ② 소방청장 또는 시 · 도 소방본부장은 응급환자의 중증도, 위치, 이송 예상시간 등을 고려하여 가장 적절하다고 판단되는 응급의료헬기의 출동을 해당 참여기관의 장에게 요청해야 한다. 이 경 우「의료법」 제2조에 따른 의사가 탑승한 「응급의료에 관한 법률」 제46조의3

제1항에 따른 응급의료 전용헬기를 이용한 응급환자의 병원 간 이송은 응급의료 전용헬기를 운영하는 병원의 장에게 요청할 수 있다.

Tip. 119응급의료헬기 구급활동지침

✓ 제4조(응급의료헬기 요청기준) ① 환자가 발생한 현장에 구조대 또는 구급대 도착 전 상황실 요원이나 출동 중인 구급대원이 다음 각 호의 어느 하나에 해당하는 신고 접수 또는 인지하였을 때 환자의 상태가 「범부처 응급의료헬기 공동운영에 관한 매뉴얼」의 헬기 이송기준에 해당되고, 현장이 제14조 제2항에 따른 지역으로 판단될 경우 응급의료헬기를 요청할 수 있다.
- 환자의 생명유지, 악화 · 추가손상 방지 등을 위해 응급의료헬기를 이용하여 신속한 이송이 필요하다고 판단하는 경우
- 응급의료헬기 이외의 수단으로 환자의 구조 또는 이송이 불가능하거나 이송 지연이 발생할 것으로 판단한 경우
- 다수 사상자가 발생한 경우
- 그 밖에 응급의료헬기 이송이 필요하다고 판단되는 경우

✓ 제14조(119응급의료헬기 출동권역) ② 현장거리, 교통체증 등으로 구급차를 이용한 이송이 헬기 이륙 소요시간(약 15분) 및 현장까지 소요예상 비행시간 등 보다 더 많은 시간이 소요될 것으로 판단될 경우에는 시 · 도 경계 등에 관계없이 헬기를 적극 출동 조치한다.

(2) 의학적 원인

① 긴급환자
㉠ 쇼크
㉡ 혼수척도 점수(Glasgow Coma Scale) 13점 이하
㉢ 심한 두부손상
㉣ 흉부외상과 호흡곤란
㉤ 체강에 천자상
㉥ 손이나 발에 접합 수술
㉦ 중증화상(2도 화상이 30% 이상, 3도 화상이 10% 이상)
㉧ 손상기전이 심각환 환자
② 심정지 환자는 저체온증이 아니라면 대개 항공이송은 하지 않는다.
③ 사고현장에서 중증도 분류를 해야 하는 임상적 상황(의료용 헬리콥터 사용이 가장 합당한 근거)
㉠ 일반 손상기전 고려사항
- 외상 점수 12점 이상
- 불안정한 활력 징후(예 : 저혈압 또는 빠른 호흡)

- 12세 미만, 55세 이상, 임신 중인 환자의 심각한 외상
- 다발성 손상(예 : 팔 · 다리의 여러 곳에 발생한 긴뼈 골절, 두 곳의 신체 부위 이상에서 발생한 손상)
- 자동차에서 이탈된 사고
- 보행자나 자전거 운전자가 자동차와 충돌
- 동승자의 사망
- 자동차 안 탑승자의 심각한 손상을 응급구조사 확인
- 복부, 골반, 가슴, 목, 머리의 관통상
- 복부, 가슴, 머리의 압좌손상
- 높은 곳에서의 추락

㉡ 신경학적 고려사항
- GCS 10점 미만
- 정신적 상태의 감퇴
- 머리뼈 골절
- 척수 손상이 의심되는 신경학적 증상 징후의 발현

㉢ 가슴 관련 고려사항
- 가슴벽의 심각한 손상(예 : 동요가슴)
- 공기가슴증 또는 혈액가슴증
- 심장 손상이 의심되는 경우

㉣ 복부 및 골반 관련 고려사항
- 타박상 이후 발생한 심각한 복부 통증
- 안전띠의 자국이나 복벽 타박상의 징후
- 유두선 아래로 분명하게 드러나는 갈비뼈 골절
- 심각한 골반 골절(예 : 불안정한 골반환, 개방성 골반 골절, 저혈압을 동반한 골반 골절)

㉤ 정형외과적 및 사지 관련 고려사항
- 손가락과 발가락을 제외한 팔다리의 부분적 또는 전체 절단
- 손가락 및 발가락의 절단으로 인해 응급 외과수술(예 : 재접합술과 관련된)이 필요하고 신속하게 구급차를 사용할 수 없는 상황
- 혈관 혈류 이상을 동반하는 골절이나 탈구
- 팔다리 허혈
- 개방성 긴뼈 골절
- 2개 이상의 긴뼈 골절

㉥ 심각한 화상

- 화상 부위가 체표면적의 20%
- 얼굴, 머리, 손, 발, 성기 부위 화상
- 흡입화상
- 전기화상 또는 화학화상
- 손상이 동반된 화상

Tip. 중증외상의 기준

1. 생리학적 기준
   1) AVPU 의식수준 V이하 또는 글라스고우 혼수척도 ≤13
   2) 수축기 혈압 〈90 mmHg
   3) 분당 호흡수 〈10 혹은 〉29
2. 신체검사 소견에 따른 기준
   1) 관통 또는 자상(머리, 목, 가슴, 배, 상완부, 대퇴부)
   2) 동요가슴(flail chest)
   3) 두 개 이상의 근위부 긴뼈 골절
   4) 압궤(crushed), 벗겨진(degloved), 썰린(mangled) 사지
   5) 손목, 발목 상부의 절단
   6) 골반 뼈 골절
   7) 열린 또는 함몰 두개골 골절
   8) 마비
3. 손상기전에 따른 기준
   1) 낙상
      ① 성인 : 6 m 이상(건물 3층 높이 이상)
      ② 소아 : 3 m 이상(건물 2층 높이 이상)
   2) 고위험 교통사고
      ① 차체 눌림(찌그러짐): 30 cm 이상
      ② 자동차에서 이탈(튕겨져 나감)
      ③ 동승자의 사망
      ④ 차량 전복
   3) 자동차-보행자/자전거 충돌로 나가떨어짐, 치임 또는 시속 30 km 이상의 속도로 충돌함
   4) 오토바이 시속 30 km 이상의 속도
   5) 폭발에 의한 직접적 영향
4. 중증외상센터로의 이송을 심각하게 고려해 볼 수 있는 환자의 의학적 질병상태 및 특수상황
   - 이송병원 선정은 직접의료지도를 요청하여 지시에 따른다.
   1) 위험한 나이 : 성인 55세 이상, 소아 15세 이하

2) 항응고 질환, 출혈성 질환
3) 화상과 외상이 동반된 경우
4) 투석이 필요한 말기신장질환
5) 시간 지연에 민감한 사지 손상
6) 임신 20주 이상
7) 응급구조사(구급대원)의 판단

(3) 항공이송의 시스템적 고려사항

① 항공이송은 환자에게 치료를 제공하고 전문소생 조치의 사각지대를 해소하는 제일 나은 방법이다.
② 재난이나 다수의 사상자가 발생하는 사고는 항공 의료 이송이 빛을 발하는 경우이다.

Tip. 범부처 응급의료헬기 공동운영에 관한 매뉴얼

1. 출동요청 및 출동

1) 현장에 도착한 구급대원 또는 그 외의 소방공무원은 환자의 상태가 헬기이송기준 ①에 해당되고, 현장이 응급의료헬기 출동지역 ②으로 판단되면 상황실에 응급의료헬기를 요청할 수 있음
2) 아래의 헬기 이송기준은 항공이송이 필요한 모든 세부적인 환자상태를 설명하지 않았으며 구급대원이 의학적 판단
3) 구급대원이 의학적 판단이 어려울 경우에는 지도의사에게 판단 요청

① 헬기 이송기준

㉠ 주요 외상(성인)

- GCS 13이하
- 호흡수가 분당 10회 미만 또는 30회 이상
- 맥박수가 분당 80 미만 또는 121 이상
- 수축기압이 90 mmHg 미만
- 관통상(머리 · 목 · 몸통 · 몸통에 가까운 사지)
- 2개 이상의 긴 뼈 골절 의증
- 연가양 흉부 의증
- 척추손상 또는 사지마비 의증
- 절단상(손 · 발가락 제외)
- 골반 골절 의증
- 두개골의 개방성 골절 또는 압좌상

㉡ 주요 외상(소아)

- 연령대별 정상범위에서 크게 벗어난 맥박

- 수축기압이 정상범위 미만
- 부적절한 호흡상태(중심부위 청색증, 호흡수가 정상범위 미만, 모세혈관재충혈이 2초 이상)
- GCS 13 이하
- 관통상(몸통, 머리, 목, 가슴, 복부 또는 서혜부)
- 2개 이상의 긴 뼈 골절 의증
- 연가양 흉부 의증
- 2개 이상의 신체시스템, 가슴 · 복부의 손상, 주요 둔상을 포함한 복합 외상
- 척추손상 또는 사지마비 의증
- 절단상(손 · 발가락 제외)

ⓒ 중증 화상
- 체표면적 5% 이상의 3도 화상
- 체표면적 20%이상의 2도 화상
- 기도 · 안면부 화상 증거
- 사지의 환형화상
- 전기화상(고압전기, 낙뢰)

※ 화상과 외상을 동시에 갖고 있는 환자라면 외상을 우선 고려해야 하며 초기안정을 위해 가까운 적정 외상센터로 이송해야 한다.

ⓡ 중증 질환
- 급성 뇌졸중 의증
  · 신시네티 병원전 뇌졸중 척도상 양성
  · 총 병원 전 시간이 2시간 미만인 경우(첫 증상 · 징후가 시작된 시점-뇌졸중센터 도착 예상시간)
- 급성 심근경색 의증
  · 흉통, 가쁜 호흡 또는 전형적인 심장 증상
  (심정지환자는 배제해야 한다. 단, ROSC 후 안정화된 환자는 제외)
  · EKG상 2개 이상 인접 리드에서 ST분절이 1 mm 이상 상승하거나 LBBB
  (V1 또는 V2에서 Q파가 보이고 QRS가 120이상일 때)

② 출동지역

㉠ 구급차 이송시간 > 헬기이착륙 소요시간(약 15분) + 현장도착 소요시간 + 병원이송시간 등

※ 현장도착시간은 착륙장에서 사고현장까지의 시간도 고려하여 산정

2) 항공이송의 장단점

(1) 장점

① 원거리의 병원까지 신속한 이송(병원 전 시간 단축)

② 때에 따라 품질의 향상

③ 험한 지형에도 접근할 수 있어 고립된 지역의 환자를 구조

④ 상공에서 재해지역의 상황을 신속한 판단

(2) 단점

① 유지관리에 큰 비용 소요

② 위험도가 지상이송보다는 높음

③ 기상 조건의 악화로 인해 비행 자체가 불가능할 수 있음

④ 협소한 내부 공간 문제

㉠ 대부분 헬리콥터는 가장 규모가 작은 구급차보다도 크기 작다.

㉡ 환자의 체중 때문이 아니라 헬리콥터의 후면에 위치한 문을 통과하지 못하기 때문이다. 이에 고도 비만 환자(복부 및 허리가 후면 문을 통과할 수 없음)를 이송하는 능력이 제한될 수 있다.

㉢ 신장이 지나치게 크거나 견인부목을 적용한 환자는 헬리콥터의 규격에 맞지 않을 수 있다.

3) 항공이송 시 고려해야 할 사항

고도가 상승할수록 온도가 내려가고, 산소가 희박해지며, 공기가 팽창하게 되므로, 환자를 이송하는 응급의료종사자는 각 변화 정도를 정확히 인지하여야 한다.

① 산소저하 : 고공으로 올라갈수록 산소압이 저하되므로, 중증의 환자나 호흡곤란 환자는 상태가 더욱 악화될 수 있다(표 2-3).

② 공기팽창 : 상승할수록 공기압이 저하되므로 일정 용적 안의 공기는 팽창하게 된다. 예를 들면, 기관삽관 튜브로 삽입된 공기가 고도 상승에 따라 점점 팽창되어 기관지를 압박할 수 있다. 이에 대책방안으로는 공기보다는 식염수(saline solution)를 이용하여 기관내삽관 튜브를 고정할 수 있다(표 2-3).

③ 고도 상승할수록 온도가 떨어진다.

표 2-3. 고도상승에 따른 변화

① 고도에 따른 산소압력 변화			
고도(피트-미터)	공기 산소분압(mmHg)	허파꽈리 산소분압(mmHg)	혈중 산소분압(mmHg)
해수면	159	107	98
2,000-610	148	96	86
4,000-1220	137	84	73
6,000-1830	125	71	64
8,000-2440	118	59	55

② 고도에 따른 공기 팽창률		
고도(피트-미터)	공기 팽창도	공기압(mmHg)
해수면	1.0	760
5,000-1524	1.2	630
10,000-3048	1.5	523
20,000-6096	2.4	340

④ 헬기이송이 금지되는 환자는 다음과 같다.
　㉠ 통제가 안 되는 공격적인 환자
　㉡ 감염(의심) 또는 유해물질 오염(의심) 환자

4) 항공이송 전 준비사항

고도상승에 따른 여러 가지 변화 이외에도, 항공기의 진동과 소음, 환자의 공포심 등에 의하여 환자 상태를 더욱 악화시킬 수 있으므로, 다음과 같은 준비가 필요하다. 심정지 환자의 경우는 항공이송이 도움을 주지 못하므로 가능한 구급차를 이용하여 이송하는 것이 바람직하다.

① 경부고정 및 척추고정을 시행한다.
② 구토의 가능성이 있는 두부손상, 복부손상, 중증환자에게는 위장관 튜브(levin tube)를 삽입한다.
③ 필요시는 기도삽관이나 인공기도 등을 이용하여 기도를 확보한다.
④ 필요시는 산소투여, 흡입, 인공호흡 등을 시행할 수 있도록 준비한다.
⑤ 상처나 골절부위의 치료(dressing, splinting)가 시행되어야 한다.
⑥ 필요시에는 MAST 등을 착용시킨다.
⑦ 추운 환경에서는 환자의 체온유지를 위한 조치를 한다(보온침낭, incubator 등).

5) 항공기 착륙장 선정

현장 응급구조사는 접근 중인 의료항공기와 통신(무전 및 핸드폰)하면서 다음과 같은 업무를 수행한다.

① 착륙장 선정
② 착륙장 준비 작업
③ 착륙장 보호 및 통제
④ 접근 중인 의료항공기와의 통신
⑤ 항공기의 예상 도착시각을 현장 지휘자에게 보고

착륙장은 선정할 때 다음과 같은 사항을 유의한다.

① 항공기 착륙을 위해 다음과 같이 면적이 필요하다.

㉠ 소형항공기의 착륙을 위하여, 낮에는 40 m × 40 m 넓이의 착륙장이 필요하고 밤에는 75 m × 75 m의 넓은 면적이 필요하다.

㉡ 중형항공기는 낮에 50 m × 50 m, 밤에는 100 m × 100 m의 착륙장이 필요하다.

㉢ 헬리콥터의 착륙지점으로는 대략 30 m × 30 m(야간 기준)의 넓이가 필요하다.

② 착륙장에 흙먼지가 많은 경우에는 항공 조종사의 시야가 흐려지는 상황을 방지하기 위해 물을 분사하여 지면을 축축하게 한다.

③ 착륙장은 편평하고, 지반이 단단해야 한다.

④ 착륙장 접근과 착륙은 장애물과 지형을 고려("HOTSAW")

㉠ 위험물질(Hazards)

㉡ 장애물(Obstructions)

㉢ 지형(Terrain)

㉣ 지면(Surface)

㉤ 동물(Animals)

㉥ 바람 및 기상(Wind/Weather)

⑤ 경사지지 않고(경사가 8°-12°) 눈에 띄는 정도 크기의 잔해물이나 장애물(전선이나 나무 등)이 없거나 제거한다(착륙경로 30° 이내에 장애물이 없어야 한다).

㉠ 항공기 날개의 회전력에 의하여 발생하는 소용돌이에 날릴 수 있으므로, 착륙장 주변의 작은 파편이나 이물질들을 모두 제거해야 한다.

㉡ 먼지가 날리지 않도록 표면에 물을 뿌려둔다.

⑥ 착륙장 가운데에는 항공기에서도 맨눈으로 식별이 잘되는 표식이 있어야 한다.

㉠ 깃발, 연기, 연막탄 등으로 헬기 착륙을 유도한다.

㉡ 야간에는 전등이나 불 등으로 착륙지점을 표시한다.

㉢ 붉은 응급조명은 계속 켜둔다.

㉣ 특정색상 녹색과 청색은 야간 투시경으로 식별하기가 힘들다는 점을 기억해야 한다.

㉤ 지나치게 밝은 조명을 꺼달라고 요청할 수도 있다.

- 조명이 너무 밝은 경우에는 선(와이어), 나무, 기둥과 같은 장애물 등으로 시야가 가릴 수도 있다.

㉥ 야간착륙 시 헬리콥터가 접근할 때 유의사항

- 백색 전등을 끈다(조종사 요청으로 다른 전등도 끌 수도 있다).
- 장애물이 있으면 조명을 통해 표시한다.

ⓢ 야간에 야간 투시경이 있는 경우에는 적색/백색 섬광등이 식별 쉽다.
- 항공의료 이송팀이 안전한 착륙을 위해 현장의 조명을 상당수 끌 것을 요청할 수 있다.

ⓞ 조명탄의 사용은 지양한다.

⑦ 착륙장에는 바람을 안은 방향에 콘이나 섬광등으로 표시를 해두는 것이 널리 이용되는 관행이다

㉠ 콘과 섬광등을 사용해서 착륙장에 표시한다.

㉡ 섬광등이 없는 경우에는 콘을 착륙장의 중심을 향하게 눕히고 각각의 콘 안에 손전등을 넣어두는 것도 대안이 된다.

⑧ 절대로 항공기가 다가오는 방향으로 조명을 비추지 않는다.

㉠ 불빛은 접근하는 항공기의 반대편으로 비춰야 한다.

⑨ 항공기로부터 **15 m** 이내에는 화기, 담뱃불 등의 점화물이 없어야 한다.

⑩ 모든 교통과 차량 및 응급의료종사자는 30 m **이상** 외곽(이상 거리)에 위치하도록 한다.

⑪ 착륙장 및 헬리콥터로부터 60 m 이내에는 군중이 위치하지 않도록 한다.

⑫ 헬리콥터 **60 m** 이내에서는 점화물이나 담배 등은 피우지 않는다.

⑬ 착륙장은 사고지점이나 환자수집소로부터 최소한 45-50 m 떨어진 곳에 있어야 한다.

⑭ 항공기가 도로 혹은 고속도로에 착륙할 경우에는 양쪽에서 차량통제를 시행하여야 한다.

Tip. 착륙지점으로는 대략 100제곱피트(양쪽으로 약 30걸음) = 30 ㎡, 1 ft = 0.3048 m

착륙지점과 접근과 출발로에는 전선, 탑, 차량, 사람, 늘어진 물체들을 제거
착륙지점은 역풍 위치에 깃발을 세워서 표시

6) 항공기로 접근하는 방법

항공기가 착륙하면 응급의료종사자가 항공기까지 환자를 이송하게 되는데, 일반적으로 다음과 같은 방법으로 접근하여야 한다.

① 항공기의 회전날개가 작동 중인 경우에는 상체를 숙인 자세로 항공기 앞쪽이나 조정석 측면(앞쪽 측면)으로 접근한다. 바람이 불면 주 회전 날개가 지상으로부터 **1.2 m**까지 위치할 수 있으므로 반드시 상체를 숙인 자세로 접근하여야 한다(그림 2-62).

㉠ 장비를 어깨 위로 들어 올리지 않는다.

② 꼬리 회전날개는 지상으로부터 **1-1.8 m**에 위치하고 회전속도가 빨라서 맨눈으로 식별이 되지 않는 경우가 많으므로, 항공기 뒤쪽이나 **뒤쪽 측면**으로 접근하면 상당히 위험하다.

③ 필요한 인원만 항공기에 접근하며, 신체 이상의 높이를 갖는 수액 걸이 등은 절대 사용하지 말아야 한다.

④ 항공기 한쪽에서 반대편으로 이동할 때도 반드시 항공기 **전면**을 끼고 이동해야 한다.

⑤ 환자를 항공기에 이송할 때에는 승무원의 지시에 절대적으로 **복종**해야 한다.

⑥ 환자를 탑승시킨 후에 응급의료종사자는 **안전지대**에 위치하도록 한다.

⑦ 의복 장식물 또는 모자 등은 손에 들거나 끈을 단단히 조여 착용하여야 한다. 장식물이나 모자 등이 날려 이를 잡으려다 사고가 발생할 수 있다.

그림 2-60. 응급구조사 또는 다른 육상구조 요원은 앞쪽에서 헬리콥터 쪽으로 접근해야 한다. 꼬리날개는 너무 빨리 돌아서 보이지 않을 수가 있다. 조종사는 헬리콥터 뒤쪽에서 있는 사람을 볼 수 없다.

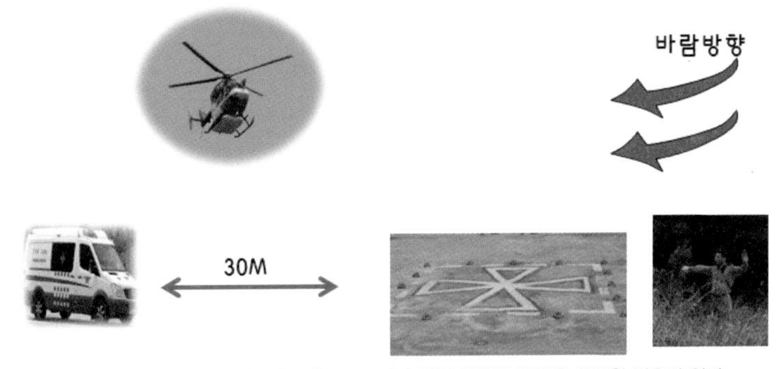

그림 2-61. 필요한 경우에는 응급구조사가 직접 항공기 착륙을 유도할 경우가 있다. 이 경우에는 응급구조사가 다음과 같은 요령으로 착륙을 유도한다.

그림 2-62. 응급구조사는 주 회전 날개가 지면으로부터 1.2 m 정도로 낮게 회전할 수 있으므로 항상 쭈그린 자세로 헬리콥터 앞쪽을 향해 접근해야 한다.

그림 2-63. 응급구조사는 경사에 있는 헬리콥터에 접근할 때 매우 주의해야 한다.
주 회전 날개가 언덕 쪽에서는 땅에 가까울 것이다. 따라서 응급구조사는 언덕 아래에서 접근해야 한다.

7) 항공기의 착륙유도

항공기가 맨눈으로 보이면, 착륙 신호를 보내야 한다. 항공기 착륙을 유도하는 사람은 보안경, 헬멧, 두꺼운 복장 등을 착용하여 소용돌이에 의하여 날리는 각종 이물이나 파편으로부터 보호받을 수 있도록 한다. 착륙을 유도하는 방법은 다음과 같다(그림 2-64).

① 착륙을 유도하는 사람은 바람을 등지고 착륙장을 향하도록 위치한다.
② 유도하는 사람은 양팔을 머리 위로 올려서 착륙장소를 지시하도록 한다.
③ 항공기가 착륙장에 접근하면, 조종사의 안면을 주시하면서 양손으로 신호를 보내어 항공기가 안전히 착륙할 수 있도록 유도한다.
  ㉠ 야간에 운행할 경우에는 착륙이나 이륙, 비행기가 땅에서 움직이는 동안에는 조종사의 눈에 불빛이 비추어지지 않도록 주의한다.
  ㉡ 강한 불빛을 헬기 진행방향의 왼쪽으로 비추지 않아야 한다.
  ㉢ 현장에서 구급차의 헤드라이트를 이용하여 착륙지점을 비추는 것도 좋다.

Tip. 착륙지점 설명

① 지역 : “착륙 지점은 언덕 꼭대기에 위치한다.”
② 주요한 경계표 : “착륙 지점 남쪽으로 고속도로가 있다”
③ 가장 근접한 도시에서의 추측 거리 : “착륙지점은 무등산 정상이 북쪽 대략 20 m 지점이다”
④ 다른 관련 정보 : “착륙지점 우측에 전선이 있다.”

엔진시동
오른손을 틀어
돌린다.

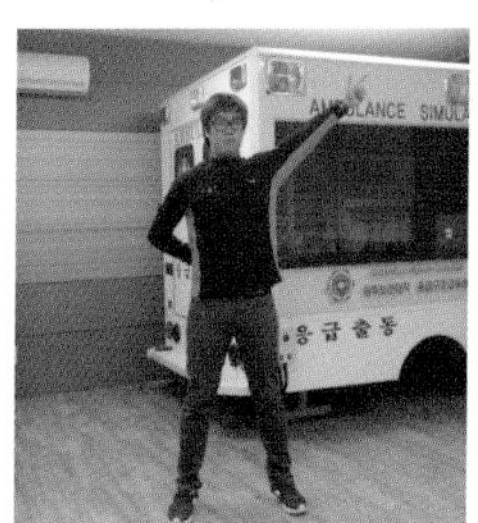

이 륙
오른손을 뒤로 하고
왼손가락으로 이륙방향 표시

공중정지
주먹을 쥐고 팔을
머리로 올린다.

상 승
손바닥을 위로 팔을 뻗고
위로 움직임을 반복

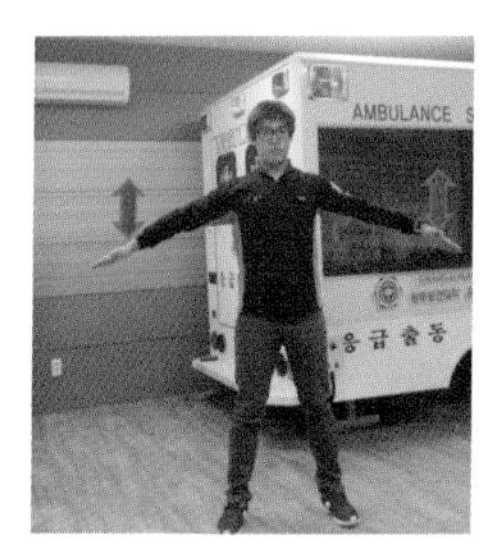

하 강
손바닥을 아래로 팔을 뻗고
아래로 움직임을 반복

우선회
왼팔은 수평으로, 오른팔을
머리까지 위로 움직인다.

좌선회
오른팔은 수평으로, 왼팔을
머리까지 위로 움직인다.

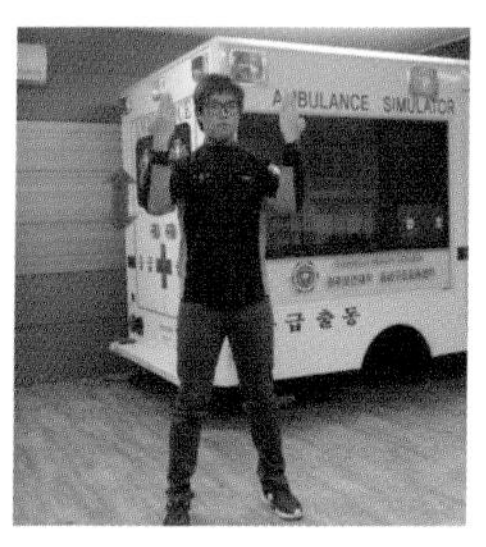

전 진
손바닥은 몸쪽으로,
팔로 끌어당기는 동작을 반복

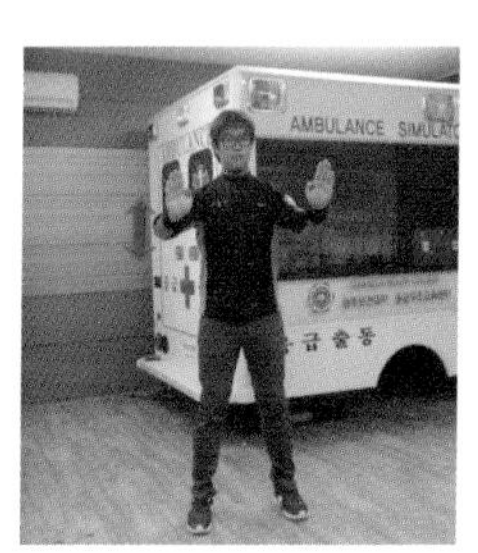

후 진
손바닥을 바깥쪽으로, 팔로
밀어내는 동작 반복

화물투하
왼손은 밑으로, 오른손을
왼손 쪽으로 자르듯 움직임

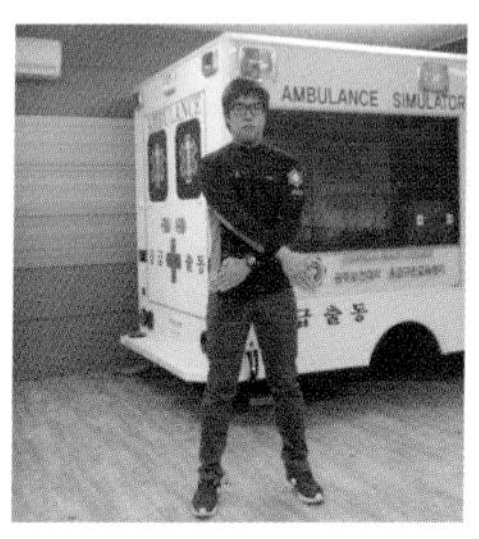

착 륙
바람을 등지고 서서 몸 앞에
두 팔을 교차시킴

엔진정지
목을 베는 듯한 동작을 반복

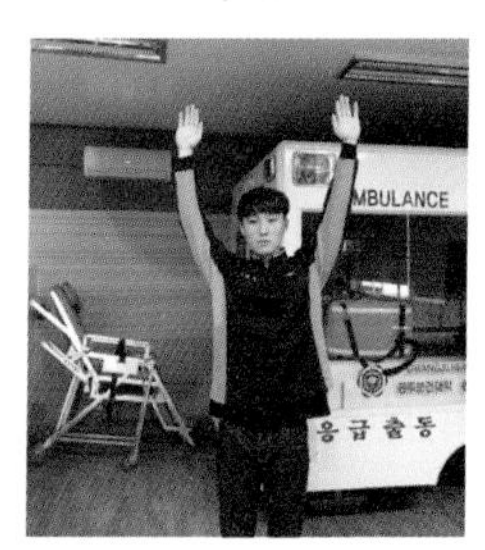

착륙안전
두팔을 편채로 항공기를
주시한다.

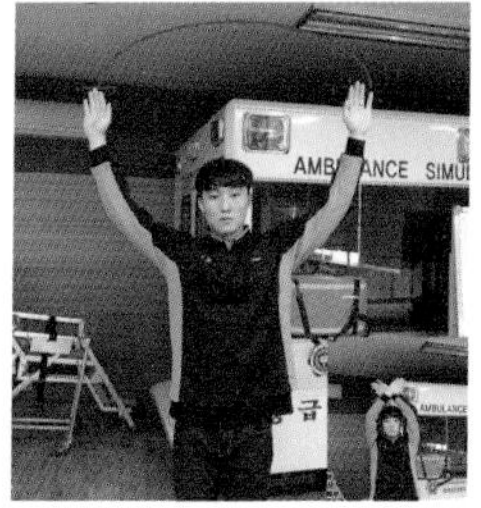

착륙불가능
두팔을 편채로 교차시키고,
폈다 동작을 반복한다.

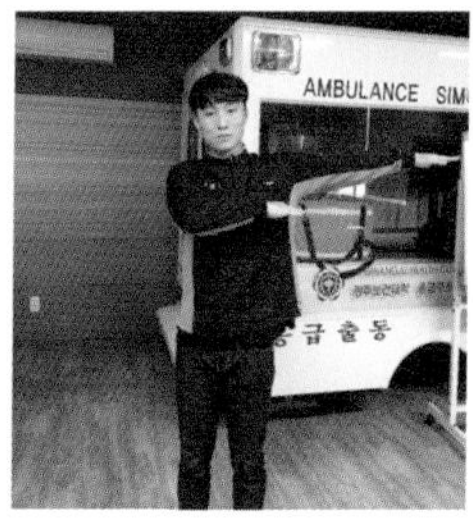

우측유도
좌측방향으로 지시

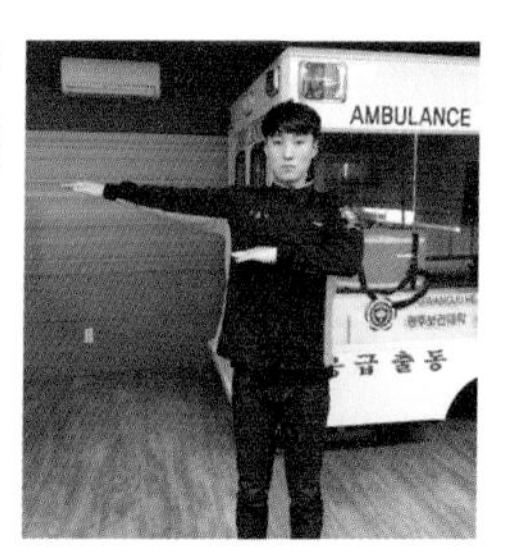

좌측유도
우측방향으로 지시

그림 2-64. 항공기의 착륙유도

Tip. 항공안전법 시행규칙 [별표 26]

신호(제194조 관련)

1. 조난신호(Distress signals)

가. 조난에 처한 항공기가 다음의 신호를 복합적 또는 각각 사용할 경우에는 중대하고 절박한 위험에 처해 있고 즉각적인 도움이 필요함을 나타낸다.

1) 무선전신 또는 그 밖의 신호방법에 의한 "SOS" 신호(모스부호는 ···−−−···)

2) 짧은 간격으로 한 번에 1발씩 발사되는 붉은색불빛을 내는 로켓 또는 대포

3) 붉은색불빛을 내는 낙하산 부착 불빛

4) "메이데이(MAYDAY)"라는 말로 구성된 무선 전화 조난 신호

5) 데이터링크를 통해 전달된 "메이데이(MAYDAY)" 메시지

나. 조난에 처한 항공기는 가목에도 불구하고 주의를 끌고, 자신의 위치를 알리며, 도움을 얻기 위한 어떠한 방법도 사용할 수 있다.

2. 긴급신호(Urgency signals)

가. 항공기 조종사가 착륙등 스위치의 개폐를 반복하거나 점멸항행등과는 구분되는 방법으로 항행등 스위치의 개폐를 반복하는 신호를 복합적으로 또는 각각 사용할 경우에는 즉각적인 도움은 필요하지 않으나 불가피하게 착륙해야 할 어려움이 있음을 나타낸다.

나. 다음의 신호가 복합적으로 또는 각각 따로 사용될 경우에는 이는 선박, 항공기 또는 다른 차량, 탑승자 또는 목격된 자의 안전에 관하여 매우 긴급한 통보 사항을 가지고 있음을 나타낸다.

1) 무선전신 또는 그 밖의 신호방법에 의한 "XXX" 신호

2) 무선전화로 송신되는 "PAN PAN"

3) 데이터링크를 통해 전송된 "PAN PAN"

3. 비행제한구역, 비행금지구역 또는 위험구역 침범 경고신호

지상에서 10초 간격으로 발사되어 붉은색 및 녹색의 불빛이나 별모양으로 폭발하는 신호탄은 비인가 항공기가 비행제한구역, 비행금지구역 또는 위험구역을 침범하였거나 침범하려고 한 상태임을 나타내며, 해당 항공기는 이에 필요한 시정조치를 해야 함을 나타낸다.

6. 유도신호(MARSHALLING SIGNALS)

가. 항공기에 대한 유도원의 신호

1) 유도원은 항공기의 조종사가 유도업무 담당자임을 알 수 있는 복장을 해야 한다.

2) 유도원은 주간에는 일광형광색봉, 유도봉 또는 유도장갑을 이용하고, 야간 또는 저시정상태에서는 발광유도봉을 이용하여 신호를 하여야 한다.

3) 유도신호는 조종사가 잘 볼 수 있도록 유도봉을 손에 들고 다음의 위치에서 조종사와 마주보며 실시한다.

가) 비행기의 경우에는 비행기의 왼쪽에서 조종사가 가장 잘 볼 수 있는 위치

나) 헬리콥터의 경우에는 조종사가 유도원을 가장 잘 볼 수 있는 위치

4) 유도원은 다음의 신호를 사용하기 전에 항공기를 유도하려는 지역 내에 항공기와 충돌할 만한 물체가 있는지를 확인해야 한다.

1. 항공기 안내(Wingwalker)

오른손의 유도봉을 위쪽을 향하게 한 채 머리 위로 들어 올리고, 왼손의 유도봉을 아래로 향하게 하면서 몸쪽으로 붙인다.

2. 출입문의 확인

양손의 유도봉을 위로 향하게 한 채 양팔을 쭉 펴서 머리 위로 올린다.

3. 다음 유도원에게 이동 또는 항공교통관제기관으로부터 지시 받은 지역으로의 이동

양쪽 팔을 위로 올렸다가 내려 팔을 몸의 측면 바깥쪽으로 쭉 편 후 다음 유도원의 방향 또는 이동구역방향으로 유도봉을 가리킨다.

4. 직진

팔꿈치를 구부려 유도봉을 가슴 높이에서 머리 높이까지 위 아래로 움직인다.

5. 좌회전(조종사 기준)

오른팔과 유도봉을 몸쪽 측면으로 직각으로 세운 뒤 왼손으로 직진신호를 한다. 신호동작의 속도는 항공기의 회전속도를 알려준다.

6. 우회전(조종사 기준)

왼팔과 유도봉을 몸 쪽 측면으로 직각으로 세운 뒤 오른손으로 직진신호를 한다. 신호동작의 속도는 항공기의 회전속도를 알려준다.

7. 정지

유도봉을 쥔 양쪽 팔을 몸 쪽 측면에서 직각으로 뻗은 뒤 천천히 두 유도봉이 교차할 때까지 머리위로 움직인다.

8. 비상정지

빠르게 양쪽 유도봉을 든 팔을 머리 위로 뻗었다가 유도봉을 교차시킨다.

9. 브레이크 정렬

손바닥을 편 상태로 어깨 높이로 들어 올린다. 운항승무원을 응시한 채 주먹을 쥔다. 승무원으로부터 인지신호(엄지손가락을 올리는 신호)를 받기 전까지는 움직여서는 안 된다.

10. 브레이크 풀기

주먹을 쥐고 어깨 높이로 올린다. 운항승무원을 응시한 채 손을 편다. 승무원으로부터 인지신호(엄지손가락을 올리는 신호)를 받기 전까지는 움직여서는 안 된다.

11. 고임목 삽입

팔과 유도봉을 머리 위로 쭉 뻗는다. 유도봉이 서로 닿을 때까지 안쪽으로 유도봉을 움직인다. 운항승무원에게 인지표시를 반드시 수신하도록 한다.

12. 고임목 제거

팔과 유도봉을 머리 위로 쭉 뻗는다. 유도봉을 바깥쪽으로 움직인다. 운항승무원에게 인가받기 전까지 바퀴 고정 받침목을 제거해서는 안 된다.

13. 엔진시동걸기

오른팔을 머리 높이로 들면서 유도봉을 위를 향한다. 유도봉으로 원 모양을 그리기 시작하면서 동시에 왼팔을 머리 높이로 들고 엔진시동 걸 위치를 가리킨다.

14. 엔진 정지

유도봉을 쥔 팔을 어깨 높이로 들어 올려 왼쪽 어깨 위로 위치시킨 뒤 유도봉을 오른쪽 · 왼쪽 어깨로 목을 가로질러 움직인다.

15. 서행

허리부터 무릎 사이에서 위 아래로 유도봉을 움직이면서 뻗은 팔을 가볍게 툭툭 치는 동작으로 아래로 움직인다.

16. 한쪽 엔진의 출력 감소

양손의 유도봉이 지면을 향하게 하여 두 팔을 내린 후, 출력을 감소시키려는 쪽의 유도봉을 위아래로 흔든다.

17. 후진

몸 앞 쪽의 허리높이에서 양팔을 앞쪽으로 빙글빙글 회전시킨다. 후진을 정지시키기 위해서는 신호 7 및 8을 사용한다.

18. 후진하면서 선회(후미 우측)

왼팔은 아래쪽을 가리키며 오른팔은 머리 위로 수직으로 세웠다가 옆으로 수평위치까지 내리는 동작을 반복한다.

19. 후진하면서 선회(후미 좌측)

오른팔은 아래쪽을 가리키며 왼팔은 머리 위로 수직으로 세웠다가 옆으로 수평위치까지 내리는 동작을 반복한다.

20. 긍정(Affirmative)/ 모든 것이 정상임(All Clear)

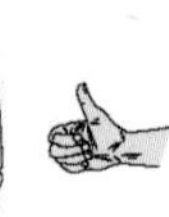

오른팔을 머리높이로 들면서 유도봉을 위로 향한다. 손 모양은 엄지손가락을 치켜세운다. 왼쪽 팔은 무릎 옆쪽으로 붙인다.

*21. 공중정지(Hover)

유도봉을 든 팔을 90° 측면으로 편다.

*22. 상승

유도봉을 든 팔을 측면 수직으로 쭉 펴고 손바닥을 위로 향하면서 손을 위쪽으로 움직인다. 움직임의 속도는 상승률을 나타낸다.

*23. 하강

유도봉을 든 팔을 측면 수직으로 쭉 펴고 손바닥을 아래로 향하면서 손을 아래로 움직인다. 움직임의 속도는 강하율을 나타낸다.

*24. 왼쪽으로 수평이동(조종사 기준)

팔을 오른쪽 측면 수직으로 뻗는다. 빗자루를 쓰는 동작으로 같은 방향으로 다른 쪽 팔을 이동시킨다.

*25. 오른쪽으로 수평이동(조종사 기준)

팔을 왼쪽 측면 수직으로 뻗는다. 빗자루를 쓰는 동작으로 같은 방향으로 다른 쪽 팔을 이동시킨다.

*26. 착륙

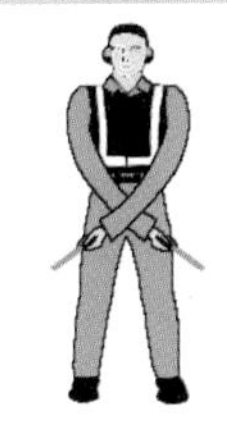

몸의 앞쪽에서 유도봉을 쥔 양팔을 아래쪽으로 교차시킨다.

27. 화재

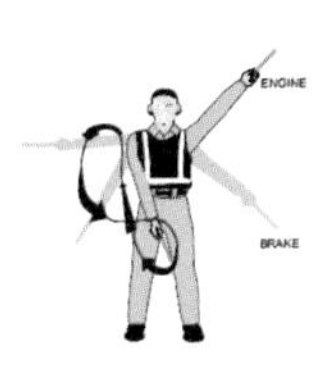

화재지역을 왼손으로 가리키면서 동시에 어깨와 무릎사이의 높이에서 부채질 동작으로 오른손을 이동시킨다.
야간 - 유도봉을 사용하여 동일하게 움직인다.

28. 위치대기(stand-by)

양팔과 유도봉을 측면에서 45°로 아래로 뻗는다.
항공기의 다음 이동이 허가될 때까지 움직이지 않는다.

29. 항공기 출발

오른손 또는 유도봉으로 경례하는 신호를 한다.
항공기의 지상이동(taxi)이 시작될 때까지 운항승무원을 응시한다.

30. 조종장치를 손대지 말 것(기술적 · 업무적 통신신호)

머리 위로 오른팔을 뻗고 주먹을 쥐거나 유도봉을 수평방향으로 쥔다. 왼팔은 무릎 옆에 붙인다.

31. 지상 전원공급 연결(기술적 · 업무적 통신신호)

머리 위로 팔을 뻗어 왼손을 수평으로 손바닥이 보이도록 하고, 오른손의 손가락 끝이 왼손에 닿게 하여 "T"자 형태를 취한다. 밤에는 광채가 나는 유도봉을 이용하여 "T"자 형태를 취할 수 있다.

32. 지상 전원공급 차단(기술적 · 업무적 통신신호)

신호 31과 같이 한 후 오른손이 왼손에서 떨어지도록 한다. 운항승무원이 인가할 때 까지 전원공급을 차단해서는 안 된다. 밤에는 광채가 나는 유도봉을 이용하여 "T"자 형태를 취할 수 있다.

33. 부정(기술적 · 업무적 통신신호)

오른팔을 어깨에서부터 90°로 곧게 뻗어 고정시키고, 유도봉을 지상 쪽으로 향하게 하거나 엄지손가락을 아래로 향하게 표시한다. 왼손은 무릎 옆에 붙인다.

34. 인터폰을 통한 통신의 구축(기술적 · 업무적 통신신호)

몸에서부터 90°로 양 팔을 뻗은 후, 양손이 두 귀를 컵 모양으로 가리도록 한다.

35. 계단 열기 · 닫기

오른팔을 측면에 붙이고 왼팔을 45° 머리 위로 올린다. 오른팔을 왼쪽 어깨 위쪽으로 쓸어 올리는 동작을 한다.

비고 :

1. 항공기 유도원이 배트, 조명유도봉 또는 횃불을 드는 경우에도 관련 신호의 의미는 같다.
2. 항공기의 엔진번호는 항공기를 마주 보고 있는 유도원의 위치를 기준으로 오른쪽에서부터 왼쪽으로 번호를 붙인다.
3. “*”가 표시된 신호는 헬리콥터에 적용한다.
4. 주간에 시정이 양호한 경우에는 조명막대의 대체도구로 밝은 형광색의 유도봉이나 유도장갑을 사용할 수 있다.

나. 유도원에 대한 조종사의 신호

1) 조종실에 있는 조종사는 손이 유도원에게 명확히 보이도록 해야 하며, 필요한 경우에는 쉽게 식별할 수 있도록 조명을 비추어야 한다.

2) 브레이크

가) 주먹을 쥐거나 손가락을 펴는 순간이 각각 브레이크를 걸거나 푸는 순간을 나타낸다.

나) 브레이크를 걸었을 경우 : 손가락을 펴고 양팔과 손을 얼굴 앞에 수평으로 올린 후 주먹을 쥔다.

다) 브레이크를 풀었을 경우 : 주먹을 쥐고 팔을 얼굴 앞에 수평으로 올린 후 손가락을 편다.

3) 고임목(Chocks)

가) 고임목을 끼울 것 : 팔을 뻗고 손바닥을 바깥쪽으로 향하게 하며, 두 손을 안쪽으로 이동시켜 얼굴 앞에서 교차되게 한다.

나) 고임목을 뺄 것 : 두 손을 얼굴 앞에서 교차시키고 손바닥을 바깥쪽으로 향하게 하며, 두 팔을 바깥쪽으로 이동시킨다.

4) 엔진시동 준비완료

시동시킬 엔진의 번호만큼 한쪽 손의 손가락을 들어올린다.

다. 기술적 · 업무적 통신신호

1) 수동신호는 음성통신이 기술적 · 업무적 통신신호로 가능하지 않을 경우에만 사용해야 한다.

2) 유도원은 운항승무원으로부터 기술적 · 업무적 통신신호에 대하여 인지하였음을 확인해야 한다.

7. 비상수신호

가. 탈출 권고	
	한 팔을 앞으로 뻗어 눈높이까지 들어 올린 후 손짓으로 부르는 동작을 한다. 야간 - 막대를 사용하여 동일하게 움직인다.

나. 동작중단 권고 - 진행 중인 탈출 중단 및 항공기 이동 또는 그 밖의 활동 중단	
	양팔을 머리 앞으로 들어 올려 손목에서 교차시키는 동작을 한다. 야간 - 막대를 사용하여 동일하게 움직인다.

다. 비상 해제	
	양팔을 손목이 교차할 때 까지 안쪽 방향으로 모은 후 바깥 방향으로 45도 각도로 뻗는 동작을 한다. 야간 - 막대를 사용하여 동일하게 움직인다.

03 구출과 구조

1 개요

구조와 구급상황을 별개로 생각하고 독립적으로 활동할 수 없으므로 구급과 구조에 대한 정확한 이해가 필요하다. 또한, 전문구조대에서는 구급과 구조를 독립적인 행위로 치부하지 못하여 구조대원의 자격요건 중에 응급구조사를 포함하고 있다. 따라서 응급구조사는 구조현장에서의 구조된 환자를 응급처치 및 구조 활동의 주체가 되어 상황을 통제할 수도 있다.

사전적인 의미에서 구조와 구출은 위험한 상태에서 구해낸다는 의미에서는 동일하다. 그러나 구조(rescue)는 죽음 또는 순간적인 파괴 등의 위험으로부터 벗어나는 것을 의미하며, 구출(extrication)은 단순히 환자가 탈출할 수 있는 길을 확보하기 위한 방법에서부터 고층건물의 붕괴와 같은 복잡한 경우 등, 외적인 힘에 의한 억류나 억제로부터 벗어나는 것을 의미하는 넓은 의미를 가지고 있다.

구조 상황으로는 화재, 붕괴, 수상, 수중, 산악, 교통사고 등과 같은 경우가 있으며 이중에서도 특수구출방법을 필요로 하는 응급상황들도 있다. 응급구조사는 이러한 특수상황에 필요한 특별한 기술과 장비 사용능력은 전문교육을 통하지 않고서 습득하거나 수행할 수가 없지만, 구조가 이루어지는 동안 환자를 최대한 보호하고 응급처치하며, 안전하게 구조할 수 있도록 전체적인 흐름과 각 단계별 작업의 특수성을 인지해야만 한다. 구조 상황으로 가장 일반적인 발생되는 유형으로는 차량구조이다. 환자구출이 필요한 자동차 사고의 유형과 영향, 구조방법을 숙지하여야만 현장에서의 응급구조사 임무를 완벽하게 수행 할 수 있게 될 것이다. 따라서 모든 응급구조사들은 구조사고 현장에 출동요청에 대응하기 위한 사전 준비된 프로그램 및 특수한 훈련이나 응급구조사에게 필요한 요구에 사전준비를 해야만 한다.

2 구조대의 편성 및 역할

1) 구조대의 편성

사회가 급변하면서 삶이 윤택해지고 시간적 여유가 생기면서 안전에 대한 관심이 높아지면서부터 구조대의 필요성이 절실해졌고 전문성을 가진 구조대원을 필요로 하게 되었다. 각종 사고들은 장소와 때를 가리지 않고 발생하기에 사고 장소와 종류에 따라 구조대는 편성하게 된 것이다. 이러한 내용은 '119구조 · 구급에 관한 법률' 에서 다루고 있다.

(1) 일반구조대

교통사고를 비롯한 화재, 수난, 산악사고 등 가장 기초적인 구조대로서 우리가 구조를 요청 시 일차적인 출동부서이고 일반적인 안전조치를 담당하는 구조대로 현재 각 시 · 도의 규칙으로 정하는 바에 따라 소방서마다 1개 대(隊) 이상 설치하되, 소방서가 없는 시 · 군 · 구(자치구를 말한다. 이하 같다)의 경우에는 해당 시 · 군 · 구 지역의 중심지에 있는 119안전센터에 설치할 수 있다.

(2) 특수구조대

특수한 장소인 소방대상물(화학공장), 지역 특성(산악, 수난사고), 재난 발생 유형 및 빈도 등을 고려하여 시 · 도의 규칙으로 정하는 바에 따라 특수한 사고가 발생하는 지역 소방서에 설치하여 운영한다. 다만, 고속국도구조대는 직할구조대에 설치할 수 있다. 특수구조대(표 3-1)는 역할에 따라 조금씩 달리하기는 하지만, 목적은 인명구조라는 데에서는 동일하다. 때로는 인원이나 예산문제로 인하여 각 지역의 여건에 따라 특수구조대가 갖추어야 할 장비를 일반구조대가 갖추고 두 가지의 업무를 담당하는 경우도 있다(표 3-1).

표 3-1. 특수구조대의 종류

가. 화학구조대 : 화학공장이 밀집한 지역
나. 수난구조대 : 「내수면어업법」 제2조제1호에 따른 하천, 댐, 호수, 저수지 등의 내수면지역
다. 산악구조대 : 「자연공원법」 제2조제1호에 따른 자연공원(국립공원) 등 산악지역
라. 고속국도구조대 : 「고속국도법」 제2조제2호에 따른 고속국도
마. 지하철구조대 : 「도시철도법」 제3조제3호 가목에 따른 도시철도의 역사(驛舍) 및 역무시설

(3) 직할구조대

대형 · 특수 재난사고의 구조, 현장 지휘 및 지원 등을 위하여 소방방재청 또는 소방본부에

설치하여 중앙정부나 시·도별로 그 지역의 특수성이나 인명구조활동의 전문성을 위하여 별도로 편성한다.

(4) 항공구조대

항공구조대는 헬기를 이용한 구조대로 고층건물 사고 또는 항공기사고와 산악사고 등의 인명구조 활동을 위하여 소방방재청에 설치하는 직할구조대 및 각 시·도 소방본부에 설치하는 직할구조대에 설치할 수 있으며, 각종 재난현장에서 인명구조, 응급환자의 이송(의사가 동승한 응급환자의 병원 간 이송을 포함한다), 화재 진압, 장기이식환자 및 장기의 이송, 항공 수색 및 구조 활동, 공중 소방 지휘통제 및 소방에 필요한 인력·장비 등의 운반, 방역 또는 방재 업무의 지원 및 그 밖에 재난관리를 위하여 필요한 업무를 담당한다.

(5) 테러대응구조대

테러 및 특수재난에 전문적으로 대응하기 위하여 필요한 경우 소방방재청 또는 소방본부에 설치하는 것을 원칙으로 하고 구조대의 효율적 운영을 위하여 필요한 경우에는 화학구조대와 직할구조대를 테러대응구조대로 지정할 수 있다.

(6) 국제구조대

현재 우리나라는 국외에서 대형재난 등이 발생한 경우 재외국민의 보호 또는 재난발생국의 국민에 대한 인도주의적 구조 활동을 위하여 국제구조대를 편성하여 운영할 수 있다. 국제구조대는 인명 탐색 및 구조, 응급의료, 안전평가, 시설관리, 공보연락 등의 임무를 수행할 수 있다. 국제 협력을 위하여 해외로 파견하여 활동하는 구조대로 현재는 중앙 119구조대가 그 업무를 담당하고 있다.

2) 구조활동의 범위와 역할

우리나라 응급구조사는 일반적으로 환자에게 응급처치를 제공하며, 현장상황에 따라 구조장비를 이용하여 구조업무를 수행하기도 한다. 또한 구조대에 근무하는 응급구조사는 외부위험요소로부터 환자를 보호하고, 장애물을 제거하기 위한 전문적인 구조를 수행한다.

① 구조와 구출작업에서 응급구조사의 임무는 첫 번째 환자에게 응급처치를 제공하고, 손상이 더욱 악화되는 것을 방지하는 것이다.

② 부상자의 구조과정 중 가장 흔히 발생되는 문제점은 구급대원인 응급구조사와 구조대원이 체계적인 협조가 미흡하다는 것이다.

㉠ 환자 응급처치와 구조에 경험이 많은 대원이 구조작업을 책임지고 지휘하여야 한다.

㉡ 책임자는 전문적인 구조법과 응급처치법에 대한 경험과 학식이 풍부하여야 한다.
㉢ 각종 현장상황에서도 정확한 판단력을 내릴 수 있어야 한다.
㉣ 모든 과정에서 전반적인 지휘와 통솔에 책임감을 가질 뿐 아니라 환자의 응급처치를 책임져야 한다.

이런 점을 종합할 때 응급구조사가 구조대원이 된다면 현장을 가장 잘 지휘할 수 있을 것이다. 하지만 서로에 대한 명확한 책임한계와 업무범위에 대해서 사전에 조율하고 규정할 필요가 있으며 구조범위에 따른 응급구조사의 역할은 아래와 같이 간략하게 기술하였다.

(1) 간단한 구조(simple rescue)

간단한 구조는 경미한 자동차 사고나 안전한 건물에서 발생한 환자의 운반을 말한다.
① 환자를 이송하기 쉽다.
② 일반적으로 최소한의 장비가 필요하다.

출동대에 배치되어져 있는 구급차에는 간단한 구조를 위한 장비들이 배치되어 있다. 그리고 지방이나 도심외곽에 배치되는 응급차량에는 반드시 간단한 구조를 시행할 수 있는 구조장비를 갖추는 것이 바람직하다.

(2) 중간 구조(medium rescue)

중간 구조를 수행하기 위해서는 구조차량과 전문적인 구조장비가 필요하다. 따라서 응급구조사는 최대한 안전조치 및 환자의 생명유지를 위한 응급처치는 선행되어야 한다.

(3) 복잡한 구조(heavy rescue)

복잡한 구조는 건물이 붕괴되거나 자동차가 심하게 파손된 경우 등과 같은 위험한 상황에서 구조를 수행하는 것으로 각종 구조장비와 특수 구조차량과 중장비가 필요하다. 이런 복잡한 구조 상황에서는 응급구조사의 역할이 미약하지만 좀 더 세심한 주의가 필요하며 전체적인 흐름을 알고 있어야 한다.

3 구조 원칙

각종 사고현장에서 구조를 수행하는 응급구조사는 강인한 체력과 함께 전문적인 지식과 경험이 필요하다. 일반 상식과 장비에 관한 기초 지식들을 이용하면 구조문제들은 대부분 해결될 것이나 환자를 구조하겠다는 강인한 정신력이 매우 필요하지만, 체력과 경험, 정신력만으로는 완전한 구조를 수행할 수 없다. 구조현장에서 발생되는 사고들을 보면 조금이라도 주의를 소홀하면, 환자뿐만 아니라 응급구조사 자신도 위험에 노출되는 경우가 많다. 구조활동의 궁극적인 목적은 환자의 구출뿐만 아니라 구조를 시행하는 응급구조사도 안전하게 탈출하는 것이다. 이에 사고의 양상과 위험요인을 확실히 파악하고 자신의 능력과 한계를 통제하며 구조 활동에 임하여야 한다.

응급구조사는 구조의 우선순위(표 3-2)를 확인하고 구조작업에 있어서 제일 먼저 환자의 생명을 보전하기 위한 위험요인제거 및 기도확보와 산소공급, 심폐소생술 등의 긴급을 요하는 조치는 이루어져야 할 것이다. 물론, 현장이 위험한 상황, 즉 건물내부가 붕괴직전이거나 폭발직전에 있다면 신속하게 구출하는 것이 우선이다. 응급구조사는 구조가 이루어지는 과정에서 생명유지를 위한 조치를 구조대원과 협조하여 시행하고 구출이 원활하게 이루어지도록 협력하여야 한다.

표 3-2. 인명구조의 우선순위

1 순위 : 구출
2 순위 : 고통경감
3 순위 : 피해의 최소화
4 순위 : 구명

1) 구명 및 응급처치의 기본적인 원칙

① 구조 활동의 지연이 환자나 응급구조사 및 구조대원에게 생명의 위험이 없는 경우에는 환자에 대한 응급처치가 환자 구조보다 우선되어야 한다.

② 환자에 대한 응급처치는 생명위협이 되는 응급상황을 파악하여 응급처치를 시행하고 척추손상 고정 및 골절부위의 고정을 시행하는 것이다.

③ 의식장애 환자에게는 경추 및 흉추 골절을 의심하여 응급처치를 시행한다.

④ 모든 환자는 손상부위가 악화되거나 추가 손상을 최소화 할 수 있도록 적절히 고정되어야 하며, 이외에도 환자에 대한 평가 및 응급처치를 지속적으로 시행해야한다.

4 구조의 단계

구조의 원칙과 우선순위에 맞추어 구조가 완벽하게 이루어지기 위해서는 많은 노력과 경험들이 필요하다. 구조 활동은 한 사람이 수행하는 것이 아니라 팀이나 조직으로 이루어지기 때문에 구조현장에서의 자의적인 판단과 독단적인 행동은 자신은 물론 현장에서 활동하고 있는 동료들까지도 위험에 노출시킬 수 있다. 모든 사고현장이 똑같지 않더라도, 기본적인 구조과정은 모든 상황에서 적용되므로 일반적으로 표 3-3과 같이 8단계로 나뉜다.

표 3-3. 구조의 8단계 기본 원칙

① 현장접근 및 상황 평가
② 응급구조사 및 환자의 안전
③ 현장안전
④ 환자에게 접근
⑤ 응급처치 제공
⑥ 장애물 제거 및 환자의 구출
⑦ 이송을 위한 준비
⑧ 환자이송

1) 현장접근 및 상황 평가

현장 접근 및 상황평가는 구조방법을 결정하기 위한 평가이다. 환자를 응급처치하기 전에 환자평가를 하듯이 구조를 위한 가장 기본적인 평가이므로 현장상황에 영향을 주는 위험요인들을 신속히 파악하고, 문제점을 분석하여 구조방법을 결정해야 된다.

① 상황평가는 출동지령을 받고부터 시작된다.
   ㉠ 모든 상황 즉, 사고의 발생장소, 사고의 종류와 개요, 출동로의 상황과 건물의 상황, 주위의 환경 여건과 위험도, 장비와 인적자원, 피해자의 수, 사고의 확대 위험성과 구조 활동의 장애요인들을 평가하는 것이다.
② 상황평가가 일차적으로 이루어지면 구조방법을 결정하고 구조 활동이 이루어지는 동안에도 상황평가가 계속되는 것이므로 새로운 문제점이 발생하였을 때에는 구조방법을 수정해야 할 필요가 있다.

현장접근 및 상황 평가할 때 다음 사항들도 고려되어야 한다.

① 건물 내부의 통로(계단 or 승강기)는?
   ㉠ 주 들것은 승강기 내부에서 이용할 수 있는지를 파악한다.

② 화재 발생하는가?

㉠ 화재는 환자이송 및 응급치료에 지장을 주고 또한 구조과정도 복잡해진다.

③ 사고현장의 차량 상태는 어떠한가?

㉠ 불안정한 상태라면 구조시작 전에 안정한 상태(고인목 설치, 열쇠제거 등)로 되어야 한다.

④ 차량에 에어백이 장착되어있는가?

㉠ 에어백은 질식의 위험이 있다.

㉡ 에어백이 터져있다면 연기 등을 감지할 수 있지만 그것은 전분가루이거나 가루먼지일 것이다(그림 3-1).

- 응급구조사나 환자의 피부를 자극할 수 있어 보호 장비에 유념해야 한다.

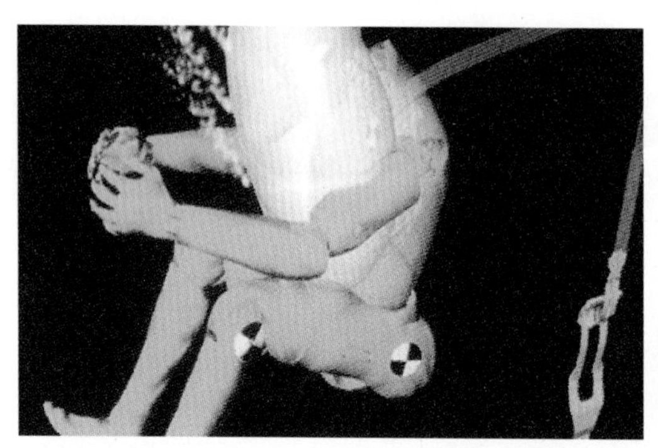

그림 3-1. 차량에 에어백이 터져 있다면 보호장비에 유념해야 한다.

⑤ 사고차량의 위치나 상태(바로 위치, 뒤집힌 상태, 옆으로 전복)는?

⑥ 구조작업을 시작하기 전, 사고차량 내에 외부로 옮겨져야 하는 물품들이 있는가?

⑦ 구조를 위하여 어떤 필요한 장비가 있는가?

㉠ 사고현장에 특수한 장비와 특수구조대가 필요한가?

⑧ 경증환자에게 여러 상황에 대하여 질문하고 상황파악을 한다.

⑨ 현장에 위험한 요소(가스의 유출, 전기선의 낙하, 위험 물질 등)가 현장에 있는가?

⑩ 손상을 입은 모든 환자는 최대한 '황금시간' 안에 이송해야 한다는 것을 기억해야 한다.

2) 응급구조사와 환자의 안전

상황평가가 이루어지고 구조방법이 결정되어지면 구조 활동을 시작하여야 한다. 아무리 완벽한 상황평가가 이루어지고 가장 안전한 구조방법이 결정되었다 하더라도 응급구조사는 위험한 환경에서 구조와 구출의 임무를 수행하는 경우가 종종 발생한다.

① 구조 활동에 임하는 응급구조사는 자신의 안전을 최우선적으로 지키고 그 안전이 확보

된 상태에서 환자를 위험요소로부터 구조해야 한다.

㉠ 위험상황에서 성공적인 구조임무를 수행하기 위해서는 응급구조사 자신을 보호할 수 있는 특수한 의복을 착용하거나 자신을 방어할 수 있는 장비들을 갖추어야 한다(그림 3-2, 그림 3-3).

㉡ 자신의 안전을 확보하지 못한 응급구조사가 구조 활동에 임하게 된다면 위험에 노출된 자신으로 인하여 구조 활동에 임하는 구조팀 전체의 위기가 될 수 있다.

그림 3-2. 안전모는 구조 행위 시에는 필수적인 보호 장비이다.

그림 3-3. 유독가스작업현장 등 산소결핍 상황에서 응급구조사의 호흡을 보호용 장비이다.

② 구조대원의 안전

구조현장에서의 응급구조사는 환자뿐만 아니라 자신을 보호하기 위해 머리끝에서 발끝까지 신경을 써야 한다.

㉠ 신발

신발 바닥이 딱딱하고 튼튼하지 않으면 유리나 못과 같은 예리한 금속에 의하여 손상을 입게 되고 감염될 수도 있다. 또한, 더러운 곳에서나 독성 위험이 있는 곳에서는 특수한 장화를 신어야 한다.

㉡ 의복(작업복), 외투/바지

의복은 추운 환경 또는 뜨거운 환경에서 체온을 유지하기 위하여 특수한 재질로 제작된 보호복을 입어야 하며, 장시간이 소요되는 구조현장에서는 얼굴을 보호할 수 있는 특수한 모자가 달린 의복을 입어야 한다.

㉢ 장갑

응급구조사는 작업하는 동안에 자신의 손을 보호할 수 있는 장갑을 반드시 착용하여야 한다. 특히 활동에 지장을 주지 않도록 장갑은 가죽으로 된 제품을 사용하는 것이 좋다.

㉣ 안전모(헬멧)

안전모는 여러 가지의 밝은색과 형광물질로 치장되어 있는 데 이러한 안전모는 구조대원을 구분하고 구조대원의 안전을 더욱 확보할 수 있다. 더욱이 현장에서 사용되는 안전모는 낙하하는 모든 물체로부터 구조대원을 보호할 수 있어야 한다. 화재 현장에서의 유리 파편과 같은 낙하물과 교통사고 현장에서의 날카로운 금속들로부터 머리를 보호하지 않는다면 완전한 구조는 생각할 수도 없을 것이다.

이러한 의복(작업복)과 장갑, 신발 등은 구조대원의 체온을 유지해 줄 것이며, 그 외에도 구조대원의 안전을 위한 개인 로프, 호흡계 보호장비(공기호흡기), 만능도끼 등(그림 3-4)의 개인 장비(눈 보호장비, 청각 보호장비 등)들이 있는데 이러한 보호장비는 구조대원의 생명을 유지하고 지켜줄 뿐만 아니라 구조대원 자신이 탈출을 시도하게 되는 상황에서 유용하게 사용할 수 있는 장비들이므로 항상 관리를 철저히 하여야 한다.

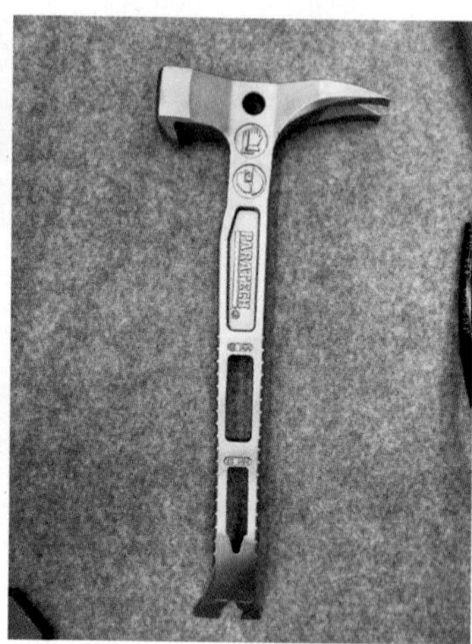

그림 3-4. 개인보호장비 및 만능도끼

③ 환자의 안전

구조를 하는 동안 환자에게 가장 중요한 것은 구조작업으로 인한 추가적인 손상을 억제하는 것이다. 구조상황에 있는 환자들은 자의적으로 탈출할 수 없으므로 구조 작업할 때에 발생되는 모든 행위가 환자의 근거리에서 이루어지게 된다. 따라서 안전사고 대부분은 이러한 과정에서 환자 가깝게 접근하는 구조장비나 절단 및 파괴 시 발생되는 비산물에 의하여 손상이 발생된다. 예를 들면, 다음과 같다.

㉠ 차량 내 고립된 환자를 구조하기 위해서는 차량의 유리를 파괴하거나 철판을 절단하여 구출하여야 되는데 이때 응급구조사는 불연성의 담요 또는 알루미늄 구조담요로 환자를 감싸서 부서진 유리 파편이나 날카로운 물체로부터 환자를 보호하지 않는다면 2차적인 손상이 발생하게 될 것이다(그림 3-5).

그림 3-5. 구출 활동 중, 환자는 반드시 2차 손상을 방지하기 위해 담요로 싸서 보호해야 한다.

㉡ 구조작업을 하기 위해서는 많은 장비 사용에 따른 발생하는 소음이나 열 등을 최소화할 수 있는 장비를 선택하여 사용하거나 보호 장치해야 한다.

Tip. 환자의 안정유지

환자에게 접근 후에는 환자를 최대한 안정되도록 한다. 안정을 유지하는 단계를 살펴보면 다음과 같다.

1) 초기 환자평가
2) 생명유지에 치명적인 응급상황에 대한 대처
3) 척추고정
4) 손상과정을 추정하거나 인식
5) 부서진 구조물로부터 환자를 격리 시에 발생할 수 있는 추가손상을 방지하기 위한 작업
 : 주위에 위험 요소로부터 환자를 보호하기 위하여 보호대나 덮개를 이용한다.

3) 현장 안전

현장의 안전을 확보하기 위해 가장 먼저 이루어져야 할 것은 2차적 재해 방지하고 구조 활동할 수 있는 경계구역을 설정하는 것이다. 안전선이나 로프 또는 안전표지(삼각대) 등을 일정한 거리에 표시함으로써 각종 장비나 대원의 활동 범위를 확보하게 될 것이다.

① 현장에서 위험물, 가스, 전기 등의 위험요인들이 발생하였다면 가장 장애가 큰 요인부터 순차적으로 제거하여 나가면서 구조 활동을 하면 된다.

㉠ 사고차량으로부터 흘러나오는 발화성 물질(휘발유, 경유 등)이 있는 경우 흘러나온 발화성 혹은 가연성 물질은 사고현장에서 씻어내야 하며, 차량에도 가연성 물질이 있을 가능성이 있으므로 구조작업 동안에는 소방호스를 갖춘 소방대원이 곁에 있어야 한다.

㉡ 응급구조사는 반드시 사고차량의 시동을 끄고 기어를 멈춤으로 하며, 자동차 열쇠를 제거해야 한다.

② 위험 물질은 고속도로나 철도로 많이 수송되며, 자동차 사고로 위험물질이 누출되면 주위의 사람들은 위험하게 된다. 위험한 물질을 수송하는 차량은 항상 **'위험물질'**이라는 표시를 하게 되어 있다.

㉠ 교통통제를 위해 적절한 위험신호 사용이 필요하다.

㉡ 직선로, 곡선로, 언덕 등이 있는 사고현장에 위험신호를 설치하여야 한다.

㉢ **3 m마다** 위험신호를 설치하여 도로의 차량을 유도한다.

㉣ 2차로에서 충돌이 있었다면 양방향에서 보일 수 있도록 위험신호를 설치하도록 한다.

※ 위험물 플래카드(Hazardous placard) : 위험물 표어 달아 놓은 표지물

③ 구급차 내에는 망원경을 비치함으로써 먼 거리에서도 응급구조사들이 사고현장을 관찰할 수 있어야 한다.

④ 사고로 인하여 현장에 늘어진 전선은 응급구조사나 환자에게 위험을 줄 수 있다.

㉠ 즉시 전력공급소에 이러한 상황을 통보하여 해당 지역으로의 전력을 차단해야 한다.

㉡ 응급구조사들이 늘어진 전선을 직접 취급해서는 안 되며, 또한 늘어진 전선이 물에 잠겨 있는 경우에는 안전한 지대에 위치해야 한다.

⑤ 충분하지 않은 시야는 구조작업에 심각한 문제를 유발할 수 있다. 구급차는 충분한 조명등을 갖추어야 한다.

㉠ 구급차와 현장이 멀리 떨어져 있는 경우를 대비하여 손전등을 갖추어야 한다.

⑥ 유독가스가 누출되었거나 폭발의 위험성이 있다고 판단되면 인근 주민을 대피시키는 등 안전조치에 완벽하게 해야 한다.

⑦ 현장에서 필요하지 않은 사람들은 구조작업에 방해가 되므로, 경찰이나 관계기관과 협조하여 현장을 철저히 통제해야 한다.

⑧ 구조업무에 대해 응급구조사와 구조대원의 업무를 명확히 분배하여 구조작업을 수행하는 것이 바람직하다.

4) 환자에게 접근하는 방법

구조현장에서 환자에게 접근하는 방법은 사고의 유형에 따라 여러 가지가 있을 수 있다.

① 사고의 형태와 종류 및 환자의 상태에 따라서도 환자에게 접근하는 방법은 신중하게 고려해야 한다.

② 환자나 보호자 등의 심리상태를 고려해야 한다.

③ 사고현장의 군중들과 직접적인 구조에 참여하지 않는 관계자들의 접근과 시선으로부터 환자의 사생활(privacy)보호해야 한다.

④ 구조작업 시에는 손상부위와 손상정도를 고려하여 진행한다.

⑤ 구조작업이 진행되는 동안 발생되는 문제점 등에 따라 접근법도 변경될 수 있다.

㉠ 구조현장에서는 위험한 환경이 수시로 발생한다.

- 환자를 구출하여 안전지대로 옮겨야 한다.
- 심폐소생술 등의 긴급하게 필요로 하는 응급처치 상황이 발생할 수 있다.

5) 응급치료

구조현장에서의 초기에 응급처치는 기도-호흡-순환(ABC's) 방법에 따라 응급치료하며, 응급치료는 구출작업 이전 또는 작업 중이나 구출 후에도 지속해서 이루어져야 한다.

① 가장 좋은 것은 구출작업이 약간 지연된다 하더라도 응급구조사가 구조과정에 참여하여 부상정도를 정확하게 확인하고 필요한 응급치료를 취한 다음 구조하는 것이다.

② ABC's 확인한 후에 적절한 응급처치를 시행해도 되지만 환자의 상태에 따라 심폐소생술 또는 경추 · 척추의 보호, 심각한 출혈을 제어하는 등의 즉각적인 응급처치가 필요한 경우도 적지 않다.

㉠ 환자의 구명을 위해 매우 중요한 상황이 발생할 수 있으므로 가능하다면 현장에서 최선의 응급처치가 이루어질 수 있도록 하여야 한다.

㉡ 차량에서 심폐소생술을 시행한다면 앉아 있는 자세이거나 푹신한 자동차 시트에서는 정확한 흉부압박이 이루어질 수 없기 때문에 신속한 구조 후에 흉부압박을 실시해야 할 상황도 있다.

Tip. 응급처치 전 환자를 신속하게 이동

1) 주위에 화재가 있거나 화재의 위험성이 있는 경우
2) 폭발물이나 위험한 물질에 노출된 경우
3) 사고현장 상황이 악화되는 것을 방지할 수 없는 경우
4) 생명이 위급한 환자가 차량 내에 있으나 다른 구조팀의 구조를 받기가 불가능한 경우

6) 환자의 구출

환자의 구출 시기는 환자에게 접근해서 응급처치를 완료하고 환자의 상태가 안정된 후에 실시하는 것이 가장 좋다. 환자를 구출할 때에는 외상이 없더라도 반드시 경추 및 척추보호대를 착용시켜 환자평가 시에 발견하지 못한 위험요소를 사전 예방하고 차단해야 한다. 다만, 화재나 폭발 등의 긴급한 위험요인에 노출된 경우에는 응급처치보다 현장에서 이동 · 구출해야 하는 경우도 있다. 따라서 구출은 그 과정에 따라 수시로 변화할 수 있으며 차량구조 이외

의 다른 상황에서는 더 많은 장비와 고도의 구조 기술이 필요하다.

7) 환자의 이송준비

환자의 이송준비는 생명에 위협을 주는 위험요소의 제거, 상처의 치료, 의심되는 모든 척추손상의 고정, 의심되는 모든 골절의 부목고정을 시행하는 것이다. 부목을 이용하여도 일부 손상부위는 고정하기 어려운 경우가 많다. 이런 경우, 환자를 척추고정판에 눕혀서 고정한 후, 손상된 팔을 몸통에 고정하거나, 손상된 하지를 반대편의 사지에 고정하는 방법들을 이용한다. 환자를 이동 시는 신체와 각종 장비를 하나로 구성하는 것이 바람직하며, 척추고정판을 이용하면 수월하게 시행할 수 있다.

8) 환자 이송

환자의 이송은 이송 중 안전하고 환자를 안정을 취할 수 있도록 도와주어야 한다.

Tip. 구조 전 환자준비

1) 목을 고정한다.
2) 2차 평가를 통하여 환자 상태를 다시 파악하고 손상 경위를 관찰한다.
3) 모든 손상부위를 적절히 처치하고 척추를 다음 방법으로 고정한다.
   (1) 짧은 척추고정판(short backboard) 혹은 구출 고정대(KED)
   (2) 긴척추 고정판(long backboard)
   (3) 두부 고정대(head immobilization)

5 구조방법과 안정화

많은 구조방법 중에서도 가장 일반적이고 많이 발생되어지는 것이 자동차사고이다. 또한, 많은 사고와 함께 구조대원이 아닌 응급구조사가 가장 많이 접하는 것도 자동차사고로 인하여 환자가 사고차 안에 갇혀 있는 경우일 것이다. 사고차로부터 환자를 구조상황에 따라서 여러 가지 기본적인 원칙과 기술, 그리고 장비들이 사용된다. 자동차 사고에 흔히 사용되는 구조장비는 기본적으로도 구급차에 적재 되는 경우도 많이 있다. 이런 구조장비 중 **유압**을 이용하는 장비가 가장 많이 사용되고 있으며 응급구조사는 기본적인 운용방법에 대하여 숙지하고 있어야 한다(그림 3-6). 또한, 응급구조사는 자동차사고 구조과정의 모든 단계에서 환자의 의료 대변자로 개입할 필요가 있다. 자신과 다른 구조대원의 손상 가능성과 환자의 추가 손상을 최소화하기 위해서 최우선 순위로 **'안전'**을 놓아야 한다. 응급구조사가 개인적으로 구출을 수행할 수 없을지라도, 많은 지역에서 구출(disentanglement)은 119구조대에 의해 수행되기 때문에 환자에게 지속적인 정보를 제공할 수 있어야 한다. 그리고 구출활동 계획의 위험성을 예상하는 것도 중요하다.

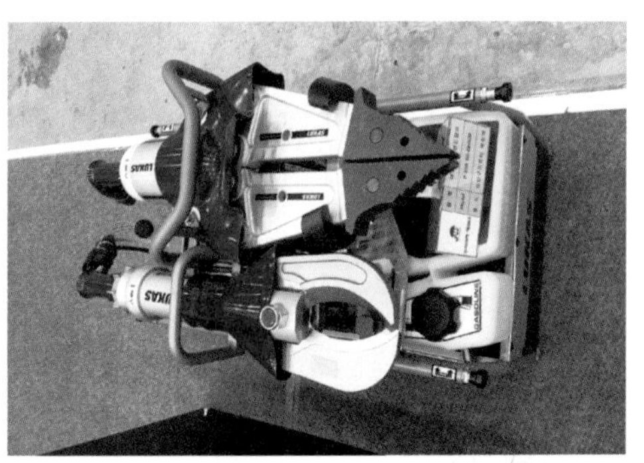
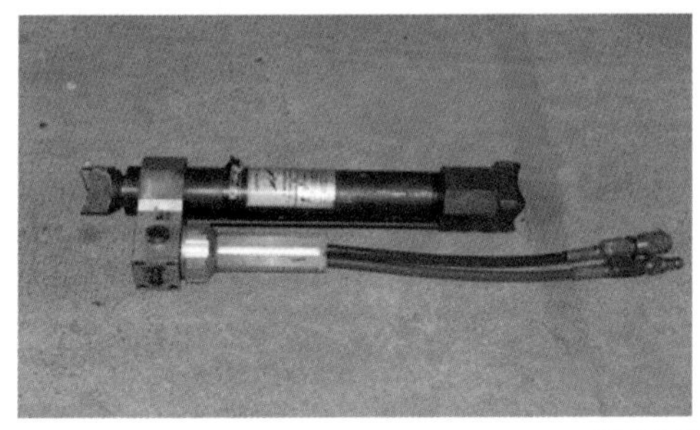
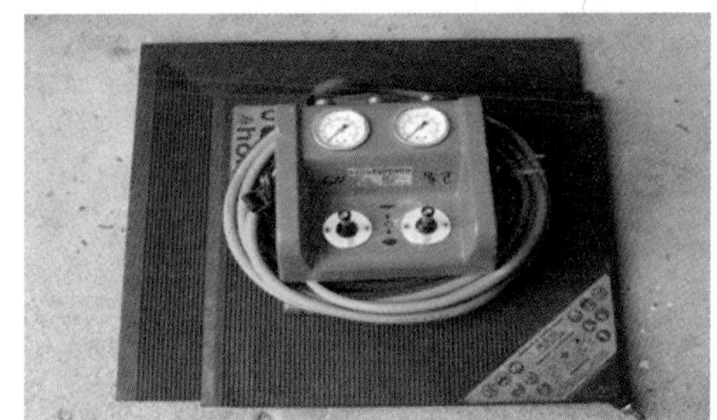

그림 3-6. 현장에 흔히 사용되는 유압장비

1) 상황 평가(Sizing Up the Situation)

사고현장에서 응급구조사가 처음으로 해야 할 일은 위험성을 평가하고 추가적인 기본인명구조술 또는 전문인명구조술, 경찰, 추가지원(소방 또는 한국전력공사 등)의 필요성을 예상하는 것이기 때문에 **세심한 관찰력**을 갖는 것이 중요하다. 다수의 환자가 포함되어 있는지 우선순위와 손상기전을 신속하게 결정하여 추가 지원 요청이 필요하다면 즉시 요청하고 지휘체계 확립하는 것이 필요하다. 환자의 중증도 분류 및 위치를 선정하여야 하고 중증도 분류는 위험요인이 제거된 후에 실시되어야 한다.

사고현장평가의 가장 중요한 부분은 환자가 갇혀 있는지와 환자를 구출하는 **가장 적절한 방법**을 결정하는 것이다. 사고현장 평가를 하는 동안 응급구조사는 사고 차량을 판단하여 구조작업 지식, 환자상태, 우선순위에 대한 평가의 기초가 된 구급 · 구조 활동 계획을 진행할 수 있어야 한다. 이러는 동안 가장 심한 손상 환자는 사고시간에서부터 내부출혈과 생명을 위협하는 손상을 통제하기 위해 **"황금 시간"** 안에 병원으로 이송해야 한다는 것을 명심해야 할 것이다. 이 황금 시간이 지나면 환자의 소생률이 점차적으로 감소한다. 사고현장에서 환자가 발견되면, 응급구조사는 어떻게 적절한 응급처치를 시작하고 가능한 신속한 이송을 시작할 수 있어야 하고, 사고현장에서 운행되는 차량들은 응급의료 인력을 위험에 빠트릴 수 있음을 기억한다.

(1) 우선순위가 낮은 환자

① 현장을 파악하고 차량 문을 모두 열어 보려고 시도해야 한다(그림 3-7).

② 문이 열리지 않으면 차량의 창문 유리를 파괴하는 것이 필요한지 결정한다.

③ 자동차 지붕을 제거하고 자동차 앞쪽으로 옮길 때까지 대기할 수 있다.

④ 환자에 대해서 짧은 척추 고정판이나 조끼 고정대를 착용할 시간이 있으므로 긴 척추고정판을 이용하여 조심스럽게 이송한다.

그림 3-7. 사고차량의 문을 모두 열어본다.

⑤ 차량 문, 천장, 계기판 및 운전대를 제거하는 방법, 새로운 차량의 문 구조 등을 숙지하고 있어야 하다.

(2) 우선순위가 높은 환자

① 신속한 구출 기술을 사용하여 지붕 개방 또는 문을 통해 가로로 꺼내는 것이 더 좋다.

② 환자의 우선순위가 높든지 낮든지 간에 척추고정 원칙은 같다.

㉠ 요구되는 구출 속도에 따라 특정 기술사용이 정해질 것이다.

㉡ 환자와 구조팀 모두의 위험을 최소화시키기 위해서는 응급의료구조팀과 상호 협조체제를 구축해야 한다.

③ 사고차량의 문 또는 지붕을 통해 신속한 환자 구조를 위해서 긴 척추보호대 사용방법을 숙지하고 있어야 한다.

Tip. 사고현장을 평가하는 동안 사고 자동차에서 에어백이 터졌다면?

① 에어백이 터지는 동안 차량 내부에서 '하얀 연기'가 보일 것이다(그림 3-8).

② 에어백이 터져 나오는 연기는 에어백을 윤활시키는 데 사용되는 봉인지와 입자에서 나온 먼지와 에어백을 매끄럽게 하려고 사용하는 전분이나 가루분 먼지이다.

③ 에어백이 터져 나오는 가루는 피부를 자극할 수 있는 수산화나트륨(sodium hydroxide)이 포함될 수 있다. 이런 이유로, 환자에게 접근할 땐 보호용 장갑과 안경을 착용하는 것이 중요하며 또한, 환자의 눈이나 상처로 먼지가 더 들어가지 않도록 보호하는 것도 중요하다.

④ 응급구조사는 터진 에어백을 들어 올리고 핸들과 계기판을 감시하여 환자가 어느 부위에 부딪혔는지를 알아보아야 한다.

그림 3-8. 사고현장에서 에어백이 터져 하얀 연기 출현(문 개방하여 접근)

2) 위험 인식과 관리

대부분 119안전센터에서는 구조능력이 미비하여 차량구조 수행을 위해 응급의료 구조팀을 요청해야 한다. 구급과 구조업무가 모두 가능한 지역임에도 불구하고 구급차가 먼저 현장에 도착할 수 있다. 이런 상황에서 응급구조사가 사고현장을 평가하고 적절한 추가적 도움을 요청한 다음에는 전문적인 인력이 도착할 때까지 위험을 인식하고 위험관리를 시작할 수 있어야 한다. 이에 응급구조사들은 현장상황에 맞는 "상황판단 훈련"과 전문 구조팀에게 도움을 요청하는 것을 배워야 한다.

사고현장의 위험성은 교통사고 위험요인을 제외한 다른 요인은 도로의 주변상황에 따라 발생한다.

① 연료 : 사고 현장에 유출되어 있는 연료는 화재의 발생 가능성을 높인다. 휘발유(연료) 냄새나 사고 현장에 고여 있는 액체를 발견했을 때에는 더욱더 신중하여야 한다. 연료가 유출된 지역에는 구급차량을 운행하여서는 안 되며 구급차량의 주차는 아주 위험하다. 1970년대 이후 만들어진 모든 자동차는 촉매 전환제를 가지고 있다는 걸 명심해야 한다. 대체 연료 및 전기를 이용하는 전기자동차 또한 화재의 위험성이 있다. 축전지는 불꽃을 발생시킬 수 있는 에너지를 가지고 있다는 것을 기억한다.

② 파손 물체 : 교통사고는 유리, 금속, 플라스틱 같은 파손되어 날카로운 물체에 의해 위험한 환경이 조성되어진다. 가죽장갑이나 안경 등 적절한 개인**보호 장구**를 착용하여 손상으로부터 보호하여야 한다.

③ 전기 : 교통사고 현장에 늘어진 전선이나 사고 현장부근에 지하의 송전선은 치명적일 수 있다. 만약 사고 자동차가 늘어진 전선과 접촉해 있을 때에는 전기가 흐르고 있다고 판단하고 신속하게 관련기관에 즉시 지원요청을 하여야 한다. 이에 교통 사고현장을 파악할 때에 자동차 아래쪽과 주변을 세심하고 주의를 기울이며 평가하여야 할 것이다. 모든 전기 위험요인을 제거하기 전까지는 사고 자동차에 접근해서는 안 된다.

④ 사고차량의 압박된 범퍼 : 자동차의 범퍼에는 피스톤이 내장되어 있고 저속충돌(10 km/hr)에 견딜 수 있도록 고안되어 있다. 범퍼의 기능으로는 충돌 시 앞과 뒤의 충격을 완화시키는데 있다. 만약 범퍼가 충돌했다면 응급구조사는 범퍼 충격흡수체계가 압박된 것을 볼 수 있을 것이다. 자동차 범퍼가 찌그러졌다가 바로 튀어나오지 않고 그대로 있는 경우가 가끔씩 발생한다. 그러나 범퍼가 불에 노출되거나 응급의료 인력이 만졌을 때 피스톤이 갑자기 튀어나올 수가 있다. 이러한 경우 응급의료 인력이 압박된 범퍼 앞에서 작업 준비를 하고 있다면 범퍼가 튀어나와 무릎을 쳐 다리가 부러질 수도 있다. 이에 응급의료 인력은 범퍼가 갑자기 튀어나오지 않도록 충격흡수기를 대거나 묶는 훈련을 받을 수 있다. 이러한 범퍼 중에는 30 m나 날아가는 것도 있다. 응급의료 인력은 압축된 범퍼를 잘 살펴보고, 압축된 범퍼를 처리할 수 있는 능력이 없는 경우에는 차량으로부터 멀리 떨어져 있어야 한다.

⑤ 에어백 : 에어백 또한 축적되어 있는 에너지가 배출될 가능성이 있다. 자동차 충돌 시 에어백이 작동되지 않았다면 구조작업 도중에 펴질 수도 있다. 따라서 이러한 장치들의 해체가 다른 구조작업보다 **먼저 선행**되어야 한다.

⑥ 위험물질(hazmat) : 자신과 동료의 안전을 위해서 상업용 차량 및 트럭의 사고현장에서는 위험물질을 **확인**하여야 한다.

⑦ 이동하는 차량 : 사고현장에 도착했을 때에는 항상 전반적인 사고차량의 위치와 상태를 확인하고 사고현장에서 발생할 수 있는 사소한 상황을 무시해서는 안 된다. 응급의료 인력은 자동차의 **변속기**가 주차상태로 되어있는지, 시동이 꺼져 있는지, 자동차의 열쇠는 제거되어 있는지, 주차 브레이크는 당겨져 있는지 항상 확인하여야 한다.

⑧ 불안정한 차량 : 사고 차량은 불안정하게 위치할 수 있다. 이러한 사고 현장에서는 차량을 고정시킬 수 있는 응급의료(구조) 인력이나 필요한 장비를 신속하게 요청할 수 있어야 한다. 또한 고임목이나 로프, 사고 현장 주위에 있는 물건을 이용해서 불안정한 차량을 임시로 고정시킬 수 있어야 한다. 사고차량이 **고정되기 전까지**는 어떠한 상황에서도 환자에게 접근하지 말아야 한다.

위와 같은 심각한 위협적인 상황(혼잡한 도로상황, 늘어진 전선, 흘러나온 연료, 화재)과 사소한 상황(깨진 유리와 조각, 미끄러운 도로, 흐린 날씨, 어둠 등)은 사고현장에서 응급의료 인력과 환자의 안전을 위협할 수 있다. 사고현장에서 차량과 목격자를 통제하지 않으면 위험요소가 더 증가할 수 있다. 또 다른 차량의 운전자가 사고현장 상황을 보면서 계속 접근할 때 사고현장에서 활동 중인 응급의료(구조) 인력을 확인하지 못해 추가 사고로 응급구조사가 현장에서 사망할 수 있다. 사고현장관련 위험성은 사고 자동차 안의 부상자에게 접근하기 전에 제거하거나 통제되어야 한다.

Tip. 아침 빙판길 사고, 4명 사상

2015년 1월 5일 오전 8시 쯤, 창원 진전면의 한 도로. 1차선으로 달리던 쏘울 차량이 갑자기 방향을 틀더니 갓길에 서 있던 사람들을 덮칩니다. 이 사고로 54살 김모 여성이 숨지고 소방대원 등 3명이 다쳤습니다. 빙판길을 달리던 차량 운전자가 무리하게 핸들을 꺾다 미끄러지면서 사고가 난 것입니다. 사고 현장은 산에서 흘러내린 물이 도로까지 내려와 사고 당시 도로 곳곳이 얼어붙어 있던 상태였습니다. 사고에 앞서 이미 차량 3대가 미끄러지면서 도로 옹벽을 들이받았는데, 1차 사고가 난 지 20분도 채 안 돼 2차 사고로 이어졌습니다. 참고자료 : KNN뉴스 http://blog.knn.co.kr/44625

(1) 위험에서 보호

교통사고 현장에서는 뾰족한 끝, 날카로운 유리, 화재 등으로 응급구조사 및 구조대원들에게 위험한 작업환경이 될 수 있다. 만약 응급구조사 및 구조대원이 다친다면 환자나 동료대원에게 도움이 안 된다는 것을 기억하고, 어떤 현장 활동에 들어가기 전에 자기 자신을 적절하게 보호할 시간을 갖는 것이 필수적이다. 보호 장비를 착용하지 않은 것은 사고현장에서 손상을 유발할 수 있는 행동이다. 다음과 같은 인적요소는 사고현장에서 손상 가능성을 증가시킬 수 있다. 또한, 안전하지 못하고 부적절한 행동이나 태만으로 손상을 초래할 수 있다.

① 개인 안전에 대한 부주의한 태도
② 도구 사용 시 기술 부족
③ 신체적 문제
④ 위험물 제거나 통제의 문제
⑤ 작업에 필요한 적합한 장비 선택 문제(그림 3-9)
⑥ 손상기전과 불안전한 환경 인식 문제
⑦ 부적절한 들어 올리기
⑧ 고속도로 및 야간에 눈에 잘 띄는 의복 착용 문제(그림 3-10)

그림 3-9. 작업에 필요한 적합한 장비 선택 문제

그림 3-10. 야간에 눈에 잘 띄는 의복 착용

사고현장에서 차량과 주변 접근지역인 "원의 내부 영역"에서 작업하도록 허락된 응급구조사 및 대원은 손상을 방지하도록 보호복을 완전히 착용해야 한다.

Tip. 구조 작업 구역

안전하고 조직적인 구조 현장을 조성하려면 구조 작업 구역(rescue zone)을 설정하는 것이 중요하다.

① 제1차 구역[내부 원(inner circle) 또는 조치 지역(action area)]

㉠ 사고 관련 차량을 중심으로 반경 3-5 m 가상의 원이다.

㉡ 구조 작업과 관련이 없는 사람을 출입 통제한다.

② 2차 구역

㉠ 반경 5-10 m 가량의 원이다.

㉡ 구조 요원 이외의 모든 사람의 출입이 제한되며 상황이 허락하는 경우 이 원 주위에 비상선을 설치할 수 있다.

㉢ 장비 집결 구역이 설치되는 것은 이 구역 내에서 내부 원과 인접한 지점이다.

㉣ 모든 사람은 어디에서 장비를 찾아야 하는지를 인식하고 조치 지역으로부터 현재 사용되고 있지 않은 장비를 정리 및 철수시킬 수 있다.

㉤ 구조 작업 중 제거된 차량 구성장치를 모아 두는 부품 폐기장소(parts dump)는 제2차 구역 바로 바깥에 설치한다.

※ 구조 작업 구역을 통하여 보다 효율적이며 안전한 구조 작업 현장을 조성할 수 있다.

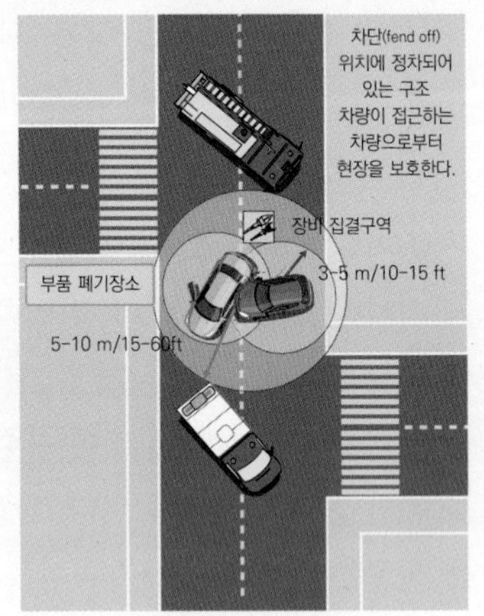

Tip. 통제구역

① 위험지역(Hot zone)

㉠ 사고를 바로 둘러싸는 통제구역, 오염농도 높음. 전문대응 요원만 출입 가능

② 준위험지역(Warm zone)

㉠ 대응요원과 장비 오염제거, 위험지역의 활동지원이 이루어지는 곳

③ 안전지역(Cold zone)

㉠ 현장지휘, 환자후송, 지원기관, 자원봉사자 등 사고 대응을 위해 필요한 인력, 장비 설치 운영

㉡ 현장대응요원 대기

4) 특별한 안전보호장비(PPE)

(1) 머리보호대(Headgear)

머리 보호는 필수적인 장비이다. 야구모자, 제복 모자, 모직 모자는 햇빛을 막아주고 응급구조사를 응급서비스 대원으로 구분하거나 머리를 보온하는 것 외에는 아무것도 없다.

충분한 보호를 하는 머리보호대는 응급구조사의 **헬멧**이다. 많은 응급구조사 및 구조대원이 선호하고 소방관 헬멧을 사용하고 있기는 하지만, 좁은 공간에서 불편할 수 있으므로 뒷부분이 단조롭다(그림 3-11).

모든 헬멧은 형광 띠와 글씨가 밝은색으로 되어야 낮과 밤에 모두 응급구조사가 눈에 잘 띌 수 있다. 응급의료 제공자를 구분하기 위해 양옆에 생명의 별(Star of Life)이 있어야 한다.

그림 3-11. 소방관 안전모(a), 응급구조사 안전모(b)

(2) 눈 보호(Eye Protection)

눈 보호는 중요하다. 연결(경첩)부위가 달린 플라스틱 헬멧 보호대로는 적절한 보호를 하지 못한다. 얼굴에 맞는 부드러운 비닐틀과 김서림 방지용 간접배출구가 있는 안전 고글이나 큰 렌즈가 있는 측면 보호대가 있는 안전 고글이 최선의 눈 보호를 제공할 수 있다(그림 3-12).

그림 3-12. 보호안경(방진안경)

그림 3-13. 구조용 안전장갑

(3) 손 보호(Hand Protection)

응급구조사는 낯선 곳에서 작업하여야 하므로 최상으로 손을 보호해야 한다. 일회용 라텍스, 비닐, 다른 합성물 장갑을 착용하고 그 위에 소방관 장갑이나 가죽 장갑을 끼면 충분히 보호할 수 있다.

소방관 장갑은 두껍지만, 대부분의 구조 상황에서 착용할 수 있다. 또한, 날카로운 물건, 뜨겁고 위험한 물체로부터 응급구조사의 손을 보호해줄 것이다(그림 3-13). 만약, 정교한 작업이 필요하다면, 중간 무게의 가죽 장갑을 착용할 수 있다. 천으로 된 작업용 장갑은 너무 얇아서 적절하게 보호할 수 없다.

(4) 신체 보호(Body Protection)

응급구조사는 종종 머리, 눈, 손은 보호하면서도 신체를 완전히 보호하지 않은 상태가 되는 경우가 있다. 가벼운 셔츠나 나일론 재킷만 입고 날카로운 금속이나 깨진 유리, 화재에서 거의 보호할 수 없으므로 원의 내부에 들어오지 못하게 해야 한다(그림 3-14).

상체를 잘 보호하려면 산업안전보건공단 조건에 맞는 짧은 또는 중간 길이의 작업 코트를 착용해야 한다. 두꺼운 응급의료 재킷이나 구조 재킷은 날씨와 가벼운 손상으로부터 응급구조사를 보호할 수 있다. 헬멧을 쓰면 헬멧의 밝은색과 형광 물질(반사 테이프)로 인해 재킷이 눈에 더 잘 띌 수 있도록 선명성이 있어야 한다.

하체를 잘 보호하려면 작업용 신발을 착용할 수 있게 충분히 넓은 커프가 달린 작업 바지나 화재 방지 바지 또는 낙하복을 착용해야 한다. 발목을 보호하도록 끝부분이 벌어져서 높이 올라오고 발가락이 철제인 신발 착용에 대해서도 심각하게 고려해야 한다(그림 3-15).

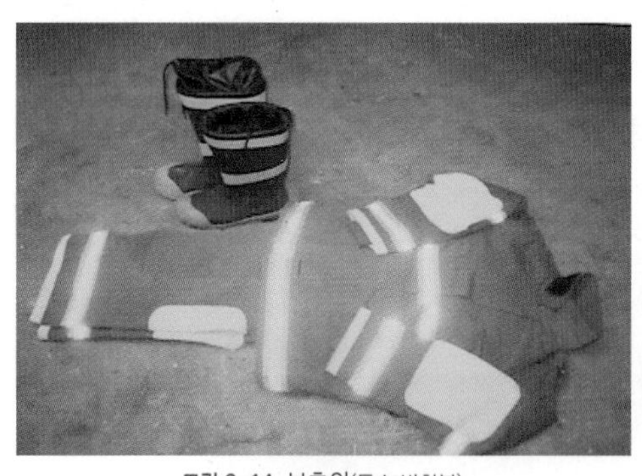

그림 3-14. 보호의(특수 방화복)

그림 3-15. 안전화

5) 사고 자동차의 안정화

사고 자동차에 접근하면 먼저 현장의 안전조치와 함께 사고 자동차를 안정시켜야 한다. 자동차를 안정시키는 궁극적 목적은 구조 중에도 자동차가 움직이지 않도록 고정하는 것이다.

이것은 곧 응급구조사 및 구조대원 그리고 환자의 안전을 확보하게 되는 것이다. 이 같은 현장의 안전 점검은 다음과 같다.

① 자동차 시동을 끈다.
② 자동차 열쇠가 그대로 꽂혀 있다면 신속히 제거한다.
③ 주차용 브레이크 채우고 차량 내부로 진입한다.
④ 기타 장애용 용품을 제거한다.

위와 같이 했을 경우 구조를 위한 가장 기본적인 조건을 만들게 된다. 그림 3-16은 자동차를 안정시키려는 방법을 보여주고 있다.

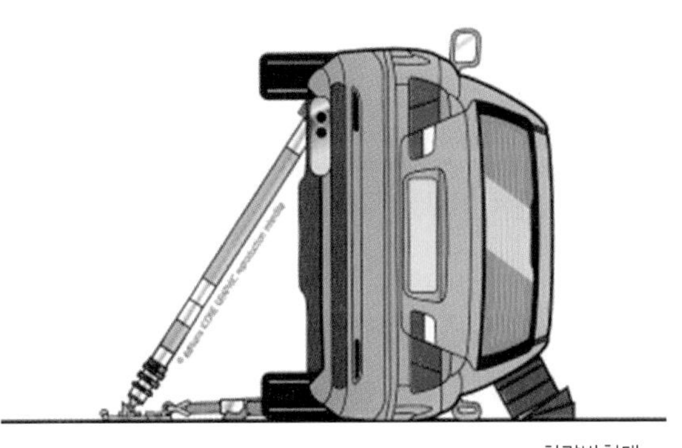

차량받침대

그림 3-16. 자동차 차체 고정

① 자동차가 움직일 가능성이 있다면 차량 받침대를 이용하여 고정한다.
② 차량 받침대는 차량이 불안정하고 경사진 바닥면에 놓여 있을 때, 접촉된 바닥면을 넓히는 데 이용된다. 받침대는 각종 구조장비를 이용하는 동안에 차량을 고정한다.
③ 지지대 및 안전줄 등은 차량의 움직임을 제한하고 고정하는 데 이용된다.

차량이 측면으로 넘어져 있을 때, 목격자가 차량을 밀어서 다시 세우려는 시도하는 경우가 종종 있다. 목격자들은 이러한 움직임이 차량의 요구조자를 손상 입히거나 더 심각하게 악화시킬 수 있다는 것을 깨닫지 못한다. 대신에 차량은 측면으로 고정하면 된다.

① 사고차량이 측면으로 넘어져 있다면 밧줄과 하이리프트잭, 고정목을 사용하여 고정하기 전에 접근하지 않도록 한다.

② 측면으로 서 있는 사고차량이 고정되어 보일 수 있지만, 문을 열려고 위로 올라가게 되면 쉽게 차량이 뒤집히거나 다시 바로 세워질 수 있다.

③ 사고차량이 넘어질 때 응급구조사가 사고차량 아래에 깔릴 수 있다.

④ 뒤집어진 사고차량에서도 자동차가 무너져 내려 자동차 안으로 들어가려 하거나 창문 개구부에 손이나 몸을 넣은 순간 응급구조사가 손상을 입을 수 있다.

⑤ 구조대원이 자동차를 고정할 때까지 접근하지 않아야 한다.

㉠ 사고차량이 불안정하다고 간주해서 응급구조사가 들어가기 전에 훈련받은 대원이 자동차를 고정해야 한다는 사실을 기억한다.

Tip. 갇혀 있는 요구조자 구조과정(환자에 접근하는 단계)

① 응급구조사 및 구조대원 자신을 최대한 보호

② 사고 자동차 고정

③ 자동차 내부로 진입

㉠ 첫 번째로 자동차 문을 여는 방법을 시도(문은 환자에게 가장 접근하기 쉬운 수단임).

㉡ 실패한다면 환자와 가장 멀리 떨어진 창문을 통해 접근한다(유리 파괴).

㉢ 손 도구를 이용하여 자동차 문의 잠금장치(문의 바깥쪽 철제부분)를 풀어 문을 열 수도 있다. 잠금장치를 풀고 Nader pin[1] 주위에 있는 캠축을 지렛대를 이용하여 열고 난 다음 문을 떼어낸다.

㉣ 문이 완전히 파손되어 문을 열 수 없을 때는 유압 장비를 사용한다.

※ 위의 방법은 환자를 신속하게 구출해야 하는 상황이나 구조팀이 늦게 도착했을 때 매우 유용하다. 환자를 구출하기 전에 기억해야 할 것은 운전석 앞이나 측면의 에어백 장치부터 제거를 해야 한다.

④ 응급처치 제공

㉠ 일차평가와 빠른 외상평가　　㉡ 환자고정

⑤ 장애물 제거 및 환자의 구출

⑥ 이송을 위한 준비

⑦ 환자이송

1) 소비자 대표 랠프 네이더(Ralph Nader)의 이름을 딴 핀은 문이 강하게 열리거나 사람이 밖으로 튕겨나가는 것을 막아주는 역할을 한다. 이 네이더 핀이 최근 차량 문에는 장착되어 있어 지렛대로 문을 열기 어렵다. 이에 먼저 걸쇠를 해체하거나 **유압절단기**를 사용해야만 환자에게 접근이 가능하다.

Tip. 차량구조 용어

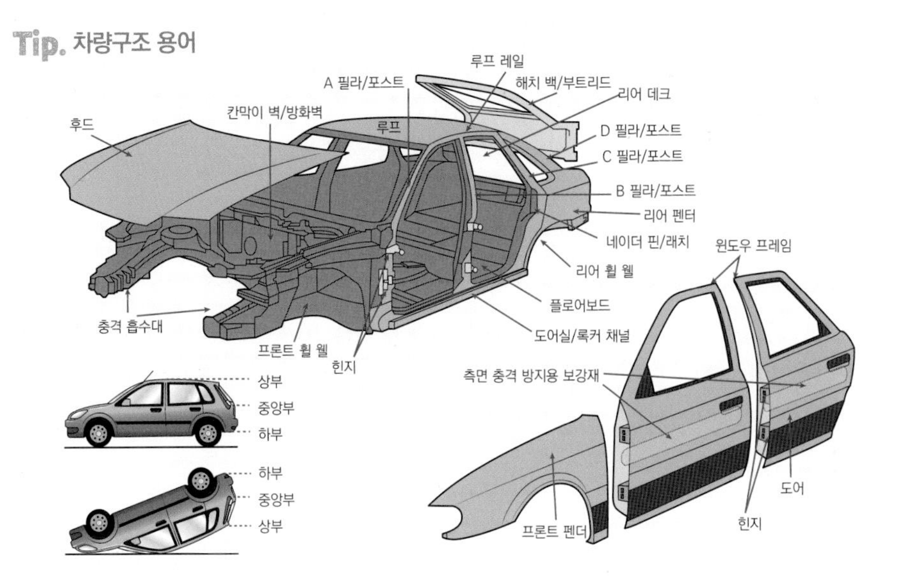

6) 차량에서의 구출

차량은 단일구조나 프레임 구조로 되어 있고, 대부분의 차량은 단일구조로 되어 있으나 오래된 차량과 비교적 소형 트럭들은 프레임 구조로 되어 있다. 단일구조 차량이 완전한 모형을 이루기 위해서는 지붕 지지대와 바닥, 트럭 받침대, 운전대 그리고 앞 유리가 필요하다.

단일구조 및 프레임 구조 모두 지붕을 가지고 있어야하고, 앞에서 뒤로 배열되어 있다(그림 3- 17).

① A 구역 : 앞 유리에서 지붕을 받치는 첫 번째 구역을 말한다.

② B 구역 : 앞자리와 뒷자리 사이를 말한다.

그림 3-17. 차량의 구역

③ C 구역 : 승용차 뒷자리와 트렁크 부분을 말한다.

④ 웨건 또는 SUV D 구역 : 트렁크 뒷 구역을 말한다.

각 구역에서 플라스틱 조형물을 제거한다면 남아있는 철골은 쇠톱 등으로 쉽게 절단될 것이다. 단일 구조에서는 구역을 절단함으로써 차량을 해체할 수 있다는 것을 명심한다.

자동차는 앞부분은 방화벽에 따라 엔진부분과 운전구역으로 구분되어진다.

① 방화벽 : 자동차 사고로 운전자의 머리와 다리를 손상시킬 수 있다.

② 엔진부분 : 배터리를 포함하고 있어 화재를 유발 될 수도 있기 때문에 대부분의 응급의료 인력은 화재의 위험을 없애기 위해 배터리 케이블을 차단(분리) 및 절단하여야 한다. 배터리 부분을 차단 및 절단하기 **전**에 **전동의자**를 뒤로 움직이고 창문을 내리는 것이 좋은 방법이다.

자동차 사고에서 환자를 구출하기 위해 응급구조사 및 구조대원은 다음 사항을 숙지하고 있어야 한다.

① 구조장비를 활용하여 문의 잠금장치를 개방한다.

② 사고차량의 앞 유리를 안전하게 제거한다.

③ 유압장비를 사용하여 한 번에 한쪽씩 차량의 문을 개방한다.

새로운 안전장치의 발전에 응급의료 인력은 새로운 도전과 계속 교육으로 안전하고 적정 수준의 현장 활동을 할 수 있어야 한다.

(1) 단순한 접근

자동차 구조는 기본적으로 차량 외형을 유지하여야 탑승자 보호와 힘의 안정성을 부여하는 구조적 골격을 가지고 있다. 모든 차량은 철판과 섬유유리로 이루어져 있다. 자동차 사고에서 응급구조사 책임은 자동차가 아니라 환자를 구조하는 것이라는 사실을 기억해야 한다. 대개 탑승자가 생명을 위협하는 손상을 입었다고 가정한다면 다른 구조자가 접근로를 더 크게 개방하고 출구를 만들어 환자를 구출하기 위해 작업을 하는 도중에라도 최소한 응급구조사 한 명은 신속하게 환자에게 접근해야 한다.

차량에 안전하게 접근할 수 있을 정도로 고정된 다음에는 자동차 밖으로 구출하기 위한 통로를 확보하기 위해 문을 열 수 있는지 또는 자동차의 탑승자가 창문을 내리거나 문의 잠금장치를 열 수 있는지 확인한다. 이러한 시도는 장비사용 전에 해야 한다.

(2) 복잡한 접근

구조대원이 요구조자를 구출하기 위해 사고 자동차를 해체하고 있는 동안, 응급구조사는 창문을 깨고 접근하기 위해 도구나 특별한 장비를 사용할 수 있다. 이러한 목적으로 도구나 장비를 사용할 때의 과정을 복합 접근(complex access)이라고 한다.

① 창문으로의 접근

모든 자동차 유리는 얇은 판이 겹쳐진(laminated) 안전유리와 강화된 것(tempered)으로 두 가지의 유형이다.

㉠ 안전유리 : 자동차 앞 유리와 밴의 후미 유리, 일부 측면 유리, 트럭 유리에 속하고 유리판은 3단 구조로 유리지-얇은 플라스틱-유리로 샌드위치처럼 단단한 플라스틱에 부착되어 있다.

유리가 산산이 깨졌을 때 모양을 그대로 유지하도록 디자인되어 있으나, 안전유리가 파손되면서 날카로운 파편이나 작은 조각으로 파손될 수 있다. 이러한 파편들은 환자의 눈, 코, 입으로 들어가서 손상을 유발할 수 있다. 따라서 안전유리를 제거할 때에는 환자를 보호해야 한다.

㉡ 강화유리 : 자동차의 측면과 뒤 창문이 속하고 이러한 강화유리는 탄력적이고 깨지면 둥근 조각으로 부서진다. 강화유리는 높은 신장력을 가지나 파손되었을 때에는 원래 모양 그대로 남지는 않는다. 유리구슬 모양으로 조각이 나서 부상을 입을 수도 있다.

응급구조사는 요구조자에게서 가능한 먼 측면이나 후방 창문으로 접근하려 할 것이다. 유리를 부수려면 아래쪽 모서리에다 센터펀치(center punch)를 사용해야 한다(그림 3-18 a). 창문 꼭대기에 손가락 걸이를 뚫고 장갑을 착용한 손으로 창문에서 조각을 떼어 낸다.

머리가 납작한 도끼는 대게 앞 유리를 부술 때 사용한다. 또한 유리 절단기(glas-master) 앞 유리 제거 톱을 이용하여 매우 빨리 앞 유리를 부술 수 있다(그림 3-18 b). 접근하기 위해 일반적으로 앞 유리를 부수지는 않는다. 구조대가 계기판이나 핸들 기둥을 분리하거나 지붕을 제거할 계획이라면 앞 유리를 제거할 필요가 있다. 앞 유리를 부수기 전에 가능하면 요구조자를 알루미늄 구조담요나 방수천으로 덮어야 한다.

일단 출입 통로가 확보되면 최소 1명의 응급구조사가 적절하게 보호 의상을 입고 자동차 내부로 들어가 즉시 손으로 경추 고정을 실시할 뿐 아니라 초기 평가와 신속한 외상 검사를 시작해야 한다. 무엇을 할 것인지를 설명하고, 환자에게 말을 걸고 환자를 위해 할 수 있는 모든 것을 할 것이라고 안심시킨다. 접근 통로는 대개 작으므로 척추고정을 실시하기 전에 접근 통로로 환자를 빼내려 하지 않는다.

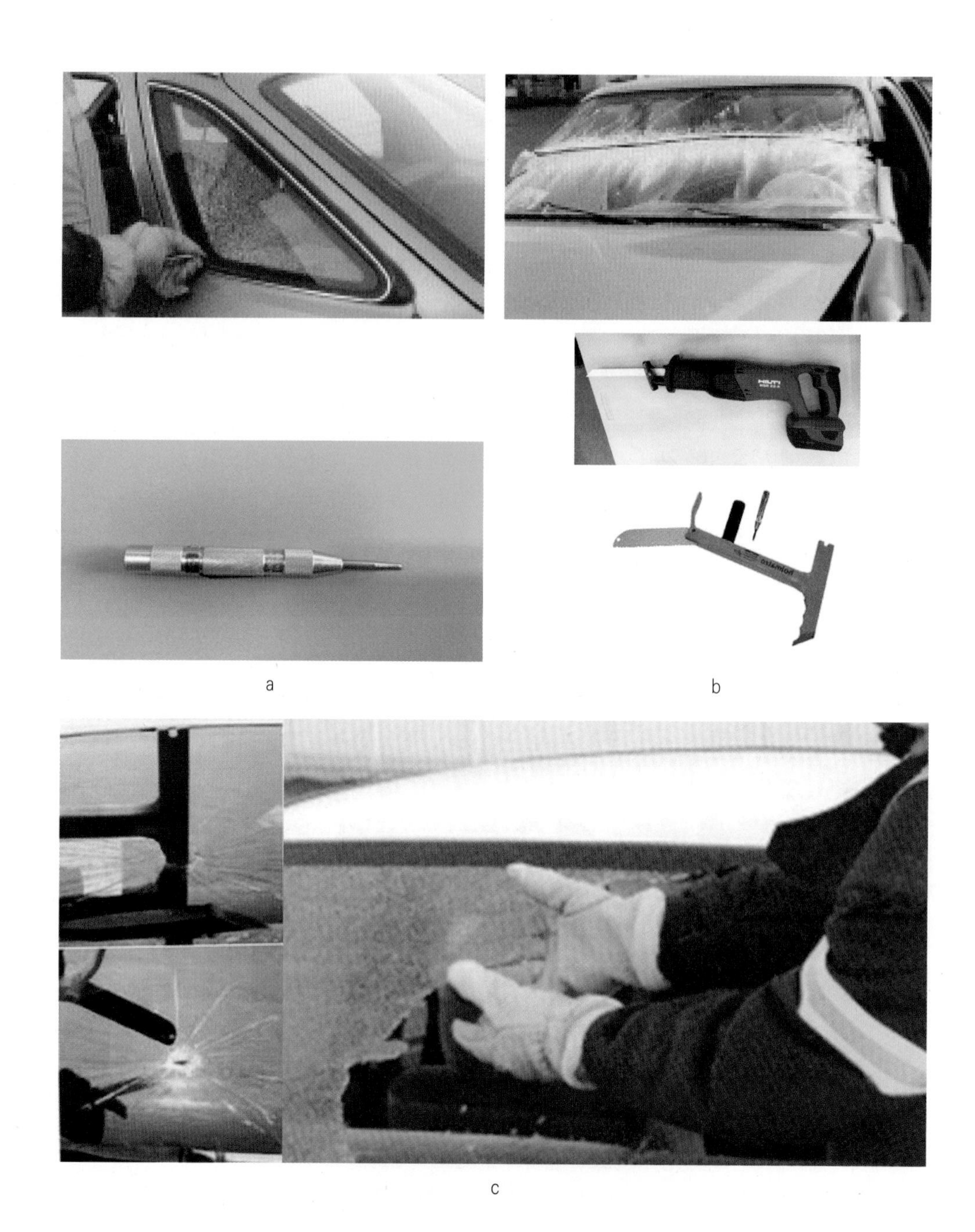

그림 3-18. 사고차량의 유리 제거

a. center punch를 이용하여 측면 유리를 파괴한다.

b. 유리 파편 및 유리 분진에 대한 보호조치를 한 후 한쪽 방향으로 앞 유리창을 절단한다.

c. **유리절단기(Glas-Master)를 이용하여 앞 유리 충격을 주어 부수고 앞 유리를 제거한다.**

(3) 구출 : 3단계 작업계획

사고 자동차에 응급구조사는 직접 구출 과정에 참여하지 않지만, 환자의 대변자로 활동하고 자동차 내부로 들어가는 응급구조사로 역할을 한다. 그리고 응급구조사는 구조대원의 구출하기 위한 복잡한 접근 방법을 이해하는 것이 중요하다. 이러한 훈련은 단기간 과정으로 받을 수 있다.

① 문과 지붕 기둥을 없애 출구를 만들기

응급구조사는 부서진 차량의 요구조자들에게 접근하기 위한 과정을 수행하도록 훈련을 받아왔다.

㉠ 가장 먼저 문으로 접근을 시도한다.

㉡ 문 접근이 실패하면 파괴적 또는 비파괴적 수단으로 문을 연다.

㉢ 모든 것이 실패하면, 창문 개구부로 접근한다.

- 이러한 다단계과정은 시간이 소비되고 수많은 도구가 필요하다.

㉣ 더 신속하고 훨씬 효율적인 과정은 위험이 통제되고 자동차가 고정되자마자 사고 자동차의 지붕을 처리하는 것이다(그림 3-19).

지붕을 제거하는 데에는 세 가지 이점이 있다.

㉠ 지붕을 제거하면 자동차 내부 전체에 접근할 수 있다. 응급구조사는 환자에게 접근이 쉽고 자동차에 들어가 응급처치할 수 있다.

㉡ 지붕을 제거하면 커다란 출구가 생겨서 요구조자가 치명적인 손상을 입었거나 화재 또는 다른 위험이 있을 때 재빨리 구조할 수 있다.

㉢ 신선한 공기를 제공하고 열 문제가 있을 때 환자를 냉각시키도록 돕는다.

그림 3-19. 지붕을 통한 구조방법

간단한 방법들로 구조에 실패한다면, 자동차의 유리를 파괴하여 잠금장치를 해제하면 된다. 날카롭고 뾰족한 도구로 자동차 유리에 충격을 가하면 유리는 작은 조각들로 부서진다.

이때 자동차 유리의 외곽모서리를 공략한다면 손쉽게 파괴가 가능할 것이다. 대부분의 자동차는 옆 창문과 뒤 창문이 비교적 약한 유리이지만 앞쪽의 유리는 이중으로 되어 있다. 그림 3-20은 일반적인 유리 제거방법을 보여주며, 이중 유리의 제거 방법을 보여주고 있다.

그림 3-20. 자동차 지붕(루프) 제거

a. 유리 제거 및 필라 절단
b. 환자 및 응급구조사(구조대원)에 대하여 유리 파편 및 유리 분진에 대한 보호조치를 한 후 한쪽 방향으로 앞 유리창을 절단한다.

자동차 밖으로 구출하기 위한 통로를 확보해야 하는데 이 작업을 위해서 다양한 구조장비를 이용하게 된다. 그림 3-21은 자동차에 갇힌 환자의 구조를 위하여 자동차의 문을 여는 방법을 설명하고 있다.

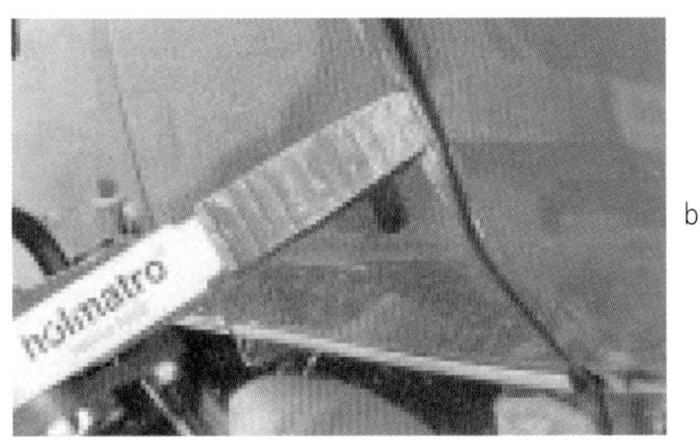

b

그림 3-21. 자동차의 문을 여는 방법(도어 제거)

a. 한 번에 하나의 경첩만 공략하여 자동차로부터 확장 및 분리한다.

b. 고정 측을 압착하여 공간을 확보하라면 확장기 첨단부를 사용한다. 도어를 몸체로부터 분리함으로써 문을 개방할 수 있다.

그림 3-21은 유압장비를 이용하는 방법을 보여주고 있다. 가끔은 자동차의 지붕을 통하여 환자를 구조해야 할 때가 있다. 자동차가 심하게 파손되면 작업공간을 확보할 수 없거나 탑승자가 심한 상처를 입어 움직이기 곤란한 경우가 발생하는데 이럴 때 차체의 지붕을 절단해서 공간을 확보하면 구출을 쉽게 할 수 있다. 이 방법은 먼저 절단기를 이용해서 자동차 전면의 필라를 자른 다음 지붕 일부분을 잘라서 접어 올리기 쉽게 한다. 사고 자동차의 상황에 따라 먼저 유리창을 제거하고 작업해야 하는 경우도 있다. 때로는 단순히 환자가 운전대 밑에 갇혀 있을 경우가 있는데 이때에는 설명과 같이 수동식 절단기를 사용하기도 한다.

① 자동차의 문이 완전히 파손되어 문을 열 수 없을 때는 유압장비를 이용해야 한다.

② 자동차가 전면 충격을 받은 경우에는 운전자의 신체가 계기판이나 핸들과 좌석 사이에 끼어있는 경우가 발생하게 되는데, 이때 가장 많이 사용되는 방법은 좌석 조정 레버로 의자를 뒤로 이동시키는 것이다(그림 3-22).

㉠ 조정 레버가 충격 때문에 작동하지 않거나 자동차가 심하게 파손되었을 때에는 이 방법은 사용할 수 없다.

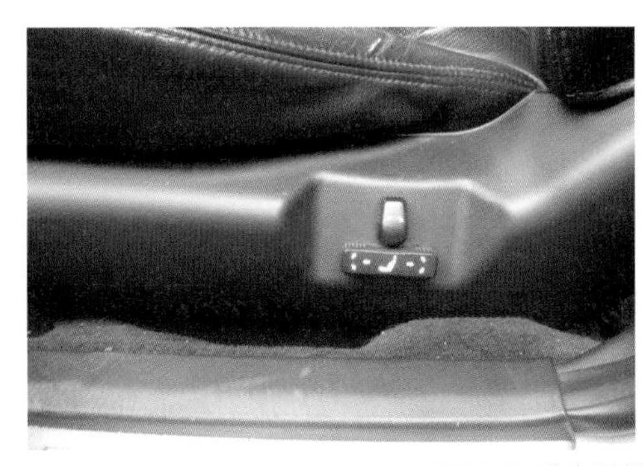

그림 3-22. 좌석 조정레버를 활용한 공간 확보

- 핸들에 체인을 감고 윈치 또는 유압 전개기를 이용하여 당기거나 유압램을 계기판 하부에 설치하여 밀어내는 방법을 사용할 수 있다.

그림 3-23은 장비를 이용하여 운전대를 제거하는 방법을 설명해 주고 있다. 자동차 사고가 발생하게 되면 본능적으로 운전자는 브레이크를 밟게 된다.

① 브레이크나 클러치 등 페달 사이에 발이 낀 경우가 발생하게 되는데 유압전개기를 이용 틈새를 확보하고 발판에 체인을 감은 후 윈치를 이용하여 당겨서 벌린다.

② 공간이 확보되지 않으면 공기톱 또는 유압절단기를 이용하여 페달을 절단, 제거토록 한다(그림 3-24).

③ 산소절단기 및 동력절단기는 요구조자에게 화상을 입힐 수도 있고 누출된 연료에 불이 붙을 수도 있으므로 불가피한 경우에만 사용하고 별도의 안전조치를 꼭 취하여야 한다(그림 3-25).

그림 3-23. 램 등을 이용한 계기판 이동

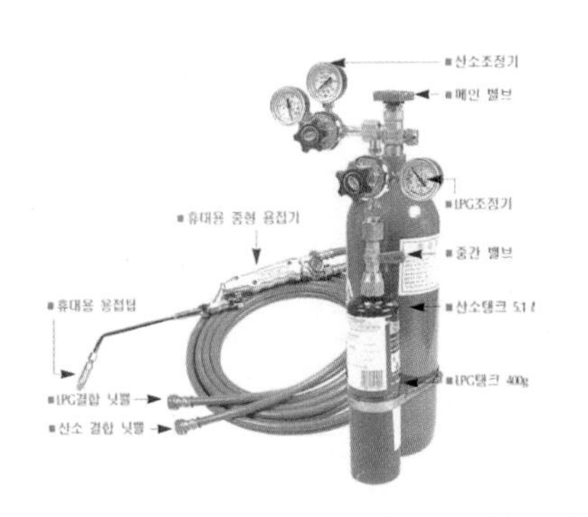

그림 3-24. 산소절단기, 동력절단기

그림 3-23은 환자의 발을 누르고 있는 페달을 제거하는 방법을 보여준다. 그림 3-24은 틀 사이에 끼인 환자 또는 나무 사이에 끼인 환자를 구조하는 방법이며, 그림 3-25는 자동차를 들어 올려 자동차 밑에 있는 환자를 구조하는 방법이다. 최근에는 RV (Recreational Vehicle) 자동차 중에서 해치백(Hatch Back) 스타일 즉, 뒷문을 위로 잡아당겨 여는 방식이 많다. 이런 구조의 자동차는 사고 상황에 따라 굳이 도어나 지붕을 절단할 필요 없이 뒷문을 열고 요구조자의 의자를 절단 또는 분해하여 의자와 함께 그대로 밖으로 꺼낼 수가 있으므로 자동차의 구조도 잘 눈여겨보고 구조 활동을 해야 한다.

그림 3-25. 발밑 공간에 대한 접근

사고 자동차 구조에 있어서 응급구조사 범위는 응급의료팀의 역할과 화재진압차(펌프차)와 구조차보다 앞서 도착했는지에 따라 자동차 구조과정에 참여 정도가 달라질 것이다. 응급구조사가 구출과정을 알아야 하는 주요한 목적은 현장에서 환자의 응급처치 계획을 종합하기 위한 것이다.

Tip. 구조물 제거

① 환자로부터 파괴된 잔해물을 제거하여야 한다. 제거하여 파괴된 잔해물을 방치한 채로 환자를 꺼내면 안 된다.

② 자동차 문을 열 때 가능하면 자동차 개폐 장치를 이용하도록 한다. 문이 열리지 않으면,

㉠ 유압벌림기와 유압절단기를 이용하여 문을 열거나 제거한다.
㉡ 문이 열리면 90°까지 벌어지도록 한다.

③ 자동차 의자를 뒤로 민다.
④ 차체 기둥을 잘라서 지붕을 제거하고 뒤편으로 접는다.
⑤ 운전대 및 브레이크 발판을 환자로부터 제거한다.

Tip. 구조

① 척추고정판과 함께 환자를 이동시킨다.
② 이동할 때 환자이송에 필요한 충분한 구조대원이 있는지 확인한다.
③ 최소한 저항으로 환자를 구조할 수 있는 경로를 선택한다.
④ 주위의 예리한 쇳조각으로부터 환자를 보호한다.

Tip. 에어백(Lifting Air Bag)

에어백은 중량물체를 들어 올리고자 할 때 공간이 협소해서 잭(jack)이나 유압구조기구 등을 넣을 수 없는 경우에 압축공기로 백을 부풀려 중량물을 들어 올리는 장비이다. 저압 에어백과 고압 에어백이 있다.

Tip. 유압엔진펌프(Hydraulic Oil Pump)

엔진을 이용하여 유압전개기나 유압절단기, 유압램 등 유압장비에 필요한 압력을 발생시키는 펌프이다. 대부분의 유압장비는 무거우므로 운반 시 허리나 관절을 조심하고 작동 중에는 정확한 자세를 취하여 신체를 보호한다.

Tip. 유압전개기(Hydraulic Spreader)

유압 엔진펌프에서 발생한 유압을 활용하여 물체의 틈을 벌리거나 압착하는 장비로 자동차 사고 현장에서 유압절단기와 함께 활용도가 높다. 유압펌프와 마찬가지로 제작사별로 제원 및 작동방법이 약간 다르지만 많이 사용되는 모델의 경우 중량은 20 kg 내외이고 전개력 20 t, 압축력은 5 t 전후이다(수중에서도 사용 가능하다).

모든 유압장비는 사용 후에 전개기의 팁을 완전히 닫지 말고 약간 벌려두어야 한다. 날이 완전히 닫힌 상태에서 닫히는 방향으로 밸브를 작동하면 날이 파손될 수 있고, 날을 완전히 닫아두면 유압이 해제되지 않아 나중에 작동되지 않을 수도 있기 때문이다.

참고 : 유압전개기와 부속 기구

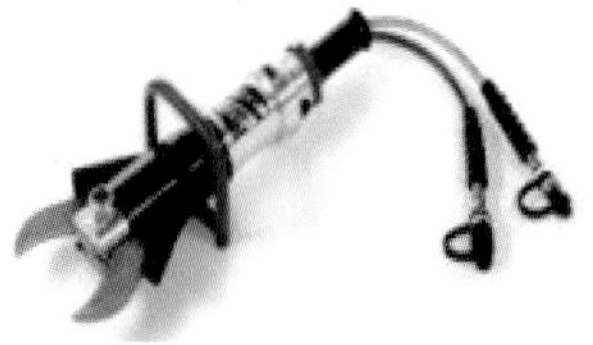
유압절단기

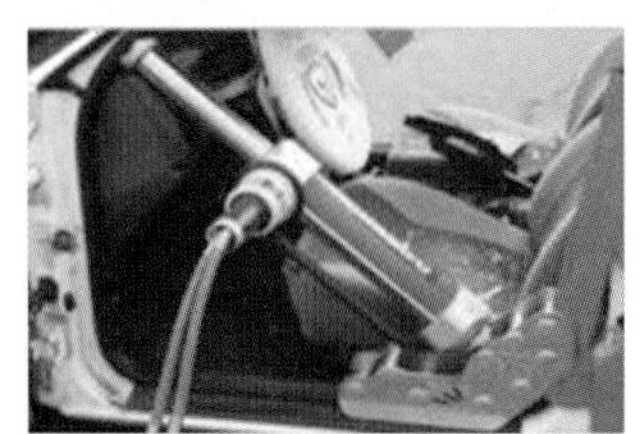
유랍램(확장)

Tip. 유압절단기(Hydraulic Cutter)

유압절단기 역시 엔진펌프에서 발생한 유압을 활용하여 물체를 절단하는 장비이다. 구조대에서 많이 사용하는 중간크기의 모델인 경우 중량은 13 kg 전후이고 절단력은 35 t 내외이다. 절단대상물에 날이 수직으로 접촉되지 않으면 절단 중에 장비가 비틀어진다. 이때 무리하게 힘을 주어 바로잡으려 하지 말고 일단 작동을 중지하고 자세를 바로잡은 후 작업을 계속한다. 항상 절단날이 10°-15°각도를 유지하도록 절단하여야 날이 미끄러지지 않고 절단이 용이하다.

Tip. 유압램(Extension Ram)

일직선으로 확장되는 유압램은 물체의 간격을 벌려 넓히거나 중량물을 지지하는 데 사용한다. 가장 큰 장비의 경우 접은 상태에서 90 cm 전후이지만 최대한으로 펼치면 1,600 cm까지도 확장된다. 확장력은 대략 100,000 kPa 내외이다. 유압램을 사용할 때는 램이나 대상물이 미끄러지거나 튕겨나가지 않도록 버팀목을 대주고, 얇은 플라스틱이나 합판 등인 경우에는 램이 뚫고 들어갈 수 있으므로 압력 분산을 위하여 받침목을 대 주어야 한다.

Tip. 동력절단기(Power Cutter)

동력절단기는 소형엔진을 동력으로 원형 절단날(디스크)을 회전시켜 철, 콘크리트, 목재 등을 절단하여 장애물을 제거하고 구조행동을 용이하게 하기 위해 사용하는 기동성이 높은 절단장비이다. 대부분 2행정기관으로 엔진오일과 연료를 혼합하여 주입한다는 점을 염두에 두어야 한다. 또한 사고현장에서 절단 시 발생하는 불꽃으로 요구조자에게 상해를 입힐 우려가 있을 경우에는 모포 등으로 가려 안전조치 시킨 후 작업에 임하고, 비산되는 불꽃에 의한 피해가 없도록 보호 커버를 잘 조정하고 주변 여건에 따라 관창이나 소화기를 준비하여 화재를 방지한다.

참고 : 동력절단기

Tip. 체인톱(Chain Saw)

체인톱은 동력에 의해 구동되는 톱날로 목재를 절단하는 장비이다. 엔진식과 전동식이 있으나 구조장비로는 엔진식이 많이 보급되어 있다. 체인톱은 작동 중은 물론이고 일상점검 중에도 안전사고의 위험성이 높으므로 주의해야 한다.

참고 : 체인톱

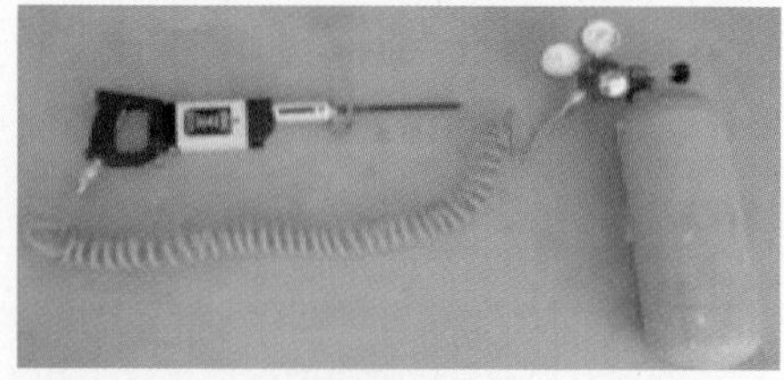

공기톱과 구성품

Tip. 공기톱(Pneumatic Saw)

공기톱은 압축공기를 동력원으로 하여 절단톱날을 작동시켜 안전하게 철재나 스텐레스, 비철금속 등을 절단할 수 있다.
공기호흡기의 실린더를 이용하여 압축공기를 공급하고 별도의 동력이 필요하지 않으므로 수중이나 위험물질이 누출된 장소에서도 안전하게 사용할 수 있으며 구조도 간단하여 안전사고 위험이 적고 손쉽게 작업이 가능하다.

Tip. 와이어(가반식) 윈치

각종 재난사고 발생시 중량물을 견인할 때 또는 중량물을 지지할 때 손쉽게 피지지물에 수동윈치를 고정시킨 후 중량물을 견인할 수 있는 장비이다. 사용방법으로는 지지물과 견인물에 기구를 확실히 설치하여 사용한다. 무리한 압력이나 충격, 허용한도 내의 지지물 또는 견인대상물을 선정, 윈치와이어의 상태 확인을 하여야 한다.

참고 : 와이어(가반식) 윈치

6 환자보존

환자의 골절부위 고정과 상처 부위의 소독은 환자의 예후에 큰 영향을 미친다. 양측 하지와 팔을 몸체에 고정해도 환자는 약간 움직일 수 있다. 일부 환자에서는 상태가 급속히 악화하기 때문에 신속하게 옮겨야 할 때가 있으며, 이러한 경우에는 환자의 임상적 판단이 중요하며, 구급차로 옮길 때는 척추고정판을 이용하는 것이 중요하다.

7 전기 위험물

전기는 자동차 사고현장에서 많은 위험이 있다. 전기가 있을 때는 위험 지역과 안전 지역을 설정하도록 해야 한다. 위험 지역 설정은 한국전력공사 직원이나 119구조대와 같이 위험물질을 통제할 수 있는 사람들만 들어가야 한다. 손상된 전선 등으로 인해 응급구조사 또는 목격자들이 손상을 입지 않도록 충분히 멀리 떨어져 있어야 한다. 그리고 전도체는 전선이나 전기를 전달하는 물체 또는 물질이다. 전도체 주위에서는 안전에 필요한 예방 조치를 취해야 한다. 다음 사항을 유의해야 한다.

① 도로면 전봇대에는 높은 볼트의 전력 있다.

② 전기사고 전체 지역이 극히 위험하다고 가정한다.

㉠ 전도체가 전기, 전봇대가 받치고 있는 다른 전선, 버팀목 전선, 접지선, 전봇대 자체, 그리고 근처의 가드레일(guardrail)과 울타리를 포함하는 체계 일부에 닿아서 충전(charge)될 수 있다.

㉡ 끊어진 전선도 언제나 다시 감전될 수 있다.

③ 일반적 보호 의복은 감전사에 대해 예방할 수 없다.

1) 전선이 늘어져 있는 부러진 전봇대

전봇대가 부러져서 전선이 늘어지면 매우 위험하다. 한국전력공사 직원이 현장이 안전하다고 확인해줄 때까지 안전하게 일할 수 없다. 응급구조사가 전봇대가 부러지고, 전신이 늘어진 현장에 있다면 다음과 같은 행동하여야 한다.

① 구급차를 위험 지역 밖에 주차한다.

② 구급차에서 내리기 전에 무전기 안테나를 포함해서 자동차 주변과 늘어진 전도체가 닿

아 있는지 확인한다.

③ 목격자와 보조 대원들에게 위험 지역에서 떨어져 있으라고 지시한다.

㉠ 안전 지역을 형성하기 위해 경계 테이프를 사용한다.

④ 사고 자동차 요구조자가 떠나지 않도록 한다.

⑤ 다른 자동차가 위험 지역을 통과하지 못하도록 통제한다.

⑥ 안전하게 접근할 수 있는 가장 가까운 전봇대 번호를 보고 응급의료 119구급상황관리센터 근무자에게 전봇대 번호와 위치를 한국전력공사에 알리도록 부탁한다.

⑦ 늘어진 전선을 움직이지 않도록 한다.

㉠ 나무 손잡이 장비, 천연 밧줄 같은 비전도성 장비도 습기를 많이 포함하고 있어서 전기를 전도하고 응급구조사와 구조자를 감전사시킬 수 있다.

⑧ 전기 회사에서 전선을 절단하거나 전기를 끊을 때까지 안전한 장소에 머문다.

전도체가 땅에 접촉해 있다면 접촉 지점에서 전력이 가장 높고, 멀어질수록 전력이 사라진다. 수 m 떨어져 있어야 한다. 접촉 지점을 인식하고 적절하게 대응할 수 있다면 생명을 구할 수 있다. 만약 다리와 몸통 하부에서 얼얼한 감각이 느껴진다면 즉시 접근을 멈춰야 한다. 이러한 얼얼한 감각은 감전된 지역에 있다는 것이다. 전류가 한쪽 발로 들어와서 하체를 통과하고 다른 다리로 나가게 된다. 계속 걸어가면 위험에 처하게 된다. 이러한 위험 상황에 맞는 조치는 다음과 같다.

① 바로 안전 지역까지 뛴다.

② 양쪽 발이 함께 위험 지역에서 끌면서(발과 땅 사이가 떨어지지 않도록 한다) 안전지역으로 나온다.

Tip. 족간 접압 손상(stride potential or step-voltage injury)

지면에 떨어진 낙뢰가 양발 사이에 전압차를 유발하여 전류가 가까이에 있는 다리로 들어가 신체를 통하여 반대편의 다리로 나가게 되며, 하지에 마비, 무감각, 무수축과 피부 냉각의 특징적인 소견이 나타나는 낙뢰성 마비(keraunoparalysis)를 일으키게 된다.

2) 전봇대가 부러졌지만, 전선은 손상되지 않은 경우

전선이 손상되지 않았어도 전봇대가 부러졌다면 여전히 위험한 상황이다. 전봇대에 달린 전선도 언제든 절단되어 현장으로 전선이 넘어 올 수 있다. 만약 이러한 상황에 부닥쳤다면 다음과 같이 조치하여야 한다.

① 구급차를 위험지역 밖에 주차한다.

② 응급의료 119구급상황관리센터 근무자에게 상황을 알린다.
③ 한국전력공사 직원이 전도체의 충전을 제거하고 전봇대를 고정할 때까지 위험 지역 밖에 머무른다.
④ 목격자와 다른 응급구조사 및 대원들에게 위험지역 밖에 있도록 한다.

8 전문구조

어려운 구조상황 또는 재해 시에는 전문 구조대가 필요하다. 상황이 허락한다면 응급구조사는 전문 구조대를 요청해야 하며, 전문구조대원들은 긴급 상황에서 전문적인 구조뿐만 아니라, 응급처치도 시행할 수 있어야 한다. 그러므로 응급구조사의 기본적인 훈련뿐만 아니라 전문적인 기술의 습득과 훈련이 수반되어야만 전문구조를 시행할 수 있다. 험악한 지형이나 접근하기 어려운 지역에서 구조를 시행해야 하는데, 예를 들면 수중에서 구조하거나 눈이나 얼음이 많은 지형에서의 구조 그리고 도심에서의 구조 등이 포함된다.

1) 험악한 지형과 접근하기 어려운 지역에서의 구조

험악한 지형이란 언덕(구릉)이 많거나, 산악지역, 홍수지역, 도보 여행할 수 없는 곳들을 포함한다(그림 3-28). 이런 환경에서 구조하는 경우에는 여러 가지를 고려해야 한다. 즉, 환자가 위치한 장소를 찾아내고, 필요한 응급처치를 시행하고, 환자를 이송하기 위하여 적절한 장비를 사용하는 것이다.

험악한 지형에서의 구조는 환자를 들것에 실어서, 개울을 건너고 산을 넘거나 전문적인 암벽등반을 해야 할 경우가 많다. 헬리콥터는 외딴 지역으로부터의 신속한 이송을 위하여 많이

그림 3-28. 험악한 지형에서의 구조.

그림 3-29. 헬리콥터로 외딴 지역으로부터의 신속한 이송

이용되고 있다. 응급구조사는 헬리콥터가 인근 지형에 착륙할 수 있도록 수신호를 이용하여 헬리콥터를 유도해야 한다. 헬리콥터의 승무원은 응급치료에 관한 훈련을 받아야 하고, 응급구조사는 헬리콥터에 탑승하는 방법, 환자를 싣고 내리는 방법 등에 대하여 배워야 한다. 또한, 안전한 착륙지점을 선정하는 방법도 알아야 한다(그림 3-29).

(1) 고각구조 작업

고각구조 작업에서는 지속적으로 중력의 영향에 주의하며 효과적으로 다뤄야 한다. 고각구조에서는 매듭법, 비탈면 오르기 내리기 위한 사다리 및 로프 활용, 홀링 시스템의 사용, 들것과 로프를 통한 구출을 위한 환자 결착에 대한 훈련으로 숙련된 술기를 갖추고 있어야 한다(그림 3-30).

그림 3-30. 고각구조는 위험한 작업이기에 전문 훈련을 받고 충분한 경험이 있는 전문구조대원이 담당해야 한다.

고각구조에 사용하는 일부 용어는 다음과 같다.

① 보조 : 수부, 족부, 여타 신체부위 외의 다른 수단을 통해 수직 표면을 오르는 것을 말한다.

② 앵커 : 수직 표면에 고정시키는 기술이며, 로프와 다른 특수 장비가 함께 사용될 수도 있다(그림 3-31).

③ 빌레이 : 앵커에 고정된 로프를 조절하며 등반가의 움직임을 보호하는 것을 말한다.

㉠ 로프 잡이(로프 조절하는 사람)를 말하기도 한다.

④ 레펠 : 앵커, 안전대, 장비를 사용하면서 고정된 두개의 로프를 이용하여 내려오는 것을 말한다(그림 3-31).

그림 3-31. 앵커/레펠

(2) 저각구조 작업

저작구조 작업은 비탈진 경사가 최대 40°까지를 '저각 구조'라 한다. 저각작업 시 로프, 안전대, 장비, 안전 체계가 필요하다. 저각구조 작업은 로프를 사용하여 레펠을 타고 위로 올라가고, 환자를 것에 결착하고, 하울링 체계를 통해 들것을 제방 위에 올리는 방법을 활용한다(그림 3-32).

그림 3-32. 저각구조 작업

(3)거친 지형에서의 환자 결착법

환자 결착은 위험 지형 구조에서 핵심적인 작업이며, 스토크식 바스켓 들것 구조는 거친 지형의 구조 작업에서 사용되는 들것의 표준이 된다(그림 3-33). 스토크식 바스켓 들것 제조는 와이어, 튜블러, 플라스틱으로 구성된다. 스토크식 바스켓 들것에 대해 알아야할 사항은 다음과 같다.

① 적정 인력을 확보하여야 환자를 쉽게 이송할 수 있다.

② 견고한 프레임 구조덕분에 환자 보호가 강화되었다.

③ 척추 고정 기구[KED, 하프백 척추 고정판(구출/구조조끼), SKED]와 함께 사용할 수 있다.

㉠ 자체적으로도 척추 고정 기구로 사용할 수 있다.

㉡ 군사용으로 사용되었던 구형 철망 스토크식 바스켓 들것의 경우, 척추 고정판을 함께 사용할 수가 없다.

④ 신형 모델의 경우 기존과는 차별화되는 장점은 다음과 같다.

㉠ 내구성 강화

㉡ 비용 절감
㉢ 바스켓 내부의 통기성 및 배수성 개선
㉣ 수상 구조를 위한 부표성 강화

그림 3-33. 바스켓 들것 구조는 거친 지형에서 환자 이송 시 자주 사용된다.

일반적으로 플라스틱 바스켓 들것은 철망형 제품보다 다음과 같은 특징이 있다.
① 내구성은 철망형 보다 취약한 편이다.
② 철망형보다는 가볍다[무게 135-270 kg 정도이다].
③ 환자 보호 기능은 더 강화되었다.
④ 성능이 더 우수하다.
⑤ 눈이 내린 곳에서는 끌어서 이동할 수 있다.

스토크 바스켓 들것은 적절한 결속 고정장치가 구비되지 않았기 때문에, 위험지형 구출 작업 시 추가적인 끈이나 스트랩을 사용해야 하고, 들것용 쉴드를 사용하여 먼지나 떨어지는 물체로부터 환자의 얼굴을 보호할 수도 있다. 스토크식 바스켓 들것을 사용할 때는 다음과 같은 추가적인 절차를 활용한다.
① 환자에게 안전대를 착용시킨다.
② 환자에게 족부 스트랩을 착용시킨다.
③ 환자의 움직임을 제한하기 위해 들것에 고정시킨다(그림 3-34).
④ 환자 보호를 위해 헬멧이나 들것 쉴드를 사용한다.
⑤ 들것의 후미를 환자의 안전대에 묶는다.
⑥ 정맥 주사나 경구를 통해 수액을 투여한다.
⑦ 혈압측정, 흡인, 순환을 위한 원위부 관류 평가를 한다.
⑧ 적절한 패딩 조치를 취한다(중요한 고려 사항).
⑨ 환자를 위한 냉 · 난방 체계의 사용을 고려한다(구조 작업이 장기화되는 경우).
⑩ 가능하다면 중력선을 통한 기도 개방 체계를 확보한다.

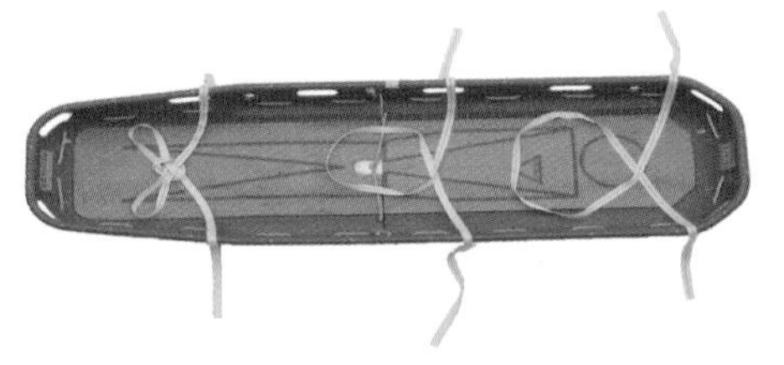

요구조자 고정전 매듭정열

머리 · 골반 · 발의 1차 고정

교차법에 의한 2차 고정
그림 3-34. 환자의 움직임을 제한하기 위해 들것에 고정한다.

그림 3-34. 각각 2 m 길이의 테이프 슬링으로 발쪽의 매듭은 의자매듭, 골반과 가슴은 반바퀴 꼬아 올려놓는다.

- 1차 고정 : 머리 · 골반 · 발을 하고,
- 2차 고정 : 보다 안정감을 살리기 위해 약 6-8 m 길이의 슬링이나 로프를 이용해 X자로 교차하면서 고정한다.

(4) 위험 지형에서의 환자 구출법

일반적으로 환자를 위험 지형 밖으로 옮길 때는 가능하다면 환자와 함께 위험 지역을 걸어 나간다. 구조기술이나 로프를 사용하지 않는 것이 작업을 더 순조롭게 진행할 수 있다. 안전한 환경에서도 들것에 환자를 이송하는 작업은 신체적 부담이 크다. 지형이 험할수록 들것을 통한 이송은 더욱 힘들어진다.

(가) 지형이 험한 평지

지형이 험한 평지에서 들것을 통해 환자를 옮길 때는 충분한 예비 인력을 길잡이로 두면서 낭비되는 시간을 줄이고 필요시 교대 인력으로 활용한다. 들것으로 환자를 이송할 적정 인원수는 각각 6명으로 구성된 2개의 팀이다. 양쪽에서 나란히 들것을 옮기는 인력은 신장이 비슷해야 한다.

들것을 통한 환자 이송을 수월하게 하는 몇 가지 도구가 있다.

① 들것의 손잡이에 웨빙 스트랩을 묶어 어깨 위로 넘긴 뒤 반대편에 남아있는 손으로 잡게 할 수 있다. 이는 환자의 하중을 구조 인력의 배부까지 분산시키게 한다(그림 3-33).

② 스토크식 바스켓 들것의 프레임에 바퀴를 부착할 경우, 환자를 더욱 수월하게 이송할 수 있다.

(나) 저각/고각 구조 작업

구출 작업할 때에는 개인 안전 장비를 점검하고, 모든 앵커가 확실히 고정되어있는지를 확인하고, 환자 결착 상태를 한 번 더 살핀다. 안전 상태에 대한 점검을 마친 후 환자를 끌어올리고 내리는 시스템을 확보해야 한다.

안전상의 위험이 의심되는 경우, 로프와 같은 물건은 사용하지 말아야 하며, 닳아 해진 로프나 손상된 장비를 발견한 경우에는 지체 없이 구조인력에게 알린다. 또한 환자를 끌어 올리는 작업은 보조하는 사람이 필요하기 때문에 응급구조사도 도움을 요청받게 될 수도 있다. 이 때에는 팀워크가 중요한 작업이기에 구조 인력 요구사항에 경청한다.

2) 추운 환경에서의 구조

겨울 등산, 암벽 등반, 눈 자동차 타기, 얼음낚시, 장거리 스키대회(노르딕) 같은 활동 시 가끔 조난자나 피해자가 발생한다. 또한, 제설기 운전자, 농부, 집배원, 산지기 등과 같은 직업에서도 피해자가 발생한다. 춥고 눈이 많은 환경에서 가장 많이 발생하는 사고는 자동차 사고이다. 응급구조사가 출동요청을 받고 현장에 도착하기까지의 반응시간은 다른 계절에 비교하여 겨울철이 더욱 길다. 왜냐하면, 방한복 등의 의류나 특수한 운송수단이 필요하며, 운전이 어렵기 때문이다. 자동차는 보온 효과가 작으므로, 자동차 사고의 피해자는 체온이 저하되는 경우가 많다. 그러므로 부목으로 고정하는 방법도 추운 환경에서는 약간 수정된다.

① MAST (military anti-shock trousers)를 착용 시에는 바지를 제거하고 착용시켜야 하지만, 추운 환경에서는 의복을 착용한 채로 MAST를 사용할 수도 있다. 또한, MAST는 하체와 복부에서의 체온손실을 감소시킬 수 있으므로, 하지골절 시에 사용하면 바람직하다.

② 금속으로 제작된 부목이나 척추고정판 등은 추운 환경에서 사용되는 것은 바람직하지 않으며, 특히 이러한 장비가 직접 피부에 접촉하지 않도록 주의해야 한다.

③ 공기부목의 경우는 입으로 불어 넣은 따뜻한 공기가 시간이 지나면서 식게 되므로, 처음보다 공기의 부피가 감소하여 고정효과가 감소하게 된다.

㉠ 장시간 착용 시는 주기적으로 공기압을 관찰해야 한다.

㉡ 환자가 따뜻한 구급차로 옮겨지면 부목 내의 공기가 따뜻해지면서 팽창되어 피부를 압박할 수 있으므로 공기압 증가에 따른 조직괴사를 방지하기 위하여 일정한 양의 공기를 빼야 한다.

④ 플라스틱 제재로 제작된 부목과 진공식 부목은 몹시 추운 환경에서는 깨질 가능성이 있으므로, 추운 환경에서는 사용하지 않는 것이 바람직하다.

⑤ 추운 환경에서 가장 효과적으로 사용할 수 있는 부목은 박스부목(box splint)으로 보고되고 있다.

⑥ 추운 환경에서 고정 장비로 옷핀이 이용될 수 있다.

㉠ 추운 환경에서는 상의의 소매와 바지가 길므로 이용할 수 있다.

㉡ 팔 손상의 경우에는 손상 부위의 소매 끝과 의복의 전면을 옷핀으로 연결하여 팔을 고정할 수 있다.

㉢ 하지 손상의 경우에는 바지의 양쪽 내측을 옷핀으로 연결함으로써 하지를 고정할 수 있다.

⑦ 외투나 장갑에 달린 끈을 이용하여 부목의 효과를 나타낼 수 있다.

㉠ 끈을 묶어서 목과 팔에 걸면 삼각건을 이용한 고정효과를 얻을 수 있다.

㉡ 끈은 응급구조사가 장갑을 착용한 채로도 이용할 수 있으므로, 추운 현장에서도 사용하기 편리하다.

구급차로 환자가 옮겨지면 적절한 장비로 대처해야 한다. 신체에서 발산되는 열의 15%는 두부를 통하여 방출되므로, 현장에서 응급평가가 시행된 후에는 가능하면 환자의 머리를 덮어주는 것이 바람직하다(그림 3-35).

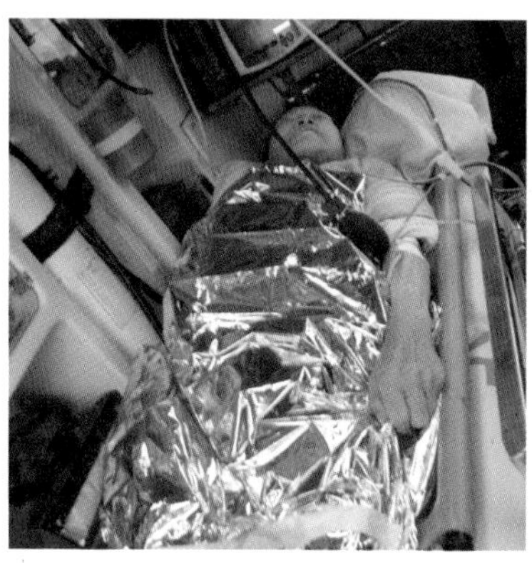
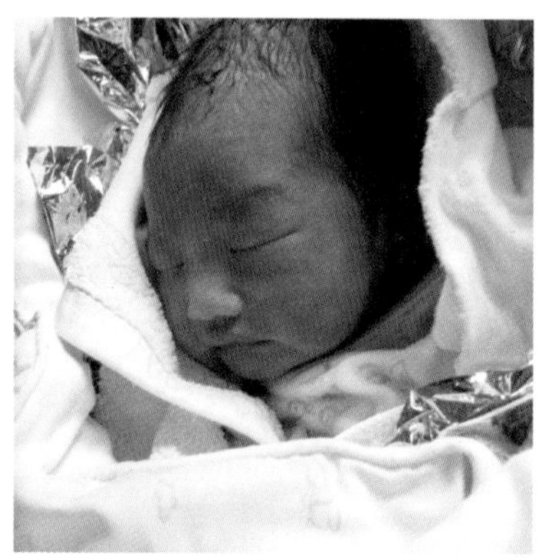

그림 3-35. 추운환경에서 체온보존을 위한 노력이 필요하고
특히 두부의 열 발산을 억제하여야 한다.

3) 도심에서의 구조

도시 환경에서의 기술적 구조는 해당 지역의 소방서에 의해서 훌륭히 달성되고 있다. 사다리, 승강기, 건물 지붕, 전철 터널, 다리에 적용할 수 있는 장비들이 개발되어지고, 구조기술도 상당히 발전해 오고 있다. 최근에는 등산과 등반에 이용되는 장비들이 변형되어 도심에서의 구조장비로 이용되고 있다.

① '8자 모양의 귀' 처럼 생긴 연결고리는 구조자와 조난자에게 구명줄을 연결하는 데 사용

되고 있다.

② 안전줄을 매는 방법과 기술을 배워서 자신의 안전을 지켜야 한다.

㉠ 조난자에게 접근하기 위해서 사다리를 이용하는 경우에도 부가적으로 안전줄 걸이에 자신을 고정하는 것이 바람직하다.

③ 건물의 파이프나 주위의 가구가 움직일 수 있으므로 상당히 위험하므로 주의한다.

㉠ 파이프나 가구류에 안전줄을 매달아야만 하는 경우에는 다른 물체나 기구에 2차적으로 고정하여 안전을 도모해야 한다.

㉡ 안전줄에 자신의 체중을 싣기 전에 충분히 당겨 보아서 위험성이 있는지 다시 확인해야 한다.

④ 척추손상이 의심되는 환자가 높은 건물에 위치한 경우에는 바구니 들것(basket stretcher)을 이용하여 이송한다(그림 3-36).

㉠ 바구니 들것을 안전줄로 연결하여 수평으로 유지하면서 환자를 이송한다.

㉡ 승강기가 없는 높은 건물에서 지면으로 내릴 수 있다. 바구니 들것에 있는 굴레로 환자의 수평을 조정할 수 있다. 즉, 머리 손상에서는 머리를 높은 위치로 조정하며, 쇼크의 경우는 머리를 낮춘 위치로 조절할 수 있다.

⑤ 환자를 수직으로 세운 자세로 구조하는 방법은 척추손상 환자에게는 일반적으로 사용하지 않는다. 그러나 광산 갱구, 수직 터널, 하수구 등으로부터 환자의 이송 시에는 바구니 들것이나 구조용 들것(rescue stretcher)을 이용하여 수직으로 구조한다(그림 3-37).

그림 3-36. 척추손상이 의심되는 환자가 높은 건물에 위치한 경우에는 바구니들것(basket stretcher)을 이용하여 이송한다.

⑥ 안전줄을 선택하는 경우는 신중해야 한다.

㉠ 최근에는 물에 젖지 않거나 물에 젖어도 무게가 증가하지 않는 안전줄이 생산되고 있다. 나일론 안전줄이 효과적으로 사용된다.

㉡ 신장력이 필요할 때면 테크론 재료를 이용한 것이 더욱 효과적이다.

⑦ 안전줄은 수시로 점검해야 하고, 장기간 사용된 것은 미련 없이 버려야 한다.

⑧ 안전줄을 이용하는 경우에는 굴림쇠나 도르래를 이용하면 비교적 쉽게 환자를 이송할 수 있다.

도심에서의 구조에는 여러 가지 방법이 있으나, 기초훈련이 충분해야 하며 정기적으로 재교육을 받아야 하고 여러 번의 실전 경험이 필요하다.

그림 3-37. 수직 구조는 건물 벽, 갱도, 하수도 맨홀 및 암벽 등과 같은 극단적인 상황에서 요구된다.
굴레를 바구니 들것의 상부에 부착한다. 이러한 방식은 척추에 압박을 일으킬 수도 있지만, 현재 이용하는 방법 중에서는 가장 좋다. 특히 scoop stretcher의 사용하면 수직으로 이송하는 동안에 척추를 최대로 안정시켜 준다.

Tip. 8자 하강기

로프를 이용해서 하강할 때 사용하며 작고 가벼우면서도 견고하여 사용이 간편하다.
전형적인 하강기는 8자 형태이지만 이를 약간 변형시킨 구조용 하강기도 많이 사용된다. 구조용 하강기는 일반적인 8자 하강기에 비하여 제동 및 고정이 용이한 것이 장점이다.

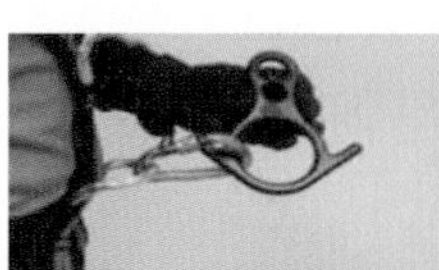

1. 큰 구멍 결합상태
2. 하강로프 연결
3. 하강기 분리
4. 작은구멍 연결

Tip. 픽스(fixe-싱글 도르래)

측면판이 고정된 도르래(Pulley)로서 O형 카라비너와 함께 사용하면 효과적이며, 횡단구조 및 끌어올리기시스템에 사용한다. 구조와 운반에 필수적인 장비이며, 계곡구조에 사용 가능하다.

04 수난구조

1 개요

익수란 물에 잠겨 구조된 상태를 지칭하며 익수와 연관된 많은 용어와 유사 단어가 있었으나 이에 대해 최근에는 사망이나 소생 여부, 24시간 경과 여부 등의 기준을 적용하지 않고 일괄적으로 익사(Drowning)라고 통일하여 지칭하고 있다.

이전에는 단순한 욕조에서의 사고나 수영장 주변 익수에 의한 손상이 많아 유아나 어린이에 집중하여 관리와 예방을 시행하던 것과는 달리 최근 생활환경의 변화와 다양한 수상 레저스포츠가 보급됨에 따라 익사 사고의 발생빈도가 증가함과 함께 다양한 연령층에서의 발생빈도가 차츰 증가하고 있다. 또한, 수영이 미숙한 사람들마저 기구를 이용하여 수상 여가활동을 참여하는 등 많은 인구가 수상 여가활동에 몰리고 있어 불의의 수상안전사고가 발생할 가능성이 항상 잠재해 있다.

발생현황을 보면 1991년부터 2010년까지 통계청 사망원인통계에 의하면 지난 20년간 익수에 의한 사망자는 총 38,267명으로 연평균 1,913명에 달하였으며 그 중 비의도적 사고에 의한 익수는 27,054명으로 약 70.7%를 차지하였습니다. 전체 익수 사망자는 1991년부터 꾸준히 감소하는 추세를 보였으나 자해, 자살로 인한 익수자는 점점 증가하는 추세를 나타냈습니다.

사망통계 자료에 의하면 익사에 의한 사망자가 인구 10만 명당 4명이었고, 10세 미만에서는 교통사고에 이어 두 번째로 높은 사망률을 보였으며, 10대와 20대에서는 교통사고, 자살 다음으로 조사되었다. 이것은 아마 젊은 연령층이 더 빈번하게 수상스포츠나 물놀이를 즐기며, 모험심이 강하고 안전사고에 대한 주의가 부족하기 때문으로 생각된다. 또한, 대부분 사망자가 여름철에 발생한다. 월별 사망 비율을 살펴보면 다른 월별 구성 비율이 10% 미만인 것에 비하여 무더위가 가장 심한 여름에 해당하는 7, 8월에 각각 14.9%, 23.5%로 익수는 계절 특성과 깊은 관련을 보였고, 원인별 익수사고 발생현황 분석에서는 사망의 원인으로 수영 미숙이 전체의 43.4%, 안전수칙 불이행 18.6%, 자살 9.3%, 심장마비 5.7%, 음주 3.8% 순으로 나타나 대부분의 사고는 사전예방을 통하여 충분히 막을 수 있다는 것을 보여주고 있다.

익사(drowning)는 물과 관련된 사고이다. 그러나 물과 관련하여 발생할 수 있는 사고의 유형들은 다양하며, 그 예를 들면, 보트, 수상스키, 윈드서핑, 제트스키, 다이빙, 스쿠버다이빙 사고는 출혈, 골절, 연부조직 손상, 기도폐쇄, 심장정지 등을 일으킬 수 있다. 또한, 수중사고는 욕조, 수영장, 강, 바다의 해변, 먼 바다에서도 발생할 수 있다. 아동뿐만 아니라, 성인도 얕은 물에서 익사할 수 있다.

대부분의 익사사고는 예방 가능하였던 경우가 많다. 그러므로 수중사고에 대한 경각심을 고취하고 안전에 대한 국민 홍보가 이루어져야 하며, 사고 발생할 때 신속한 응급처치로 인명 피해를 최소화해야 한다.

2 익사

2002년 세계보건기구(WHO)에서 익사(drowning)란 액체에 신체가 부분적으로 혹은 완전히 잠겨 호흡기계 장애를 경험하는 과정이다. 익사는 사망, 병적상태, 그리고 병적이지 않은 상태로 분류한다. 병적상태는 환자가 무의식이나 폐렴과 같은 질병이나 다른 해로운 효과를 경험하는 것이다. 또 세계보건기구(WHO)는 익수(near drowning)에 대해 언급하지 않았다. 그러므로 이제 더 이상 익수는 사용하지 않은 용어이다.

Tip. 2002년 이전의 정의

익사(drowning)란 물에 잠긴 후에 질식에 의하여 사망하는 경우로 정의한다.
익수(near drowning)란 물에 잠긴 후에 최종결과에 관계없이 일시적이더라도 환자가 생존한 경우를 의미한다.

익사자는 물속에 빠진 후 돌연한 공황을 느끼고 허우적거리면서 호흡을 할 때 물이 기도로 유입되고, 기도로 유입된 물에 의해 기침과 연하반응이 일어나면서 더 많은 물을 흡입하고 삼킨다. 물이 후두개를 지나가면서 후두의 근육이 수축하여 기도를 폐쇄시킬 수 있다. 이러한 현상을 후두경련(laryngeal spasm) 혹은 성문폐쇄(glottic closure)라고 한다.

후두경련은 후두를 폐쇄하여 어떠한 물질이 폐로 들어가는 것을 막기 위하여 생기는 현상이지만, 공기의 흐름도 차단되어 폐로 산소가 유입되지 않으므로, 환자는 저산소증으로 무의식이 된다. 의식을 잃으면 후두경련이 사라져 물이 폐에 들어가게 된다. 익사자의 약 10%가 저산소증으로 사망하는데, 이처럼 물이 폐로 유입되지 않고 후두경련에 의하여 발생하는 경우를 건성익사(dry drowning)라 하며, 나머지 유형은 호흡 시도로 폐에 물이 들어가거나, 의식을 잃으면서 많은 물이 폐로 들어가게 될 수 있다. 이러한 경우에는 습성익사(wet drowning)라 한다. 익사사고의 경우 가장 중요한 문제는 저산소혈증이다.

① 건성익사인 경우에는 PO_2가 급속하게 감소하여 사망할 수 있지만 비가역적인 뇌손상 전에 인공소생술을 시행하면 신속하고 완전한 회복이 가능하다.

② 습성익사인 경우에는 저산소혈증이 보다 심하게 되는데 그 정도는 흡인된 물의 양이나 종류에 따라 많이 달라질 수 있다. 습성익사인 경우 저산소증 발생에 관여하는 기전으로는 반사성 후두경련, 기관지 경련, 흡인된 고형성분에 의한 기도폐쇄, 지속적인 저산소혈증에 수반하는 폐부종 등이 있다.

저산소증은 물에 빠진 후 사고의 정도와 시간, 흡인한 물의 양에 따라서 나타나는 중요한 소견 중 하나인데. 심한 저산소증이라도 조기에 적극적인 치료를 시행한다면 결과가 양호한 경우가 많다.

저수지나 호수와 같이 담수(염도 약 0.5%)에 의한 익사 시에는 담수가 혈액보다 삼투압이 낮기(저장성) 때문에 폐로 유입된 담수는 허파꽈리 벽을 통과하여 혈류로 흡수된다. 결과적으로 혈액내로 흡수되어 혈액량이 급격히 증가되어 용혈과 전해질 희석이 일어난다. 결국 심장의 부담이 되고 폐부종(pulmonary edema)이 발생하며 허파꽈리의 모세혈관벽이 손상되며, 허파꽈리를 싸고 있는 표면활성제(surfactant)의 변성을 초래하게 되어 폐포가 찌그러져 환기장애가 일어남으로써 저산소증이 유발된다.

해수(염도 약 3% 이상)가 폐로 유입되면 농축된 바닷물은 삼투압이 높기 때문(고장성)에 혈액내의 혈장성분과 혈장(plasma)이 허파꽈리 내로 급속히 이동하여 폐부종이 유발되며, 이로 인해 공기 중의 산소가 혈액내로 유입되지 못하여 저산소증을 일으킨다. 결과적으로 해수나 담수와 관계없이 저산소증이 발생하게 된다.

Tip. 폐부종(pulmonary edema)

① 75%정도로 흔히 관찰

② 해수(고장성)흡인 : 수분이나 혈장이 혈중에서 폐포로 빠져나와 발생

㉠ 체액이 혈중 → 폐포　㉡ 저혈량증　㉢ 쇽

③ 담수(저장성)흡인 : 폐포모세혈관벽의 손상과 표면활성제 변성으로 고단백성 혈장의 삼출이 일어나서 발생

㉠ 체액이 폐포 → 혈중　㉡ 과혈량증 → 저혈량증

㉢ 체액이 다른 장기로 신속히 이동

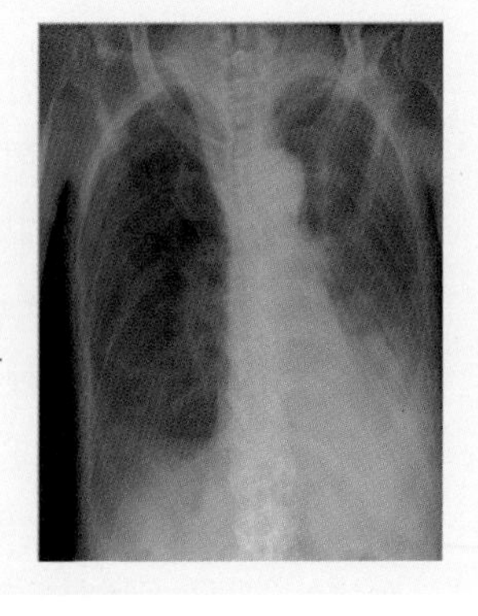

저산소증은 심장의 기능에도 영향을 주어서 심방세동이나 심실조기수축 같은 부정맥도 유발할 수 있으며, 익사 후 갑작스럽게 사망하는 경우는 심실세동에 의한 경우가 많다.

익사 환자는 차가운 물에서 30분 이상 있거나 심장정지된 후에 소생되기도 한다. 일단 물이 21.1℃ 이하로 온도가 떨어지면, 생물학적 사망은 지연될 수 있다. 물이 차면 찰수록, 치명적인 합병증을 일으키지 않은 한, 환자의 생존기회는 더 많아진다. 그래서 응급구조사는 환자의 소생을 위해 더욱 큰 노력을 해야 한다.

1) 수상구조

수상구조는 강이나 바다에서의 각종 사고, 선박사고, 폭우에 의한 홍수지역, 범람하는 댐과 저수지로 인하여 발생한 환자를 구조하는 것이다. 효과적인 수상구조를 위해서는 응급구조사가 수상안전에 관한 기초 지식을 가져야 한다.

① 수상구조에 참여하는 대원은 수영에 능숙해야 한다.

② 수상안전요원이나 인명구조원과 같은 훈련을 거치는 것이 바람직하다.

③ 수상구조대원은 항상 구명복을 착용해야 한다.

㉠ 물속으로 들어가기 전에는 두꺼운 의복이나 신발은 벗는 것이 좋다.

고요한 호수나 강에서 부표나 나무 등에 매달려 있는 사람을 구조하는 것과 환자를 구조하기 위하여 급류의 강을 건너는 것은 커다란 차이가 있다. 또한, 바다에서는 조수, 큰 파도, 저

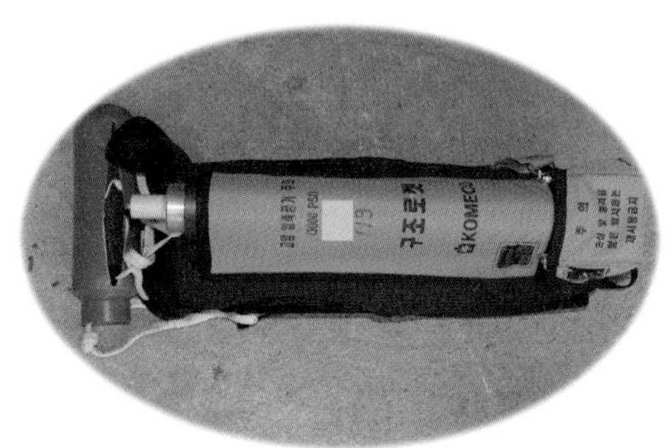

그림 4-1. 구명환을 이용한 구조

그림 4-2. 수난 구조로켓으로 안전줄을 환자 있는 곳까지 보낸 후 구조한다.

류와 같은 부가적인 문제가 있으므로 구조에 신중히 처리해야 한다. 위험한 지역에서 수상구조를 할 때는 가능한 구명줄을 해안에 연결한 다음 환자에게 던지거나 안전줄 발사기를 사용하여 구조한다(그림 4-1, 그림4-2).

수상구조대원은 환자의 체온이 저하되지 않도록 주의해야 한다. 체온보존은 물에 빠진 환자의 상태가 악화되는 것을 방지한다.

2) 익사의 응급처치

① 익사상태에서 구조된 환자에게는 수중에서부터 즉각적인 인공호흡을 시행하여야 한다.

② 맥박이 느껴지지 않는다면 육상으로 신속하게 이동한 후 심폐소생술이 실시되어야 한다.

㉠ 많은 양의 물이 폐로 유입되지 않은 환자는 적당한 산소 환기로 저산소증이 회복될 가능성이 높다.

③ 호흡이 있다면 응급구조사는 통풍이 잘되는 곳에 환자를 위치한다.

㉠ 충분한 산소를 투여하면서 신속히 병원으로 이송해야 한다(그림 4-3).

④ 의식이 있고 여전히 물속에 있다면 수상구조가 필요하다.

㉠ 수상구조에 대한 훈련이나 경험이 적은 응급구조사는 물속에서의 수상구조를 시도하지 말아야 한다.

- 숙련되지 않은 사람이 무리하게 수중구조를 시도하면, 자신도 수중사고의 희생될 수 있다.

㉡ 밧줄이나 생명 보호구와 같이 물에 뜰 수 있는 것을 조난자에게 던져 주어야 한다.

그림 4-3. 신속한 적정한 산소공급 및 심폐소생술을 실시한다.

호수, 강, 바다에 근접한 지역에서 종사하는 응급구조사는 수상구조훈련을 충분히 받아야 하며, 구명복과 다른 구조 장비의 확보와 사용방법을 숙지하는 것이 매우 중요하다.

3 익사자 구조

물에 빠진 사람을 보았을 때 이를 구조하려고 시도하는 것은 인간의 본능적 행동이다. 그러나 그 본능적으로 취하는 행동이 반드시 무리가 없고 성공한다고는 말할 수 없다. 그저 구조해 보겠다는 생각으로 무작정 행동하다가 구조하려던 사람마저 위험에 처하게 되는 상황이 빈번하게 발생하기 때문이다.

① 가능한 한 직접 물에 들어가지 않는다.

㉠ 로프, 구명대 등을 익사자에게 던지거나 노, 장대 등 잡을 수 있는 물체를 건네주어 잡을 수 있도록 하는 방법을 가장 먼저 시도한다.

② 육상에서 접근이 불가능할 때에는 보트 등을 이용하여 수상에서 직접 접근한다.

③ 응급구조사 및 구조자가 수영해서 구조하는 것은 최후로 선택하는 구조방법이다.

수영 실력이 있는 상당한 구조대원일지라도 별도의 전문적인 수중구조 훈련을 받지 않았으면 맨몸으로 익사자를 구출한다는 것이 매우 어려운 일임을 명심해야 한다.

1) 구조자의 신체를 이용하는 방법

(1) 기본적 구조

물에 빠진 사람이 손이 닿을 수 있는 거리에 있으면 구조자는 엎드린 자세에서 몸의 상부를 물 위로 펴고 익사자에게 손을 내민다(그림 4-4). 그러나 손이 물에 빠진 사람에게 미치지 않는 경우 구조자는 그 자세를 반대로 한다. 즉, 기둥이나 물건 등을 단단히 붙잡은 채 몸을 물속에 넣어 두 다리를 쭉 펴게 되면 익사자가 그 다리를 잡고 나올 수 있다(그림 4-5).

어느 경우나 구조자가 몸을 충분히 지지할 수 있어야 익사자가 잡아당길 때 물에 빠지지 않고 안전하게 구조할 수 있다(그림 4-4, 그림 4-5).

그림 4-4. 기본적 구조(1)

그림 4-5. 기본적 구조(2)

(2) 신체 연장에 의한 구조

익사자와의 거리가 멀어서 손으로 붙잡기가 곤란한 경우에는 그 주위에 있는 물건 중 팔의 길이를 연장하는 데 쓰일 수 있는 도구를 이용하여 신체의 길이를 연장할 수 있다. 주변에 마땅한 도구가 없을 때는 옷을 벗어 로프로 대용할 수도 있다(그림 4-6).

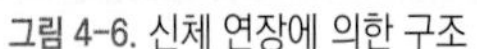

그림 4-6. 신체 연장에 의한 구조 그림 4-7. 인간사슬 만들기 (인간사슬 손잡이, human chain)

(3) 인간사슬 구조

다수의 구조자가 손을 맞잡고 물에 빠진 사람을 구조하는 방법은 물살이 세거나 수심이 얕아 보트의 접근이 불가능한 장소에서 적합한 방법이다. 4-5명 또는 5-6명이 서로의 팔목을 잡아 쇠사슬 모양으로 길게 연결한다. 서로를 잡을 때는 손바닥이 아니라 각자의 손목 위를 잡아야 연결이 끊이지 않는다(그림 4-7, 인간사슬 손잡이).

2) 장비를 이용한 구조기술

(1) 구명환과 로프를 이용한 구조

익사한 사람을 구조하기 위하여 만들어낸 최초의 기구는 구명환(Ring buoy)이었다(그림 4-8). 이것은 카아데(Carte)라는 영국 사람이 1840년에 고안하여 만들었으며 그 후 전 세계적으로 널리 사용되어 왔다. 익사자는 수중에서 부력을 받는 상태이기 때문에 구명환에 연결하는 로

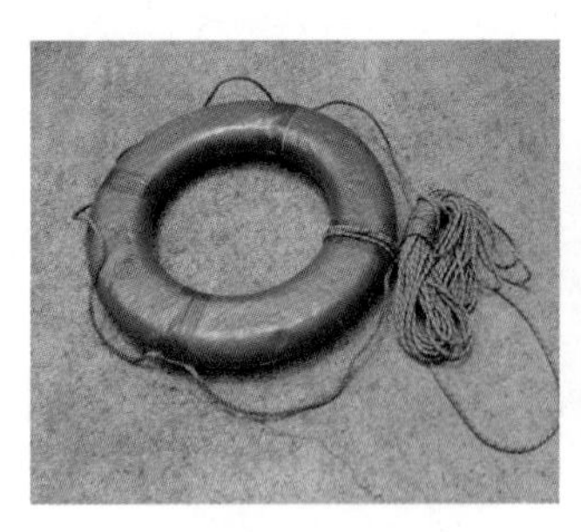

그림 4-8. 구명한

프는 일반구조용 로프보다 가는 것을 사용해도 구조활동이 가능하다. 구명환을 던지는 기술은 그리 어려운 것은 아니다. 그러나 정확을 기하려면 연습을 많이 하여야 한다. 손으로 던질 수 있는 거리보다 먼 경우에는 구조로켓환(그림 4-2)을 이용할 수도 있고 구명환이 없는 경우에는 구명조끼나 목재 등 물에 뜰 수 있고 주변에서 쉽게 구할 수 있는 물체를 연결해서 던져도 된다(표 4-1).

표 4-1. 구명환과 로프를 이용한 구조 방법

① 익사자와의 거리를 눈으로 측정하고 로프의 길이를 여유 있게 조정한다.

② 구조자가 익사자를 향하여 반쯤 구부린 자세로 선다.

③ 오른손잡일 경우 오른손에 구명부환을 쥐고 왼손에 로프를 잡으며 왼발을 어깨너비만큼 앞으로 내민다. 이때 왼발로 로프의 끝부분을 밟아 고정한다.

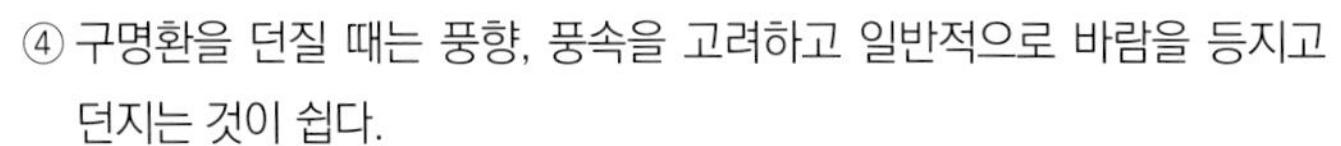

④ 구명환을 던질 때는 풍향, 풍속을 고려하고 일반적으로 바람을 등지고 던지는 것이 쉽다.

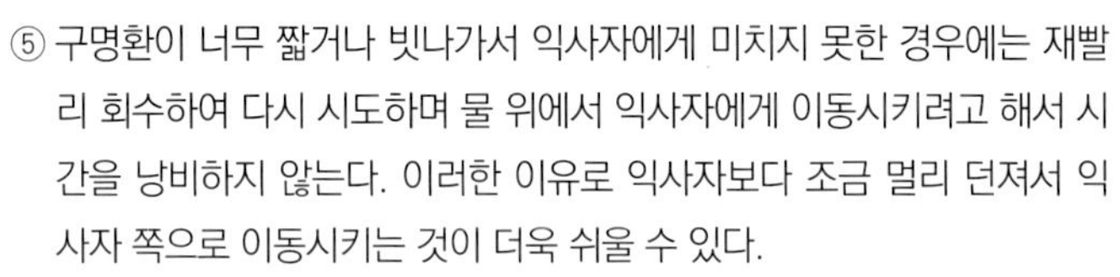

⑤ 구명환이 너무 짧거나 빗나가서 익사자에게 미치지 못한 경우에는 재빨리 회수하여 다시 시도하며 물 위에서 익사자에게 이동시키려고 해서 시간을 낭비하지 않는다. 이러한 이유로 익사자보다 조금 멀리 던져서 익사자 쪽으로 이동시키는 것이 더욱 쉬울 수 있다.

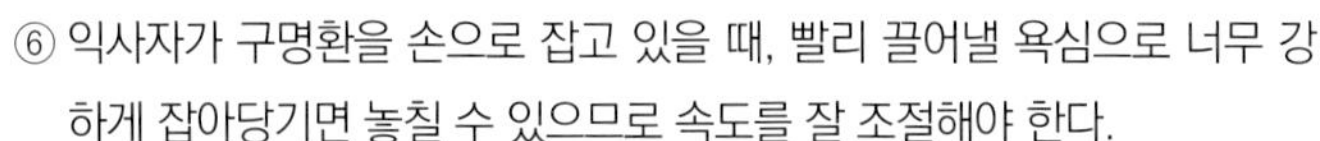

⑥ 익사자가 구명환을 손으로 잡고 있을 때, 빨리 끌어낼 욕심으로 너무 강하게 잡아당기면 놓칠 수 있으므로 속도를 잘 조절해야 한다.

(2) 구조용 튜브

구조장비가 없을 때 사용하는 다가가기 기술보다 속도가 느린 점은 있지만, 구조원에게 안정감을 주기에는 유리하다. 장비를 이용한 다가가기 기술은 다음과 같다.

① 먼 거리 접근

구조대상자의 거리가 먼 경우에는 개인구조장비 어깨끈을 맨 채로 뒤에 달고 다가서기를 시도한다. 이때는 자유형이나 평영을 사용한다. 자유형을 하는 경우에는 지속해서 구조대상자를 주시한다(그림 4-9).

② 짧은 거리 접근

구조대상자와의 거리가 짧을 경우에는 구조 튜브(rescue tube)를 수상인명구조원의 가슴에 수평으로 껴안고 다가가기를 한다. 이때는 자유형이나 평영을 이용한다(그림 4-10).

그림 4-9. 먼 거리 접근(구조 캔을 이용)

그림 4-10. 짧은 거리 접근

③ 구조방법

㉠ 의식 있는 요구조자의 구조 : 대화로 심적인 안정을 유도한다.

㉡ 의식 없는 요구조자의 구조 : 수면이나 수면 바로 아래 위치하여 직접 구조한다. (척추부상이라고 판단되지 않는 경우)

(3) 구조 캔

대체로 구조 튜브와 동일하게 사용하며 해변 쪽에서 주로 사용한다.

(4) 구조보드

구조보드(rescue board)는 바람, 조류, 파도의 영향을 받는다.

(5) 구명보트에 의한 구조

수영이나 구명환 등에 의한 구조가 불가능한 경우 구명보트를 이용하여 구조를 행하는데 기본적으로 응급구조사는 구명보트의 조작요령을 완벽히 숙지하여야 한다.

구명보트가 익사자에게 접근할 때 무엇보다도 중요한 것은 익사자에게 붙잡을 것을 빨리 건네주어 가능한 한 물 위에 오래 떠 있을 수 있게 하는 것이다. 만일 익사자가 뒤집힌 보트나 부유물, 목재 등을 잡고 있으면 안전을 고려하여 천천히 구조하여도 무방하지만, 긴급한 상황에서는 먼저 로프를 연결한 구명환 등을 건네주어 오래 떠 있도록 조치한다.

표 4-2. 보트를 이용한 구조 방법

① 보트는 바람을 등지고 익사자에게 접근하는 것이 좋다. 강풍이 불 때 맞바람을 맞고 접근하게 되면 구명보트에 익사자가 손상 우려가 있다. 익사자가 흘러가는 방향으로 따라가면서 구조하는 것이 더욱 쉽다. 그러나 풍향과 풍속, 유속, 익사자의 위치 등 고려해야 할 여건이 많으므로 일률적으로 적용하는 것은 곤란하다.

② 익사자가 격렬하게 허우적거릴 때는 너무 가까이 접근하지 말고 먼저 구명환 또는 노 등 붙잡을 수 있는 물체를 건네준다.

③ 작은 보트로 구조할 때에 좌우 측면으로 익사자를 끌어올리면 보트가 전복될 우려가 있으므로 전면이나 후면으로 끌어올리는 것이 안전하다.

④ 모터보트인 경우 익사자가 스크루에 다칠 수 있으므로 보트의 전면이나 측면으로 끌어올리는 것이 적합하며 이 경우 보트가 한쪽으로 기울어지지 않도록 주의한다.

⑤ 익사자가 의식이 있고 기력이 충분하다고 판단되는 경우에는 무리하게 보트로 끌어 올리려고 시도하지 말고 매달고(끌고) 육지로 운행하는 방안도 마련한다.

3) 직접구조

(1) 구조기술

① 의식 있는 익사자

익사자가 의식이 있을 때, 가장 많이 사용되는 방법은 '가슴 잡이' 이다. 구조자는 익사자의 후방으로 접근하여 오른손을 뻗어 익사자의 오른쪽 겨드랑이를 잡아끌듯이 하며 위로 올린다. 가능하면 익사자의 자세가 수평을 유지하도록 하는 것이 좋다.

이와 동시에 구조자의 왼팔은 익사자의 왼쪽 어깨를 나와 오른쪽 겨드랑이를 감아 잡는다. 이어 힘찬 다리차기와 함께 오른팔의 동작으로 익사자를 수면으로 올리며 이동을 시작한다. 그러나 익사자가 물 위로 많이 올라올수록 구조자가 물속으로 많이 가라앉아 호흡이 곤란할 수도 있음을 유의하여야 한다(표 4-3, 그림 4-11, 그림 4-12).

그림 4-11. 전방접근 후 의식 있는 구조대상자 구조 방법

표 4-3. 의식 있는 구조대상자 구조방법

전방접근 방법

① 전방접근을 한다.
② 구조 튜브의 연결 끈 반대쪽 끝을 내밀어 주어 잡도록 한다.
③ 구조대상자가 다리차기를 할 수 있다면 그렇게 하도록 권장한다. 만약 다리차기를 못하면 "옆으로 끼세요"하고 말을 한 다음 뒤로 돌아가 평영 발차기를 하면서 나온다.
④ 안전지대로 구조대상자를 끌어 이동한다.

후방접근 방법

① 후방접근을 한다.
② 구조 튜브를 구조원의 양겨드랑이 밑에 껴 넣은 상태에서 구조대상자의 양겨드랑이를 아래서 위로 감아 잡는다. 동시에 구조 튜브를 구조원과 구조대상자 사이에 꼭 끼도록 한다.
③ 구조대상자를 뒤로 젖혀 자세가 수평이 되도록 한다. 이때 두 사람의 머리가 서로 부딪치지 않게 조심한다.
④ 대화를 통해 안정을 유도한다.
⑤ 기본 배영의 다리 차기를 사용하여 안전지대로 이동한다.

그림 4-12. 후방접근 후 의식 있는 구조대상자 구조방법

② 의식 없는 익사자

익사자가 의식을 잃었을 때 구조하는 방법으로 '한 겨드랑이 끌기', '두 겨드랑이 끌기', ' 손목 끌기' 가 있다. 이 방법은 익사자가 수면에 떠 있거나 수중에 가라앉은 경우 모두 활용할 수 있다.

㉠ 한 겨드랑이 끌기

- 구조자가 익사자의 후방으로 접근하여 한쪽 손으로 익사자의 같은 쪽 겨드랑이를 잡는다.
- 구조자의 손은 겨드랑이 밑에서 위로 끼듯이 잡고 익사자가 수면과 수평을 유지하도록 하고 횡영 동작으로 이동을 시작한다(표 4-4, 그림 4-13).

㉡ 두 겨드랑이 끌기

- 한 겨드랑이 끌기와 같은 방법으로 하되 구조자가 두 팔을 모두 사용하는 것이 다르다.
- 익사자의 자세가 수직일 경우에는 두 팔로 겨드랑이를 잡고 팔꿈치를 익사자의 등에 댄다.
- 손으로는 끌고 팔꿈치로는 미는 동작을 하여 익사자의 얼굴이 수면을 향하고 있을 때는 하늘을 향하도록 돌려놓는다.
- 익사자를 1m 이상 끌고 가다가 잡고 있는 손을 물 밑으로 큰 반원을 그리듯 하며 돌려서 얼굴이 위로 나오도록 한다.

표 4-4. 의식 없는 구조대상자 구조방법

전방접근 방법

① 전방으로 접근을 한다.
② 개인 구조장비를 수상인명구조원과 구조대상자 사이에 일자로 위치하도록 가로막기를 하고 손목 끌기 방법으로 구조대상자를 뒤집는다. 이때 구조장비를 구조대상자의 어깨 바로 밑 등 부위에 위치하도록 눌러 넣는다.
③ 구조대상자의 손목을 잡고 있던 팔로 대상자의 어깨와 구조 튜브를 동시에 위에서 아래로 감아 잡는다. 구조 튜브일 경우에는 팔로 어깨를 감아 잡고 그 손으로 구조 튜브를 잡는다.
④ 횡영으로 구조대상자를 안전지대로 이동시킨다. 구조 튜브는 구조대상자를 그 위에 올려놓는데도 사용되며, 또는 구조대상자를 감아 묶는 데도 사용할 수 있다. 구조대상자를 감아 묶는 데는 전방접근과 후방접근에서도 이용된다. 구조 튜브는 직접 수상인명구조원의 가랑 이에 묶어 사용되기도 한다.

후방접근 방법

① 후방으로 접근한다.
② 구조 튜브를 수상인명구조원의 양겨드랑이 밑에 수평으로 껴 넣은 상태에서 구조대상자의 양겨드

랑이를 아래서 위로 감아 잡는다. 동시에 구조 튜브를 수상인명구조원과 구조대상자 사이에 꼭 끼도록 한다.

③ 구조대상자를 뒤로 젖혀 자세가 수평이 되도록 한다. 이때 두 사람의 머리가 서로 부딪치지 않게 조심한다.

④ 구조대상자와 함께 옆으로 굴러 대상자의 가슴과 얼굴이 물 위로 나오고 수상인명구조원이 위로 위치하게 한다.

⑤ 안전지대로 이동하는데 가능하면 이때 구조대상자를 잡은 수상인명구조원의 팔은 구조대상자의 어깨를 위에서 아래로 끼워 구조장비와 함께 잡을 수도 있다.

한 겨드랑이 끌기

두 겨드랑이 끌기

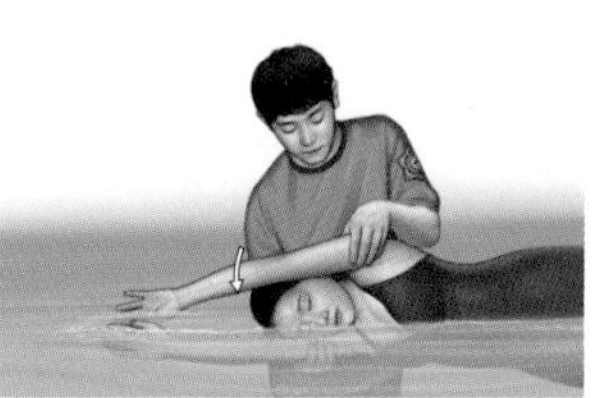

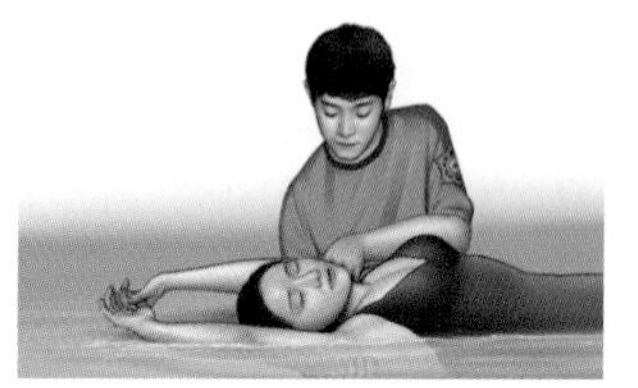

요구조자가 얼굴이 아래로 향하고 있는 경우에는 물으로 큰 반원을 그리듯 하며 돌려서 얼굴이 위로 나오도록 한다.

그림 4-13. 후방접근 후 의식 없는 구조대상자 구조방법

그림 4-14. 전방접근 후 의식 없는 구조대상자 구조방법

표 4-5. 깊은 물에 가라앉은 구조대상자 구조

① 한 겨드랑이, 두 겨드랑이, 손목끌기를 사용하여 구조대상자를 물 위로 끌어올린다.
② 한 손으로 물 위에 놓았던 구조장비를 수거하여 수상인명구조원과 구조대상자 사이에 놓고 양쪽 또는 한쪽 겨드랑이를 감아쥔다.

그림 4-15. 구조대상자 감아 묶는 방법

수자의 자세가 수면과 수평이 되도록 이끈다. 두 겨드랑이 끌기에서는 팔 동작을 하지 않는 배영으로 이동한다(그림 4-16). 이 두 기술은 번갈아 가며 사용하기도 하는데 일반적으로 먼 거리를 이동할 때에는 한 겨드랑이 끌기를 사용한다(그림 4-17). 손목 끌기는 주로 익사자의 전방으로 접근할 때 사용한다. 구조자는 오른손으로 익사자의 오른손을 잡는다(그림 4-18).

만약 익사자의 얼굴이 수면을 향하고 있을 때는 하늘을 향하도록 돌려놓는다. 이때에는 익사자를 1m 이상 끌고 가다가 잡고 있는 손을 물 밑으로 큰 반원을 그리듯 하며 돌려서 얼굴이 위로 나오도록 한다(그림 4-19).

그림 4-16. 두 겨드랑이 끌기

그림 4-17. 한 겨드랑이 끌기

그림 4-18. 손목 끌기

그림 4-19. 발 밀기

표 4-6. 구조보드 사용법

① 입수 시 보드의 중간 위치를 잡는다.
② 수심이 무릎 깊이가 되면 보드를 옆으로 내리고 밀고 간다. 보드의 중심 약간 위쪽에 탄다.
③ 구조보드 위에서 감시할 때는 무릎을 꿇거나 앉아서 시야를 확보하도록 한다.

그림 4-20. 구조보드 사용법

표 4-7. 구조보드를 이용해서 구조대상자에게 접근 및 구조방법

접근 방법

① 잔잔한 물에서는 보드의 앞쪽을 구조대상자 쪽으로 향하게 한다.
② 무릎을 꿇은 상태로 접영으로 팔을 젓는다.
③ 머리를 들어서 구조대상자에 대한 시야를 확보한다.
④ 물살이 세거나 강풍에서는 접근 방향을 변경한다.

지친 요구조자 구조방법

① 구조대상자의 측면으로 접근
② 구조대상자의 손목을 잡고 보드의 반대편으로 미끄러져 내려간다.
③ 구조대상자가 구조보드 위로 팔을 올리도록 도와준다. 구조대상자를 안심시키고 쉴 수 있도록 한다.
④ 구조대상자가 보드에 배를 대고 누워 있도록 한다. 보드 앞부분이 가라앉지 않도록 주의한다.

⑤ 발을 저어서 보드를 해안가로 향하게 위치시키고 구조대상자의 다리 사이로 올라간다. 보드의 전복 방지를 위해 다리는 물속에 위치시킨다.
⑥ 다리를 저어서 보드를 해안가로 이동시킨다.
⑦ 구조대상자가 보드에서 내리도록 도와주고 1인 부축하기 운반으로 이동시킨다.

그림 4-21. 의식이 없거나 보드에 오르지 못하는 구조대상자 구조법

표 4-8. 의식이 없거나 보드에 오르지 못하는 구조대상자 구조법

① 구조대상자의 측면으로 접근하여 구조대상자가 보드의 약간 상단에 위치하도록 한다.
② 구조대상자의 손목을 잡고 보드 반대편으로 미끄러져 내리면서 보드를 돌린다.
주의 : 구조대상자의 겨드랑이가 보드 모서리에 위치하도록 할 것
③ 다른 한 손으로 보드의 반대편 모서리를 잡는다.
④ 보드의 한쪽 끝을 무릎으로 눌러서 보드를 자신 쪽으로 돌리고 보드가 내려올 때 구조대상자의 머리를 잡는다.
주의 : 보드를 돌릴 때 팔 상단부가 아닌 겨드랑이가 보드의 모서리에 위치하도록 할 것
⑤ 구조대상자의 머리를 보드의 앞쪽으로 향하게 하고 보드의 중앙부에 구조대상자를 위치시킨다.
⑥ 발을 저어서 보드를 해안가로 향하게 위치시키고 구조대상자의 다리 사이로 올라간다. 보드의 전복 방지를 위해 다리는 물속에 위치시킨다.
⑦ 다리를 저어서 보드를 해안가로 이동시킨다.
⑧ 구조대상자가 보드에서 내리도록 도와주고 부축하기, 끌기, 어깨운반 등 운반법 중에서 선택하여 이동한다.
※ 주의 : 의식이 없는 구조대상자를 보드 위로 올릴 수 없다면 보드를 이용해서 구조대상자가 가라앉지 않게 하고 얼굴을 위쪽으로 한 상태를 유지하고 도움을 요청한다.

Tip. 수중구조(Water Rescues)

대부분 수중에서 간단히 수행할 수 있는 것으로 줄 던지기, 구명대 던지기, 보트 젓기, 환자에게 다가가기가 있다.
① 건네주기

환자가 의식이 있고 해변이나 수영장 측면에서 가까이 있을 때 환자가 잡을 수 있는 물체를 던진다. 응급구조사의 자세가 안전한지 확인하고, 밧줄을 사용할 수 없다면 나뭇가지, 노, 지팡이 또는 다른 물체, 수건이나 옷자락, 담요 등을 사용한다. 물체를 사용할 수 없거나 응급구조사가 환자를 잡을 유일한 방법이라면 환자에게 팔이나 다리를 뻗는다(수영을 할 수 있어야 한다). 이때 반드시 명심해야 할 것은 응급구조사가 안전한 위치에 있어야 한다는 점이다.

② 던지기

환자가 의식이 명료하지만 너무 멀리 떨어져 있고 수위가 높을 때는 구명환을 던진다. 개인구명대(PED) 또는 구명조끼 또는 원형 구명대가 가장 좋다. 현장에서 뜰 수 있는 것이 아무것도 없는 상황이라면 공기 부목도 사용할 수 있다.

일단 의식이 있는 환자가 물에 뜨는 물체를 잡고 있다면 그를 해변까지 끌어당길 방법을 찾아야 한다. 안전한 위치를 잡은 다음 환자에게 줄이나 다른 구명 장비를 묶어서 던진다. 수영에 능숙하고 물살을 판단하는 방법을 안다면, 허리보다 깊지 않은 곳까지 걸어가서 구명장비를 착용하고 해변에 고정해 놓은 구명줄을 가지고 가다.

③ 보트 젓기

환자가 해변으로부터 너무 멀리 있어서 구명대를 던져 끌어당길 수 없을 때 혹은 환자가 반응이 없을 때, 보트를 저어 환자에게 갈 수 있다. 수영할 수 없다면 환자에게 보트를 저어 가지 않는다. 수영에 능숙하다면 보트를 타고 가는 동안 개인 구명장비를 착용해야 한다.

환자가 의식이 있다면 환자에게 노 혹은 배의 뒷부분(선미)을 잡으라고 말한다. 환자를 배에 태울 때 주의를 기울여야 한다.

④ 나아가기

최후의 수단으로 다른 모든 방법이 실패했을 때 환자에게 수영해서 갈 수 있다. 응급구조사가 수영에 능숙하고 수중구조와 심폐소생술을 훈련받은 경우에 실시한다.

※ 수중구조의 순서 : 건네주기 → 던지기 → 젓기 → 나아가기

(2) 익사 환자의 인공호흡

익사 환자에 대한 이송 및 응급처치는 **지체** 없이 시행한다. 환자의 응급처치는 물 밖으로 나와 있을 때는 시작하여야 한다. 다른 경우에는 환자가 아직 물에 있는 동안에 응급처치를 시작할 필요가 있을 때도 있다. 특히, 인공호흡과 척추손상 가능성이 있다면 척추고정 및 인공호흡의 응급처치를 시행하여야 한다. 흉부압박은 익사환자가 육지로 이동된 직후에만 효과적으로 적용이 될 수 있다.

구조호흡은 지체 없이 적용되어야 하고, 호흡이 없는 익사환자를 구조한다면, 환자를 반앙와위 자세(semi-supine position)로 지지하면서 인공호흡을 제공한다. 환자를 고정하고 물 밖으로 옮기는 동안 계속 인공호흡을 제공한다(그림4-22). 익사환자가 이미 육지 또는 배에 있다면 심폐소생술이 이루어져야 한다.

익사환자에게 구조호흡을 할 때 응급구조사는 저항을 느낄 수도 있다. 따라서 다른 환자보

다 더 강력하게 구조호흡을 해야 할 것이다. 가능한 빨리 익사환자의 허파에 공기를 넣어야 주어야 한다는 점을 기억해야 한다. 그리고 표 4-9와 같은 상황에 유의하며 응급처치를 하여야 한다.

표 4-9. 응급처치 시 유의사항

환자의 허파에 물이 있는 환자는 대개 위(stomach)에도 물이 차는 경우	인공호흡이나 심폐소생술을 하는데 더 저항을 느낄 수 있다.
환자가 기도를 따라 강직이 있거나 인후나 기관지의 조직이 부어있는 경우	응급구조사가 불어넣은 공기가 환자의 위로 갈 수 있다.
환자의 기도가 올바르게 열리지 않거나 구조 호흡이 너무 강력할 경우	응급구조사가 불어넣은 공기가 환자의 위로 갈 수 있다.

그림 4-22. 수중에서 부터 소생노력을 실시한다.

(3) 척추손상에 대한 응급처치

수중관련 사고에서 가장 많이 보는 손상은 **경추손상**이다. 예를 들면, 다이빙이나 보트, 수상스키, 서핑자나 서핑판에 부딪혔을 때 손상을 입게 된다. 수중관련 사고에서 가장 일반적인 손상이 경추손상이긴 해도 척추를 따라 어느 곳에라도 손상이 발생할 수 있다. 척추손상을 받은 환자는 물속에 있는 동안에 반드시 고정되어야 한다(그림 4-23).

물과 관련된 사고에서 환자가 무의식이나 두부손상을 입었다면 경부와 척추손상을 입었다고 가정해야 한다.

① 환자가 호흡정지 또는 심장마비에는 목과 척추를 고정하기 전에 심폐소생술을 시작할 필요가 있다는 것을 명심해야 한다.

② 환자가 물속에 있는 동안은 척추손상에 대하여 완전한 평가를 시행할 수 없다는 것을 알아야 한다.

③ 척추손상을 악화시키지 않도록 응급처치를 하지만 기본인명구조술(BLS)은 지체해서는 안 된다.
  ㉠ 위급한 상황이라면 지체 말고 환자를 물 밖으로 옮겨야 한다.
  ㉡ 가능한 환자의 경추를 단단하게 고정하고 몸의 중심선을 유지한다.
  ㉢ 척추손상 환자의 기도유지는 가능한 하악견인법을 이용한다.
④ 척추손상 가능성이 있는 환자가 물속에 있고, 응급구조사가 수영에 매우 능숙하여 구조를 도울 수 있다면, 환자를 물에서 꺼내기 전에 긴 척추고정판에 환자를 고정한다.
  ㉠ 영구적인 신경학적 손상이나 마비를 예방할 수 있다.
  ㉡ 단단한 척추고정판은 수면 밑으로부터 아주 쉽게 들어 올릴 수 있다.
⑤ 인공호흡이나 심폐소생술을 받은 익사환자는 가능한 빨리 병원으로 이송해야 한다.
⑥ 심폐소생술 및 즉각적인 이송이 필요하지 않는다면, 환자의 체온을 유지하고 환자의 병력과 신체검진을 실시한다.
  ㉠ 환자 평가를 해야 하는 신체부위만 노출시킨다.
  ㉡ 우선순위에 따라 신체평가를 하는 동안 발견된 모든 문제나 손상에 대해 응급처치를 한다.

Tip. 물 밖에 있는 익사환자 응급처치

1. 무의식환자는 척추손상을 의심한다. 가능한 척추를 보호하면서 일차평가를 실시해야 한다.
2. 맥박이 없다면 심폐소생술을 시작하고 자동제세동기(AED) 적용한다.
   포켓마스크, 백 밸브 마스크를 이용(one-way-valve)하여 자신을 보호한다.
3. 찬물에서 구조된 익사환자는 맥박수가 떨어져 있기 때문에 30-60초 동안 맥박을 측정하여 심정지를 확인한다.
4. 쇼크 및 고농도의 산소를 투여하며 가능한 빨리 이송한다.

⑦ 척추손상이 의심되지 않는다면 환자는 물, 구토물, 다른 분비물이 상기도부터 배출되도록 좌측위를 유지해야 한다.
  ㉠ 필요시 구토물 및 다른 분비물을 흡인한다.
⑧ 이송이 지연되고 환자가 좀 더 따뜻한 장소로 움직일 수 있다고 생각된다면, 현재 손상을 악화시키지 않도록 하고 이동한다.
  ㉠ 익사환자를 걷지 않도록 하여야 한다.
⑨ 물에 빠져서 구조된 직후 멀쩡해 보인 환자라도 상당수에서 지연된 이상 증상이 나타나므로 반드시 병원으로 이송되도록 환자를 설득해야 한다.

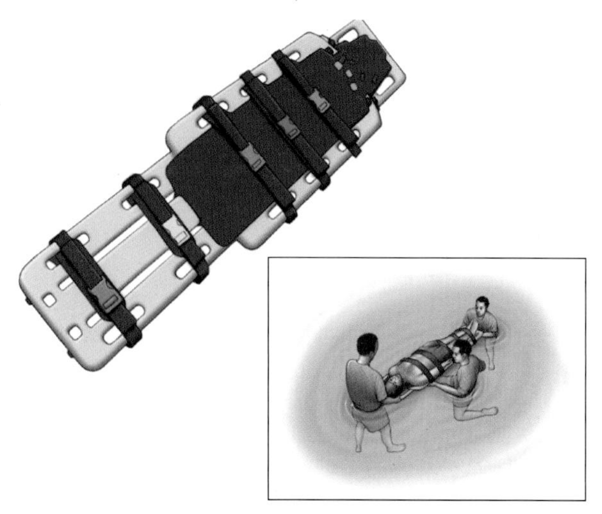

그림 4-23. 물속에서부터 척추손상에 대한 고정

익사의 경우 현장 그리고 이송하는 동안 119종합상황관리센터 전화상담원(Emergency Medical Dispatcher)이나 병원에 정보를 제공하는 것이 중요하다. 병원 응급실 응급의료종사자는 염수 혹은 담수에서, 찬물 혹은 따뜻한 물에서, 다이빙 사고와 관련이 있는지 등을 알 필요가 있다.

Tip. 척추손상이 의심되는 환자의 구조과정

① 환자의 얼굴을 물 위로 위치시킨다.

㉠ 수면으로 얼굴을 내밀기 위하여 환자의 체위를 변화하고자 하는 경우에는 최소 2명의 응급구조사나 구조대원이 필요하다.

㉡ 척추손상 환자에서 환자의 머리만 돌리면 손상이 더욱 악화되기 때문에 환자의 두부와 상반신을 동시에 돌려서 척추 2차 손상을 예방한다.

② 기도 확보하고 인공호흡을 시행한다.

㉠ 환자의 얼굴을 물 위로 위치시킨 후에 입 대 입, 혹은 다른 호흡보조 장비로 인공호흡을 시작한다.

㉡ 응급구조사 및 구조대원은 환자의 머리와 몸통을 수평으로 유지하고 있어야 한다.

㉢ 즉각적인 인공호흡은 익사자에게 먼저 시행할 응급처치이다.

③ 환자의 몸체 밑에 척추고정판이나 나무판자를 위치시킨다.

㉠ 경추의 움직임을 방지하기 위하여 머리와 몸통을 척추고정판에 고정해야 한다.

④ 심장마비 환자는 환자를 물속에서 구조하여 육지나 배로 이동시킨 후 척추고정판 위에서 흉부압박을 시작한다.

㉠ 효율적인 흉부압박은 수면에서 불가능하므로 반드시 지상 또는 선박에서 시행하도록 한다.

Tip. 잠수 중 다리 종아리에 쥐가 났을 경우 우선적 응급처치

① 발을 몸 앞쪽으로 쭉 뻗은 상태에서 발가락을 몸쪽으로 당겨준다.
② 쥐가 나면 한 손으로 근육을 신장시키고 다른 손은 압박과 이완을 반복한다.

(4) 목고정대의 사용방법

목고정대는 목 주위에 돌려 고정하는 기구로 머리와 몸통을 일직선으로 유지하며 목의 동작을 제한한다. 목고정대는 여러 크기와 모양이 있으며 재질도 여러 가지이다. 목고정대를 착용한 경우에 목의 움직임이 50% 정도 제한됨으로 착용한 후에도 머리를 고정하는데 주의해야 한다. 목고정대는 부상자의 크기에 맞게 선택하는 것이 중요하다(그림 4-24).

그림 4-24. 척추고정대의 사용

(5) 척추고정대의 사용

부상자의 척추를 안정한 후에는 척추고정대를 사용하여 운반할 수 있도록 완전하게 고정하여야 한다. 척추고정대는 여러 종류가 있는데 재질, 모양, 손잡이 구멍의 수, 부력 등에 따라 그 가짓수가 다양하다. 척추고정대를 사용하는 데는 최소한 2명이 필요한데, 때에 따라서 여러 명의 응급구조사 및 구조대원이 도와주는 것이 부상자의 안정 및 고정에 도움이 된다.

① 1번 응급구조사가 풀장 및 해안가의 한쪽으로 이동해오면 2번 응급구조사는 척추고정대와 함께 입수한다.

2번 응급구조사는 고정대를 부상자의 키에 맞추어 사선으로 비스듬히 누르듯 하여 부상자 밑으로 집어넣는다.

② 1번 응급구조사는 고정대를 천천히 올리면서 부상자의 뒷면에 부착을 시킨다. 이때 머리턱고정술을 사용하는 1번 응급구조사는 부상자의 밑을 고정하고 있는 팔을 고정대의 밑으로 옮겨 계속 안정을 유지한다. 머리부목술을 사용하고 있는 경우에는 1번 응급구조사가 부상자의 위쪽에 위치한 팔을 고정대 밑으로 빼고, 2번 응급구조사가 머리턱고정술로 부상자를 고정한다.

③ 2번 응급구조사는 부상자의 머리 위쪽으로 이동하여 가슴과 어깨는 고정대의 윗면 날

에 대고 두 팔은 고정대의 옆면을 쥐듯이 고정한다. 동시에 2번 응급구조사는 양손을 부상자의 양귀 쪽을 잡아 1번 응급구조사로부터 안정을 이임 받는다. 응급구조사들은 고정대의 양쪽에서 고정대의 수평유지를 돕는다.

④ 1번 응급구조사는 고정 끈을 사용하여 부상자를 고정대에 고정하는데 이때 최소한 가슴, 엉덩이, 넓적다리 세 부위를 고정한다. 가슴고정은 겨드랑이 밑 팔 안쪽을 묶는다. 부상자의 팔은 부상자의 옆이나 앞으로 위치하여 엉덩이 고정 시에 손목을 같이 고정한다. 세 번째로는 넓적다리를 고정한다.

⑤ 1번 응급구조사는 머리 고정대를 사용하여 머리를 고정하고 고정 끈으로 묶는다. 부상자를 척추고정대에 고정하는 경우에 다른 방법이 동원될 수도 있으나 한 가지 준수해야 할 사항은 기술의 수행 시 척추를 지속해서 안정시켜야 한다는 것이다. 그리고 머리의 고정 전에 몸통의 고정이 먼저 이루어져야 한다는 것이다.

(6) 끌어올리기

부상자의 고정이 끝나면 여러 응급구조사 및 구조대원의 협조하여 부상자를 끌어올린다.

① 응급구조사가 고정대의 양쪽에 위치하여 부상자의 머리 쪽 고정대를 수영장 및 언덕 모서리에 걸친다.

② 한 명의 응급구조사는 물에서 나와 고정대의 머리 쪽 손잡이를 잡고, 구조대원은 고정대의 다리 쪽에 위치한다.

③ 물 밖에 있는 응급구조사가 고정대를 끄는 동시에 물속에 있는 구조대원은 고정대를 민다. 이로 인해 고정대는 바닥을 미끄러져 물 밖으로 밀쳐지게 되는 것이다.

(7) 깊은 물에서의 기술수행

깊은 물에서는 척추부상이 거의 일어나지 않지만, 발생 시에는 얕은 물로 부상자를 이동시켜야 한다. 만약에 부상자를 얕은 물로 이동시킬 수 없는 상황일 때는 구조 튜브를 사용하여 구조대원 자신과 부상자의 부력에 도움이 되도록 하고 도움이 도착할 때까지 이를 유지하도록 한다.

부상자가 물속에 가라앉는 경우에 구조대원은 구조 튜브를 벗고 수직다이빙으로 잠수하여 머리턱 고정술을 사용하여 부상자를 물 위로 부상시킨다. 이차 구조대원은 일차 구조대원의 구조 튜브를 거두어 일차 구조대원이 물 위로 부상하였을 때 겨드랑이 밑으로 삽입한다.

척추고정대를 사용하는 방법은 기본적으로 얕은 물에서와 같은데 약간의 변형이 요구되기도 한다.

가. 1차 구조대원은 고정대에 고정하기 위해 부상자를 수영장의 구석으로 2차 구조대원은 고정대를 부상자의 밑으로 집어넣고 1차구조대원은 안정을 유지한다.

나. 2차 구조대원은 수영장 구석에 등을 대고 겨드랑이 밑에 구조튜브를 넣어 그 구조 튜브 위에 고정대를 놓아 고정한 후 두부를 잡아 안정시킨다.

다. 1차 구조대원은 고정끈으로 부상자를 고정대에 고정한다.

라. 끌어올린다.

4) 얼음 구조

겨울마다 사람들은 스케이트를 타거나 얼음이 언 빙판 위를 건널 때 사고가 발생한다. 종종 현장에는 사람들이 조난자를 구하려다가 얼음에 빠지는 등 복합적인 구조 문제가 생긴다.

① 얼음 구조에서의 제1원칙은 구조자 자신을 보호하는 것이다.

② 얼음구조를 하는 동안 건식 잠수복과 개인 구명장비를 착용하여 자신을 보호해야만 한다(그림 4-25).

③ 얼음 구조에서 가장 어려운 문제점은 시간적 요소이다.

㉠ 추운 환경에서는 날씨가 구조에 미치는 영향이 매우 많다.

㉡ 안전한 구조를 위한 장비를 준비하는 데 시간이 필요하다.

- 사전에 수립된 준비와 계획에 따라서 충분한 장비와 적절한 인원이 투입되어야만 한다.

얼음구조 계획을 수립하는 것에는 다음이 포함되어야 한다.

① 주민들은 전문 구조센터에 접근하는 방법을 알아야 한다.

② 전문 구조대는 구조 활동의 특수성에 따라서 다시 분류되어 조직되어야 한다.

예를 들면, 수중구조팀, 수상구조팀, 수상화재팀 등이다.

③ 필요한 장비는 갖추어져야 하고 상호협약에 의해 사용되어야 한다. 장비로는 공기공급 장비, 사다리차, 구조 선박, 특수 구조장비 등의 공동장비를 포함하여 방수 안전줄, 삼각건, 안전줄걸이 장비, 안전줄 발사기, 구명대 등의 도구가 개인적으로 지급되어야 한다.

그림 4-25. 얼음구조

조난자의 위치를 정확히 파악하는 것이 중요하다.

① 가능하다면 2명의 관찰자가 해안에서 서로 다른 곳에 적당한 거리로 떨어져 위치해야 한다(그림 4-26).

② 정지된 참고 지점(나무, 산봉우리, 바위 등)을 이용하여 조난자가 마지막으로 남긴 흔적을 추적한다.

③ 얼음이 깨져서 조난자가 물속으로 빠진 경우에는 안전줄 또는 구명대를 던지는 것이 바람직하다.

㉠ 구조자가 직접 물속으로 뛰어들어서 수영하여 구조하는 것은 매우 위험하다.

㉡ 요구조자가 빠진 근처의 얼음은 두께가 상당히 얇을 수 있으므로 가능한 먼 거리에서 상기와 같은 방법으로 구조하도록 한다.

④ 환자가 구조되면 젖은 의복을 제거하고 방한포나 따뜻한 담요를 이용하여 체온을 유지하도록 한다.

그림 4-26. 요구조자 위치를 정확히 파악하는 것이 중요하다.
① 요구조자의 위치파악한다.
② 빠진 위치와 일직선으로 연결된 가상의 선을 만든다.
③ 가상의 선을 바탕으로 요구조자와의 거리 파악한다.
④ 2명인 경우 : 요구조자의 마지막 위치를 구조자의 다른 각도에서 판단한다.
두 개의 교차점이 대략적인 요구조자의 위치이다.

얼음에 빠진 환자를 구하는 방법은 다음과 같다.

① 구명장비를 환자에게 던질 수 있다.

② 고리모양으로 만든 줄을 환자에게 던질 수 있다. 환자는 고리에 몸을 집어넣어서 얼음 위로 당겨져 위험에서 벗어나게 된다.

③ 작고 바닥이 편평한 알루미늄 보트가 얼음구조에서 최적의 장비이다.

㉠ 우선 선미(배의 뒷부분)를 밀고 뱃머리에 고정된 줄로 안전한 곳까지 당기는 것이다.

㉡ 얼음이 깨졌더라도 일차 구조자는 젖지 않고 안전하게 있을 수 있다.

㉢ 환자는 물 위로 당겨 올리거나, 비록 환자가 배를 장시간 잡고 있기는 어려울지라도 보트의 측면을 잡도록 한다.

④ 사다리는 종종 얼음 구조에서 효과적인 도구로 사용한다.

㉠ 편평하게 눕혀 놓고 환자에게 밀었다가 사다리에 연결된 줄로 다시 당긴다.

㉡ 사다리는 구조자가 환자에게 도달하기 위해 얼음 위로 가야 할 때 구조자의 체중을 분산시켜 사다리에는 구조자를 안전한 위치로 고정할 수 있는 줄이 있어야 한다.

- 사다리 위의 구조자는 안전줄을 가지고 있어야 한다.

환자구조 과정에서 많이 도울 수 없다는 사실을 기억하고 저체온증은 몇 분 동안 환자의 정신과 신체적 능력을 방해할 수 있다. 가능하다면 얼음구조는 혼자 하지 않아야 하고 혼자 해야 한다면 얼음 위로 걸어가지 않아야 한다. 빠르게 깨지고 있는 얼음 위로 절대로 걸어가지 않아야 한다. 요구조자를 찾기 위해 얼음 구멍 속으로 들어가지 않아야 한다. 최선의 행동 방법은 안전한 얼음 표면이나 해변에서 다른 사람과 함께 작업하는 것이다. 다른 선택의 여지가 없다면 응급구조사 자신과 동료들은 환자에게 닿을 수 있게 인간 사슬을 만들 수 있다. 그러나 모든 구조자가 개인 구명장비를 착용하고 구명줄을 사용한다 해도 가장 안전한 방법은 아니다.

얼음에 빠진 대부분 환자의 경우 손상이 있을 것이다. 응급구조사 지침에 따라 저체온증과 다른 손상을 응급처치해야 하고, 모든 환자를 이송해야 한다.

5) 물 밖으로의 이동

방파제나 등에서 구조대상자를 물 밖으로 이동시키기 위해서는 들것을 이용한 2인 운반법을 사용한다.

해안가에서는 부축하기, 끌기, 어깨운반, 등 운반법 중에 선택하여 사용한다.

(1) 얕은 물에서 환자 운반

수영구조 또는 장비구조를 하여 수상인명구조원이 설 수 있는 깊이에 도달하거나 풀 가장

자리나 부판에 도달한 것으로 끝나는 것은 아니다. 이러한 상태까지 이르는 동안 구조대상자는 비록 완전히 의식을 잃지 않더라도 극도로 피로하여 혼자 일어설 수 없거나 안전한 곳까지 가는데 도와주어야 할 경우가 많다. 가장 효과적이고 신속한 방법으로 이에 대처하기 위하여 얕은 물에서의 운반법과 수중에서 도움을 받지 않고 구조대상자를 들어 올리는 방법이 있다.

가. 어깨 운반

수상인명구조원은 물의 깊이가 가슴 정도인 곳에 도달하면 서서 구조대상자를 앞으로 돌려 물에 떠 있게 한다. 그리고 구조대상자의 허리 옆에 서서 한쪽 손을 목 밑으로 돌리고 다른 쪽 손은 안쪽다리를 거쳐 바깥쪽 다리를 무릎으로 가져간다. 다음에는 허리를 편 채 물속으로 웅크려 앉으면서 머리를 수그린다. 이와 동시에 사고자의 얼굴이 밑으로 가게 돌리면서 어깨 위에 올려놓는다. 구조대상자를 어깨 위에 걸쳐놓은 채 일어선다(구조대상자의 허리가 목뒤로 오게 하여 체중이 양쪽에 고르게 걸려 한쪽으로 미끄러지거나 균형을 잃지 않도록 특히 주의해야 한다). 그리고 다리 사이에 들어간 손으로 구조대상자의 팔을 잡고 육지를 향하여 걸어 나간다.

구조대상자를 내려놓을 때 구조자의 머리 쪽의 무릎을 꿇고 다른 쪽 다리를 앞으로 뻗친다. 그리고 잡고 있던 팔목을 놓고 다른 쪽 손으로 그 팔목을 잡고 구조대상자의 다리 사이에 있던 손을 빼서 사고자의 양다리를 돌려 감는다. 그리고 한 동작으로 구조대상자의 몸을 돌리면서 앞으로 몸을 숙여 땅에 뻗친 다리 위에 내려놓는다. 이렇게 하는 동안 목 뒤에 있는 구조대상자의 팔을 계속 단단히 잡고 있어야 한다. 그리고 구조대상자가 반 앉은 자세를 취하게 하고 한쪽 손으로 구조대상자의 목 뒤를 받들고 머리를 서서히 땅 위에 내려놓는다(그림 4-27).

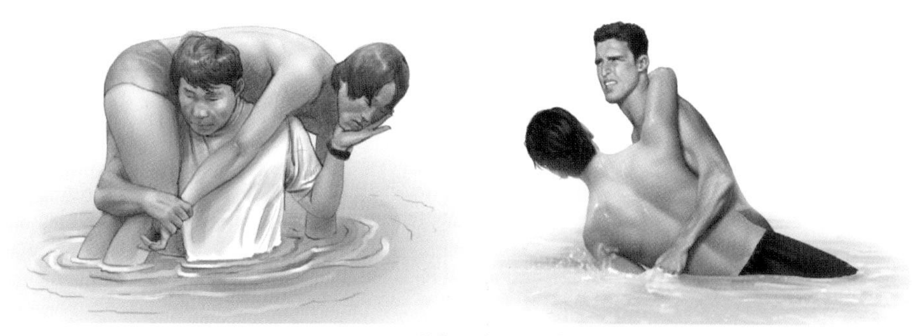

그림 4-27. 얕은 물에서 어깨 운반

나. 등 운반

등 운반은 구조대상자의 체중이 구조자의 엉덩이 바로 위에 걸리게 하고 운반한다. 이 운반법은 체중의 중심이 밑으로 내려옴으로 어깨 운반법보다 힘도 덜 들고 균형을 잃을 염려도

적다. 따라서 이 운반법은 체중이 무거운 구조대상자를 운반하는데 적합한 운반법이다. 이 운반법은 수상인명구조원이 허리 정도 깊이의 물에 서서 구조대상자를 수평 자세로 한다. 그런 다음 구조대상자의 머리 쪽을 향하여 구조대상자 옆에 서서 바깥쪽 손으로 구조대상자의 먼 쪽 팔목을 잡아 위로 올려 구조대원의 어깨 위에 둔다. 이와 동시에 안쪽 손으로 구조대상자의 어깨 부근을 돌려 잡는다. 이 부분은 잡기가 편하다. 그런 다음 구조대상자에게 등을 돌려 대면서 팔목을 잡았던 손으로 구조대상자의 양다리 무릎을 뒤로 돌려 잡는다. 이렇게 하면 구조대상자의 몸이 구조자의 엉덩이 바로 위에 오게 된다. 다음에는 구조대상자의 어깨 밑에 있는 손을 앞으로 움직여 구조대상자의 목 밑에 댄다. 이렇게 하면 구조대상자의 머리가 물에 닿지 않게 할 수 있다. 이런 자세로 걸어 나온다. 육지에 도달하면 양 무릎을 꿇고 앉으면서 구조대상자를 땅 위에 내려놓는다(그림 4-28).

그림 4-28. 얕은 물에서 등 운반

다. 부축법

의식이 있는 구조대상자를 물 밖으로 이동시키기 위해서는 부축법을 사용한다.

① 구조대상자의 팔을 자신의 목과 어깨에 걸친다.

② 어깨에 걸친 구조대상자의 팔목을 잡고 다른 한 손으로 구조대상자의 허리를 지지한다.

③ 구조대상자를 단단히 잡고 부축해서 물 밖으로 이동한다(그림 4-29).

그림 4-29. 얕은 물에서 부축법

라. 끌기법

경사면의 해안가에서 의식이 없는 구조대상자를 물 밖으로 이동시키기 위해서는 비치 끌기법(Beach Drag)이 안전하다. 구조대상자가 머리, 목, 허리 부상이 예상된다면 이 방법을 사용하지 말아야 한다.

① 구조대상자의 뒤쪽에서 겨드랑이를 잡고 최대한 머리를 지지한 상태로 고정, 이때 구명튜브는 옆으로 둔다.

② 뒤로 걸어서 구조대상자를 물 밖으로 끌어낸다.

③ 의식이 없는 구조대상자나 쇼크 상태인 구조대상자는 머리가 물 쪽으로 향하게 한다. 이것은 구조대상자가 물을 뱉어내기가 편하게 하고, 쇼크에 대해서 구조 대상자의 다리를 올리는 효과도 가져온다(그림 4-30).

그림 4-30. 얕은 물에서 끌기법

마. 2인 운반법

도움 없이는 물 밖으로 나오지 못하는 사람에게 2인 운반법 실시

① 오른손은 오른손으로 왼손은 왼손으로 잡는다.

② 구조대상자의 양손을 가슴으로 모은다.

③ 두 번째 구조원이 구조대상자를 등지고 다리 사이에 위치. 구조대상자의 무릎 아래를 잡는다.

④ 신호를 맞춰서 둘이 동시에 구조대상자를 이동시킨다(그림 4-31).

그림 4-31. 2인 운반법(Front-and-Back Cary)

4 잠수의 문제점

잠수사고는 물에 익숙하지 않고 잠수에 대한 지식이 부족한 사람에게서만 일어나는 것은 아니며, 경험이 많은 잠수부에게서도 수중에서의 돌발 상황에 의해 언제든지 발생할 수 있다. 잠수 시 발생할 수 있는 응급상황으로 다음과 같이 구분할 수 있다.

① 일반적인 환경 노출 시와 같은 문제

㉠ 저체온증　　㉡ 일광화상 등

② 해양활동으로 인한 문제

㉠ 익사　　㉡ 해양 동물에 의한 공격 등

③ 잠수 시에 특이하게 발생하는 문제

㉠ 폐과팽창증후군　　㉡ 감압병 등

1) 하강 시의 문제점

하강 시의 문제점(descent problems)은 물속으로 깊이 들어감에 따라서 수압이 높아지고, 높아진 수압에 의하여 인체 내에 미치는 압력도 증가하면서 발생한다. 통상적으로 해수면에서 10m 하강할 때마다 1기압의 압력이 증가한다.

① 잠수 때문에 증가한 압력은 인체 내의 공기가 들어 있는 구조물(폐, 귀의 중이, 부비강 등)에 영향을 주어 부피의 감소를 유발함으로써 증상이 나타난다.

㉠ 잠수속도가 빠를수록 현저하다.

㉡ 문제점으로 유발되는 신체의 고통은 중이에서 가장 흔하다.

㉢ 잠수부가 수면으로 상승하면서 없어진다

- 일부 잠수부들은 수면으로 상승한 후에도 통증이 남아 있는 경우가 많다. 이러한 경우에는 병원으로 이송하는 것이 바람직하다.

② 고막이 파열된 환자나 중이염이 있는 환자가 잠수하게 되면, 뚫린 고막을 통하여 외부의 압력이 바로 중이(middle ear)로 전달된다.

㉠ 차가운 물이 유입되면 잠수부는 평형감각을 상실할 수 있다.

㉡ 이상이 있는 환자는 잠수를 삼가 해야 한다.

2) 잠수 중의 문제점

잠수 중 사고(bottom problems)는 대부분 잠수장비의 문제로 야기되거나 해양 동물의 공격에 의한 손상이 그 원인이다. 이런 경우에는 잠수부가 수중에서 익사하거나 이를 모면하기 위해 압력 조절 없이 수면으로 수직으로 **상승**함으로써 압력변화에 의한 문제점이 발생할 수 있다. 즉시 산소투여 및 인공호흡을 시행하면서 병원으로 이송해야 한다.

3) 상승 시의 문제점

잠수와 관련된 대부분 응급상황은 수면으로 상승하는 과정에서 발생한다. 물속의 심부에서 수면으로 이동하면 수압이 점점 감소하는데, 상승속도가 빠르면 체내에 미치는 압력도 급격히 변화가 유발되어 심각한 문제점을 일으킨다. 가장 위험한 상황은 폐과팽창증후군과 잠함병(bends)이라고 불리는 감압병이다.

(1) 폐과팽창증후군

대부분 잠수부가 알고 있으나 간과되기 쉬운 상황이다. 얕은 잠수 후에도 발생할 수 있으나, 심부에서 급속히 상승하는 경우에 주로 발생한다. 심부에서는 폐의 기압이 높으나 수면으로 상승하게 되면 기압이 낮아지면서 공기가 팽창하게 된다. 천천히 상승하면 신체가 적응할 수 있다. 그러나 빠르게 상승하면 다음과 같은 질환이 발생할 수 있다(그림 4-32).

① 허파꽈리의 공기가 급속히 팽창하고 폐 조직이 파괴되어 **폐출혈**(pulmonary hemorrhage)

② 폐 조직에서 유출되는 공기가 흉강으로 유입되면 **기흉**(pneumothorax)

㉠ 원인 : 공기색전증과 같고 폐와 가슴의 벽 사이에 공기가 모여 폐에 압력을 가한다.

㉡ 증상 : 혈액 순환의 손상으로 피부, 입술, 손톱의 청색증이 생기고 가슴 한 쪽에 통증이 발생하는데, 깊은 호흡은 통증을 더하게 하므로 가능한 짧고 얕은 호흡을 한다.

㉢ 응급처치 : 통증이 있는 쪽을 아래로 하고 쇼크에 대한 응급처치와 관찰한다.

③ 공기가 종격동(심장과 대혈관을 포함하는 흉곽 내의 공간)으로 들어가면 **기종격동**(pneumomediastinum)

④ 손상된 폐의 혈관을 통하여 공기가 혈류 속으로 유입되면, 공기 방울을 형성하고 마치 마개처럼 작용하여 혈관을 막아 버리는 **공기 색전**(air embolism)

㉠ 생성된 공기 방울은 좌심실과 대동맥을 통해 신체의 어디에도 갈 수 있다.

㉡ 심각한 손상으로 허파허탈이 발생할 수 있다.

㉢ 공기색전(혈액 내 공기 방울)은 부적절한 훈련, 장비의 기능 마비, 물속에서의 응급상황으로 인해 잠수부가 숨을 멈출 때 혹은 다이빙하는 동안 공기를 보존하려고 할 때 가장 흔하게 발생한다.

⑤ 공기색전증(AGE)은 아주 얕은 물 속(1-2M 정도의 깊이)에서도 발생할 수 있다.

㉠ 공기색전증은 수면으로 상승 중 또는 수면 도착 10분 이내에 발생하는 것이 특징이다.

㉡ 공기색전증의 증상은 색전이 발생한 신체 부위에 따라 의식장애, 마비, 발작, 감각이상, 심근경색 등 증상이나 징후가 다양하다(그림 4-32).

㉢ 자동차 충돌에 의한 조난자가 물속으로 떨어질 때 자동차 내에 장착된 에어백의 공기를 마실 수 있다. 구조된 후 환자는 스쿠버 잠수부처럼 공기색전증이 발생할 수도 있다.

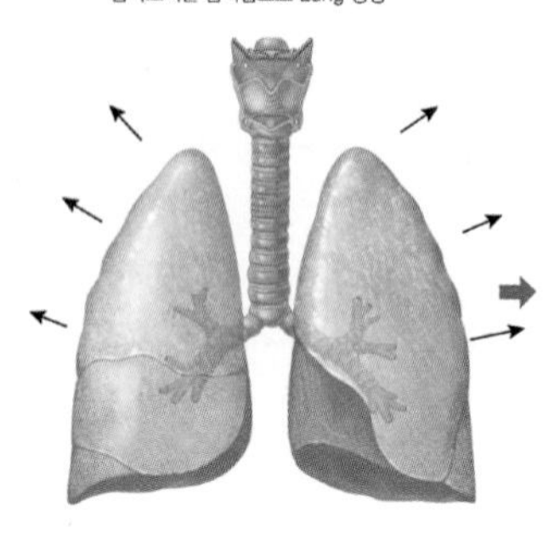

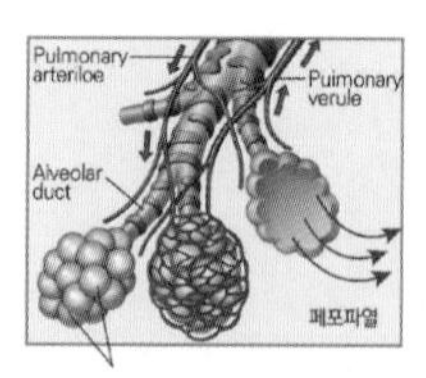

그림 4-32. 폐과팽창증후군 : 잠수 후 빠른 상승 때문에 허파꽈리 내 압력이 갑자기 낮아지면 공기가 팽창한 후 갑작스런 공기팽창은 허파꽈리 파열시킨다.

① 공기가 파열된 혈관으로 유입되어 공기색전증
② 공기가 순환되면서 근육, 뇌 또는 위장관 장애에 조직 괴사를 유발
③ 공기가 흉막강이나 세포칸으로 유출 (피하기종, 기종격동, 폐 허탈, 기흉)

Tip. 공기색전증의 징후와 증상

1. 흐릿한 시야
2. 흉통
3. 사지의 저림과 타진통
4. 전신 또는 특정 부위의 허약
5, 전신 또는 특정 부위의 마비
6. 입과 코의 거품 같은 혈액
7. 경련
8. 빠른 무의식
9. 호흡정지
10. 심장정지

(2) 감압병

감압병을 흔히 케이슨 병(Cassion Disease) 또는 벤즈(Bends)라고 부르며 영어의 약자는 DCS (decompression sickness)이다. 다이버 및 잠수사가 호흡하는 공기의 성분 중 산소는 인체의 신진대사를 위해 적절히 소모되지만 질소는 질소의 부분압이 수압보다 배가 차이 날 때는 기화되지 못하고 혈액 속에 액화 상태로 남게 된다.

① 액화되어 있던 질소는 수압이 감소할수록 기화되기 시작한다.
② 천천히 상승하지 않으면 질소는 기포를 형성하여 혈관의 혈액 흐름을 기계적으로 막히거나 직접 신경세포에 압력을 가하는 공기색전증과 같은 유사한 문제를 일으킨다.

대기압 상태에서는 인체에 질소가 약 1 L 정도 용해되어 있지만 헨리의 법칙에 의해 2기압에서는 2 L, 3기압에서는 3 L가 용해되고, 특히 지방질에는 혈액보다 5.3배 더 잘 용해된다.

① 잠수 시 인체의 질소 흡수는 수심과 해저체류시간, 수온, 육체적 활동, 연령, 비만, 과로, 수면부족, 음주, 불량한 혈액순환 등에 따라 다르다.
② 수압이 증가되면 폐 속의 질소 부분압도 증가하여 질소는 조직 속에 녹으면서 서서히

포화된다.

③ 인체에 용해된 질소의 부분압과 일치할 때까지 계속 용해하게 된다.

④ 질소가 인체에 포화되는 시간은 각 조직에 따라 다르다.

⑤ 수압이 감소하면 폐 속의 질소 부분압도 감소하여 혈액과 조직 속에 용해된 질소의 부분압이 증가되므로 질소는 폐를 통해 배출된다.

감압병은 질소의 포화와 과포화 과정에서 수압이 갑자기 감소될 때 발생한다.

① 발생원인

㉠ 수중에서 오랫동안 체류한 후 빠른 속도로 상승했을 때 발생한다.

㉡ 일정 시간 감압을 하지 않았을 때 발생한다.

- 찬물에서 잠수하면 감압병 발생률 증가

㉢ 빠른 속도로 상승하면 갑작스런 수압차이로 있을 때 발생한다.

- 폐에 의해 배출되지만 질소의 부분압이 수압보다 배가 차이가 나면 기화되지 않고 혈액과 조직 속에 액화된 채 머문다.

㉣ 인체의 구조상 혈액순환이 느린 곳에서 잘 발생한다.

- 가장 흔한 부위는 관절부위이다.

㉤ 형성되거나 커진 기포(공기 방울)는 정맥의 혈관에 남아서 혈액의 흐름을 쇠약하게 하여 폐의 모세혈관에 장애를 주어 감압병 유발시킨다.

특정 부위의 혈류를 차단하여 정상적인 혈액공급이 안 되기 때문에 증상이나 징후가 발생한다. 스쿠버 잠수부의 경우 감압병은 1시간에서 48시간 사이에 나타나고 약 90%의 경우가 다이빙 3시간 이내에 발생한다. 잠수부가 다이빙 12시간 이내에 비행기를 타면 감압병의 위험이 증가한다. 감압병은 이렇게 지연되어 나타나기 때문에 환자와의 문진에서 얻은 모든 정보와 환자의 가족과 친구로부터 정보를 수집하여야 한다. 이러한 정보는 환자의 문제와 관련된 스쿠버 다이빙에 대한 유일한 단서를 제공하기도 한다.

감압병의 위험요인으로는 잠수 깊이와 시간, 과운동, 피로, 비만, 추운 온도, 노인, 반복 잠수, 탈수, 잠수 후 비행 등이 있다. 감압병에 의한 증상은 대부분 잠수 3시간 이내에 발생하며 잠수 후 24시간 이후에 나타나는 증상은 감압병이 아닐 가능성이 높다. 또한, 감압표를 철저히 준수했음에도 발병할 수 있다.

감압병은 발생양상에 따라 제1형과 제2형의 감압병으로 분류할 수 있다.

① 제1형(경증) 감압병 : 근골격계, 피부 등에 문제를 일으킨다. 증상발현이 흔한 부위는 팔꿈치와 어깨로 사지통이 특징이며, 피부는 가렵거나 붉게 변하게 된다.

② 제2형(중증) 감압병 : 중추신경계, 호흡기계, 내이 등에 문제를 일으키는 경우로 심하면

쇼크로 인하여 치명적일 수 있다. 중추신경계는 지방을 많이 함유하고 있으므로 감압병에 더 민감하며, 사지 마비, 감각 이상, 요통 등의 척수신경 증상과 두통, 복시, 의식소실, 구음장애 등 뇌신경 증상이 나타날 수 있으며, 척수신경 증상이 더 흔하다. 호흡기계 증상은 호흡곤란, 기침, 흉통, 청색증 등이 나타날 수 있다. 또한, 내이의 문제로 인해 오심, 어지러움, 현훈(어지럼), 안구진탕(눈동자 떨림) 등의 증상이 야기될 수 있다.

Tip. 감압병의 징후와 증상

1. 성격 변화 2. 피로 3. 근육과 관절의 심부통증 4. 피부의 가려운 반점이나 얼룩 5. 저림이나 마비 6. 기도폐쇄 7. 기침 8. 힘든 호흡 9. 중독증과 유사한 행동(비틀거림) 10. 흉통 11. 무의식을 동반한 기절 12. 형상이 계속 변하는 피부 발진

Tip. 보일의 법칙(Boyle's Law)

① 압력이 증가하거나 감소하면 기체의 부피는 그에 반비례하여 감소, 증가한다는 법칙이다. 즉 압력이 높아지면 그에 반비례하여 부피는 줄어들고, 압력이 낮아지면 기체의 부피는 커지는 것이다. 이때의 압력은 절대압력을 적용한다.
② 예를 들면 절대압이 1인 수면에서 부피가 4리터인 풍선을 가지고 절대압이 2 대기압이 되는 수심 10m로 하강하면 풍선의 부피는 2리터로 줄어든다. 이 원리는 공기색전증과 압착 등을 설명할 수 있는 근거가 된다.
③ 일정한 온도에서 압력이 2배, 3배이면 기체의 부피는 1/2, 1/3로 줄어든다.
④ 수중 상승시 압력과 관계있는 증상으로는 공기색전증(air embolism), 피하기종(emphysema), 기흉(pnemothorax) 등이 있다.
⑤ 하강시에 나타나는 증상으로는 수경압착(눈주위가 부어 있거나 눈에 출혈한 흔적), 중이압착, 잠수복 압착 등이 발생한다.

Tip. 샤를의 법칙(Charle's Law)

① 압력이 일정할 때 기체의 부피는 절대온도에 비례한다.
② 부피가 일정할 때는 온도가 증가와 더불어 기체의 압력도 증가한다.

Tip. 일반 기체의 법칙

① 보일과 샤를의 법칙을 혼합한 것으로 "일정량의 기체의 부피는 압력에 반비례하고 절대 온도에 반비례한다.

Tip. N_2(질소)

① 공기의 성분 중 79% 차지하는 무색, 무미, 무취한 기체로서 공기 중에 가장 많이 함유되어 있다.
② 질소는 특히 지방질에서 액체보다 5.3배 더 잘 용해되고 수심(30m 이상)이 깊어질수록 마취현상이 더욱 심해지는 특성이 있어 다이버 및 잠수사의 판단력을 둔화시키거나 방향감각의 감소, 황홀감, 기억 상실 등이 유발된다.
※ 불활성기체 : 질소(N_2), 네온(Ne), 아르곤(Ar), 크립톤(Kr), 제논(Xe), 수소(H) 등

Tip. 헨리의 법칙(Henry's Law)

① 헨리의 법칙은 흡수의 법칙 또는 감압표의 법칙이라고 한다. "일정한 온도하에서 액체에 녹아 들어가는 기체의 양은 그 기체의 부분압에 비례한다."
② 혈액 속에 기체가 포화 또는 용해되는 것은 공기의 흡입과 배출사이의 부분압이 틀리기 때문이며, 기체의 용해도는 온도에 의한 영향을 많이 받아 온도가 낮을수록 용해도는 커진다.
③ 감압병은 다이버 및 잠수사가 표면을 향해 상승할 때 액체 속에 용해되어 있던 질소가 기화되는 과정에서 발생한다. 따라서 상승할 때 감압표의 감압정지 지시를 지키지 않으면 질소는 기포를 형성하게 된다.

감압병을 예방하기 위해서는 수면으로 상승 중 적절한 감압절차를 시행해야 하는데 감압절차란 불활성기체가 호흡기를 통해 체내에 흡수되었으므로 다시 호흡기를 통하여 체외로 배출될 수 있도록 단계적으로 압력을 낮추어 주는 것이다.

(3) 응급처치

공기 색전증이나 감압병으로 인한 손상은 적절한 치료로써 회복될 수 있으나, 가압까지의 시간이 지체되면 영구적인 뇌손상이나 척수마비가 초래될 수 있다. 그러므로 응급구조사는 기본적인 응급처치를 시행하고 산소를 투여하면서 치료가 가능한 병원으로 신속히 이송해야 한다.

응급구조사가 공기 색전증이나 감압병이 의심되는 환자를 처치하는 단계는 다음과 같다.

① 환자를 수면으로부터 안전한 장소로 옮겨서 안정을 취한다.
② 기도유지하고, 비재호흡마스크를 통한 고농도의 산소를 투여한다.
② 필요하면 기본 심폐소생술을 시작한다.
③ 환자는 앙와위나 측와위를 취하게 한다.
　㉠ 환자를 계속 평가하고 기도유지를 위해 환자의 체위를 변경해야 하는 경우도 있다.
④ 호흡음을 청진한다. 기흉의 경우는 호흡음이 감소하게 되며, 항공후송의 금기가 된다.

⑤ 환자의 응급처치를 위하여 가압실이 설치된 병원으로 이송한다(그림 4-33).

㉠ 병원이 원거리에 위치한 경우에는 항공기로 이송하며, 항공기의 고도는 최대한으로 낮추어야 한다.

⑥ 환자를 이송할 동안에도 계속해서 산소를 투여한다.

⑦ 잠수한 시간과 잠수 깊이를 파악한다.

⑧ 'AVPU'척도를 이용하여 환자의 의식 상태를 평가한다.

㉠ 의식상태의 판정은 치료자가 가압실에서 가압 정도와 시간을 선택하는 데 도움이 된다.

⑨ 감압병(Decompression Sickness; DCS) 환자가 경한 체용적 감소를 일으키기 때문에 ALS는 금기가 아니면 비경구나 경구(의식이 있을 때)로 수액을 빠른 속도로 주어야 한다.

(3) 공기색전증(Arterial Gas Embolism)

다이버가 고압의 공기를 호흡하다 상승하게 되면 외부의 압력감소로 인하여 부피가 팽창하게 된다. 다이버가 정상적으로 호흡을 할 때는 부피가 팽창된 공기는 기도와 입을 통하여 밖으로 배출되지만 만약 다이버가 물리적인 방법으로 숨을 참게 되면 이 팽창된 공기는 배출되는 곳이 없기 때문에 폐를 과팽창시키게 된다. 이로 인하여 폐파열이 일어나고 허파꽈리에서는 혈관에 공기가 유입되게 된다.

혈관으로 유입된 공기의 기포들은 혈관을 따라 심장으로 이동하게 되고, 심장의 박동에 의하여 대동맥으로 이동하게 되며 이동된 공기는 다시 목동맥이나 하지동맥으로 이동하게 된다. 하지동맥으로 이동한 공기는 경련이나 마비를 일으키게 되고, 목동맥으로 이동한 공기의 기포는 뇌동맥을 막아 색전증이 유발된다. 뇌로 들어간 기포는 뇌의 동맥을 막아 혈액의 흐름을 차단하고 결국 뇌세포가 손상을 입게 된다.

(1) 원인

상승 중 압력하에서 숨을 멈춤으로서 팽창된 기체가 폐에 손상을 주어 동맥의 순환을 방해한다.

(2) 진단

① 수면으로 올라오는 상승 중 또는 수면 도착 후 10분 이내에 갑자기 나타난다.

② 몸의 넓은 부분에 걸친 피부의 이상한 느낌을 준다.

③ 경련, 사지의 무기력, 발작, 의식상실, 마비, 감각이상, 시력이상, 현기증, 두통 등

(3) 응급처치

① 공기색전증이 발생한 경우에는 신속한 재가압(챔버)시설치료가 요구된다(그림 4-33).

② 공기색전증 환자를 발견한 경우 환자를 편평한 바닥에 눕히고 기도개방 및 호흡유지 시킨 후 산소공급을 시킨다.
③ 가능한 빨리 재가압 챔버시설이 있는 곳으로 이송해야 하는데 항공 이송이 필요한 경우에는 실내 압력이 1기압 상태로 유지할 수 있도록 의료항공기 또는 헬기로 저고도 비행하여야 한다.
④ 치료를 목적으로 환자를 수중으로 다시 내려보내서는 안된다.

(4) 예방

① 상승 시 숨을 참지 말고 정상호흡을 하며, 상승속도를 지킨다.
② 비상 상승 시 고개를 뒤로 젖혀 기도를 열어주고 폐 속에 팽창된 공기를 계속 내뿜으며 상승한다.

Tip.

① 동맥혈가스증후군(AGE)가 의심되면 Trendelenburg 자세는 불확실한 이점이 있을 뿐이고 뇌부종을 일으키거나 악화시킬 우려와 호흡곤란이 더 심하기 때문에 더 이상 권장되지 않는다. 100% 산소 공급은 가능한 빨리 6-8 L/min을 마스크로 가장 적절히 주어야 한다. 이렇게 함으로써 질소 가스 방울의 배출이 쉽게 하고 손상된 조직의 산소 공급을 증진할 수 있다.
② 동맥혈가스증후군(AGE)나 감압병(DCS)가 의심되는 환자들은 재가압 챔버시설로 직접 이송하거나 응급처치가 필요하다. 어떤 상황이든 이송은 가능한 신속해야 하며 만약 항공 이송이 필요하면 환자를 더 이상의 가스 팽창을 일으키지 않기 위해 가능한 적은 최소 압력 감소에 중점을 두어야 한다. 낮게 나는 헬기나 300m 고도에서 날 수 있는 경비행기가 이용되어야 한다. 또한, 1 절대기압(ATA)으로 공기를 압축시킬 수 있는 비행기가 사용될 수 있다.

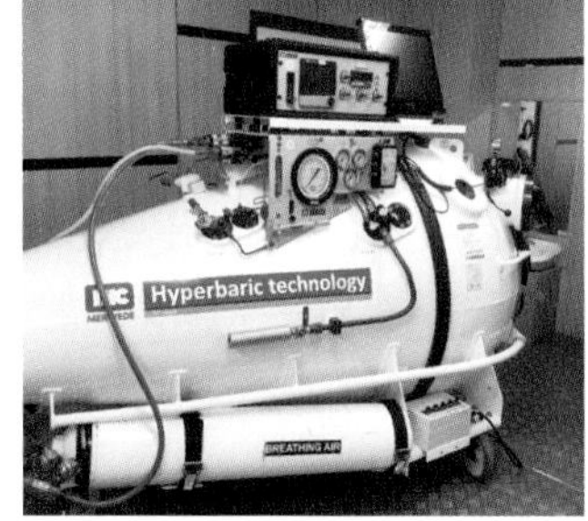

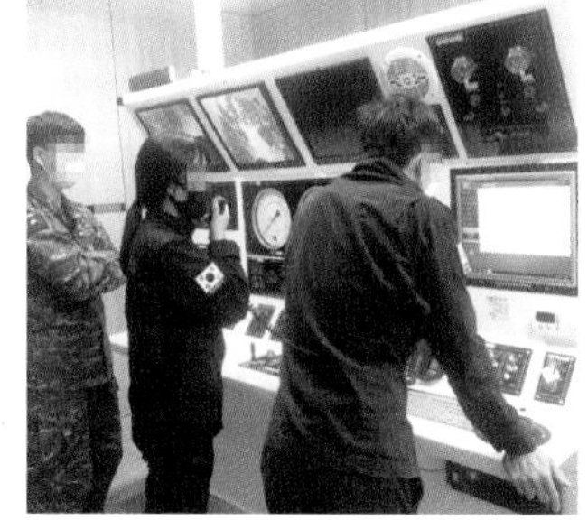

그림 4-33. 공기색전증이나 감압병환자에게 신속한 가압치료하면 생명을 구할 수 있다.

Tip. DAN(Diver Alert Network)

수중에서 다이빙 사고 환자의 응급처치와 구조를 돕기 위해 만들어졌다. DAN 직원은 24시간 대기하며, 전화로 구조 요청하면 된다. DAN은 119구급대와 종합상황실 응급통신관리자에게 환자평가에 관한 정보와 고압손상치료센터로의 이송방법을 알려준다.

5 수중위험

저체온증은 차가운 물에 빠져있던 환자에서 종종 발생한다. 체온의 점진적인 하강은 조난자를 더욱 위험에 빠뜨린다. 응급구조사는 차가운 물 속에서 구조된 사람의 체온에 세심한 주의를 기울여야 하며, 즉시 병원으로 이송한다.

여러 유형의 손상들이 수중에서 일어날 수 있다. 예를 들면, 선박의 추진 날개, 날카로운 암석, 수상스키 등에 의한 손상은 수중에서 발생하므로 지상에서 발생한 사고보다 더욱 치명적이다. 수중사고 환자에서 척추손상의 가능성도 염두에 두어야 한다. 또한, 소아학대의 한 형태로 수중사고가 발생하는 경우가 있다. 응급구조사는 익사가 발생한 소아환자에서 소아학대의 가능성도 고려해야 한다.

6 소생을 위한 노력

물에 빠진 심정지 환자를 소생시키는 경우에 응급구조사는 쉽게 환자를 포기해서는 안 된다. 환자가 차가운 물 속에 빠져 있는 동안 체온은 상당히 저하될 수 있음을 항상 고려해야 한다. 특히 21℃ 이하의 찬물에서는 저체온증이 발생한다.

① 체온이 저하된 상태에서는 신체의 산소요구량이 적어지기 때문(산소 소모를 최대한 줄임)에 중요한 장기들이 저산소증에서도 오랜 시간을 버틸 수 있다.

② 포유동물의 다이빙 반사(mammalian diving reflex)로 심장박동을 느리게 한다(그림 4-34).

㉠ 근육, 피부, 내부기관과 같은 조직은 더욱 적은 혈액을 공급하고, 심장이나 산소가 많이 필요로 하는 기관으로 많은 산소를 공급하는 것이다.

㉡ 다이빙 반사는 물이 차가울수록 뇌와 심장 혈류만 유지되고 꼭 필요한 곳으로만 산소가 공급된다.

㉢ 어린이나 젊은 사람일수록 더욱 효과적으로 나타난다.

③ 일부 저체온증 익사환자 중에 장시간의 심폐소생술 후에도 심각한 후유증 없이 성공적으로 소생되었다는 보고가 있다.

그림 4-34. 포유동물의 다이빙반사로 심장박동수가 감소된다.

저체온이라는 신체의 생리적인 보호기전인데, 저체온증(Hypothermia)은 체온이 일정온도 이하로 떨어져 생체기능을 원활히 수행할 수 없는 상태를 말한다. 중증의 저체온상태가 되면 뇌혈류량과 뇌의 산소소모량이 감소하고 심박출량을 저하시켜 대사량을 줄이게 된다. 대부분의 익수는 체온보다 낮은 온도의 물에 빠져 발생되며, 물속에서는 대기 중에서보다 대류성 열손실이 25-30배 더 빠르게 진행되므로, 저체온증이 유발되는 빈도가 높은 것으로 추정된다. 따라서 중증의 저체온상태가 되면 대사량이 줄어들어 일반적으로 사망한 듯한 양상을 보이게 된다. 저체온상태인 환자에서 심정지가 발생하면 체온을 정상화시키기 전에는 심박조율이 회복되지 않는다. 저체온증에 의한 심정지환자 중 일부는 신경학적 후유증 없이 회복될 수 있으므로 저체온증이 지속되는 환자에서는 체온이 정상될 때까지 사망을 선고해서는 안 된다.

일반적으로 심정지가 이루어진 후 4-6분이 경과하면 뇌손상이 진행되는데, 차가운 물에 익수했을 경우의 약 20℃ 이하의 찬물에 빠진 경우 30분 이상의 시간이 경과된 심정지 환자도 소생될 수 있기 때문이다. 그러나 1시간 이상 물에 빠진 상태가 되면, 일반적으로 소생이 불가능하다. 그러나 보고서에 의하면 40분간 침수되어 있던 소아, 또 최고 66분 동안 찬물에 빠진 소아가 신경학적으로 후유증 없이 완전히 회복된 경우가 보고되고 있다

물에 빠진 사람에 대하여 구조 및 응급처치를 실시할 경우 신속한 행동여부에 따라 생존이나 죽음으로 이루어질 수 있다. 일반적으로 물에 잠긴지 5분 이내에 구조되어 5분 이내에 심폐소생술을 실시할 경우 예후는 보통 좋게 나타난다. 이에 물에 빠진 심정지 환자는 회복될 때까지 혹은 병원이나 현장에서 의사에 의하여 사망이 선언될 때까지는 심폐소생술 및 소생을 위한 노력을 계속해야 한다.

응급의료장비

PART
02

05 장비운영

1 부목 개요

부목이란 나무, 금속, 석고, 천, 접착테이프 등의 경성 또는 연성 물질 등을 이용하여 손상된 신체 부위의 움직임을 제한하거나 고정시켜 보호하는 술기로 정의할 수 있다. 부목은 고대 이집트 시대에서 부터 사용하였던 기록을 가지고 있다. 이후 부목의 효용성에 대한 많은 연구가 이루어지면서 골절뿐만 아니라 근 · 골격계통에 문제가 발생한 환자에게도 적용하게 되었다.

1) 부목의 정의

사지의 외상, 골절, 탈구, 염좌 등의 응급처치 수단으로서 환자의 부상부위의 움직임을 제한하고, 안정을 위해 신체에 붙여 고정하는 교정 장치이다. 부목이란 말은 원래 나무판이나 막대기만을 재료로 사용하던 당시에 생겨난 말로, 지금은 금속망, 금속판 등 여러 종류가 있다. 또한, 모두 통증과 부종이 있는 팔다리 변형 환자에게 부목을 대어 주고, 인접한 관절과 뼈끝을 고정해야 효과적이다. 응급상황에서 사용할 수 있는 가장 이상적인 부목 조건은 고정이 효과적이고, 가볍고, 값이 싸고, 어느 부위 골절이나 쉽게 적용할 수 있으며 운반과 보관이 쉽고 방사선이 투과하는 것이다.

2) 부목의 목적

부목고정의 목적은 손상부위의 기능 회복 촉진, 변형 교정 및 방지, 치유되어가는 조직의 보호, 움직임 제한과 조직의 성장 및 재건 항진 등으로 요약되어진다.

① 부상 부위의 움직임을 방지하여 치료에 도움을 준다.

② 탈구된 관절과 부러진 뼈끝의 움직임을 최소화하여 근육, 척수, 신경, 혈관의 손상을 방지하고 통증을 감소시킨다.

③ 부러진 뼈가 유발하는 연부조직(피부 열상 등) 손상을 방지해 주어, 폐쇄성 골절이 개방성

골절로 이행되는 것을 예방하며, 출혈을 최소화하도록 해준다.

④ 부러진 뼈가 혈관을 압박하는 것을 방지한다. 즉, 골절 원위부(심장에서 먼 쪽)의 혈액순환이 차단되는 것을 방지한다.

⑤ 척추의 경우 척추고정판에 부목을 대서 척수손상을 예방하고, 영구적인 마비를 방지한다.

⑥ 환자 이송이 쉽다.

Tip. 부목은 통증을 완화 및 근육, 신경, 혈관의 손상을 방지하고 통증 감소 및 과도하게 출혈하는 것을 예방한다.

3) 적응증

부목 고정은 근골격계 손상 시에 몇 가지를 제외하고는 대부분 적용할 수 있으며 다음과 같다.

① 골절과 염좌
② 중증 타박상 및 찰과상
③ 관절부 열상
④ 건 열상, 건염
⑤ 수족부 및 관절 관통상
⑥ 수족부 동물 교상
⑦ 수족부 심부 감염
⑧ 관절부 감염, 급성 관절염

4) 부목의 종류

부목은 상당한 독창성이 필요하고, 여러 다른 부목 장비를 갖추고 있다 해도 융통성이 필요할 상황이 많이 있다. 예를 들면, 베개나 담요를 이용하여 사지를 지지해 줄 수도 있고, 나뭇조각, 신문지, 우산, 지팡이, 야구 포수의 정강이 보호대, 설압자 등 이용할 수 있다.

구급 차량에 갖춰져 있는 부목은 경성부목, 형태가 변형 가능한 부목, 당김 부목의 3가지 유형으로 분류된다.

① 경성부목

최상의 지지를 제공하고, 긴 뼈 손상에 부목으로 사용하는 것이 이상적이다. 예를 들면, 판지, 나무, 공기부목, 진공부목, 쇼크방지바지(MAST)를 들 수 있다.

② 형태가 변형 가능한 부목

여러 가지 각도로 모양을 만들 수 있어서 일반적으로 상당히 많은 움직임이 있을 수 있다. 관절 손상은 발견된 자세 그대로 고정하는 데 가장 흔히 사용된다. 예를 들면, 베개와 담요 부목을 들 수 있다.

③ 당김 부목

넙다리뼈 골절에 이용된다.

Tip. 부목의 종류

① 고정부목, 공기부목, 나무부목, 금속부목 등 부상 부위를 고정하는 데 적합하다.
② 경성부목 : 단단한 부목으로 안정성을 유지할 수 있는 딱딱한 것을 사용한다.
③ 연성부목 : 비교적 부드러운 재질로 만들고 손상된 사지에 흔히 사용한다.
④ 견인부목 : 손상당한 하지에 일정한 견인을 제공할 때 사용되므로 근육수축으로 인해 뼈끝이 손상되는 것을 예방할 수 있다. 골절을 경감시키는 것은 아니며 단지 뼈끝을 고정해 더 심한 손상을 예방하는 것이다. 넓적다리뼈나 관골의 골절 시 사용하며, 견인(당김) 고정장치 등 골절 부위의 견인에 적합
⑤ 진공부목 : 공기와 수천 개의 작은 플라스틱 염주가 들어있는 매트리스다. 각자의 몸 형태에 맞게 효과적으로 착용될 수 있는 부목이다.
⑥ 부목대용품(담요, 신문지, 큰 잡지 등)

다음은 부목의 일반적인 원칙은 다음과 같다.

① 적절한 표준예방(BSI) 조치를 하고, 손상된 부위를 노출시켜 지혈한다.
② 부목을 적용하기 전, 후 먼 쪽 부위 맥박, 운동, 감각기능(PMS) 평가하고 기록한다.
  ㉠ 근 뼈대계통 손상의 합병증으로 신경이나 혈관 손상이 있을 수 있기 때문이다.
  ㉡ 맥박을 측정하고 환자가 손상된 먼 쪽 부위에 촉감을 느낄 수 있는지 알아본다.
  ㉢ 환자에게 손가락이나 발가락을 꼼지락거리거나, 손가락을 쥐게 하거나, 응급구조사의 손을 발로 밀어보라고 요청한다.
③ 장골 손상을 해부학적 위치로 정렬한다.
  ㉠ 심각한 변형이 없고, 먼 쪽 부위 순환이 되지 않는다면 부드럽게 견인하여 정복한다.
④ 튀어나온 뼈를 다시 제자리로 밀어 놓지 않는다.
⑤ 부목의 길이를 측정하거나 적절히 조절하여 팔다리 밑이나 옆을 따라서 위치한다.
  ㉠ 위치를 잡는 동안 부목을 마칠 때까지 손으로 고정하거나 견인한다.
⑥ 효과적으로 부목을 장착하기 위해서, 손상된 부위와 관절 위와 아래를 움직이지 않게 모두 고정해야 한다.

⑦ 환자가 들것이나 장소를 옮기기 전에 부목을 한다(움직임을 최소화한다).

⑧ 경성부목은 대부분 신체 굴곡에 잘 맞지 않지만, 팔다리를 움직이지 않도록 한다.

㉠ 신체와 부목사이의 공간에 패드를 대서 환자를 편안하게 해주고 확실하고 적절히 고정되도록 해야 한다.

⑨ 환자의 우선순위에 따라 효과적이고 적절한 부목을 선택한다.

㉠ 환자의 이송순위가 높을 경우 빠른 부목 장착방법을 선택한다.

㉡ 우선순위가 낮다면 느리지만, 더 효과적인 부목 방법을 선택한다.

㉢ 최고의 방법으로는 각 손상 부위에 각각 부목을 대주고(느림), 차선책으로는 관절을 몸통이나 손상되지 않은 신체 부위에 고정하는 방법, 그리고 가장 좋지 않은 방법으로는 몸 전체를 척추고정판에 고정하는 방법이 있다.

Tip. 부목의 주의사항

① 부목을 적용하기 전에 환자의 이송 우선순위를 결정하고 환자에게 응급처치하기 전에 기도, 호흡, 순환을 확인한다.

② 환자의 이송 우선순위에 따라 부목 방법을 선택해야 한다.

③ 부목을 너무 심하게 조이면, 연부조직을 압박해서 신경, 혈관 및 근육을 손상시킬 수 있다.

④ 너무 느슨하게 적용하면, 너무 많이 움직여져서 연부조직 손상이나 개방성 골절이 발생할 수 있다.

⑤ 응급구조사가 변형된 사지의 정복을 확실히 알지 못한다면, 변형된 자세로 부목을 대서 실제로 이익보다 해를 끼칠 수 있다.

⑥ 변형된 긴뼈가 과도하게 움직이지 않도록 부목을 잘 적용하는 것은 매우 어려울 수 있다.

5) 부목의 합병증

① 화상

② 압박 궤양

③ 말초 신경 마비

④ 혈관 압박에 의한 순환장애

⑤ 부목에 의한 접촉성 피부염

⑥ 관절 경직

2 경성부목

1) 나무부목(Wood Splint)

(1) 용도

사지 골절이 의심되는 환자의 골절 부위를 지지하는 부목이다(그림 5-1, 2).

그림 5-1. 나무부목

그림 5-2. 나무부목 긴 것과 짧은 것

(2) 사용방법

① 부목을 적용하기 전에 패드를 대어 신체의 손상을 최소화하고, 환자가 불편하지 않도록 한다.

② 견고하게 고정해야 할 경우 신체 부위의 양측에 나무부목을 적용한다.

③ 양측에 부목을 적용한 상태에서 몸통에 고정하면 더욱 효과적이다(그림 5-3).

④ 손과 부목 사이에 붕대를 삽입하여 손과 손가락의 기능적 자세를 유지해줌으로써 편안해지도록 한다.

⑤ 설압자는 손가락을 고정하는 데 유용하다.

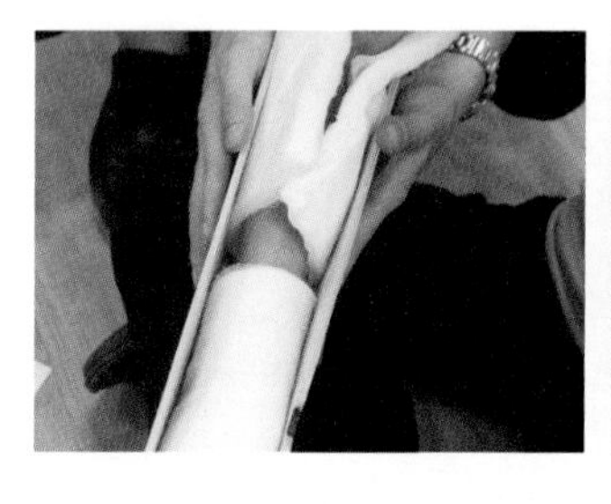

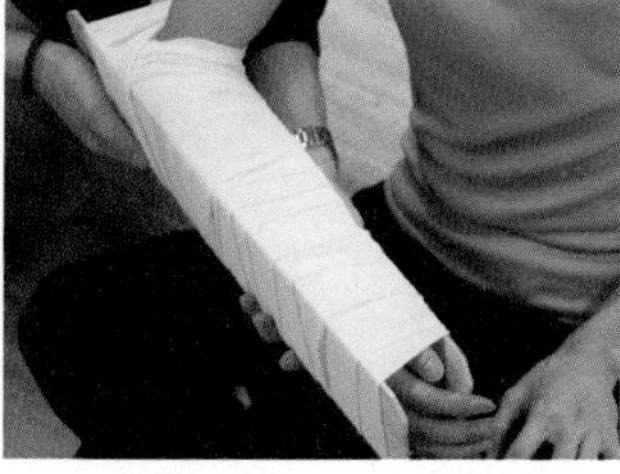

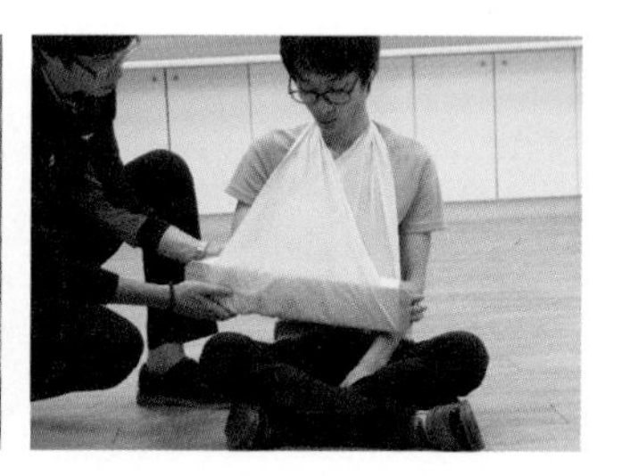

그림 5-3. 나무부목 사용방법

2) 철사부목(Wire Splint)

(1) 용도

양쪽 기둥 철사를 가로지르는 철사가 있는 형태로 방사선 촬영이 가능하여 병원 전 현장 및 병원 응급실에서 잘 쓰인다. 또한 잘 휘기에 부위 맞게 구부려 사용할 수 있는 부목으로 사지골절 및 관절부위의 손상이 의심되는 부위에 길이와 굴곡에 따라 모양을 변형하여 대고 붕대로 감아주어 고정한다(그림 5-4).

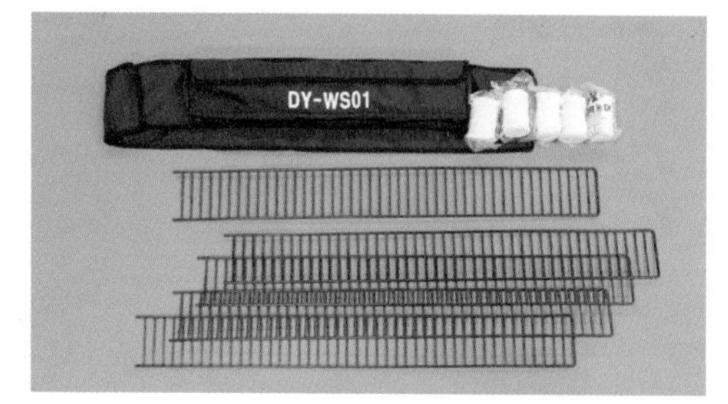

그림 5-4. 철사부목

(2) 사용방법

① 필요한 부목의 길이를 측정하여 필요한 길이보다 한 뼘 넓은 곳의 말단 부위를 아래쪽으로 완전히 접어 구부리고 테이프나 붕대를 이용하여 고정한다.

② 환자에게 철사부목을 대주고 붕대로 감아주거나 삼각건으로 고정한다.

③ 무릎관절 부위에 적용할 경우에는 다리 무게가 무거우므로 다른 부목을 하나 더 대준다(그림5-5).

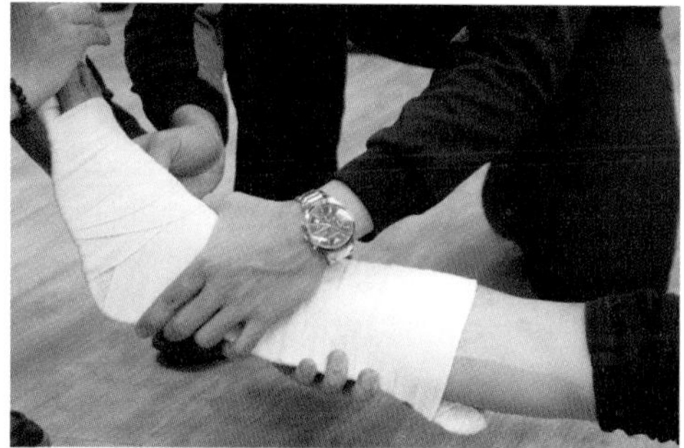

그림 5-5. 철사부목 사용법

3) 패드(성형)부목

(1) 용도

일반 성인 신체 치수(사이즈)에 맞도록 부위별로 제작된 부목으로 현장에서 신속하게 골절부위 고정이 가능하다(그림5-6).

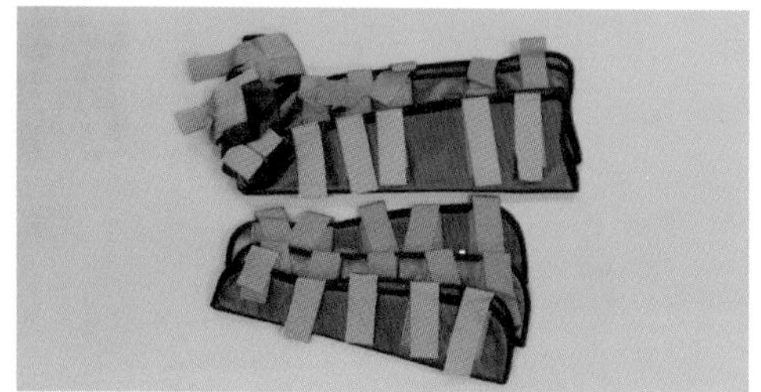

그림 5-6. 패드부목

(2) 기능

① 팔, 다리용 부목 등 크기가 다양하며 손상부위별 선택적용이 가능하다.
② 고정용 끈이 찍찍이(벨크로) 모양으로 되어 있어 결속 및 해체가 쉬워, 우선순위가 높은 환자에게 적용할 수 있다.
③ 손상된 부위의 아래면 뿐만 아니라 옆면들도 둘러싼다.
④ 환자의 기능적 자세를 유지하면서 부목을 적용할 수 있다.
⑤ 부목을 착용한 상태로 X-Ray 촬영이 가능하다.

4) 알루미늄 부목

(1) 용도

부목의 내부에 얇고 부드러운 알루미늄 재질로 되어 있고 표면은 폴리 비닐로 코팅된 구조이기에 다음과 같은 편리한 점이 있다.

① 부목을 댄 상태에서 X-ray 촬영이 가능하다.
② 가위나 칼을 사용하면 쉽게 오려져 필요한 크기로 손쉽게 잘라 사용할 수 있다.
③ 변형이 자유로워 골절이 의심되는 부위의 길이와 굴곡에 따라 적용하기가 편리하다.
④ 표면의 코팅된 부위는 잘 오염되지 않고 세척하여 다시 사용 가능하다.
⑤ 사고현장에서 사용하기 용이하다(그림5-7).

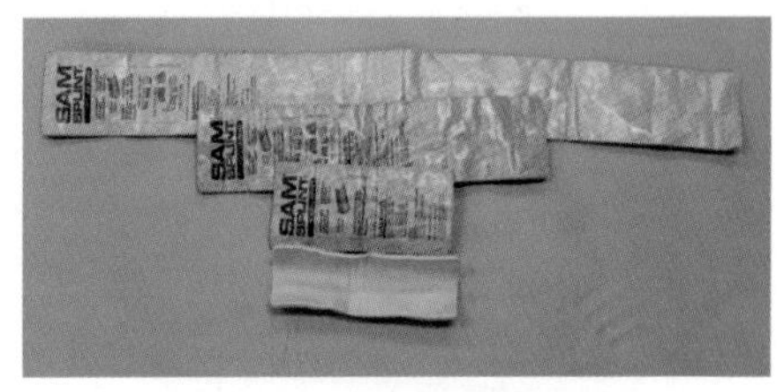

그림 5-7. 알루미늄 부목(대, 중, 소)

(2) 사용방법

① 평평하게 사용할 만큼 단단하지 않으므로 단단하게 만들어 사용하기 위해서는 충분한 길이의 것을 길게 안쪽으로 구부려 사용하거나 "U"자 모양으로 한다.
② 부목의 모양을 만들어 신체부위에 적용할 때, 부목이 휘지 않도록 각 옆면을 충분히 접

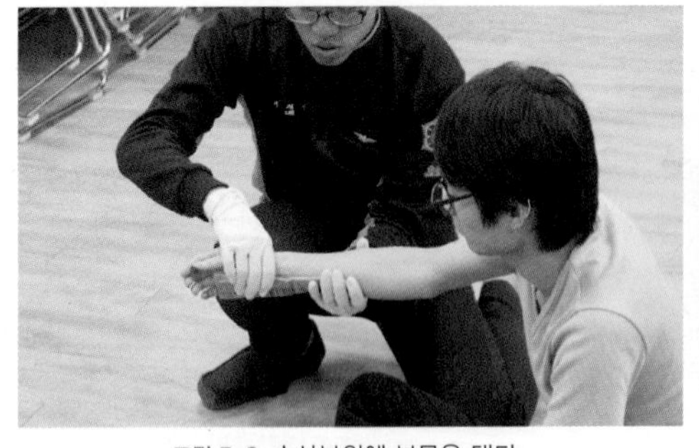
그림 5-8. 손상부위에 부목을 댄다.

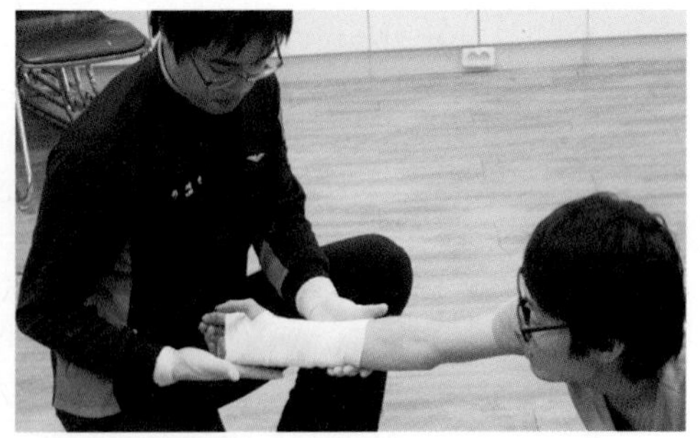
그림 5-9. 붕대를 이용하여 고정한다.

어 위쪽으로 구부려 준다(그림5-8).

③ 모양이 형성된 부목은 붕대로 손상 부위에 고정한다(그림5-9).

5) 플라스틱 부목

기성품으로 나온 플라스틱(Yogips) 재질의 부목에 뜨거운 공기를 쏘여 유연하게 한 뒤 자르고 환자의 몸에 맞게 형태를 변형시킬 수 있다. 벨크로로 고정이 가능하여 보통 재활과정에서 운동을 허용하되 보호가 필요한 경우에 사용한다(그림 5-10).

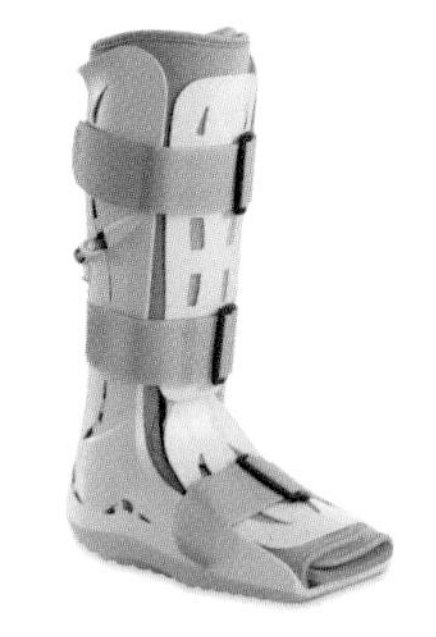

그림 5-10. 플라스틱 부목

6) 진공부목(vacuum splint)

(1) 용도

일반적으로 수천 개의 작은 원형 혹은 다면체의 플라스틱 구슬들로 채워진 평평한 직사각형의 주머니이며 외부 커버는 공기와 액체가 통하지 않도록 밀봉되어 있다. 부목의 외부 표면에 한 개 이상의 밸브가 있어서 진공 펌프에 연결해 부목 내부로부터 공기를 제거할 수 있다. 진공부목에 공기가 있을 때는 플라스틱 구슬들이 서로 자유롭게 움직일 수 있으며, 원하는 모양으로 변형될 수 있다. 진공 펌프를 이용하여 공기의 제거 시 구슬들은 서로 단단하게 압박이 되어 자체 또는 신체 둘레를 감싸면서 정확한 모양으로 고정할 수 있다.

진공부목(vacuum splint)의 용도 및 특징으로는 다음과 같다.

① 다양하고 정확한 모양들로 변형된다.

㉠ 평평한 직사각형 주머니 내에 둥글거나 다면체의 특수 소재 알갱이들이 공기와 자유롭게 움직이다가 손 펌프로 부목에서 공기를 제거하면 특수 소재의 알갱이들이 서로 단단하게 압박하면서 신체 둘레를 감싸며 정확한 모양으로 단단해져 고정한다.

② 상체나 하체 어느 부위든지 원하는 자세로 부목을 사용할 수 있다.

㉠ 기형이나 비정상적 자세(이상하게 각이 졌거나 구부러진 곳)를 유지해야 하는 어떤 부상에서든지 가장 쉽고, 효과적으로 사용할 수 있다.

③ 부목을 골절부위에 적용하고 펌프로 부목 내부를 진공(공기 제거)으로 만들면 특수 소재가 견고하게 변하여 고정되는 부목이다(5-11).

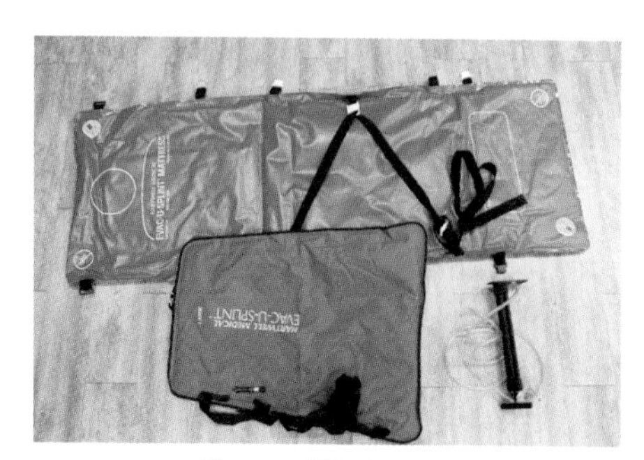

그림 5-11. 진공부목(전신, 발)

④ 부목의 공기가 완전히 제거되면 내부 굴곡 직경이 약간 감소하여 부목이 신체 둘레에 너무 꽉 끼게 되어 사지를 조이게 되기 때문에 "C"나 "U" 모양으로 한쪽을 남긴다.

(2) 진공부목 사용방법

① 부목을 댈 사지의 자세를 결정하고, 장비 세트에서 적절한 부목을 선택한다.

② 부목의 밸브가 열려있는지 확인하고, 밸브를 위로 오게 하여 돌이나 다른 돌출물이 없는 평평한 곳에 부목을 펼쳐놓는다.

③ 플라스틱 특수 소재의 알갱이들이 부목 전체에 고르게 퍼지도록 부목 표면을 손바닥으로 고르게 편다.

④ 부목의 구석 부분을 위아래로 반복해서 굽히면서, 공기를 적당히 빼내면 모양을 쉽게 만들 수 있을 강도를 조절한다. 부목을 환자에게 사용하기 전에 펌프가 적절히 작동하는지 확인한다.

⑤ 손(핸드) 펌프를 진공부목에 연결한다.

⑤ 부목이 적절하게 단단해질 때까지 공기를 뺀다.

⑥ 심장에서 먼 부위 운동, 감각, 순환 기능을 평가한다.

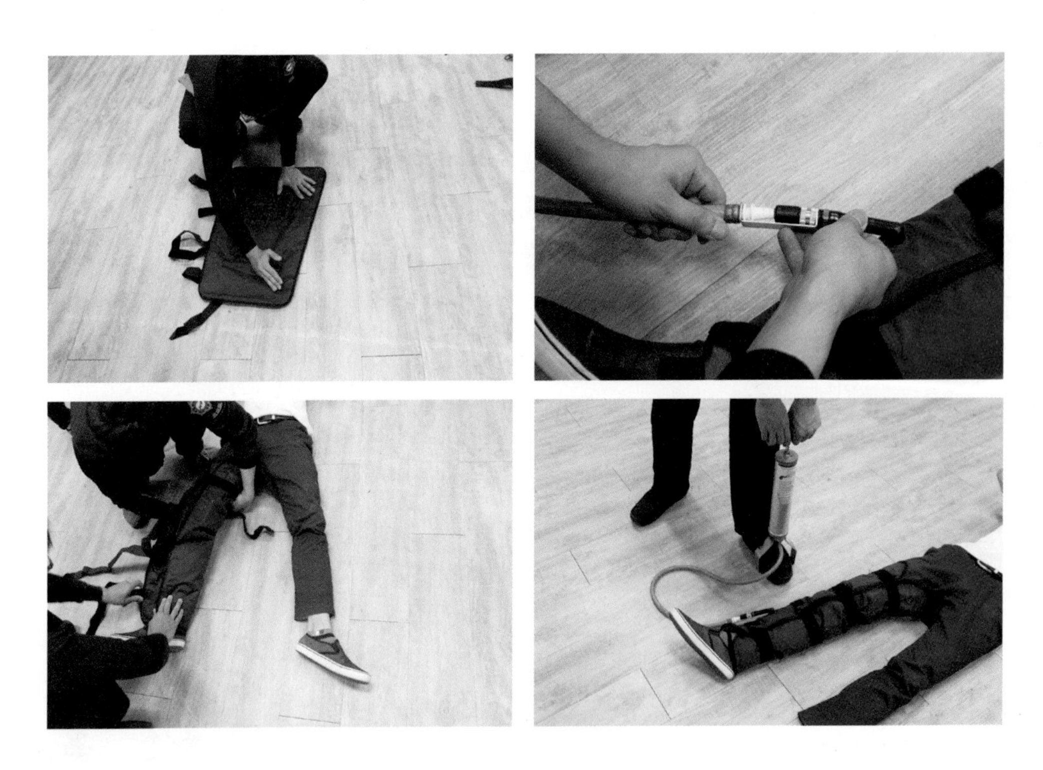

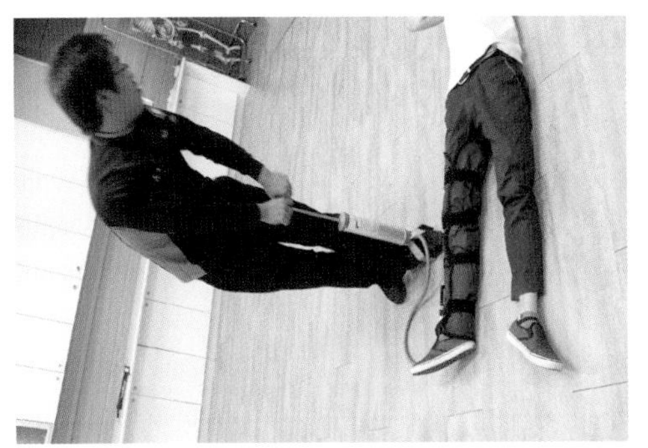
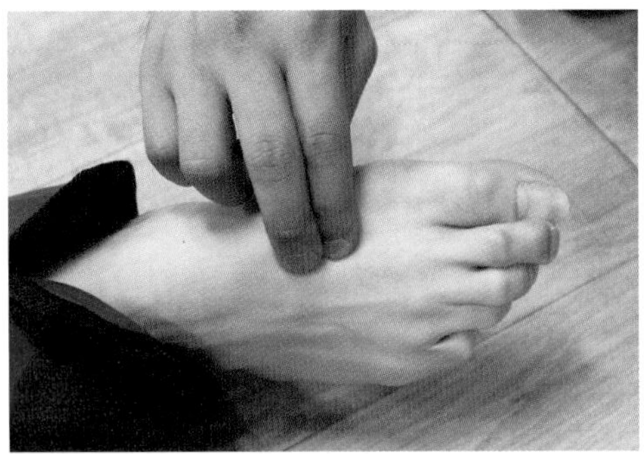

그림 5-12. 진공부목 사용방법

6) 공기부목(Air Splint)

부풀릴 수 있는 투명 비닐 재질로된 원통형으로 전박과 하지 골절 시 고정용 부목으로 사고현장에서 사용하기 용이하다(그림5-13, 5-14).

(1) 용도

입으로 불어 넣은 공기의 팽창 압력으로 골절부위를 고정하는 부목이다.

그림 5-13. 공기부목(발)

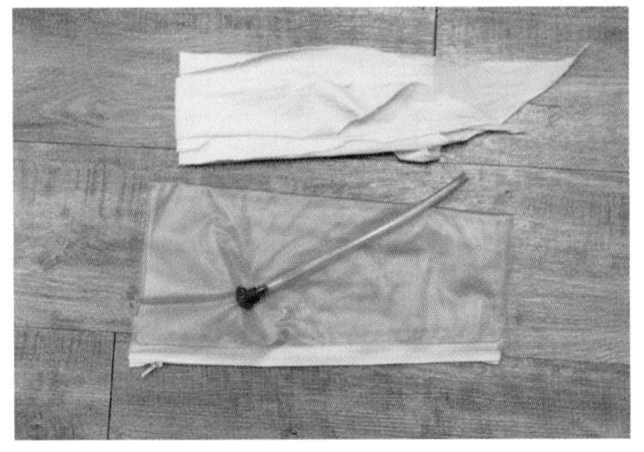

그림 5-14. 공기부목(팔, 삼각건)

(2) 장점

① 투명한 비닐 재질로 되어 있어 상처 및 골절 부위의 관찰이 쉽다.

② 환자에게 편안하며 접촉이 균일하다.

③ 외부출혈이 있는 상처에 압박을 가할 수 있으므로 지혈이 가능하다.

(3) 단점

① 추운 곳에 장시간 보관하면 공기부목의 재질이 부서지기 쉽다.

② 온도와 고도의 변화로 공기부목의 압력변화가 생긴다.

㉠ 심하여 추울 때는 압력이 떨어지고 더울 때는 압력이 증가한다.

㉡ 부목을 부풀린 후에 장시간 높은 온도의 열이나 직사광선에 노출시키는 것은 부목 안에 들어 있는 공기의 팽창을 초래하여 사지를 압박하는 원인이 될 수 있다.

㉢ 고도가 높아지면 공기부목 내 압력은 팽창한다.

(4) 사용방법

① 부목을 댈 사지 부위를 결정 후 적합한 공기부목을 선택한다.

② 지퍼를 완전히 열고, 공기부목을 편다. 그리고 적합한 부위가 들어갈 수 있도록 부목을 놓는다.

③ 팔에 직선형 공기부목을 사용할 경우 가장 쉬운 방법은 먼저 공기부목을 응급구조사의 팔에 거꾸로 끼고(공기부목의 손목 부위가 위쪽으로 가도록 먼저 끼고), 환자의 손을 잡은 상태에서 부목을 환자의 팔 쪽으로 천천히 밀어 이동시킨다. 단, 환자의 손가락 끝부분을 부목으로 덮지 말아야 한다(그림 5-15).

④ 부목을 조심스럽게 적절한 위치에 놓는다. 개방창상 위에 거즈로 드레싱 한다.

⑤ 환자의 피부가 지퍼에 끼지 않도록 주의하며 지퍼를 닫는다.

⑥ 항균 수건으로 밸브와 공기 주입구를 닫고 밸브를 연다.

⑦ 부목의 위치가 적당한지 다시 한 번 확인하고, 부목이 충분히 단단해질 때까지 입으로 공기를 불어 넣는다.

⑧ 구멍을 혀로 막고 밸브를 돌려(시계 방향) 닫는다.

㉠ 대부분의 공기부목들은 일방향(one way) 밸브가 없기 때문에 공기가 빠지지 않게 하려면 이 방법을 사용해야 한다(그림 5-16).

⑨ 부목이 덜 부풀려져서 너무 약하지 않은지, 지나치게 부풀려서 너무 단단하지 않은지 확인하기 위하여 부목을 부드럽게 눌러본 후 압력이 적당히 되도록 공기를 가감하여 적당한 압력이 되면, 말초부위 MSCs(운동, 감각, 순환)를 점검하고 안전한 이송을 위하여 고정한다.

⑩ 정기적으로 부목을 눌러봐서 공기가 빠지지 않았는지 확인한다(그림 5-17).

그림 5-15. 환자의 손가락 끝부분을 부목으로 덮지 말아야 한다.

그림 5-16. 부목이 충분히 단단해질 때까지 입으로 공기를 불어 넣는다.

그림 5-17. 말초부위 MSCs(운동, 감각, 순환)를 점검한다.

(5) 주의사항

① 공기부목을 착용시킨 후에는 입으로 공기를 주입하는 것이 안전하며, 절대로 공기 펌프를 사용하여 공기를 주입해서는 안 된다.

② 부풀려 사용하는 부목은 튀어나온 뼈끝이나 뾰족한 물체가 부목 아래에 있을 때는 절대로 사용해서는 안 된다.

③ 모든 외부상처는 소독 거즈로 덮은 후에 공기부목을 이용해야 한다.

④ 공기를 불어 넣을 때 주입관을 소독하는 등 감염방지에 주의를 기울인다.

⑤ 공기가 너무 과다하게 주입되지 않도록 주의해야 한다.

㉠ 적정 공기량은 엄지와 검지로 공기부목의 가장자리를 눌러서 양쪽 벽을 접촉할 수 있을 정도이다.

3 연성부목

연성부목(soft splint)이란 비교적 부드러운 재질로 만들고 손상된 사지에 흔히 사용한다.

1) 베개부목

손상된 발목이나 손목을 고정하기 위해 좋은 지지물이다.

2) 삼각건

경성부목과 더불어 사용하기도 하고, 세모꼴 (삼각형)의 면포이다. 이것을 삼각건으로 사용하거나 삼각건을 접어서 사용할 수 있다.

(1) 삼각건이란

손, 어깨, 발, 허리, 가슴, 등, 엉덩이부위(둔부) 등에 상처, 골절, 탈구가 있을 때 그 부위의 드레싱을 유지하거나 뼈 또는 관절을 고정하고 손 혹은 팔꿈치를 받치고 올려주는 데 쓰이는 삼각모양의 천을 말한다. 삼각건의 재료는 표백하지 않은 목면이나 아마포, 모직 및 명주가 사용된다.

Tip.

드레싱은 노출되어 있는 상처를 덮는 것이므로 소독된 것이어야 한다. 드레싱은 상처보다 더 크고, 두껍고, 부드럽고 상처 위에 고르게 압력을 가해 눌러줄 수 있어야 한다. 흡수성이 좋아야 하고(면이 나일론이나 폴리에스테르보다 더 좋다) 섬유가 상처에 달라붙지 않도록 보풀이 없어야 한다.

드레싱을 실시하면 다음과 같은 장점이 있다.

① 출혈 조절

② 상처를 깨끗하게 유지

③ 감염 방지

④ 피와 상처에서 나오는 액체 흡수

⑤ 추가 손상 방지

삼각건, 멸균거즈, 탈지면(드레싱에 사용해서는 안 됨)

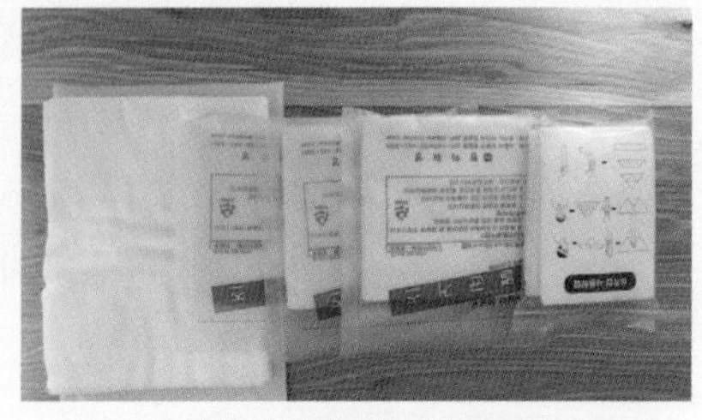

삼각건, 멸균거즈, 탈지면(드레싱에 사용해서는 안 됨)

Tip. 드레싱의 종류

① 거즈

- 대일밴드 같은 작은 접착식 테이프와 같이 상처에 사용된다. 보통 2가지 크기(2×2 inch, 4×4 inch)가 있다.
- 소독 후 각각 따로 포장해서 판매하거나, 소독하지 않고 대량으로 판매한다.
- 비접착성 드레싱은 특히 화상이나 삼출물이 흐르는 상처에 유용하다.

② 접착성 테이프

- 다양한 모양과 크기로 구성되어 있다.
- 작은 거즈 조각이나 테이프로 즉각 사용할 수 있다.

③ 외상 드레싱

- 크고, 두껍고, 흡수성이 좋아야 하며 소독된 것으로 한다.

④ 비접착성 드레싱

- 플라스틱 코딩이 되어 있거나 연고가 스며들어 있어 젖은 상처에 들러붙은 것을 방지한다.
- 즉석에서는 드레싱이나 상처에 항생제 연고를 사용한다.

※ 즉석에서 사용할 수 있는 드레싱에는 깨끗하고 흡수성이 좋으며 부드럽고 보풀이 없는 섬유라면 무엇이든 가능하다. 면소재가 가장 좋다(종이 같은 것은 상처에 달라붙을 수 있어 추천되지 않는다).

(2) 삼각건의 명칭(그림5-18)

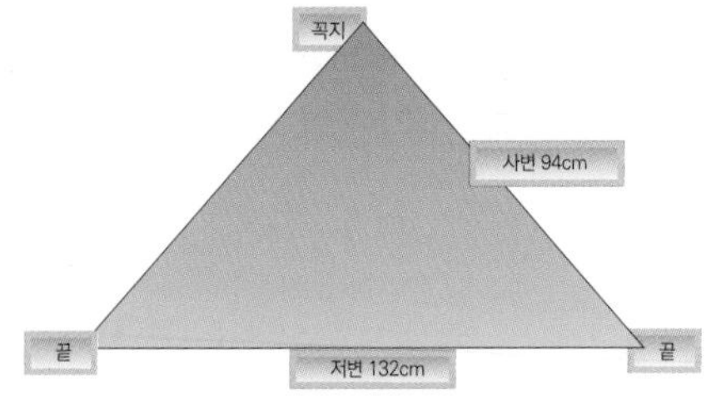

그림 5-18. 삼각건의 명칭

(3) 삼각건법의 종류

① 이마 및 머리의 삼각건
② 안면에 편 삼각건
③ 두부에 접는 삼각건
④ 눈에 접은 삼각건
⑤ 귀에 접은 삼각건
⑥ 아래턱에 접은 삼각건
⑦ 팔꿈치에 접은 삼각건
⑧ 팔걸이 삼각건
⑨ 어깨뼈(견갑) 및 어깨의 삼각건
⑩ 어깨 겨드랑이에 접은 삼각건
⑪ 손에 편 삼각건
⑫ 손바닥에 접은 삼각건
⑬ 흉부 및 등의 삼각건
⑭ 다리에 접은 삼각건
⑮ 무릎에 접은 삼각건
⑯ 엉덩이의 삼각건
⑰ 발에 편 삼각건

(4) 삼각건법 사용요령

① 이마 및 머리의 삼각건법 : 이마 및 머리를 드레싱 유지할 목적으로 사용한다(그림 5-19).

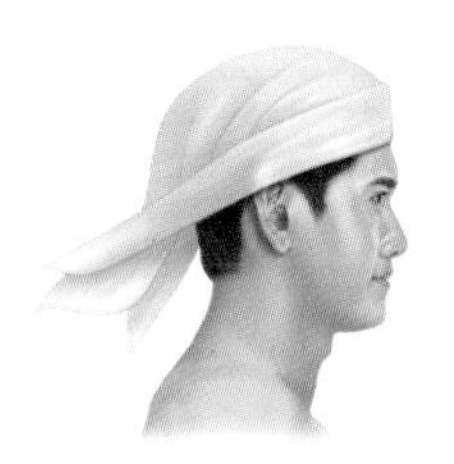
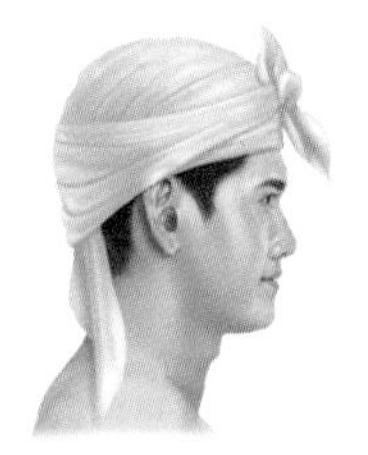
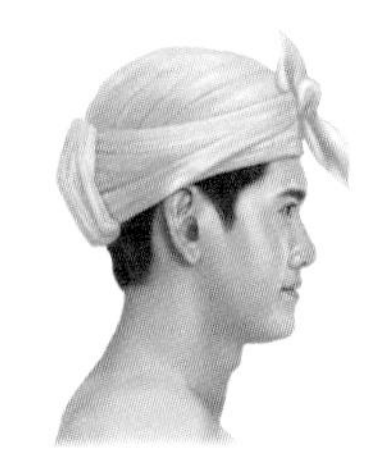

그림 5-19. 이마 및 머리의 삼각건법

㉠ 삼각건의 저변 중앙이 눈썹위에 올라오도록 대고 꼭지를 뒤로 넓게 흐르게 한다. 삼각건의 양끝을 귀 위로 지나 후두부로 지나간다.
㉡ 후두에 있는 꼭지를 교차시켜 이마 중앙에서 끝매기 한다.
㉢ 후두부에 있는 꼭지를 2-3회 잡아당겨 주름을 완전히 편 후 교차시킨 부분을 감싸면서 꼭지를 깨끗이 말아 넣는다.

② 안면에 편 삼각건법 : 안면 부위 드레싱 목적으로 사용한다.
㉠ 삼각건의 꼭지로 끝매기 한다.
㉡ 삼각건의 양끝을 경부에서 교차시켜 목을 통과 턱밑에서 끝매기 한다.
㉢ 눈, 코, 입 부위는 구멍을 뚫어준다.

③ 두부에 접은 삼각건법 : 두부 부위에 접은 드레싱 목적으로 사용한다.
㉠ 양끝을 완전히 상처 반대편으로 가게 한다.

㉡ 반대 측 측두부에서 교차시켜 상처 부분을 피해서 끝매기 한다.

④ 눈에 접은 삼각건법 : 눈의 드레싱 유지할 목적으로 사용한다(그림 5-20).

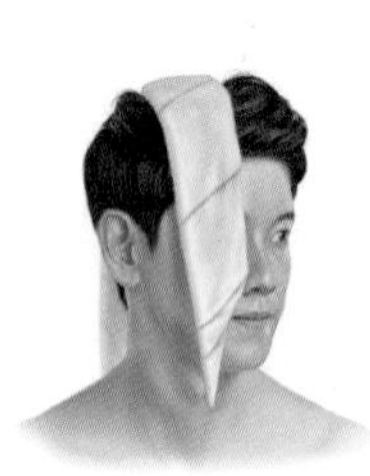
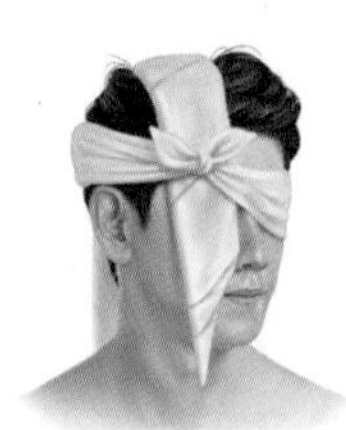
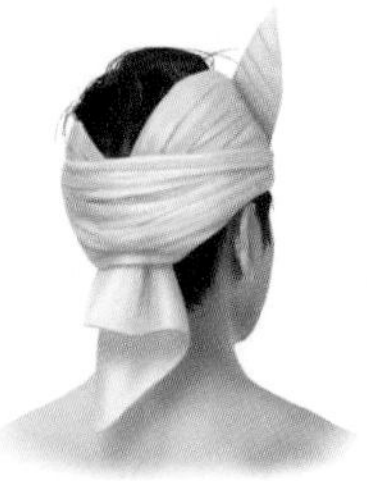
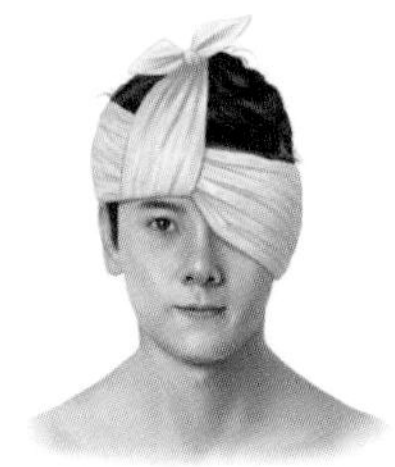

그림 5-20. 눈에 접은 삼각건법

⑤ 귀에 접은 삼각건법 : 귀에 드레싱 유지할 목적으로 사용한다.
㉠ 삼각건을 삼절 접어 손상당한 쪽 귀에 착대한다.
㉡ 끝은 각각 전후 두부를 거쳐 측두부에서 교차시킨다.
㉢ 상처 부분을 피해서 끝매기 한다(상처측 눈은 감싸줘도 무방하다).

⑥ 아래턱에 접은 삼각건법 : 아래턱의 골절 및 탈구 된 것을 임시 처리에 사용한다(그림 5-21).

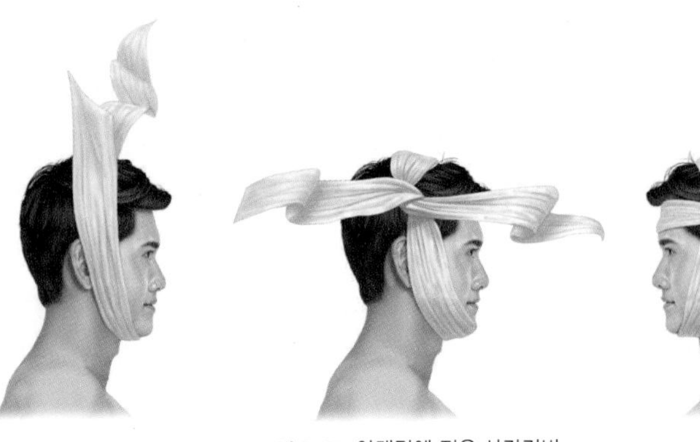

그림 5-21. 아래턱에 접은 삼각건법

㉠ 삼각건을 적당한 넓이로 접은 후 한쪽 끝이 다른 쪽보다 길게 하여 아래턱에서 착대를 한다.
㉡ 한쪽 긴 끝을 머리위에 올려 두정골 중앙을 지나 측두부에서 양끝을 교차시켜 반대편 측두부에서 끝매기 한다.

⑦ 팔꿈치에 접은 삼각건법 : 팔꿈치 주위의 드레싱 유지할 목적으로 사용한다(그림 5-22).
㉠ 팔을 15° 정도 구부려 접은 삼각건 중앙을 팔꿈치에 착대한다.

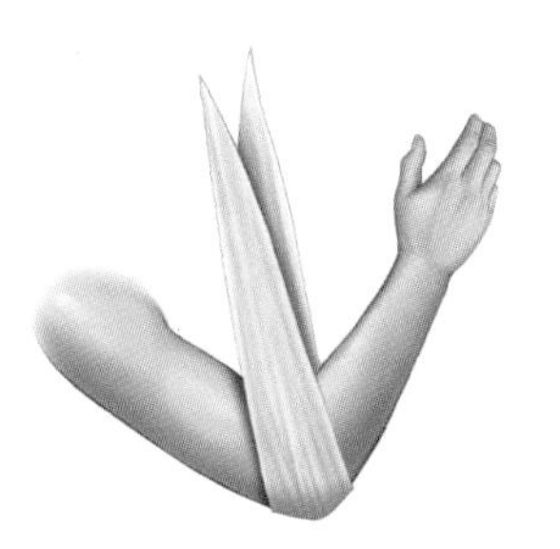
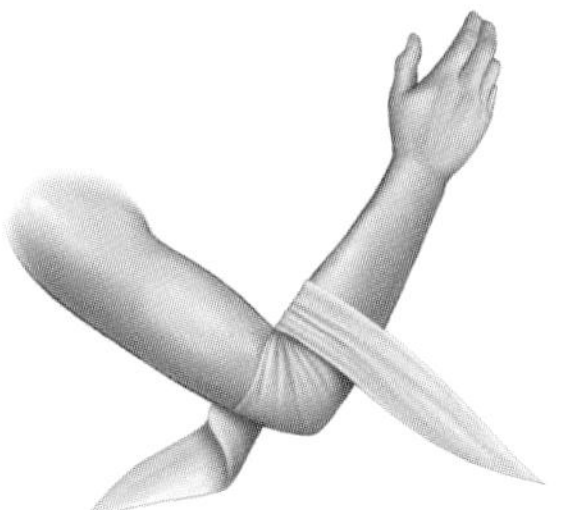
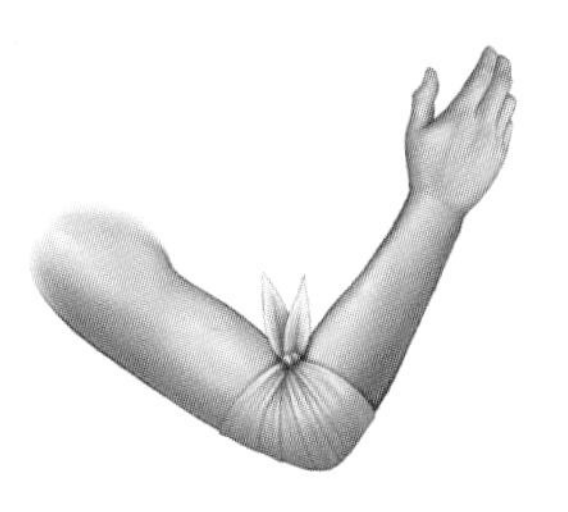

그림 5-22. 팔꿈치에 접은 삼각건법

ⓛ 양끝을 올려 중복되는 나사선상에 회전하여 상호 교차시킨다.
ⓒ 양끝을 팔꿈치 전면에 가져다 끝매기한다.

⑧ 팔걸이 삼각건법

Ⓐ 제 1 방법 : 손, 손목 및 팔뚝의 골절, 손상부위를 받치기 위해 사용한다(그림 5-23).

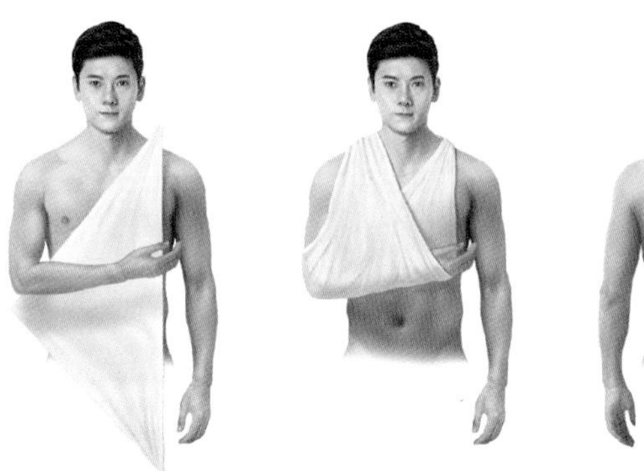
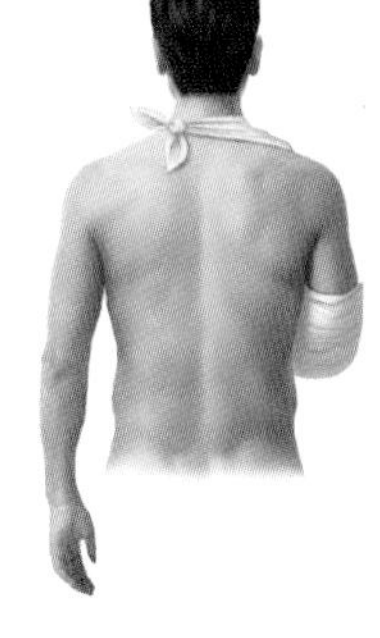

그림 5-23. 팔걸이 삼각건법 제 1방법

㉠ 삼각건의 한 쪽 끝을 손상된 반대 측 어깨 위에 대고 저변은 손을 향하게 하고 꼭지는 팔꿈치를 향하여 있도록 가슴 위로 내린다.
㉡ 팔꿈치를 구부려 새끼손가락이 팔꿈치보다 손바닥만큼 높게 올린다.
㉢ 밑에 있는 끝을 손상당한 쪽 어깨 위로 올린다.
㉣ 양끝을 목 뒤 중앙을 피해서 끝매기 한다.
㉤ 꼭지로 팔꿈치를 감싸서 핀이나 반창고로 고정하거나 말아서 밀어 넣는다.

Ⓑ 제 2 방법 : 목이나 상처 쪽 어깨에 압박을 가하지 않도록 팔뚝을 받쳐서 사용한다(그림 5-24).

㉠ 삼각건의 한 쪽 끝을 손상된 반대 측 어깨 위에 대고 저변은 손을 향하게 하고 꼭지는 팔꿈치를 향하여 있도록 가슴 위로 내린다.

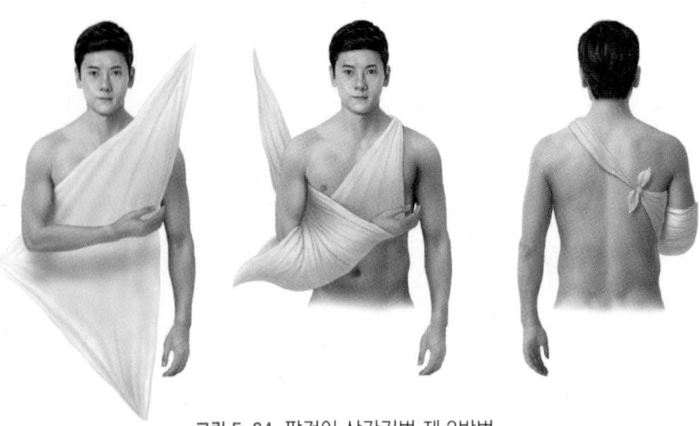

그림 5-24. 팔걸이 삼각건법 제 2방법

㉡ 팔꿈치를 구부려 새끼손가락을 어깨정도 높게 올린다.

㉢ 삼각건의 내려진 끝을 구부린 팔뚝을 감싸면서 상처 쪽 겨드랑이 부를 지나 다른 끝과 끝매기를 한다.

㉣ 손가락 끝이 삼각건 저변 밖으로 약간 나오도록 해야 한다.

㉤ 꺽지로 팔꿈치를 감싸서 핀이나 반창고로 고정한다.

⑨ 어깨뼈 및 어깨의 삼각건법 : 어깨뼈 및 어깨의 상처 드레싱 유지할 목적으로 사용한다 (그림 5-25).

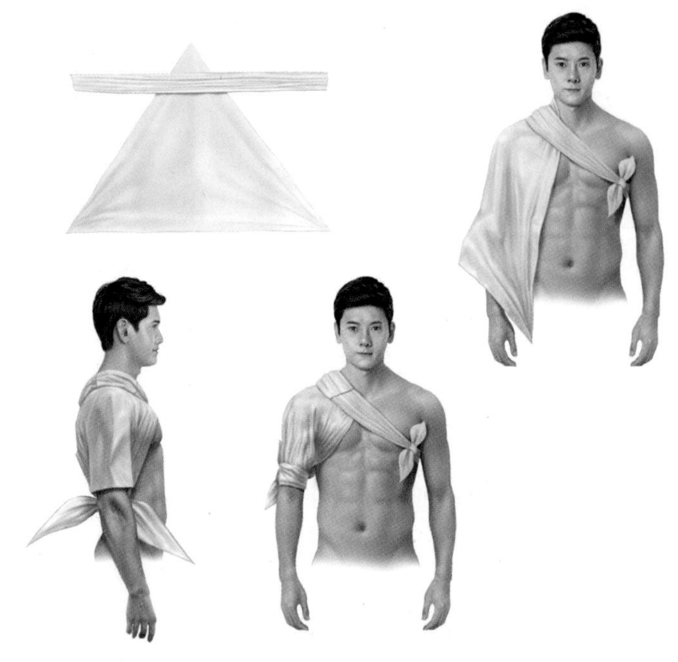

그림 5-25. 어깨뼈 및 어깨의 삼각건법

㉠ 접은 삼각건을 편 삼각건의 꼭지에 2-3회 말아서 손바닥 쪽 어깨에 착대한다.
㉡ 접은 삼각건 끝은 각각 등과 흉부를 지나 반대쪽 흉부에서 끝매기 한다.
㉢ 편 삼각건은 상처 넓이 이외의 노출을 방지하기 위하여 저변을 적절히 접어 위팔을 돌려 끝매기 한다.

⑩ 어깨 및 겨드랑이의 접은 삼각건법 : 어깨 및 겨드랑이를 드레싱 유지할 목적으로 사용한다(그림 5-26).

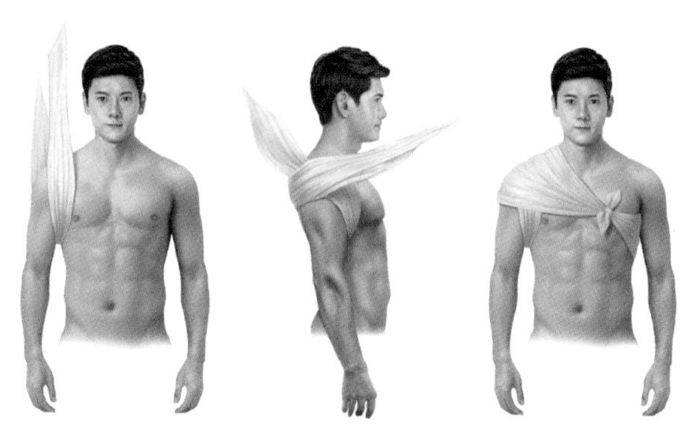

그림 5-26. 어깨 및 겨드랑이의 접은 삼각건법

㉠ 접은 삼각건을 드레싱 부위에 착대한다.
㉡ 양 끝을 어깨 위에서 교차한다.
㉢ 양 끝을 등과 가슴으로 교차시킨다.
㉣ 손상 받지 않은 쪽의 명찰부분에서 끝매기 한다.

⑪ 손에 편 삼각건법 : 손의 드레싱을 유지하기 위해 사용한다(그림 5-27).

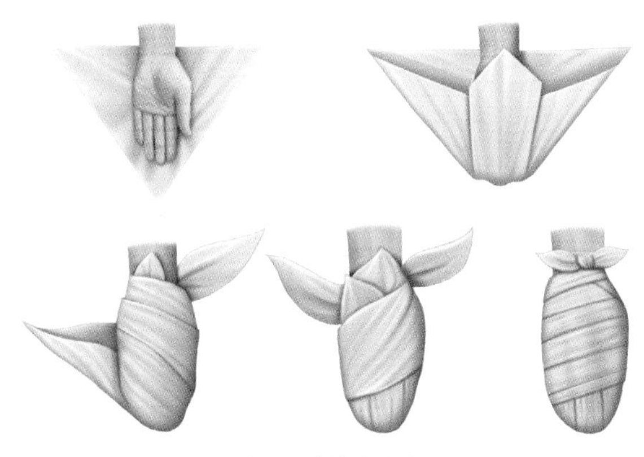

그림 5-27. 손에 편 삼각건법

㉠ 삼각건의 저변 (1/2) 하단부위에 손바닥을 올려놓는다.
㉡ 꼭지로 손등을 덮어 손목까지 내려간다.
㉢ 손 양측으로 약 15° 정도 접어 양끝을 손목에서 교차시킨다.
㉣ 삼각건 양 끝을 손목 주위로 돌려 손목 외측에서 끝매기 한다.
㉤ 삼각건 꼭지로 끝매기 부분을 감싼다.

⑫ 손바닥에 접은 삼각건법 : 손바닥에 드레싱 유지할 목적으로 사용한다(그림 5-28).

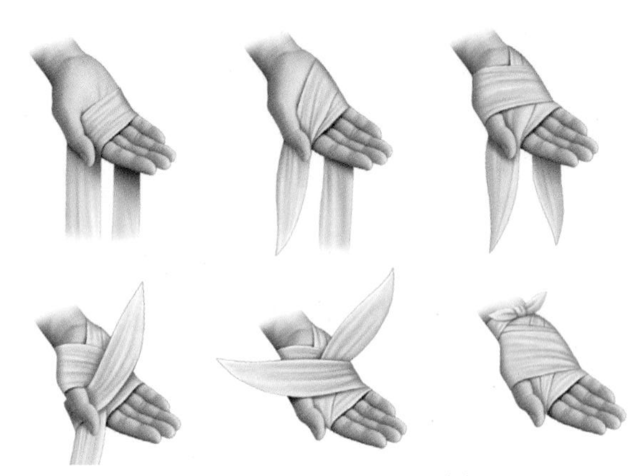

그림 5-28. 손바닥에 접은 삼각건법

㉠ 삼각건을 수도 측으로 15cm 정도 길게 손바닥에 착대를 한다.
㉡ 엄지 측 삼각건 끝을 손등으로 가지고 와서 수도 측 부위를 지나 손바닥에서 인지에 놓는다.
㉢ 수도 쪽에 착대한 삼각건을 엄지 부위를 거쳐 약지에 놓는다.
㉣ 나, 다 순서를 반복한 후 손목을 1회 두른 후 끝매기 한다.

⑬ 흉부 및 등의 삼각건법 : 흉부 및 등 상처의 드레싱을 유지할 목적으로 사용한다.
㉠ 삼각건 꼭지를 상처 측 어깨 위에 착대 후 흉부 및 등을 싸서 저변 중앙 손상부위 바로 밑에 오도록 하여 저변을 접는다.
㉡ 양끝을 당겨 한쪽 끝이 약간 길게 하여 상처 측 어깨뼈부에서 끝매기 한다.
㉢ 꼭지를 당겨 묶음의 긴 끝과 연결하여 끝매기 한다.

⑭ 무릎에 접은 삼각건법 : 무릎 주위의 드레싱을 유지할 목적으로 사용한다(그림 5-29).
㉠ 2절 접은 삼각건의 중앙을 슬개골 위에 대고 양끝이 무릎 양쪽으로 흐르도록 착대를 한다.

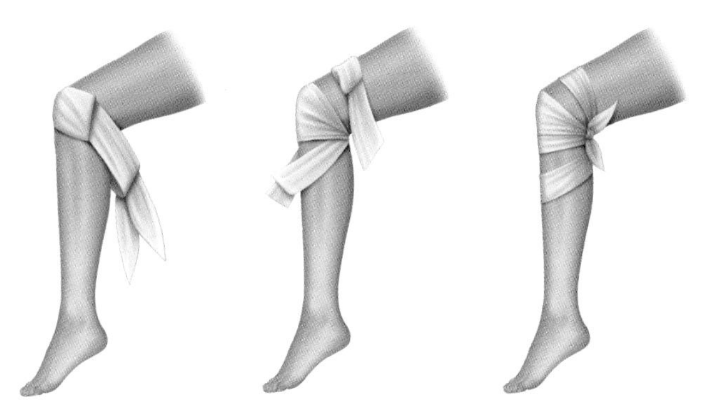

그림 5-29. 무릎에 접은 삼각건법

㉡ 끝을 밑에서 교차시키고 밑으로는 하퇴를 몇 번 감으며 위로는 넓적다리(대퇴)를 몇 차례 감는다.

㉢ 양끝을 무릎 안쪽에서 끝매기 한다.

⑮ 다리에 접은 삼각건법(그림 5-30).

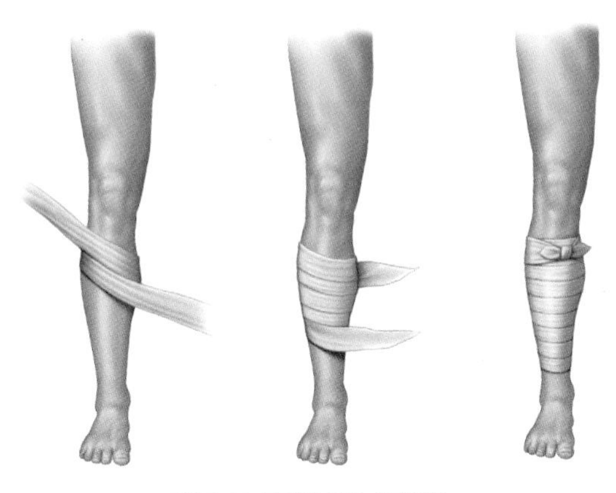

그림 5-30. 다리에 접은 삼각건법

㉠ 접은 삼각건을 장단지에 착대를 한다.

㉡ 양끝의 손상부위를 나선형으로 돌리면서 감싸준다.

㉢ 손상 부위를 피해서 끝매기 한다.

⑯ 엉덩이의 삼각건법 : 엉덩이의 드레싱을 유지할 목적으로 사용한다(그림 5-31).

㉠ 접은 삼각건을 편 감각건의 꼭지에 2-3회 말아 손상된 엉덩이에 착대한 후 접은 삼각건을 반대 측 허리에서 끝매기 한다.

㉡ 편 삼각건은 저변을 접어서 양끝을 넓적다리(대퇴부) 주위를 돌려 끝매기 한다.

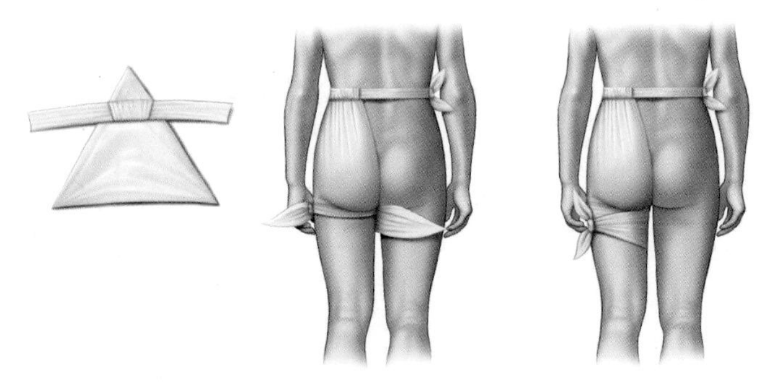

그림 5-31. 엉덩이의 삼각건법

⑰ 발에 편 삼각건법 : 발의 드레싱을 유지할 목적으로 사용한다(그림 5-32).

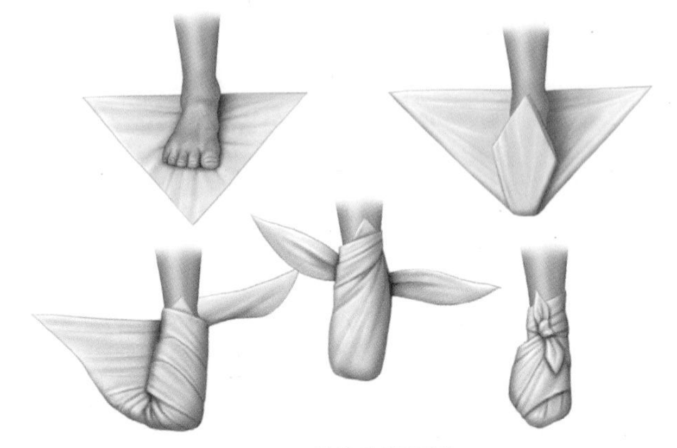

그림 5-32. 발에 편 삼각건법

㉠ 발을 저면에 직각이 되게 뒤꿈치를 저변 앞에 닿도록 중앙에 갖다 놓는다.
㉡ 삼각건의 꼭지를 발가락 위로 발목을 향해 덮는다.
㉢ 삼각건의 양끝을 교차시켜 발목을 감아 끝매기 한다.
㉣ 꼭지를 당겨 매듭을 감싼다.

⑱ 발목 삼각건법(그림 5-33).

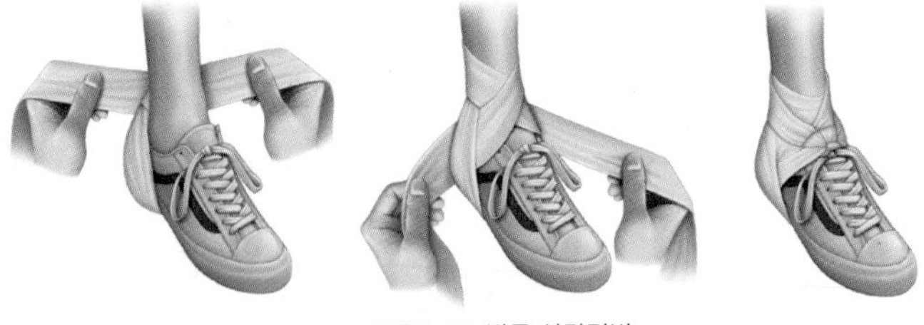

그림 5-33. 발목 삼각건법

3) 붕대

(1) 붕대의 목적

붕대는 드레싱 유지, 관절, 팔다리 부위 등 손상부위를 지지 및 지혈하도록 압력을 가하고 손상부위 고정에 사용된 부목을 유지하기 위해 사용된다.

(2) 롤붕대 사용요령

① 붕대는 오른손으로 잡고 좌에서 우로 돌린다.

② 단단하고 평평하게 하며 안전하게 감는다.

③ 혈액순환의 여부를 파악한다.

④ 붕대를 감을 때에는 붕대 뭉치가 바깥쪽을 향하게 한다.

⑤ 팔이나 다리에 붕대를 감을 때는 손가락과 발가락을 제외한다.

(3) 착대(감기시작)

맨 처음 붕대를 갖다 대는 것으로서 붕대의 정착을 말한다. 최초, 회전은 안전하게 매야 하고 가능하면 신체의 가장 둘레가 적은 부분을 택해야 한다. 손목 및 발목의 직상부위가 착대에 적절한 위치로 많이 사용된다(그림 5-34).

① 붕대를 오른손의 엄지와 중지에서 잡고 상처 부위에 비스듬히 대고 왼손으로 끝을 누른다.

② 처음 감음은 비스듬히 댄 끝의 부분을 삼각상태로 남기고 눌리도록 감는다.

③ 끝의 삼각부분을 접어 넣고 다시 그 위에 겹쳐 2-3회 감는다.

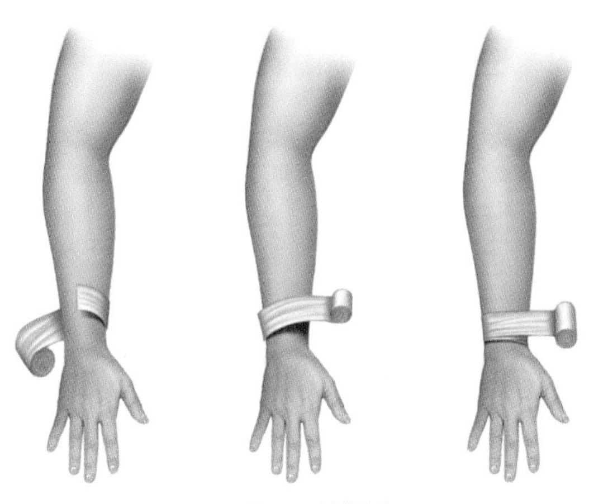

그림 5-34. 붕대착대

(4) 끝매기(그림 5-35)

① 감기 끝마침을 뒤집어서 두끝으로 해서 묶는 방법

㉠ 감기를 마쳤을 때 도중에서 뒤집은 끝을 반대측으로 쥐고 와서 2개 끝을 만든다.

㉡ 양끝을 교차시켜 바른매듭으로 한다.

② 감는 포대의 끝을 중앙에서 종으로 찢어 묶는 방법

㉠ 감는 포대의 끝에서 신을 향해서 부위의 굵기 등에 맞게 적당한 길이가 되도록 가위로 종으로 잘라서 2개의 끝을 만들고 한쪽 끝을 반대측으로 내서 양끝을 묶는다.

③ 기타

㉠ 감는 포대의 감기를 마친 끝을 정리해서 마지막으로 감은 부분에 집어넣어 처리한다.

㉡ 안전핀 및 반창고로 고정하거나 적당한 길이로 잘라 양끝을 바른매듭으로 한다.

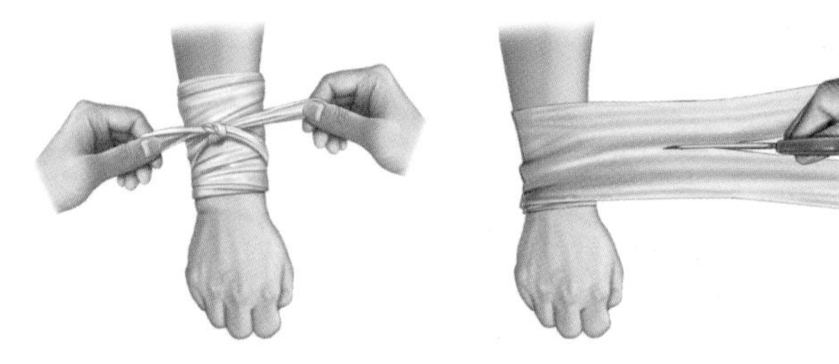
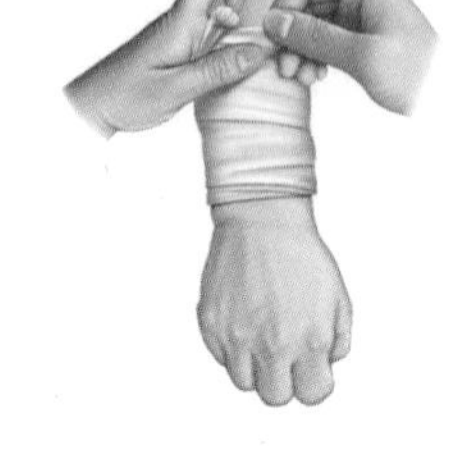

그림 5-35. 끝매기

Tip. 붕대법과 끝매기(The loop method and Split-tail method) 주의 사항

① 상처나 상처와 인접한 부위 드레싱을 만지지 않는다.
② 혈액 순환을 방해할 정도로 붕대를 꽉 조이게 감지 않는다.
③ 드레싱이 헐거워질 정도로 너무 느슨하게 붕대를 감지 않는다.

(5) 제2의 붕대를 잇는 방법

감는 포대를 2이상 연속해서 감을 때는 제1대의 종단 밑에 제2대 끝의 시작을 10-11 cm(부위에 따라 다르다) 정도 삽입하고 제1대의 종단을 동시에 눌리도록 해서 계속 감는다.

(6) 붕대풀기

감는 포대를 풀 때에는 감는 포대가 꼬이지 않도록 유의하면서 감는 방향과 반대의 방향으로 돌리기 위하여 좌수와 우수로 포대를 서로 교대로 잡으면서 푼다. 시술자는 상처가 상하지 않도록 주의한다.

(7) 붕대의 폭과 용도

감는 포대의 폭에 따라 2열(호)에서 8열(호)의 종류가 있으며 주로 다음 부위에 사용된다.

폭	사용부위
2열(호), 14 cm 3열(호), 9 cm	체간부(흉부, 복부)
4열(호), 7 cm 5열(호), 5.5 cm 6열(호), 4.5 cm	두부, 사지
8열(호), 3.5 cm	손가락

Tip. 드레싱과 붕대법의 목적

드레싱은 노출된 상처를 덮는 것이다. 드레싱을 할 때에는 시판되는 소독된 드레싱을 사용해야 하지만, 병원전 상황에서 적절한 응급처치를 하기 위해서는 주변에 있는 것으로 사용하여 응급처치를 하여야 한다. 붕대는 드레싱을 제 위치에 고정하기 위해 사용된다. 드레싱 위쪽으로 압력을 가해 출혈을 조절하고, 부종을 예방하거나 줄이고, 다친 관절이나 사지를 부목으로 고정하기 위해 사용된다. 이에 따라 드레싱과 붕대법은 지혈, 창상부의 보호 및 감염방지, 마비의 완화 및 쇼크 방지 등을 위하여 행하는 것이다. 바르고 정확히 응급처치된 드레싱과 붕대법은 창상이나 골절 등의 회복에 효과를 보이나, 부주의 부적절한 것은 환자에게 고통을 주고, 치유효과를 감소시킬 뿐만 아니라, 생명을 위협할 수가 있으므로 언제 어떠한 장소라도 신속하고 확실하게 처치할 수 있도록 순서를 훈련하여 둘 필요가 있다.
① 상처의 드레싱과 부목을 유지한다.
② 지혈과 함께 관절부를 고정한다.
③ 기형을 정형시킨다.
④ 창상부위를 피복하여 보호한다.
⑤ 창상부위를 압박하고, 가벼운 출혈을 막는다.
⑥ 창상부위의 농즙 등의 흡수 및 안제, 외용약 등을 지지한다.
⑦ 창상 및 골절 등 환부를 고정하여 동요를 막고, 통증을 경감한다.
⑧ 지속적 견인에 의해 치료목적을 달성한다.
즉 응급처치에 주로 사용되는 드레싱과 붕대법은 피복, 지혈, 고정의 3종류이다.

(8) 붕대의 종류

① 접착식 테이프

흰 직물로 직물을 만든 스포츠 테이핑이 있다. 이것은 젖어 있을 때도 붙일 수 있다. 이는 염좌, 수포 테이핑을 할 때나 붕대를 감을 때에 사용할 수 있다. 길이 방향으로 더 가

늘게 찢을 수 있다. 강력 접착 테이프가 훌륭한 대체제가 될 수 있다. 상처 드레싱에 사용되는 다른 종류의 의료용 테이프로는 종이 테이프, 실크 테이프, 저자극성 플라스틱 테이프 등이 있다.

② 룰러 거즈 붕대
큰 상처를 덮을 때, 드레싱을 고정시킬 때, 한 겹을 더 감아줄 때 사용한다. 다양한 크기(1-3 inch 너비)로 나온다. 붕대를 감을 때 넓은 붕대를 접어서 사용할 수도 있지만 딱 맞는 붕대만큼 유용하지는 않다.

③ 자가 부착형 붕대
약간의 탄력성이 있는 거즈 같은 직물을 말아놓은 것이다. 일반적으로 얇은 그물형과 더 두껍고 흡수성이 좋은 그물형의 두 가지 형태가 있다. 구급상자에서 가장 유용한 너비는 2 inch와 4 inch이다. 구급상자에 딱 한 가지 크기만 넣을 수 있다면 3 inch나 4 inch 너비를 선택한다. 이 종류의 붕대는 스스로 부착되는 특징이 있어 관절 같이 어려운 부위에 사용하기 쉽다.

④ 삼각 붕대 및 임시방편용으로 사용할 수 있는 재료로는 양말, 말아 높은 티셔츠, 벨트, 수건 등이 있다.

(9) 붕대법의 종류

① 머리 회귀형 붕대법(1, 2방법)
② 한쪽 눈의 교차 붕대법
③ 양쪽 눈의 교차 붕대법
④ 아래턱의 붕대법
⑤ 코의 네갈래 붕대법
⑥ 턱의 네갈래 붕대법
⑦ 팔꿈치의 8자 붕대법
⑧ 팔꿈치의 전면 붕대법
⑨ 팔뚝의 8자 붕대법
⑩ 어깨의 수상 붕대법
⑪ 흉부 및 등에 대한 회귀 붕대법(1, 2방법)
⑫ 빗장뼈 8자 붕대법
⑬ 손 싸기 붕대법
⑭ 손의 8자 붕대법
⑮ 장갑형 붕대법
⑯ 반 장갑형 붕대법
⑰ 손가락 붕대법
⑱ 대퇴 및 엉덩이의 수상붕대
⑲ 발의 수상붕대
⑳ 절단 회귀형 붕대법
㉑ 벨포 붕대법
㉒ 나사형 붕대법
㉓ 역전 붕대법
㉔ 꼬리 붕대법

(10) 붕대 감는 법

① 머리 회귀형 붕대법 : 의식 있는 환자 및 의식 없는 환자일지라도 보조자가 있을 시에 두피위에 드레싱 유지할 목적으로 사용한다.

ⓐ 제 1 방법(붕대 1개)

㉠ 붕대 하나로 전두부에서 착대하여 2-3회 환행대로 머리주위를 감은 후 전두부 중앙에서 두정골을 지나 접은 부분을 누르고 다시 붕대를 2/3감싸주고 1/3이 노출되게 하여 접어 올린다.

㉡ 전 두부로 넘겨온 붕대를 감싸진 붕대전체의 1/2이 감싸지도록 반대 측으로 접어서 올린다.

㉢ 후두부로 온 붕대를 (1/2이 감싸진 반대 측 방향으로) 나머지 1/2이 감싸지도록 접어 올린다.(정중앙에는 중앙선이 생긴다.)

㉣ 정 중앙선을 좌우로 하여 2/3가 감싸지고 1/3이 노출되도록 모자를 쓴 것처럼 머리의 전체를 감싸준다.

㉤ 머리주위를 다시 환행대로 2-3회 감은 후 전두부에서 끝매기 한다(그림 5-36).

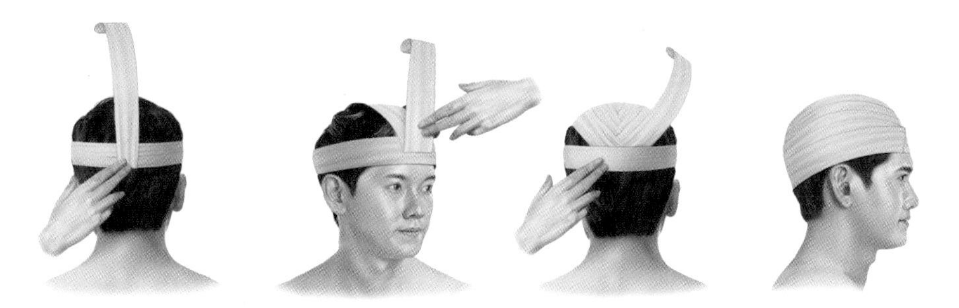

그림 5-36. 머리 회귀형 붕대법 제 1방법

ⓑ 제 2 방법(붕대 2개) : 보조자가 없는 경우 무의식 환자의 두피위에 드레싱을 유지하는데 사용한다(그림 5-37).

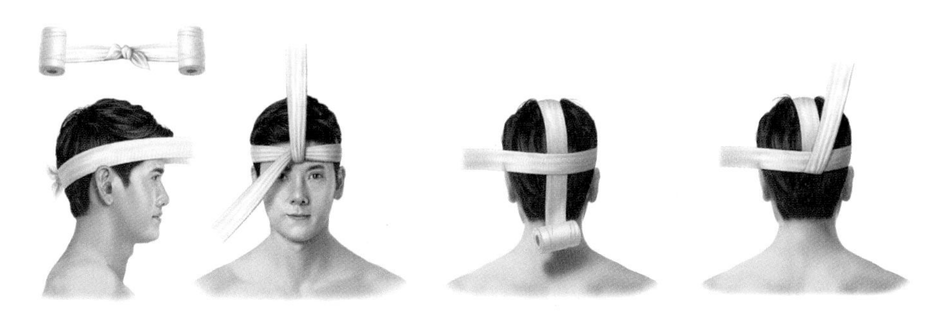

그림 5-37. 머리 회귀형 붕대법 제 2방법

㉠ 2개의 붕대를 사각 묶음으로 연결한 다음 붕대를 전 두부에서 착대하는데 이때 묶음 밑에는 부드러운 솜이나 가제를 대어줌으로써 환자에게 직접적인 압박을 피한다.

㉡ 양측 측두부를 따라 후두부에서 교차시켜 환자의 우측으로 돌던 붕대를 다시 우측으로 돌리고 좌측으로 돌아간 붕대는 후두부에서 두정골 정 중앙을 지나 전두부로 넘겨 온다.

㉢ 머리 회귀형 1 번과 같은 방법으로 우측으로 돌던 붕대는 환자의 손 역할을 하면서 머리를 모자 쓴 것처럼 감싸준다.

㉣ 전 두부에서 끝매기 한다.

※ 머리 붕대법

이마나 두피 뒤쪽의 상처를 감을 때는 헝겊으로 된 삼각건이나 롤로 붕대를 사용하여 드레싱한다. 귀 위로 붕대를 감는 것을 피하기 위해 이마 아래쪽으로 감고 붕대 아래 묶인 부분이 귀 앞쪽으로 가도록 한다(그림 5-38).

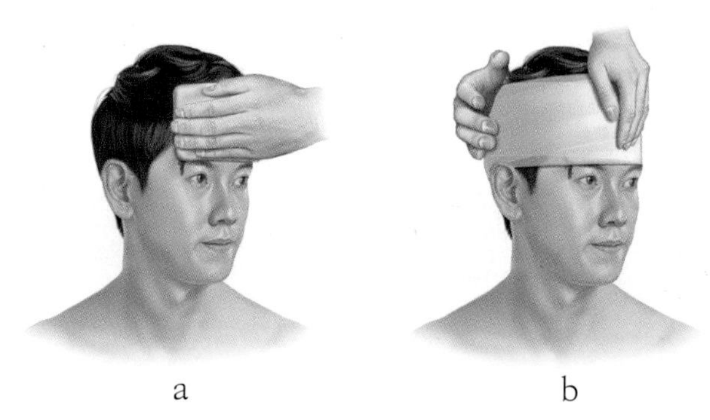

그림 5-38. 머리 붕대법 a. 직접 압박법으로 지혈한다. b. 머리 및 이마에 붕대를 감싸준다.

② 한쪽 눈의 교차 붕대법 : 한쪽 눈의 드레싱 유지에 사용 된다(그림 5-39).

㉠ 상처가 우측일 경우 붕대를 2-3회 착대한 후 반대 측 측두부를 약간 올려 감아 머리 귀에서 사각으로 감아 내린다.

㉡ 귀밑을 통과하여 우측 눈을 감싸준 후 콧부리를 향해 대각으로 올려 머리 주위를 환행대로 한번 감는다(귀밑을 통과하는 붕대는 1/3 정도 접어주어 귀를 완전히 노출하도록 하며 귀밑에는 부드러운 가재나 솜을 대어주어 압박을 방지한다).

㉢ 이 절차를 반복하여 눈이 덮일 때까지 먼저 감긴 붕대의 2/3를 겹쳐서 감은 후 이 절차를 반복하여 눈이 덮일 때까지 먼저 감긴 붕대의 2/3를 겹쳐서 감은 후 끝매기 한다(상처가 좌측일 경우 착대한 붕대를 좌측 눈, 귀밑 순으로 감는다).

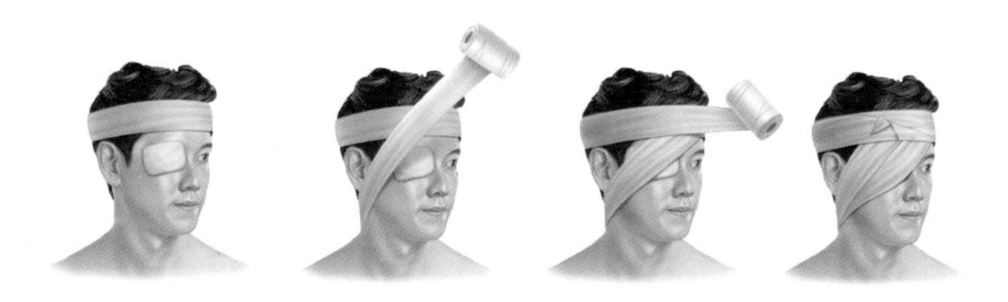

그림 5-39. 한쪽 눈의 교차 붕대법 - 한쪽 눈

③ 양쪽 눈의 교차 붕대법 : 양쪽 눈의 드레싱을 유지하는 데 사용된다(그림 5-40).

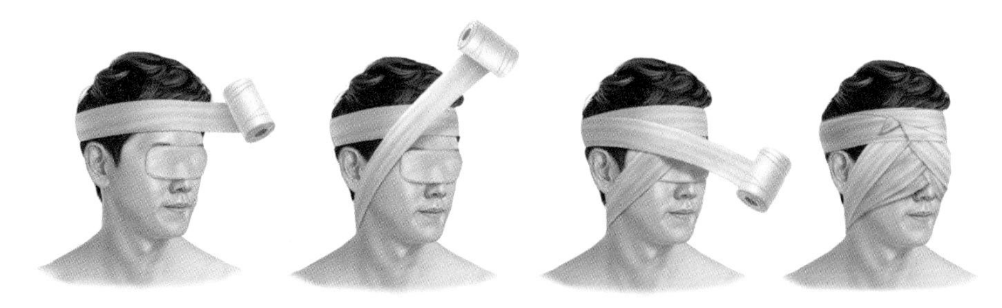

그림 5-40. 양쪽 눈의 교차 붕대법

㉠ 한쪽 눈의 교차 붕대와 같은 방법으로 양쪽 눈을 감아준다.

④ 아래턱의 붕대법(그림 5-41).

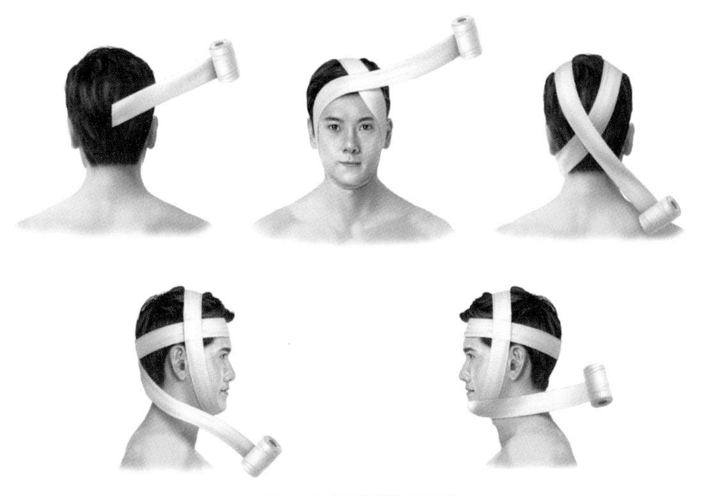

그림 5-41. 아래턱의 붕대법

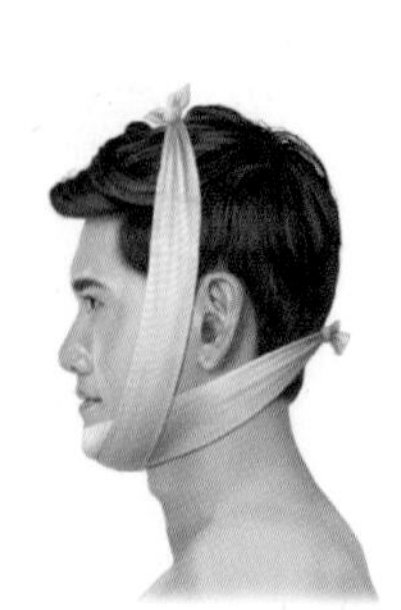
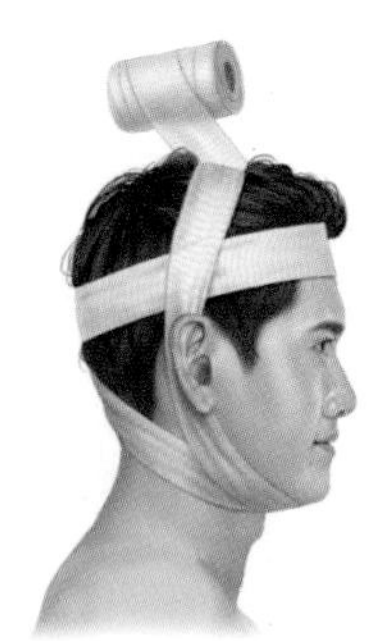

그림 5-41. 아래턱의 붕대법

㉠ 좌측 후두부 하단 위에서 착대하여 우측 측두부를 통과하고 전두부에서 좌측 뺨을 거쳐 아래턱을 감싸준 후 우측 뺨을 거쳐 전두부 중앙에서 교차한다.

㉡ 다시 계속해서 좌측 측두부로 통과하여 후두부에 착대한 붕대와 교차한다.

㉢ 교차시킨 붕대를 우측 귀밑을 통과하여 아래턱을 감싸준 후 좌측 귀밑을 통과한다.

㉣ 위와 같은 동작을 반복하여 단단하게 붕대를 감은 후 안전핀 또는 반창고로 고정한다.

⑤ 코의 네갈래 붕대법 : 코의 드레싱유지에 이용되며 요구되는 넓이와 길이의 네갈래 붕대를 사용한다(그림 5-42).

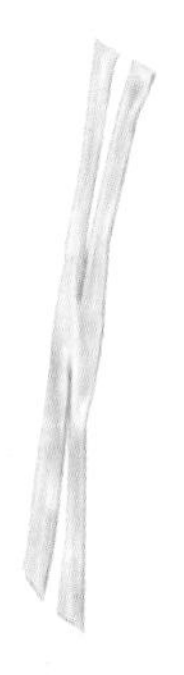
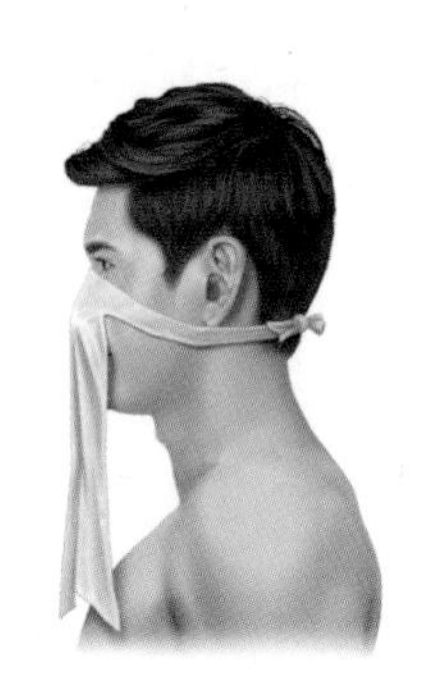
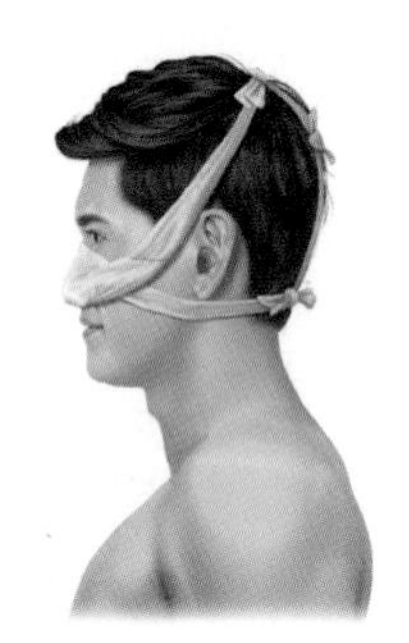

그림 5-42. 코의 네갈래 붕대법

㉠ 이 붕대는 코 주위의 드레싱을 유지하기 위하여 사용된다. 네꼬리 붕대는 넓이 약 10-15 cm, 길이 약 75 cm의 크기를 가지고 양끝은 30-35 cm 가량 중앙으로 잘려 있는 것으로서 중앙부분은 7-12 cm가 되도록 하면 된다.

㉡ 드레싱부위에 이 붕대의 중앙을 대고 위에 있는 두 끝을 귀밑으로 해서 목뒤로 두른 후 끝매기 한다.

㉢ 아래에 있는 끝을 올려 머리 위에서 끝매기 한다.

⑥ 턱의 네갈래 붕대법 : 턱의 드레싱을 유지하는데 사용된다(그림 5-43).

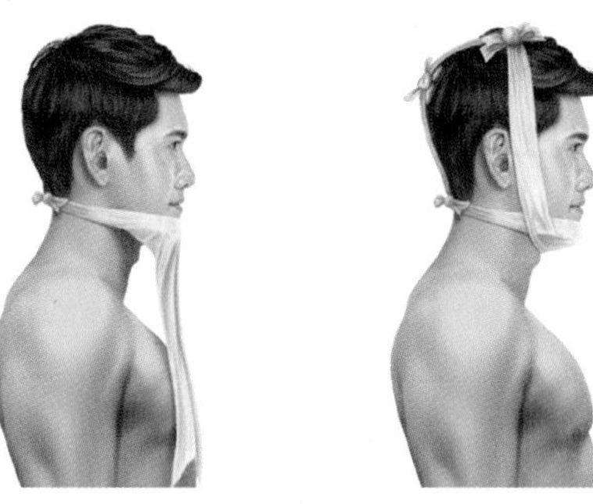

그림 5-43. 턱의 네갈래 붕대법

㉠ 양끝으로 길이의 중앙을 7-12 cm 정도 남겨놓고 붕대를 두 갈래로 가름.
㉡ 드레싱부위에 붕대의 중앙을 대고 위에 있는 두 끝을 귀밑으로 해서 목 뒤로 두른 후 끝매기 한다.
㉢ 아래에 있는 두 끝을 올려 머리위에서 끝매기 한다.

⑦ 팔꿈치의 8자 붕대법 : 팔꿈치의 드레싱 유지하기 위함이다(그림 5-44).
㉠ 위팔하단에서 착대 후 붕대를 사각으로 팔꿈치 홈 위를 감아 내린다.
㉡ 팔뚝 상단에서 환행대로 감은 후 붕대를 사각으로 팔꿈치 위를 감아올린다.
㉢ 이와 같은 방법으로 붕대 넓이의 1/3씩 노출해 드레싱이 덮일 때까지 계속한다.
㉣ 위팔하단부 위에서 끝매기 한다.

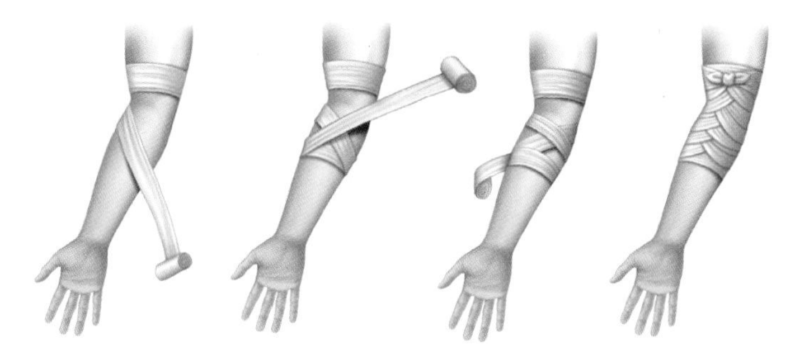

그림 5-44. 팔꿈치의 8자 붕대법(1, 2 방법)

⑧ 팔꿈치의 전면 붕대법 : 팔꿈치 전면의 드레싱을 유지하기 위함이다(그림 5-45).
㉠ 위팔하단에서 붕대를 착대한 후 팔꿈치 홈 위로 사각으로 감아 내린다.
㉡ 팔뚝 상단부위에서 환행대로 감은 후 위와 같은 형식으로 붕대를 반복하여 감는다.
㉢ 팔꿈치 부위는 노출해 놓고 위팔 하단전면에서 끝매기 한다.

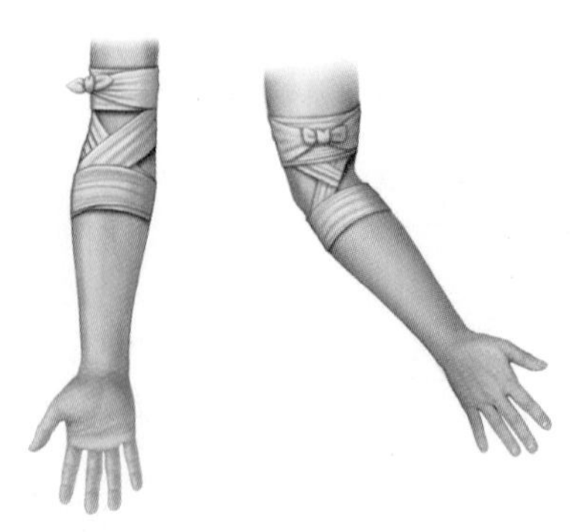

그림 5-45. 팔꿈치의 전면 붕대법

⑨ 팔뚝의 8자 붕대법

㉠ 손목에서 착대한다.

㉡ 붕대를 사각으로 감아올려 팔뚝 상단에서 환행대로 돌리고 사각으로 내려감아 착대선에 일치시킨다.

㉢ 붕대 넓이의 1/3씩 노출하며 8자 붕대로 감는다(V자 홈의 각도가 적을수록 붕대는 단단해진다. (그림 5-46).

㉣ 팔뚝 상단 부위에서 끝매기 한다.

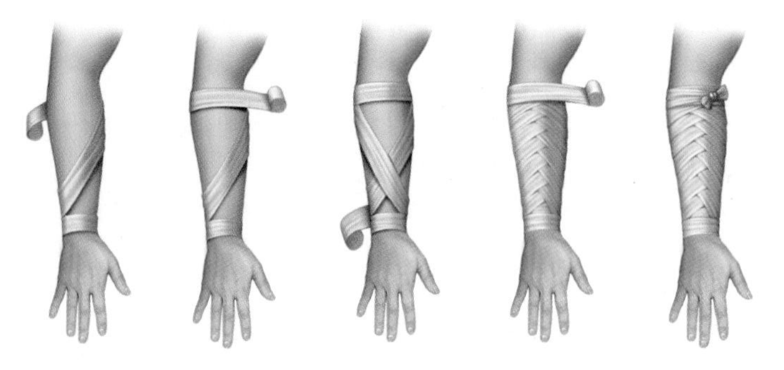

그림 5-46. 팔뚝의 8자 붕대법

⑩ 어깨의 수상 붕대법 : 어깨와 겨드랑이의 드레싱을 유지하는 데 사용한다.

㉠ 겨드랑이에 패드를 대고 손상된 쪽의 위팔 상단에서 착대한다.

㉡ 상처가 우측일 경우 어깨를 감싸면서 흉부와 반대편 겨드랑이를 지나 우측 어깨를 감싸 처음 8자 붕대를 형성한다.

㉢ 위와 같은 방법으로 붕대 넓이의 1/3씩 노출해 드레싱이 덮일 때까지 계속한다.

㉣ 어깨 전체가 덮이도록 해야 하며 안전핀이나 반창고로 고정한다(좌측일 경우 어깨를 감싼 후 등부터 지난다).

⑪ 흉부 및 등에 대한 회귀 붕대법

ⓐ 제1방법 : 한 개의 붕대로 감은 흉부 및 등에 대한 회귀 붕대법이다.

㉠ 붕대 하나로 흉부상단부위에서 2-3회 감아 착대한 후 붕대를 꺾어 어깨를 통과하여 등 뒤에서 접어 올린다.

㉡ 위와 같은 방법으로 좌측 흉부와 우측 흉부를 번갈아 드레싱부위 감싼다.

㉢ 접은 부분을 2-3회 환행대로 돌려 감은 후에 안전핀이나 반창고로 고정시킨다.

ⓑ 제 2 방법 : 2개의 붕대로 사각묶음을 하여 실시하는 흉부 및 등에 대한 회귀 붕대법이다.

㉠ 2개의 붕대 뭉치를 잡고 각각 겨드랑이 밑을 통과하여 등 뒤 중앙에서 교차하는데 이때 환자의 우측으로 돌던 붕대는 다시 우측으로 돌리고 좌측으로 돌아간 붕대는 등 뒤에서 어깨 위를 통과하여 흉부로 가져간다.

㉡ 위와 같은 방법으로 좌측흉부와 우측흉부를 덮고 하나의 붕대는 환자나 보조자의 손 역할을 하면서 흉부 전체를 감싸준다.

㉢ 흉부 앞에서 끝매기 한다.

⑫ 빗장뼈의 8자 붕대법 : 빗장뼈 골절 시 붕대를 사용하여 등을 뒤로 받치는 데 사용된다 (그림 5-47).

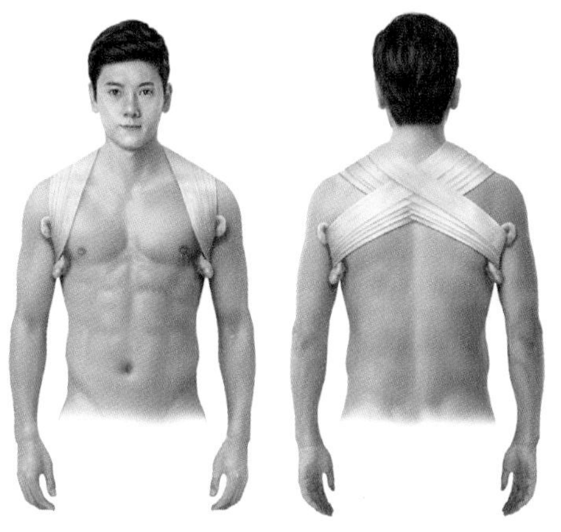

그림 5-47. 빗장뼈의 8자 붕대법(빗장뼈 골절의 처치)

㉠ 패드를 겨드랑이에 끼워 직접적인 압박을 피하여 붕대 끝을 양어깨뼈골 사이에 놓고 붕대를 대각으로 어깨 위를 향한다.

㉡ 어깨 위에서 겨드랑이 밑을 통과하여 반대편 어깨를 거쳐 겨드랑이 밑으로 돌려 감는다.

㉢ 이 절차를 몇 회 반복하여 충분히 고정한 후 끝매기 한다.

⑬ 손 싸기 붕대법 : 손에 대한 드레싱을 유지할 목적으로 사용된다(그림 5-48).

㉠ 손목에서 착대하여 손등으로 접어 내린다.

㉡ 손가락 끝을 싸서 손바닥으로 돌려 손목을 올려 감는다.

㉢ 위와 같이 계속 감아서 엄지만 제외하고 나머지 손가락을 싼다. 이때 손목에서 접은 부분을 고정한다.

㉣ 손등을 비스듬히 덮으면서 손가락 끝으로 내려감는다.

㉤ 8자 붕대로 손가락과 손등을 감는다.

㉥ 손목을 2-3회 감은 후 끝매기 한다.

그림 5-48. 손 싸기 붕대법

⑭ 손의 8자 붕대법 : 손바닥과 손등의 드레싱을 유지하기 위함이다(그림 5-49).

㉠ 손가락 둘째마디에서 착대한다.

㉡ 착대선에 일치하여 8자 붕대로 손등과 손바닥을 감는다.

㉢ 엄지손가락은 다치지 않았다면 덮지 않고 남겨둔다.

㉣ 손목 주위를 감으면 드레싱을 잘 고정할 수 있어서 헐거워지지 않으므로 손목에서 끝매기 한다.

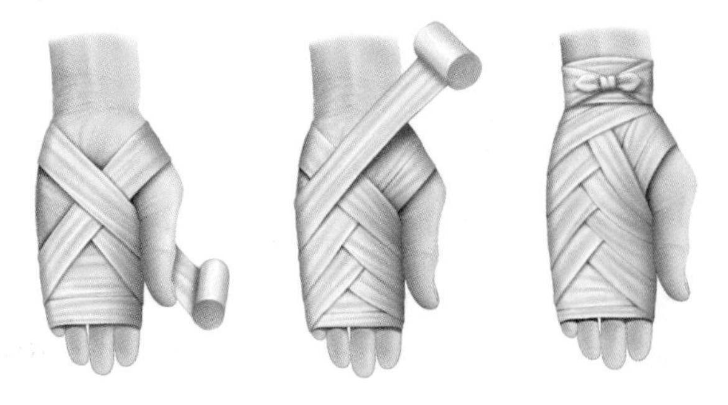

그림 5-49. 손의 8자 붕대법

⑮ 손바닥에 붕대 감기 : 상처가 깊거나 힘줄, 뼈가 포함된 손상인 경우 상처를 드레싱하기 위함이다(그림 5-50).

㉠ 손바닥 위에 롤이나 패드 뭉치를 놓고 손가락으로 감싸도록 한다.

㉡ 다친 사람의 전체 손을 붕대로 감고 손목에 고정하고 묶어준다.

㉢ 엄지나 검지 손가락은 다치지 않았을 경우 계속 손을 일부 사용하기 위해 감지 않고 남겨둔다.

㉣ 손가락과 손목 주위를 교차하며 붕대를 감는다.

㉤ 손목을 2-3회 감은 후 끝매기 한다.

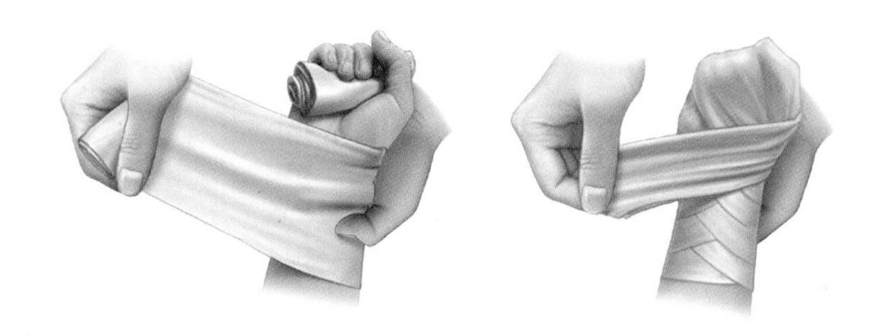

그림 5-50. 손바닥에 붕대 감기

⑯ 장갑 붕대법 : 손등과 손가락에 드레싱을 유지하기 위해 사용된다(그림 5-51).

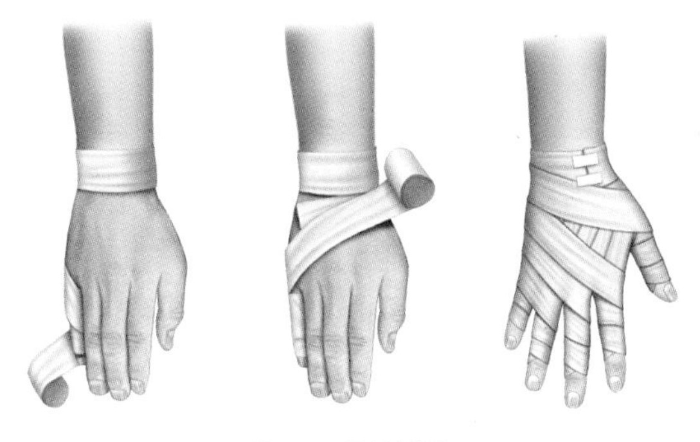

그림 5-51. 장갑 붕대법

㉠ 상처가 우측일 경우 손목에서 착대한 후 손등을 지나 제4지와 제5지 사이에 끼워서 제5지를 나선형으로 감아간다.

㉡ 제5지로부터 손등을 가로질러 손목으로 올린 후 1회 감아 위의 동작을 손가락마다 차례로 계속한다.

㉢ 손목에서 끝매기 한다(상처가 좌측일 경우 엄지부터 감싼다).

⑰ 반장갑 붕대법 : 손등에 드레싱을 유지할 목적으로 사용된다(그림 5-52).

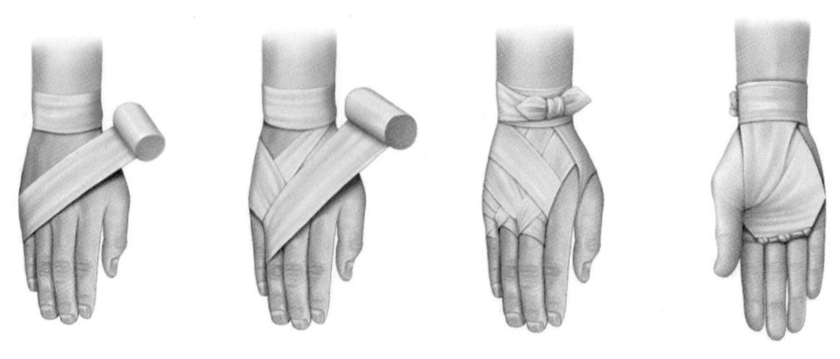

그림 5-52. 반장갑 붕대법

㉠ 손가락 둘째 마디까지 노출시켜가며 장갑붕대와 같은 방향으로 감아준다.

⑱ 손가락 붕대법 : 손가락의 드레싱을 유지할 목적으로 사용된다.

㉠ 손목에서 착대한 후 손등으로 가져가 드레싱이 있는 손상된 손가락을 나사형 붕대로 완전히 감아 드레싱을 유지한다.

⑲ 넓적다리 및 엉덩이의 수상 붕대법 : 넓적다리 및 엉덩이의 드레싱을 유지할 목적으로 사용된다.

㉠ 한 측 넓적다리 아래 부위에 착대한 후 반대편 허리를 지나 환부를 거쳐 8자대를 형성한다.

㉡ 붕대면의 2/3를 겹쳐가며 위의 동작을 계속한다.

㉢ 드레싱 부위가 완전히 덮일 때까지 감고 안전핀이나 반창고를 고정한다.

⑳ 발의 수상 붕대법 : 발의 드레싱을 유지하기 위함이다(그림 5-53).

㉠ 엄지발가락 부위에 착대한다.

㉡ 발 안쪽에서 뒤꿈치로 붕대를 사각으로 감아간다.

㉢ 점차 발등과 뒤꿈치 상부로 감아감에 따라 교차점이 발 안쪽 직선상에 형성된다.

㉣ 이 절차를 반복하여 드레싱이 완전히 덮이면 발목에서 끝매기를 한다.

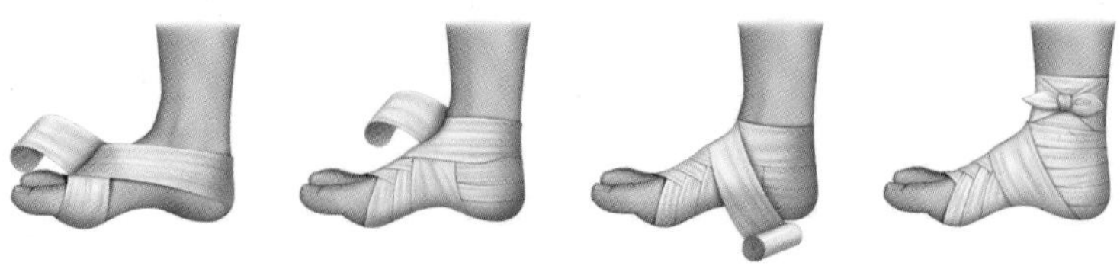

그림 5-53. 발의 수상 붕대법

㉑ 절단 회귀형 붕대법 : 절단된 부위의 드레싱을 유지하기 위함이다(그림 5-54).

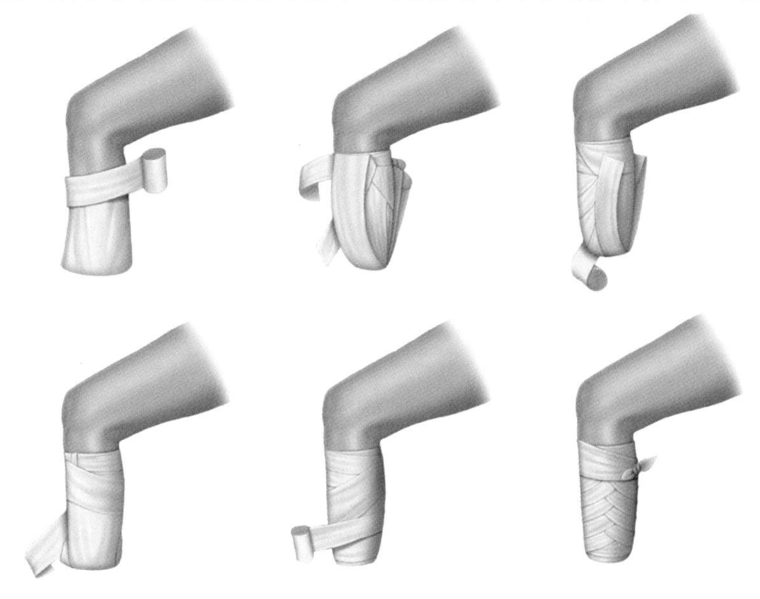

그림 5-54. 절단 회귀형 붕대법

㉠ 발목이 절단된 환자일 경우 무릎에서 다리를 여러 차례 감아 착대한다.
㉡ 나선형으로 다리를 여러 차례 감아 드레싱을 고정한다.
㉢ 무릎에서 직각으로 접어 절단변을 잘라 후면을 덮는다.
㉣ 무릎 밑에서 접어 다시 절단면을 감싸서 전면을 덮는다.
㉤ 위의 동작을 계속하여 여러 차례 넉넉히 감는다.
㉥ 무릎 밑에서 감아 접은 부분을 고정한다.
㉦ 다리 끝에서부터 8자형으로 감아올려 무릎 밑을 여러 차례 감은 후 끝매기 한다.

㉒ 벨포 붕대법 : 어깨뼈, 빗장뼈 골절 시 또는 손을 고정하기 위하여 사용하거나 탈구된 손을 원위치에 복귀시켰을 때에 위팔골을 고정할 목적으로 사용된다.
㉠ 상처가 우측일 경우 우측 손을 좌측 어깨에 올리고 패드를 대준다.
㉡ 붕대 끝을 좌측 어깨뼈 하단부에 대고 어깨를 올려 감는다.
㉢ 우측 어깨로부터 위팔로 내려 팔꿈치를 감싸고 몸통을 두른다.
㉣ 계속 몸통을 감아 사각으로 등을 지나 어깨를 감싼다.
㉤ 위와 같은 동작을 계속하여 고정한 후 끝매기 한다.

㉓ 나사 붕대법 : 손, 발, 가슴, 하복부에 드레싱을 유지할 때나 압박 및 부목을 고정시킬 목적으로 사용한다(그림 5-55).

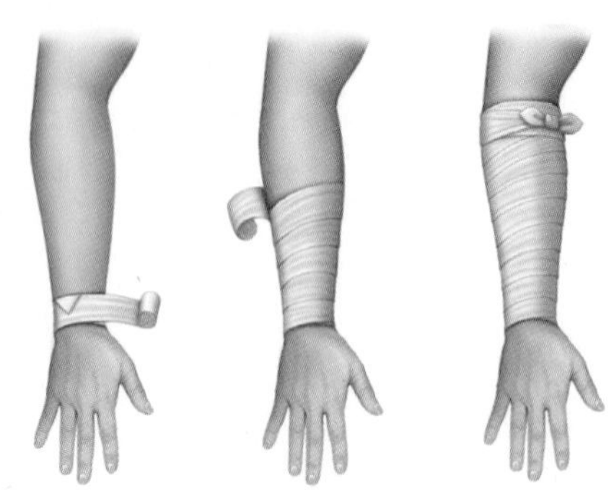

그림 5-55. 나사 붕대법

㉠ 팔뚝부위를 나사형으로 감아 붕대의 2/3 정도를 계속 겹쳐 감은 후 끝매기 한다.

㉔ 역전 붕대법 : 8자 붕대의 전형적인 것으로 붕대를 절약할 목적으로 사용한다(그림 5-56).

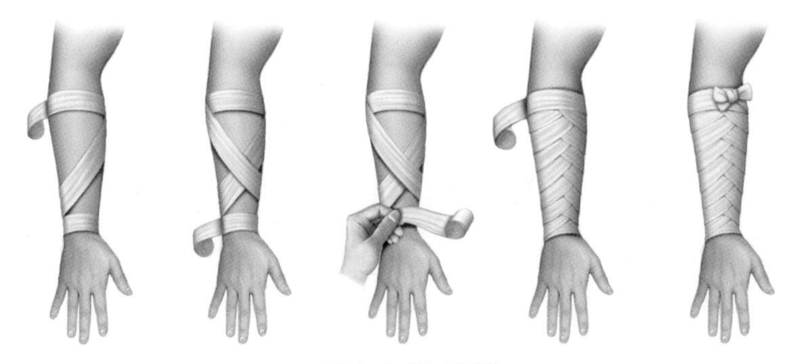

그림 5-56. 역전 붕대법

㉠ 환행대로 2-3회 손목에서 착대한 후 팔뚝부위를 사선으로 감아 팔뚝 상단부위를 감아 고정하고 손목으로 내려와 재차 1회 감아준다.
㉡ 8자 붕대와 같은 방향으로 감아 나가나 올리는 부분에서 보조자의 좌측 엄지손가락을 대고 90°씩 꺾어 감아 나간다.

㉕ 꼬리 붕대법
ⓐ "T"자 붕대법 : 꼬리 붕대 법은 로라 붕대로 감을 수 없는 특수한 부분의 드레싱을 유지하기 위해 로라 붕대를 변형시켜 사용하는 붕대법이다(그림 5-57).

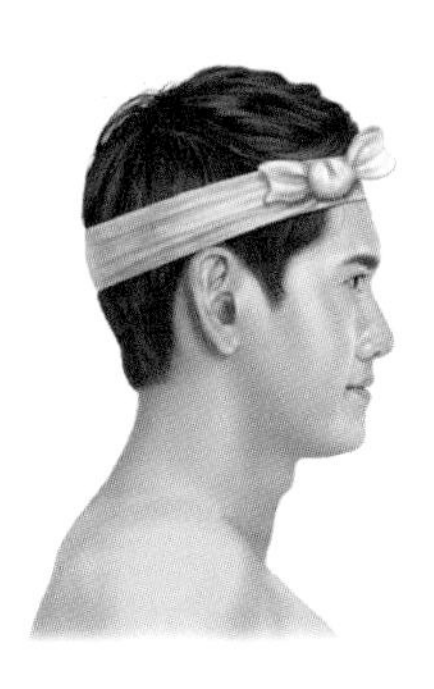

그림 5-57. "T"자 붕대법

㉠ "T"자 붕대는 수평인 붕대 중앙에 수직으로 꿰매거나 핀으로 고정한 "T"자형의 붕대를 말한다. 이 붕대는 두피, 머리 옆 또는 머리 뒤의 드레싱을 유지하는 데 사용된다.

ⓐ 2중 "T"자 붕대 : 2중 "T"자인 "TT"자 붕대는 가슴이나 등 부분의 드레싱을 유지하는 데 사용된다(그림 5-58).

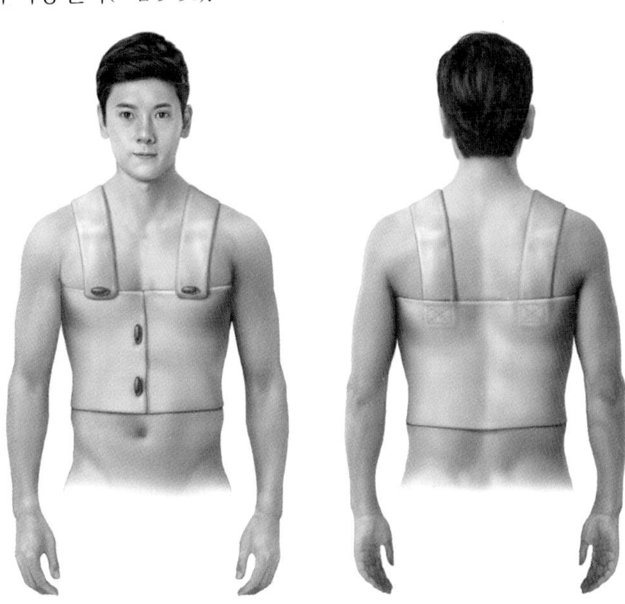

그림 5-58. 2중 "T"자 붕대

㉠ 붕대 중앙에 약 10 cm의 간격을 두고 두 개의 수직붕대를 꿰매어 만들 수 있으며 소요되는 붕대는 가슴을 덮을 수 있는 20-25 cm의 넓이와 가슴을 감을 수 있는 길이를 가진 수평붕대 1개와 넓이 5 cm 길이 30 cm의 수직붕대 2개이다.

(11) 드레싱과 붕대법의 유의사항

드레싱과 붕대법의 능숙함과 서툼이 창상 등의 처치에 크게 영향을 미치므로 일정한 순서에 따라서 그 목적에 알맞고 확실히 응급처치하는 것이 필요하다.

① 드레싱과 붕대를 잡을 때는 손을 청결히 할 것. 시간과 그를 위한 설비가 있으면 손을 닦는 것을 습관화해야 한다.

② 드레싱과 붕대에 손이 닿은 부분을 창상면에 닿지 않도록 하고, 드레싱과 붕대가 직접 창상면에 닿는 부분에 손을 댄다든지 입김을 불지 않아 무균의 상태로 취급하도록 습관화해야 한다.

③ 드레싱과 붕대는 창상면을 충분히 덮을 수 있는 크기 및 두꺼운 것을 정하여 사용할 것. 드레싱과 붕대는 창상면을 보호하기 위해 또는 혈액이나 기타 스며 나온 농즙 등을 충분히 흡수할 수 있는 크기와 두께가 있는 것을 사용한다. 또 탈지면은 직접 창상면에 닿지 않게 할 것.

④ 창상면에는 원칙적으로 멸균 거즈를 사용하고, 드레싱과 붕대법은 별도로 할 것,

⑤ 드레싱과 붕대법 처치 후 혈액이 스며 나오는 것 같은 것이 있으면 처치하지 않은 별도의 드레싱과 붕대를 이용하여 그 위에 드레싱과 붕대법을 할 것.

(12) 붕대가 너무 조일 때 보이는 징후

① 손톱이나 발톱이 연한 파란색을 띈다.

② 사지가 푸른색 또는 창백한 색으로 변하고 차갑다.

③ 저린감이 생기거나 감각이 저하된다.

④ 손가락이나 발가락을 움직일 수 없다.

⑤ 붕대 위쪽으로 통증이 느껴진다.

4 당김(견인)부목

넙다리뼈 손상은 긴뼈와 관절 손상에 대한 부목법을 위한 일반지침에 있어 예외적인 것이다. 넙다리뼈 골절의 주요한 문제는 허벅지의 커다란 근육 집단이 경련을 일으켜 뼈끝이 서로 과도하게 겹쳐져서 통증과 추가 연부조직손상을 초래하는 경향이 있다는 것이다. 당김부목의 장점은 근육 경련을 중화하여 통증을 상당히 감소시킨다. 당김부목의 기본적인 유형은 단극식과 두극식이 있다.

① 단극식 부목 : 다리를 따라 길게 하나의 금속 막대기를 놓는 형식이다.
② 두극식 : 두 개의 금속 막대기 사이에 다리를 올려놓은 형식이다.

당김부목 사용 시에 가장 일반적인 질문으로는 "얼마나 많이 견인해야 하는가?"이며 질문의 대답은 "환자가 통증이 가실 때까지 충분히 견인하여 당긴다"는 것이다. 그러나 이러한 답은 오해를 일으킬 수 있다.
① 넙다리 근육이 경련이 일어난 경우 통증이 발생한다.
② 뼈가 과도하게 겹쳐질 때 환자는 통증을 겪는다.
이에 응급구조사가 손이나 기계로 견인을 할 때, 근육경련에 대해 잡아당기게 되면 환자에게 해를 입힐 수 있다. 대부분 환자는 견인(당김)부목을 몇 분 동안 계속 적용해서 근육경련이 가라앉기 시작할 때까지 통증이 가시지 않는다. 2극식 부목으로 사지를 정복하기 위해 강하게 견인해야 한다. 뼈가 계속 과도하게 겹치지 않도록 단단하게 잡아당겨 유지한다.

1) 용도

넓적다리뼈가 골절되면 근육의 수축력에 의해 부러진 뼈끝이 서로 당겨지고 겹쳐지게 된다. 이러한 상황에서 응급처치나 환자 이송 등을 위해 환자를 움직이게 되면 뼈끝에 의한 심각한 연부조직, 혈관, 신경 등의 손상을 입을 수 있고 폐쇄성 손상이 열린 상처로 발전하기도 한다. 따라서 넓적다리 골절 시 당김부목은 다음과 같은 용도로 사용된다.
① 외적인 지지와 고정을 한다.
② 근육경련으로 인해 뼈끝이 서로 겹쳐 발생하는 통증을 감소시킨다.
③ 추가적 연부조직손상을 줄여준다.
③ 내부출혈을 감소시킨다(그림 5-59).

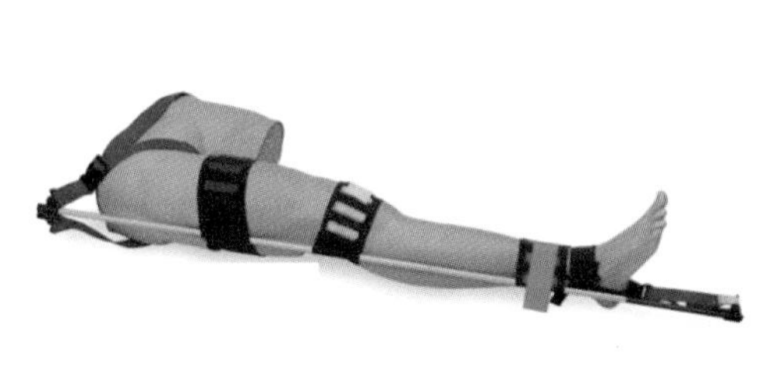
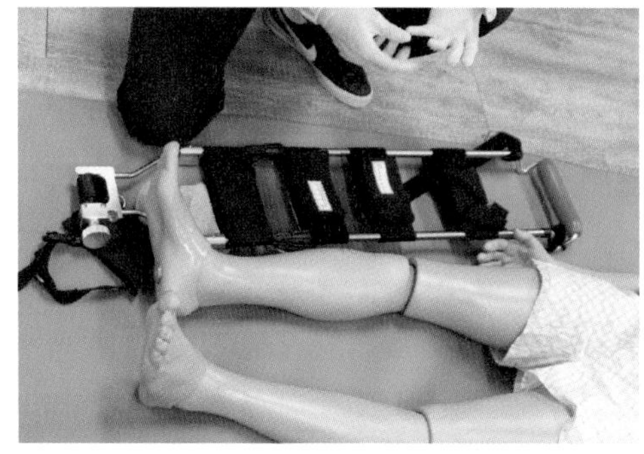

그림 5-59. 견인(당김)부목

2) 적응증

다리의 관절 및 다리 하부의 손상이 동반되지 않은 넓적다리 체간부의 손상 시 적용한다.

① 하지골절에 이용

② 사지의 축 방향으로 견인

(부목의 상부가 궁둥뼈 조면에 고정되어야 효과적인 견인)

③ 골절부위 직선 배열

④ 발목고정기로 발을 견인하면서 골절부위 고정

3) 금기증

① 골반손상(골반골절 등)이 있는 경우 : 골반에 추가로 심각한 손상을 유발될 수 있다.

② 넓적다리뼈의 상부(엉덩이)가 손상이 된 경우 : 요구되는 일직선 된 자세를 갖추기 어렵다.

③ 심각한 무릎 손상이 있는 경우 : 무릎관절에 영향을 주어 과도하게 확장되기 때문이다.

④ 하지가 부분적으로 절단되었거나 피부의 심한 결출상이 있는 경우 : 부목의 말단 부위 부착이 제한되고 방해가 된다.

⑤ 하지 종아리의 1/3 아래에 골절(발목골절)이 의심된 경우 : 발목부위 걸쇠(hitch)에 의한 심각한 손상이 유발될 수 있다.

⑥ 현장에서 빨리 이송해야 할 경우 : 부목 적용 시 최소 3-5분 정도 소요된다.

4) 사용방법

① 환자평가(하지 말초의 맥박, 운동과 감각 기능) 실시 및 견인(당김)부목을 준비한다.

② 환자 발목에 발목 고정끈 설치 및 안전하며 조심스럽게 다리를 손으로 견인을 하며 안정화한다.

③ 정상적인 하지의 옆에 부목을 위치시켜서 적절한 길이로 조절한다. 길이 조절은 일반적으로 다음과 같은 방법을 이용한다.

㉠ 방법 1 : 상부 끝을 엉덩뼈능선(crista iliac, 장골능)에 위치하고 하부의 구부러진 각이 발꿈치에 오도록 길이를 조절한다(그림 5-60).

㉡ 방법 2 : 상부 끝을 궁둥뼈 결절(좌골조면)에 위치시키고 하부의 구부러진 각이 발꿈치보다 15 cm 정도 더 길게 위치한다. 또는 하부의 끝부분이 발꿈치보다 25-30 cm(8-12인치) 더 길게 위치시켜 길이를 조절한다(그림 5-61).

④ 궁둥뼈 고정띠를 샅고랑 부위와 넓적다리를 둘러 걸쳐지도록 부착한다(그림 5-62).

⑤ 응급구조사가 환자의 사지를 지지하고 있는 동안 다른 응급구조사는 발목 고정용 끈을 착용시킨다.

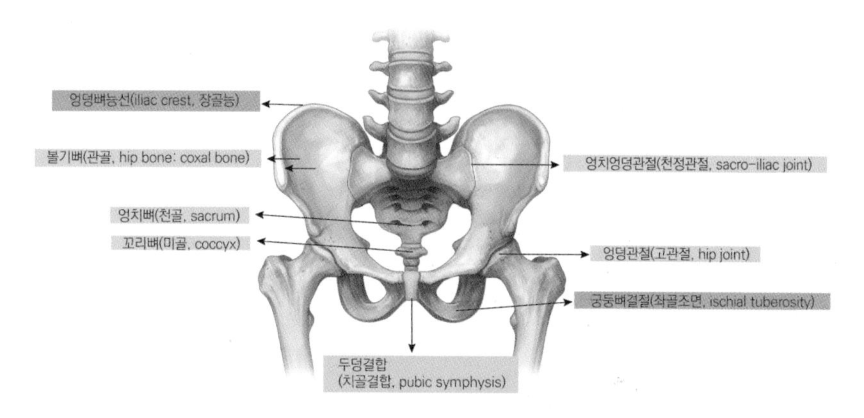

그림 5-60. 엉덩뼈능선(crista iliac, 장골능) 위치

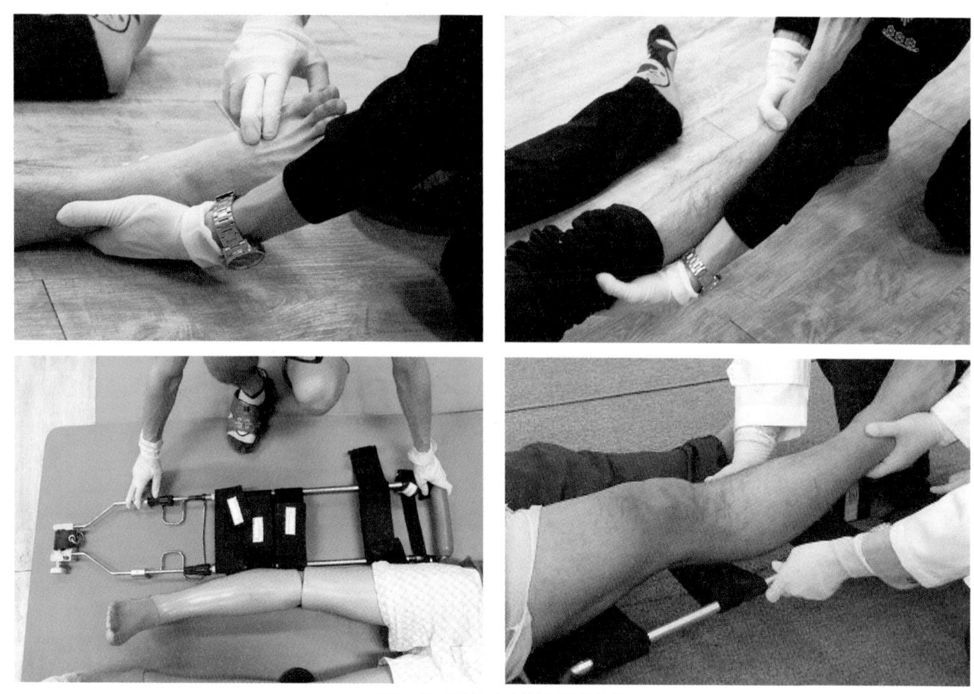

그림 5-61. 견인(당김)부목 길이조절

⑥ 응급구조사가 발목고정용 끈을 잡고 도수로 견인하고 있는 동안 다른 응급구조사는 손상된 다리 아래에 견인(당김)부목을 위치시킨다(견인부목 상부가 좌골조면에 위치하도록 한다).

⑦ 서혜부에 패드를 대고 견인(당김)부목의 궁둥뼈 고정끈을 고정한 다음 발목 고정끈의 고리를 견인장치에 걸고 조금씩 돌려가며 조여 준다.

㉠ 발목 고리의 D 고리와 S 고리를 결착하고 기계적인 견인을 시행한다.

㉡ 기계적인 견인력이 손 견인력과 같아지면서 다리통증과 근육연축이 감소하면 완전

하게 견인이 완료된 것이다.

㉢ 반응이 없는 환자는 손상되지 않은 다리와 거의 같은 길이가 될 때까지 견인한다.

- 견인력은 몸무게의 10% 정도이다.

⑧ 충분히 견인된 후 나머지 고정끈을 적절하게 위치시켜 고정한다(심장에서 먼 쪽으로) 궁둥

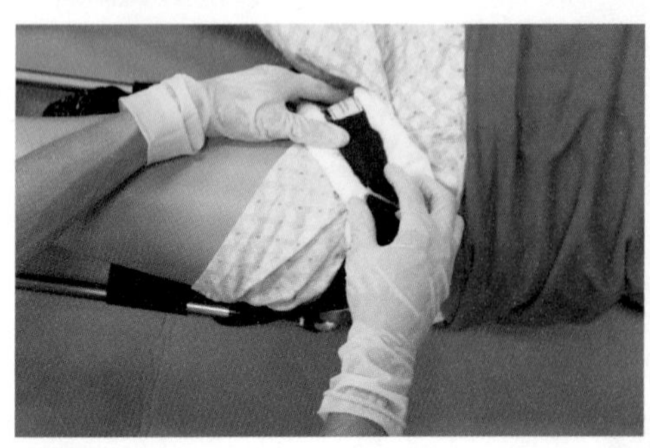
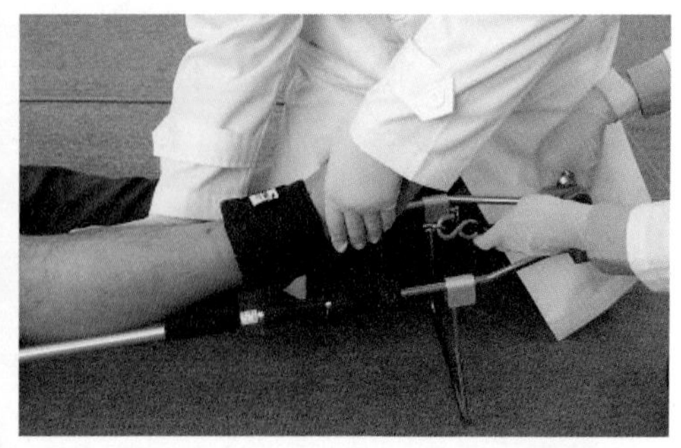

그림 5-62. 상부조절 및 고리 결착

뼈 고정띠와 발목 '잡아당기기 장치'의 상태를 재평가하여 양쪽 모두 단단하게 조여져 있는지 확인한다(그림 5-63).

⑨ 견인(당김)부목을 적용하기 전, 후, 이송 중 지속해서 순환, 감각, 신경학적(PMS) 검사를

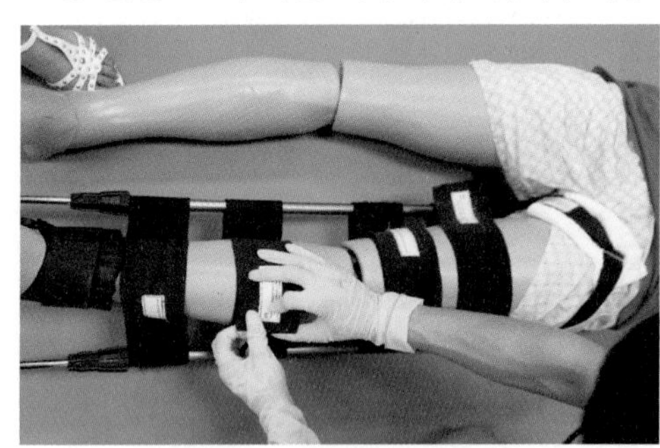
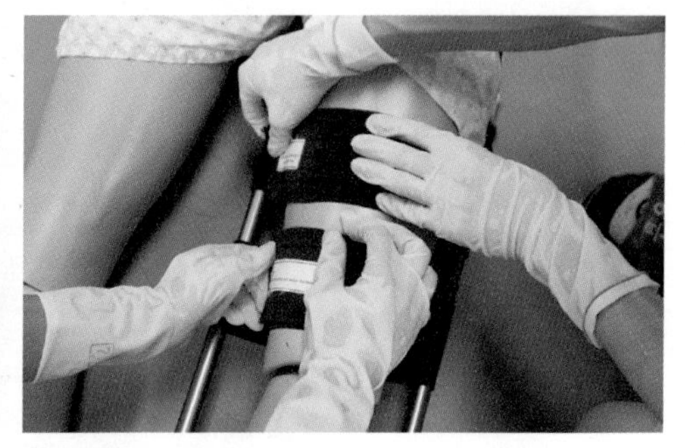

그림 5-63. 고정끈 고정

한다(그림 5-64).

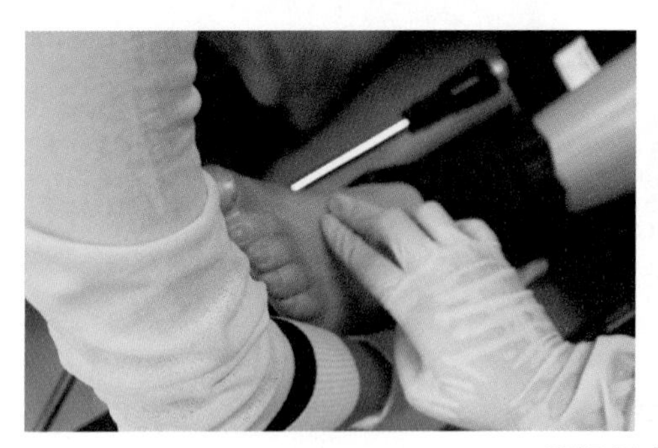
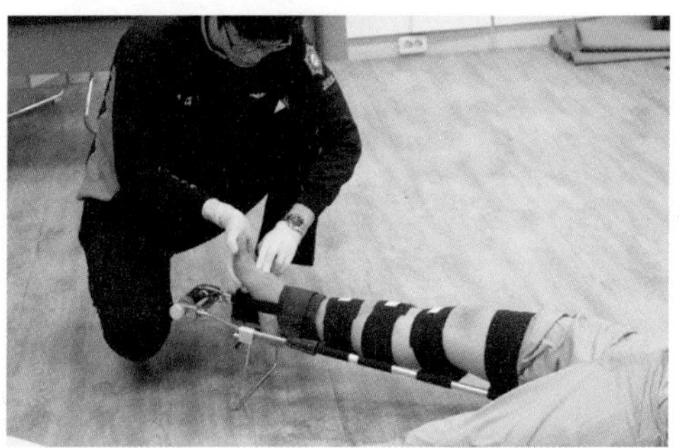

그림 5-64. PMS 확인

⑩ 환자를 긴척추고정판에 위치시키고 안전하게 고정한다. 다리 사이에 패드를 대어주고 고정판에 부목을 확실히 고정한다(그림 5-65).

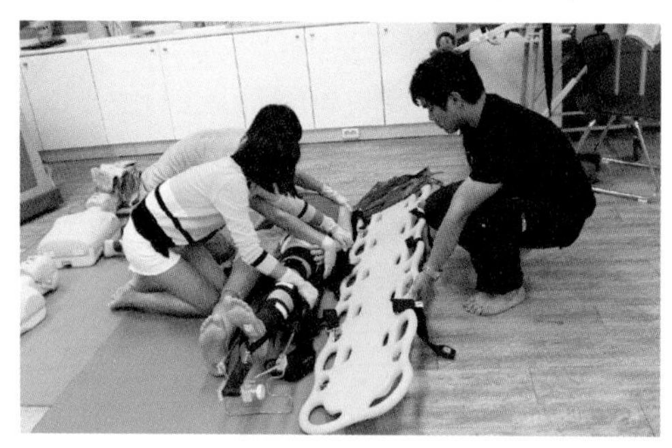
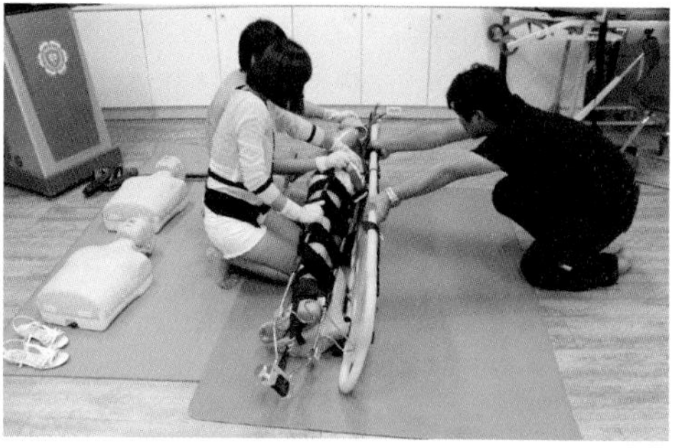

그림 5-65. 긴척추고정판에 고정

⑪ 외부 돌출부위 고정한 후 환자를 들것에 옮겨 싣고 이송한다(그림 5-66).

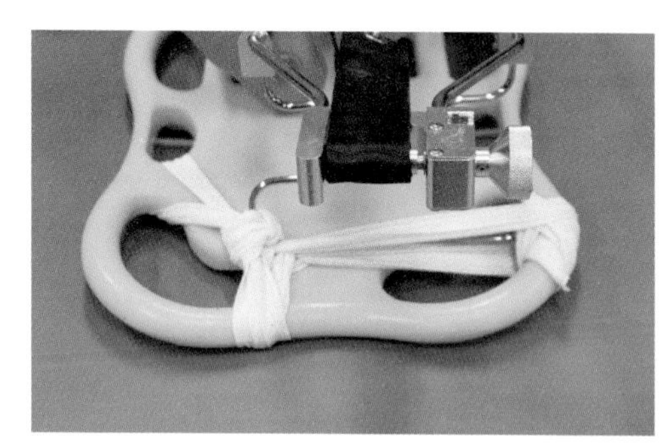
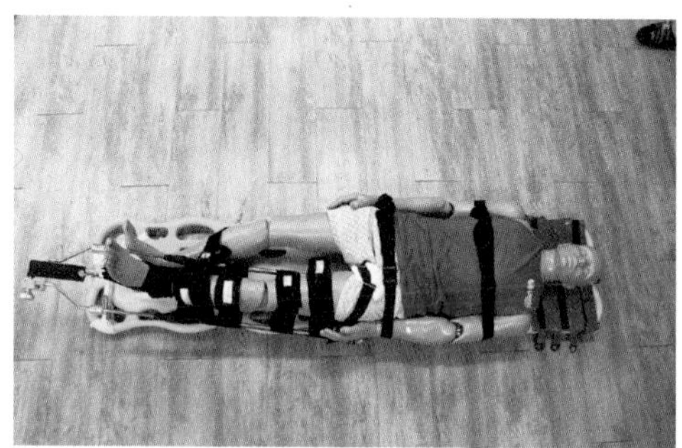
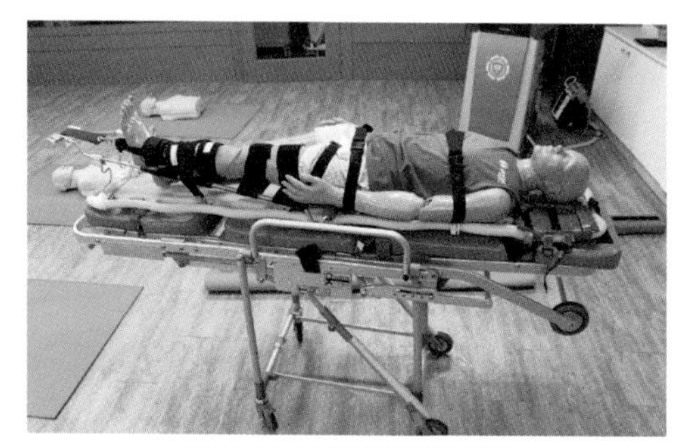

그림 5-66. 환자를 주들것에 고정

5) 유의사항

당김부목 견인 시에는 유의사항은 다음과 같다.

① 부러진 뼈끝을 고정할 정도만의 힘으로 실시한다.

② 뼈끝을 늘여 빼거나 부러진 뼈를 정렬하기 위해 사용하는 것은 아니다.

③ 부목을 실시하는 동안에도 계속해서 손으로 견인을 유지한다.

Tip. 탈구 정복(Dislocation Realignment)

정복의 목적은 팔다리의 효과적인 순환이 복구되도록 돕고, 부목하기 위함이다. 손목 골절과 같은 일부 손상은 약간만 변형되기 때문에 완전히 부목이 가능할 것이다. 굴절된 골절을 정복한다는 생각으로 겁부터 날 수 도 있다. 그러기에 응급구조사는 다음과 같은 사항을 생각하고 주의한다.

① 정복하지 않는다면 부목은 효과가 없고, 이송하는 동안에 통증이 증가하는 손상이 되며, 더 심한 손상으로 변할 가능성이 있다.
② 정복하지 않는다면, 신경, 혈관 손상이 악화될 가능성이 커진다. 심장에서 먼쪽부위 순환이 악화하거나 중지되면 손상부위 이하 조직에서 산소부족으로 괴사가 된다.
③ 정복하면 잠시 동안만 통증이 증가할 것이고 효과적인 부목으로 통증은 감소한다.

Tip. 정복하는 일반적인 지침

① 응급구조사 한 명이 먼 쪽 부위 팔다리를 잡고 있는 동안 다른 응급구조사는 골절 부위 몸 측 부위와 먼 쪽 부위에 각각 손을 놓는다.
② 동료 응급구조사가 손상부위를 받치고 있는 동안 응급구조사는 팔다리의 긴 축 방향으로 부드럽게 도수 견인하여 잡아당긴다.
③ 잡아당길 시 저항이 있거나 뼈끝이 피부 밖으로 나올 것 같으면 정복을 멈추고 발견된 자세대로 팔다리에 부목을 한다.
④ 저항이 없으면 팔다리에 적절하게 부목을 댈 수 있을 때까지 계속 부드럽게 견인한다.

※ 도수견인(tension): 부목을 정착하기 전에 골절된 팔다리를 견인하여 곧게 펴서 재정렬하는 과정이다.

5 쇼크방지용 바지

쇼크방지용 바지((Military Anti-Shock Trousers, MAST)는 하지, 골반, 하복부 주변을 감싸 조일 수 있도록 만들어진 장비이며, 체내 혈액의 대부분을 포함하는 모세혈관을 압박하여 심장으로 혈액을 유입시키는 장비이다.

① 하지의 혈관을 압박하여 말초혈관저항을 증가시키고 말초혈관 내 혈액량을 감소시켜 후부하 증가로 인하여 혈압을 높일 수 있다.
② 하지 및 골반부위를 고정시키는 효과가 있다.
③ 넓적다리 골절의 경우 항쇼크방지 바지의 착용과 함께 견인부목을 해주는 것이 이상적이라 할 수 있다.

연구에 의하면 쇼크방지용 바지는 다음과 같은 잠재적인 문제점이 있다. 이에 응급구조사는 이런 문제점을 고려하여 사용해야 한다(그림 5-67).

① 소량의 혈액(약 200 mL)을 중심 순환계로 자가 수혈되고 환류되는 혈액량만큼 정맥 용적을 감소시킬 수 있다.

② 말초혈관저항과 혈압 증가로 조절되지 않은 내부출혈에서는 해로운 점이 발생할 수도 있다.

③ 쇼크방지용 바지의 복부압박으로 호흡의 노력이 더 필요하게 되고 흉부의 움직임을 감소시킨다.

④ 관통상의 환자에게 쇼크방지용 바지의 착용은 사망률을 높일 수 있다고 한다.

Tip. 용어의 정의

① 후부하(afterload): 수축기 말 심실압력(ESP, end-systole pressure) 때문에 심장에 가해지는 압력을 말한다.

㉠ 근육의 수축시에 일정하게 저항하는 힘에 대한 부하 혹은 저항
㉡ 심장의 좌심실이 수축할 때 그 안에 있는 피의 양을 박출해야 하는 부하 혹은 저항
㉢ 수축기 동안 좌심실에서 대동맥으로 혈액을 내보내기 위해 심실이 생성해야 하는 압력
㉣ 모든 말초혈관 저항을 후부하라고 한다.

② 전부하(preload, 예비하중): 심장에 있어서 우실 및 좌실 확장말기의 부피, 즉 흘러 들어온 정맥환류를 말한다.

㉠ 순환 혈액량, 혈관용량, 심방 수축 등으로 영향을 받는다.
㉡ 전부하가 높을수록 심박출량이 증가한다

1) 용도

쇼크방지용 바지는 체액성 쇼크 환자에서 혈압을 유지하는 목적으로 사용되는 장비로 PASG(pneumatic anti-shock garment)라고도 하며, 골반골절이나 하지골절 시 고정 효과가 있다(그림5-67).

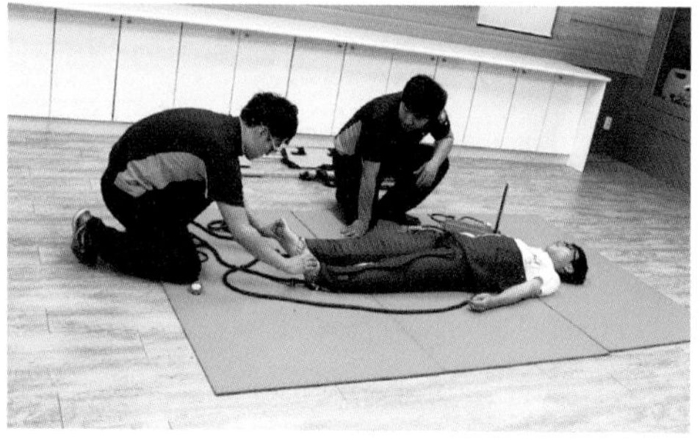

그림 5-67. 쇼크방지용 바지(MAST)

2) 기능

① 압박하여 출혈에 지혈효과(하지/복부 또는 골반골절로 인한 출혈 시 지혈)

㉠ 공기부목과 같이 하지의 외출혈 때 직접압박을 가함으로써 지혈 가능

㉡ 골반과 복강의 내출혈을 지혈하려면 간접압박으로 사용(복부 부분만 공기를 주입하지 않음)

② 하지의 혈관 저항을 증가로 후부하 증가(주기능)

③ 하부에 압박을 가함으로써 횡격막 상부로의 혈류 증가(심장이나 뇌로 유입되는 혈액 증가)

④ 자가 수혈효과 4 mL/kg

⑤ 말초혈관저항(PVR)을 증가시켜서 혈압상승

⑥ 골절 부위 고정(공기 부목의 효과)

3) 단점

① MAST를 착용함으로써 이송시간 지연

② 합병증 유발(폐부종, 구획증후군, 신부전증, 조직괴사 등)

③ 복부나 하지의 이학적 검사 방해

④ MAST를 제거하는 데 많은 시간소요

4) 적응증

① 응급현장에서 병원까지의 이송시간이 20분 이상 소요되는 경우

② 쇼크 상태이며 수술준비까지 상당한 시간이 소요되는 경우

③ 골절된 골반이나 넓적다리뼈 골절로 인하여 심각한 출혈이 발생하여 혈압저하(수축기 혈압 50-60 mmHg)와 함께 쇼크 임상적 증상 및 징후가 있는 환자의 경우

④ 골반과 넓적다리뼈의 골절을 고정해야 하는 경우

⑤ 저혈압을 동반한 복강 내 장기손상 때문에 유발된 혈복증 의심 환자의 경우(콩팥, 대동맥, 대정맥 손상)

⑥ 복부 및 골반부에 강한 외상을 받은 후 쇼크 상태에 빠져 내부출혈이 의심되는 경우

⑦ 양측 하지에 다발성 골절이 있는 경우

5) 금기증

① 적대적 금지증인 **폐부종(급성 허파부종)**

② 복강 내 이물질이 삽입된 환자

③ 복강 내 장기의 노출된 환자

④ 흉부나 횡격막 손상이 있는 환자

㉠ 흉부손상이 있는 환자가 쇼크가 있을 시 일반적으로 사용하지 않음

⑤ (말기)임산부

㉠ 임신2기(14주-27주)의 임산부는 하지부위만 MAST 적용 가능

⑥ 급성호흡부전증(ARDS)

⑦ 심부전증

⑧ 하지의 지혈이 되지 않은 출혈

⑨ 저혈압 없는 환자에서 하지에 부목고정

㉠ 장딴지에 구획증후군이 발생할 수 있으며 부목고정에 적합하지 않음

⑩ 외상성 심정지

⑪ 주요 두부손상

6) 합병증

(가) 출혈성 쇼크

① 급격한 감압 시 공기압을 갑자기 내림으로서 심한 출혈성 쇼크 발생

② 정맥 내 충분한 수액과 혈액 공급 후 10-20 mmHg씩 감압

③ 감압중 혈압 체크, 수축기 혈압이 5 mmHg 이상 감소하면 감압 중지

(나) 구획 증후군(compartmental syndrome)

(다) 고도 상승 시 압력증가로 MAST 내 공기압력이 증가하므로 감압 필요

(라) 대사성 산증(metabolic acidosis)

(마) 신장 기능 감소

(바) 복부장기 및 횡격막 압박으로 호흡기능 감소

7) 적용순서

① 쇼크방지용 바지(MAST)는 착용이 쉽고 차후에 도뇨관을 쉽게 삽입할 수 있도록 하의를 제거한다.

② 의복을 제거할 수 없다면 환자의 벨트와 주머니의 기타 날카로운 물체들을 모두 제거한다.

③ 쇼크방지용 바지의 작용순서는 다음과 같다.

㉠ 양측하지 착용→ 복부(늑골 10번째 이하) 착용→ 양쪽 하지 가압→ 복부 가압 → 복부 감압→ 양쪽하지 감압(복부 및 양쪽 하지를 동시에 감압하기도 함)

(가) 바지 입히기 : 혈복증, 복강 내 출혈

① 1 응급구조사는 2 응급구조사에게 MAST 준비를 지시한다(그림 5-68).

② 2 응급구조사는 MAST 준비하고, 1 응급구조사는 환자의 하지를 들어 올린다(그림 5-69).

그림 5-68. MAST 준비지시

그림 5-69. 하지를 들어 올린다.

③ 2 응급구조사는 MAST의 준비물 점검하고, 여유 있는 바지 형태를 만든다(그림 5-70).

④ 2 응급구조사는 바지의 발목부위로 팔을 넣어 삽입한다(그림 5-71).

그림 5-70. 밸브를 조절한다.

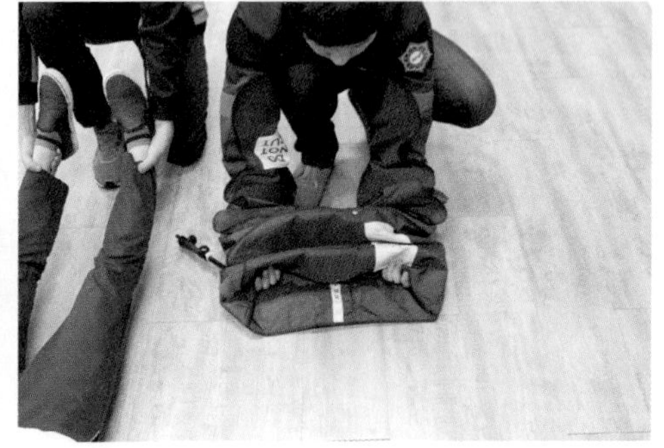

그림 5-71. 팔을 넣어 삽입한다.

⑤ 1 응급구조사와 바지를 삽입한 채 하지 거상 임무를 교대한다.

⑥ 1 응급구조사는 임무 교대 후 바지의 복부 상단 부위를 환자의 복부(흉골 끝부분, 횡격막 위치)로 끌어 올린다(그림 5-72).

삽입한 채 하지 거상

바지를 입힌다.

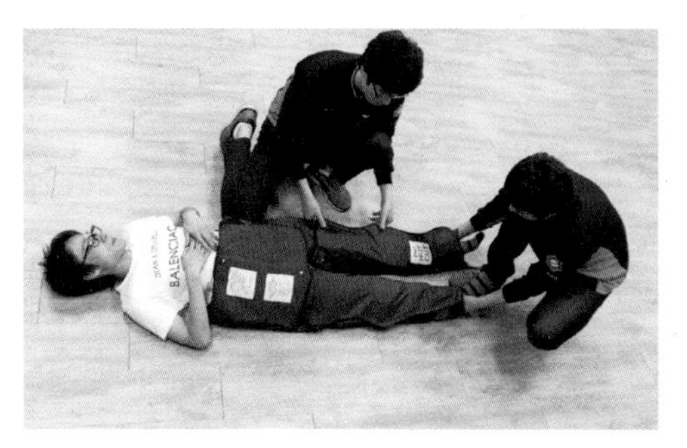

그림 5-72. 복부 상단까지 올린다.

⑦ 복부는 느슨하게, 바지는 하단부위부터 고정한다.

⑧ 밸브와 펌프/압력게이지 연결한다(그림 5-73).

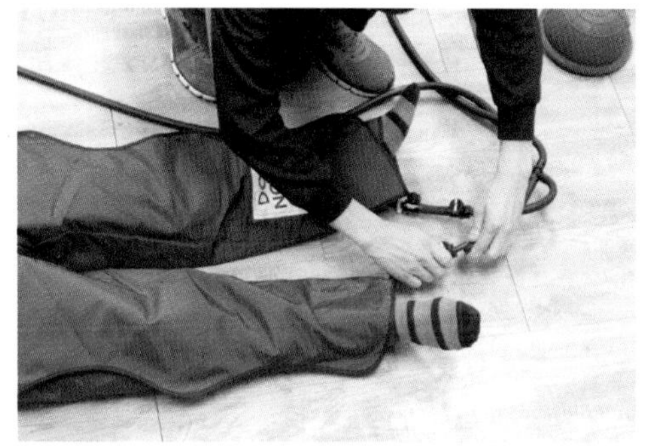

그림 5-73. 밸브를 연결하고 밸브를 조절한다.

⑨ 양측, 하지의 밸브를 열고 펌프를 발로 발아서 양측 하지에 공기를 채운다(밸브방향, 그림 5-74).

⑩ 환자를 혈압을 확인하고서 심장에서 먼 쪽에 맥박, 움직임, 신경(PMS)을 확인한다(그림 5-75).

⑪ 환자를 Log Roll을 이용하여 긴척추고정판에 고정을 한다(그림 5-76).

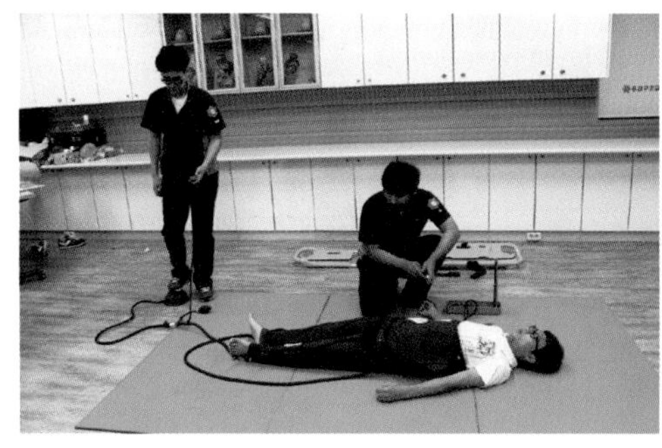

그림 5-74. 양측, 하지의 밸브를 열고 펌프를 발로 발아서 양측 하지에 공기를 채운다(밸브방향).

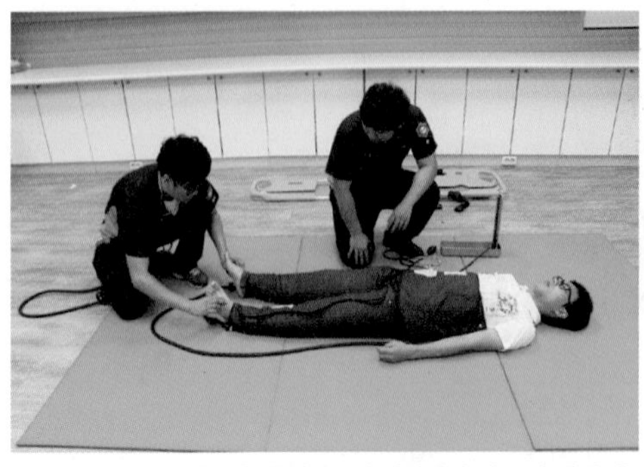

그림 5-75. 환자를 혈압을 확인하고서 심장에서 먼 쪽에 맥박, 움직임, 신경(PMS)을 확인한다.

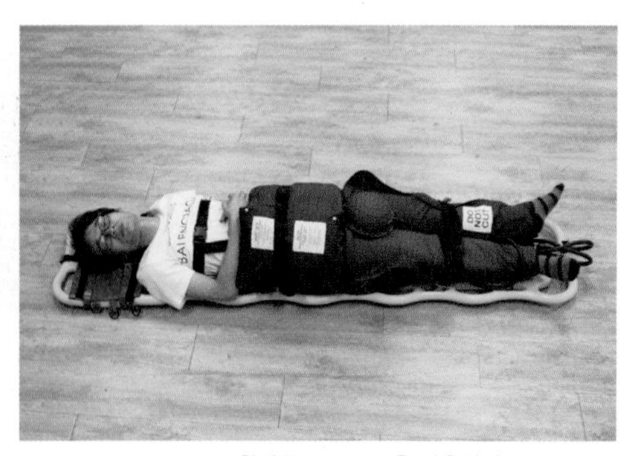

그림 5-76. 환자를 Log Roll을 이용하여 긴척추고정판에 고정을 한다.

(나) 환자 옮기기(넓적다리 골절, 골반골절)

① 1 응급구조사는 2 응급구조사에게 MAST 준비 지시한다.

② 2 응급구조사는 긴척추고정판 위에 MAST를 펼친다. 복부 상단이 환자의 횡격막 아랫부분에 위치하도록 한다.

③ 분리형 들것을 이용하여 환자를 MAST 위로 옮긴다(그림 5-77).

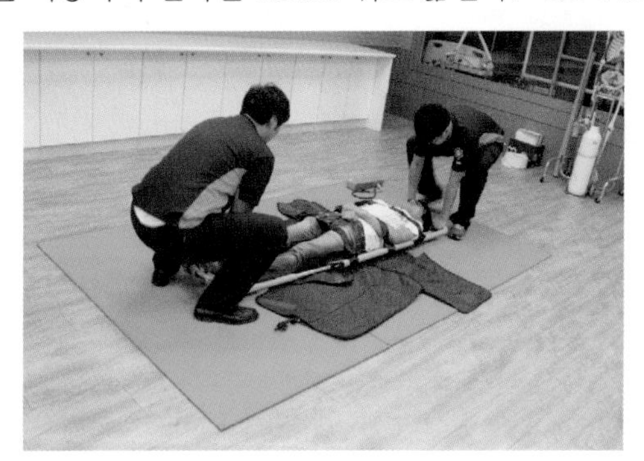

그림 5-77. 분리형 들것을 이용하여 옮긴다.

④ 하지를 착용시키고 복부를 착용시킨다(그림 5-78).

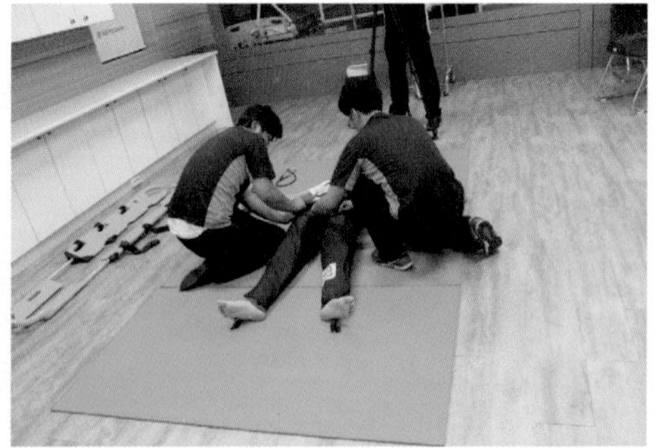

그림 5-78. 히지를 착용시키고 복부를 착용시킨다.

8) 사용방법

① 착용시킨 후 도뇨관을 쉽게 삽입할 수 있도록 하의를 제거한다.
  ㉠ 의복을 제거할 수 없다면 환자의 벨트와 주머니의 기타 날카로운 물체들을 모두 제거한다.
② 쇽방지용바지의 착용이 쉽게 MAST의 하지와 복부 부분을 모두 평편하게 편다.
③ 환자를 펼쳐진 MAST 위에 적절하게 위치(늑골 10번째 이하에 복부위치)시킨다.
④ 환자의 하지와 복부를 MAST로 감싸 고정하고, 공기주입기와 주입관을 연결한다.
⑤ 복부 부위의 공기 주입구를 잠그고, 하지의 공기 주입구는 연다. 발을 이용하여 공기주입기를 눌러서 하지로 공기를 서서히 주입하면서 압력계를 관찰한다.
⑥ 압력계가 **40 mmHg**를 나타내면 수축기 혈압을 측정한다.
  ㉠ 혈압이 기대치(90-100 mmHg) 이하이면 다시 공기를 주입하면서 압력계의 압력이 **10 mmHg** 상승할 때마다 혈압을 측정한다.
⑦ 하지의 압력을 **60 mmHg**까지 올려도 혈압이 낮으면, 하지의 공기주입구를 잠그고 복부의 공기주입구를 연다. 하지의 같은 방법으로 복부에 공기를 주입하면서 혈압을 측정한다.
⑧ 복부의 압력계를 60 mmHg까지 올려도 혈압이 계속 낮으면, 하지와 복부의 밸브를 모두 열고 공기를 주입하기 시작한다(**80 mmHg** 이상은 피하는 것이 바람직하다).
⑨ 60 mmHg 이상의 압력으로 공기를 주입하면, 공기압력에 의하여 조직괴사가 발생할 수 있으므로 하지의 피부색이나 맥박을 수시로 관찰한다.
⑩ 수축기 혈압이 기대치까지 도달하면 공기주입기의 밸브를 모두 잠근다.

Tip. 사용방법 주의사항

① 10-20 mmHg씩 가압하면서 수시로 혈압을 체크한다.
  ㉠ 하지 → 복부 → 하지 → 복부 순으로 공기를 주입한다.
  ㉡ 일반적으로 60-80 mmHg까지만 가압한다.
② 최대 하지 80 mmHg/ 복부 60 mmHg이다.
③ 바지 해체는 입히기의 역순으로 한다.

9) 제거법

① MAST 제거시 충분한 시간적 여유를 가지고 제거하고, 제반 응급처치가 가능한 장소에서 제거한다(수술이 필요한 경우 수술실에서 제거한다).
② 의사가 있어 지시가 있을 때만 쇼크방지용 바지를 제거하여야 한다.

③ 복부와 하지의 밸브를 열어서 압력계의 눈금이 10 mmHg가 내려갈 때마다 혈압을 측정한다.
㉠ 혈압이 5 mmHg 이상 하강하면 공기 배출을 중지하고 수혈이나 수액 처치를 한다.
④ 혈압이 다시 회복되면 다시 상기와 같은 방법으로 공기를 조금씩 배출하면서 혈압을 측정한다.
㉠ 혈압이 다시 5-10 mmHg 하강하면 공기 배출을 중지하고 수혈이나 수액 처치를 한다.
⑤ 혈압이 하강하지 않으면 계속 공기를 배출시킨다.
⑥ 응급으로 개복술이 필요한 경우에는 수술실에서 MAST를 제거한다.
㉠ MAST를 착용한 상태에서 마취를 시행한다.
㉡ 개복술 직전에 복부의 MAST만 제거하면서 바로 개복한다.
㉢ 환자 혈압이 안정되면 하지의 MAST도 제거한다.

6 골반 감싸기

골반환골반손상의 치료방법은 골반 감싸기이다. 상업용으로 나온 장비나 시트형태를 가지고 수행하는 감싸기는 골반을 안정화하는 동안 내부출혈과 통증을 감소시켜 주고, 손상이 진전되는 것을 예방해 준다. 쇼방지용 바지(pneumatic anti-shock garment, PASG)가 더 이상 착용하지 않은 이후, 골반 감싸기는 골반 골절이 의심되는 응급처치 방법으로 사용되고 있다.

골반 감싸기(Pelvic Wrap)는 골반 변형 또는 쇼크의 증상이 없는 불안정(촉진 시 움직임)한 환자에게 실시할 수 있다. 골반 감싸기의 사용방법은 다음과 같다.

(1) 시트를 활용한 사용방법

① 현장 평가와 최초 환자 평가를 수행한다.
② 환자를 한 번에 골반 감싸기 대상자[쇼크의 증상이 없거나 감염다중도(Multiplicity of Infection) 양성을 가진 불안정한 골반]를 결정한다.
③ 골반을 고정할 수 시트와 척추고정판을 준비한다.
㉠ 시트는 25 cm 넓이로 편평하게 접고 척추고정판을 가로(십자로)질러 눕힌다.
④ 환자를 척추고정판에 주의해서 위치시킨다.
㉠ 환자의 큰 돌기(넙다리뼈 인접부의 끝에서 뼈의 돌출부위)가 시트의 중심에 놓는다.

④ 환자 앞으로 시트의 양옆을 함께 가져와서 묶는 것은 골반의 압력과 안정화를 위함이다.

㉠ 과도한 압력 없이 견고하게 시트를 묶는다. 이는 정상 자세를 유지하기 위함이다.

⑤ 압력을 유지하기 위해 매듭 또는 집게를 사용하여 시트를 안전하게 한다(그림 5-79).

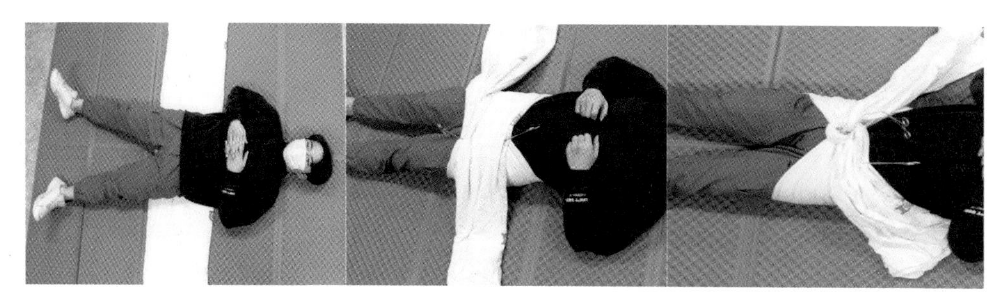

그림 5-79. 시트와 클램프를 이용한 골반외 고정술(의복을 제거한 후 시행)

(2) SAM sling을 활용한 사용방법

상업용으로 제작된 고정띠들은 더 빠르고 쉽게 환자에게 적용할 수 있다. 이들은 고정 유지가 쉽고 여러 번 사용할 수 있으며 크기가 대부분 성인에게 맞게 잘 만들어져 있다(그림 5-80). 또한 시트이나 일반 고정띠로 고정한 것보다 골반골 골절 안정화에 더 효과적이고 안전한 것으로 알려져 있다(그림 5-81).

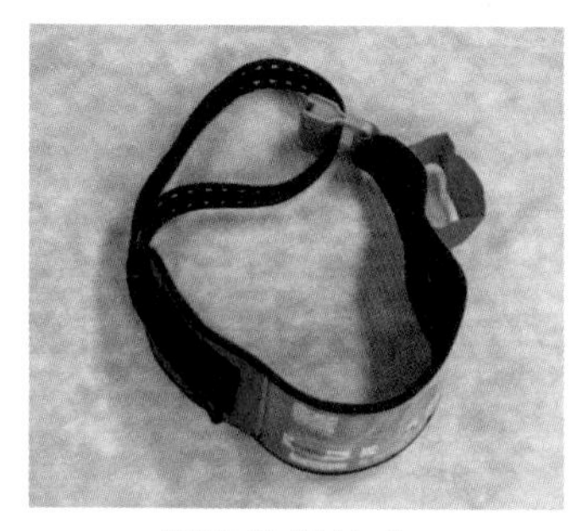

그림 5-80. SAM sling

SAM sling은 버클에 자동 멈춤 장치가 있어서 과도하게 조여지지 않도록 되어 있다. 골반이 적절히 조여져서 고정이 되는 순간 버클에서 "딸각" 거리는 소리가 들리게 만들어져 있어서 올바로 고정이 되었는지 확인할 수 있다. 또한 환자의 앞부분을 감싸게 되는 부분이 다른 고정 방법들과 달리 폭이 좁아서 도뇨관 삽관이나 혈관 조영술을 위한 넙다리 혈관으로의 접근 및 복부의 수술적 처치를 위한 접근 등이 용이하다.

① 사용상 주의사항

㉠ SAM sling은 버클에 자석이 있는 철로된 작은 스프링이 두 개가 있어 MRI 촬영 시 환자의 몸에 단단히 고정해서 너덜거리지 않도록 해야 한다.

㉡ 오래 착용하면 욕창이 발생할 수 있다.

㉢ 골반골 골절의 움직임을 주의를 기울이지 않으면 출혈이나 신경 손상을 조장할 수 있다.

② 단점

㉠ 소아에게는 사용할 수 없다.

㉡ 고정띠를 착용하고 있는 동안은 골반부위를 직접 관찰할 수 없다.

㉢ 고정띠를 착용하고 있는 동안은 직접적인 시술을 시행할 수 없다

① 고정 전에 환자의 주머니에서 물건이나 고정에 방해되는 물건들을 확인한 후 제거한다.

② 환자의 넙다리뼈 큰돌기(greater trochanter)를 촉지하여 확인한다.

③ SAM sling을 절반 접어서 환자 골반 밑에 깔 준비를 한다.

④ 환자를 통나무 굴리기법을 시행한 상태에서 SAM sling을 환자 넙다리뼈 큰돌기 부근에 오도록 놓는다.
통나무 굴리기를 시행할 수 없다면 환자의 엉덩이를 살짝 들어올린 후 아래쪽에서 위로 밀어 올려 넣을 수도 있다. 이 때 중요한 것은 환자 넙다리뼈 큰돌기가 고정때의 중앙에 와야 한다는 것이다.

⑤ 양쪽 당김때를 당겨 버클에서 "딸깍" 소리가 날 때까지 조인다.

⑥ 당김띠를 고정띠에 붙여 고정시킨다. 이때 다시 버클에서 "딸깍" 소리가 난다.

그림 5-81. SAM sling 이용하여 골절골 고정방법

Tip. 골반손상의 증상과 징후

① 골반, 엉덩이 부위, 서혜부 등의 통증을 호소한다. 손상기전에 따라 골절 가능성이 있다면 매우 중요한 지표가 된다. 대개 분명한 변형은 통증이 있다.
② 엉덩뼈 능선(iliac crest, 골반 날개부위)이나 두덩뼈(pubis, 치골)에 압력이 가해질 때 심한 통증이 발생한다.
③ 앙와위로 있을 때 다리를 들어 올릴 수 없다고 호소한다(다리를 들어 올릴 수 있는지 평가하지 말고, 감각을 확인한다).
④ 손상된 쪽 발이 밖으로 돌아간다(가쪽 회전). 또한 엉덩이부위(coxal, hip) 골절을 나타내기도 할 것이다.
⑤ 환자는 방광(bladder)에 설명할 수 없는 심한 압박을 느끼며 배뇨감을 느낀다.
※ 골반 골절의 징후는 내부 기관이나 혈관, 신경에 중대한 손상이 있음을 의미한다. 다량의 내부출혈이 발생하여 쇼크에 빠질 것이다. 골반골절이 있으면 척추손상도 의심해 보아야 한다.

7 경추고정장비

경추고정장비 또는 경추보호대(Cervical Collar)는 긴 척추고정판이나 조끼형 장비와 같은 고정장비와 같이 사용될 때 목의 굴곡, 신전, 측면 움직임 등을 제한하기 위해 만들어진 것이다. 지금까지 경추보호장비의 개발에 있어 괄목할 만한 진전이 있었지만, 경추의 움직임을 완전히 없애는 경추고정장비는 아직 개발되지 않은 상태이다. 그러므로 경추고정장비를 착용시킬 때에는 항상 손으로 목과 머리를 고정하여 중립자세를 유지해야 한다.

1) 용도

척수손상은 여러 신경계통의 기능 마비를 유발하고, 때로는 영구마비를 일으킬 수 있다. 따라서 외상 초기에 척추고정을 시행함으로써 척수손상이 악화되거나 발생하는 것을 방지하여야 한다. 척추고정의 시작은 경추고정으로부터 시작한다. 각종 외상 시 척추 손상이 의심되는 경우에 목의 굴곡, 신전, 측면 움직임 등을 제한하기 위해서 만들어진 장비이다(그림 5-82).

2) 특징

① 경추고정장비 앞·뒤의 보호 방식이다.
  ㉠ 앞쪽은 아래턱의 양측면과 턱 아래로 삽입되어 머리의 앞쪽을 단단하게 붙잡는다.
  ㉡ 뒤쪽은 후두부의 뒤쪽 돌출부 아래에 삽입되어 머리의 뒤쪽을 보호한다.

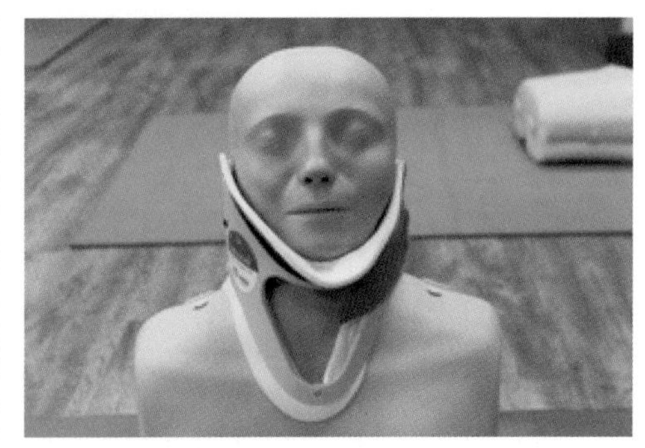

그림 5-82. 경추고정장비(cervical collar) 고정

② 머리와 목 사이의 간격을 유지하여 목의 굴곡, 신전, 측면 움직임 등 심각한 움직임을 막고 경추의 눌림 등에 의해 생기는 증가한 압력을 방지한다.

③ 기관, 목동맥, 목정맥 등 목에 있는 기관에 직접 압력을 주지 않는다.

④ 굴곡 및 신전의 범위 제한은 75% 정도이며, 목의 전체 50% 이하의 움직임을 제한하므로 완전한 경부고정을 위해서는 도수고정 또는 머리고정대로 머리를 고정해야 한다.

3) 사용방법

① 환자 경부의 길이를 측정한다.

② 적절한 경추고정장비 선택한다(그림 5-83).

㉠ 환자의 턱 끝에서 흉골절흔(sternal notch)까지 환자에게 맞는 크기의 경추고정장비를 선택 및 조절하고 너무 느슨하거나 너무 조이지 않도록 한다.

- 흉골절흔(sternal notch) : 빗장뼈 절흔 사이의 복장뼈 상연에 있는 절흔(그림 5-84)

㉡ 환자의 귓불 평행선과 아래턱 중앙의 평행선 사이의 너비를 측정한다(그림 5-85).

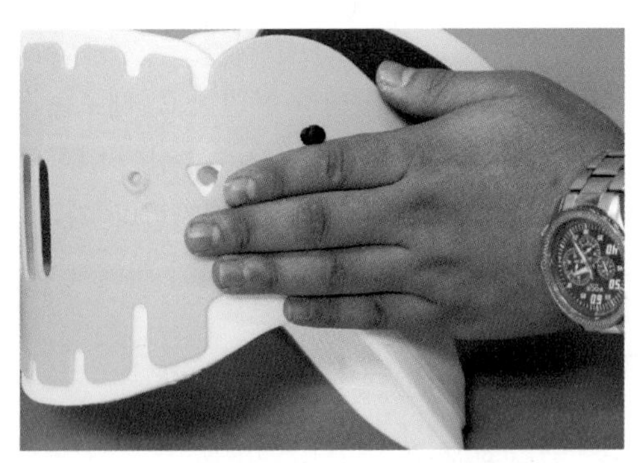

그림 5-83. 적절한 크기 측정

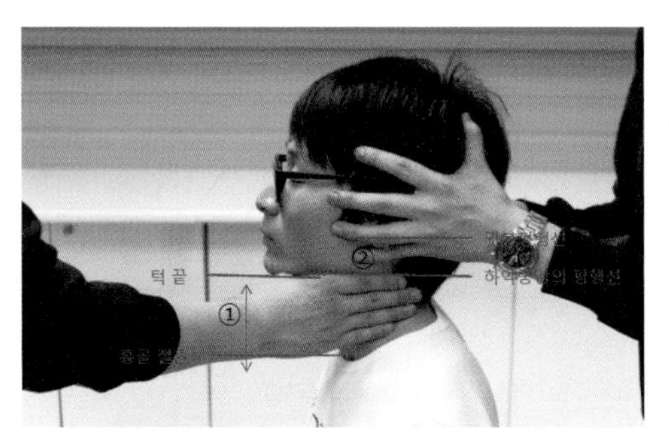

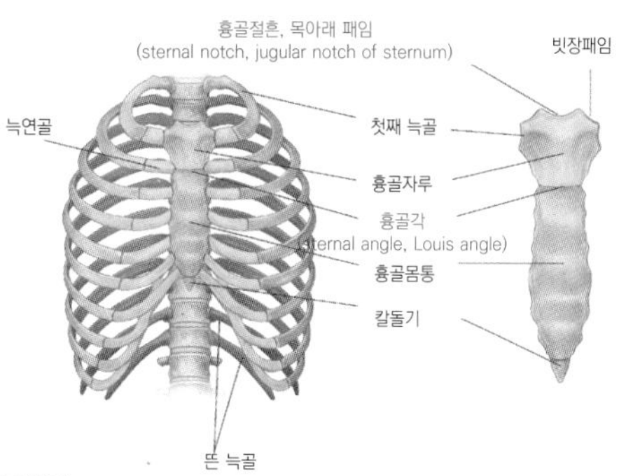

그림 5-85. 환자 경부의 길이를 측정한다.
크기 조정은 ① 환자의 턱에서 어깨(흉골)까지 너비 측정
② 귓불 평행선과 아래턱 중앙 평행선의 너비 측정

③ 경추고정장비의 크기를 측정한다.

④ 경추고정장비의 턱 쪽은 환자의 턱을 들지 않고 경부를 과신전 시키지 않도록 한다.

⑤ 경추고정장비가 너무 작거나 조여서 수축 밴드 같은 기능을 하지 않도록 한다.

4) 앉은 환자 경추고정장비 적용

(1) 앉아 있는 환자 경추고정장비 적용은 아래 그림과 같다(그림 5-86).

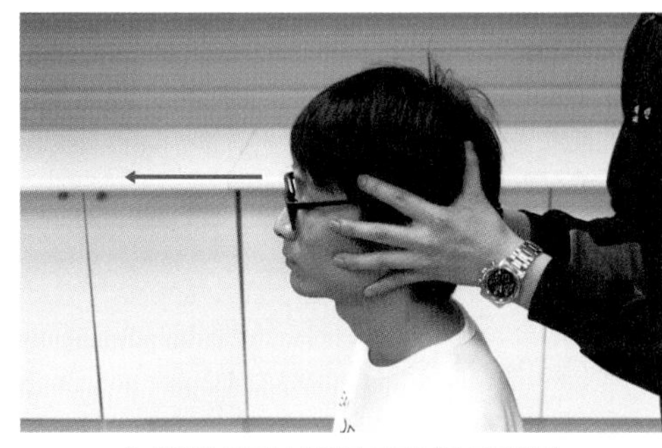

① 환자의 뒤에서 환자의 두경부를 고정한다.

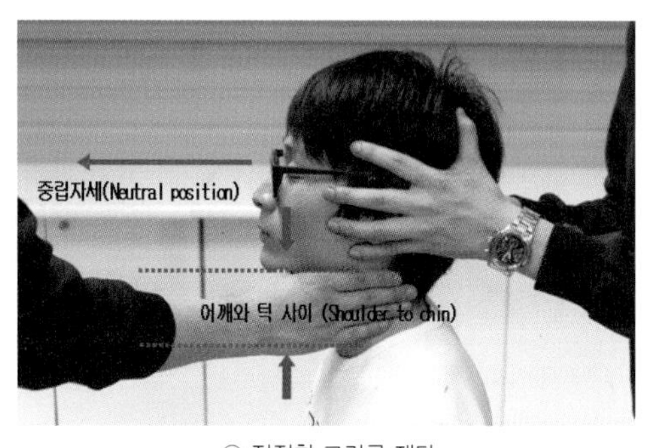

② 적절한 크기를 재다
- 중립위치("눈 정면")로 정렬한 후 어깨와 턱사이를 측정한다.

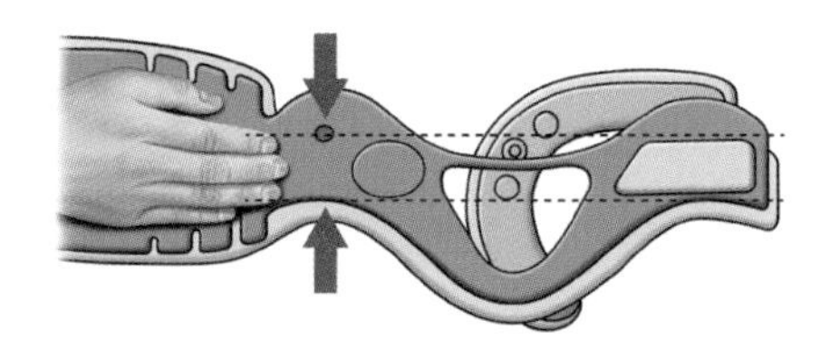

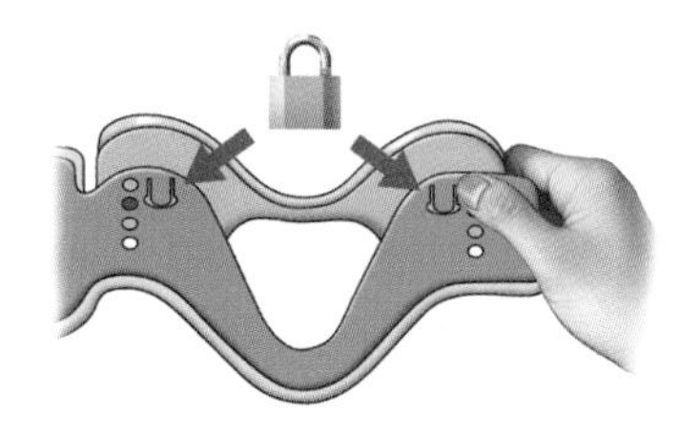

③ 경추고정장비에 환자 크기에 맞춘다.
- 성인은 4개, 소아는 3개 중에서 선택한다. 조립된 경우에는 플라스틱 가장자리에서 구멍까지 또는 검은색 포스트까지 맞춘다.
- 2개의 잠금장치 탭을 눌러서 양쪽을 잠근다.

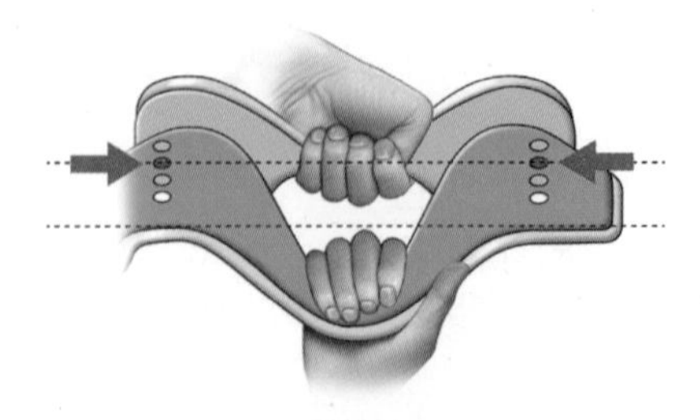

④ 경추고정장비를 조정하고 고정한 후
선택한 크기로 턱 지지대를 조정한다.

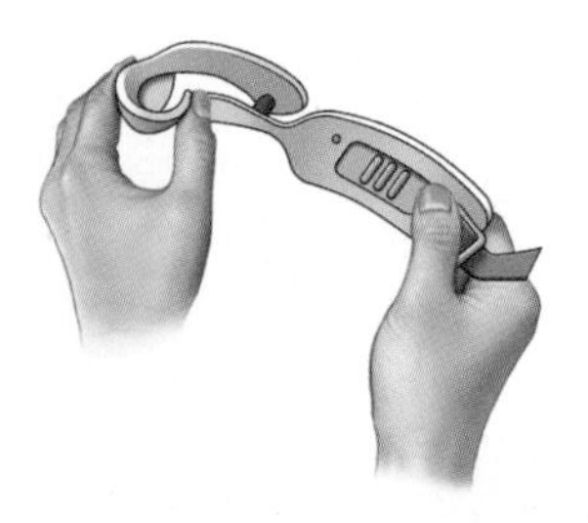

⑤ 경추고정장비의 칼라를 미리 형성한다.

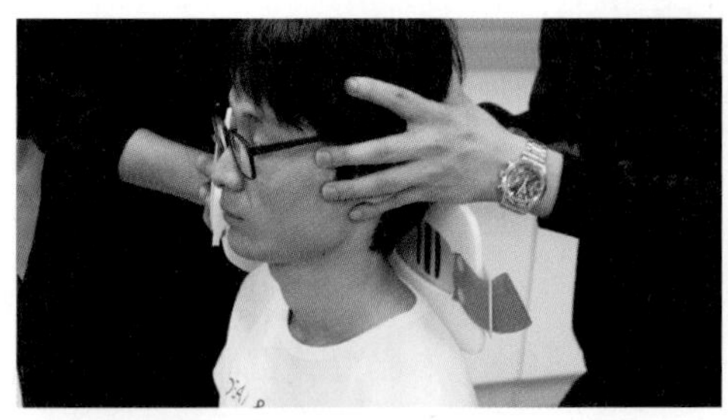

⑥ 머리를 중립위치에서 경추고정장비를 적용한다.

⑦ 환자의 경우에는 턱 지지대를 배치하기 전에
경추고정장비 판을 목 뒤로 밀어 넣는다.

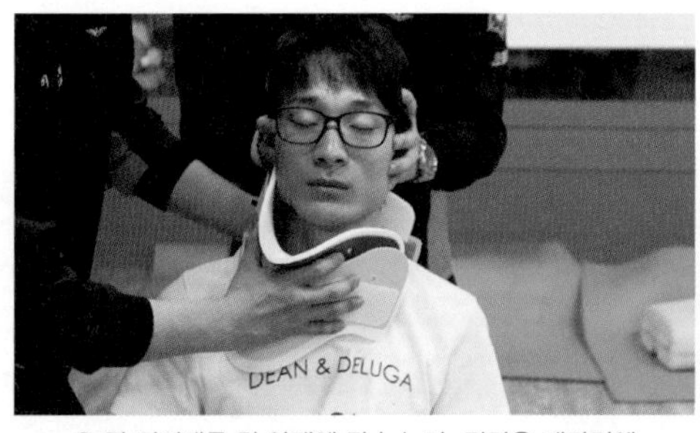

⑧ 턱 지지대를 턱 아래에 잘 놓는다. 전면을 제자리에
고정한 상태에서 칼라의 뒤쪽을 당기고 고정한다.

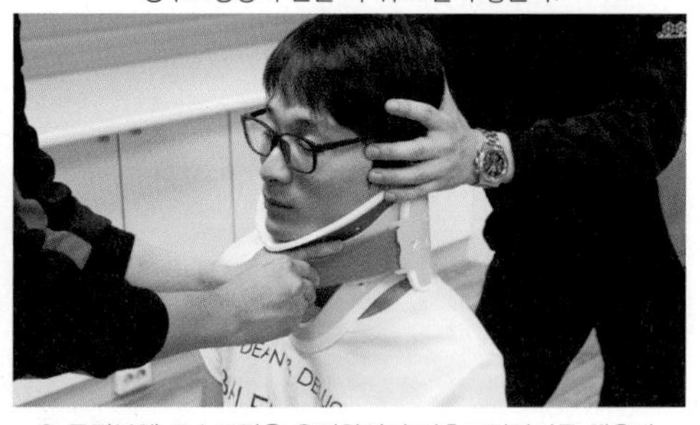

⑥ 두경부에 도수고정을 유지하면서 경추고정장비를 채운다.

그림 5-86. 앉은 환자 경추고정장비 적용

5) 앙와위 환자 경추고정장비 적용

(1) 앙와위 환자 경추고정장비 적용은 아래 그림과 같다(그림 5-87).

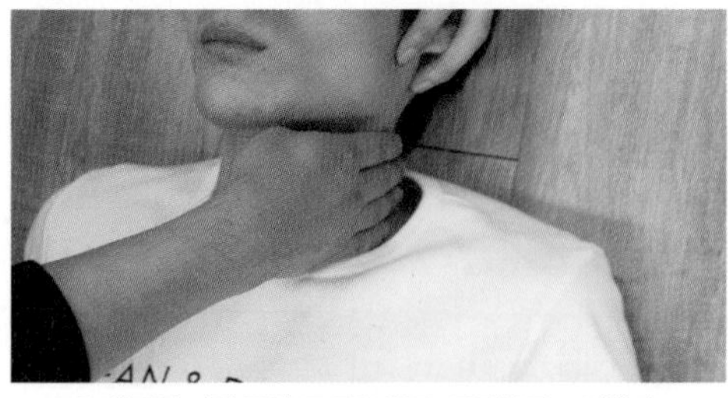

① 환자의 머리 쪽에 무릎을 꿇고, 두경부를 고정한다.

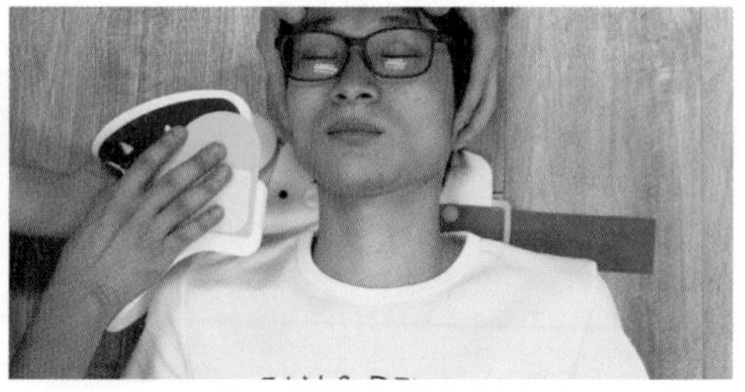

② 경추고정장비를 제자리에 놓는다.

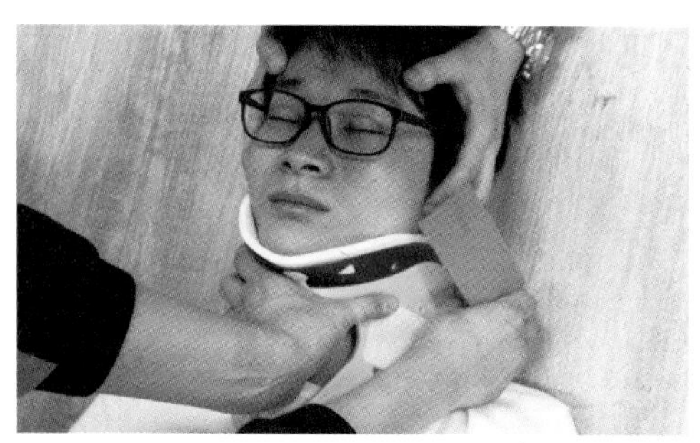
③ 경추고정장비를 고정한다.

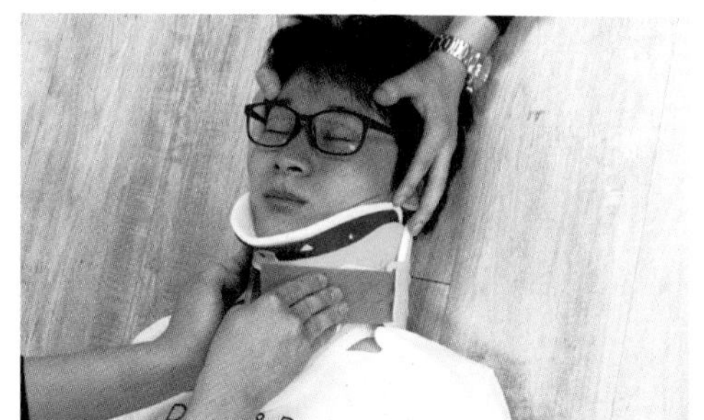
④ 두경부를 도수고정하며 상태를 유지한다.

그림 5-87. 앙와위 환자 경추고정장비 적용

Tip 경추고정장비 참고사항

① 적절한 교육을 받은 사람만 사용해야 한다.
② 척추의 움직임을 방지하기 위해 환자를 적절히 고정하는 것이 중요하다.
③ 환자의 경추고정장비를 조절하지 않는다.
④ 경추고정장비를 접힌 상태로 보관하지 않는다.

8 구출고정장비

짧은 고정판과 같은 용도로 사용되지만, 짧은 척추고정판보다는 조작이 간편하며 환자의 운반이 다소 편리하고, 환자가 앉아 있는 상태로 발견된 경우 처치의 우선순위를 결정하여 환자가 안정된 상태이고, 이송의 우선순위가 낮은 경우, 정상적인 방법의 척추 고정법을 시행한다. 즉, 시간이 급박한 경우가 아니다. 이러한 상황에서 짧은 척추고정판이나 구출용 조끼를 이용하여 환자의 머리, 목, 몸통 등을 고정한 후 긴 척추고정판 옮겨야 한다.

짧은 척추고정판은 단지 긴 척추고정판이 짧게 변형된 것으로 여러 해 동안 사용돼왔던 구출고정장비(extrication device)이다. 그러나 현재 그 사용빈도가 줄었는데 그 이유는 체형에 맞게 제작된 자동차 좌석의 등받이에 평평한 판이 적절하게 들어가 지지 않고 또한 짧은 척추고정판은 소형차에 효과적으로 들어가기에는 너무 넓고 길이가 길기 때문이다(그림 5-88).

짧은 척추고정판의 적용과정은 먼저 몸통을 고정하고 머리는 마지막에 고정한다. 이렇게 하면 끈으로 고정하는 과정 동안 안전성을 확실히 할 수 있으며 목뼈가 압박되는 것도 방지할 수 있다. 환자가 복부손상 또는 가로막 호흡으로 인한 몸통을 적절히 고정할 수 없으면서도 몸통을 고정하는 끈이 필요하며, 응급처치 과정은 호흡에 방해가 되지 않은 범위에서 이루어져야 한다.

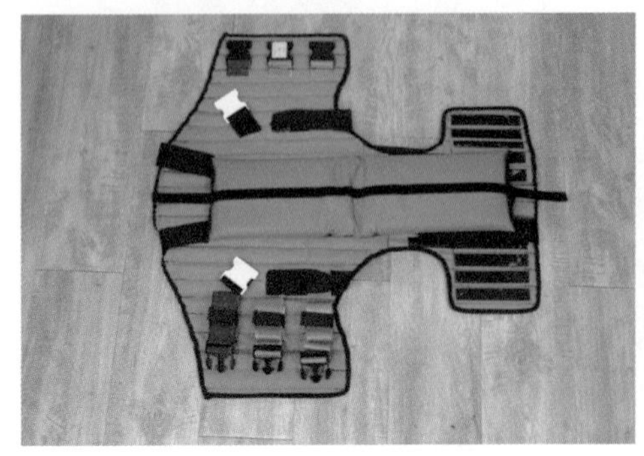
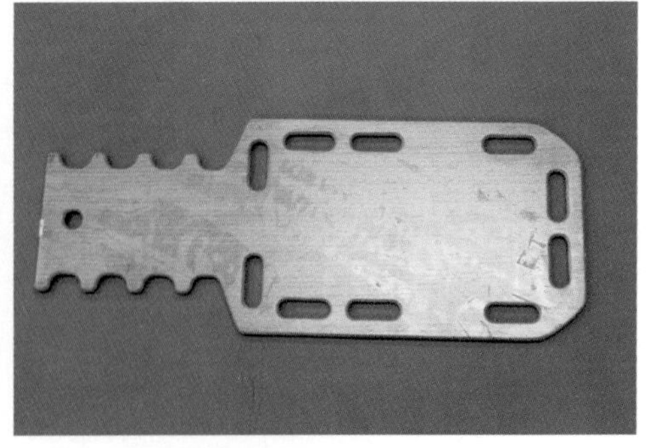

그림 5-88. 구출고정대(Kendrick 구출장비-좌), 짧은 척추고정판(우)

1) 용도

환자가 앞으로 굽혀지는 좌석이나 등받이가 약간 둥글게 된 좌석, 제한된 공간 등에서 발견된 경우에 사용할 수 있다. 또한, 장애물로 인한 차 안으로 짧은 척추고정판을 집어넣을 수 없을 때도 유용하게 사용된다. 따라서 자동차 사고와 같이 한정된 공간에 앉아 있는 환자를 경추와 척추를 보호하면서 구출할 수 있는 장비이다. 종류로는 나무판으로 된 짧은 척추고정판과 조끼형태의 구출고정대(KED)가 있다. 조끼형태의 구출장비(그림 5-45)는 목뼈 손상 가능성이 있는 환자를 고정하는데 사용되는 것으로 유연성이 있는 장비이다.

2) 규격

① 길이 : 83 cm(펼쳤을 때)

② 폭 : 81 cm(펼쳤을 때)

③ 무게 : 3 kg

④ 재질 : 비닐코팅나일론(방사선 투과 가능)

3) 구출고정장비의 적응증

① 앉아 있는 환자

② 환자가 안정되어 구출고정장비를 적용할 수 있는 충분한 시간적 여유가 있을 때

4) 주의사항

① 환자에게 접근 전 현장의 안정성 여부 확인 및 차량 고정 등 안전조치를 확실히 해야 한다.

② 위급한 상황(자동차가 불타는 경우 등)이거나 환자에게 즉각적 처치가 필요한 상황(호흡정지,

심정지 등)일 경우에는 환자의 머리와 척추를 손으로만 고정한 채 신속하게 구출해 내는 긴급구출 방법을 사용한다.

③ 환자가 의식이 없거나 안정적이지 못할 경우에는 경추고정장비 및 긴 척추고정판만을 이용하여 구출하는 빠른 환자구출법을 실시한다.

④ 환자에게 장비를 적용하기 전에 등, 어깨, 팔, 빗장뼈에 대해 평가를 해야 하고, 심장에서 먼 쪽 맥박, 운동기능, 감각기능(PMS) 등을 평가한다(그림 5-89).

⑤ 환자에게 경추고정장비를 적절한 크기를 선택하여 착용시킨다(그림 5-90).

⑥ 장비를 착용시키는 응급구조사는 척추고정판으로 구부려 환자 뒤에서 환자의 머리를 고정하고 있는 응급구조사의 팔과 환자의 등 사이에 들어가도록 각도를 잡아준다. 이때 환자에게 충격을 주거나 환자가 흔들리지 않아야 한다(그림 5-91).

⑦ 목뼈를 완전히 고정하기 위해 고정판의 제일 꼭대기의 구멍을 환자 어깨에 맞추도록 한다. 척추고정판의 끝은 꼬리뼈 밑으로 내려가지 않도록 한다(그림 5-92).

그림 5-89. 환자평가(심장에서 먼 쪽 맥박, 운동기능, 감각기능(PMS) 등 확인)

그림 5-90. 손으로 환자의 머리를 고정하여 중립자세를 유지하고 경추고정장비 착용

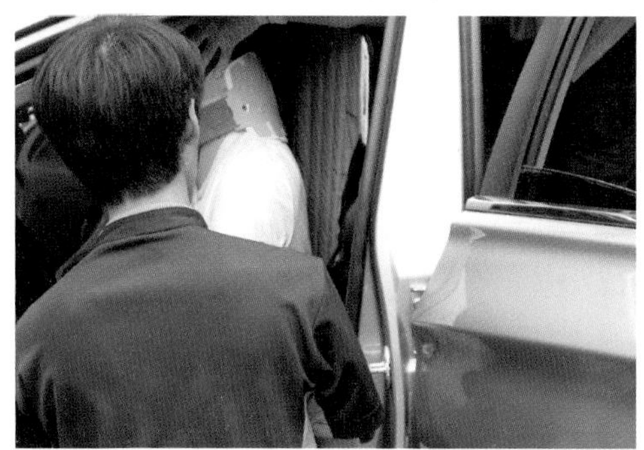

그림 5-91. 척추고정판 이용하여 척추고정 준비

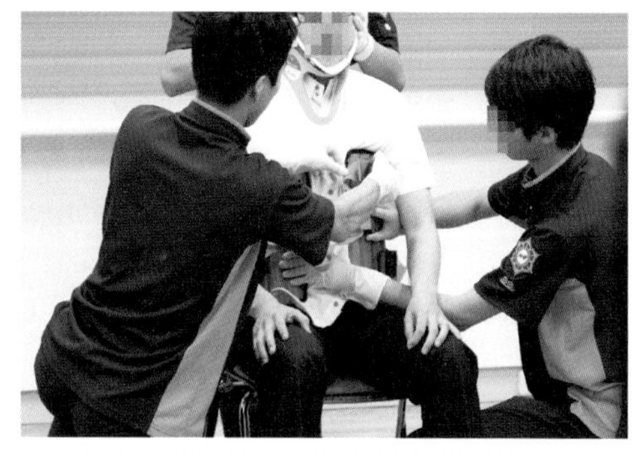

그림 5-92. 경추고정장비에 있는 제일 꼭대기의 구멍을 환자 어깨에 맞추도록 한다.

⑧ 턱 윗부분을 끈으로 고정해서는 절대 안 된다(그림 5-93). 이는 구토 시 입을 벌리지 못하기 때문이다.

⑨ 처음부터 몸통부위를 너무 세게 고정하면 복부손상을 악화시키거나 호흡을 곤란하게 할 수 있다(그림 5-94).

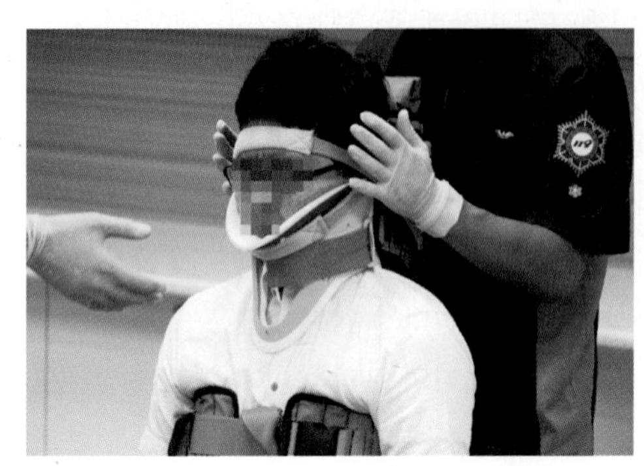

그림 5-93. 턱을 끈으로 고정해서는 절대 안 된다.

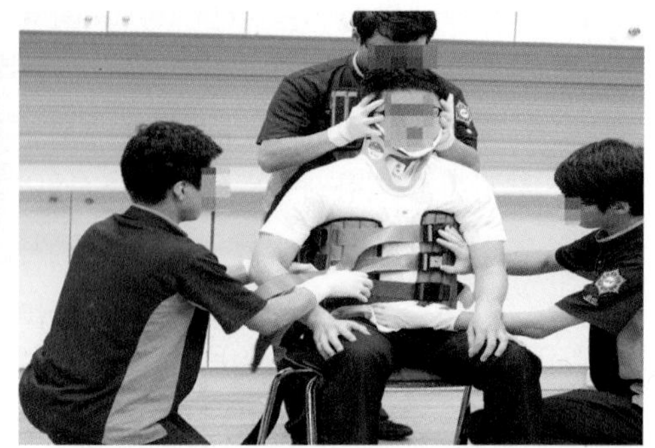

그림 5-94. 몸통부위를 처음부터 너무 세게 고정하지 않는다.

⑩ 버클에 따라 이동 시 풀릴(순간-해체 방식) 수 있으므로 풀리지 않도록 주의해야 한다.

⑪ 경추고정장비(C-collar)와 척추고정판 사이에 패드를 대지 않는다(그림 5-95).

㉠ 패드를 댈 경우 머리를 고정할 때 경추가 과신전될 수 있는 부위가 생길 수 있기 때문에 후두부 빈 공간을 채울 정도만 패드를 넣는다. 이렇게 하여 머리를 중립자세를 유지할 수 있다(그림 5-96).

㉡ 어깨가 척추고정판에 닿으면 머리는 패드를 댈 필요가 없을 정도로 고정판에 닿게 된다. 너무 패드를 많이 대면 환자가 앙와위 자세로 있을 때 어깨는 닿았는데 머리가 닿지 않을 수 있으므로 유의해야 한다. 이렇게 되면 환자가 예기치 않게 굽은 자세가 된다.

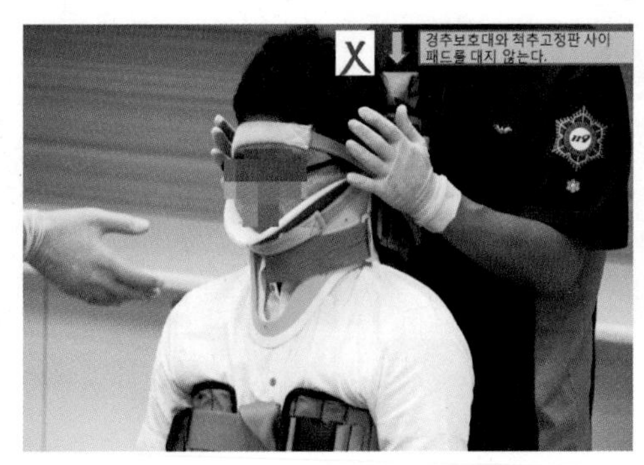

그림 5-95. 경추고정장비와 척추고정판 사이에 패드를 대지 않는다.

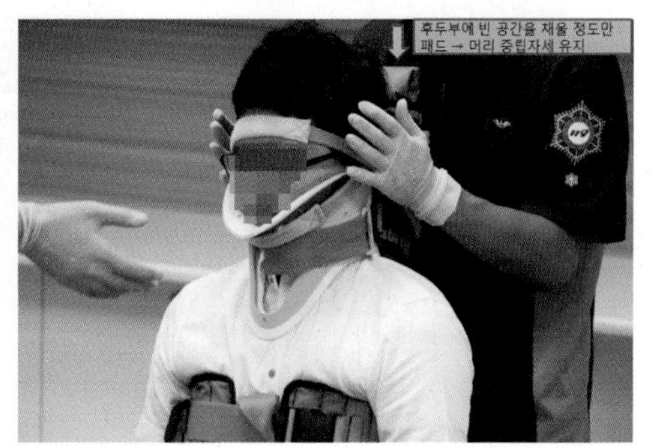

그림 5-96. 후두부에 빈 공간을 채울 정도만 패드를 넣어 머리를 중립자세로 유지할 수 있다.

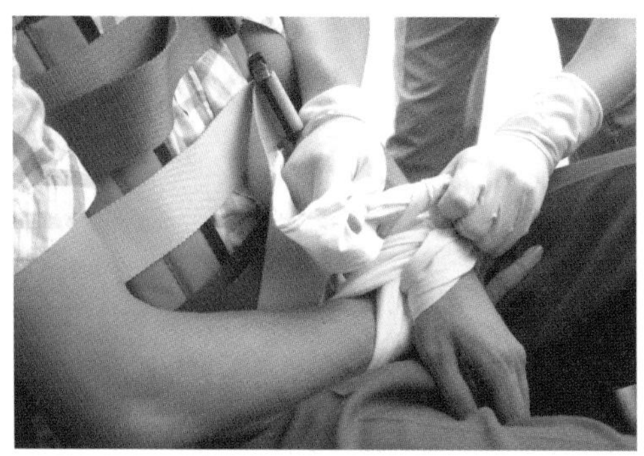

그림 5-97. 필요하다면 환자의 손목과 발을 고정한다.

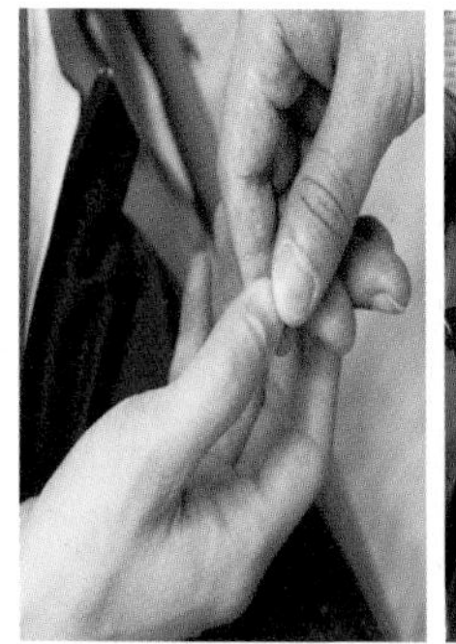

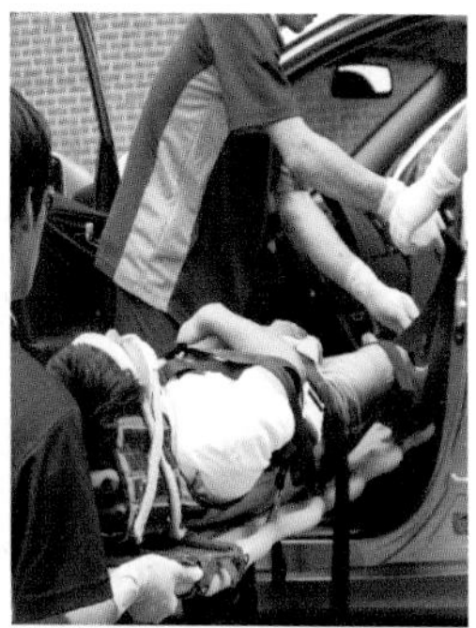

그림 5-98. 심장에서 먼 쪽 맥박, 운동, 감각(PMS) 등을 재평가한 후 환자를 긴 척추고정판에 이동한다.

⑫ 필요하다면 환자의 손목과 발을 고정한다(그림 5-97).

⑬ 구출고정대를 착용한 후 심장에서 먼 쪽 맥박, 운동, 감각(PMS) 등을 재평가한 후 완전한 척추고정을 위하여 긴 척추고정판으로 옮긴다(그림 5-98).

6) 구출고정장비 사용방법

① 도수로 환자의 두부를 고정하고, 적절한 크기의 경추고정장비를 선택하여 착용시킨다.

② 구출고정대를 환자의 등 뒤에 조심스럽게 위치시키며 구출고정대를 몸통의 중앙으로 정렬하고 날개부분을 겨드랑이에 밀착시킨 후 가슴을 감싼다.

③ 구출고정대의 몸통 고정끈을 중간, 하단, 상단 순으로 연결하고 조인다.

④ 양쪽 넓적다리 부분에 패드를 적용하고 다리 고정끈을 연결하고 조인다.

⑤ 구출고정대의 후두부에 빈 공간을 채울 정도만 패드를 넣고 머리를 고정한다(패드를 많이 대어줄 경우 머리가 앞으로 굴절될 수 있다).

⑥ 각종 고정끈의 조임 상태를 재확인한다.

⑦ 긴 척추고정판을 준비하고 환자의 엉덩이 부분에 댄다.

⑧ 환자의 경추의 정렬을 유지한 채 환자의 등이 긴 척추고정판 쪽으로 가도록 90° 회전시킨다.

⑨ 환자를 긴 척추고정판에 눕히고 환자를 끌어서 정렬하고 긴 척추고정판을 들어 바닥에 내려놓는다.

⑩ 환자가 긴 척추고정판의 중립위치에 있는지 확인하고 다리, 가슴 끈을 느슨하게 해 준다.

⑪ 긴 척추고정판의 몸통, 허리, 다리 부분의 고정 끈을 고정하고 환자의 머리를 두부고정장비로 고정한다.

⑫ 환자의 순환, 운동, 감각을 재확인하고 긴 척추고정판을 들어 들것으로 옮긴다(그림 5-99).

□ KED 사용방법

그림 5-99. 구출고정장비(KED) 사용법

9 긴 척추고정판

1) 용도

척추손상이 의심되는 환자를 추가 손상 없이 운반하는 데 사용한다(LBB, Long Back Board).

2) 장점

① 수상, 산악 및 도로 구조에서 유용하다.
② 딱딱한 판으로 척추손상 환자를 보호하고 추가손상을 방지할 수 있다.
③ 앉아 있는 환자, 누워있는 환자, 서 있는 환자에게 모두 적용이 가능하다.

3) 주의사항

① 환자를 고정판 위에 올리기 전에 신체의 배부(등 부위)를 확인한다.
② 환자의 척추가 일직선이 되도록 하면서 조심스럽게 수행되어야 한다.
③ 누워 있는 환자의 경우 통나무굴리기법(Log-roll)을 이용하여 긴 척추고정판에 눕히는 것이 좋다.
④ 척추고정판으로 환자를 굴리기 전에 재빠르게 신체의 앞면을 평가하고, 움직일 때마다 환자의 머리를 고정해야 한다(머리를 잡고 있는 응급구조사가 리더를 해야 한다).
⑤ 환자와 척추고정판 사이의 빈 공간에 패드를 대어 고정함으로써 흔들림을 방지한다. 이때 움직임을 유발하거나 환자의 척추 정렬이 어긋나지 않도록 주의해야 한다.
⑥ 환자를 긴 척추고정판에 고정할 때 머리를 가장 마지막으로 고정하는 것이 바람직하다
  ㉠ 두부고정장치로 고정하기 전까지는 1인이 머리를 손으로 고정하고 있어야 한다.
⑦ 환자가 임신 말기일 경우 환자를 긴 척추고정판에 고정한 다음 자궁의 대정맥 압박을 최소한으로 줄이고 저혈압과 현기증을 유발하지 않도록 고정판의 오른쪽을 들어서 좌측으로 기울어지게 한다.
⑧ 척추고정판 자체에 어깨와 흉부를 가로질러 고정하는 고정 끈이 달려 있지 않은 경우 흉부 상부에 팔을 포함해 둘러 묶은 다음 손은 빼고 골반과 다리를 고정한다.
⑨ 좁은 건물에서 구조할 경우, 지하 계단에서 올릴 경우 또는 좁은 승강기 안에서 이송하기 위해 환자를 세워야 할 경우 등은 끈으로 겨드랑이 아래를 고정하고 허벅지를 단단히 고정했는지를 확인해야 한다.
⑩ 헬리콥터를 이용해 이송할 때는 척추고정판이 적합한 치수(size)인지 확인해야 한다.
  ㉠ 헬리콥터의 적재 규모에 따라 달라질 수 있으므로 미리 확인을 해야 한다.
⑪ 수상구조 및 다이빙 손상을 위해 밀러 고정판(Miller board)과 같은 다양하고 특별한 척추

고정판이 있다. 이것은 수면 아래서 환자를 뜨게 하도록 고안됐다(그림 5-100).

⑫ 6세 이하의 소아에서 고정할 때에는 커다란 머리로 인해 어깨뼈 아래에 패드를 대주어야 한다. 중립자세를 유지하는데 필요하다면 어깨부터 발가락까지 패드를 댄다.

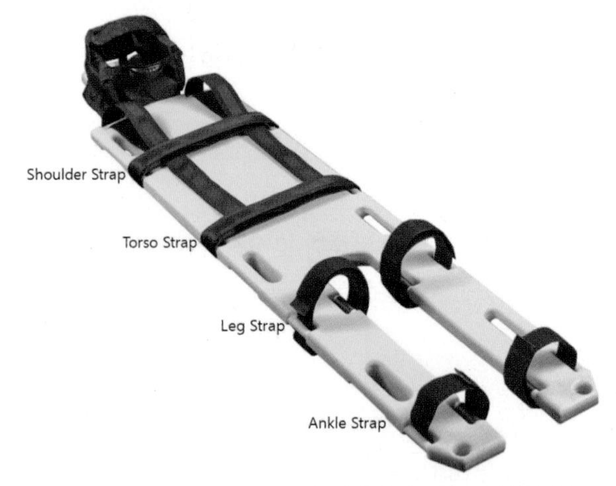

그림 5-100. 밀러 고정판(Miller board)은 다이빙 환자 및 수상구조에 활용된다.

4) 사용방법

① 앉아 있는 환자의 경우

㉠ 우선순위가 높은 경우에는 긴 척추고정판만으로 구출한다(빠른 환자구출법).

㉡ 구출고정대로 고정하고 긴 척추고정판으로 구출해내는 방법을 선택하여 구출한다.

② 서 있는 환자의 경우

㉠ 머리와 목의 도수고정을 방해하지 않게 조심하면서 긴 척추고정판을 적용한다.

㉡ 적용된 환자를 바닥으로 눕히고 중립위치를 확인한 후 고정한다.

③ 누워 있는 환자의 경우

㉠ 통나무굴리기법(Log-roll)을 이용하여 적용한다.

㉡ 긴 척추고정판에 눕히고 중립위치를 확인한 후 고정한다(그림 5-101).

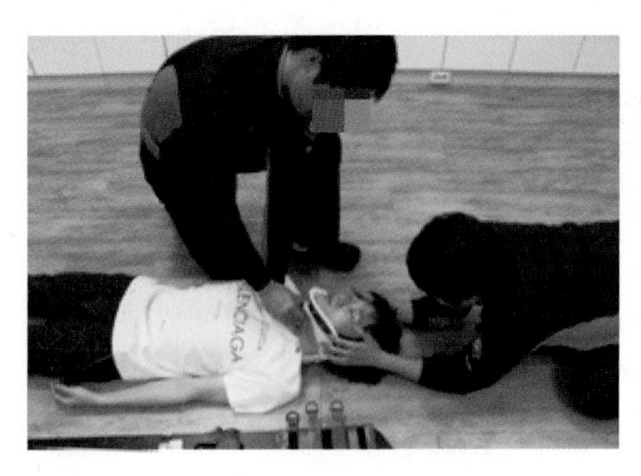

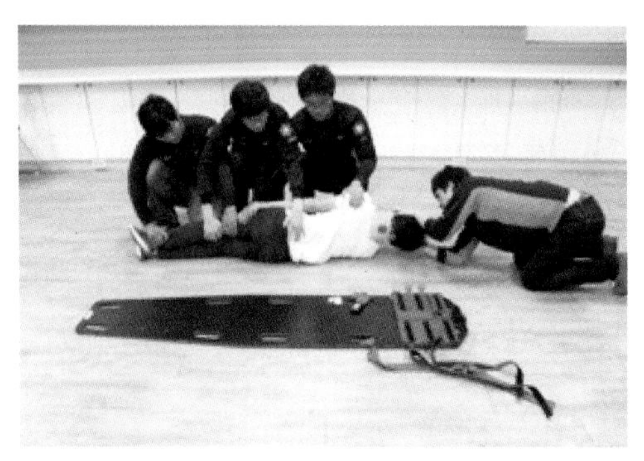

그림 5-101. 경부손상이 의심될 때의 통나무굴리기 방법

Tip. log roll 통나무를 굴리듯 환자를 굴려 들것에 올리는 방법

① 척추 손상이 의심스러운 경우, 경부고정장비를 경부에 대준다.
② 환자를 이동시키기 전에 경부고정장비를 착용시킨다.
　㉠ 환자를 척추고정판에 안전하게 눕힐 때까지 그리고 두부와 경부가 안정될 때까지 유지한다.
③ 응급구조사들이 환자의 각 부위(머리와 어깨, 복부와 허리, 다리)를 잡는다.
③ 두부와 경추를 보조해주는 응급구조사의 구령에 따라 log roll을 실시한다.
　㉠ 응급구조사의 체중, 어깨, 배부 근육을 이용하여 부드럽게 끌어당긴다.
　㉡ 응급구조사는 환자의 무거운 부분을 집중적으로 잡아당겨야 한다.
　㉢ 척추고정판은 가능하면 환자의 몸에 바짝 대준다.
④ 환자를 천천히 부드럽게 척추고정판 위로 눕힌다.
⑤ 조그마한 패드를 환자의 후두부에 대주어 경추가 과도하게 신전되는 것을 예방해야 한다.
　㉠ 담요 등을 사용하여 머리와 목을 척추고정판에 안전하게 대준다.
　㉡ 가죽끈을 이마 위에 설치할 수도 있지만, 뺨 주위에 위치시켜서는 안 된다.

5) 서 있는 환자의 하강방법

응급구조사가 자동차에 접근해서 앞 유리창이 거미줄 모양으로 깨져 있는 것을 보게 되면, 앉아 있는 사람이 누구든지 완전한 척추 고정이 필요하다는 사실을 알 수 있다. 때때로 이러한 환자는 일어나서 사고 현장을 걸어 다니기도 한다. 환자는 여전히 척추 손상 가능성이 있지만, 아직 골절이나 손상 부위 인대가 탈구되지 않았을 것이다. 환자를 앉히거나 긴 척추고정판에 눕히는 것은 매우 위험하므로, 대신에 척추에 무리가 가지 않도록 하면서 척추고정판을 사용하여 조심스럽고 신속하게 환자를 앙와위 자세로 이동하도록 해야 한다. 이러한 과정은 3명의 응급구조사가 경추고정장비(Cervical collar)와 긴 척추고정판을 적용하여 척추고정 및 안정화한다.

① 응급구조사 중 키가 가장 큰 응급구조사가 환자의 뒤에 서서 환자의 머리와 목을 손으

로 고정한다. 모든 과정이 끝나서 머리를 긴 척추고정판에 고정시킬 때까지 계속 고정한다(그림 5-102).

② 응급구조사가 적절한 크기의 경추고정장비를 착용시킬 때 다른 응급구조사는 머리고정을 계속 유지한다.

㉠ 경추고정장비가 고정에 도움이 되지만 도수 고정하는 것을 중지해서는 안 된다(그림 5-103).

그림 5-102. 환자의 머리와 목을 손으로 고정

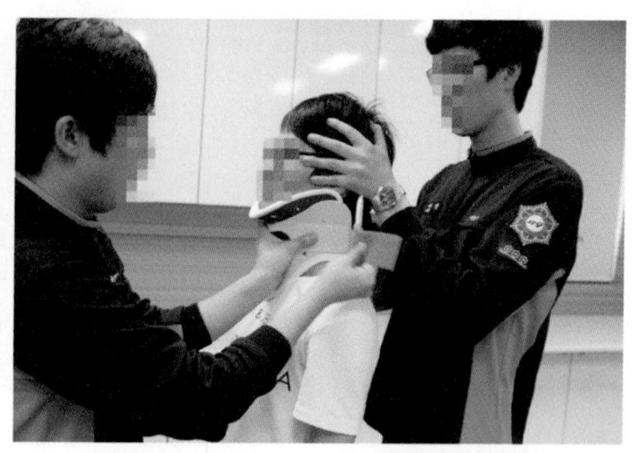

그림 5-103. 적절한 크기의 경추고정장비 착용

③ 머리와 목을 계속 고정시키는 동안, 다른 2명의 응급구조사가 머리와 목의 고정을 방해하지 않게 조심하면서 긴 척추고정판을 환자의 등에 갖다 댄다(그림 5-104).

㉠ 머리와 목을 고정하고 있는 응급구조사는 팔꿈치를 펴서 장비가 쉽게 들어갈 수 있도록 도와준다.

④ 머리와 목의 고정 상태를 계속 유지한 상태에서 다른 응급구조사는 환자 전면에서 척추고정판을 살펴 환자의 등이 긴척추고정판 중앙에 오도록 조정한다(그림 5-105).

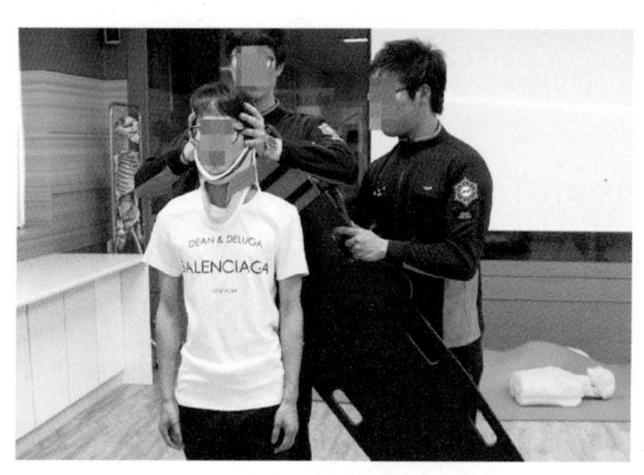

그림 5-104. 긴 척추고정판을 환자의 등에 적용

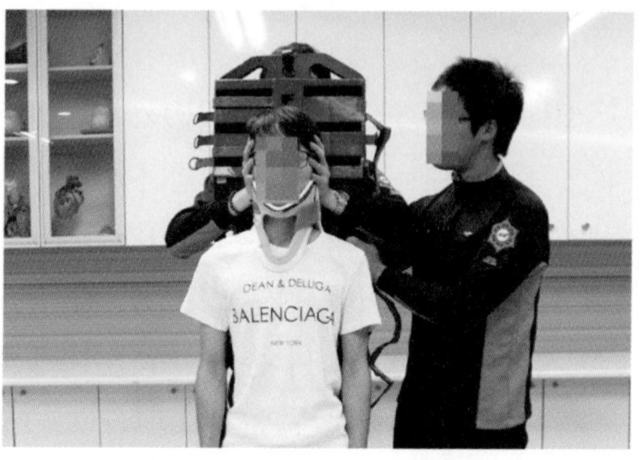

그림 5-105. 척추고정판을 환자의 등 중앙에 오도록 조정

⑤ 응급구조사가 계속 손으로 고정하고 있는 동안에 다른 두 명의 응급구조사는 환자 겨드랑이 밑으로 가장 가까이 있는 팔을 뻗어서 척추고정판을 잡는다(그림 5-106).

㉠ 응급구조사가 손을 환자의 겨드랑이 밑에 넣을 때, 환자의 겨드랑이 보다 약간 높은

위치에서 긴척추고정판을 잡는다(그림 5-107).

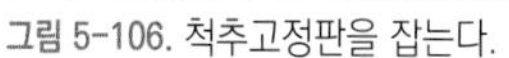
그림 5-106. 척추고정판을 잡는다.

그림 5-107. 환자의 겨드랑이 보다 약간 높은 위치를 잡는다.

⑥ 첫 번째 응급구조사는 계속 머리와 목을 고정하며, 다른 두 명의 응급구조사는 한 손으로는 척추고정판을 잡고, 다른 손으로는 환자를 잡는다.
⑦ 머리를 잡고 있는 첫 번째 응급구조사는 환자에게 앞으로 진행될 사항을 설명한 후, 척추고정판을 서서히 지면으로 내려놓으라고 신호를 한다(그림 5-108).
⑧ 첫 번째 응급구조사는 계속 손으로 환자의 머리와 목을 고정한다(그림 5-109).
⑨ 환자를 두부고정대를 이용하여 고정한다(그림 5-110).

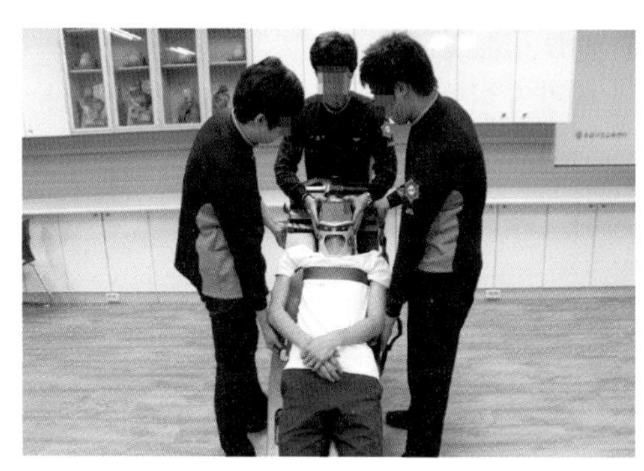
그림 5-108. 척추고정판을 서서히 지면으로 내려놓는다.

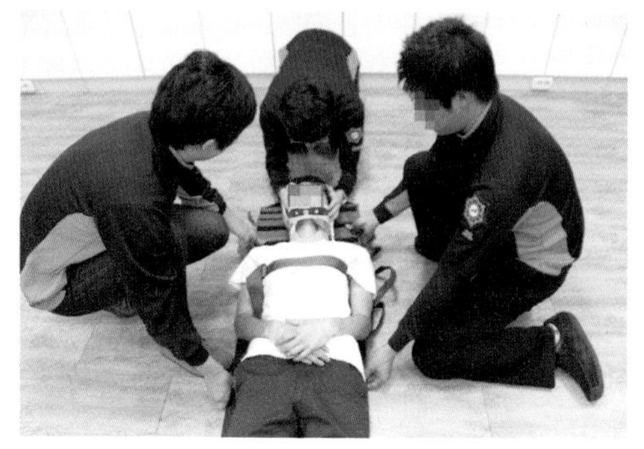
그림 5-109. 환자의 머리와 목을 고정

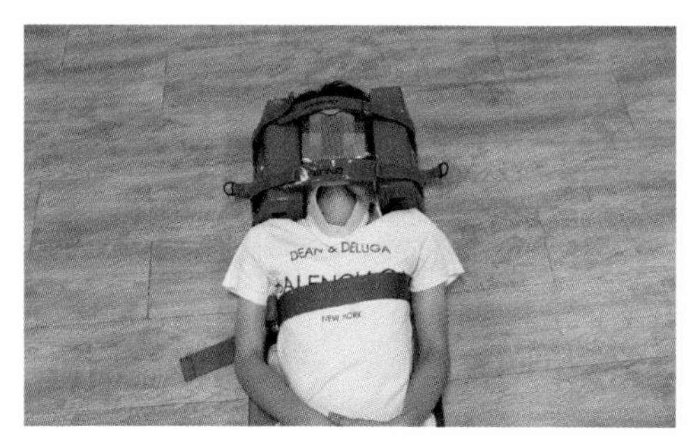
그림 5-110. 두부고정대를 이용하여 고정

10 두부 고정장비

장비를 몸통에 고정하고 적절한 패팅을 필요한 만큼 머리 뒤에 댄 후 머리를 장비에 고정한다(Head Immobilizer). 머리의 둥근 모양 때문에 머리를 고정 끈이나 테이프만으로는 평면 위에 고정할 수 없다. 앞이마의 각도, 피부와 머리카락의 미끄러지는 성질 때문에 앞이마 위에 하나의 고정 끈만 사용하는 경우 쉽게 미끄러질 수 있다. 머리는 볼링공에서 좌우 측면 2인치 정도 잘라낸 볼링공처럼 생각하면 된다. 머리의 고정을 위해 장비나 방법과 관계없이 머리의 적절한 외부 고정은 평평한 측면에 패드나 말은 담요를 대고 고정 끈이나 테이프로 고정하면 된다. 머리고정용 블록이나 둥글게 말은 담요와 같은 머리를 지지하는 장치들은 머리의 평평한 양측면에 단단히 놓고, 머리 지지 장치들을 둘러싸는 두 개의 고정 끈이나 테이프들은 더 이상의 움직임을 막기 위해 양옆으로 끌어당겨 머리의 정확한 모양에 이들의 안쪽 면을 맞춘다. 블록이나 담요로 고정하면 머리는 뒤쪽 면이 평평하게 되어 들것에 고정될 수 있다.

① 위쪽 **머리끈**은 아래 이마의 앞쪽을 지나서(상안와의 등) 단단히 당겨져야 한다.
  ㉠ 머리의 앞쪽 움직임을 예방하는 데 도움이 된다.
  ㉡ 이 고정 끈을 블록이나 담요가 움푹 들어가게 앞이마에 단단히 부착하여 당겨야 한다.
② 턱을 감싸는 턱컵이나 고정끈은 입의 개방을 막으므로 절대 사용하지 말아야 한다.
③ 머리를 잡고 있는 장비(유형에 상관없이)는 머리의 아래 양쪽 측면을 단단히 압박하는 지지 장치들을 유지하는 데 도움이 된다.
④ 장비를 더 잘 고정하고, 하부 머리와 목의 전방 움직임을 막기 위한 아래 고정 끈도 적용한다.
⑤ 하부 고정 끈은 지지 장치 주위와 경추 부목의 딱딱한 전방 부분을 가로지르게 된다.
⑥ 고정 끈이 경추 부목의 전방의 너무 많은 압력을 주어 기도나 정맥을 누르지 않는가를 확인해야 한다.
⑦ 테이프를 이용할 때는 위 설명한 두 고정 끈처럼 테이프를 위치시켜야 한다.
  ㉠ 앞이마에 있는 테이프의 하부는 눈에 접촉하지 않고, 상안와의 등에 걸치도록 한다.

머리와 목의 양측면을 따라 모래주머니와 수액 백을 이용하여 고정하는 것은 위험한 행위이다. 아주 잘 고정된다 해도 이런 무거운 물체들은 환자를 옆으로 회전하거나, 구급차에 실으려고 들것을 낮출 때, 혹은 가속이나 감속 시에 이들 물체가 움직이게 되면서 머리나 목의 움직임을 초래할 수 있다.

1) 용도

경추고정 장비만으로는 경추의 완전한 고정이 불가능하다. 두부 고정장비를 긴 척추고정판 등과 함께 사용하여 완벽한 경추 고정을 유지하여 이송 시 안전을 확보할 수 있다. 환자가 소리를 들을 수 있도록 구멍을 냈으며 가볍고 보수가 쉽다(그림 5-111).

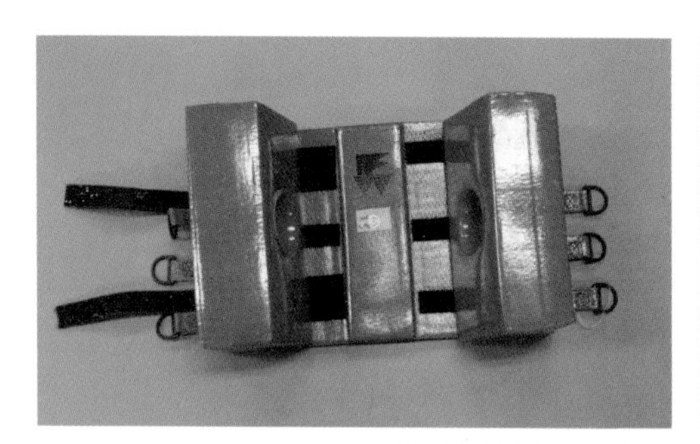

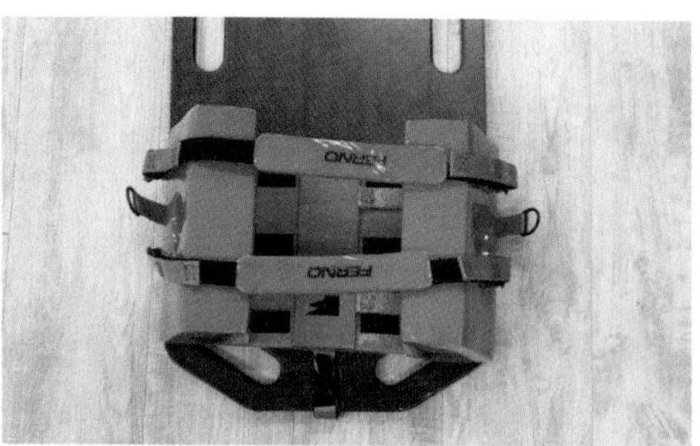

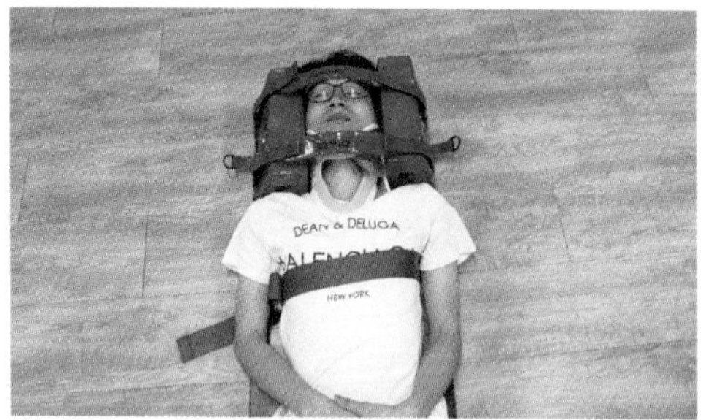

그림 5-111. 두부고정대 고정

11 헬멧 제거법

오토바이를 타는 사람들이나 스포츠 활동에서 헬멧을 착용한다. 스포츠 헬멧은 일반적으로 앞부분이 개방되어 있어 접근 쉽고, 보호대가 있거나 벗겨지지 않게 되어 있는 헬멧은 접근 어렵다.

응급구조사가 손으로 환자의 머리와 목을 고정하고 있는 동안, 다른 한 사람은 보호대를 절단하거나, 부러뜨리거나, 풀어 해체를 시킨다. 헬멧을 그대로 놔두거나 제거해야 할 경우는 각각 다음과 같다.

1) 헬멧을 그대로 놔두어야 하는 경우

헬멧을 그대로 놔두어야 하는 경우라면 헬멧의 앞면에 가리개를 들어 올리고 안면 보호대를 벗긴다.

① 헬멧에 환자의 머리가 꼭 맞아 벗기기가 어려운 경우
② 기도나 호흡 문제가 긴급하지 않을 경우
㉠ 기도폐쇄 가능성이나 호흡 보조가 필요 없는 경우
㉡ 기도나 호흡 응급치료를 하는 데 방해되지 않는 경우
③ 심폐소생술이나 환기할 필요가 없는 경우
④ 헬멧을 제거하면 더 심한 손상이 야기(통증 증가)될 수 있는 경우
⑤ 헬멧이 있는 상태에서 적절한 척추고정판을 적용할 수 있는 경우

2) 헬멧을 제거해야 하는 경우

헬멧 때문에 환자의 입이나 코에 접근하기 어려운 경우에 얼굴, 목, 척추의 응급치료와 기도관리 또는 심폐소생술 등이 필요할 경우에는 헬멧을 제거해야 할 수 있다.
① 응급구조사가 기도나 호흡평가 및 처치를 하는데 방해되는 경우
② 헬멧이 머리에 잘 맞지 않아서 과도하게 움직이는 경우
③ 헬멧 때문에 경·척추 고정이 어려운 경우
④ 심정지 상태로 심폐소생술이나 환기할 필요가 있는 경우

3) 헬멧 제거 방법

(1) 헬멧 제거법(1) – 안면보호식 헬멧

① 첫 번째 응급구조사는 환자의 머리 위에 위치하여 두 손으로 헬멧을 고정하고, 손끝으로 아래턱뼈를 잡아 환자의 머리를 고정한다.
② 두 번째 응급구조사는 환자가 안경을 쓰고 있다면 헬멧을 제거하기 전에 벗겨 주고, 헬멧을 벗기기 위해 턱 고정끈을 풀거나 잘라 제거한 다음 한 손으로 환자의 턱을 잡는다. 다른 한 손은 환자의 목 뒤로 넣어 턱과 목을 함께 잡아 두부를 안전하게 고정한다.
③ 머리를 잡고 있는 첫 번째 응급구조사는 고정하던 손을 풀고 서서히 헬멧을 제거한다.
㉠ 헬멧의 아랫부분이나 귀 덮개를 부드럽게 잡아 벗긴다.
④ 헬멧이 뒤로 기울지 않게 똑바로 벗겨야 한다.
㉠ 안면보호식 헬멧(full-face helmet)인 경우 턱 부위를 조금 기울여서 코를 빠져나올 수 있도록 한다.
㉡ 헬멧 제거 시 환자의 머리가 움직이지 않도록 지지해 주어야 한다.
⑤ 헬멧 제거 후 첫 번째 응급구조사는 환자의 머리를 고정한다.
㉠ 하악견인법으로 기도를 개방하여 유지한다.
㉡ 두 번째 응급구조사는 경추고정장비를 착용시킨다(그림 5-112).

□ 안면보호식 헬멧 제거 방법

1. 환자를 발견한 후 현장에 위험요소를 확인한다.

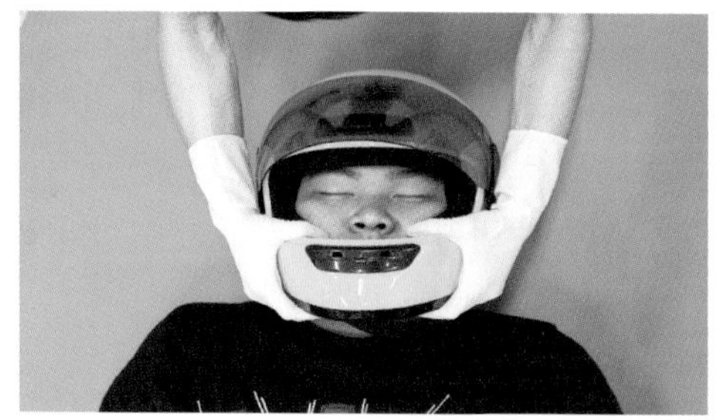

2. 첫 번째 응급구조사는 환자의 머리 위에 위치하여 손으로 환자의 머리를 고정한다.

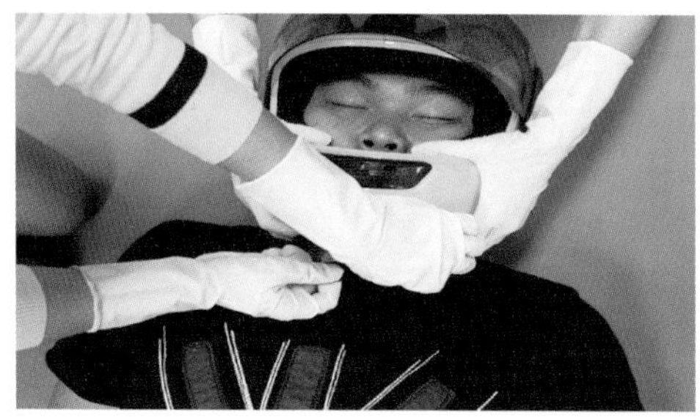

3. 두 번째 응급구조사는 헬멧을 벗기기 위해 턱 고정 끈을 풀거나, 자르거나, 제거한다.

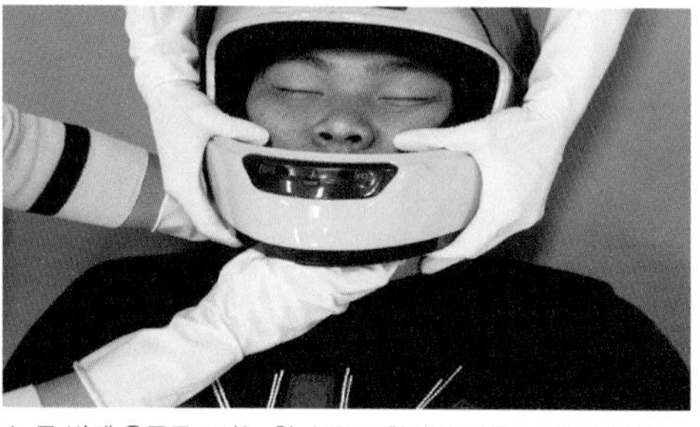

4. 두 번째 응급구조사는 한 손으로 환자의 턱을 잡고, 다른 한 손으로는 목 뒤로 넣어 고정한다. 턱과 목 뒤를 함께 고정하여 머리를 안전하게 잡아 준다.

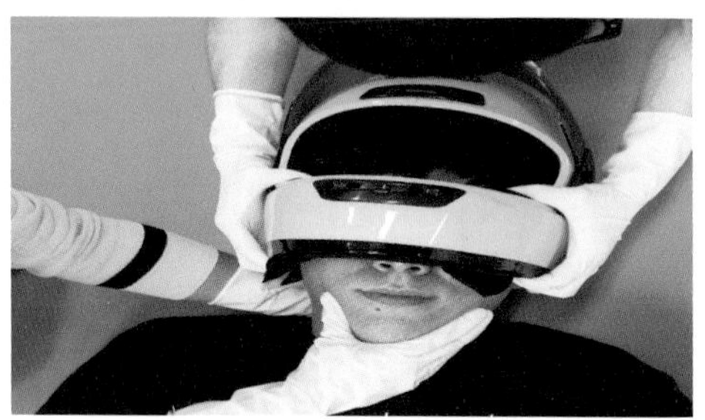

5. 헬멧이 뒤로 기울지 않게 똑바로 벗겨야 한다. 안면보호식 헬멧(full-foce helmel)인 경우 턱부위를 조금 기울여서 코를 빠져나올 수 있도록 한다.

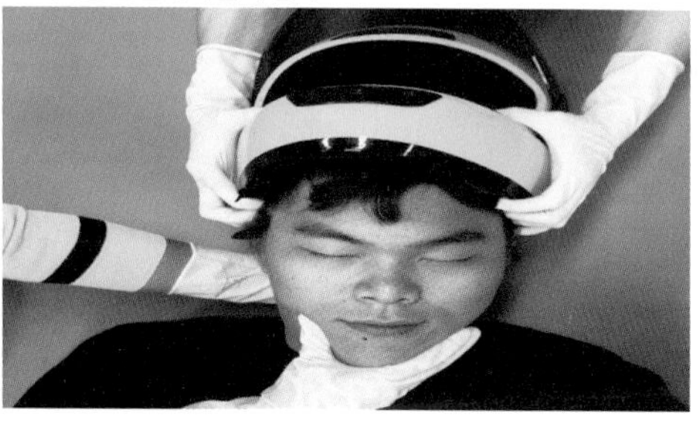

6. 다른 응급구조사는 헬멧 제거 시 환자의 머리가 움직이지 않도록 받쳐 주어야 한다.

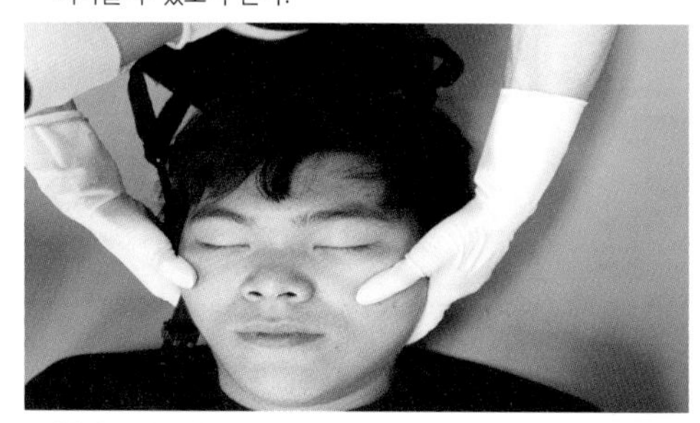

7. 헬멧 제거 후 첫 번째 응급구조사는 환자의 머리를 고정하며, 하악견인법으로 기도개방을 유지한다.

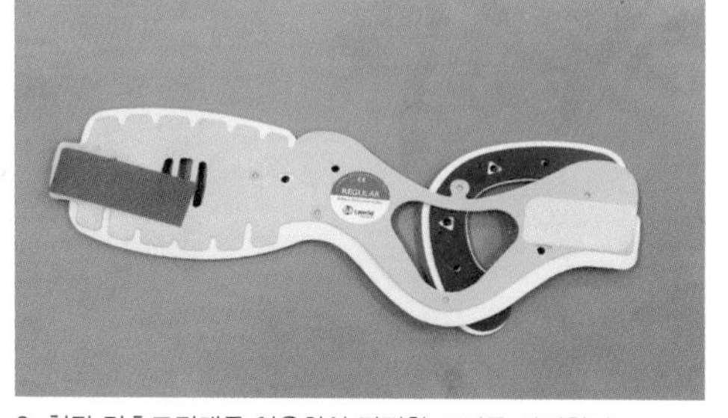

8. 현장 경추고정대를 이용하여 적절한 크기를 선정한다.

그림 5-113. 안면보호 헬멧 제거법

(2) 헬멧 제거법(2) - 스포츠용 헬멧

① 첫 번째 응급구조사가 환자의 목을 지지하면서 중립자세로 고정한다.

② 두 번째 응급구조사가 턱에 있는 끈을 풀고 헬멧의 양쪽을 잡아 귀까지 빠져나오도록 헬멧을 벗긴다.

③ 첫 번째 응급구조사는 계속 머리를 고정하고, 두 번째 응급구조사는 경추고정장비를 착용시킨다(그림 5-114).

□ 스포츠용 헬멧 제거 방법

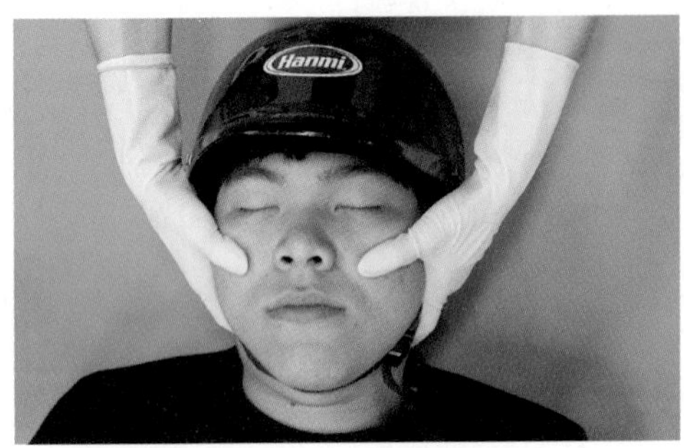

1. 첫 번째 응급구조사가 환자의 목을 지지하면서 중립자세로 고정

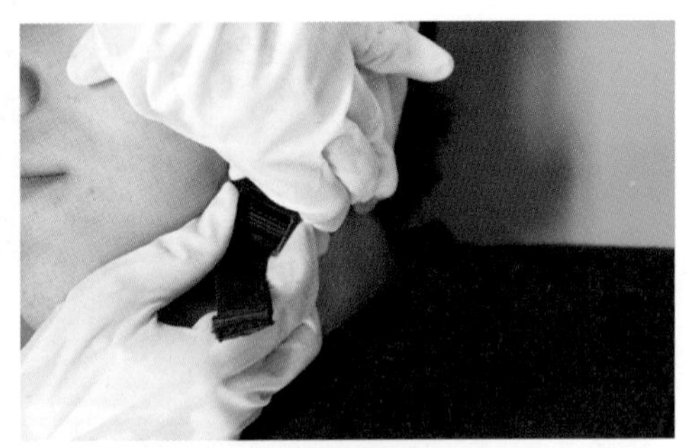

2. 다른 응급구조사가 턱에 있는 끈을 품

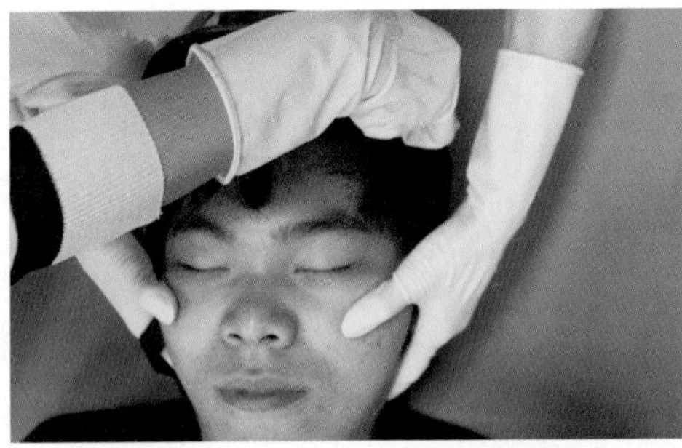

3. 두 번째 응급구조사가 헬멧을 벗기는데 양쪽을 잡아당겨 귀까지 빠져나오도록 함

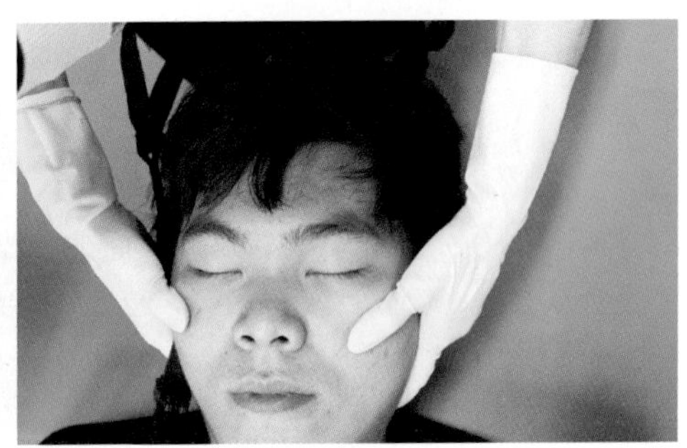

4. 첫 번째 응급구조사는 계속 머리 고정

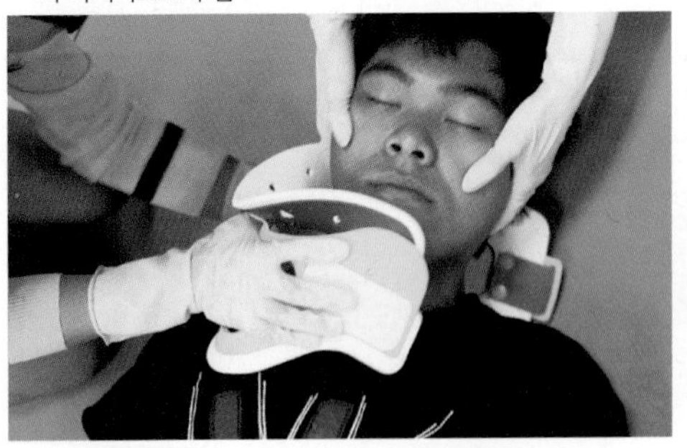

5. 현장 경추고정대를 이용하여 적절한 크기 선정

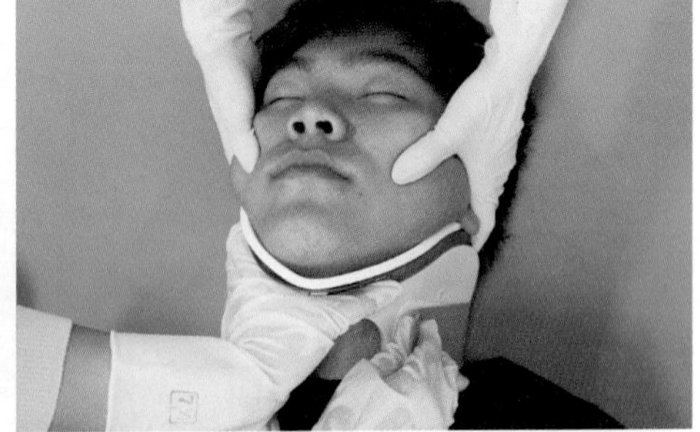

6. 두 번째 응급구조사는 경추고정장비 착용

그림 5-114. 스포츠용 헬멧 제거 방법

(3) 헬멧 제거법(3) – 미식축구용 헬멧

환자가 어깨에 패드를 하는 상태에서 미식축구용 헬멧을 제거할 경우에는 다음과 같다.

① 기도확보를 위한 얼굴을 가리는 안전망은 장비(드라이버)를 이용하여 제거해 주어야 한다(그림 5-115).

② 패드를 댄 어깨 부위와 일직선을 유지하기 위해 환자 머리 뒤에 패드를 대거나 어깨 패드를 제거해야 한다.

③ 헬멧을 제거하고 어깨의 패드를 제거하지 않는다면 환자의 어깨 뒤가 패드로 차지하기 때문에 과신전 또는 과굴곡의 결과를 초래할 수 있으므로 주의해야 한다.

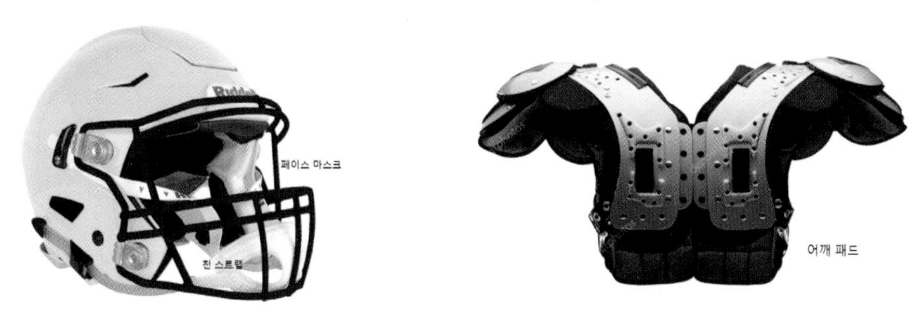

그림 5-115. 미식축구용 헬멧과 어깨 패드

(4) 헬멧 제거 시 주의사항

어떤 헬멧 제거 방법이든지 손에 의한 두부고정은 계속 유지되어야 하며, 환자의 머리가 긴 척추고정판에 완전히 고정될 때까지 지속하여야 한다.

(5) 소아용 안전좌석

소아 환자가 자동차 충돌 사고에서 소아용 안전좌석에 앉아 있는 경우 소아의 복부장기와 가로막에 상당한 압력을 받고 호흡이 힘들어지기 때문에 좌석의 등받이를 뒤로 눕히거나 척추고정판으로 아이를 옮겨 앙와위로 눕히고 다리를 올리게 한다. 또한, 환자에게 즉시 심폐소생술이 필요하지 않거나 앙와위 자세를 취할 다른 어떤 이유도 없는 경우 소아를 똑바로 앉히고, 안전좌석을 고정장비 대용으로 이용한다(그림 5-116).

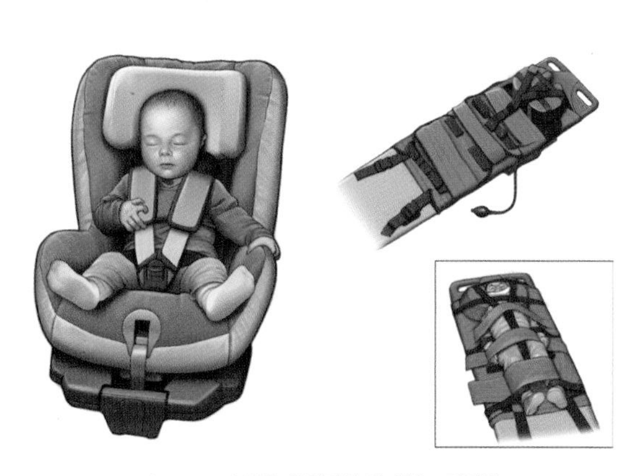

그림 5-116. 소아용 안전좌석 및 척추고정장치

Tip. 척추고정 프로토콜의 구성요소

다음과 같이 증상이 한 가지 이상 존재할 때 척추손상을 의심하고 의심스러우면 우선 고정하라!

손상기전	손상과 관련된 환자의 특성
① 머리, 목, 몸통 또는 골반에 과격한 충돌 ② 과속으로 운행된 자동차 사고 ③ 차에 치인 보행자 ④ 폭발 ⑤ 자동차로부터 튕김 ⑥ 얕은 물에서 다이빙 사고 ⑦ 낙상 ㉠ 키 높이 낙상, 노인은 차이가 있음 ㉡ 1 m 이상에서의 낙상 ⑧ 측축부하 ⑨ 척추나 척추 주변의 관통상 ⑩ 두부나 목의 스포츠 손상	① 척추통증, 압통 또는 변형 ② 신경학적 결손 또는 불편감 ③ 목 또는 등을 움직일 때 느끼는 통증
손상과 관련 없는 환자의 특성	**응급구조사의 특성**
① 의식 상태의 변화 ② 알코올 또는 다른 약물의 중독 ③ 의사소통의 불능 ④ 혼란 손상(Distracting injury, 예를 들면, 다리 손상의 고통이 심해 덜 분명한 척추손상을 느끼지 못함) ⑤ 환자가 통증을 느끼지 못할 정도의 상당한 스트레스	① 응급구조사는 때로 환자를 신뢰할 수 없다는 것을 생각한다. ② 응급구조사는 사고에 대해 눈으로 본 것 이상이 있음을 추정한다. ③ 응급구조사의 임상적 판단에 따라 또는 의심스러울 경우 환자는 고정되어야만 한다.

12 순환보조장비

1) 자동흉부압박기(Thumper)

건강한 응급구조사이라도 평균 5분 이상 심폐소생술을 시행하기 힘들며, 구급차로 이송 중일 때는 흉부압박의 질이 낮아진다. 심폐소생술 중 자동흉부압박기의 이용에 따른 장점(긍정)으로 다음과 같다.

① 현장상황이나 응급구조사의 건강상태와 관계없이 정확한 심폐소생술을 시행할 수 있다.

② 자동흉부압박기를 활용하여 심폐소생술을 할 경우에는 응급구조사가 지치지 않고 환자를 위한 다른 응급치료를 할 수 있다.

③ 제세동기의 전기적 충격(electric shock)을 줄 때도 흉부압박을 계속할 수 있다.
④ 사람이 압박하는 것보다 균일한 강도의 가슴압박을 지속적으로 제공할 수 있다.
⑤ 응급구조사가 손으로 가슴압박을 할 때와 유사한 순환량을 발생시킬 수 있다(그림 5-110).

압축된 공기 또는 산소로 작동되는 자동흉부압박기(automatic mechanical chest compressor)는 흉골을 압박하는 피스톤 장치, 흉곽을 조이는 밴드 장치, 또는 두 가지 장치를 모두 사용하여 자동으로 심폐소생술을 한다.

자동 능동압박-감압 심폐소생술(active compression-decompression CPR)을 사용한 세 가지 무작위 대조 연구에서는 자동심폐소생술 장치가 가슴압박에 의한 심폐소생술과 비교하여 환자 생존율의 차이가 없는 것으로 나타났다. 그러나 다음과 같은 단점(부정)도 있다.

① 기계장치를 사용한 경우 가슴압박에 의한 심폐소생술에 비하여 3개월 뒤 신경학적 예후에 나쁜 연관성을 본다.
② 동작시간에 대한 연구에서는 기계장치를 사용한 경우 가슴압박에 의한 심폐소생술과 비교하여 가슴압박이 중단된 시간이 길어진 것이다.
③ 하중분산밴드 심폐소생술장치(load-distributing band CPR)를 사용한 일개 병원의 무작위 대조 연구에서 하중분산밴드 심폐소생술 장치를 사용한 환자군에서 가슴압박에 의한 심폐소생술을 받은 환자군과 비교하여 4시간 생존율은 동일하였으나 신경학적 예후는 나쁘게 나타났다.
④ 의료기관의 환경과 의료인들의 경험 수준이 하중분산밴드 심폐소생술 장치를 사용한 환자의 예후에 영향을 미치는 것으로 나타났다.

(1) 자동심폐소생술 장치가 필요한 경우

자동심폐소생술 장치가 가슴압박에 의한 심폐소생술에 비해 유리하다는 근거는 아직 없기 때문에 심정지 치료를 위한 심폐소생술 방법으로 가슴압박을 권고한다. 하지만 통상적인 가슴압박이 어렵거나, 소생술이 길어져서 높은 수준의 가슴압박이 어려운 경우에는 자동심폐소생술 장치가 합리적인 대안으로 선택될 수 있다. 예를 들면 다음과 같은 환자에게 자동심폐소생술 장치를 사용할 것을 제안한다.

① 고층건물에서 엘리베이터로 환자를 옮기는 과정과 같이 사람이 직접 압박하기 어려운 좁은 공간인 경우
② 심정지 환자에 체외순환장치를 연결할 때와 같이 응급의료 인력이 부족한 경우
③ 구급차로 환자를 이송 중이어서 응급의료종사자나 환자가 흔들리는 상황
④ 심폐소생술을 지속적으로 실시하는 경우

⑤ 흉곽이 굳어져서 가슴압박이 어려운 저체온 심정지 환자인 경우
⑥ 혈관조영술이나 색전제거술 시행 중 심정지가 발생하면 가슴압박을 하는 의료진이 고용량의 방사선에 노출될 위험이 있는 경우

산소 충전식 휴대용 심폐소생술 기기로 현장, 구급차 및 헬리콥터 내 등 어떠한 상황에서도 산소탱크만 있으면 흉부압박과 인공호흡이 가능하다. 자동흉부압박기는 소아에서의 적합성이 검증되지 않았으므로 성인에서만 사용한다.

(2) 압박 위치

압박기의 위치는 환자에 따라 흉골 높이로 조절할 수 있게 되어 인공호흡과 가슴압박의 비는 일정하게 유지된다. 그리고 압박의 깊이, 횟수 등을 쉽게 조절할 수 있게 되어 있다. 현재 활용되고 있는 것으로는 Thumper, X-CPR, Auto Pulse 등이 있다.

(3) 특성

① 자동흉부압박기 구성은 다음과 같다.
㉠ 환자의 등 받침대
㉡ 등 받침대와 연결되어 압박기를 연결하는 구조물
㉢ 압축산소에 의하여 작동되는 압박기
㉣ 인공호흡 장치(그림 5-117).

② 응급구조사가 직접 압박하는 것보다 자동흉부압박기를 적용 시 다음과 같은 상황 발생할 수 있다.
㉠ 복장뼈(흉골) 골절의 증가
㉡ 늑골골절의 발생(간, 비장 등의 손상이 낮아짐)
㉢ 적절히 취급할 수 없는 경우 내부 장기손상이나 비효율적인 가슴압박 발생

③ 주변 여건이나 응급의료종사자의 상태에 상관없이 장시간 효과적인 흉부압박이 가능하다.

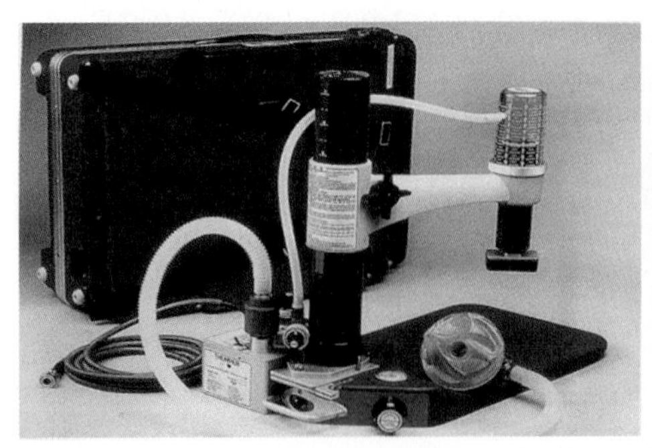

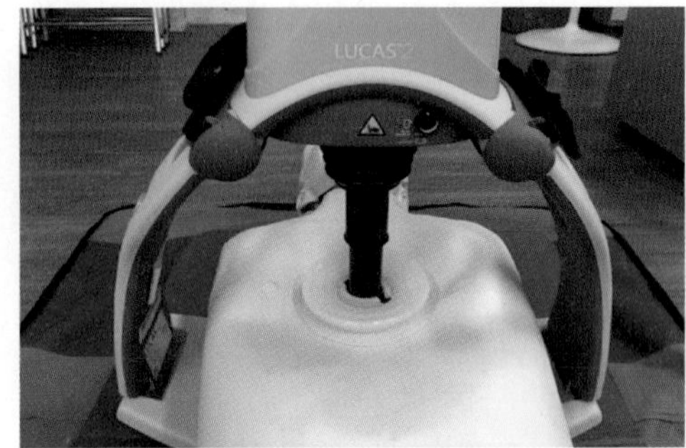

그림 5-117. 자동심폐소생기

④ 적정 산소압력은 25-30 psi이다.
⑤ 응급구조사가 부족한 한국 현실에서 응급구조사를 대신하여 생존율을 높이는 데 기여할 수 있을 것이다.

(4) 적용 고려사항

① 적절한 교육과 훈련을 통하여 효율적으로 사용할 수 있어야 한다.
② 자동심폐소생술 장치를 구입하는 데 에는 비용이 소요된다.
③ 응급의료종사자의 가슴압박을 대신하여 사용해야할 경우는 다음과 같다.
  ㉠ 응급의료 인력이 부족한 경우
  ㉡ 가슴압박을 적용하기 어려운 상황인 경우
  ㉢ 가슴압박을 지속적으로 실시해야 할 경우
④ 환자의 몸에 설치하거나 제거할 때 가슴압박이 중단되지 않도록 주의가 필요하다.
⑤ 장치를 사용하기 위하여 심폐소생술이 지연되는 일이 없도록 사전에 방지하여야 한다.

(5) 사용방법

① 기본 인명구조술을 실시한다.
② Thumper 용 받침판을 환자의 등 밑에 위치시킨 후 본체를 결합한다.
③ 본체에 피스톤 지지대를 결합한 후 산소 밸브를 연결한다.
④ 1번 밸브와 4번 스위치가 잠겨있는지 확인한 후 산소통을 연다.
⑤ 1번 밸브를 열고 피스톤을 환자의 흉부표면에 위치시킨다.
⑥ 2번과 3번 밸브를 차례로 연다.
⑦ 환기 밸브를 연결하고 4번 스위치와 5번 밸브를 차례대로 연다.
⑧ 마스크에서 산소가 나오는지 확인한 후 마스크를 환자에게 완전히 밀착시킨다.
⑨ 어깨 벨트로 단단하게 환자를 고정한다.
⑩ 조절 나사를 돌려서 흉부압박 깊이를 선택한다.
⑪ Thumper를 환자에게 적용하여 인공심폐소생술을 시행한다.

(6) 자동 기계 심폐소생술과 체외 심폐소생술에 대한 권고

자동 기계 심폐소생술(automatic mechanical CPR)은 동력장치에 의해 자동으로 작동하는 기계장치를 사용하여 인공순환을 유지하는 심폐소생술 방법이다. 자동 기계 장치를 사용하면, 심폐소생술 동안 가슴압박을 기계가 대신해 주기 때문에 구조자가 손으로 가슴압박을 시행할 필요가 없다.

심정지가 발생한 성인을 대상으로 자동 기계 장치를 사용한 심폐소생술과 손으로 가슴압박을 시행한 심폐소생술의 효과를 비교한 연구는 두 군 사이에 생존율의 차이가 없다고 보고하였다.

Tip. 2018년 루카스에 사용에 대한 의견

19구조 · 구급에 관한 법률 시행령 제12조(응급환자의 이송 등)

① 구급대원은 응급환자를 의료기관으로 이송하기 전이나 이송하는 과정에서 응급처치가 필요한 경우에는 가능한 범위에서 응급처치를 실시하여야 한다.

② 소방청장은 구급대원의 자격별 응급처치 범위 등 현장응급처치 표준지침을 정하여 운영할 수 있다.

③ 구급대원은 환자의 질병내용 및 중증도, 지역별 특성 등을 고려하여 소방청장 또는 소방본부장이 작성한 이송병원 선정지침에 따라 응급환자를 의료기관으로 이송하여야 한다. 다만, 환자의 상태를 보아 이송할 경우에 생명이 위험하거나 환자의 증상을 악화시킬 것으로 판단되는 경우로서 의사의 의료지도가 가능한 경우에는 의사의 의료지도에 따른다.

④ 제3항에 따른 이송병원 선정지침이 작성되지 아니한 경우에는 환자의 질병내용 및 중증도 등을 고려하여 환자의 치료에 적합하고 최단시간에 이송이 가능한 의료기관으로 이송하여야 한다.

⑤ 구급대원은 이송하려는 응급환자가 감염병 및 정신질환을 앓고 있다고 판단되는 경우에는 시 · 군 · 구 보건소의 관계 공무원 등에게 필요한 협조를 요청할 수 있다.

⑥ 구급대원은 이송하려는 응급환자가 자기 또는 타인의 생명 · 신체와 재산에 위해(危害)를 입힐 우려가 있다고 인정되는 경우에는 환자의 보호자 또는 관계 기관의 공무원 등에게 동승(同乘)을 요청할 수 있다.

⑦ 소방청장은 제2항에 따른 현장응급처치 표준지침 및 제3항에 따른 이송병원 선정지침을 작성하는 경우에는 보건복지부장관과 협의하여야 한다.

※ 시행령에 의거하여 표준지침은 1급 응급구조사, 간호사, 2급 응급구조사, 구급교육 이수자 등 구급대원 및 신고접수 및 상담 등 구급서비스를 제공하는 상황실 요원(구급상황관리자 포함)을 위해 제작되었음.

※ 1급 응급구조사, 2급 응급구조사 및 구급업무를 수행하는 간호사와 2주 이상의 구급교육을 이수한 구급대원 등의 업무범위에 대하여 일반적 상황에서 간접 의료지도의 한 형태인 표준화된 업무 지침으로서 활용

※ 본 지침은 유효기간 내에서만 유효하며, 타 법령에서 특별히 규정하거나 관련 법령의 제 · 개정에 의해 변경된 내용에 대해서는 지침보다 우선한다.

2015년 심폐소생술 가이드라인(보건복지부, 질병관리본부, 대한심폐소생술협회) 제작한 책자 3페이지에 표 1-1 참고

분야	내용
기본소생술	생존 사슬, 심폐소생술의 법적 측면, 심폐소생술에서의 소아와 성인의 구분, 심정지 환자에 대한 구조자의 행동요령, 응급의료전화상담원을 위한 권고사항, 기본소생술에서의 주요 변경사항, 성인 심정지환자의 심폐소생술 순서, 인공순환, 인공호흡, 가슴압박소생술, 자동제세동기, 이물질에 의한 기도폐쇄, 심폐소생술과 관련된 윤리

분야	내용
전문소생술	심정지의 치료, 전문기도유지술, 제세동, 인공심장박동조율술, 서맥의 치료, 빈맥의 치료, 자동흉부압박기, 체외심폐소생술, 특수상황에서의 심정지의 치료
심정지 후 치료	심정지 후 증후군, 심정지 후 통합 치료의 목표, 심정지 후 통합치료 전략, 신경학적 예후 예측, 심정지 후 장기 기증, 심정지 후 치료 병원
소아기본소생술	소아 심정지에서의 생존사슬, 일반인을 위한 소아기본소생술, 의료제공자를 위한 소아기본소생술, 가슴압박소생술, 이물에 의한 기도폐쇄, 특수 상황의 소생술
소아전문소생술	전문소생술 중 고려해야 할 기본소생술, 전문기도유지술, 흡입도구, 체외순환보조, 소생술 중의 환자 감시, 주사로의 확보와 유지, 수액과 약물 투여, 소아전문소생술에 사용되는 약물, 심정지의 치료, 제세동기, 제세동과 소생술 순서의 통합, 서맥의 치료, 빈맥의 치료, 특수 소생술 상황, 특별한 처치가 필요한 환자에서의 소생술, 소생 후 치료, 병원 간 이송, 소생술 시 가족의 참관, 소아에서 소생시도의 종료, 설명되지 않는 갑작스런 사망

※ 현재 기계식 흉부압박장치는 사용하는 국내 기관으로 병원과 119구급대

※ 가이드라인에서 심폐소생술이 하기 힘들거나 이송할 때, 즉 hand-off time을 최소화하기 위해 주로 쓰라고 권고가 되어 있는 장비임

응급의료에 관한 법률 제41조의2(응급구조사 업무지침의 개발 및 보급)

① 보건복지부장관은 응급구조사 업무의 체계적 · 전문적 관리를 위하여 보건복지부령으로 정하는 절차 · 내용 · 방법에 따라 응급구조사 업무지침을 작성하여 보급하여야 한다.

② 응급구조사는 제41조에 따른 업무를 수행할 때 제1항에 따른 업무지침을 활용하여야 한다.

보건복지부 콜센터 및 응급의료과 답변 내용

ㅇ 기계식 흉부압박 장비의 사용은 응급구조사의 업무 범위 중 기본심폐소생술의 정확한 시행을 도울 수 있는 장비로서, 그 사용 역시 응급구조사의 업무범위 중 기본심폐소생술에 포함된다고 판단됩니다. (단, 해당 장비를 사용하기 전에 장비 사용에 대한 충분한 교육을 수료해야 할 것)

ㅇ 아울러, 응급의료에 관한 법률 제63조에서는 응급처치 및 의료행위에 대한 형의 감면을 규정하고 있으니 업무에 참고하시기를 바랍니다.

※ 응급의료에 관한 법률 제63조(응급처치 및 의료행위에 대한 형의 감면)

① 응급의료종사자가 응급환자에게 발생한 생명의 위험, 심신상의 중대한 위해 또는 증상의 악화를 방지하기 위하여 긴급히 제공하는 응급의료로 인하여 응급환자가 사상(死傷)에 이른 경우 그 응급의료행위가 불가피하였고 응급의료행위자에게 중대한 과실이 없는 경우에는 정상을 고려하여 「형법」 제268조의 형을 감경(減輕)하거나 면제할 수 있다.

② 제5조의2제1호나목에 따른 응급처치 제공의무를 가진 자가 응급환자에게 발생한 생명의 위험, 심신상의 중대한 위해 또는 증상의 악화를 방지하기 위하여 긴급히 제공하는 응급처치(자동심장충격기를 사용하는 경우를 포함한다)로 인하여 응급환자가 사상에 이른 경우 그 응급처치행위가 불가피하였고 응급처치행위자에게 중대한 과실이 없는 경우에는 정상을 고려하여 형을 감경하거나 면제할 수 있다.

이 연구결과를 근거로 2015년 가이드라인은 자동 기계 심폐소생술 장치를 현재 심폐소생술의 대체 방법으로 권장하지 않는다. 다만, 구급차, 헬리콥터 등으로 환자를 이송하는 동안이나 혈관조영술 또는 체외심폐소생술 시행 중에는 자동 기계 심폐소생술을 고려하도록 하였다.

13 제세동기

갑자기 발생한 심정지 대부분은 심실세동에 의해 유발되며, 심실세동의 가장 중요한 치료는 제세동이다. 자동제세동기(Automated External Defibrillator, AED)는 심장의 리듬을 자동으로 분석하고 필요하다면, 심정지 환자에게 전기충격을 줄 수 있도록 고안된 제세동 장비로서 일반인들도 간단한 교육을 통해 쉽게 사용할 수 있다(그림 5-118). 우리나라에서도 공공보건의료기관, 구급차, 여객 항공기 및 공항, 철도 객차, 20톤 이상의 선박, 다중이용시설 등에 자동제세동기를 설치할 것을 응급의료에 관한 법률 제47조 1항으로 규정하고 있다.

Tip. **응급의료에 관한 법률 제47조 구급차등의 장비**

① 구급차등에는 응급환자에게 응급처치를 할 수 있도록 의료장비 및 구급의약품 등을 갖추어야 하며, 구급차등이 속한 기관 · 의료기관 및 응급의료지원센터와 통화할 수 있는 통신장비를 갖추어야 한다.

② 구급차에는 응급환자의 이송 상황과 이송 중 응급처치의 내용을 파악하기 위하여 보건복지부령으로 정하는 기준에 적합한 다음 각 호의 장비를 장착하여야 한다. 이 경우 보건복지부령으로 정하는 바에 따라 장비 장착에 따른 정보를 수집 · 보관하여야 하며, 보건복지부장관이 해당 정보의 제출을 요구하는 때에는 이에 따라야 한다.

1. 구급차 운행기록장치 및 영상기록장치(차량 속도, 위치정보 등 구급차의 운행과 관련된 정보를 저장하고 충돌 등 사고발생 시 사고 상황을 영상 등으로 저장하는 기능을 갖춘 장치를 말한다)
2. 구급차 요금미터장치(거리를 측정하여 이를 금액으로 표시하는 장치를 말하며, 보건복지부령으로 정하는 구급차에 한정한다)
3. 「개인정보 보호법」 제2조 제7호에 따른 영상정보처리기기

③ 제1항에 따라 갖추어야 하는 의료장비 · 구급의약품 및 통신장비 등의 관리와 구급차등의 관리 및 제2항에 따른 장비의 장착 · 관리 등에 필요한 사항은 보건복지부령으로 정한다.

④ 제2항 제3호에 따른 장비는 보건복지부령으로 정하는 구급차 이용자 등의 동의 절차를 거쳐 개인영상정보를 수집하도록 하고, 이 법에서 정한 것 외에 영상정보처리기기의 설치 등에 관한 사항은 「개인정보 보호법」에 따른다.

1) 용도

심전도를 모르는 현장 응급처치자(first responder)나 응급구조사가 제세동을 시행할 수 있도록 제세동기 내에 심전도를 인식하고 제세동을 시행할 것을 지시해줄 수 있는 프로그램이 내장되어 있다. 젤로 덮인 큰 접착성 패드를 환자의 가슴에 부착하여 심폐소생술을 멈추는 시간을 최소화하며 연속적으로 제세동할 수 있다. 심장에 짧은 시간 강한 전류를 가해 치명적 부정맥을 일으키는 비정상적인 전기적 자극을 제거함으로써 효과적인 심장박동을 유도하여 소생시키는 장비이다. 심실세동 외에는 제세동하지 않도록 100% 안정성이 확인되었다(그림 5-119).

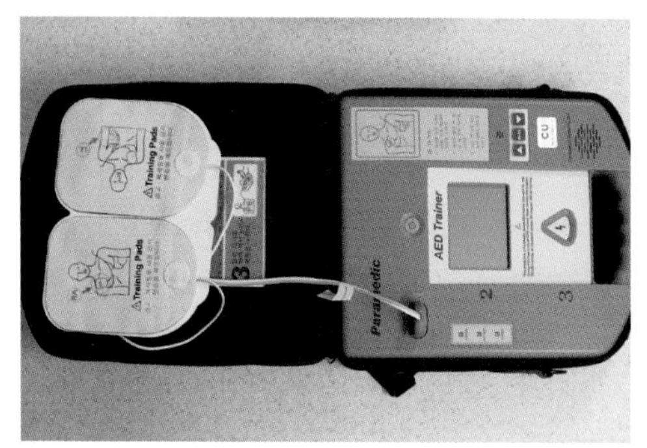

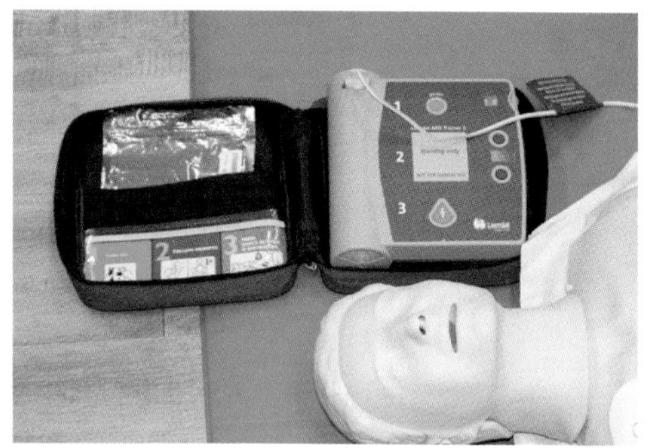

그림 5-119. 제세동기

2) 종류

자동제세동기는 심정지 환자의 심전도를 자동으로 분석하여 제세동 실시 여부를 알려주고, 설정된 자동제세동 에너지를 스스로 충전하여 일차반응자가 자동제세동을 하도록 유도한다. 현재의 자동제세동기는 2가지 형태로 구분되는데 완전 자동제세동기(fully automated)와 반자동 제세동기(semi-automated)로 나뉠 수 있다.

① 완전 자동제세동기(fully automated): 전원을 켠 후 환자의 가슴에 패드를 부착하면 제세동기 스스로 환자의 심전도를 분석하고, 에너지를 충전하여 구조자에게 알린 뒤에 제세동을 실시한다.

② 반자동 제세동기(semi-automated): 환자의 심전도를 분석하여 제세동이 필요한 경우에 응급구조사가 제세동 시행 버튼을 누르도록 음성 또는 화면으로 지시한다.

㉠ 일반 시민을 대상으로 한 자동제세동기 교육 및 홍보가 부족한 우리나라에서는 현재 반자동 제세동기(semi-automated)가 주로 보급되어졌다.

㉡ 우리나라에서 병원 전 처치에 사용되고 있는 제세동기는 반자동형태이다.

제세동기는 에너지 전달방식에 따라 단상형(Monophasic)과 양상형(Biphasic)으로 구분된다.

선호되어지는 에너지 전달방식은 양상형이 선호되고, 에너지 전달방식에 따라 J의 용량은 다음과 같다.

① 단상형 에너지 사용 : 첫 회 360 J의 에너지 사용

② 양상형 에너지 사용 : 첫 회 150-200 J로 시작하여 두 번째 에너지양은 첫 회 에너지와 동량 또는 높은 에너지 사용

3) 소아 사용

소아에서 자동제세동기를 사용할 경우에는 소아용 변환 시스템을 적용한다. 소아용 변환 시스템이 갖추어져 있지 않은 경우에는 성인용 패드를 사용하여 성인과 같이 자동제세동기를 사용한다.

4) 제세동기의 성공률

제세동의 성공률은 심정지 발생 직후부터 1분마다 7-10%씩 감소하므로, 제세동은 심정지 현장에서 신속하게 시행되어야 한다.

5) 전극 부착위치

① 흰색(-극) : 우측 빗장뼈와 흉골 사이

② 적색(+극) : 좌측 정중 겨드랑이선과 좌측 유두선이 만나는 지점

6) 제세동 과정

자동제세동기로 심실세동을 치료할 때에는 심폐소생술 중단을 최소화하기 위하여 1회의 제세동과 2분의 심폐소생술을 반복하는 심폐소생술-제세동-심폐소생술 방법으로 자동제세동한다(그림 5-120).

① 자동제세동기를 심폐소생술에 방해가 되지 않는 위치에 놓는다.

② 의식과 정상적인 호흡이 없는 심정지 환자에게 사용하여야 한다.

③ 심폐소생술 시행 중에 자동제세동기가 도착하면 지체 없이 적용하여야 한다(그림 5-121).

④ 전극 패드는 환자의 옷을 벗긴 맨몸에 부착하여야 한다.

㉠ 패드 부착 시 이물질이 있다면 제거한다.

㉡ 환자의 몸이 젖어 있다면 먼저 물기를 신속하게 닦아내도록 한다.

⑤ 패드는 환자의 나이나 체격에 따라 적절한 크기를 선택한다.

㉠ 소아의 경우 소아용 패드를 사용한다.

㉡ 소아용 패드가 준비되어 있지 않을 경우 성인용 패드를 사용할 수 있다.

ⓒ 소아에게 성인용 패드를 사용할 경우 부착된 두 개의 패드가 서로 닿지 않도록 주의한다.

⑥ 패드와 자동제세동기의 본체가 분리된 경우에는 전선을 연결한다(그림 5-122).

⑦ 자동제세동기의 전원 스위치를 누른다.

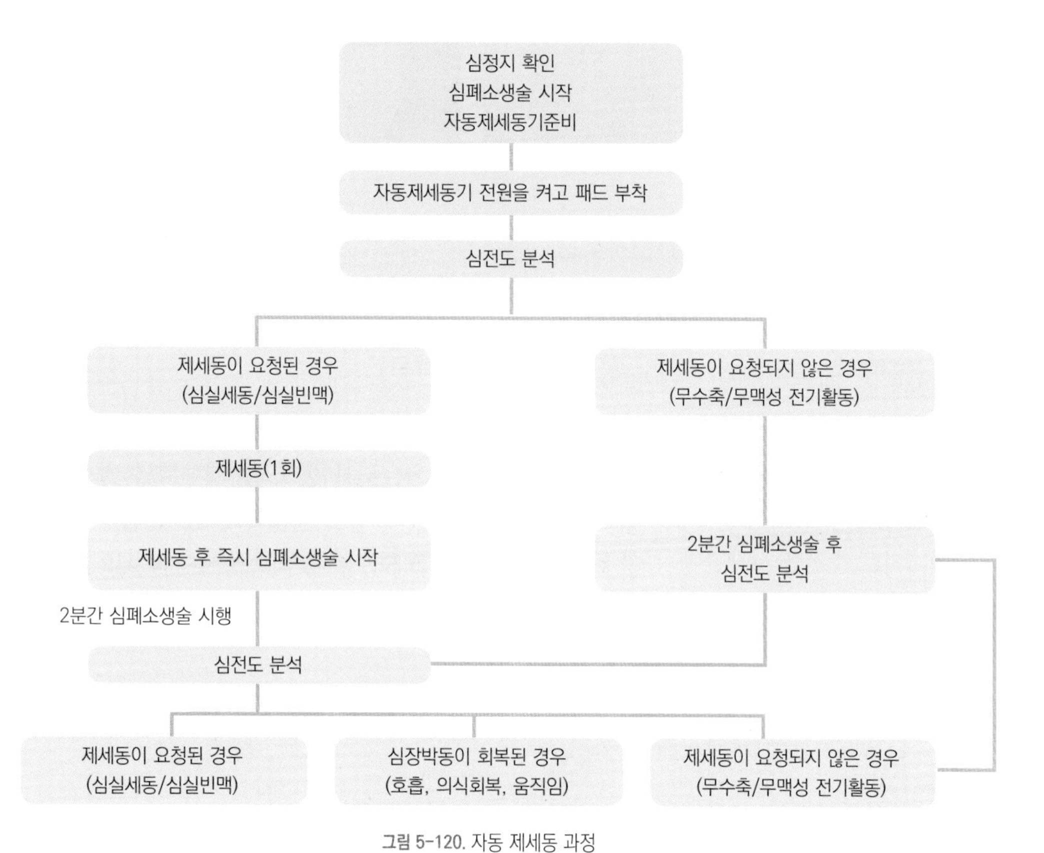

그림 5-120. 자동 제세동 과정

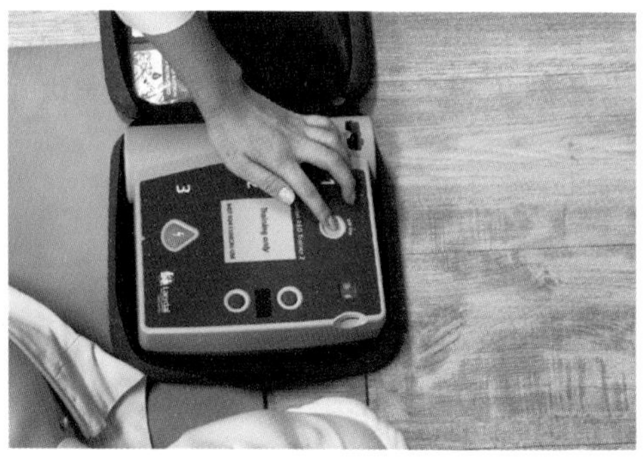

그림 5-121. 자동제세동기의 전원 스위치를 누른다.

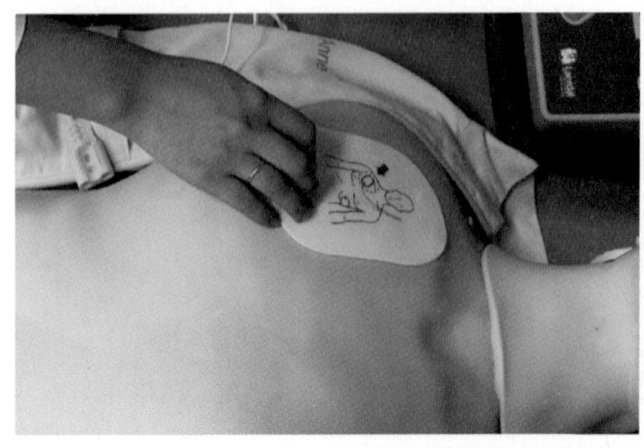
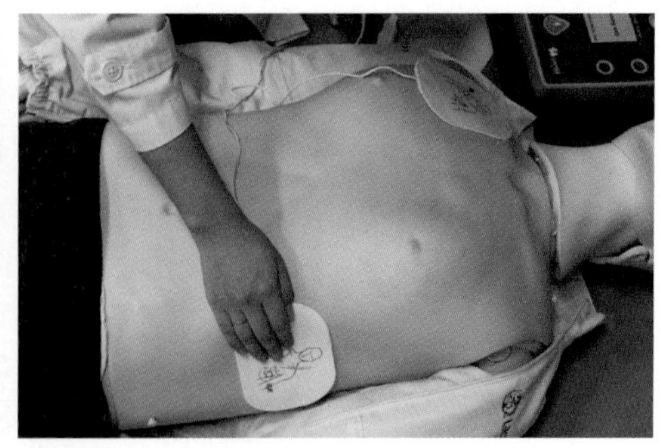

그림 5-122. 환자의 가슴에 전극패드를 부착하고 자동제세동기의 전선을 연결한다.

Tip. 환자의 가슴에 전극패드를 부착하고 자동제세동기의 전선을 연결한다.

① 패드 1 : 오른쪽 빗장뼈 중앙 바로 아래
② 패드 2 : 왼쪽 젖꼭지선과 겨드랑이 중앙선이 만나는 부위

자동제세동기의 음성지시에 따라 모두 물러나게 하고, 심장 리듬을 분석한다. 제세동이 필요한 경우라면 "제세동이 필요합니다."라는 음성 메시지와 함께 자동제세동기 스스로 설정된 에너지로 충전을 시작한다. 분석 중에는 자신은 물론 누구도 환자와 접촉하지 않도록 주의한다(그림 5-123). 제세동 버튼을 누르기 전에는 반드시 다른 사람이 환자에게서 떨어져 있는지 다시 한 번 확인하여야 한다(그림 15-124).

Tip. 모두 물러나게 하고 심장리듬을 분석한다.

① "분석 중…"이라는 음성 메시지가 나오면 환자에게서 손을 뗀다.
② 제세동이 필요한 리듬이면 제세동을 실시한다.
③ 깜박이는 제세동 버튼을 누른다.

그림 5-123. 모두 물러나게 하고 심장리듬을 분석

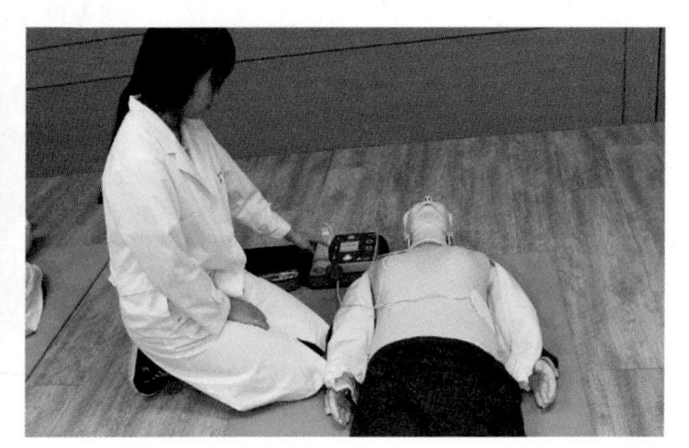

그림 5-124. 제세동이 필요한 리듬이면 제세동을 시행

제세동을 실시한 뒤에는 즉시 가슴압박과 인공호흡 비율을 30:2로 기본심폐소생술을 즉시 시작한다(그림 5-125). 자동제세동기는 2분마다 심장리듬 분석을 반복해서 시행하며, 이러한 자동제세동기의 사용 및 심폐소생술의 시행은 119 구급대가 현장에 도착할 때까지 계속한다.

Tip. 제세동을 실시한 뒤에는 즉시 기본심폐소생술 다시 시작한다.

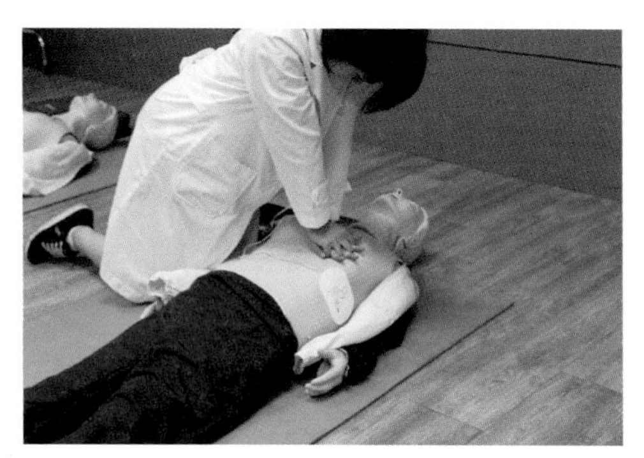

그림 5-125. 즉시 심폐소생술을 다시 시작

Tip. 자동제세동 과정

① 환자의 무의식, 무호흡 및 무맥박을 확인한다(도움요청 포함).
② 전원 버튼을 눌러 자동제세동기를 켠다.
③ 자동 제세동기를 켜고 일회용 전극을 환자에게 부착한다.
④ 일회용 제세동용 전극을 자동제세동기에 연결한다.
⑤ 모든 동작을 중단하고 분석 단추를 누른다.
⑥ 제세동을 시행하라는 말과 글이 나오면 환자와의 접촉금지를 확인한 후 제세동 버튼을 누른다.
⑦ 제세동을 시행한 후 즉시 흉부압박을 실시한다.

※ 소아의 자동제세동기 패치 부착방법(그림 5-126).

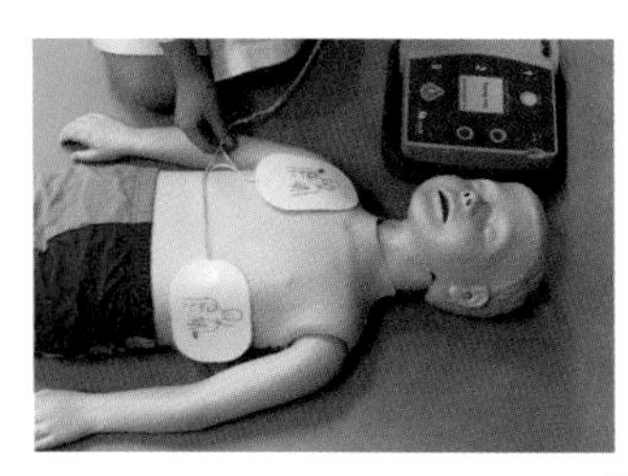
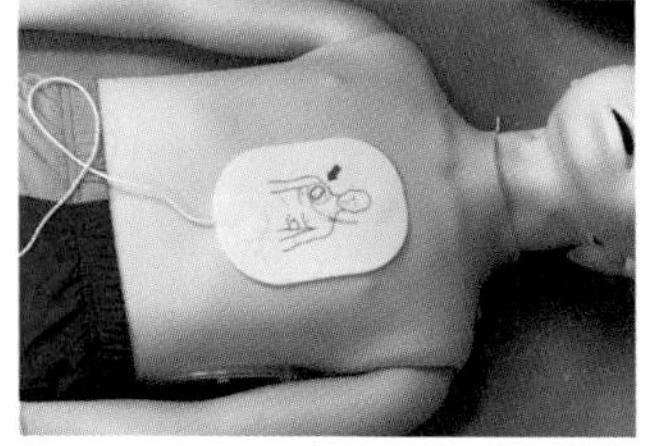
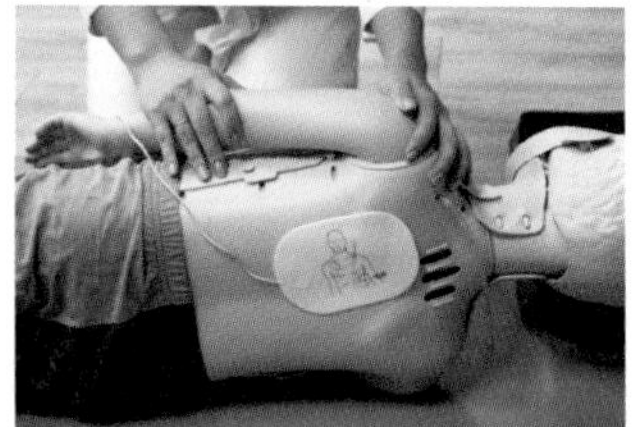

그림 5-126. 소아의 자동제세동기 패치 부착방법

5) 특성

① 전기충격이 가능한 심전도 유형은 심실세동(VF), 무맥성 심실빈맥(VT)이며, 무수축이나 무맥성 전기활동(PEA) 파형에는 제세동이 시행되지 않는다.

② (반)자동제세동기는 전극을 붙여놓으면 자동으로 심전도 리듬을 분석, 쇼크가 필요한 리듬을 판단하여 음성을 통해 쇼크를 실시하도록 알려준다.

③ 분석 및 쇼크 버튼을 누를 때에는 반드시 주변 사람들이 제세동기와 떨어져 있는가를 확인해야 한다.

④ 체내삽입형 심장충격기가 있는 환자의 경우, 체내삽입형 심장충격기나 심박조율기에서 직접 부착하지 말고 떨어져 부착한다.

⑤ 자동심장충격기 패드를 피부 흡수형 제약패치에 직접 부착하지 않는다.

⑥ 신생아 그리고 소아에서도 갑작스럽고 목격된 심정지에서는 사용이 권장된다(AHA G. 2010).

⑦ 소아용 충격량 감쇄기는 자동제세동기가 전달하는 전기 충격량을 줄인다. 이 감쇄기는 소아용 패드를 이용한다. 소아용 충격량 감쇄기가 부착되어 있지 않은 성인용 심장충격기를 사용할 수 있다(그림 5-127).

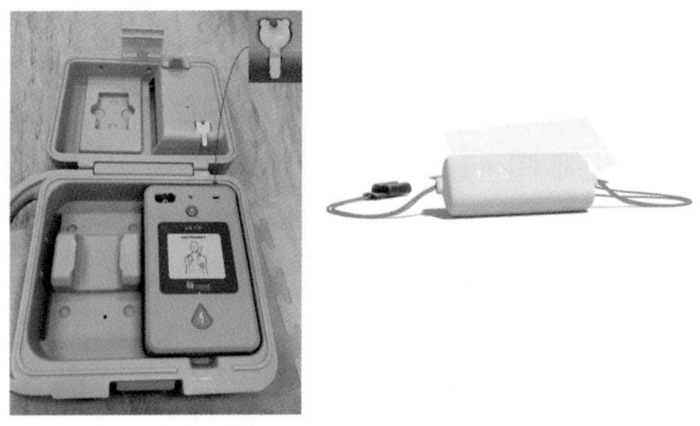

그림 5-127. 소아용 충격량 감쇄기

6) 고려사항

① 분석 버튼을 누르기 전까지 심폐소생술을 실시한다.

② 패드를 붙이는 곳에 습기, 털을 제거 후 가운데서 바깥쪽으로 단단히 부착한다.

③ 성인에게 소아의 패드를 사용할 수 없고(효과감소), 소아에게는 성인용 패드를 사용할 수 있다.

④ 패드 사이의 거리는 최소한 3-5 cm 이상 떨어져야 하고, 체격이 작은 소아는 소아용 패드를 가슴 앞면과 뒷면에 위치시킨다.

⑤ 안전을 위해 제세동 사용 중에는 환자접촉 금지, 감전될 수 있는 환경(금속, 물)을 피한다.

⑥ 패드 사이에 이물질이 있으면 전류에 의해 피부 화상을 초래할 수 있다.

⑦ 제세동을 시행한 후에는 즉시 2분 동안 심폐소생술을 한 후 심전도를 분석한다.

⑧ 분석결과에 따라 자동제세동기의 음성지시를 따른다.

⑨ 이동 중인 구급차에서의 자동제세동기 사용은 환자의 심전도를 감시할 수 있다.

㉠ 이동 중에는 심전도 분석이 부정확하다.

㉡ 심전도를 분석하여야 할 경우에는 구급차를 정지시킨 후 분석한다.

⑩ 자동제세동기를 사용하는 동안에 문제가 발생하면 제세동(충격)이 정확히 전달되지 않는다.

㉠ 자동분석장치가 분석하고 작동하는데 시간이 불충분하였을 경우

㉡ 자동장비 스위치의 고장이 난 경우

㉢ 심장리듬을 분석하는 동안에 심폐소생술을 한 경우

㉣ 분석하는 동안에 환자를 움직인 경우

㉤ 자동분석장치의 결함이 있는 경우

㉥ 축전기 장해(부적절하게 충전된 배터리, 자발적으로 방전된 배터리)

06 기도관리 및 환기

1 개요

호흡기계통(respiration system)은 세포에 산소를 공급하고 대사물인 이산화탄소를 제거하는 역할을 한다. 산소는 필수적인 영양소를 에너지로 변화시키는 데 필요하며 모든 신체조직에서 지속해서 사용할 수 있다.

호흡기계의 해부학적 구조를 대략적으로 알아보면 다음과 같다.

① 상부기도
- ㉠ 몸 안으로 들어오는 공기를 가온, 가습시킨다.
- ㉡ 공기정화에도 효과적이다. 공기는 구강과 비강을 통하여 상부기도로 들어온다.
- ㉢ 흡기 중에는 공기는 상부기도를 빠져나와 후두를 통하여 기관으로 들어간다.

② 하부기도
- ㉠ 분기점에서 기관은 좌우 주 기관지로 나누어진다. 좌측 주 기관지가 왼쪽으로 각이져 있는데 비해서 우측 주기관지는 거의 직선이다.
- ㉡ 주기관지는 다시 2차 기관지로 나뉜다.
  - 2차 기관지는 최종적으로 가장 작은 세기관지로까지 나뉜다.
- ㉢ 세기관지는 평활근을 포함하고 있고 평활근이 수축하면 기도의 직경이 감소하게 된다.
- ㉣ 22번 분지된 후에 세기관지는 호흡성 세기관지가 된다.
  - 근육 결합성 세포로 되어있으면 제한되어 있지만, 가스교환 능력이 있다.
- ㉤ 세기관지는 허파꽈리관으로 나누어진다. 이러한 분지는 허파꽈리에서 종결된다.
  - 허파꽈리관과 호흡성 세기관지에서도 제한된 가스교환이 이루어지고 있지만, 가스교환 대부분은 허파꽈리에서 일어난다.
  - 허파꽈리는 표면장력을 줄일 수 있는 표면활성제라 불리는 계면활성제인 중요한 화학물질이 있기 때문에 항상 열려 있게 된다.

③ 가슴막

㉠ 폐는 가슴막이라 불리는 결합조직으로 덮여 있다.

㉡ 폐문(hilum:기관지가 폐로 들어가는 지점)을 제외하고 폐와 분리되어 있고 두 개의 층으로 되어 있다(그림 6-1).

㉢ 장측가슴막은 폐를 덮고 있고 신경섬유가 포함되어 있지 않다.

㉣ 벽측가슴막은 흉강에 붙어있고 신경섬유가 포함되어 있다.

㉤ 가슴막의 두 층 사이의 잠재적인 공간인 가슴막공간 안에서 작은 양의 가슴막액을 볼 수 있다.

④ 폐의 혈액공급 체계

㉠ 혈액공급은 2가지의 체계를 통하여 이루어진다.

- 폐동맥과 폐정맥체계와 기관지동맥과 기관지정맥체계

㉡ 폐동맥은 심장에서 산소가 부족한 혈액을 산소화시키기 위하여 폐로 옮긴다.

㉢ 폐정맥은 폐에서 산소가 풍부한 혈액을 심장으로 옮긴다.

㉣ 폐 조직 자체는 폐동맥과 폐정맥으로부터 혈액을 거의 공급받지 않는다.

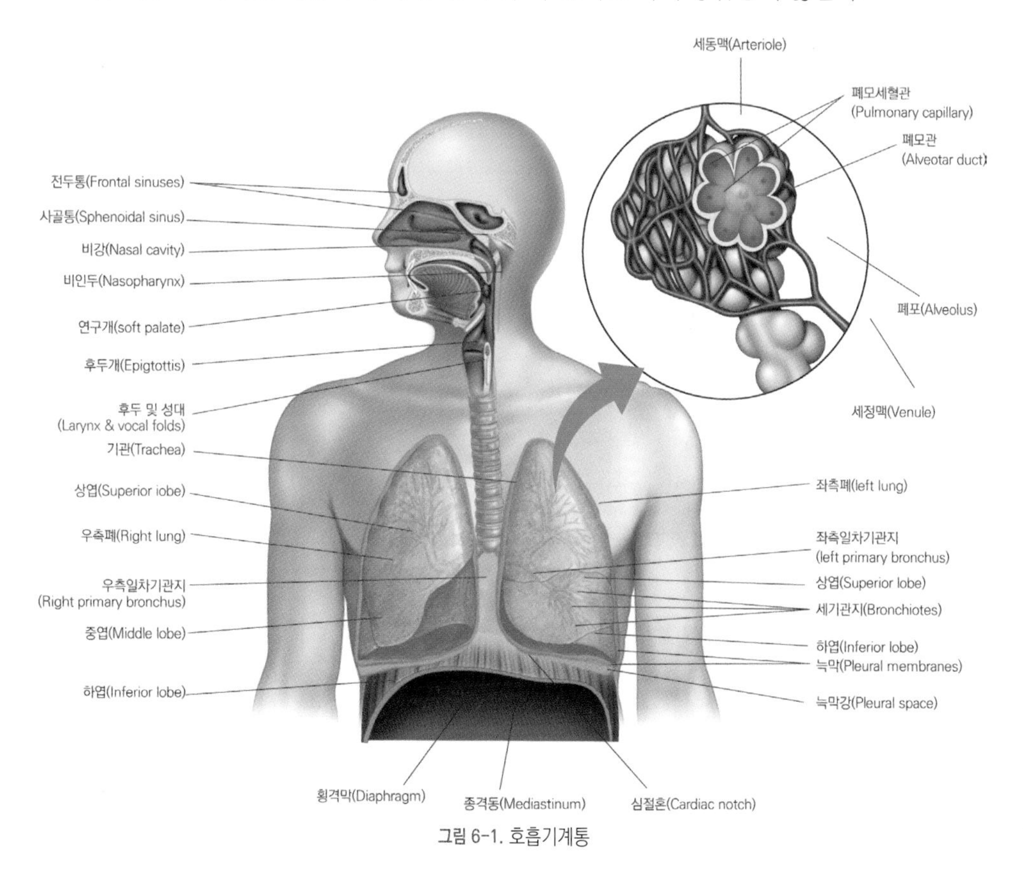

그림 6-1. 호흡기계통

- 대동맥의 분지인 기관지 동맥에서 대부분 혈액을 공급받고 있다.
- 기관지 정맥은 폐에서 상대정맥으로 혈액을 보낸다.

이 모든 체계는 호흡, 즉 살아있는 유기체와 환경 간 가스교환을 위하여 제공된다. 폐호흡은 폐 안에서 일어나고 허파꽈리와 모세혈관막을 통한 폐모세혈관 안에 있는 적혈구간에 가스가 교환되는 것이다. 조직호흡은 말초 모세혈관에서 일어난다. 호흡성 가스가 적혈구와 여러 조직 사이에서 교환되는 것을 말한다.

2 호흡기계의 해부

우리의 체내에 있는 수조 개의 세포는 항상성을 유지하기 위해 산소의 공급과 이산화탄소의 배출이 필요하다. 이 가스교환을 호흡(respiration) 또는 숨쉬기(breathing)라 하는데, 허파로 들어온 공기로부터 산소가 흡입되어 혈액으로 들어가고, 이산화탄소가 혈액으로부터 허파로 나와 이동해 공기로 배출될 때를 말한다.

공기를 들이마실 때를 흡입(inhalation) 또는 들숨(inspiration)이라 하며, 공기를 내뱉을 때를 배출 또는 날숨이라 한다. 공기의 흐름은 상부기도에서 하부기도로 이동하게 된다.

1) 상부기도의 구조

상부기도는 입과 코에서부터 후두(larynx)까지를 포함한다. 상부기도는 비강(nasal cavity), 구강(oral cavity), 인두(pharynx), 후두(larynx)로 구성한다(그림 6-2).

① 코안(nasal cavity, 비강) : 외비공 혹은 바깥 콧구멍에서는 공기의 들숨과 날숨의 두 작용이 일어난다. 코안은 바깥 콧구멍으로부터 인두까지의 공간이며, **코중격(nasal septum)**으로 왼·오른쪽으로 나누어져 있다. 코안은 우리에게 따뜻하고 촉촉한 공기의 제공과 함께 안쪽에 따라가며, 후각신경(olfactory neurons)을 통해 냄새 감각을 느낀다. 코안 쪽의 털 또는 **섬모(cilia)**는 들숨 시 공기의 미세먼지를 여과한다.

코곁굴(paranasal sinuses)이라 부르는 두개골 내의 속이 빈 공간은 머리를 가볍게 한다. 코곁굴은 **점막**으로 구성되어 있어 호흡할 때 공기를 습하게 하는 데 중요한 역할을 한다.

※ 원주섬모(거짓중층)상피-점액을 분비하는 술잔세포가 많다.

② 인두(pharynx) : 호흡계 일부분으로 코나 입으로 들어오는 공기는 습해지고 따뜻해져서 몸의 체온과 같아진 뒤에 인두를 거쳐서 후두를 지나 기관, 기관지를 통과한 뒤, 폐에 도달하게 된다. 이 중 인두는 크게 3부분으로 나뉘어 있는데 비인두(nasopharynx), 입인두(oropharynx), 후두인두(laryngopharynx)로 구성되어 있다.

※ 목뼈 앞에서 식도에 이르는 관, 소화기와 호흡기의 교차점이다.

③ 후두(larynx) : 인두와 기관 사이의 부분으로 발성과 호흡작용을 가진다. 후두는 작은 연골들로 구성된 데, 그 목적은 단지 공기의 지나가는 통로 구실 외에 명확한 발성을 하는 데 있다. 점막에 덮여 있으며 근육연골성의 구조(갑상연골; thyroid cartilage, Adam's apple, 윤상연골; cricothyroid membrane)를 이루고 있고, 기관의 상단부와 혀근 및 설골의 아래쪽에 있다. 주로 기관 내 이물의 침입을 조임근 수축 때문에 방지된다. 후두에는 **성대(vocal cord)**가 있어서 여기에 붙어 있는 작은 근육과 연골의 움직임으로 말하고 노래할 수 있다.

2) 하부기도의 해부

하부기도는 후두 아래에서 허파꽈리(alveoli)까지 이른다. 하부기도에서는 호흡가스의 교환이 이루어진다.

하부기도의 이동경로는 기관 → 기관지 → 세기관지 → 종말세기관지 → 호흡세기관지 → 허파꽈리관 → 허파꽈리주머니 순이다(그림 6-3).

① 기관(trachea) : 후두에서 폐로 통하는 엄지손가락 정도 굵기의 관 모양의 기도이다. 후두 밑에서 시작되어 식도 앞을 내려가 흉강에 들어가 심장 뒤에서 좌우로 갈라지고, 길이는 10-12㎝이다.

② 기관지(bronchus) - 기관지 폐 사이를 이어주는 관으로 들이마신 공기가 폐로 들어가고, 내쉰 공기가 폐로부터 몸 밖으로 나가는 공기의 이동통로이다. 용골(carina) 부위에서 기관은 좌우 기관지로 나누어진다(그림 6-3).

※ 오른 기관지 굵고 짧으며, 경사가 급하여 이물질에 의한 폐쇄가 더 많이 일어난다. 오른 허파 3엽, 왼 허파 2엽으로 이루어졌다. 허파의 옆에 따라 기관지가 형성되어 있다.

③ 허파꽈리(alveoli) - 폐에 들어간 기관지는 여러 분지를 되풀이하여, 마지막으로 지름 0.1㎜쯤 되는 거품의 낱알 같은 허파꽈리에 달한다. 성인 허파꽈리의 수는 약 3억-5억 개이며, 총 표면적은 70-100 ㎡에 이른다.

④ 폐 조직(lung tissue) - 탄산가스를 방출하는 일종의 선이며, 통상의 외분비선과 상동의 구조를 나타낸다.

※ 허파의 기능적 단위, 가스교환이 일어나고, 기관지의 가장 끝가지는 허파꽈리이다.

⑤ 가슴막(pleura 가슴막) - 가슴막은 2겹의 장막으로 흉벽, 가로막(횡격막) 및 종격동의 표면

을 둘러싸는 벽쪽 가슴막(parietal pleura)과 폐를 둘러싸는 허파쪽 가슴막(visceral pleura)이 있다. 가슴막은 흉부와 복부를 나누는 근육으로 된 막이며, 가슴막의 상하운동 때문에 호흡운동이 이루어진다.

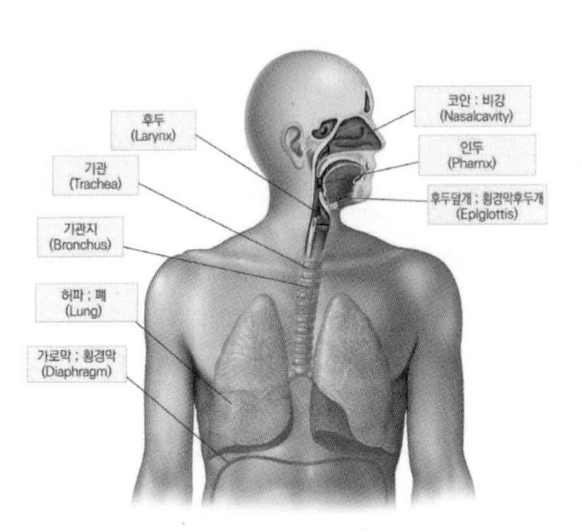

그림 6-2. 상부기도의 해부학적 구조

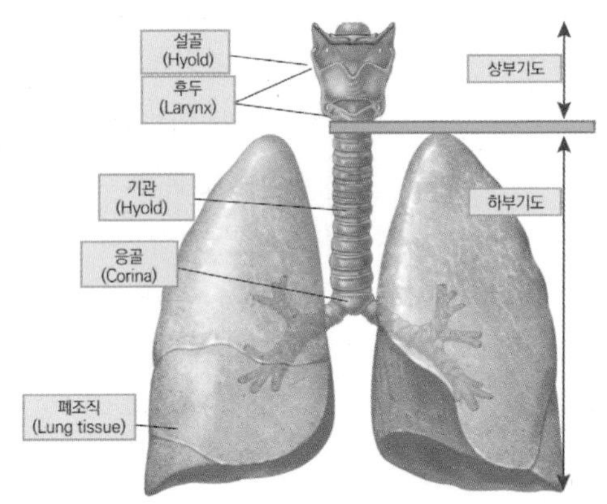

그림 6-3. 하부기도의 해부도

3 호흡기계의 생리

호흡(respiration)이란 산소를 들이마시고 이산화탄소를 내보내는 가스교환을 통하여 생존에 필요한 에너지를 만드는 작용이다.

1) 호흡

호흡근은 들숨근과 날숨근으로 구분된다.

① 들숨근은 능동적이면서 가로막, 바깥갈비사이근, 갈비올림근으로 구성된다.

② 날숨근은 수동적이면서 속갈비사이근, 배곧은근으로 구성되어 있다.

③ 배호흡은 가로막에 의해 이루어진다.

④ 가슴호흡은 갈비사이근을 주로 이용한다.

특히, 들숨호흡은 바깥갈비사이근의 수축에 의해 가슴 안 공간이 넓어진다, 가로막 수축에 의해 허파꽈리가 확장이 된다. 배부위 근육이완과 표면활성제가 분비되어 허파꽈리가 확장되어 들숨호흡이 이루어진다.

Tip. 표면활성제

- 날숨 때 허파꽈리끼리 흡착방지(액체층의 표면장력을 감소, 들숨을 쉽게 한다)
  허파꽈리의 적당한 습도 유지하여 허파꽈리의 안전성 유지(허파꽈리 안에 물이 차지 않게 한다)한다.
- 허파꽈리벽 Ⅰ형 세포는 호흡상피이며, Ⅱ형 세포(사이막세포, surfactant cell)는 표면활성제 분비(주로 인지질)한다. ※ 표면활성제가 분비되지 않는다면? 호흡곤란, 허파꽈리 속에 액체가 고인다.

2) 호흡의 조절

호흡운동은 뇌의 **연수**와 다리뇌에 있는 호흡중추(respiratory center)에 의하여 반사적으로 조절된다.

① 호흡은 중추신경계의 지배를 받고 있으며 호흡조절의 중추는 뇌간(brain stem)에 있다.

㉠ 뇌간은 신경계 중 가장 잘 보호된 부분이다.

㉡ 인체가 더 많은 산소가 필요할 때 뇌간은 신경을 통해 흉곽의 근육과 횡격막에서 자극을 보내어 더 빠르고 힘차게 움직이도록 한다.

즉, 동맥혈의 산소농도와 이산화탄소농도를 감시하여 그 농도의 변화에 따라 호흡의 속도와 깊이를 조절한다. 동맥혈의 이산화탄소농도가 조금만 증가해도 호흡의 속도가 빨라지고, 조금만 감소해도 호흡속도는 느려진다.

(1) 저산소 상태

저산소상태의 요인과 영향은 다음과 같다(표 6-1).

표 6-1. 저산소 상태의 요인과 영향

요 인	영 향
발 열	↑
정 서	↑
통 증	↑
저산소증	↑
산 증	↑
자 극	↑
우 울	↓
수 면	↓

3) 호흡기전

폐는 근육이 없어 자체적으로 움직일 수 없다. 호흡은 스스로 조절될 수는 없으나 잠깐 숨을 빠르게 또는 느리게 멈출 수도 있으나 일시적으로 가능하며, 동맥혈의 이산화탄소와 산소의 균형이 깨지면 호흡은 자동적으로 조절된다.

호흡과정에서 호흡에 관여하는 근육이 능동적으로 수축하는 시기는 흡기이다. 흡기 중에는 횡격막과 늑간근이 수축하는데 횡격막이 수축하면 흉강은 위에서 아래쪽으로 커지게 되고, 늑간근이 수축하면 늑골을 들어 올린다. 따라서 호흡근이 수축하면 흉강은 모든 방향으로 커지고 흉강 내 압력은 낮아져 공기가 폐로 들어간다. 호기 중에는 반대로 이루어진다.

(1) 가스교환

가스교환은 가스 분압차에 의한 확산에 의해 일어난다. 허파꽈리의 산소분압은 100 mmHg, 이산화탄소 분압은 40 mmHg이며, 허파꽈리 안 N_2 분압이 제일 높다, 질소는 잠수병의 원인이 된다.

Tip. 가스교환 운반방법

- 혈액에서 이산화탄소 운반방법 3가지로 구분된다.
  ① 용해 : 7%, ② $HbCO_2$: 23%, ③ HCO_3^-(중탄산염이온) : 70%, 이산화탄소 주 운반
- 저산소증일 때 크게 영향 받는 곳은 뇌이고, Hb에 CO는 O_2보다 200배 친화력이 있다.

Tip. 호흡곤란(dyspnea) : 자각적 또는 타각적으로 발생하는 호흡장애

만성폐쇄성폐질환(chronic obstructive pulmonary disease; COPD) : 원인이 되는 폐질환이나 심장질환이 없이 기도폐쇄가 발생하여 기류의 속도가 감소하는 질환군
호흡성 산증 : 허파로부터 CO_2 배출이 좋지 못해 pH가 내려갈 때 생기는 현상
호흡성 알칼리증 : CO_2가 낮아지고 pH가 올라가 저산소혈증에 수반되는 산-염기평형 이상

Tip. 호흡의 변형된 형태

① 기침 : 폐에서 공기가 한 번에 배출되는 것으로 폐의 이물을 제거하는 방어기능
② 그르렁거림 : 상기도에 혈액, 구토물, 다른 분비물이 축적되어 나는 소리
③ 조용함 : 호흡이 감소하거나 없는 것
④ 한숨 : 느리고 깊게, 불수의적으로 호흡을 들이쉬고 내쉬는 것
⑤ 코골기(snoring) : 상부기도나 부분적으로 폐쇄되었을 때 통상 혀에 의하여 폐쇄되었을 때 나는 소리

⑥ 딸꾹질 : 성문이 갑자기 폐쇄되면서 횡격막이 발작적으로 수축할 때 갑자기 공기를 들어 마시게 되는 것
⑦ 협착음(strider) : 거칠고 높은 음조의 호흡음이 흡기 시에 들리고 크룹처럼 상부기도가 폐쇄되었을 때 나는 소리(후두부종이나 협착으로 흡기 시 발생되는 거칠고 고음의 소리)
⑧ 천명음(wheezing) : 과도한 부종, 기관지 수축, 이물질 때문에 좁아졌을 때 나는 휘파람을 부는 듯한 소리.
⑨ 건성수포음(rhonchi) : 과도한 점액이나 기타 이물질과 관련 있는 보다 커다란 기도에서 나는 꾸륵 꾸륵하는 소리
⑩ 가슴막마찰음(frictin rub) : 가슴막염같이 가슴막에 염증이 있을 때 들리며 마치 마른 가죽끼리 문지를 때 들리는 소리
⑪ 쿠스마울호흡(Kussmaul's respiration) : 깊고 느리거나 빠르고 가쁜 호흡으로 당뇨성 산증이 있을 때 나타나는 소리
⑫ 체인스톡스호흡(Cheyne-Stokes respiration) : 싶고 빠르다가 점차 얕고 느려지는 호흡이 반복되는 상태로 뇌간 손상시 나타나는 소리
⑬ 비오호흡(Biot's respiration) : 횟수와 깊이가 불규칙적이며 갑자기 무호흡이 주기적으로 나타나는 소리(뇌압상승)
⑭ 중추신경성 과호흡 : 깊고 빠른 호흡으로 뇌압상승징후.
⑮ 고통스런 호흡 : 얕고 느리거나 드물게 호흡하는 경우로 뇌의 무산소 상태.
⑯ 수포음(rale; 나음) : 대기관지에 염증, 점액, 분비물이 있을 때 거칠게 그르렁 거리며 나는 소리
: 작은 기도 안에 있는 액체와 관련이 있는 미세하고 물기가 있는 바스락거리는 소리
⑰ 악설음(crackle) : 미세 기관지에 분비물이 있을 때 머리카락 비비는 듯(짧고 폭발적인, 물 끊는 음)한 가늘게 나는 소리

※ 호흡의 비정상적인 양상

비정상 호흡양상	공기흐름의 문제	가스교환의 문제
• 쿠스마울 호흡 • 체인 스톡호흡 • 비옷호흡 • 중추신경성 과호흡 • 고통스런 호흡	• 코골기(snoring) • 그르렁거림 • 협착음 • 천명음 • 조용함	• 수포음(rale) • 악설음(crackle)

(2) 환자상태에 따른 호흡수의 증감을 다음과 같이 추측할 수 있다(표 6-2).

표 6-2. 환자상태에 따른 호흡수의 증감

호흡수 증가	호흡수 감소
• 발열 • 불안 • 통증 • 저산소증	• 억제성 약물(depressant drugs) • 수면

(3) 환기방법

① 입-입 인공호흡법/입-코인공호흡법 - 16%

② 포켓 마스크법 - 분당 10-15 L로 산소공급 시 50-55%

③ 백 마스크법 - 90% 이상

④ 수요밸브소생기- 100%, 소아 금기

⑤ 압축산소로 작동하는 인공호흡기

4 호흡기계의 평가

호흡기계 평가는 병원 전 처치에서 중요한 부분이다. 일차평가 중에 기도와 환기를 즉시 평가해야 한다. 만약 이차평가에서 호흡기계와 환자의 문제와 관련이 있는 것으로 확인되면 호흡기 평가에 초점을 맞춘다.

1) 병력

병력과 신체검진은 환자의 주호소와 일차적인 문제에 의하여 판단된 문제 분야에 집중해야 한다. 만약 환자의 호소가 호흡곤란이라면 아래 질문을 한다.

① 호흡곤란이 얼마나 오랫동안 있었는가?

② 호흡곤란이 갑자기 발생하였는가? 아니면 점진적으로 시작되었는가?

③ 호흡곤란이 체위에 따라 호전되거나 악화하는가? 좌위성호흡과 관련이 있는가? (앙와위로 누워 있어도 호흡곤란이 있는가?)

④ 기침을 하고 있는가?

㉠ 기침한다면 객담이 나오는가?

㉡ 객담의 특성과 색깔은 어떤가?

㉢ 객혈이 있는가?

⑤ 호흡곤란과 관련된 통증이 있는가?

㉠ 통증이 있는 경우 통증 부위는 어느 곳인가?

㉡ 천천히 시작되었는가? 아니면 갑자기 시작되었는가?

㉢ 통증 지속 시간은?

⑥ 통증이 신체 다른 부위로 방사되는가?

⑦ 숨 쉬는 데 따라 통증이 심해지는가?

⑧ 환자에게 이전 병력이 있는가?
⑨ 환자가 투여 받는 약제가 있는가?
⑩ 알레르기가 있는가?

2) 신체검진

호흡계의 신체검진은 환자평가의 표준화된 단계 시진, 촉진, 타진, 청진을 따른다.

3) 일차평가

기도 개방하면서 일차평가를 수행한다. 기도에 문제가 있다면 즉시 기본 기도처치술을 적용한다. 기도를 평가하면서 다음 원칙을 염두에 둔다.

① 시끄러운 숨소리는 거의 항상 기도폐쇄를 의미한다.
② 폐쇄된 기도가 항상 시끄러운 소리를 내지는 않는다.
③ 뇌는 질식 때 단지 몇 분간만 생존할 수 있다.
④ 기도가 막혔을 때 인공호흡은 쓸모가 없다.
⑤ 기도폐쇄를 인지한 경우 도움을 요청하거나 기구를 준비하기 위해 시간을 낭비해서는 안 된다.
⑥ 기도를 확보했다면 환자의 호흡과 순환이 적절한지 확인한다.

4) 이차평가

이차평가는 다음 상황이 있는지 확인하면서 평가를 시작된다.

① 불안, 불편감, 혹은 스트레스는 저산소증의 가능성
② 호흡곤란 때문에 말하기 어려움
③ 현존하는 증상 때문에 질문에 집중하기 어려움
④ 명료한 언어반응 vs 혼란
⑤ 환자의 체위
⑥ 비만으로 인한 저환기 초래

관찰에 뒤이어 활력징후를 판단한다.

① 호흡패턴에서 호흡수와 호흡의 깊이를 포함한다. 비정상적인 호흡양상이 있는지 판단한다.
② 환자가 **기이맥**(pulsus paradoxus)을 나타내는지 확인한다.
  ㉠ 매 호흡주기에서 수축기 혈압이 10torr 이상 저하되는 것을 말한다.
  ㉡ 만성폐쇄성질환 및 심장압전과 관련이 있다.

㉢ 기이맥이 나타나는지 알기 위하여 시간을 낭비하면 안 된다.

(1) 시진

호흡문제가 있는지 먼저 찾아본 후에 시진을 해야 한다. 다음은 명백한 징후에 포함되는 것이다.

① 비익 확장(nasal flaring : 코를 벌름거림)
② 늑간근 퇴축
③ 보조 호흡근의 사용
④ 청색증
⑤ 입술을 오므린 호흡
⑥ 기관 잡아당김(tugging : 견인)

흉곽의 전후경과 일반적인 형태를 시진해야 한다. 전후경의 증가는 만성폐쇄성질환을 암시하고 있다. 어떠한 비대칭성이라도 외상을 의미한다. 역행성 움직임은 연가양 흉부를 나타낸다. 흉부의 흉터와 병변, 상처, 변형을 본다.

(2) 촉진

시진이 끝나면 흉부를 촉진하는 데 앞뒤를 촉진하여 이상 여부를 찾는다. 압통, 염발음(비빔소리), 피하기종, 공기누출이 있는지 찾는다. 처음 흉부 전면을 촉진한 후 후면을 촉진한다. 매번 환자의 흉부 뒷면에서 혈액이 있다면 장갑 낀 손으로 이를 제거하면서 시진한다. 어떤 경우 환자의 촉각진탕음(tac tile fremitus-환자가 말할 때 느낄 수 있는 진동)을 평가하도록 한다. 촉각진탕음을 평가할 때 흉부 한쪽 면을 다른 쪽과 비교한다. 동시에 기관을 촉진하면서 긴장성 기흉을 나타내는 기관 변위가 있는지 촉진한다.

(3) 타진

촉진한 후에 필요하다면 흉부를 타진한다. 기흉과 폐부종이 의심되는 사례만 타진한다. 타진 시 빈 통을 두드리는 듯한 소리가 나면 기흉이나 기종을 의미한다. 이와 반대로 둔탁한 소리가 나면 폐부종이나 혈흉, 폐렴을 의미한다.

(4) 청진

마지막으로 흉부를 청진한다. 청진기를 사용하지 않고 환자와 거리를 두고 환자의 호흡음을 들어본다. 커다란 협착음(stridor), 천명음(wheezing), 기침소리가 나는지 들어본다. 가능하다면 환자를 좌위에 두고 흉부를 대칭적인 양상으로 들어본다. 환자가 앉지 못하면 흉부의 전면과 측면을 청진한다. 한 부분에 호흡의 한 주기를 완전히 다 들어본다. 환자가 입을 벌리고 깊게 공기를 내쉬는 동안 이상한 호흡음이 들리는지 그 위치가 어디인지 확인한다.

5) 진단검사

환자의 호흡 상태를 평가하기 위한 중요한 세 가지 진단적 측정법이 있다.

(1) 맥박산소측정기(pulse oximetry)

① 내용은 6장 기도관리 및 환기, 9. 비침습적 호흡감시에서 참고한다.

(2) 최고기류속도

환자의 호기 최고기류속도(peak expiratory flow rate : PEFR)를 판단하기 위하여 사용되는 작고 휴대 가능한 장비가 있다. 예측 가능한 정상 최고기류속도(peak flow)는 환자의 성별, 연령, 신장에 기초한다. 최고기류속도 측정은 환자의 노력 여하에 따라 다소 달라진다는 것을 기억해야 하며, 응급의료인은 정확한 조사와 판독을 하기 위하여 장비 사용을 이해하는 환자와 협조를 해야 한다.

최고호기기류속도(PEFR)는 라이트 폐활량계(Wright Spirometer)를 사용하여 얻을 수 있으며 비용이 들지 않고 사용하기 쉽다. 1회용 마우스 피이스(mouth piece)를 측정기 안으로 넣는다. 처음에는 환자가 할 수 있는 최고의 깊은 흡기를 하도록 한다. 그 다음에 환자에게 장비를 입으로 꽉 막아 바람이 새지 않게 하여 세게 호기하도록 격려한다. 호기기류속도는 분당 리터(LPM)로 기록된다. 이를 두 번 반복하여 더 높게 나타난 소견을 환자의 최고날숨유속(PEFR)으로 기록한다.

이산화탄소는 대사의 정상적인 마지막 대사물이며 우심장으로 정맥에 의해 이동한다. 우심실의 박출작용에 의해 폐동맥으로 가고 결국 폐모세혈관으로 들어간다. 허파꽈리 안으로 확산되어 나가고 호기를 통하여 신체 내에서 제거된다.

① 순환이 정상인 경우, $ETCO_2$는 환기에 따라 변화하며 동맥체계내 이산화탄소 분압($PaCO_2$)을 예측하는데 신뢰할만하다.

㉠ 정상 $ETCO_2$는 동맥 내 이산화탄소 분압보다 1-2 ㎜Hg 낮은 5%정도이다.

㉡ 정상적인 호기말 이산화탄소분압($PETCO_2$: Partial pressure of CO_2)은 약 38 ㎜Hg (0.05 ×760 ㎜Hg=38 ㎜Hg)이다.

㉢ $ETCO_2$는 퍼센트(%)로 표시하고 분압을 강조하는 $PETCO_2$는 ㎜Hg로 나타낸다.

② 쇼크나 심정지처럼 $ETCO_2$는 환기가 아닌 폐혈류와 심박출량을 반영한다.

㉠ 쇼크, 심정지, 폐색전증, 기관지 경련, 점액전이 막고 있는 부분적 기도폐쇄에서 $ETCO_2$가 감소한다.

③ 이산화탄소 측정기(capnometry)는 $ETCO_2$ 수치를 비침습성으로 측정하여 전신의 대사 상태, 환기, 순환 상태에 관한 정보를 응급의료종사자에게 제공한다.
㉠ capnography의 사용은 수술실, 응급실, 병원 전 응급현장에서 일반적인 사항이 되었다.

병원 전 응급치료에 처음 도입되었을 때 $ETCO_2$ 감시는 기관내 기관튜브의 적절한 위치를 확인하기 위하여 독점적으로 사용되었다. 기관내삽관에 따른 적당한 CO_2 수치가 있으면 호기되는 이산화탄소의 존재확인을 통하여 기관내 기관튜브를 확인한다.

(3) 이산화탄소 측정기

① 내용은 6장 기도관리 및 환기, 9. 비침습적 호흡감시에서 참고한다.

5 도수기도유지

대기에는 산소가 약 21%포함되어 있으며 인간은 호흡을 통해 그 중 약 5%를 체내에서 소모한 후 16%의 산소가 함유된 공기를 호기한다. 정상적으로 대기를 호흡하는 경우 사람의 동맥혈은 90% 이상의 산소포화도를 유지하며, 동맥혈산소압은 80 mmHg 이상으로 유지된다.

1) 손에 의한 기도 확보법

손에 의한 기도 확보법은 상당히 효과적이며 특별한 기구 없이 적용할 수 있다. 기본적으로 두굴후굴/하악거상(head-tilt/chin-lift)법과 하악견인법(jaw-thrust)의 두 가지 방법이 있다. 만약 외상이 있다면, 변형된 하악견인법이 이용된다.

(1) 두부후굴/하악거상

외상이 없는 환자의 기도개방을 위해서는 두부후굴/하악거상법이 가장 효율적인 방법이다. 목과 턱의 연부조직이 눌려 기도가 폐쇄되지 않도록 한다 (그림 6-4).

다음 단계들은 정확하게 시행하는 방법은 다음과 같다.

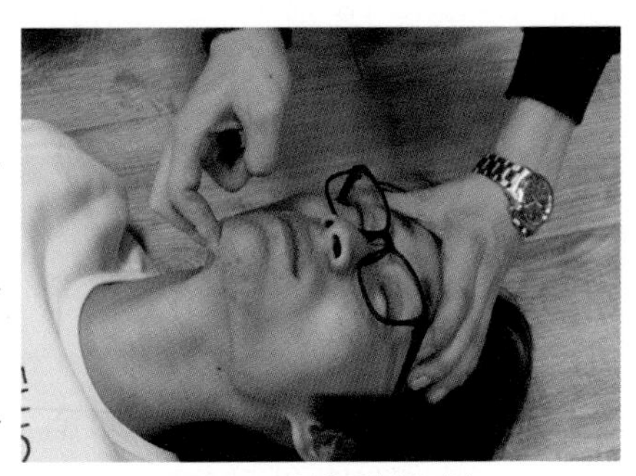

그림 6-4. 두부후굴/하악거상

① 환자를 앙와위로 눕히고, 응급구조사는 옆쪽에 자리 잡는다.
② 한손은 환자 앞이마에 올려놓고 손바닥에 아래쪽으로 힘을 가해서 머리를 뒤쪽으로 경사지게 한다.
③ 다른 손으로 턱을 잡고 엄지손가락을 하악 앞쪽에 두고 검지는 하악 밑에 둔다. 무리한 힘을 가하지 않고, 턱뼈 위에 손을 조심해서 다룬다. 연부조직에 압력을 가하는 것을 피하고, 그렇게 하지 않으면 기도 폐쇄가 발생할 수 있다.
④ 기도 개방을 위해 턱을 앞쪽으로 위로 들어 올리듯이 기울인다.

(2) 하악견인법

하악견인법은 기도개방을 위한 또 하나의 방법이다. 이 방법은 머리를 약간 경사지게 하는 법과 혼합되어 있으나 외상환자에게도 적용된다. 다음은 이 방법을 수행하는 단계이다(그림 6-5).

스스로 기도유지를 못하는 경추손상이 있고 무의식 환자에게 시행한다. 이 방법은 손을 입속에 넣고 턱을 들어 올리며 아래턱을 앞쪽으로 들어 올린다. 이 방법에서 주의할 점은 손가락이 환자 입으로 들어간다는 것이다.

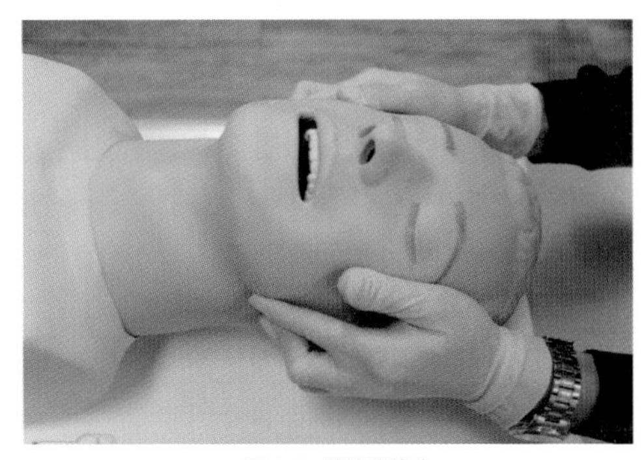
그림 6-5. 하악견인법

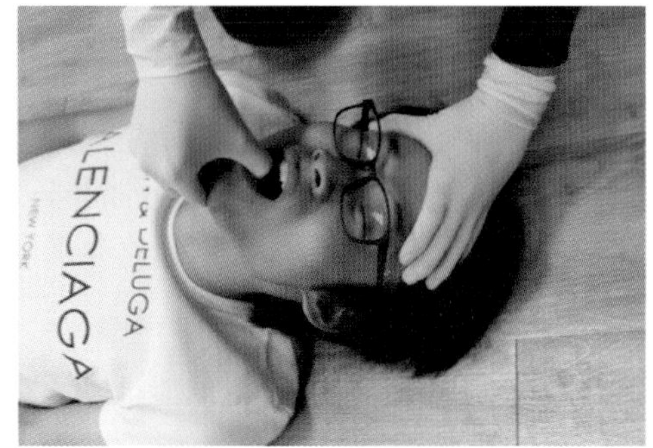

그림 6-6. 혀턱들기(jaw-Lift maneuver)

① 환자의 머리 쪽에서 두 손을 사용하여 환자의 하악골 각을 받쳐주어 하악골이 앞쪽으로 밀려나도록 하는 방법이 하악견입법이다.
② 일반인이 시행하기가 어렵기 때문에 일반인에게는 교육하지 않는다.
③ 외상환자에서 경추손상이 의심될 때, 응급의료종사자가 경추를 보호하기 위해 두부후굴법을 시행하지 않고 하악견인법으로 기도를 유지한다.
④ 안면손상이 있거나 GCS 8점 미만인 환자에서는 경추손상을 반드시 고려한다.
  ㉠ 환자를 앙와위로 하고, 응급구조사는 머리 위쪽 부위에 무릎 꿇고 앉는다.
  ㉡ 각 손의 손끝을 환자의 아래턱의 각(angle) 부위에 댄다.

㉢ 힘 있게 턱을 앞으로 잡아당겨 머리를 뒤쪽으로 약간 경사지게 하라.

㉣ 환자의 아랫입술을 엄지손가락으로 잡아당긴다.

(3) 변형된 하악견인법

하악견인법이 머리나 목에 손상 있는 사람에게 가능하도록 수정된 것이다. 이 방법은 머리를 뒤쪽으로 경사지게 하거나 옆으로 돌리거나 하지 않고 단단하게 지지 고정한다는 점 이외에는 같다(그림 6-7).

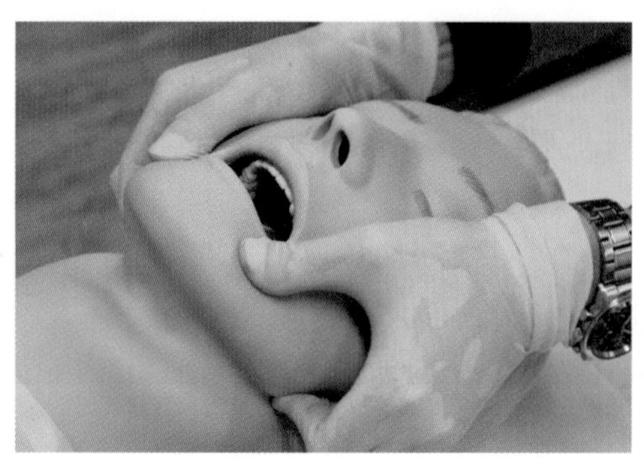

그림 6-7. 변형된 하악견인법(외상 시)

(4) 삼중기도조작

환자의 머리 쪽에서 두 손으로 두부후굴법을 시행하면서 하악견인법과 더불어 엄지손가락으로 환자의 입을 열어(open mouth)주는 방법이고 환자가 호흡이 있거나 다른 응급구조사가 인공호흡을 할 수 있는 경우 사용한다. 이러한 기도조작은 경추손상이 의심되었을 경우에는 시행하지 않는다(triple airway maneuver).

(5) 윤상 전면부 압박법

위 역류는 종종 환기유지나 기도삽관 중에 발생한다. 기도 내로 들어간 토물은 심각한 합병증을 발생시킨다. 역류를 막는 방법이 윤상 전면부 압박법(sellick's maneuver)이다(그림 6-8). 이 방법은 윤상 연골 뒤쪽으로 약간의 압력이 가해진다. 식도가 윤상연골 뒤에 위치하므로 이 방법에서는 연골이 약 100m/H_2O의 압력으로 식도를 막게 된다. 윤상연골은 갑상연골(Adam's apple) 아래에서 함몰이 만져지고 이 함몰된 막은 윤상갑상막이다. 이 막 아래에 윤상연골이 있다.

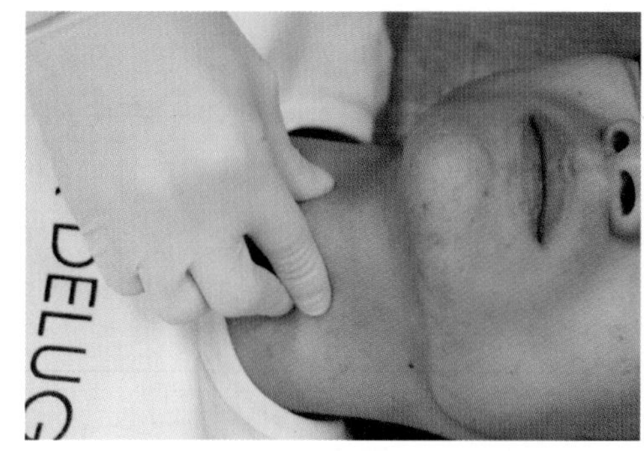

그림 6-8. 윤상 전면부 압박법(Sellick's Maneuver)

한 손의 엄지와 검지를 이용해서 연골의 앞면과 측면에서 중앙선 쪽으로 압박을 가한다. 위 팽만보다 더 큰 압력이 역류를 막기 데 필요하다.

Tip. 셀릭법(Sellick's Maneuver)

환기 시 위 내용물이 역류되거나 위 팽만(gastric distention)이 되는 것을 예방하기 위해 윤상연골부위 전방을 지긋이 압박하는 셀릭법을 사용한다. 너무 세게 압력을 가해 기도가 폐쇄되지 않도록 유의한다.

(6) 위 팽만

강한 구조호흡은 환자의 위에 공기가 들어갈 수 있어 위가 확장될 수 있다. 위 팽창의 부적절함은 기도를 폐쇄할 수 있다. 그런 상황으로는 다음과 같다.

① 머리 위치가 부적절한 경우
② 환기가 너무 많이 또는 빨리 제공되어 폐나 기관에서 수용할 수 없는 경우
③ 영아나 소아인 경우(성인 보다 더 많이 발생한다)

위 팽만(gastric distention)은 2가지의 심각한 문제를 일으킬 수 있으므로 주의해야 한다.

① 공기가 가득 찬, 위는 가로막을 상승시켜서 **폐활량을 감소**시킨다.
② 역류(regurgitation) 또는 구토(vomiting)의 가능성이 높아, 추가적인 기도폐쇄나 환자의 폐 안으로 구토물이 흡인되어 폐는 손상을 입을 수 있고 **폐렴**으로 발전할 수도 있다.

위 팽만이나 상황을 더 악화시키지 않기 위한 가장 좋은 방법으로는 다음과 같다.

① 환자의 머리에 적절히 위치시킨다.
② 너무 빠르고 강한 구조호흡을 시행하지 않는다.
③ 환기의 세기를 잘 조절하는 것이고, 호흡량을 조절하는 것이다.

위 팽만이 나타나면 구토에 대한 대비를 해야 한다. 만약 환자가 구토하면 환자의 고개를 옆으로 돌려준다.

2) 기도기를 이용한 기도유지

산소공급은 환자의 상태나 맥박산소측정기(Pulse Oximetry)를 참고하여 산소농도를 조절하여야 한다. 환자의 상태나 산소포화도에 따라 nasal cannula, ventri mask, facial mask, rebreathing mask, nonrebreathing mask, demand valve, BVM, ventilator 등을 이용하여 기본 기도기를 활용한 기도유지 방법을 배워야한다.

(1) 산소투여량 및 방법에 따른 산소농도(FiO_2)의 변화

산소투여량 및 방법에 따른 산소농도(FiO_2)의 변화는 표 6-3과 같다.

표 6-3. 산소투여량 및 방법에 따른 산소농도(FiO_2)의 변화

투여 방법	투여 산소량(1/min)	산소농도(FiO_2)
경비관 (nasal cannule)	1	0.24
	2	0.28
	3	0.32
	4	0.36
	5	0.40
	6	0.44
단순안면마스크 (simple facial mask)	5-6	0.40
	6-7	0.50
	7-8	0.60
저장 백 마스크 (reservior bag mask)	6	0.60
	7	0.70
	8	0.80
	9	0.90
	10	0.99

6 인공호흡

정상인의 호기가 인공호흡에 적합하다는 사실이 알려진 후 응급구조사가 환자의 입을 통하여 인공호흡 하는 입-입 인공호흡(mouth to mouth ventilation)과 응급구조사가 환자의 코를 통하여 인공호흡 하는 입-코 인공호흡(mouth to nose ventilation)법이 응급상황에서 가장 적절한 호흡보조 방법으로 자리 잡게 되었다.

① 기본인명소생술 중 가장 빠르고 효율적으로 환자의 호흡을 보조할 방법은 입-입 인공호흡법이다.

② 입-코 인공호흡법은 입을 열 수 없거나 구강이 폐쇄된 환자, 심한 구강 내 손상 또는 이물질에 의한 구강폐쇄가 있는 환자에서만 시행하여야 한다.

③ 기관 창을 통하여 호흡하는 환자에서는 기관 창으로 흡기시켜 주어야 하므로 입-창 인공호흡을 이용한다.

인공호흡을 할 때 20 cmH_2O이상의 압력으로 환자를 호흡시키면 환자의 위로 공기가 들어가 위를 팽만 시킬 수 있다. 위 팽만 되면 위 내용물이 역류하거나 환자가 구토할 수도 있다.

① 인공호흡을 할 때는 1.0초에 걸쳐서 불어넣는 것이 권장된다.

② 인공호흡을 할 때는 1회 호흡량을 정확히 유지할 수 없으므로, 숨을 불어 넣으면서 환자의 흉곽이 충분히 부풀어 오를 정도의 호흡량(6-7 mL/kg, 성인에서는 500-600 mL)으로 인공호흡을 한다.

기관내삽관 또는 후두마스크 기도기 등으로 전문기도처치술(advanced airway management)이 시행되지 않은 상태에서는 흉부압박과 인공호흡의 비율은 30:2로 실시한다. 순환이 유지되고 있는 환자에서는 분당 10-12회로 인공호흡을 한다. 심폐소생술 중 전문기도처치술이 시행된 후에는 분당 8-10회의 속도로 인공호흡을 한다.

입-입 인공호흡 또는 입-코 인공호흡을 통한 전염성 질환의 감염가능성에 대한 우려가 최근 후천성 면역결핍증후군 환자의 증가와 더불어 점차 고조되고 있다. 그러나 입-입 인공호흡 또는 심폐소생술 실습 중 마네킹을 통하여 후천성 면역결핍 증후군, 바이러스성 간염, 결핵 등 전염성 질환의 전염 가능성은 매우 희박한 것으로 알려져 있다. 입-입 또는 입-코 인공호흡을 할 때, 환자와 응급구조사 사이의 접촉에 의한 전염성 질환의 감염을 방지하기 위하여 다양한 보조기(barrier, mask)를 사용할 수 있다.

심폐소생술 환자에게 입-입 인공호흡은 시행하지 않고 흉부 압박만을 시행하였을 경우에도 인공호흡을 함께 한 경우와 유사한 생존율이 관찰되는 최근 연구가 보고 있다. 따라서 인공호흡의 방법을 모르거나 인공호흡하기를 원치 않을 경우에는 전혀 심폐소생술을 하지 않는 것보다는 인공호흡을 하지 않고 흉부압박만을 하는 흉부압박 단독 심폐소생술을 시행하는 것이 환자의 생존율을 높일 수 있다.

1) 입-입 인공호흡

입-입 인공호흡을 할 때는 머리 젖히고-턱 들어 올리는 자세법(두부후굴 하악거상법)으로 환자의 기도를 유지한 후, 한손으로 환자의 코를 막고 턱을 받쳤던 손으로 환자의 입을 연 다음, 공기가 새지 않도록 응급구조사의 입을 환자의 입에 완전히 밀착시킨 후 서서히 공기를 불어넣어주어야 한다(그림 6-9). 인공호흡 중에는 환자의 가슴이 부풀어 오르는지를 지속해서 관찰하여야 한다. 환자의 가슴이 충분히 부풀어 오를 때까지 공기를 불어 넣은 후에는 환자의 입에서 응급구조사의 입을 떼고 막았던 코를 놓아주어 호기가 이루어지도록 하여야 한다. 호기가 이루어지는 동안에도 환자의 코와 입 사이에 응급구조사의 귀를 댄 후 공기가 배출되는 것을 확인하여야 한다.

입-입 인공호흡을 할 때에는 일회 호흡량을 정확히 측정할 수 없으므로, 환자의 가슴이 충분히 부풀어 오르는지를 확인한다. 통상 일회 호흡량은 6-7 mL/kg(성인에서는 500-600 mL)로서 1초 정도에 걸쳐 불어넣어야 한다. 따라서 인공호흡을 할 때 응급구조사가 숨을 깊이 들이쉴 필요 없이 정상 호흡량으로 인공호흡을 하면 된다. 지나치게 많은 양으로 인공호흡을 하거나, 빠른 속도로 인공호흡을 하면 공기가 위로 들어가 위의 팽대를 초래할 수 있다.

2) 입-코 인공호흡

입-코 인공호흡에서는 환자의 입을 막고 환자의 코를 통하여 인공호흡을 시행한다는 점을 제외하면 입-입 인공호흡을 같은 방법으로 시행하면 된다(그림 6-10).

입-코 인공호흡을 하려면 한 손으로 환자의 턱을 잡고 엄지손가락으로 환자의 입이 열리지 않도록 막는다. 숨을 깊이 들이쉰 후 응급구조사의 입으로 환자의 코 주위를 둘러싸고 응급구조사의 호기를 환자의 코로 불어넣는다. 인공호흡 후에는 환자의 입을 열어주어 호기가 될 수 있도록 한다.

Tip. 구강 대 구강/ 구강 대 비강 : 시술자에게서 호기된 공기 속에는 16-17%의 산소만이 포함된다.

3) 입-창 인공호흡

기관절개술을 받은 환자에서는 기관의 창(stoma)을 통하여 인공호흡을 한다(그림 6-11). 입-창 인공호흡을 할 때는 응급구조사가 환자의 목 앞부분에 있는 기관 창에 응급구조사의 입을 밀착시킨 후 입-입 인공호흡에서와 같이 환자의 흉곽이 부풀어 오를 때까지 불어넣은 후 입을 떼어 호기 시키면 된다.

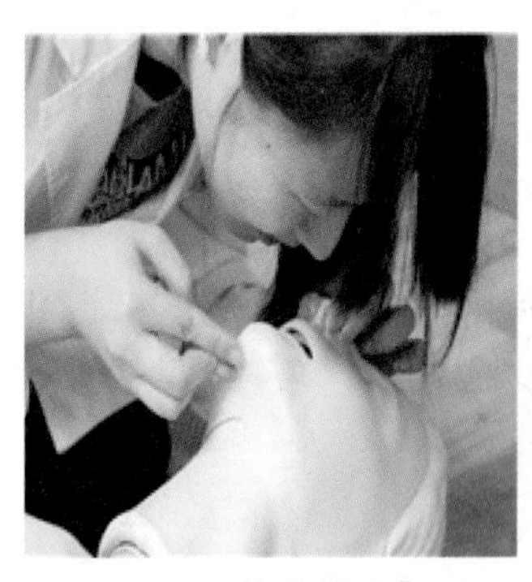

그림 6-9. 입-입 인공호흡

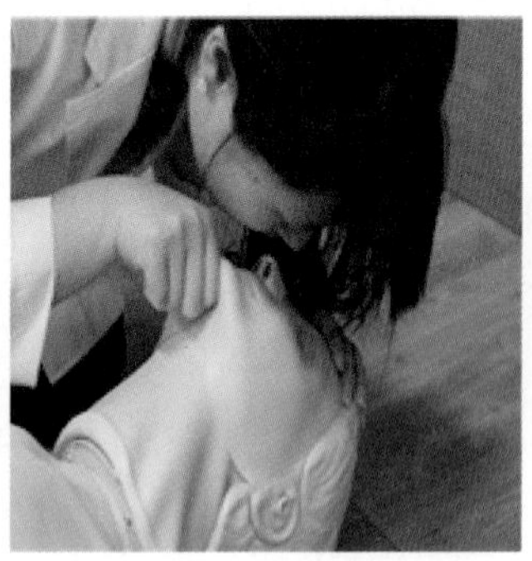

그림 6-10. 입-코 인공호흡

그림 6-11. 입-창 인공호흡

4) 포켓마스크

마스크는 응급구조사가 환자의 입과 직접 접촉하지 않고 인공호흡을 할 수 있는 유용한 기구이다. 특히 일방향 밸브(one-way valve)가 달린 마스크는 환자의 호기가 응급구조사에게 노출되지 않고 대기로 빠져나가도록 고안되어 있으므로, 인공호흡에 의한 전염성 질환의 감염에 대한 응급구조사의 두려움을 불식시켜 줄 수 있는 인공호흡 기구이다. 그뿐만 아니라 마스크를 통하여 산소를 공급할 수도 있으므로, 환자에게 고농도의 산소가 포함된 인공호흡을 할 수 있다는 장점이 있다. 입-마스크 인공호흡을 할 때에도 1회 호흡량은 **6-7 mL/kg**(성인에서는 500-600 mL)를 유지하며, **1초**에 걸쳐 인공호흡을 한다.

(1) 용도

구강 내 상처 및 감염이 예상되는 환자에게 인공호흡을 실시하기 위해 사용하는 장비이다(그림 6-12).

① 감염이 예상되는 환자로부터 보호받을 수 있다.
② 구강 대 구강 인공호흡 시 환자와 직접적인 신체접촉을 피할 수 있다.
③ 응급구조사의 흡기 내 산소농도가 상승하므로 상대적으로 산소함유량이 높은 호기로 환자에게 인공호흡을 할 수 있다.
④ 산소 연결줄을 사용하면 충분한 산소(대략 50-55%농도)를 보충하면서 인공호흡이 가능하다.

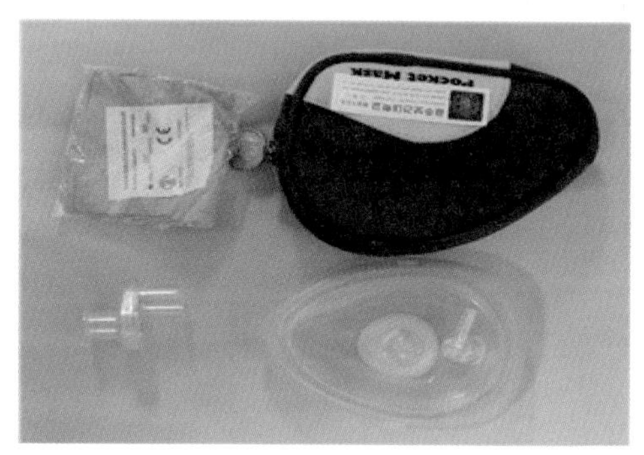

그림 6-12. 포켓마스크(Pocker Mask)

(2) 머리 쪽에서 마스크를 사용하는 방법

응급구조사가 두 손을 사용하여 마스크를 환자의 얼굴에 고정하면서 사용할 수 있다. 다음과 같은 경우 적용할 수 있다.

① 환자가 호흡만 정지되어 있어 흉부압박이 필요하지 않는 경우
② 심정지 상태인 환자에서는 두 명의 응급구조사가 있는 경우

환자의 머리 쪽에서 마스크를 환자의 얼굴에 올려놓은 후, 양손의 엄지와 검지를 사용하여 마스크의 위를 감싸 쥐고 나머지 세 개의 손가락을 사용하여 환자의 하악골을 잡아들어 올리면서 마스크를 환자의 얼굴에 밀착시킨다(cephalic technique). 마스크를 환자의 얼굴에 밀착되면 환자의 흉곽을 관찰하면서 마스크의 호흡 기구를 통하여 인공호흡을 한다(그림 6-13).

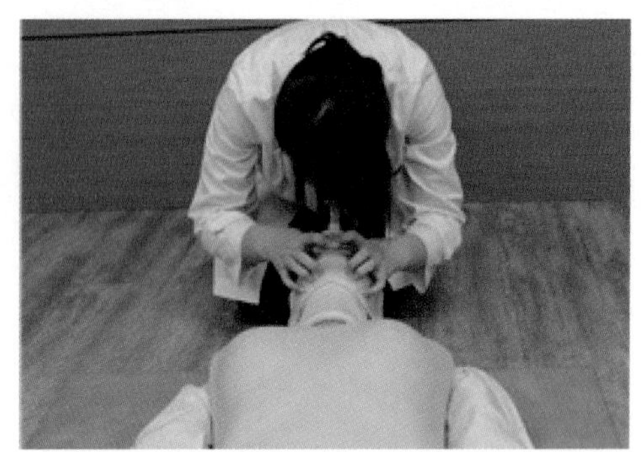

그림 6-13. 포켓 마스크를 사용한 인공호흡(두부접근법)

두부접근법에서는 응급구조사가 환자의 머리 부분에 위치하며 다음과 같이 시행한다.

① 환자의 콧날을 기준으로 해서 위치를 바로잡고 마스크를 환자의 얼굴에 놓는다.
② 엄지손가락과 엄지두덩의 융기(손바닥의 엄지손가락 기저부위)를 마스크의 가장자리에 둔다.
③ 양손의 집게손가락을 환자의 아래턱에 두고 턱을 들며 머리를 뒤로 젖혀서 마스크 쪽으로 들어 올린다. 나머지 손가락들은 턱뼈 아래에 둔다.
④ 턱을 들어 올리는 동안 마스크에 놓여 있는 엄지손가락과 엄지두덩의 융기로 마스크를 환자의 얼굴에 밀착하여 고정한다.
⑤ 환자의 가슴이 올라오는지 관찰하면서 1초 동안 숨을 불어 넣는다.

두부접근법의 **대처방법**으로, 양손의 엄지손가락과 집게손가락으로 마스크의 가장자리를 감싸서 완전히 밀착시키는 방법이 있다. 나머지 손가락으로 아래턱 골각을 들어 올리면서 목을 신장시킨다. 두부접근법의 변형된 또 다른 방법은 응급구조사가 양손으로 마스크를 잡고 기도를 여는 것이다. 두부나 경부가 손상(가능성이 있는)된 환자의 경우는 머리를 젖히지 않은 상태로 턱만 들어 올린다.

마스크를 효과적으로 사용하려면 구조자는 반드시 교육과 훈련을 받아야 한다. 2인 심폐소생술을 할 때는 마스크를 다양한 방법으로 사용할 수 있다. 가장 적절한 방법은 응급구조사의 경험과 사용할 수 있는 장비에 따라 달라진다. 일회호흡량은 6-7 mL/kg 또는 400-600 mL를 1초 동안 가슴이 올라올 때까지이다. 일회호흡량을 줄이는 것은 위팽창과 이에 수반되는 위험이 발생할 가능성을 줄여준다.

(3) 옆쪽에서 마스크를 사용하는 방법

한 명의 응급구조사가 환자에게 인공호흡과 흉부압박을 제공할 수 있으므로, 심정지가 발생한 환자에서 한 명의 응급구조사가 심폐소생술을 할 때 사용된다. 응급구조사가 환자의 옆에 위치한 후 환자의 이마 쪽에서 한 손의 엄지와 검지를 사용하여 마스크의 위쪽을 감싸지고, 다른 한 손의 엄지로 마스크의 아래쪽을 눌러 마스크를 얼굴에 밀착시킨다. 마스크의 아래쪽을 누르는 손의 나머지 손가락을 사용하여 하악골을 들어 올림으로서 기도가 유지되도록 한다(lateral technique). 마스크가 환자의 얼굴에 밀착되면 환자의 흉곽을 관찰하면서 마스크의 호흡구를 통하여 인공호흡을 한다(그림 6-14).

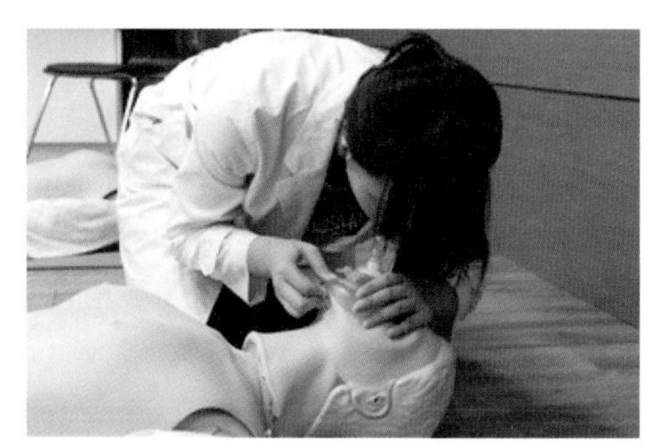

그림 6-14. 포켓 마스크를 사용한 인공호흡(측부접근법)

측부접근법으로 응급구조사가 환자의 측면에 위치하여 인공호흡과 흉부압박을 시행한다.

① 환자의 콧날을 기준으로 위치를 바로잡고 마스크를 환자의 얼굴에 놓는다.
② 마스크 가장자리를 환자의 아랫입술과 턱 사이에 고정하고 코를 덮는다.
③ 한손의 엄지손가락과 집게손가락으로 환자의 머리 위쪽에 놓인 마스크의 가장자리를 잡아 밀착시키고, 다른 손의 엄지손가락은 마스크의 아래쪽 가장자리를 밀착시킨다.
④ 아래쪽의 나머지 손가락은 아래턱뼈의 가장자리에 두고 머리기울임-턱올리기를 사용해 턱을 들어 올린다.
⑤ 마스크 가장자리가 얼굴에 밀착되도록 강한 압력을 가한다.
⑥ 환자의 가슴이 올라오는지 관찰하면서 숨을 불어넣는다.
⑦ 입을 떼고 환자가 숨을 토해내는지 확인한다. 만일 환자가 구토할 경우 마스크를 떼고 기도를 깨끗이 한 후, 마스크를 세척한 다음 다시 호흡을 시도한다.

(4) 특징

① 감염방지를 위해 일방통행 밸브(감염위험을 줄여 줌)로 되어 있으며, 휴대가 간편하다.
: 일방향판(one-way-valve)이 있어 배출된 공기가 응급구조사의 입으로 들어가는 것을 막아준다.

② 포켓마스크는 분당 10 L의 산소량으로 50%의 산소농도를 공급하고, 분당 15 L의 산소량으로 55%의 산소농도를 공급할 수 있다.
③ 기도확보와 마스크 밀착을 확실히 해야 효과적인 인공호흡이 가능하다.
④ 성인용을 유아 · 소아에게 사용할 때는 마스크를 거꾸로 밀착시켜서 뾰족한 끝이 턱으로 가도록 위치시킨 다음 환자의 얼굴에 밀착시켜 사용한다.

(5) 세척 및 보관방법

① 얼굴마스크와 배기밸브는 세척이 쉽고 재사용이 가능하다
② 사용 후 분리하여 비눗물로 세척하고 깨끗한 물로 헹구어 낸 후 완전히 건조하고 조립하여 보관한다.
③ 끓는 물, 가스, 고압멸균소독 등을 통한 세척은 금지합니다.
④ 항균필터는 일회용으로 1회 사용 후 폐기해야 한다. 항균 본래 일회용으로 제작되었으나, 부득의하게 재사용하게 될 때에만 끓는 물에 삶아서 소독하는 방법을 권장합니다.
⑤ 소독방법은 100℃ 끓은 물에 필터가 완전히 잠기도록 담근 후 5초간 방치한 후 꺼내어 상온에서 건조한 후 사용한다.

5) 구강대 구강 호흡용 보호막

(1) 용도

심폐소생술시 환자의 얼굴을 덮을 수 있는 비닐과 입을 열어주고 일방밸브가 달린 관이 있어 환자와의 직접적인 신체접촉을 방지함으로써 감염을 방지할 수 있다(그림 6-15).

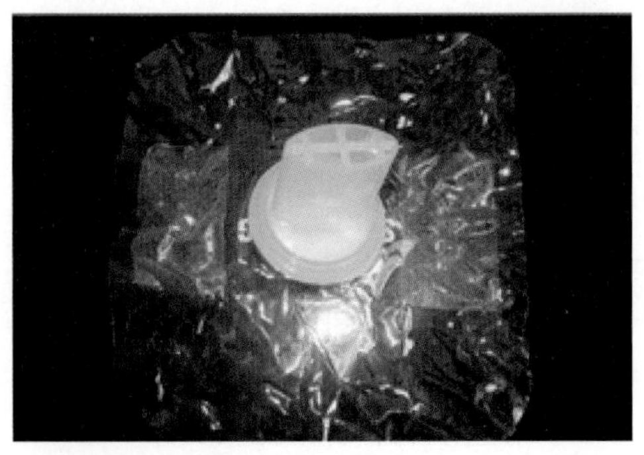

그림 6-15. 구강대 구강 호흡용 보호막(CPR microshield)

6) 백-밸브 마스크

백-마스크 인공호흡기(bag-mask device)는 안면 마스크에 인공호흡용 백이 달려있는 기구이다. 백-마스크 인공호흡기는 환자의 얼굴에 마스크를 고정한 상태에서 백을 압박하여 인공호

흡을 하여야 하므로 한 명의 응급구조사가 시행하기는 어렵기 때문에 두 명의 응급구조사가 함께 사용하여야 한다. 백-마스크 인공호흡법을 할 때는 한 명의 응급구조사는 환자의 머리 쪽에서 두 손을 사용하여 환자의 얼굴에 마스크를 밀착시키고, 다른 한 명의 응급구조사는 백을 눌러주어 인공호흡을 한다(그림 6-16).

백-마스크 인공호흡을 할 때에는 최소한 분당 10-12 L의 산소를 투여하여, 가능한 100%의 산소가 환자에게 공급되도록 한다. 인공호흡을 할 때도 1회 호흡량은 6-7 mL/kg(성인에서는 500-600 mL)를 유지하며, 1초에 걸쳐 인공호흡을 한다. 1 L 백을 사용할 경우에는 백의 1/2-2/3 정도를 압박하며, 2 L 백을 사용할 경우에는 백의 1/3 정도를 압박하여 인공호흡을 한다.

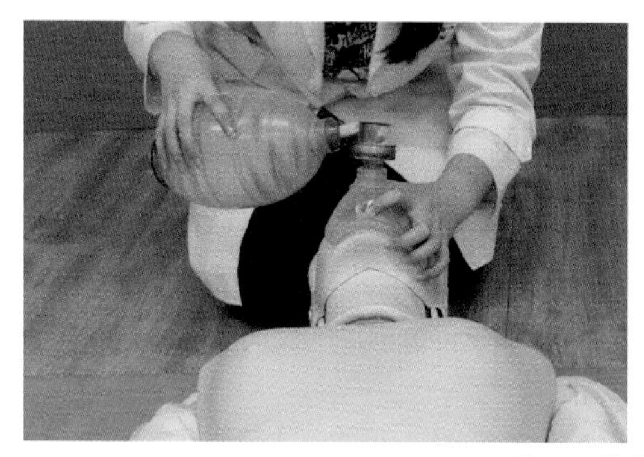
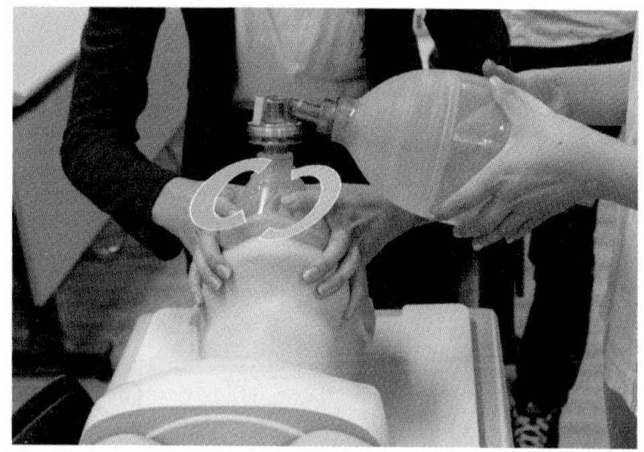

그림 6-16. 백-마스크 인공호흡

(1) 용도

호흡이 없거나 자발호흡이 곤란한 환자에게 수동으로 양압 환기를 실시할 수 있으며, 병원 응급실과 병원 전 호흡보조 장비로 고농도(50% 이상)의 산소를 투여하고자 할 때 사용된다(그림 6-17).

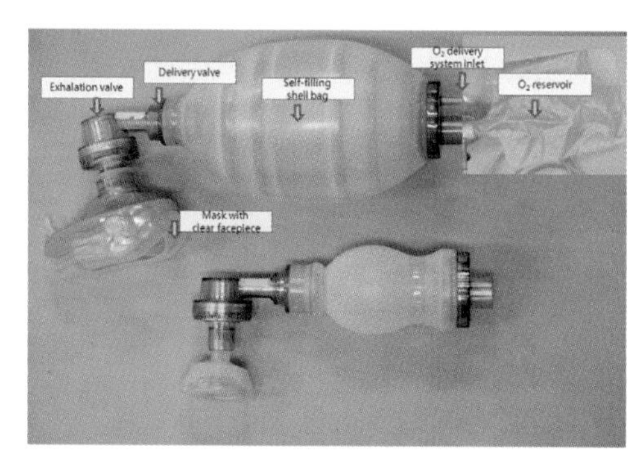

그림 6-17. 백-밸브 마스크

(2) 구성품

① 백 : 규격은 다양하지만 일반적으로 성인(1,600-1,800 mL), 소아(500 mL), 유아(240 mL)로 구분하여 사용한다.

② 밸브 : 일방향판 배출밸브와 일방향판 입구밸브로 되어 있다.

③ 마스크 : 유아, 소아, 성인용으로 구분된다.

④ 기타 : 산소저장용 백, 산소연결줄 등이 있다.

(3) 특징

① 산소와 연결하지 않고 사용하면 21% 정도의 산소를 공급할 수 있다.

㉠ 환자의 폐를 과 팽창시키고 허파꽈리 환기를 증가시키고 저산소증을 막아준다.

② 산소유량이 분당 10-15 L인 경우 산소저장주머니가 없으면 40-50%, 저장주머니가 붙어 있으면 85-100%의 산소가 제공된다.

㉠ 산소가 연결 1분당 12L의 산소가 공급되면 60-70%의 산소제공

㉡ 저장주머니가 연결되고 10-15L가 공급되면 90-95%의 산소제공

③ 소아와 유아용에는 과압방지용 밸브(Pop Off Valve)를 장착이 되어있고, 성인용에는 기도저항이 크고 폐가 수용할 수 있는 능력이 적은 환자의 경우 과압방지용 밸브가 오히려 효율적인 환기를 방해할 수 있기 때문에 장착하지 않는다.

④ 재사용 가능한 것도 있으나 최근에는 질병의 감염매개체가 될 수 있기 때문에 병원 전 단계에서는 일회용을 많이 사용(백-밸브 마스크를 재사용하지 말 것)한다.

⑤ 백-밸브 마스크 백(bag)은 쉽게 청소하고 소독할 수 있는 자가 팽창이 가능하여야 한다.

⑥ 백-밸브 마스크는 응급구조사와 환자 사이에서 감염통제 차단 역할을 한다.

⑦ 백-밸브 마스크는 투명한 안면마스크를 갖고 있어서 입술이 청색증을 관찰하고 흡입이 필요한지 기도를 감시할 수 있다.

⑧ 백-밸브 마스크로 인공호흡을 하는 데 있어서 가장 어려운 부분은 마스크를 적절하게 밀착시켜 공기가 마스크 주위에서 새어 들어오거나 나가지 않도록 하는 것이다.

⑨ 백-밸브 마스크는 저온에도 얼지 않아야 한다.

(4) 사용방법

① 1인과 2인이 모두 사용할 수 있으며, 2인 경우에 더욱 효과적이다.

② 인공호흡 시 성인에서 1회 환기량은 500-600 mL (1회 호흡량 6-7 mL/kg)가 되도록 하며, 기도유지 후 마스크를 확실히 밀착시키고 1초에 걸쳐 백을 짜주어야 효과적인 양압 환기를 시킬 수 있다.

③ 호흡은 있으나 충분한 환기량이 유지되지 않는 환자의 호흡 보조 시에는 환자의 흡기에

맞추어 백을 압박해 주어야 한다.

④ 고농도의 산소를 투여하기 위해서는 산소저장주머니를 붙여 사용하고, 초기에 분당 15L 이상의 산소를 틀어 저장주머니에 산소가 채워지도록 한 다음 사용한다.

⑤ 마스크는 엄지손가락이 코부위에 위치하고 둘째손가락은 입부위에 위치한 채 나머지 세손가락은 하악각을 잡아당기도록 하여 얼굴에 밀착시킨다.

⑥ 응급구조사가 2명인 경우에는 첫 번째 응급구조사는 마스크를 환자의 얼굴에 밀착시키고 두 번째 응급구조사는 백을 짜서 환기한다.

Tip. 백밸브마스크(Bag Valve Mask, BVM) 환기법

① 현장안전 및 감염방지를 실시한다.

② 기도개방(환자의 목을 신전시킨 상태 유지, 입인두기도기를 삽입하여 기도유지)을 한다.

③ 백-밸브마스크를 조립한다.

④ 마스크의 첨부가 환자의 콧등을 향하도록 위치시킨다.

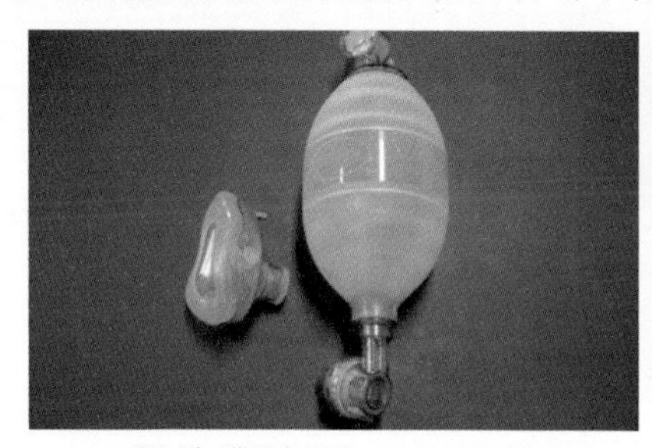

③* 백-밸브마스크(Bag Valve Mask)

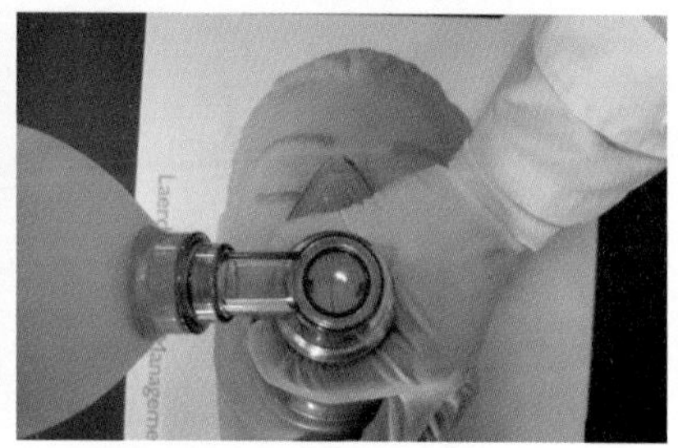

④* Mask의 첨부가 콧등을 향하도록 위치

⑤ 엄지와 검지를 C-자 모양 등으로 유지하여 마스크를 잡는다.

⑥ 나머지 3개 손가락을 이용하여 이래턱을 거상시킨다(E-자 모양 유지).

㉠ 엄지와 검지로 윗부분을 고정하고 밀착시킨다.

㉡ 나머지 손가락으로 아래턱의 뼈부분만을 잡아당기도록 해야 한다.

㉢ 마스크를 잡고 있는 손은 턱 아래 연부조직의 기도를 누르지 않도록 한다(그림 6-18).

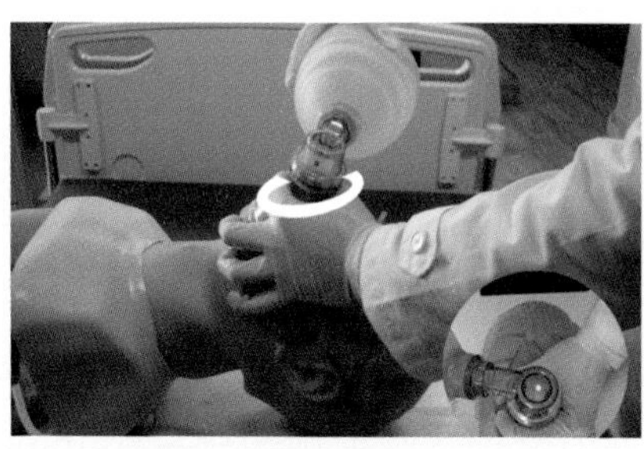

⑤* 엄지와 검지를 C-자 모양으로 유지

⑥* 세 손가락을 E-자 모양으로 하악 거상

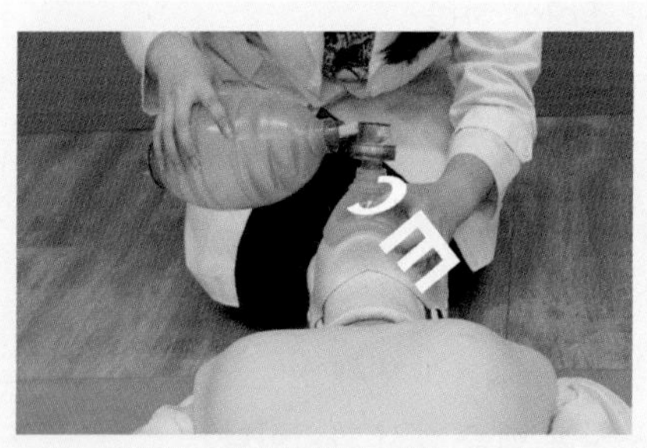

그림 6-18. E-C 기법

⑦ 마스크와 안면부가 완전히 얼굴에 밀착되어 공기가 새는 소리가 나지 않아야 한다.

⑧ 인공호흡이 잘 되고 있는지 매 호흡을 할 때마다 가슴상승을 눈으로 확인할 수 있어야 한다(그림 6-19).

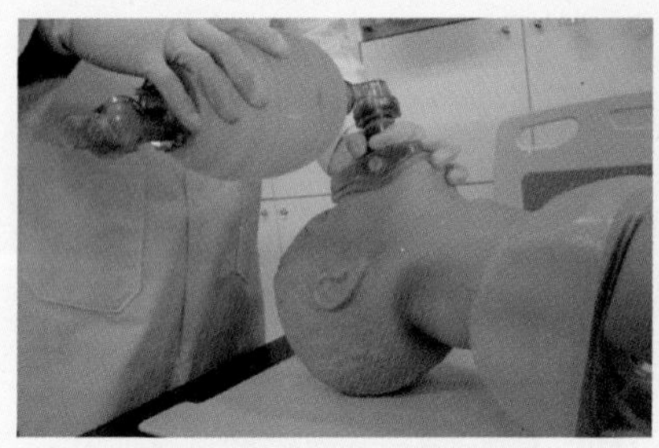

⑦* 마스크와 안면부 완전히 밀착

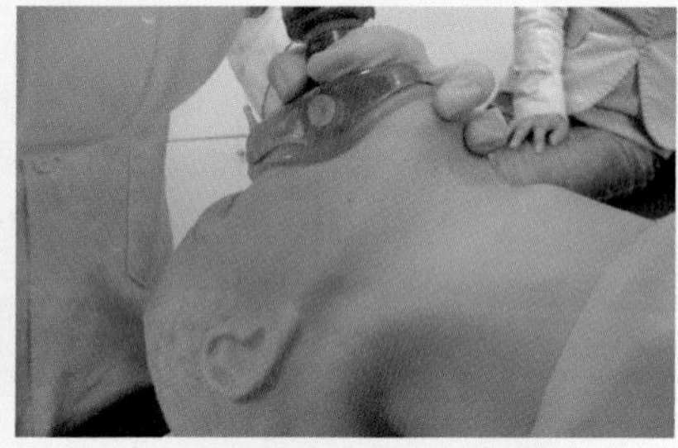

⑧* 매 호흡을 할 때마다 가슴상승 확인

그림 6-19. 백-밸브마스크(Bag Valve Mask, BVM) 밀착 및 환기

⑨ 1초 동안 1회 정도 속도로 백을 충분히 짜주며 환기한다.
  ㉠ 인공호흡 시 가슴압박 중단을 최소화해야 한다.
  ㉡ 과도하게 환기하지 않도록 주의해야 한다.

⑩ 마스크를 환자의 얼굴에 꽉 밀착시키고 한 손으로 목을 신전시킨 상태에서 다른 손으로 5초에 한 번씩 규칙적으로 백을 압박한다(그림 6-19).

7 기본 기도유지 기구

대기에는 산소가 약 21% 포함되어 있으며 인간은 호흡을 통해 그 중 약 4-5%를 체내에서 소모한 후 16-17%의 산소가 함유된 공기를 호기한다. 정상적으로 대기를 호흡하는 경우 사람의 동맥혈은 90%이상의 산소포화도를 유지하며, 동맥혈산소압력은 80 mmHg 이상으로 유지된다.

입인두 기도기와 비인두 기도기는 혀의 바닥면에서 입인두 후면으로 공기를 보낼 수 있게 만들어졌다. 입인두 기도기는 구강으로 삽입되고 반면에 비인두 기도기는 콧구멍으로 들어가게 된다. 어떤 기도기든지 적절한 머리자세는 중요하며 입인두 기도기와 비인두 기도기는 단지 기도 개방을 유지시켜 줄 뿐이다. 위에 설명한 도수적 기도확보법이 기도유지 기구를 이용하는 것보다 먼저 시도되어야 한다.

1) 입인두 기도기

입인두 기도기(oropharyngeal airway, OPA)는 입천장(palate)의 휘어진 형태에 편안하게 적용되도록 반원형의 플라스틱이나 고무로 만들어져 있다. 이것은 비침습적인 기구로 입인두 뒤에 위치한 혀의 밑바닥(저부)을 고정하여 상기도 폐쇄를 예방 및 성문이 폐쇄되지 않게 한다. 적절하게 자리를 잡으면 많은 도움을 준다. 입인두기는 구역반사가 있는 의식이 있는 환자와 반의식 상태의 환자에게는 사용하지 못하며, 삽입 시 구토를 자극시키거나 후두경련을 일으킨다. 다음은 장단점을 열거해 놓았다.

(1) 용도

무의식 환자의 기도유지를 위해 사용한다. 즉, 혀가 뒤로 말려서 기도가 폐쇄되지 않도록 한다.

(2) 선정방법(정확한 기도기의 크기측정)

입인두 기도기의 크기는 플랜지로부터 인두로 삽입되는 부위 가지의 길이로 분류되어 있다. 성인에서는 대형(100 mm, Guedel size 5), 중형(90 mm, Guedel size 4) 및 소형(80 mm, Guedel size 3)이 사용된다(그림 6-20).

① 환자의 입 가장자리에서부터 귓불 끝까지의 길이

② 환자의 입 중심[치아 정면(앞)에 두어]에서부터 하악각(턱의 각진 부분)까지의 길이

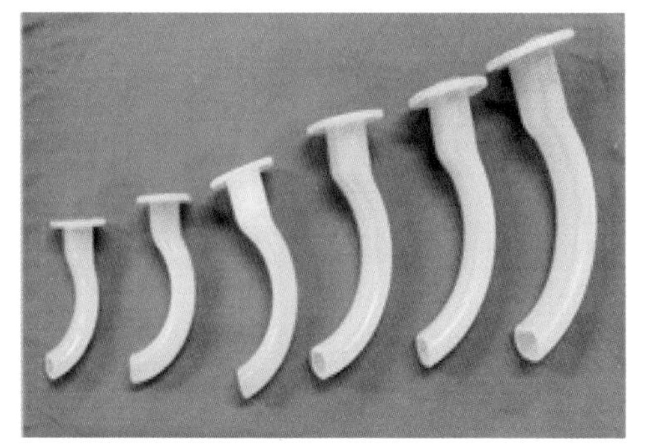

Size	Colour
000000	Violet 제비꽃
00	Blue 파랑
0	Black 검정
1	White 흰색
2	Green 녹색
3	Orange 오렌지
4	Red 빨강
5	Yellow 노랑

그림 6-20. 입인두 기도기

(3) 입인두 기도기의 장점

① 기도를 통하거나 기도기 주위로 공기가 통하게 된다.
② 적절한 방법을 이용하면 삽입이 쉽다.
③ 이와 입술에 의한 폐쇄를 막는다.
④ 자발적인 호흡을 하는 무의식 환자나 기계적 호흡을 해야 하는 사람에게 이용된다.
⑤ 인두부의 흡인이 쉽다(양 옆면으로 굵은 흡인용 카테터가 통과한다).
⑥ 경련 발작 시 유효한 교합저지기(bite-block)로 사용되며 기관내튜브를 깨무는 것을 막는 역할도 한다.

(4) 입인두 기도기의 단점

① 기관을 분리하지 못하여 흡인 예방이 안 된다.
② 이를 물고 있을 때는 삽입이 불가능하다
③ 적절하게 삽입되지 못하면 기도를 막을 수 있다.
④ 쉽게 움직인다.
⑤ 구역반사가 돌아와 구토가 유발(구토반사가 없을 때 사용)될 수 있다.

입인두 기도기는 구역반사가 있는 의식 있는 환자와 반의식 환자에게는 사용되지 못하며 삽입 시 구토를 자극하거나 후두경련을 일으킨다.

입인두 기도기는 0번(영아용)-6번(큰 성인)까지의 규격이 있다. 적절한 크기의 선택이 중요하다.

구강내로 삽입하는 방법은 180° 삽입법, 90° 삽입법, 설압자를 이용한 방법 등이 다음과 같다.

(a) 180°삽입법

① 외상이 없다면 환자 머리와 목을 과신전 시킨다(기도유지 : 머리기울림-턱들어올리기법, 그림 6-21).

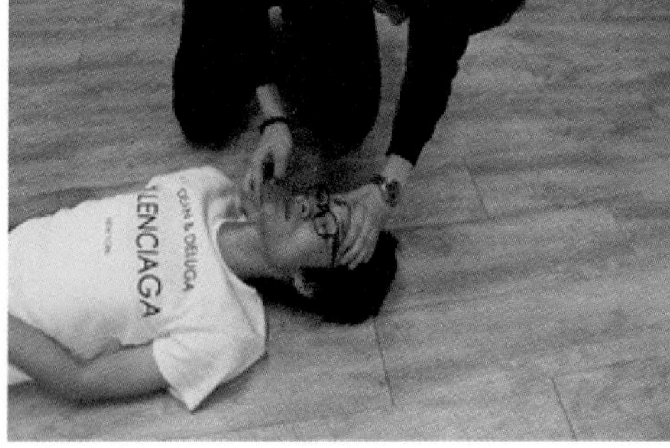

그림 6-21. 머리기울림-턱들어올리기법

② 효과적인 환기 기능을 확인하고 유지한다. 적응증이 있을시 100% 산소로 과환기한다.
③ 적당한 크기를 선택한다. 환자의 입의 가장자리에서 귀밑까지(입 중앙에서 하악각)의 거리에 해당하는 길이의 호흡보조기구을 선택한다.
④ 환자의 혀와 턱을 잡고 앞쪽으로 들어 올린다.
⑤ 손가락을 교차하여 치아를 벌리는 손가락 교차법 또는 혀-턱들기(Tongue-Jaw Lift)로 환자의 입을 연다(그림 6-22).

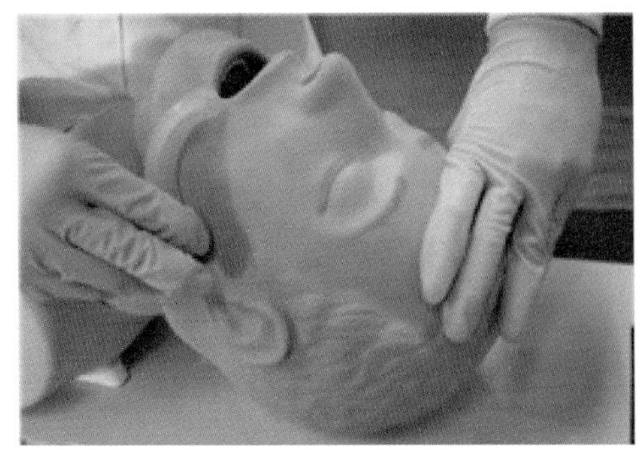
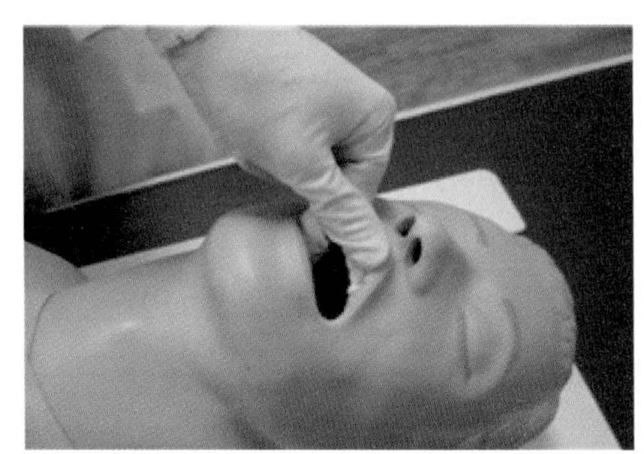

그림 6-22. 입인두기도기 크기 및 수지교차법

⑥ 반대편 손으로 기도기의 근위부 끝을 잡고 입으로 집어넣는다. 만곡부(curve)가 거꾸로 된 것과 기도기 끝부분이 입천장을 향하고 있는지를 확인한다(오목한 방향이 위를 향하게 2/3정도 삽입).
⑦ 끝부분이 목젖 또는 입천장(연구개)에 닿으면, 180도 회전시켜서 후방으로 밀어 넣는다. 즉, 호흡보조기구의 굴곡면이 혀를 따라서 삽입되도록 한다(그림 6-23).
⑧ 호흡조조기구의 테두리가 입술이나 치아에 걸려 있게 한다.
⑨ 입인두 기도기를 삽입한 상태로서 입인두 기도기가 입 중간에 위치(확인)하도록 한다.

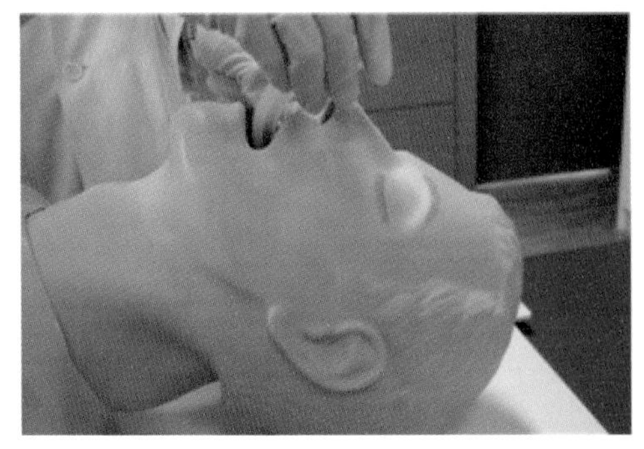
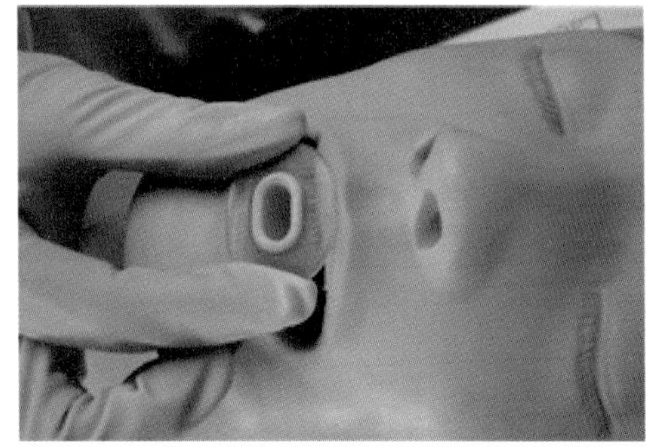

그림 6-23. 입인두 기도기 삽입

⑩ 기도기가 바로 끼워졌는지 확인한다(깨끗한 호흡음과 가슴이 올라오는 것이 바르게 삽입된 표시이다).

⑪ 적응증이 있으면 100% 산소로 과환기를 시킨다.

(b) 90° 삽입법

① 수지교차법을 이용하여 입을 벌린다.

② 입인두 기도기를 옆으로 넣은 후 90° 로 돌려 삽입한다.

③ 입인두 기도기를 삽입한 상태로서 입인두 기도기가 입 중간에 위치하도록 한다.

(c) 설압자를 이용한 방법

① 설압자로 혀를 누른 채 입인두 기도기를 삽입한다.

② 입인두 기도기를 삽입한 상태로서 입인두 기도기가 입 중간에 위치하도록 한다.

(d) 주의사항

① 입인두 기도유지기는 의식이 있거나 반혼수 상태일 때는 구토나 성대의 경련을 일으킬 수 있으므로 이런 환자에게는 사용하면 안 된다(반드시 무의식환자에게 적용한다).

② 기본적인 기도유지 기구를 사용 전에 적절한 머리자세는 중요(기도유지)

③ 기도기가 정확한 위치에 있는지 확인해라.

④ 부적절한 크기를 환자에게 사용하면 기도유지가 잘 안 되거나 오히려 기도를 폐쇄시킬 수 있다.

　㉠ 삽입 시 구토(혀 후방이 자극되어 일어나는 구역반사)를 자극하거나 후두경련을 야기 및 성대경련을 일으킬 수 있다.

　㉡ 기도기가 너무 길면 : 후두개를 눌러 후두로 들어가게 해서 기도폐쇄를 야기

　㉢ 기도기가 너무 작으면 : 혀를 앞쪽으로 잡아당길 수 없어 적절한 고정이 안 된다.

⑤ 적절히 삽입되지 못했을 경우 혀를 뒤쪽으로 밀어 상기도 폐쇄된다.

⑥ 구토반사가 돌아오면 제거해야 한다.

⑦ 역류하는 위 내용물로부터 기도를 완전하게 보호할 수 없다.

⑧ 기도기와 치아사이에 혀나 입술이 끼이면 혀나 입술에 상처를 줄 수 있다.

⑨ 호흡이 없는 환자에서는 기관내삽관과 같이 호흡보조가 쉬운 방법의 기도유지법을 시행하여야 한다.

⑩ 구강부위(치아 등) 심한 골절, 구토반응(의식 있는) 있는 환자, 뇌기저부 골절환자는 금기 및 주의해야 한다.

부적당하게 삽입되면 구강인두 뒤쪽으로 혀를 밀어서 기도폐쇄를 유발시킨다. 부적절한 삽입의 표시로 환기를 시도할 때 기구가 입 밖으로 빠져나온다. 기도기 삽입 시 또 다른 삽입법은 설압자를 이용해서 혀를 누르면서 시행하면 편리하다.

2) 비인두기도기(경비 호흡보조 기구)

의식이 있는 환자에게 기도확보하기 위해서는 비인두 기도기를 사용할 수 있다(그림 6-24). 이 기도기는 구토를 유발하지 않으므로 의식이 있는 환자도 잘 견딜 수 있다. 구강부위 심한 골절 및 출혈이 있는 경우와 구토 및 후두 경련을 일으킨 경우에는 입인두 기도기 보다 비인두기도기(nasopharyngeal airway, NPA)를 사용하는 것이 좋다.

① 연한 고무나 플라스틱으로 만들어졌다.
② 길이는 17-20 cm, 지름은 20-36 Fr (french)로 다양하다.
③ 근위부 끝은 깔때기 모양이다.
④ 환자의 코안으로 미끄러져 들어가거나 흡인되는 것을 방지한다.
⑤ 원위부 끝은 비스듬해서 통로로서 통과를 쉽게 해준다.
⑥ 입인두 기도기가 적용되지 않은 상기도 폐쇄 시 사용한다.
⑦ 비강인두의 자연만곡에 따라 만들어졌으며 콧 구멍에서부터 혀의 기저부 아래인 인후부까지 삽입한다.
⑧ 삽입 시에 코점막 손상, 코 출혈(비출혈) 덩어리의 기관내로의 흡인이 일어날 수 있으며 분비물과 혈액을 제거하기 위해서 흡인을 해야 한다.
⑨ 거세게 기도기를 삽입하면 점막손상과 치명적인 출혈을 일으킬 수 있다.

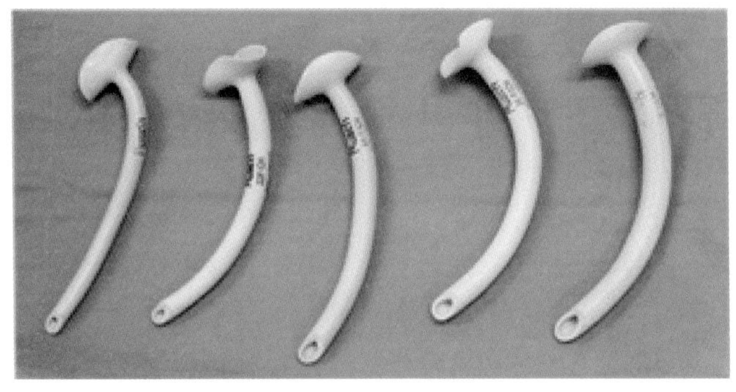

그림 6-24. 비인두기도기(NPA)

(a) 용도

의식이 있는 환자에서 일시적으로 기도를 확보해 주기 위한 기구로 입인두 기도유지기를 사용할 수 없을 때(구토반사가 있거나 구강손상이 있는 환자) 코로 삽입하여 상기도 유지를 위해 사용한다.

(b) 선정방법

① 길이 : 코끝에서 귓불까지 길이이거나 조금 긴 것이 좋다.

② 크기 : 콧속의 크기보다 약간 적은 것을 선택한다.

㉠ 기도기의 바깥지름을 측정하거나 환자의 새끼손가락의 직경 정도

㉡ 기도기가 너무 작으면 혀까지 갈 수 없다.

㉢ 기도기가 너무 길면 식도로 들어가서 저환기와 인공호흡에 의한 위 팽창을 일으킨다.

㉣ 후두경련이나 구토가 발생할 수 있다.

(c) 비인두 기도기의 장점

① 빨리 삽입할 수 있다.

② 혀를 피할 수 있다.

③ 구역반사(gag reflex)가 있어도 사용할 수 있다.

④ 구강 손상이 있는 환자에게도 사용할 수 있다.

⑤ 이를 물고 있어도 사용할 수 있다.

(d) 비인두 기도기의 단점

① 구강인두 기도유지기 보다 적다.

② 기관을 격리시키지 못 한다.

③ 흡인하기가 힘들다.

④ 너무 거세게 삽입하면 코 출혈(코피) 일으킨다.

⑤ 코점막에 압력으로 인한 괴사를 일으킨다.

(e) 비인두 기도기의 삽입방법

① 외상이 없으면 머리와 목을 과신전 시킨다.

② 효율적으로 환기 기능이 유지되는지 사정하라.

③ 환자의 코끝 또는 코볼에서 귓불까지의 길이를 측정하여 적절한 비인두 기도기를 선택한다.

④ 삽입 전에 무엇을 하는지를 환자에게 꼭 설명해준다.

⑤ 관의 바깥쪽에 수용성 젤을 발라서 삽입 시 손상을 방지한다.

㉠ 가능하면 의식 있거나 반의식 있는 환자에게는 리도카인 젤리(lidocain gel)를 사용하도록 한다.

㉡ 점막의 마취효과로 인해 삽입을 쉽게 해 줄 수 있다.

⑥ 환자의 콧구멍 중 더 큰 쪽(보통 오른쪽)을 선택한 후 기도기에 윤활유를 발라 코의 굴곡에

따라 비공 속으로 똑바로 뒤쪽으로 집어넣는다(그림 6-25).

⑦ 기도기를 삽입하다가 저항이 느껴지면 억지로 밀어 넣지 않는다.

㉠ 조직 손상과 기도유지기가 꼬이게 된다.

㉡ 어떤 경우는 비중격이 휘어져서 오른쪽 콧구멍으로 넣을 수 없으면 왼쪽 콧구멍을 이용하여 삽입한다(그림 6-26).

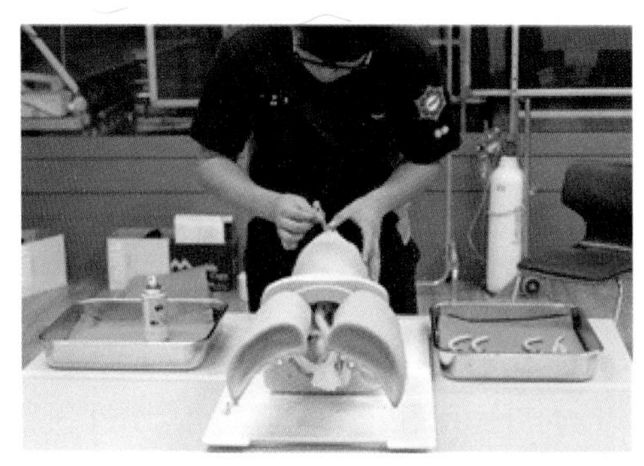

그림 6-25. 비인두기도기 삽입

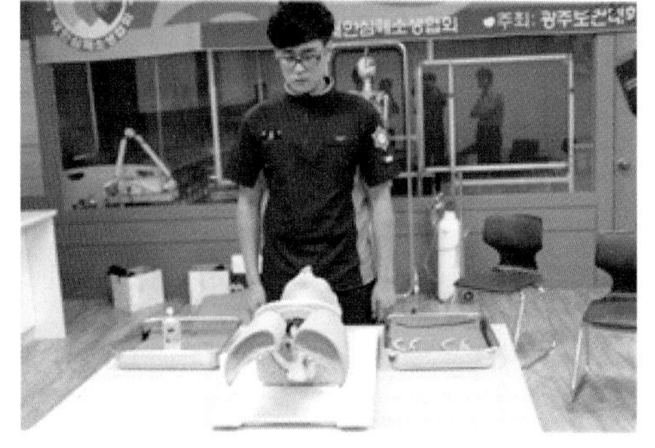

그림 6-26. 비인두기도기 삽입 완료

⑧ 기도유지기가 적절한 위치에 있는지를 확인한다.

㉠ 깨끗한 호흡음과 가슴이 올라오는 것이 바르게 삽입된 표시이다.

㉡ 기도유지기의 근위부에서 호기 시 공기의 흐름이 느껴진다.

⑨ 가능하면 100%산소공급으로 과환기 한다.

(f) 주의사항

① 너무 무리하게 삽입하면 코 출혈 등 비손상을 일으킬 수 있다.

② 두개 기저부 골절 의심될 때는 부주의로 뇌로 들어갈 수도 있어 절대로 사용해서는 안 된다.

③ 코 출혈이나 비강폐쇄가 있는 사람에게는 사용해서는 안 된다.

④ 길이가 너무 길면 식도로 유입되어 구토를 유발하거나 호흡곤란을 일으킬 수 있다.

⑤ 꼬이거나 방해물로 폐쇄를 일으킬 수 있다.

⑥ 비강손상(오래되었건, 최근이건)이 있으면 삽입이 힘들다

⑦ 막히는 느낌이면 반대쪽으로 실시하고 억지로 밀어 넣으면 안 된다.

Tip. 입인두와 비인두기의 사용에 적용되는 일반적인 원칙

① 구토반사를 보이지 않은 모든 무의식 환자에게 기도기를 사용한다.

② 입인두기도기를 참을 수 없는 구토증상이 있는 환자라도 비인두기도기는 견딜 가능성이 높다.

③ 기도보조기구를 삽입할 때, 환자의 혀가 인두 속으로 밀리지 않도록 조심한다.
④ 환자가 구토를 시작한다면 기도보조기구의 삽입을 중단한다.
⑤ 환자가 의식을 되찾거나 구토 증상을 보인다면, 즉시 기도보조기구를 제거한다.
⑥ 기도를 유지하는 동안 일회용장갑, 마스크, 보호안경 등 감염방지 조치를 한다.

8 산소공급기구

산소요법에서는 비강 캐뉼라, 단순마스크, 비재호흡마스크, 벤튜리 마스크가 이용한다.

산소요법의 목적은 저산소혈증의 교정, 호흡운동부하의 감소, 심근운동부하의 감소, 폐의 가스교환 능력의 분압이 일정하고 예측이 가능하다는 장점이 있지만, 사용방법이 저유량법에 비해 간편하지 않다는 단점이 진단을 위해 시행한다. 고유량법은 환자가 흡입하는 공기의 산소비율을 미리 정해서 일정한 농도의 산소를 공급하는 것이다. 벤튜리 마스크가 고유량 방법에 해당한다.

1) 비강 캐뉼라

(1) 용도

각 콧 구멍에 끼우는 2개의 돌출관이 있는 산소공급기구로 저농도의 산소를 요구하는 환자에게 주로 사용한다(그림 6-27).

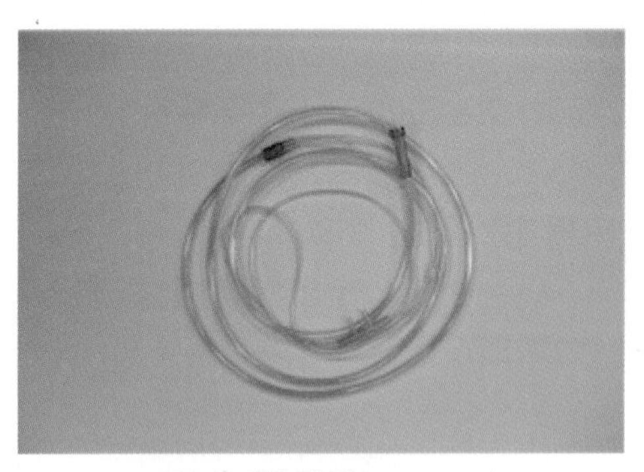

그림 6-27. 비강 캐뉼라(nasal cannula)

(2) 적응증

① 경한 저산소증 환자

② 이산화탄소 정체환자
③ 마스크에 대한 질식 느낌이나 두려움을 가진 환자나 구토를 경험하고 있는 환자

(3) 장점

① 산소 공급 동안에도 환자가 말을 할 수 있기 때문에 시술이 적용되는 동안 환자에 대한 정보를 수집할 수 있다.

(4) 금기증

① 비강폐쇄가 있는 환자

(5) 특징

① 환자에게 편안하고 쉽게 사용할 수 있으며 식사 중에도 사용할 수 있는 장점이 있다.
② 마스크 사용 시 질식할 것 같다고 호소하는 환자에게 유용하다.
③ 분당 1-6 L의 유량을 투여하면 흡입 산소농도를 24-44%로 공급할 수 있다.
④ 6 L이상의 산소를 주면 증가한 산소량이 비강에 불편한 느낌을 준다.
㉠ 비강 내에 고이게 되어 해부학적 보유가 점막을 건조시키고 두통을 유발하게 된다.
⑤ 장시간 사용 시 코점막 과도한 건조를 막기 위해 가습산소를 사용한다.
⑥ 호흡곤란, 다발성 외상, 고농도의 산소공급을 요구하는 환자에게는 부적합하다.
⑦ 만성폐쇄성폐질환(COPD) 환자에게 산소 공급 시 벤트리 마스크대용으로 사용한다.

Tip. 비강 캐뉼라(nasal cannula)

모든 저유량 산소투여장치 중에서 가장 환자가 편안해 한다. 산소유량은 0.5-6 L/min까지 조절하고 이때 FiO_2는 0.22-0.4 정도이다. 유량이 6 L/min 이상이면 코점막을 자극한다. 산소 유량을 1 L/min 증가시킬 때 마다 FiO_2는 0.04씩 증가한다.

Tip. 참고용어

① SaO_2 (saturation of arterial blood, 동맥혈산소포화도)
전체 혈색소 중에서 산소와 실제로 결합한 혈색소가 차지하는 비율을 말한다. 예를 들면, 산소포화도가 100%로 측정되었다면 혈색소가 산소로 완전히 포화되었음을 의미한다. 정상의 범위는 95% 이상이고, 임상에서 많이 쓰이는 SpO_2는 70-100%의 범위에서 SaO_2와 거의 비슷한 개념으로 쓰이고 있다.
② PaO_2 (arterial oxygen pressure, 동맥혈산소분압)

동맥혈액의 산소화 상태를 반영하는 중요한 지표이며, 혈액 내의 산소의 부분압력을 나타냈다. 폐의 산소화 능력을 간접적으로 평가해 폐에서의 산소섭취가 잘 되는지 알 수 있다. 정상범위의 PaO_2는 대략 80-100 mmHg이다.

③ FiO_2 (fraction of inspired oxygen, 흡입산소농도)

환자가 숨을 들이쉴 때 그중에 산소가 얼마나 있느냐를 나타낸 것으로 백분율로 표시한다. 호흡수, 호흡량, 산소공급 속도에 따라 실제로 환자가 마시는 공기 중의 산소농도는 달라진다.

2) 단순안면마스크

(1) 용도

경증의 호흡곤란 환자에게 주도록 사용되는 산소공급(40-60%의 산소농도 제공)하는 마스크이다(그림 6-28).

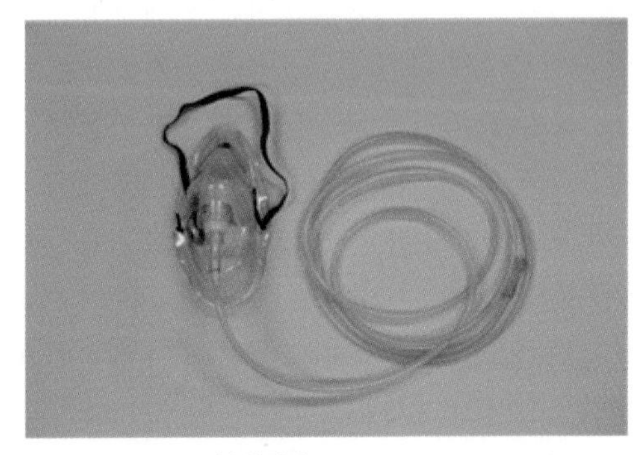

그림 6-28. 단순안면마스크(simple oxygen mask)

(2) 적응증

① 중정도 저산소증을 호소하는 환자

(3) 단점

① 환자를 구속하는 느낌

② 말을 못하게 하는 것과 얼굴을 단단히 고정

(4) 주의사항

① 오심, 구토가 있을 때

② 소아에게 6-8 L의 공기를 제공할 때는 신중하게 고려

(5) 특징

① 마스크에는 작은 구멍의 배출구가 있어 공기를 흡입시키고 CO_2를 배출한다.

② 마스크는 성인, 소아, 유아용이 있다.

③ 소아에게 산소마스크를 사용할 때는 입이나 안면에 바로 대지 말고 약간 떨어진 상태로 하면서 산소농도를 높여준다.

④ 분당 6-10 L의 유량을 투여하면 흡입 산소농도를 35-60%로 공급할 수 있다.

⑤ 자신이 내쉰 공기를 다시 호흡할 수 있으므로 마스크 내 이산화탄소 축적을 방지하려면 최소 분당 6 L이상의 산소를 공급되어야하고, 6 L이하 제공되면 호기 때 배출된 이산화탄소가 마스크에 축적된다.

Tip. 단순산소마스크(simple facial mask)

산소마스크는 유량을 더 많이 줄 수 있고 흡입가스를 저장하는 저장주머니가 있기 때문에 비강 캐뉼러보다 FiO_2를 더 높일 수 있다. 사용되는 유량은 8.15 L/min이고 이때 FiO_2는 0.4-0.5이다.

3) 비재호흡마스크

(1) 용도

심한 저산소증이 있으면서 스스로 호흡할 수 있는 환자에게 응급구조사가 고농도의 산소를 제공하기 위해 사용하는 산소공급 마스크이다(그림 6-29).

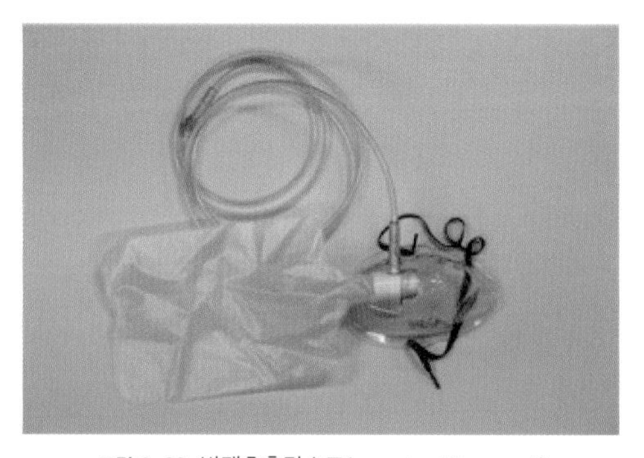

그림 6-29. 비재호흡마스크(nonrebrething mask)

(2) 구성

① 산소관과 저장 백이 부착된 안면 마스크로 구성되어 있다.

(3) 적응증

① 심한 저산소증으로 호흡성 문제를 가진 환자
② 쇼크
③ 급성심근경색증
④ 외상 혹은 일산화탄소 중독환자

(4) 특징

① 마스크와 저장주머니 사이에 일방향판 밸브(one-way valve)가 달려 흡기 시에는 산소저장 백의 산소를 흡입하고 호기 시에 내쉰 공기는 저장 백으로 다시 들어가는 것을 막는다.
② 분당 10-15 L 유량의 산소를 투여하면 흡입 산소농도를 80-100%(고농도 산소)로 공급할 수 있다.
  ㉠ 1분당 최소 8 L이상 산소를 제공하고자 할 때 이용해야 한다.
③ 저장백을 팽창시켜 놓고 사용해야 한다.
  ㉠ 15 L의 산소를 공급하고 마스크와 저장백 사이의 밸브 위를 엄지로 누르고 있으면 저장백이 가득 팽창된다.
④ 상대적으로 폐쇄적인 체계이기 때문에 바깥공기가 흡기 시에 들어오는 것을 제한한다.
⑤ 저장주머니가 완전히 위축되어 있으면 환자는 질식하게 된다.
  ㉠ 산소주머니는 마스크를 환자의 얼굴에 대기 전에 일방통행 조절용 밸브를 막아 저장백을 팽창 및 산소를 채운다.
⑥ 산소주머니는 항상 충분한 산소가 들어 있어서 환자가 가장 깊이 들이마실 때도 1/3 이상 줄어들어서는 안 된다.
⑦ 마스크는 불충분한 호흡환자, 청색증, Shock(차갑고, 축축하고), 호흡이 짧고, 흉통으로 고통을 받고, 또는 의식 수준이 변한 환자에게 사용하는 것이 좋다.

Tip. 비재호흡마스크(nonrebreathing mask)

부분재호흡마스크와 비슷하나 호흡낭에 일방(one way-valve)밸브가 있어 재호흡과 공기 혼합을 방지한다. 이 밸브는 저장낭과 마스크 사이에 있으면서 흡기 시에는 저장낭 에서만 환자에게 산소가 공급되도록 하고, 호기 시에는 마스크 옆의 구멍만으로 호기가스가 나가도록 해준다. 이론적으로 저장낭 내의 대기가 흡입될 수 없다고 하나 FiO_2는 0.9 이상 되기가 어렵다.

4) 벤튜리마스크

(1) 용도

원하는 산소농도를 선택하여 가장 정확한 농도를 투여할 수 있는 산소공급기구로 만성폐쇄성폐질환(COPD)환자에게 유용하다.

(2) 적응증

① 만성 폐쇄성 폐질환자(COPD)에게 사용한다.

② 흡기 시에 산소농도를 이상적으로 적절히 조절한다.

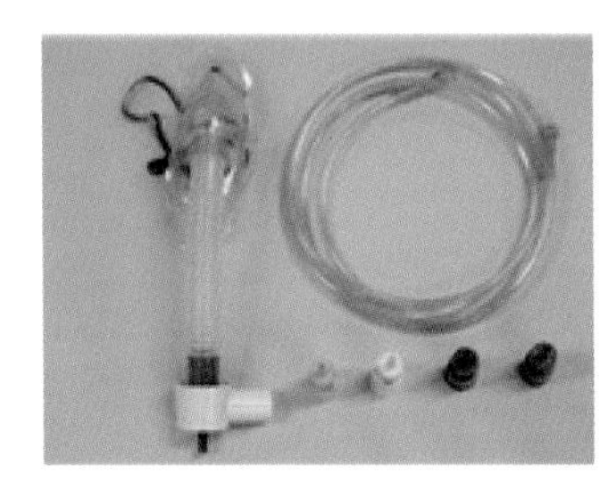

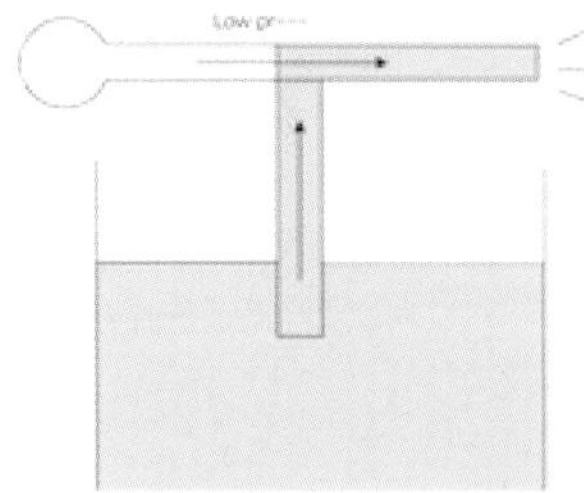

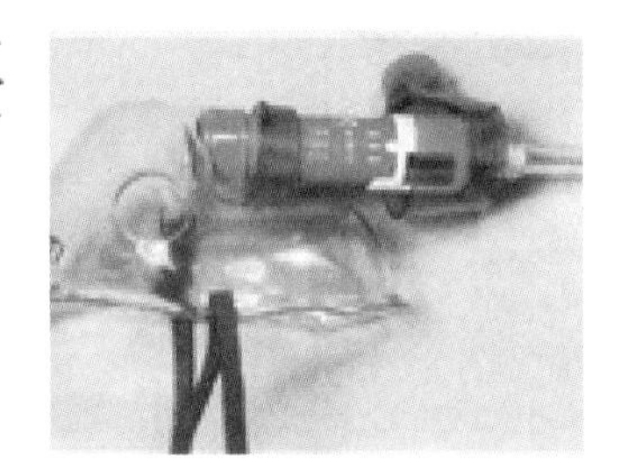

그림 6-30. 벤튜리마스크 및 원리

(3) 원리

벤튜리마스크의 원리는 베르누이(Bernoulli)원리이며 그 원리는 다음과 같다.

㉠ 빠른 속도로 좁은 부위를 지나가게 되면 압력이 낮아진다.

㉡ 그로 인해 일정한 비율로 다른 물체가 섞이게 된다.

㉢ 이러한 원리를 이용하여 일정한 산소분압의 산소농도로 공급된다(그림 6-30).

(4) 특징

① 안면마스크에 연결된 공급배관을 통해 특정한 산소농도를 공급해 주는 산소공급기구로 **벤튜리**효과에 의해 산소와 공기가 혼합되며 빨려 들어가는 공기량은 공기가 통하는 구멍의 크기에 달려있다.

② **벤튜리**마스크는 흡입산소를 24%, 28%, 35%, 40%(or 53%)의 농도로 제공하게 된다(표 6-4).

: 흰색 : 고농도(9-10L), 녹색 : 저농도(3-6L)

- 고농도 산소를 제공한다.
- 호흡수와 호흡의 깊이에 상관없이 같은 양의 바깥 공기가 들어오게 된다.

- 상대적인 정확한 산소농도가 제공한다.
- 벤튜리 마스크는 FiO_2를 0.24-0.4 사이로 안정되게 유지할 수 있다.

표 6-4. 사용 장비별 흡입산소 농도

종류 및 방법	산소 유량(L/min)	흡입산소 농도(%)
비강캐뉼러	1 2 3 4 5 6	24 28 32 36 40 44
단순안면마스크	6-10	35-60
비재호흡마스크	10-15	80-100
벤튜리마스크 24% 28% 35% 40%	4 4 8 8	24 28 35 40

Tip. 산소요법장비의 적용

Pulse oximetry	해 석	적 용
95-100%	적절	심질환 환자에게만 nasal cannula를 통해 4 L/min 공급
90-95%	경도-중증도 산소 부족	Nasal cannul에서 Face mask 변경
85-90%	중증도-중증 산소부족	Reservoir mask에서 Assisted ventilation 변경
〈 85%	생명에 위독한 산소 부족	Assisted ventilation에서 Intubation 변경

9 비침습적 호흡감시

산소화와 환기의 효율적인 감시를 위해 여러 기구가 이용된다. 병원 전 단계에서 일반적으로 사용되는 두 개의 기구가 있는데 그것은 맥박산소측정기(pulse oximeter)와 호기말 이산화탄소 측정기(end tidal carbon dioxide monitor)이다.

1) 맥박 산소측정기

맥박 산소화측정기(pulse oximetry)는 응급처치 시에 널리 사용되고 있으며, 맥박산소측정기는 말초조직에서의 산소포화도를 평가하기 위한 빠르고 정확한 수단을 제공한다. 이 기구는 다음 사항이 있다(그림 6-31).

① 환자에게 불편감을 주지 않으면서 빨리 적용 가능하고 조작이 간편하다.

② 측정의 결과는 정확할 뿐 아니라 말초의 산소공급 변화를 지속해서 측정할 수 있다.

③ 혈압, 맥박, 호흡에 문제가 있다는 것을 알기 이전에 산소화에 관한 문제를 발견할 수 있다.

④ 말초부위의 산소포화도는 손끝, 발끝, 귓불에서 측정할 수 있다.

㉠ 영아에서는 감지체는 발꿈치 주위에 대고 테이프로 싸서 측정한다.

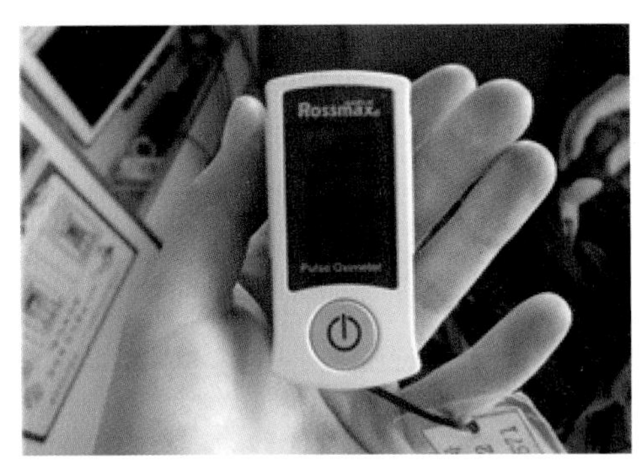

그림 6-31. 맥박 산소측정기(pulse oxymetry)

⑤ 호흡곤란이나 호흡계 문제를 호소하고 있는 환자를 위하여 맥박산소측정기가 있다면 사용하는 것이 바람직하다.

맥박 산소화측정기(pulse oximetry)의 원리는 두 개의 감지체 빛 방출 진공관과 두 개의 감지장치를 가지고 있다. 한 진공관의 방출된 빛 파장은 산화된 헤모글로빈에 반응하고(적색), 다른 진공관의 파장은 환원된 헤모글로빈에 반응한다(적외선). 각 헤모글로빈은 특정의 방출된 빛을 흡수하며, 일치되는 감지체에 도달하는 것을 막고 있다. 감지체에 빛의 도달량이 적어질수록 더 많은 양의 특정 유형의 헤모글로빈이 존재한다. 산소화측정기는 이 흡수된 색깔들 간의 차이를 비교하여 산소포화율(oxygen saturation percentage, SpO_2)이라는 비율을 측정하게 된다.

맥박 산소화측정기는 산소포화율(SpO_2)을 측정하여 알려준다. 그리고 감지체에 의해 맥박수를 알려 준다.

① 산소포화율은 숫자로서 표시된다.

㉠ 어떤 경우는 파형으로도 보여준다.

② 산소포화율과 혈액 내의 산소분압(PaO2)간의 관계는 매우 복잡하다.

㉠ 산소포화율과 산소분압과는 상관관계가 있다.
- 산소포화율이 증가할수록 산소 포화도는 증가하게 된다.

③ 혈액 내의 98% 산소가 헤모글로빈에 의해 운반되고, 2%만이 혈장에 용해된 것을 기억하는 것은 중요하다.

④ 맥박산소화측정기는 말초혈액의 산소운반상태를 정확하게 분석할 수 있다.

환자가 어떤 상태에 있어도 사용할 수 있으므로 '5번째의 활력징후'로 간주하고 있다. 또한, 환자의 기본검사 수치를 유지하기 위한 평가도구로 이용되고 있다. 환자처치의 방향 제시와 중재에 의한 환자의 반응을 감시하는 것으로도 이용되고 있다. 이 치료의 목적은 산소포화율을 정상범위(95-99%)로 유지하는 것이다.

맥박수가 맥박 산소측정기에서 틀리게 표시되는 빈도는 소수이다. 이 경우는 맥박 산소 측정기가 오류(error) 신호를 보였거나, 공백화면(blank-screen)일 때이다. 맥박 산소화측정기는 응급처치와 병원 전 처치에서 중요하다. 심전도 감시기와 마찬가지로 환자에 대하여 중요한 정보를 제공해 준다. 그러나 이것은 단지 부가적인 기구일 뿐이다. 맥박산소화측정기는 다른 사정도구나 감시 기술을 대신할 수 없으므로 그 결과에만 의존하여 처치하지 않도록 한다.

(1) 용도

환자의 손가락 끝(영아는 엄지발가락)에 끼워 맥박과 혈중 산소포화농도를 측정하는 것으로 기도유지상태, 분당 산소투여량, 산소공급의 적절성 등을 확인하는 데 유용하며, 맥박산소측정기라고 한다.

(2) 원리

① 피부와 혈관을 통과하는 적외선을 통하여 혈액의 색깔과 혈관 내에 있는 헤모글로빈의 백분율을 계산하여 산소포화도를 간접적으로 측정하는 장비이다. 흡수된 적색 빛과 적외선 간의 비율을 계산하여 산소포화율(SpO_2)을 측정한다.

② 환자의 호흡평가, 기도개방의 효과, 환기의 효과, 제공되는 산소의 적절성 등을 평가하는 데 매우 유용하게 사용한다.

③ 비침습적 기구로 빨리 적용할 수 있고 조작이 간편하다.

④ 측정결과는 정확하며 말초의 산소공급 변화를 지속해서 반영해준다.
㉠ 혈압, 맥박, 호흡보다 더 빨리 산소화에 대한 문제를 모니터해준다.

⑤ 산소포화도를 95% 이상 유지되도록 관리하여야 한다(표 6-5).
㉠ 정상 산소포화도 측정치는 95-99%이다.
㉡ 약간의 저산소증(91-94%)은 지속적으로 환자평가하고 산소를 공급한다.

㉢ 중등도의 저산소증(86-91%)은 산소공급 시 COPD 환자를 유의해가며 산소를 공급한다.

㉣ 심각한 저산소증(85% 이하)은 100% 산소를 즉각적으로 공급하고 환기보조를 실시한다.

(3) 주의사항

① 환자가 쇼크와 저체온증일 경우 모세혈관을 통하는 혈액이 충분하지 않기 때문에 측정치가 부정확할 수 있다.

② 일산화탄소 중독자나 만성흡연자의 경우 혈액 내에서 헤모글로빈과 이산화탄소의 결합을 장비가 붉은색으로 감지하기 때문에 실제 포화도보다 높게 판독된다.

③ 화상, 혈종, 매니큐어 칠한 손톱 등에는 정확한 측정이 어려우므로 피하고, 매니큐어는 아세톤으로 닦아낸다.

④ 패혈증(sepsis)이나 저체온 환자(말초혈관 수축)의 경우 맥박산소측정에 대한 판독이 어렵다.

⑤ 저혈량, 심각한 빈혈 환자에게도 맥박산소화 측정기는 실수가 나타날 수 있다.

⑥ 잘못된 결과는 일산화탄소 중독, 고밀도 광선(빛의 강도)가 높거나, 비정상 헤모글로빈일 때, 사지결손일 경우와 산소포화 수치가 정상일지라도 산소를 운반할 수 있는 총 헤모글로빈양이 현저하게 감소하여 환자의 세포수준(cellular level)은 저산소상태일 수 있다. 따라서 항상 환자의 전반적 상태를 고려하여 치료해야 한다.

표 6-5. 맥박 산소측정치에 따른 산소공급

측정값 범위	병원 전 처치
정상범위 : 95-100%	계속 관찰
경미한(Mild) 저산소증 : 91-94%	산소 공급 : 저용량
중간(Moderate) 저산소증 : 86-90%	산소 공급 : 고용량
중증(Severe) 저산소증 : ≤85%	산소 공급, 환기(호흡보조)
SpO_2 측정값이 잘못해서 낮게 측정되는 경우 ㉠ 차가운 팔 · 다리 ㉡ 저체온증 ㉢ 저혈량증 SpO_2 측정값이 잘못해서 높게 측정되는 경우 ㉠ 빈혈 ㉡ 일산화탄소 중독	
※ 환자 SpO_2 측정값이 정상일지라도 의심되면 산소 공급하라.	

2) 호기말 이산화탄소 감지기

호기말 이산화탄소를 측정할 수 있는 장비가 있다. 만약 기관내 관의 끝에서 호흡가스를 채취했을 때 측정된 이산화탄소의 수치는 호기 말에서 가장 높을 것이다. 이를 호기말 이산화탄소 분압측정(end-tidal CO_2 measurement)이라고 한다. 이산화탄소가 감지되고 있다는 사실은 신체의 대사과정에서 이산화탄소 생성이 활성화되어 있으며, 이 가스는 폐에서 적절하게 교환되고 있다는 것을 가정한다. 식도와 위장에는 이산화탄소가 거의 없다는 것을 기억해야 하고 다음과 같은 주의한다.

① 기관내관이 식도 안으로 들어가 부적절한 위치에 있다면 카프노메트리(capnometry)에서 이산화탄소가 감지되지 않는다.

② 환자가 심정지 상태라면 아무리 기관내관이 바르게 위치하고 있다 하더라도 capnometry에서 이산화탄소는 감지되지 않는다.

③ 전체 환기 과정(capnography의 계속적인 파형) 내에 이산화탄소의 수치를 측정하는 장비는 병원 전 응급현장에서 1차적으로 기관내관의 적절한 위치를 확인하기 위하여 사용된다.

㉠ 배출된 공기에서 이산화탄소가 없으면 관은 식도에 있으며 이산화탄소가 있으면 기관 내에 적절히 삽입되어 있음을 의미한다.

㉡ 기관내 삽관 후 호기말 일회 호흡 시(내쉬는 공기 중) 이산화탄소의 농도를 감지하여 기도확보의 적절성을 확인할 수 있는 작은 크기의 유용한 기구이다.

④ 호기말 이산화탄소분압측정기에서 보이는 판독 소견이 거의 즉각적으로 변화된다.

호기말 이산화탄소 검출기(end-tidal carbon dioxide, $ETCO_2$)는 일회용과 전기식 감시기가 있다(그림 6-32). 이 기구는 기관내관과 인공환기 장치 사이에 부착시킨다. 관의 적절한 위치는 전기 감시기 빛에 의한다. 어떤 기구는 맥박 산화측정기와 함께 있어, 혈압, 맥박, 호흡, 체온을 한 번에 볼 수 있는 호기말 이산화탄소 검출기도 있다.

① 비색계(색도계)

Colorimetric Divices는 pH에 예민하고 플라스틱 통 안에 화학적으로 침투(impregnated)된 종이를 감싸서 만든 1회용 $ETCO_2$탐색기이다. 환자와 환기장비 중간의 기도관리 회로 안에 장치하게 된다. 호기말이산화탄소 측정기 상부에 감지된 호기말 이산화탄소 판별 기준 색깔 척도가 제공되는데, 호기말 이산화탄소 측정기의 검출 식별자의 최초 색깔이 판별기준 표시기의 자주빛 색깔과 동일하지 않거나 "CHECK" 색보다 더 검다면 사용할 수 없다. 새로운 측정기를 개봉하여 사용하여야 한다.

㉠ 비색 종이가 이산화탄소에 노출되면 수소이온(H+)이 생성되어 종이 색깔이 변화하

게 된다.

ⓛ 색변화는 가역적이다.

ⓒ 흡기와 호기마다 변화한다.

ⓡ $ETCO_2$ 수치를 예측할 수 있다.

ⓜ 과이산화탄소증이나 저이산화탄소증을 탐색하지 못한다.

ⓑ 위 내용물이나 기관 내에 에프네프린 투여 같은 산성약물이 종이에 묻을 경우 그 뒤 판독 값은 신뢰할 수 없다.

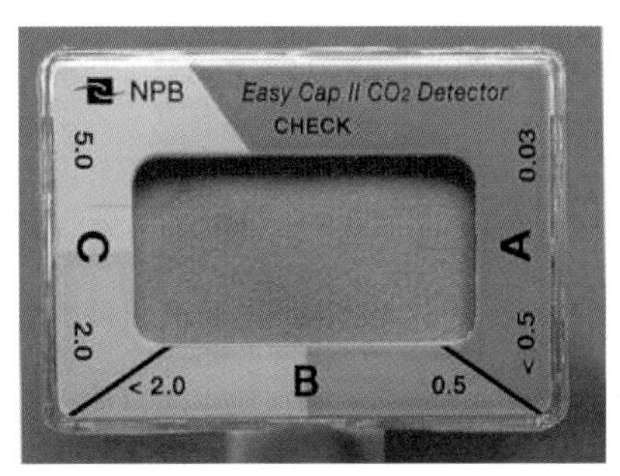

그림 6-32. 색도계

등급	호기말이산화탄소	의미
A	0.03-0.5%(4mmHg 미만	환자관류가 적당한 경우 : 기관내삽관이 잘못됨
	- 즉시 기관내 튜브를 제거하고 백밸브마스크 환기를 충분히 재개한 후 필요한 경우 재삽관을 시도한다 .	
B	0.5-1.9% (4-15 mmHg)	기관내삽관이 잘못되었을 수 있음
	- 신속히 기관내 튜브의 pilot bulb 를 점검하고 호기 시에 커프를 통하여 새는지를 들어보고 새는 소리가 들리면 , 커프를 더 부풀려서 튜브의 자리를 잡게 하여야 한다.	
C	2-5% (15-38mmHg)	적절하게 기관내삽관이 이루어짐
기타	- 호기말 이산화탄소 측정기 결과에 대한 결론이 확실하지 않고 기관 내 삽관 위치의 적절성을 확신할 수 없다면 , 즉시 기관내 삽관을 제거한 후 백밸브마스크 환기를 재개한다. - 호기말 이산화탄소 측정기를 완전히 사용한 후에 측정기는 쓰레기봉투에 일회용 처리되어야 한다 .	

② 전자장치

전자장치(Electronic Devices) $ETCO_2$ 탐색기는 호기 내 이산화탄소를 탐색해내기 위한 적외선 기술을 사용한다. 감지기내 열소자가 적외선을 방출한다. 이산화탄소 분자가 적외선을 아주 특별한 파장에 따라 적외선을 흡수하여 계산한다. 전자 $ETCO_2$ 측정기는 이산화탄소의 현존을 단순히 찾아내는 질적인 장치와 얼마나 많은 이산화탄소가 있는지 판단하는 양적인 장치이다. 병원 전 응급처치에서는 현재 상례적으로 양적 측정 장비가 사용된다(그림 6-33). 대부분의 호기말이산화탄소분압측정기는 디지털 파형(capnogram, 호기말이산화탄소분압 측정도)을 제공하고, 전 호흡주기를 반영한다.

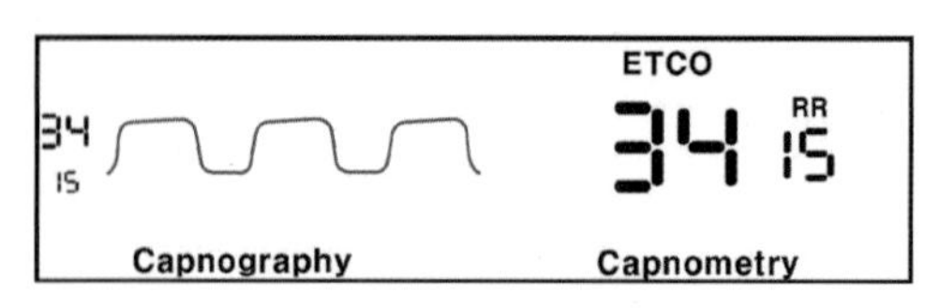

그림 6-33. 정량적 호기말 이산화탄소 측정기
㉠ Capnography : 호기말 이산화탄소 농도를 연속적인 그래프 형태로 보여준다.
㉡ Capnometry : 호기말 이산화탄소 농도를 숫자로 보여준다.

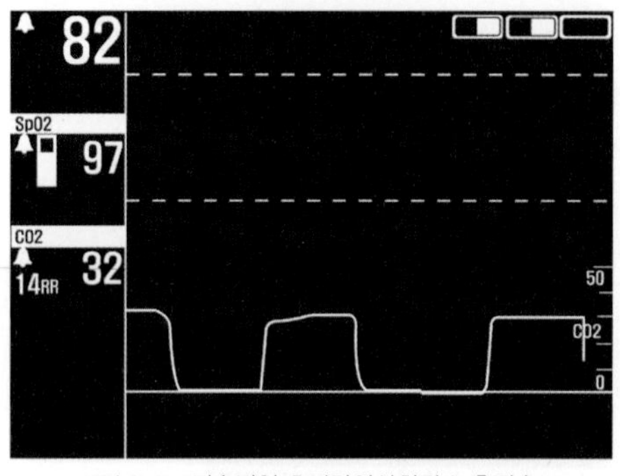

그림 6-36. 지속적인 호기말이산화탄소 측정술

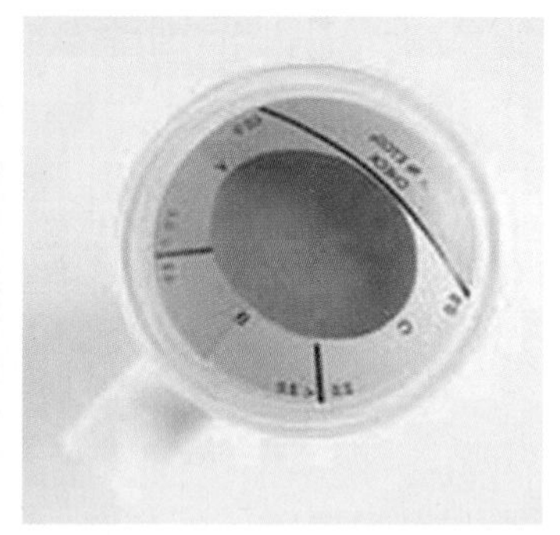

그림 6-37. 이산화탄소분압색도감지기

③ 호기말이산화탄소분압측정도

호기말이산화탄소분압측정도(Capnogram)는 시간 경과에 따른 이산화탄소 농도를 반영한다. 과거보다 기관내삽관 튜브의 적절한 위치를 판단하기 위하여 $ETCO_2$ 탐색이 사용되고 있으며, 전형적으로 기관삽관 이후 기도 회로에 질적인 측정을 위한 $ETCO_2$ 장치를 두고 있다. 정형적으로 4단계로 나뉘어진다(그림 6-34).

㉠ 1단계 : 호흡의 기본선이다. 이산화탄소가 없을 때 직선이며 흡기의 끝 단계와 호기의 첫 단계까지 해당한다(이산화탄소 유리되지 않은 호흡사강 내 가스)

㉡ 2단계 : 호흡 상승운동(Upstroke)을 말한다. 이는 폐포내 이산화탄소가 나타났음을 보여준다.

㉢ 3단계 : 호흡 하강운동(plateau)을 말한다. 이는 거의 일정한 양의 이산화탄소가 균일하게 환기되고 있는 폐포를 통한 공기의 흐름을 보여준다. 하향 움직임(plateau)의 가장 높은 수치는 $ETCO_2$라고 불리며 Capnometer에 의해 기록되어진다.

㉣ 4단계 : 흡기단계이다. 갑작스러운 하강운동(downstroke)이 있고 결국 호흡 중 호흡 기본선으로 돌아온다 호흡 중지가 주기를 재시작하는 단계이다.

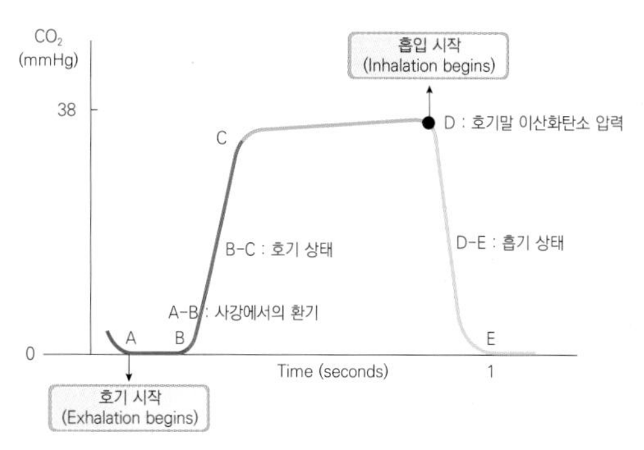

그림 6-34. 호기말이산화탄소 분압의 파형의 구간

단계	구간	의미	호흡상태	비고
1 단계	A-B	흡기말기, 초기 호기(CO_2 없음)	사강에서의 환기	
2 단계	B-C	배출가스에 CO_2 나타남	호기상태	
3 단계	C-D	정점지속(plateau), 지속적인 CO_2	폐포의 호기	
4 단계	D-E	흡기시 이산화탄소 급 감소	흡기상태	
기타	D	가장 높은 이산화탄소분압(ETCO$_2$)	호기말 이산화탄소 압력	
	E-A	호흡정지		

(1) 용도

기관내 삽관 후 호기말 일회 호흡 시(내쉬는 공기 중) 이산화탄소의 농도를 감지하여 기도확보의 적절성을 확인할 수 있는 작은 크기의 유용한 기구이다.

(2) 원리

① 이산화탄소(CO_2)는 정상적인 대사산물이며 우측 심장정맥계를 통해 이송된다.
  ㉠ 우심실에서 폐동맥으로 이동되어 폐모세혈관으로 들어간다.
  ㉡ 최종적으로 허파꽈리에서 확산되며 호기를 통해 체외로 배출된다.
② 삼투가 감소하는 쇼크나 심장마비 상황에서 ETCO$_2$는 환기가 아니라 폐혈류, 심박출량을 반영한다.

(3) 사용방법

① 백-밸브와 삽관튜브 사이에 연결하여 사용한다.
② 기관내 삽관의 성공을 확인하고, 적절한 호흡의 용량으로 6번으로 BVM 환기를 시행한 이후 capnometry 또는 capnography를 장착할 준비하고 센서를 환자의 손가락에 부착한다.

③ 환자 호기에 따라 호기말 이산화탄소 측정치나 그래프가 적절하게 나타나는지 확인한다.

④ 환자의 혈관류가 적당한 징후를 보이는데 측정치나 그래프의 변화가 적절하지 않을 경우, 적절치 않은 기관내 삽관 또는 튜브의 위치를 고려하고, 기관내 튜브를 제거하고 백밸브마스크 환기를 충분히 재개한 후 재삽관을 시도한다(그림 6-35).

㉠ 호기말 이산화탄소 측정기 결과에 대한 결론이 확실하지 않고 기관내 삽관 위치의 적절성을 확신할 수 없다면, 즉시 기관내 삽관을 제거한 후 백밸브마스크 환기를 재개한다.

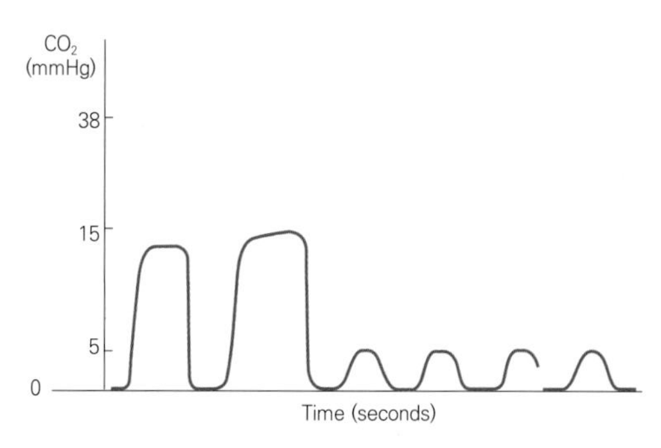

그림 6-35. 심폐소생술 중 또는 그래프의 변화가 적절하지 않을 경우

(4) 주의사항

① 이산화탄소 수치로 기관내 삽관의 적절성을 완벽하게 신뢰할 수 있는 것은 아니므로 보조적인 방법으로 사용하는 것이 바람직하며, 가슴의 팽창, 상복부 청진음 및 양쪽 폐음을 청진하여 기관내 삽관의 적절성을 평가해야 한다.

② 기관내삽관 튜브의 정확한 위치를 지속적으로 모니터링 할 수 있는 방법은 파형 호기말 이산화탄소분압 측정이다.

③ 소아용과 성인용이 구분되어 있으므로 적절하게 사용하여야 한다.

(5) 임상적 의의

① $ETCO_2$를 삽관 후 위치파악에 사용(적절한 삽관이 확인)하고 삽관된 환자의 관의 적절한 위치와 환기의 적절성이 평가한다.

㉠ $ETCO_2$ 수치가 감지되면 적절한 기관내관삽관의 위치가 확인된다.

㉡ 병원 전 응급의료종사자는 환자의 상황을 계속적으로 감시할 수 있다.

② $ETCO_2$ 감소는 쇼크, 심장마비, 폐색전증, 기관지 경련 및 점액축적과 같은 불완전기도 폐쇄에서 나타난다.

③ $ETCO_2$ 증가는 과소 환기, 호흡저하, 고체온증에서 나타난다.

④ $ETCO_2$ 감지는 심폐소생술에서도 유용하게 사용된다.
㉠ 심정지 동안 이산화탄소 측정치는 심정지 발생 직후 급작스럽게 떨어진다.
㉡ 효율성 높은 심폐소생술의 시작과 함께 다시 상승하고 자연순환회복(Return of Spontaneous Circulation : ROSC) 시 거의 정상 수치로 돌아온다.
㉢ 효율적 심폐소생술 동안 $ETCO_2$ 수치는 심박출량 관상동맥관류압, 심폐소생술 흉부 압박의 효율성까지도 일치된다.

Tip. $ETCO_2$ 측정시 고려사항

구분	그래프 이동	의미
하강	$ETCO_2$가 0까지 급속하강	식도내삽관, 환기장치 연결되지 않았거나 환기장치 결합, 이산화탄소 분석기계 결합
	$ETCO_2$가 0은 아니지만 하강	환기체계 내 누출 및 폐쇄, 환기회로 내 부분적인 연결해제, 부분적 기도폐쇄(분비물)
	$ETCO_2$의 기하급수적 하강	폐쇄전증, 심정지, 저혈압(갑작스러운), 심한 과환기
	$ETCO_2$의 점진적인 저하	저혈량증, 심박출량이 저하되고 있는 경우, 체온이 저하되고 있는 경우(저체온증, 대사 작용이 떨어지는 경우)
기본선 변화	CO_2 기본선의 변화	계산 실수, 이산화탄소 분석기계내 물방울, 계적인 실패(환기장비)
상승	$ETCO_2$ 급속 상승	이전에 폐쇄되었던 폐부분까지 접근 가능해진 경우, 지혈대를 풀었을 때, 혈압의 급속 상승
	$ETCO_2$ 점진적인 상승	체온이 상승하고 있는 경우, 저환기, 이산화탄소 흡수, 부분적인 기도폐쇄(이물질): 반응성 기도질환(reactive airway disease)

Tip. 용어정의

① 이산화탄소 계측기 : 호기 중 이산화탄소를 측정하는 기구
㉠ CO_2분압(Torr 또는 mmHg) 또는 CO_2를 % 숫자로 표시
② 이산화탄소 기록술 : 이산화탄소 정도를 그래프로 나타낸 것
③ 이산화탄소 측정기 : 호기 중 CO_2 수준을 나타내는 기구
④ 이산화탄소 기록 : 호기 중 CO_2를 파형으로 나타낸 자료
⑤ 호기말 이산화탄소($ETCO_2$) : 호기말 이산화탄소의 농도를 측정하는 기구
⑥ $PETCO_2$: 혼합가스 용액 내 호기말 이산화탄소 분압을 나타낸 것
⑦ $PaCO_2$: 동맥혈 이산화탄소 분압

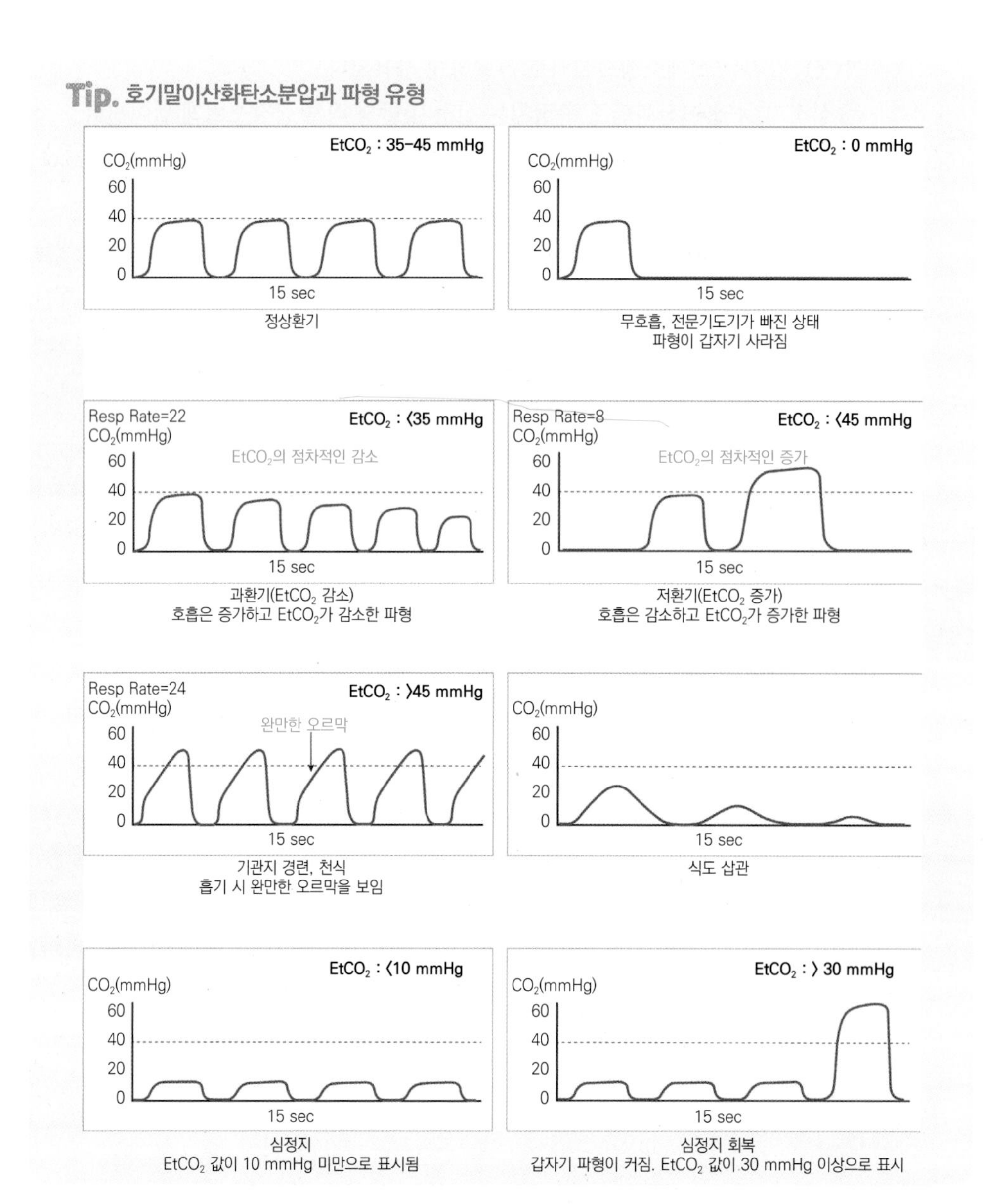

10 전문기도유지

전문 기도유지에서는 기구 삽입 시에 특별한 훈련을 해야 한다. 많이 이용되는 방법은 기관내삽관이다. 이것은 유일하게 기관을 따로 떨어지게 한 방법이다. 몇몇 응급의료체계에서는 기관내삽관을 활용하지 않고, 대신에 후두마스크 기도기(LMA, laryngeal mask airway), 인두기관튜브 기도기(pharyngeo-tracheal lumen airway, PTL), 식도 기관 복합튜브(esophageal, tracheal combitube, ETC) 또는 식도 폐쇄 기도기(esophageal obturator airways, EOA) 등이 사용되고 있다.

1) 기관내삽관

기관내삽관(Orotracheal Intubation)은 상부기도 이상 있거나 있을 것 같은 환자에게 확실하게, 기도개방을 확보해 주는 방법이다. 또한, 구강내의 이물질이 기관으로 유입되는 것을 방지할 수 있다.

(1) 용도

후두경으로 후두개와 성문을 확인하고 기관까지 튜브 삽관하여 기도를 유지하는 것으로 가장 효과적인 기도확보 방법이다.

① 환자 기도확보 목적으로 기관 내로 삽입되는 것
② 입이나 코를 통해 삽입
③ 후두경을 통해 후두를 볼 수 있다
㉠ 특별한 경우는 보지 않고 기관내삽관을 삽입하기도 한다.

(2) 적응증

① 호흡 혹은 심정지 상태(구토반사 없는 무의식 상태)
㉠ 기도 보호 능력이 없어 기도 흡입 위험성이 커지는 경우
㉡ 이물질, 외상, 화상 등 과민성 반응에 의한 기도폐쇄 현상

(3) 필요한 장비

후두경(laryngoscope), 기도삽관용 튜브, 기도기, 고정 장비, 젤리, 10ml 주사기, 탐침(stylet), 백-밸브 마스크, 흡인기구, 교합저지기(Bite block), 마질겸자((Magill forceps) 등이 있다.

(가) 기관내삽관 튜브

기관내삽관 튜브는 커프가 있는 것과 없는 것으로 구분된다(그림 6-38).
커프 있는 튜브의 크기(mm) : 3.0, 4.0, 5.0, 5.5, 6.0, 6.5, 7.0, 7.5, 8.0, 8.5, 9.0, 10.0
커프 없는 튜브의 크기(mm) : 2.5, 3.0, 3.5, 4.0, 4.5, 5.0, 5.5, 6.0, 6.5

(나) 후두경

혀와 후두개를 들어 올려 성대를 볼 수 있게끔 만든 기구이다.

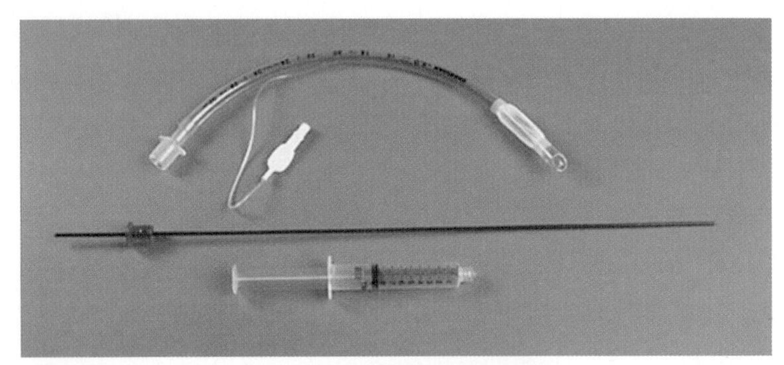

그림 6-38. 기관내삽관 튜브(endotracheal tube)

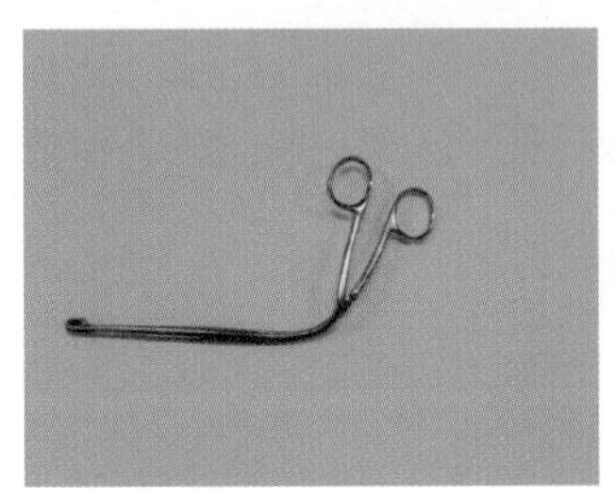

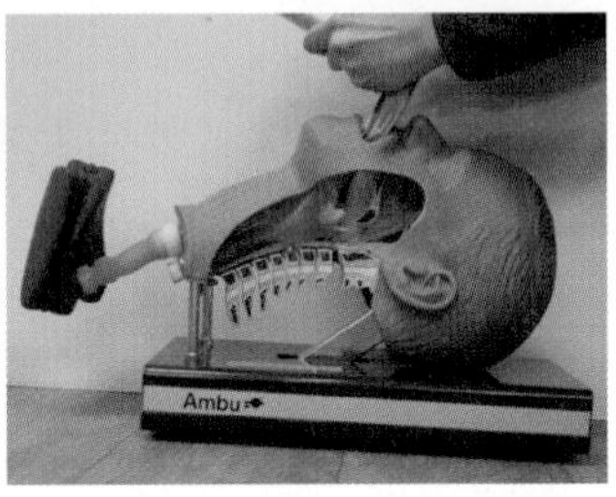

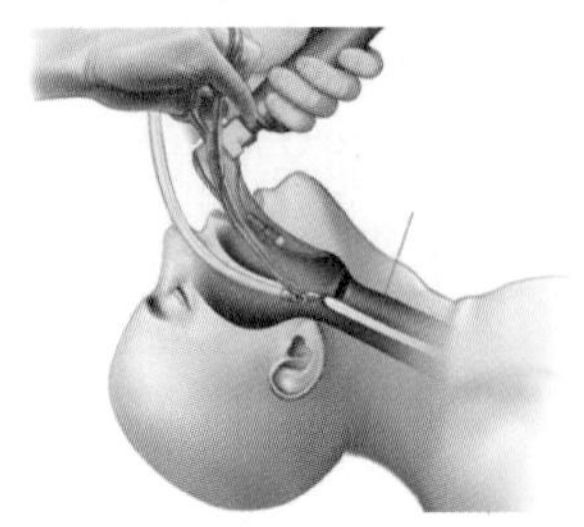

그림 6-39. 마질겸자에 의해 이물질 제거 및 비기관내 삽관 시 사용

(다) 마질겸자

끝이 원 모양을 가진 가위형태의 집게이며, 상기도의 이물질을 꺼낼 때 이용하거나 비기관 삽관시 기관내 튜브의 방향을 바로 잡아야 할 때 사용한다(그림 6-39).

(라) 기도삽관 고정기

① 용도 : 기도삽관 튜브가 적당히 위치하면 기도삽관 고정기를 사용해 고정함으로써 환자가 물어서 튜브가 막히는 것을 방지하고 튜브 끝의 위치를 고정할 수 있다(그림 6-40).

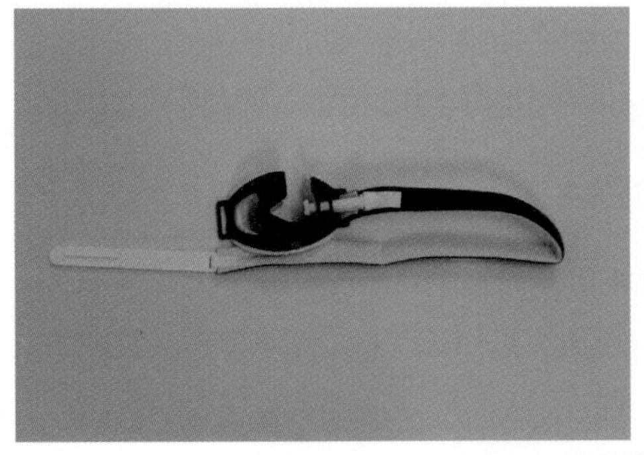

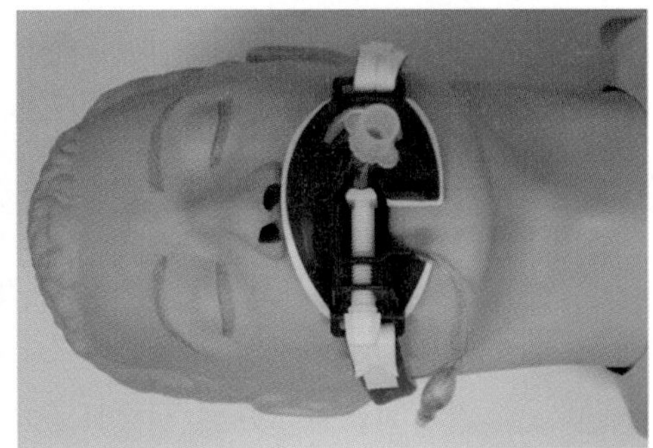

그림 6-40. 기도삽관 고정기(bite block)

(마) 기도삽관 기구 가방

① 용도 : 기도삽관에 필요한 기도유지기, 후두경, 기도삽관용 튜브, 마질겸자(Magill forcep) 등을 보호하면서 사용하기 편리하게 고안되었다(그림 6-41).

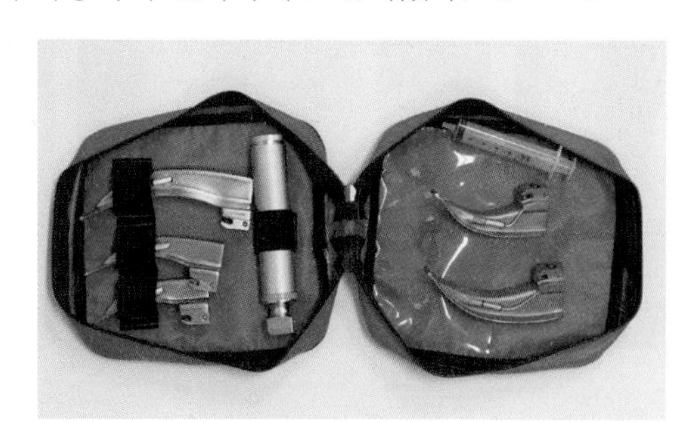

그림 6-41. 기도삽관 기구 가방

(4) 가장 흔한 날의 유형

① 만곡형 날(curved blade, macintosh) : 후두개를 곡에 위치하고, 후두개 곡(epiglottic vallecula)에 맞게 만들어져 있다.

㉠ 주로 성인에게 사용된다.

㉡ 설골후두개 인대를 누르고 후두개를 앞쪽으로 당겨서 간접적으로 성대가 보이도록 한다.

㉢ 후두를 닿지 않으며 손상을 일으키지 않는다.

㉣ 후두개 후면에 위치하면 민감한 구역반사를 자극한다.

② 직선형 날(straight blade, Miller, Wisconsin, Flagg blade)

㉠ 영아에서 더 많이 사용된다.

㉡ 후두개 **밑**에 맞도록 만들어져 있다.

㉢ 손잡이를 앞쪽으로 들어 올리면 후두개가 직접 들어 성대를 잘 볼 수 있다.

㉣ 혀를 많이 움직이게 하며 후두개를 더욱 잘 볼 수 있게끔 해 준다(그림 6-42, 6-43).

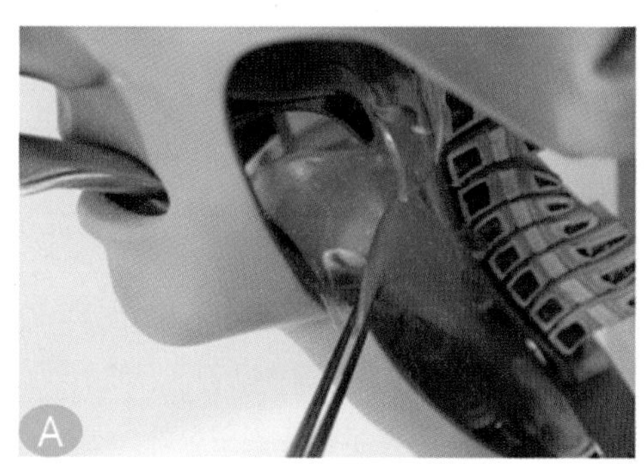

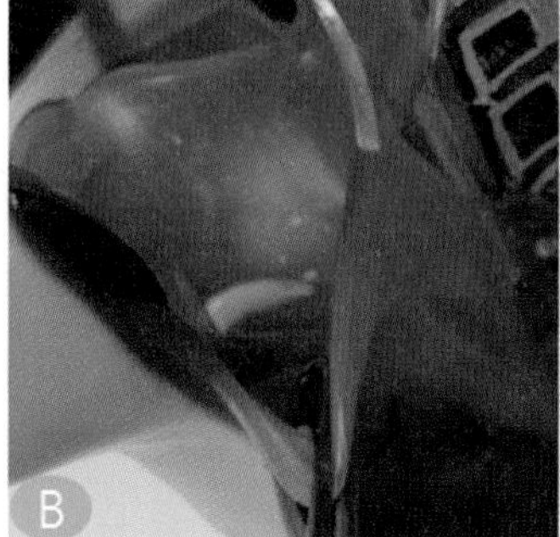

그림 6-42. 후두경 날의 종류에 따른 위치(A : 만곡형 날, B : 직선형 날)
후두경 날의 크기 0(영아용)에서부터 4(큰 성인용)까지 여러 종류가 있다.

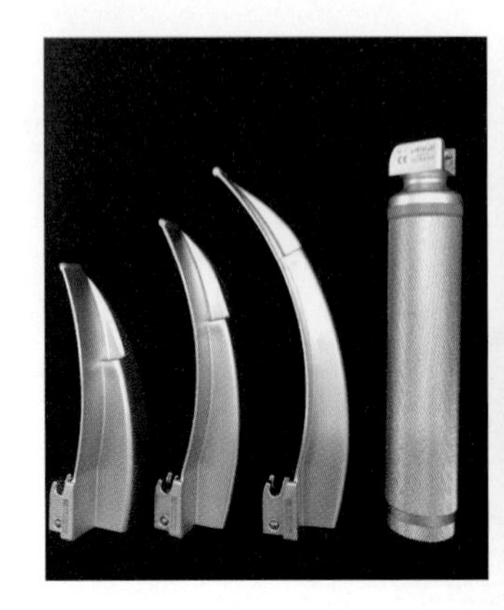
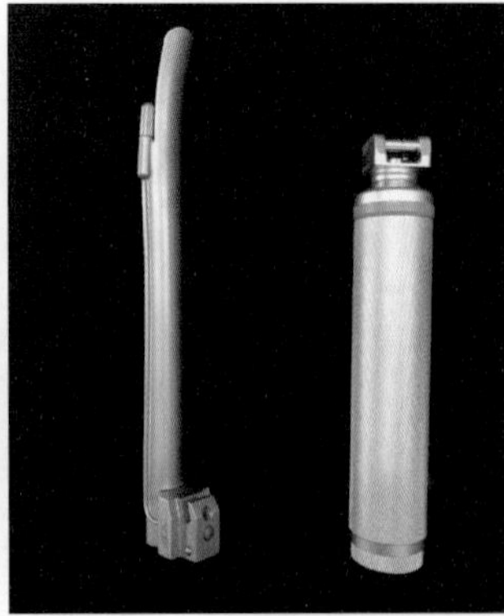
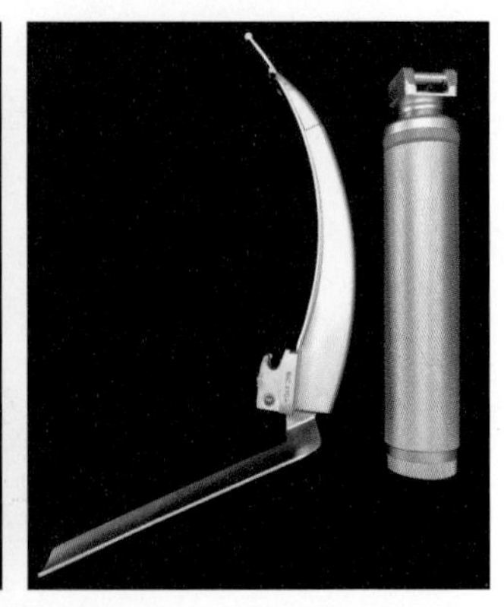

그림 6-43. 후두경 날의 종류

(5) 특징

① 후두경을 다루는 기술이 기관내삽관술의 핵심이라 할 수 있다.
② 기도삽관은 전문적 기도유지법으로 많은 훈련과 교육이 필요하다.
③ 가장 확실한 기도유지 방법으로 기도와 식도를 완전하게 분리하여 위 내용물이나 분비물이 기관으로 유입되는 것을 방지할 수 있다.
④ 기관이나 폐 내에 저류하는 분비물 등을 흡인하여 기도를 청청화시킬 수 있다.
⑤ 구강을 통한 삽관 방법과 후두경을 사용하지 않는 비강을 통한 삽관 방법이 있다.

(6) 주의사항

① 후두경 사용 시 치아 손상의 우려가 크므로 주의하여야 한다.
② 시행 중 산소중단 시간을 최소화하여야 한다.
   ㉠ 삽관 전에는 충분한 산소를 투여하고 백-밸브 마스크로 과환기를 시켜야 한다.
   ㉡ 가능한 15초 이내에 삽관을 완료하고, 1회 시도에 30초를 초과하지 말아야 한다.
③ 30초 이내에 삽관 실패하면 호흡보조로 충분한 산소를 제공한 후 재시도해야 한다.
④ 기관삽관은 냄새 맡는 자세(Sniffing Position)를 가장 적절한 자세로 보면, 경추손상 환자의 경우 삽입에 어려움이 많다.

(7) 삽입방법

① 후두경에 날을 끼우고 불이 들어오는지 확인한다.
② 튜브의 커프에 10 cc 주사기로 5-10 cc 공기를 넣어서 커프가 새지 않는지 확인한다.
③ 백-밸브 마스크로 환자에게 산소를 공급한다.
④ Sniffing position을 유지한 후 우측 구각으로 후두날을 삽입한다.
⑤ 환자의 머리를 약간 신전시키고 후두경을 사용하여 성문을 확인한다.

⑥ 튜브가 성문으로 들어가는지 눈으로 확인하면서 기관내 튜브를 삽입한다.
⑦ 튜브의 끝이 성문을 통과하면 1-2 cm 정도 집어넣고 스타일렛을 제거한다.
⑧ 커프 공기주입구에 5-10 mL의 공기를 주입하여 커프를 팽창시킨다.
⑨ 기관내삽관 튜브에 백-밸브 마스크를 연결한 후 환기를 하여 흉곽상승이 잘 관찰한 후 과환기를 지시한다.
⑩ 환기하면서 폐의 양쪽과 위에 대한 호흡음을 청진하여 적절하게 삽관되었는지를 확인한 후 입인두기도기를 넣고 고정한다.
⑪ 첫 번째 응급구조사는 기관내삽관을 한 환자에게 백으로 환기하면서 두 번째 응급구조사는 흡인한다.
⑫ 튜브의 삽입 깊이를 측정하고 표시하여 치료와 이송 동안 빠져나오는지 감시한다.

(8) 기관내삽관의 합병증

기관내삽관의 합병증은 표 6-7과 같다.

표 6-7. 기관내삽관의 합병증

후두경에 의한 합병증	구강 내 구조물의 열상 치아골절 인두 및 후두부 구조물의 열상 또는 천공
기관 내 튜브 삽입과정에서의 합병증	기관 열상 또는 천공 기흉 또는 피하기종 성대손상 위 내용물 역류에 의한 폐 흡인 식도열상 또는 열공 식도 내 삽관

(9) 참고사항

기관내 삽관 방법으로 비디오후두경을 이용한 기관내삽관법이나 후두경을 사용하지 않는 맹목적 삽관법(Blind intubation)과 방광탐침삽관법(Lighted stylet intubation)도 유용하게 사용되고 있다. 또한 비인두삽관(Nasopharyngeal Intubation)은 비인두기관 튜브를 코로 삽입하면서 숨소리를 확인한 후 삽관한다.

2) 아이겔 기도기

(1) 특징

① 마스크 팽창이 필요하지 않아 쉽고 빠른 삽관이 가능하다.

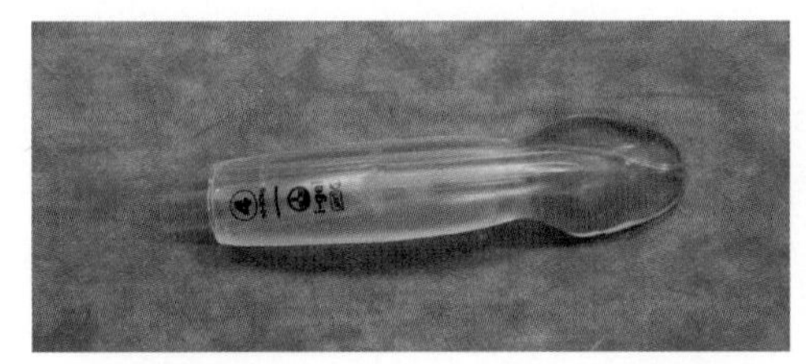
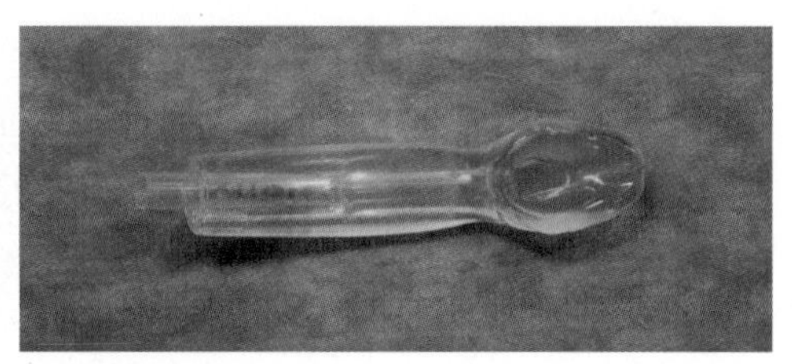

그림 6-44. 아이겔(I-gel) 기도기

② 위장관 튜브 삽입 또는 흡입이 가능한 통로가 있다.

③ 인두에 밀착되는 곳이 탄성체 겔로 만들어져 있어 구강 내 구조물의 손상을 최소화한다.

④ 후두개의 하강을 방지하는 구조로 이루어져 기도 유지에 용이하다(그림 6-44).

⑤ 다른 성문 외 기도기와 비교하여 초보자가 사용하기에 가장 쉽고 빠르게 삽입이 가능하다.

(2) 아이겔 적응증

① 응급상황에서의 기도확보

② 기관 삽관에 실패한 환자

③ 심폐소생술 상황 등

표 6-8. 환자의 체중별 I-gel

Color cored connector	Size(#)	Patient size	Patient weight guidance(kg)
	1	Neonate	2-5 kg
	1.5	Infant	5-12 kg
	2	Small paediatric	10-25 kg
	2.5	Large paediatric	25-35 kg
	3	Small Adult	30-60 kg
	4	Medium adult	50-90 kg
	5	Large adult+	90+ kg

(3) 사용방법

① 구역반사(gag reflex)가 없는 것을 확인한다.

② 장비 준비

② 수용성 젤 바르기

③ 열린 부분이 턱 쪽으로 향하도록 하여 삽입한다.

㉠ 자세는 'sniffing position' 이다. 그러나 튜브의 특성상 중립위치에도 삽입할 수 있다.

④ 턱을 부드럽게 아래로 내려 입을 개방한다.

⑤ 경구개를 따라 아래쪽, 뒤쪽 방향으로 저항이 있을 때까지 서서히 넣는다.

⑥ 반창고나 전용 고정 기구를 사용하여 고정하고 삽관 상태를 확인한다(그림 6-45).

Tip. 아이겔 사용방법

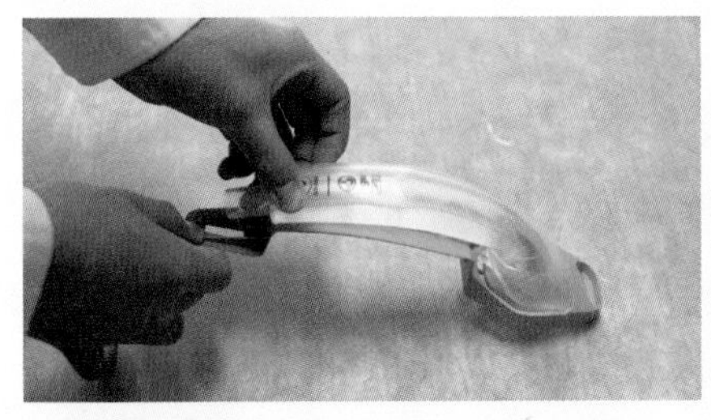
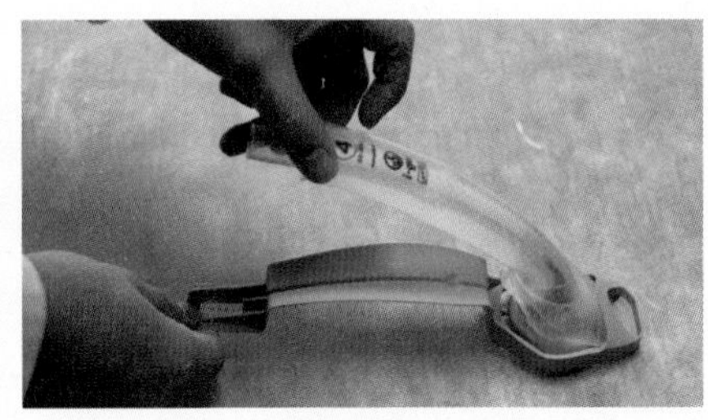

㉠ 장비 준비를 한다.

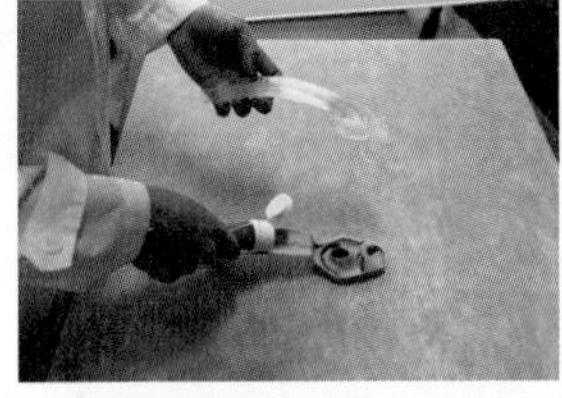
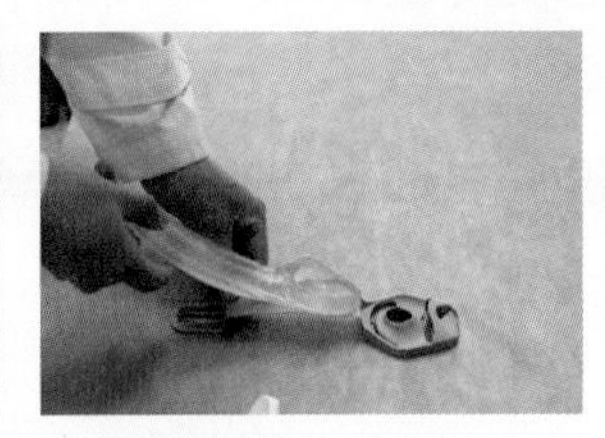
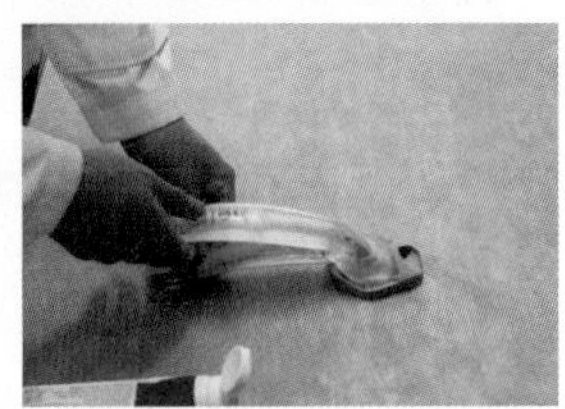

㉡ 수용성 젤 바른다.

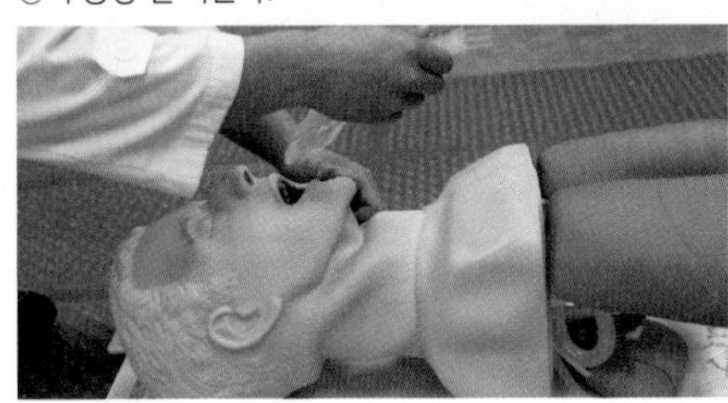

㉢ 턱쪽으로 향하도록 삽입한다.

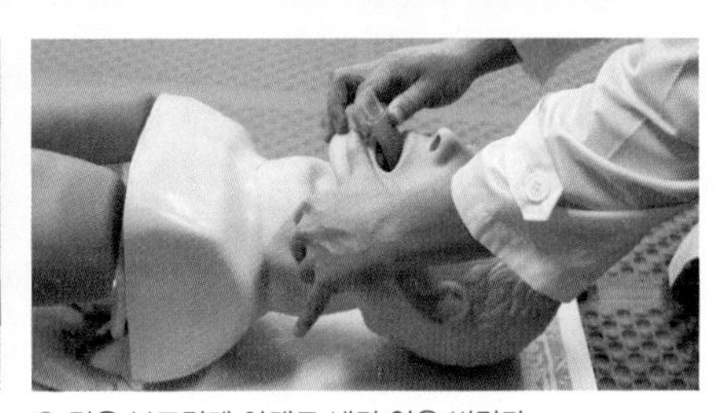

㉣ 턱을 부드럽게 아래로 내려 입을 벌린다.
- 경구를 따라 아래쪽, 뒤쪽 방향으로 저항이 있을 때까지 서서히 넣는다.

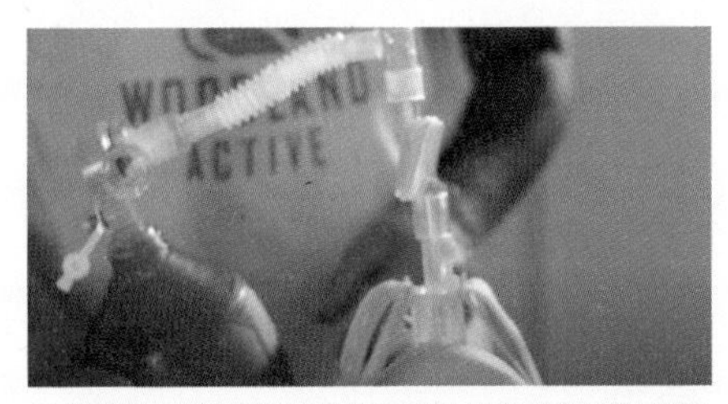

㉤ 반창고나 전용 고정기를 이용하여 고정하고 상입상태를 확인한다.

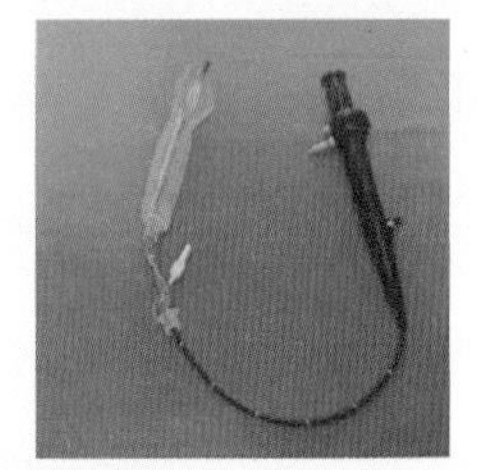

㉥ 3 mm 삽관용 내시경과 기관내삽관 튜브가 I-gel 내부로 삽입된 모습

그림 6-45. 아이겔(I-gel) 사용방법

(4) 아이겔 삽입 후 ET Tube 교체

아이겔의 삽입 후 후두경을 통한 성문확인 없이 아이겔의 산소통로를 통한 tube로 교체가 가능하다.

① ET tube (6-6.5 Fr)의 tip을 제거 한 후 아이겔(#4)의 통로를 통해 튜브를 끝까지 밀어 넣는다.
② 입안의 ET tube를 찾아 손으로 고정 시킨 후 아이겔(#4)을 조심스럽게 제거 한다.
③ bite block를 환자에 입으로 삽입 후 ET tube를 2-3 cm 안으로 밀어 넣는다.
④ ET tube를 ballooning 시키고 tip을 연결 한 후 백밸브마스크를 이용하여 확인한다.

(5) 주의사항

① 기관내삽관 보다 탈관의 가능성이 높기 때문에 삽입한 후 청진과 이산화탄소 농도 모니터 확인한다.
② 완전히 저항이 느껴지는 정도까지 부드럽게 밀어 넣는다.
③ #4 크기 아이겔이 대부분의 환자에서 적응 가능하다.
④ 성문상기도유지기(Supraglottic airway device) 사용 중 위 팽만 발생할 시 L-tube 삽입을 고려해 본다.
⑤ 아이젤은 삽입이 편리하지만 가슴압박을 하면 흉강 내압이 상승되어 밖으로 밀려나올 수 있으므로 지속적으로 확인해야 한다.

3) 후두튜브기도기

응급기도관리를 시행하는 사람들은 식도기도콤비튜브(Esophageal Tracheal Combitube; ETC)나 콤비튜브(Combitube)를 많이 사용되던 장비이다. 이러한 1987년부터 사용되었고, 사용에 대한 근거는 인후부 입구의 위, 아래를 막아주어 백밸브마스크로 산소공급하는 것 보다 더 효율적으로 호흡보조를 할 수 있다. 기관까지 삽관보다는 덜 침습적이고 더 쉽고, 안전하다. 산소화와 환기가 용이하도록 만들어진 기구이다. 이러한 기구들은 기관으로 직접 튜브를 넣지 않고 후두에 위치시키는 성문밖기구(extraglottic device)라고 한다. 특히 후두마스크기도기(laryngeal mask airway), 아이-겔 기도기(i-gel), 후두튜브 기도기(laryngeal tube airway)는 현재 여러 나라에서 사용되고 있다. 후두마스크와 아이겔 기구들은 성문외기구(supraglottic device)로 불리고, 후두 튜브는 성문뒤기구(retroglottic device)가 더 정확하게 맞다.

후두튜브기도기(laryngeal tube airway: king LT airway)는 유럽과 미국의 적용 대상이 다르다. 유럽은 성인과 소아가 적용 대상 있지만, 미국은 성인만 적용 대상이다(소아에서는 적용하지 않는다). 미국에서는 2003년도부터 사용이 승인된 king LT airway는 병원 전 단계 의료종사자들이 사용하도록 소개되었다. 산소화와 환기기능은 후두마스크기도기와 콤비튜브와 유사하며,

튜브의 끝부분에 조그만 커프가 하나 있고, 튜브의 중간 부위에 좀 더 큰 튜브가 있다. 이 두 튜브는 한꺼번에 부풀려지고, 하나의 주사기로 주입이 된다. 식도기관콤비튜브(ETC)와 같이 정확한 위치로 들어가면 아래 커프는 식도로 들어가 막고, 위 커프는 하인두부위에 위치하여 입인두를 막는다. 끝부분이 일자로 되어 있어 기도로 들어가지 않고 바로 식도로 들어간다.

king LT airway는 식도기관콤비튜브(ETC)보다 삽입이 쉽고, 커프 팽창을 위한 하나의 입구, 사용의 편리성 등의 차이점이 있다. 이것의 단점은 기도를 들어갈 경우 환기가 안 된다는 점과 성공과 합병증에 대해 보고된 객관적 증거가 부족하다는 것이다. 그리고 후두마스크기도기형 장비(최대 25 cmH_2O)보다 더 높은 커프누출압력(최대 40 cmH_2O)을 가지고 있어 높은 기도압력이 필요한 환자들에게 유리하다.

① 기도압력이 필요한 환자 중 천식 비만

② 혈종

③ 감염

④ 종괴로 성문의 해부학이 변형(팽창압을 높여야 하는 환자)

비록 다른 장비들이 개발되어 나오고는 있으나, 식도기관콤비튜브(ETC)와 king LT airway가 미국 병원 전 응급의료체계에서는 가장 많이 사용하는 기구이다. 우리나라에서는 2012년도부터 1급 응급구조사 국가고시 실기시험 항목으로 책정되기도 하였다.

전문기도기(advanced airway)를 통하여 인공호흡을 시행하는 것은 충분한 훈련과 경험이 있는 보건의료 인들에게 권장되고 있다. 그러나 아직까지 전문기도기의 사용이 심정지 환자의 생존율을 높인다는 증거는 불충분하므로, 성인 심정지 환자에게 심폐소생술을 하는 동안 전문기도기 또는 백밸브마스크 중 어느 방법을 선택해도 된다.

(1) 후두튜브기도기의 부위별 설명

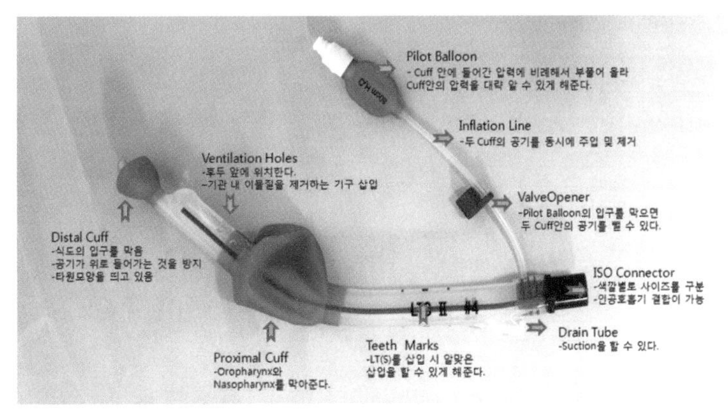

그림 6-46. 후두튜브기도기(Laryngeal Tube)의 부위별 설명
(2개 풍선을 동시에 확장시키는 1개의 포트가 있다.)

(2) 사용방법

① 구역반사(gag reflex)가 있는지 확인한다.

② 신체분비물 격리 예방조치를 적용한다.

㉠ 장갑, 보안경을 착용하고, 혈액에 의한 질병 예방을 위한 가운 등이 필요하다.

③ 환자는 바로 누운 자세로 한다.

㉠ 바로 누운 자세가 아닐 경우 조심해서 중립자세로 변경한다.

㉡ 어떠한 자세로 있든 상관없으나 바로 누운 자세가 가장 좋기 때문이다.

④ 머리 기울림-턱 들어 올리기 방법을 유지하면서 호흡과 환기 정도를 평가한다.

㉠ 필요하면 산소를 공급한다

㉡ 손가락(수지)교차법 및 혀-턱들기법으로 기도를 개방한 후 입인두 기도기를 삽입한다.

㉢ 입안에 이물질이 있는 경우에는 흡인을 한다.

㉣ 외상이 있다면 하악견인법으로 아래턱 밀어올리기를 실시한다.

⑤ 백-밸브 마스크를 조립한 후 산소튜브를 연결하고 백-밸브 마스크를 환자의 얼굴에 올바르게 밀착시키고 필요하면 산소를 공급한다.

㉠ 100% 산소로 전산소화 시켜준다.

㉡ 산소공급 중단 시간이 최대 30초 이상 경과되지 않도록 한다.

⑥ 환자 키에 맞춰 적당한 크기의 LT를 선택하고 점검한다.

㉠ LT 규격과 공기주입량은 튜브에 표시되어 있으니 참고한다.

㉡ 여분의 LT를 준비하여 즉각 사용할 수 있도록 준비한다.

㉢ 튜브의 Cuff 상태를 점검하고, 주입 공기량 최대치를 주입해 본다.

⑦ 후두튜브 커프(Cuff)가 튜브에 부드럽게 붙을 수 있도록 주사기를 이용하여 공기를 완전히 뺀다.

⑧ 후두튜브(Laryngeal Tube)를 삽입하기 전 자극을 최소화하기 위해 수용성 윤활제를 바른다.

⑨ 환자의 머리 자세를 잡는다.

㉠ 이상적인 자세는 'sniffing position'이다. 그러나 튜브의 특성상 중립위치에도 삽입할 수 있다.

㉡ LT를 오른손으로 Teeth marks(튜브의 삽입 위치 선) 부분을 펜처럼 잡듯이 몸 중심부에서 가까운 쪽 커프(Proximal Cuff) 위쪽을 잡는다.

㉢ 튜브를 잡은 반대 손으로 환자의 입을 혀-턱들기법이나 수지교차법으로 기도를 개방한다.

⑩ 입이 벌어져 있노록 잡고 있는 동안, 치아선(Teeth marks)의 굵은 중앙선이 환자의 치아

와 같은 위치에 이를 때까지 구강의 가운데 부분으로 삽입한다.

㉠ 튜브가 아래쪽으로 삽입되는 동안 혀가 뒤로 밀리지 않도록 해야 한다.

㉡ 식도용 풍선 내부에 있는 팁의 평평한 부분을 환자의 입천장에 대고 입이 중간선상의 입천장을 따라 튜브 상부의 두꺼운 검정선이 상측 앞니와 일치할 때까지 후두부로 삽입시킨다.

㉢ 삽입에 문제가 있을 시 측면 삽입이 유용할 수 있다.

⑪ 두 개의 풍선에 50cc주사기를 이용하여 적정량 공기를 주입시킨다.

㉠ 튜브크기가 4번인 경우에는 프록시말 커프(Proxomal Cuff)와 디스탈 커프(Distal Cuff)를 팽창시키기 위해 커프 압력 게이지(Cuff Pressure Gauge)가 60-80 cmH_2O에 이를 때까지 공기를 주입한다.

㉡ 풍선에 공기를 주입하면 인두용 풍선이 먼저 부풀고 이는 튜브를 고정 시켜준다.

㉢ 인두용 풍선이 환자에게 고정되면 식도용 풍선은 자동적으로 부풀려 진다.

㉣ 풍선 압력이 과도하게 높아지는 것을 피하기 위해 풍선 압력이 60 cmH_2O로 유지되는지 지속적으로 점검하는 것이 바람직하다.

⑫ LT(Laryngeal Tube) 삽관 후 삽입 상태를 확인한다.

㉠ 후두튜브가 제 위치에 있는지 폐를 청진함으로써 환자의 호흡을 확인한다.

㉡ 흉곽의 움직임, $ETCO_2$ (Capnography) 확인을 통해 튜브의 위치를 확인할 수 있다.

⑬ 호흡이 충분하지 않다고 판단되면 튜브의 치아선(Teeth marks)을 기준으로 위아래로 움직여 후두튜브(Laryngeal Tube)의 위치를 다시 잡는다.

㉠ 인공호흡이 충분치 않으면 환자의 체격을 고려해서 튜브를 안쪽 또는 바깥쪽으로 조정하여 튜브 위치를 재조정해준다.

⑭ 바이트 블록(Bite Block)을 함께 사용하면 후두튜브가 보호되고 안전하게 고정한다.

⑮ 흡인용 튜브 삽입구에는 위장용 튜브(Gastric tube)나 흡입용 카테터(Suction catheter)가 삽입된다.

⑯ 후두 튜브를 제거하려면 커프(Cuff)의 손상을 막기 위하여 주사기를 이용하여 커프의 공기를 완전히 제거한 후 튜브 제거한다.

⑰ 수행한 술기를 기록지에 기록한다.

⑱ 후두 튜브 크기 #1번은 신생아 5 ㎏ 이하에서 사용할 수 있다. 영아에서 성인까지 크기가 다양하다.

(3) 환자의 체중 및 신장별 사용 가능한 후두튜브기도기 튜브

환자의 체중 및 신장별 사용 가능한 후두튜브기도기의 튜브 색과 공기량은 다음과 같다(표 6-9).

표 6-9. 환자의 체중 및 신장별 사용 후두튜브기도기 튜브

Color cored connector	Size(#)	Air	Remark
Transparent(투명)	0	10 mℓ	New-Born less 5 kg
White(백색)	1	20 mℓ	Infant from 5-12 kg
Green(녹색)	2	35 mℓ	Child from 12-25 kg
Orange(주황)	2.5	45 mℓ	Child 125-150 cm
Yellow(노랑)	3	45-60 mℓ	Teenager and small Adult, less 155cm height
Red(빨강)	4	60-80 mℓ	Medium adult, 155-180 cm heigh
Violet(보라)	5	70-90 mℓ	Large adult, more than 180 cm heigh

(4) 후두튜브기도기 주의사항

① 소독 시 고온, 고압살균기를 이용한다.

㉠ 이온살균기 사용 시 실리콘의 문제가 발생할 수 있습니다.

② LT(S) 튜브 삽입시나 제거시 Cuff의 공기를 완전히 제거해야 합니다.

③ 보관 시에는 직사광선 또는 고온다습을 피하여 보관한다.

(5) 후두튜브기도기를 사용할 수 있는 범위

① 미국마취학회(Americal Society of Anesthesiologists, ASA) 신체 상태 분류 시스템

㉠ ASA1: 정상적이고, 건강한 환자

㉡ ASA2: 가벼운 질병을 가지고 있는 환자(ex: 혈압약을 꾸준히 복용해야 하는 47세의 남자)

㉢ ASA3: 약간 심한 질병을 가지고 있는 환자(ex: 하루에 두 번씩 약을 흡입해야 하는 17세의 천식환자로 특히 3-4일 전에 발작을 일으켰던 환자)

㉣ ASA4: 생명을 위협하는 심각한 질병을 가지고 있는 환자(ex : 2일 전에 심장마비가 있었던 남자)

㉤ ASA5: 빈사상태의 환자로서 수술 없이는 생존할 수 없는 환자(ex: 평상시에 고혈압이 있었던 87세의 할아버지가 혈압 50/30으로 떨어진 경우)

㉥ ASA6: 뇌사를 선고받은 환자가 장기기증을 위해 장기를 적출하고 있는 상태

※ LT Tube는 ASA 3단계까지의 환자에게 적용 가능함.

(6) 후두튜브기도기가 사용될 수 있는 경우

① 마취 시, 환자의 짧은 수술 시, 인공호흡 중이거나 자연호흡을 하는 환자 모두에게 사용 가능

㉠ Face mask 대용

㉡ Laryngeal mask 대용

㉢ Endotracheal tube가 필요 없는 수술 시

② 응급용

㉠ 병원 전 단계 처치 시 유용함

㉡ 환자가 Difficult airway를 가지고 있는 경우

(7) 후두튜브기도기가 후두마스크보다 좋은 10가지 이유

① 삽입이 너무 쉽다. LMA와 달리 아무런 special technique이 필요 없다.

② LT는 사용 중 환자가 입을 크게 벌리고 있을 필요가 없다.

③ LT는 삽입하는 동안 환자의 두부를 크게 움직일 필요가 없다. 즉, Extended Position 또는 Neutral Position 모두 가능하다.

④ LT의 Soft한 커프는 LMA보다 더 인체구조에 적합하여 환자의 편안함을 극대화해준다.

⑤ LT의 Distal Cuff (=Esophageal Cuff)는 식도를 확실히 막아주어 LMA보다 Regurgitation의 위험을 적게 해준다.

⑥ LMA와 비교하여 Leak Pressure가 높기 때문에 공기가 위장으로 들어가는 것을 훨씬 더 잘 막아준다.

⑦ Airway에 상처를 덜 내고, 튜브를 제거해도 피가 나지 않는다.

⑧ LMA와 비교하여 Sore Throat의 발생빈도가 낮다.

⑨ Bite block과 대용량 Syringe가 함께 포장되어있다.

⑩ 가격이 저렴하다.

3) 후두마스크 기도기

후두마스크는 전신 마취 시 또는 구급환자에서 기관내삽관 대신에 기도를 확보하고 유지할 목적으로 개발된 보조기구로서 영국 마취과 의사인 아치 브레인(Archie Brain)에 의해 고안

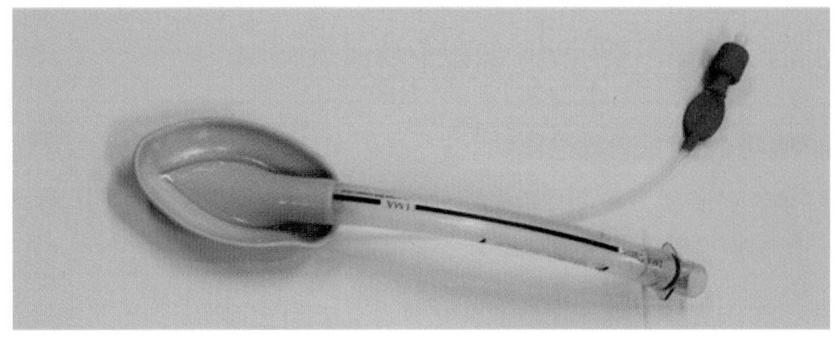

그림 6-47. 후두마스크 기도기(laryngeal mask airway, LMA)

되어 일명 브레인 기도(Brain airway)라고도 한다. 기존의 기관내삽관법과는 달리 심혈관계의 큰 자극 없이 후두경을 사용하지 않고 비교적 쉽게 기도를 확보할 수 있기 때문에 특히 긴박한 상황에서 양압 기도유지에 아주 유용하다(그림 6-47).

(1) 용도

구(비)인도 기도기보다 기도확보 효과가 탁월하며 기관내 삽관보다 환자에게 자극이 적고 쉬워 병원 전 처치에서 유용한 기도확보 장비이다.

(2) 후두마스크 기도기의 종류

① LMA 클래식(Classic) : 표준형으로 병원 전 응급처치에서 주로 사용하며, 재사용이 가능하다. 후두경을 사용하지 않고 응급환자에게 비침습적으로 신속한 기도를 확보하는 기구이다.

② LMA 플렉시블(Flexible) : 체온에 의해 비틀어지고 꼬이는 것을 방지하기 위해 튜브 부위에도 꼬임방지 시스템을 결합한 것이다. 꼬임방지 시스템은 튜브 내에 와이어가 내장되어 있어 구부려도 튜브가 접히지 않는다. 후두경을 사용하지 않고 응급환자에게 기도를 확보하는 기구이다.

③ LMA 프로시일(Proseal) : 위장관 튜브가 부착되어 흡입 카테터를 삽입해 역류하는 물질들을 흡입하여 제거할 수 있게 만든 기구이다. 또한, LMA 클래식보다 높은 밀봉 압력을 가지고 있기 때문에 이론적으로는 높은 기도압력이 있는 환자에게 더 효과가 좋지만, 임상적으로는 큰 차이를 못 느낀다. 응급환자의 기도를 확보하여 튜브내로 기관내삽관을 시행할 수 있는 기구이다.

④ LMA 패스트랙(Fastrach) : 일명 ILMA 또는 인투베이팅(intubating) LMA가 LMA 중에서 응급구조사에게 가장 중요한 의미 있는 기구이다. 맹목 삽관 성공률을 높일 수 있게 디자인이 되었으며 긴급한 어려운 기도상황에서 가장 유용하게 쓰일 수 있는 방법의 하나이다. 후두경을 사용하지 않고 튜브내로 기관내 삽관이 가능하다. 심혈관계 자극이 없어 응급 기도 확보 방법에 상당한 역할을 하고 있다. 일반 LMA를 이용한 삽관 성공률보다 ILMA를 통한 삽관 성공률이 높게 유지된다. LMA의 삽입은 완전 형태의 기도확보 상태가 아니다. 고압멸균을 통해 재사용이 가능하다(그림 6-48).

(3) 후두마스크 기도기의 장점

① 비교적 시간이 짧은 전신마취를 하거나 병원 전 심정지 환자의 기도확보 시 유용하다.
   ㉠ 사용 방법을 쉽게 그리고 빠르게 배울 수 있다.

② 기관삽관보다 삽입방법이 간단하며, 경추손상 등 기도삽관이 곤란한 환자에게도 기도확보가 가능하다(기관삽관이 어려운 경우나 응급소생술시 효과적으로 사용할 수 있다).

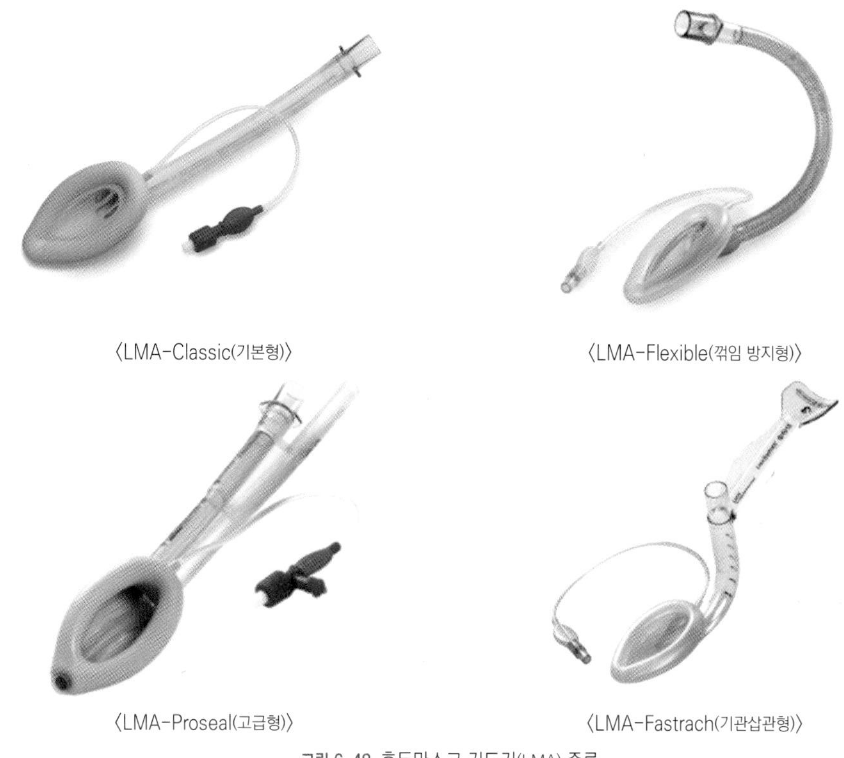

〈LMA-Classic(기본형)〉 〈LMA-Flexible(꺾임 방지형)〉

〈LMA-Proseal(고급형)〉 〈LMA-Fastrach(기관삽관형)〉

그림 6-48. 후두마스크 기도기(LMA) 종류

③ 기관튜브에 비해서 인후통이 없고 환자에게 매우 편안하다.
④ 후두경을 사용하지 않으므로 입술, 잇몸, 치아에 대한 손상이 없다.
⑤ 삽입 시 심혈관계의 반응이 기관내로 튜브를 삽관하는 방법과 비교해서 적다.
⑥ 기관튜브에 비해서 마취심도가 낮은 경우에도 잘 견딘다.
⑦ 기관튜브와 달리 식도나 기관지내 삽관의 위험성이 없다.
⑧ 특히 성대를 보호하여야 하는 환자에게 효과적이다.
⑨ 고압멸균 · 재사용이 가능하다.

(4) 후두마스크 기도기의 단점

① 위 내용물의 흡인을 막을 수 없다.
② 반복 소독하여 자주 사용(50회 이상)하면 적절한 위치를 잡는 데 장애가 있다.
③ 인공 환기 시 압력이 높으면 공기의 유출이 일어날 수 있다.
④ 흔들림이 심할 경우 빠지는 사례가 종종 발생하므로 고정에 유의해야 한다.
⑤ 기관과 식도가 완전하게 분리되지 않아 위 내용물 흡인을 예방할 수 없다.
⑥ 마스크에서 공기 누출이 큰 경우는 양압 환기가 불충분해진다.

⑦ 높은 압력(20 cmH_2O 이상)으로 양압 환기를 하면 위장으로 공기가 들어갈 수 있다.

(5) 후두마스크 기도기의 적응증

① Face Mask로 마취할 수 있는 경우
② 기관내삽관이 필요 없는 수술
③ 기도확보 및 유지가 곤란한 경우

(6) 후두마스크 기도기 사용의 금기

① 위 내용물이 남아 있을 가능성이 높은 경우는 다음과 같다.
　㉠ 과도한 비만증
　㉡ 임신
　㉢ 다발성 장기손상
　㉣ 급성 복부 또는 흉부손상
　㉤ 마약을 투여한 경우
② 열공탈장
③ 폐 탄성이 낮은 환자
④ 인두의 이상(농양, 혈종 등)
⑤ 일측 폐환기

(7) 후두마스크 기도기 사용 시 주의사항

① 커프(cuff)에 공기가 남아 있지 않도록 충분히 뽑아내서 주름이 생기지 않도록 한다.
② 삽입을 쉽게 하기 위해 커프의 뒷부분에 반드시 윤활제를 골고루 바른다.
③ 크기에 적절한 공기량을 주입하여야 하며 최대량 이상 주입하면 인후통이 발생하므로 절대 초과해서는 안 된다.
④ 알맞은 크기를 선택하기 어려우면 약간 큰 것을 선택하여 공기를 5mL 정도 적게 주입하는 것이 좋다
⑤ 삽입 후 기통관 위의 검은 선이 윗입술 앞에 위치하여야 한다.
⑥ 조절호흡 시 기도내압이 20 cmH_2O를 넘지 않도록 근 이완을 충분히 시킨다.

(8) 후두마스크 기도기의 적절한 크기

후두마스크 기도기의 적절한 크기는 표 6-10과 같다.

표 6-10. LMA의 적절한 크기

LMA크기	체중	최대공기 주입량(㎖)	적용대상
1	5 kg 미만	4 ㎖ 이하	신생아(미숙아)
1.5	5-10 kg 미만	7 ㎖ 이하	12개월 미만
2	10-20 kg 미만	10 ㎖ 이하	소아(학령 전)
2.5	20-30 kg 미만	15 ㎖ 이하	초등학생
3	30-50 kg 미만	20 ㎖ 이하	중학생
4	50-70 kg 미만	30 ㎖ 이하	성인 여성
5	70-95 kg 미만	40 ㎖ 이하	성인 남성
6	95 kg 이상	50 ㎖ 이하	

(9) 후두마스크 기도기 삽입방법

① 후두마스크 기도기 삽입 장비는 다음과 같다(그림 6-49).

- 적절한 크기의 후두마스크 : 사용할 사이즈와 한 단계 큰 사이즈 준비
- 적절한 크기의 입인두 기도기(OPA)
- 공기 주입용 50cc 주사기(50cc Syringe)
- 수용성 윤활제(Lubricant)
- 튜브 고정기(Tube holder, Bite block)
- 청진기(Stethoscope)
- 흡인기(Suction apparatus)
- 신체분비물격리조치(BSI equipment) 물품
- 주머니가 있는 백-밸브마스크(Bag valve mask with reservoir bag)

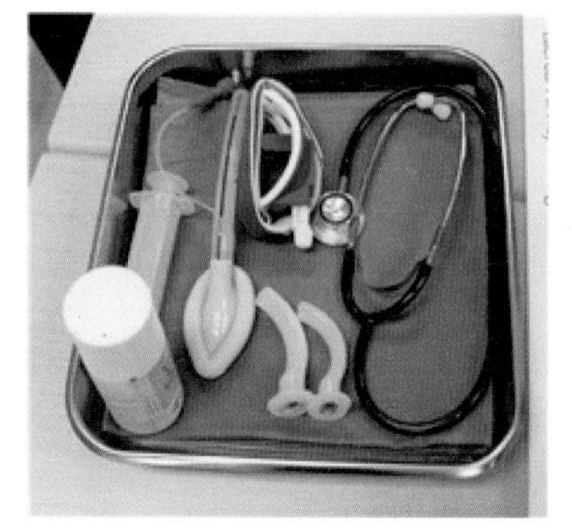

그림 6-49. LMA 준비물

② 신체분비물격리조치(BSI equipment) 물품으로 예방조치를 한다.

㉠ 장갑, 보안경을 착용한다.

㉡ 다량의 혈액이나 체액이 누출될 때에는 가운 등을 착용한다.

③ 후두마스크는 환자가 어떤 자세로 있건 적용할 수 있으나 바로 누운 자세가 가장 좋기 때문에 환자는 바로 누운 자세로 눕힌다.

㉠ 환자의 자세가 그렇지 않을 경우 환자를 주의 깊게 중립 자세로 유지한다.

㉡ 몸 전체를 동시에 굴려 바로 누운 자세로 만든다.

④ 머리 기울림-턱들어 올리기 방법을 유지하면서 호흡과 환기 정도를 평가한다.

㉠ 필요시 산소를 공급한다.

㉡ 손가락(수지)교차법 및 혀-턱들기법으로 기도를 개방한 후 적절한 크기의 인후두기 도기를 삽입한다.

㉢ 입안에 이물질이 있을 시에는 흡인을 한다.

⑤ 백-밸브 마스크를 조립 후 산소튜브를 연결하고 백-밸브 마스크를 환자의 얼굴에 바르게 밀착시키고 필요하면 산소 공급한다.

㉠ 환기를 5회 정도 실시 후 동료에게 환기를 부탁한다

㉡ 환기량은 500-600 ㎖/회 정도로 가슴이 올라올 정도로 5-6초에 1회씩, 1초 동안 불어 넣는 속도로 환기한다.

㉢ 후두마스크가 삽입되고 산소가 연결되었다면 6-8초에 1번씩 환기를 한다.

⑥ 후두마스크를 편평한 멸균된 바닥 위에 올려놓고 커프를 손가락으로 지그시 누르면서 커프에 주름이 잡히지 않도록 공기를 완전히 제거한다.

⑦ 커프의 뒤에만 윤활제를 뿌린다(그림 6-50).

⑧ 동료에게 환기 중단을 지시하고 백-밸브 마스크와 인후두 기도기를 제거한다.

⑨ 머리 위에서 환자를 냄새 맡는 자세(Sniffing Position)로 취한다.

⑩ 손가락교차법 또는 혀-턱들기법으로 환자의 입을 개방한다.

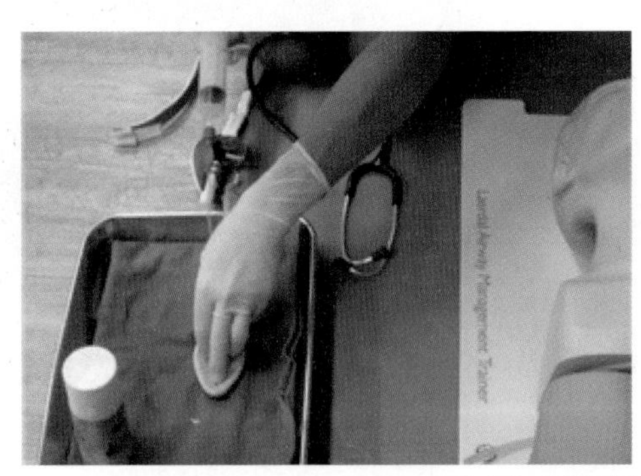

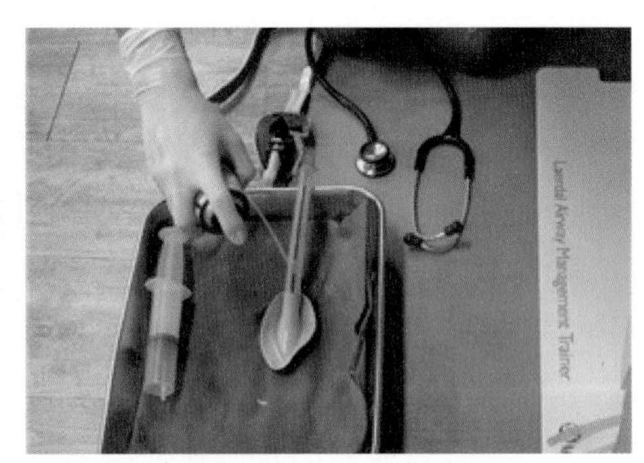

그림 6-50. 공기를 완전히 제거하고 커프 뒤에 윤활제를 바른다.

⑪ 엄지와 검지를 이용하여 후두마스크 기도기의 튜브를 연필을 잡듯이 부드럽게 잡는다(그림 6-51).

⑫ 커프의 끝을 입천장(구개)에 바짝 밀착하고 미끄러지듯이 삽입한다(그림 6-52).

㉠ 환자의 아래턱을 눌러서 입천장이 보이게 한다.

㉡ 환자 뒤에서 삽입 시에는 환자의 얼굴보다 앞쪽에서 위치하면 삽입이 편리하다.

㉢ 이때 동료가 아래턱을 눌러주면 삽입이 매우 편리하다.

㉣ 환자의 구개가 높은 경우에는 입가장자리보다 다소 옆으로 하여 후두마스크의 커프를 삽입하면 편리하다.

⑬ 튜브 끝이 날작하게 펴진 채로 입천장에 밀착하여 음식물이 삽입되는 방향(인두)으로 둘

째손가락으로 밀어 넣는다. 반대편 손으로 튜브를 밀어주면서 넣은 손을 뺀다.

⑭ 커프가 더 들어가지 않을 때(저항을 느낄 때)까지 튜브를 충분히 밀어 넣는다. 삽입된 손가락을 환자의 앞쪽으로 밀면서 충분히 삽입한 후 다른 손으로 튜브를 잡고 삽입된 손가락을 빼낸다(그림 6-53).

⑮ 저항을 느낄 때까지 충분히 삽입하면 커프의 끝이 위쪽 식도괄약근 위에서 더 이상 들어가지 않는다. 튜브를 잡은 손을 시술자의 방향으로 당기면 입천장에 밀착된다. 이때 튜브를 구부리지 않고 세우면 미끄러지지 않으므로 삽입이 어렵다.

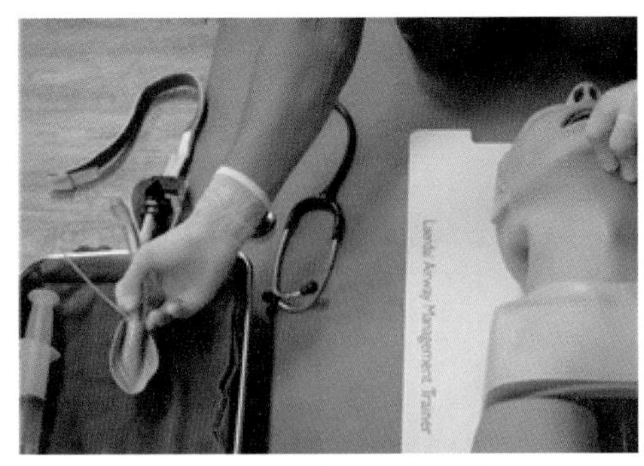

그림 6-51. 연필을 쥐듯이 잡는다.

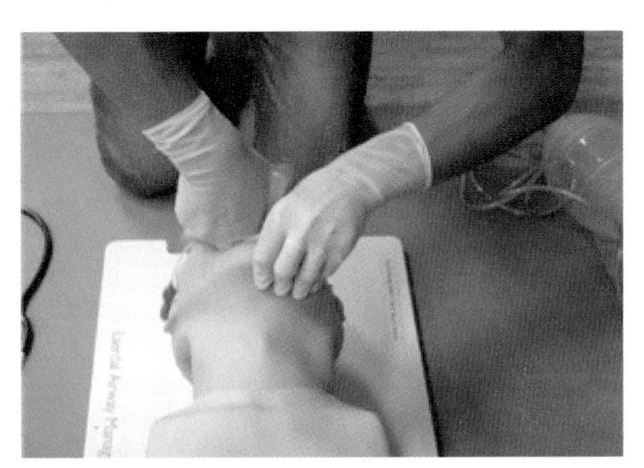

그림 6-52. 입천장(구개)에 바짝 밀착하여 삽입한다.

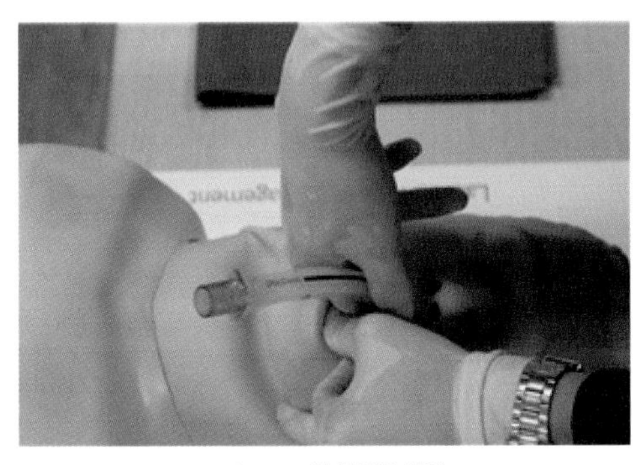

그림 6-53. 밀착하여 삽입

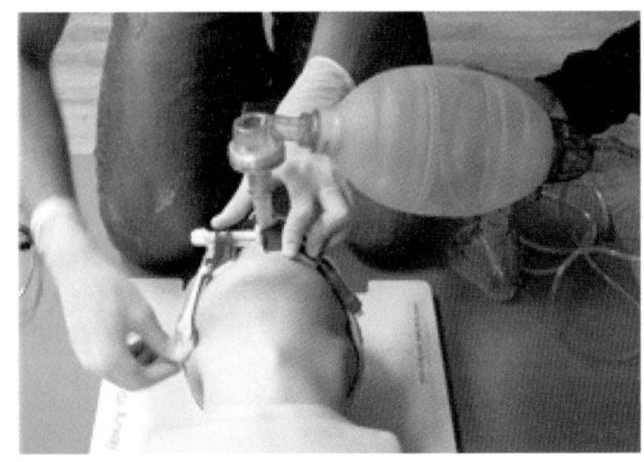

그림 6-54. 튜브고정기에 의한 고정

⑯ 크기에 알맞은 적정량의 공기를 커프에 주입한다.

㉠ 후두마스크 크기에 표시된 최대 공기주입량 이하로 주입한다.

㉡ 최대공기 주입량 이상으로 주입하면 후두 구조를 변형하여 공기가 새어 나올 수 있다.

㉢ 후두마스크 튜브는 기관 입구를 밀착하면서 호흡 시 공기가 새는 것을 막는다.

㉣ 후두마스크 튜브에 환자의 적용 범위와 소독방법 최대공기주입량이 표기되어 있다.

⑰ 커프에 공기를 넣었을 때 후두마스크 튜브가 다소(1-2 ㎝) 밀려 나오는 것을 볼 수 있는

데 이것은 후두마스크가 하인두에 위치하면서 생기는 정상적인 현상이다.

⑱ 후두마스크 기도기 튜브의 검은 선이 얼굴 중앙에 오도록 위치시킨다.

⑲ 백-밸브 마스크로 환기를 1회 이상 실시 후 동료에게 환기를 부탁한다.

⑳ 빗장뼈 중간선의 제2, 3 갈비 사이, 겨드랑 중간선 제4, 5, 6 갈비 사이와 윗배 부위를 청진하여 정확한 삽관 위치를 확인하고 튜브 고정기로 후두마스크 기도기를 고정한다(그림 6-54).

㉑ Bite Block을 물린 후 LMA-Classic 튜브를 환자의 얼굴 중앙에 위치하도록 하여 고정한다.

㉒ 수행한 술기를 기록지에 기록한다.

(10) 후두마스크의 정확한 위치

후두마스크의 정확한 위치는 그림 6-55와 같다.

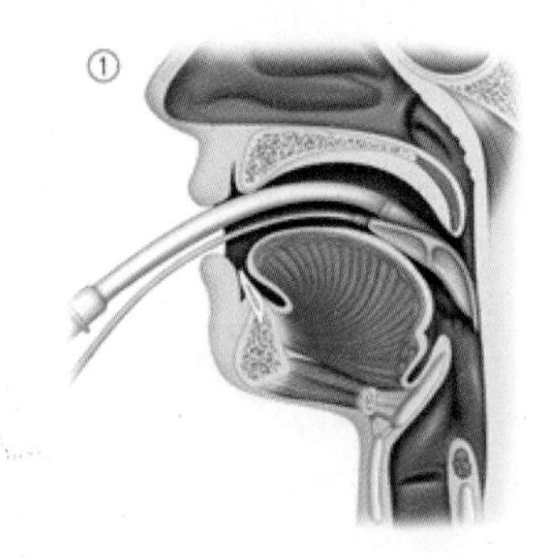

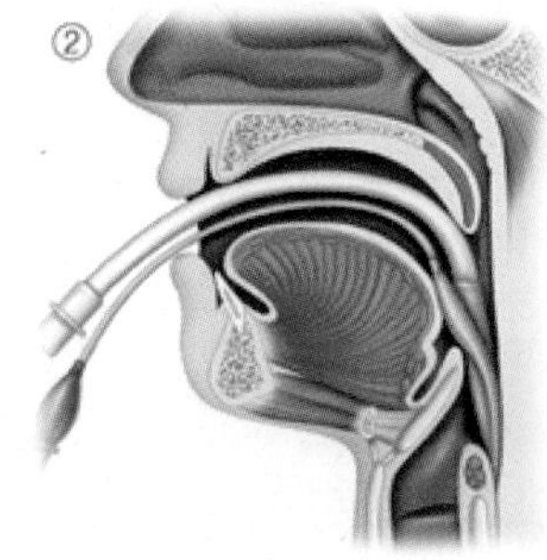

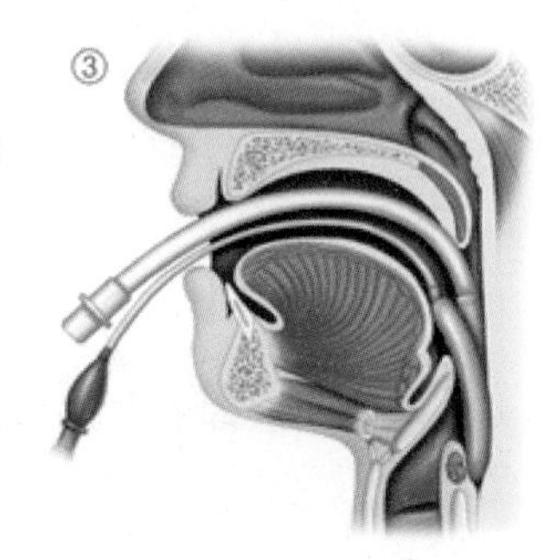

그림 6-55. 후두마스크의 정확한 위치

(11) 후두마스크의 발관

① 충분한 삼킴반응과 기침반사가 회복되기 전에 커프의 공기를 빼버리면 상부인두에 있는 분비물이 기도로 흡인되어 후두경련이 발생할 수 있으므로 의식이 충분히 돌아온 뒤에 발관한다.

② 의식이 있는 환자에서는 의사의 주문에 따라서 입을 벌릴 수 있을 때까지 발관하지 않는다.

③ 커프의 공기를 완전히 제거한 다음에 튜브를 발관한다.

④ 보호 반사작용이 돌아온 것을 암시하는 삼킴 반응을 확인한 후에 발관한다.

(12) 후두마스크의 세척과 소독

① 자극이 적은 비누로 씻으며 파이프를 세척할 때 사용하는 솔(brush)로 마스크 쪽에서 세척한다.

② 환자로부터 제거한 뒤 분비물이 마르기 전에 세척한다. 말라버린 분비물은 bicarbonate 용액으로 세척하는 것이 효과적이다.

③ 커프 내의 공기를 제거할 때는 반드시 주사기를 사용하여야 하는데 그 이유는 커프 내에 적은 양의 공기일지라도 남아 있으면 가압증기 멸균소독(autoclave) 중에 과도한 압력으로 마스크와 pilot baloon에 손상이 올 수 있기 때문이다.

④ 후두마스크는 에틸렌 옥사이드(ethylene oxide, EO)가스나 글루타르알데하이드(glutaraldehyde) 또는 포름알데히드(formaldehyde)같은 화학약품으로 소독하지 않고 반드시 가압증기 멸균기(섭씨 134도 이하)로 소독하여야 한다.

4) 식도-기관 콤비튜브(식도기관 복합 튜브 기도기)

(1) 용도

식도 또는 기관 삽입이 가능한 이중 튜브(2개의 튜브)로 되어 있으며 후두경을 사용하지 않고 삽입하여 튜브의 끝이 식도 또는 기관 어느 쪽으로 들어가든지 상관없이 기도 확보할 수 있어 병원 전 심정지 환자의 기도관리 시 유용한 기도확보 장비이다(그림 6-56).

식도기관 콤비 튜브는 구멍이 연합되어 있고 칸막이 벽에 의해 분리되어 있다. 튜브의 원위부 끝의 커프는 기관 또는 식도를 폐쇄시킨다. 근위부의 풍선은 인두를 폐쇄시켜 보지 않고 삽입하며 기관 또는 식도에 튜브의 끝이 놓이게 된다.

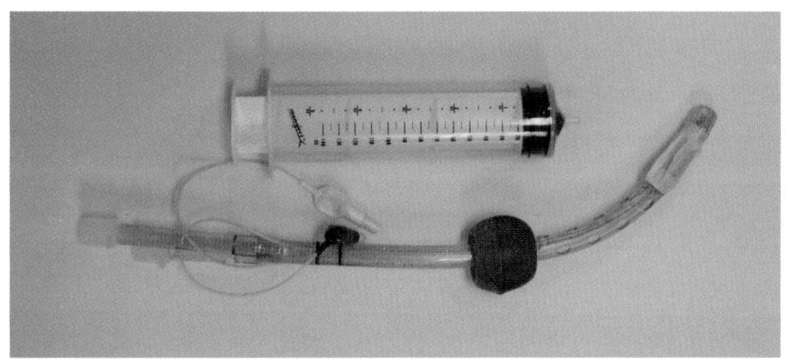
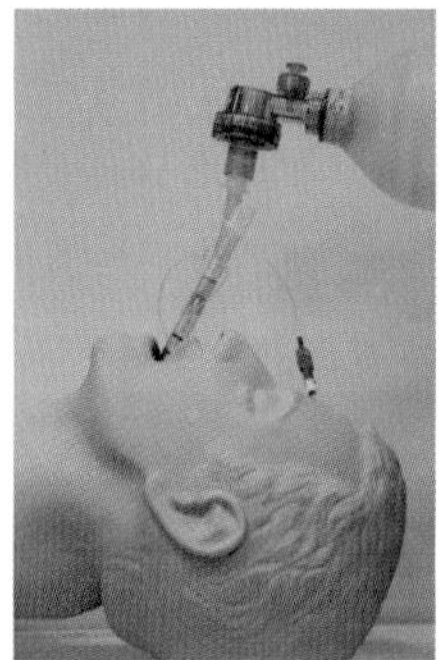

그림 6-56. 식도-기관 콤비튜브(esophageal-tracheal combitube, ETC)

(2) 원리

백-밸브를 연결하여 환기를 시킬 수 있는 관이 2개 있다. 식도기관 콤비 튜브 기도기는 대부분 식도로 삽입되어 긴 **푸른** 연결관(1번 튜브)을 통해서 식도로 환기가 이루어진다. 튜브의 원위부 끝이 폐쇄되어 있기 때문에 공기가 식도로 유출되는 것을 막는다. 인두풍선의 팽창으로 인한 구강으로 공기유출을 막는다. 위치확인은 다음과 같은 방법이 있다.

① 한쪽 관은 끝이 식도로 들어갔을 때 사용하는 관으로 튜브 끝이 폐쇄되어 있고 약간 위

쪽에 환기를 위한 작은 구멍이 몇 개 있어서 환기를 시켰을 경우 작은 구멍을 통하여 기관으로 산소가 들어가게 된다.

② 양측 가슴의 호흡음과 위장음이 없는 것을 청진으로 확인되면 식도로 튜브가 들어간 것이다. 일반적으로 튜브를 보지 않고 삽입했을 경우 80% 이상이 식도로 삽입된다.

② 다른 쪽 관은 끝부분이 기관으로 들어갔을 때 사용하는 관으로 끝부분이 개방된 튜브로 되어있어 환기를 시키게 되면 바로 기관으로 산소가 들어가게 된다.

④ 호흡음 대신에 위장음을 청진하게 된다면 **기관**으로 튜브가 들어간 것이므로 짧은 **투명** 연결부를 통해 환기를 한다.

(3) 적용되는 경우

① 기관내삽관이 즉각적으로 이루어지지 않았을 때
② 기관내삽관이 실패했을 때
③ 환자 머리가 장애물로 인해 방해받을 때
④ 다량의 출혈이나 구토로 인해 후두를 직접 볼 수 없게 되었을 때

(4) 사용 금기 대상

① 120cm 이하의 소아
② 식도질환이 있는 환자
③ 구역반사가 있는 환자
④ 부식성 물질을 섭취한 환자
⑤ 후두 이물질이나 병변에 의한 상부기도 폐쇄
⑥ 알코올중독 환자인 경우 식도 정맥류가 있을 수 있기 때문에 주의하여야 한다.

(5) 크기별 적용환자

① 37F SA(Small Adult): 신장이 120-167 cm인 사람에게 사용
② 41F: 신장이 167 cm 이상인 사람에게 사용

(6) 장점

① 후두를 보지 않고 빨리 삽입할 수 있다.
② 인두풍선 때문에 경구개 뒤에 고정한다.
③ 식도나 기도에 삽입과 관계없이 환기가 가능하다.
④ 인두풍선은 치아(teeth)와 다른 이물질이 흡인되는 것을 방지한다.

(7) 단점

① 식도 내로 삽입되었다면 기관 분비물의 흡인을 할 수 없게 된다.

② 식도기관 복합 튜브 삽입되어 있을 때 기관내삽관 튜브 삽입이 어렵다.

③ 구역반사가 있는 환자에게 사용되지 않는다.

(8) 삽입방법

① 삽입 전에 충분한 산소를 제공하기 위해 과환기를 시킨다.

② 튜브에 달린 2개의 풍선이 부풀려지는지 확인한 후 공기를 제거한다.

㉠ 41F: 청색 100 mL, 흰색 5-15 mL

㉡ 37F: 청색 85 mL, 흰색 5-12 mL

③ 튜브 끝에 수용성 젤리를 바른 후 환자의 머리 바로 위에 위치하여 환자의 목을 신전시키고 기도 만곡을 따라 튜브를 환자의 입속으로 삽입한다.

④ 튜브에 그려져 있는 원이 환자의 치아부분에 올 때까지 튜브를 부드럽게 삽입한다.

⑤ 청색의 인두커프 공기주입구에 주사기를 통해 공기를 주입하여 인두커프를 팽창시킨 다음, 흰색의 끝부분 커프 공기주입구에 공기를 주입하여 원위부 커프를 팽창시킨다.

⑥ 청색튜브(NO. 1)에 백-밸브를 부착시키고 환기를 하여 흉곽상승이 잘 관찰되고 상복부에서 공기음이 들리지 않으면 콤비튜브는 식도에 잘 놓여 윗부분의 작은 구멍을 통해 환기가 이루어지고 있다.

⑦ 청색튜브를 통한 환기시 공기음이 들리고 흉곽상승이 없으면 콤비튜브는 기관 내에 있는 것이므로 즉시 흰색튜브(NO. 2)에 백-밸브를 부착시키고 환기를 시킨다. 이때 흉곽상승이 이루어지고 상복부의 공기음이 들리지 않는다면 산소가 기관 내로 잘 들어가고 있는 것이다.

5) 인두기관 튜브 기도기

어떤 부가적인 부분이나 부속물, 주사기 등이 없이 자체 장비로 구성되어 있으며 튜브 끝이 식도 또는 기관 삽입과 관계없이 환자에게 적절한 환기를 시킬 수 있으며, 2개의 관(lumen)을 직접 보지 않고도 삽입할 수 있다는 점에서 콤비튜브와 비슷하다. 인두기관 튜브 기도기는 눈으로 보면서 기관내삽관을 훈련받지 않은 응급구조사나 혹은 기관내삽관을 실패했을 때 사용하도록 권장된다.

(1) 두 개의 튜브

① 첫 번째 튜브

- 짧고 넓으며 아래쪽에 풍선이 위치해 있고(근위부 초록색), 풍선은 1/3지점에 있다.

- 풍선이 팽창되면 구강인두 전체를 덮는다. 공기는 튜브 근위부 끝에서 인두로 들어 간다.

② 두 번째 튜브
- 투명한 튜브로 첫 번째 튜브를 관통하여 약 10cm 정도 더 길다
- 기도와 식도에 삽입된다.
- 원위부에 커프가 있어 기도나 식도 아무 곳에 놓였을 때도 팽창할 수 있다.
- 두 번째 튜브가 식도 내에 삽입되었을 때는 환자는 첫 번째 튜브를 통해 환기된다. 두 번째 튜브는 기관에 삽입되면 환자는 이 튜브를 통해 환기하게 된다.

③ 환자가 의식을 회복하거나, 기도 방어 반사가 돌아오면 제거되어야 한다.

④ 기관내 튜브가 인두기관 튜브 기도기가 있어도 삽입할 수 있지만, 기관내삽관을 위해서는 인두기관 튜브 기도기를 먼저 제거하는 것이 좋다(그림 6-57).

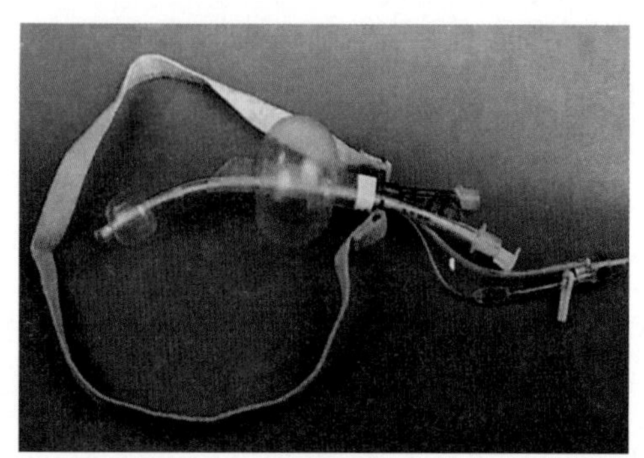

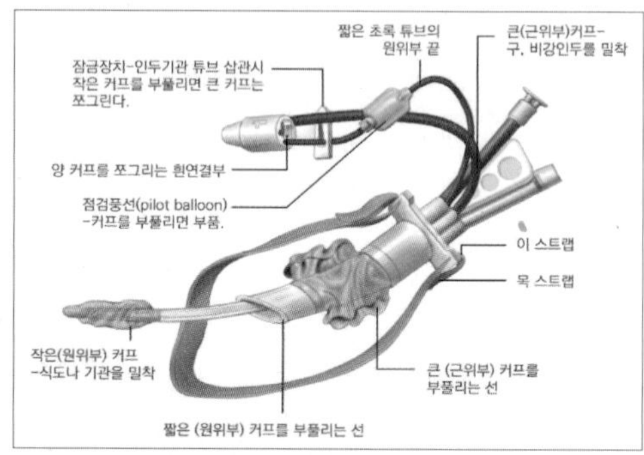

그림 6-57. 인두기관 튜브 기도기(pharyngeo-tracheal lumen airway, PTLA)

(2) 인두기관 튜브 기도기 장점

① 기도나 식도 아무 곳에 놓여도 기능이 가능하다.
② 얼굴 덮은 안면 마스크가 없다.
③ 후두를 직접 볼 필요가 없다.
④ 머리와 목의 움직임이 필요 없기 때문에 외상 환자에게 이용할 수 있다.
⑤ 상기도의 출혈이나 분비물이 기관으로 들어가는 것을 막아준다.

(3) 인두기관 튜브 기도기 단점

① 입인두 풍선이 전적으로 기관을 보호할 수는 없다.
② 입인두 풍선은 구강 앞쪽으로 움직일 수 있으며, 부분적으로 기도기를 움직이게 할 수 있다.
③ 입인두 풍선이 바람이 빠져 있더라도 인두기관 튜브 삽관은 어렵다.
④ 구역반사가 있는 환자에서는 사용하지 않는다.

(4) 인두기관 튜브 기도기 금기증

① 16세 이하
② 신장이 150 cm 이하
③ 구토반사가 있는 환자
④ 식도질환을 가진 환자
⑤ 부식성 물질을 섭취한 환자

인두기관 튜브 기도기는 시술자가 구강 혹은 백-밸브 마스크로 팽창부분 속으로 공기를 불어 넣을 때 동시에 팽창되는 2개의 풍선 같은 커프로 구성되어 있다. 한 개의 풍선 같은 커프는 구강 내에서 팽창되며 다른 하나는 튜브의 원위부 끝에서 팽창된다. 입안에서 팽창된 커프는 환기 동안에 입과 코를 통해 밖으로 빠져나가는 공기를 막기 위함이다. 밀폐된 튜브의 원위부 끝에 있는 커프는 식도나 기관 어느 쪽에 삽입되더라도 튜브의 끝 주변을 밀폐시킨다. 튜브는 2개의 커프를 통해 팽창되고 2개의 내강(lumen, 내부통로)을 갖는다. 한 개의 관은 구강 풍선 바로 아래서 끝나고, 또 다른 관은 튜브를 통과해 튜브의 원위부 끝에 있는 개구부의 원위부커프를 지나서 끝난다. 튜브의 **끝의 위치**에 따라 다음과 같이 연결한다.

① 원위부 끝이 식도로 삽입된다면 백-밸브 마스크 혹은 수요밸브 소생기는 하부기도와 폐에서 인두를 통해 환기를 제공하기 위해 **녹색**의 근위부 튜브에 연결한다.
② 원위부 끝이 기관에 삽입된다면 탐침은 투명한 근위부 튜브로부터 제거되고 백-밸브마스크 혹은 수요밸브 소생기는 **투명**한 튜브에 연결하여 직접 기관 환기를 제공한다.

삽인된 **인두기관 튜브 기도기**가 식도 혹은 기관으로 있든지 상관없이 폐의 적절한 환기가 수행되는 것을 **확인**하는 것이 매우 중요하다. 매 환기마다 흉곽상승, 호흡음, 상복부의 공기음의 유무 등을 평가하여야 한다. 또한, 잘못된 근위부 튜브를 통한 지속적 환기는 허파로의 환기를 시키지 못하고, 위팽만을 일으키고 환자를 저산소증을 증가시키므로 죽음에 이르게 한다.

인두기관 튜브 기도기(PTLA) 삽입 시에 **주의사항**으로는 날카로운 물질(의치, 부러진 치아 혹은 치아교정 장비 또는 철사)에 접촉하지 않도록 하고 구강풍선이나 원위부 커프가 터지거나 찢어지지 않도록 조심해야 한다. 이러한 장비들은 적당한 환기를 유지하는데 요구되는 밀폐상태를 유지하지 못하고 새나가게 하는 원인이 되기 때문이다.

6) 식도폐쇄기도기

(1) 개요

기관내삽관법이 기도확보에 좋은 방법이지만, 식도폐쇄기도기(esophageal obturator airways, EOA)는 훈련받지 않은 시술자 혹은 기관내삽관법이 허용되지 않을 때 사용된다. 식도폐쇄기도기는 큰 구멍이 있는 유연한 관으로 약 37cm 길이다. 근위부 끝은 개방되어 있고 원위부 끝은 둥글며 폐쇄되어 있다.

식도 폐쇄 기도기는 식도로 삽입된다. 적당한 위치에 삽입되면 원위부의 커프(cuff)에 30-35mL의 공기로 팽창시켜 식도폐쇄시킴으로써 역류를 방지한다. 환기는 관의 끝에 개방부위에서 이루어지며 분리 가능한 플라스틱 마스크에 둘러 싸여있다. 환자 얼굴과 식도폐쇄기도기 마스크 사이에 적절히 밀폐하면 공기는 인후부 밑지점에 16개의 구멍 뚫린 관으로 출입하게 된다(그림 6-58.).

식도폐쇄기도기의 삽입은 구역 반사를 유발시킨다. 이런 점에 의해 식도 폐쇄 기도기는 무의식 환자에게 이용된다. 만약 환자가 의식이 있으면 이 기구는 제거되어야 한다.

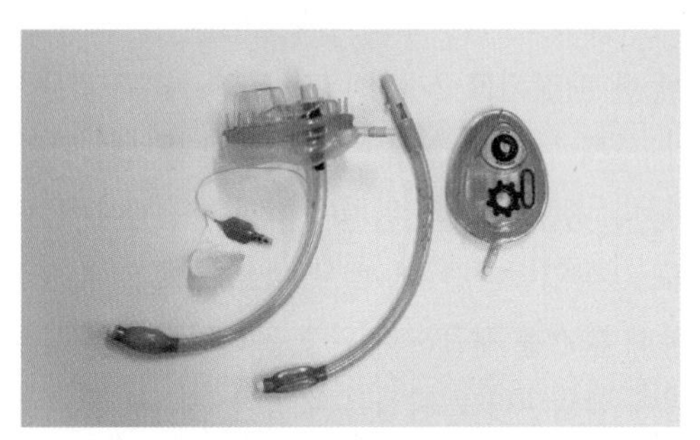

그림 6-58. 식도폐쇄기도기

(2) 식도폐쇄기도기의 장점

① 삽입이 쉬움 후두를 볼 필요가 없다.
② 위 팽만과 역류를 예방한다.
③ 인두 밑 부분에서 환기가 이루어진다.
④ 척수 손상 환자에게 이용된다.
　㉠ 삽입 시 목의 과다신전이나 굴절이 필요 없다.

(3) 식도폐쇄기도기의 단점

① 적절한 마스크 밀폐가 힘들다
② 때때로 식도손상과 파열을 유발시킨다.
③ 잘못되어 기관으로 들어갈 수 있다.

(4) 식도폐쇄기도기 사용할 때 주의사항

① 환자의 머리와 목은 중립으로(neutral position) 두거나 앞으로 약간 굽힌다.

㉠ 과신전 상태에서 관의 끝의 앞쪽 기도내로 삽입될 수 있다.

② 한손으로는 혀와 턱을 올리고(tongue-jaw-lift), 다른 손으로는 기구를 삽입한다.

③ 기구를 삽입하는 동안, 튜브의 위쪽과 2/3지점 사이를 연필을 잡듯이 잡는다. 이런 방법은 튜브를 뒤쪽으로 향하게 하는 부드러운 방법은 인두손상을 감소시킨다.

④ 튜브를 삽입할 때 절대로 힘을 가하지 않도록 한다. 저항이 느껴지면 기구를 약간 뺀 후에 턱을 조금 더 잡아 올리고(jaw-lift), 튜브를 다시 넣어 본다. 이렇게 하면 인두와 식도 손상을 막을 수 있다.

⑤ 커프를 팽창하는데 필요한 공기의 양은 사람에 따라 다르며 작은 환자일수록 공기의 양은 적다.

⑥ 튜브는 자연스러운 상태로 보관하여야 한다. 보관함이 작아서 튜브가 휘게 되면 삽입 시 튜브가 기관 안으로 들어가는 경우가 생기게 된다.

⑦ 식도폐쇄기도기는 약물과량사용 또는 저혈당으로 고통 받는 사람에게는 주의가 필요하다. 의식상태가 좋아질 경우 취토반사가 일어나 구토할 수 있다.

⑧ 식도폐쇄기도기는 환자의 구강과 인두 내에 있는 이물을 흡인하는 것을 방지할 수 없다(기도 청결을 위해 흡인이 필요하다).

(5) 식도 폐쇄 기도기 금기사항

① 16세 이하

② 신장이 150 cm 이하이거나 200 cm 이상인 경우

③ 독극물을 흡입했을 경우

④ 식도질환이나 알코올중독 병력이 있는 경우

(6) 식도 폐쇄 기도기 삽입 절차

① 물품을 점검하고 준비한다.

② 마스크에 공기를 채운다.

③ 튜브의 커프에 주사기로 공기를 넣어 커프가 새지 않는지 확인한다.

④ 튜브 끝에 윤활제를 바르고, 튜브를 마스크에 연결한다.

⑤ 환기를 유지하고, 100% 산소를 환자에게 과환기 시킨다.

⑥ EOA를 삽입한다.

⑦ EOA에 백-밸브 마스크를 연결한 후 환기한다.

⑧ 청진기로 호흡음을 확인한다.

⑨ 주사기로 커프에 공기를 넣어 부풀린다(그림 6-59).

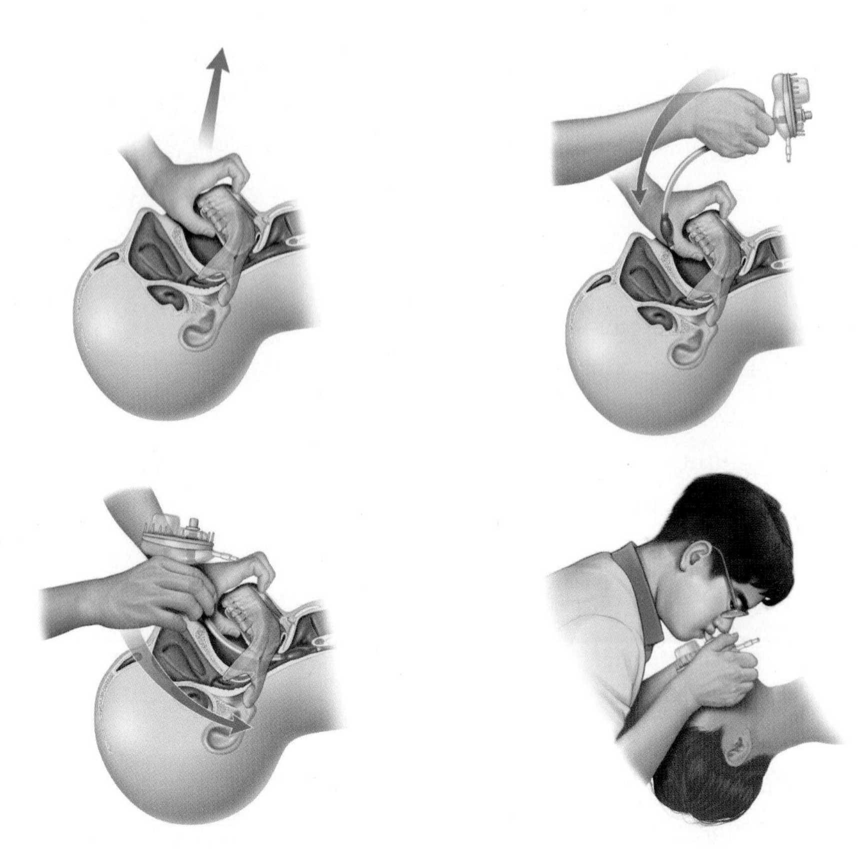

그림 6-59. 식도폐쇄기도기 적용방법

8) 주사침 윤상갑상절개술

① 윤상막을 뚫어서 기도 관을 만드는 것이다.

② 환자 기관에 즉시 삽입하여 환기와 산화를 이루게 된다.

③ 다른 방법이 불가능할 경우에 사용된다.

④ 가장 큰 바늘 캐뉼러(cannula)를 사용한다.

㉠ 성인은 12-16게이지(gauge)의 캐뉼러를 이용한다.

㉡ 소아는 18-20게이지의 캐뉼러를 사용한다.

㉢ 바늘(needle)을 45°로 삽입한다.

⑤ 카테터의 크기가 충분치 않아 보이면, 첫 번째 사용한 것보다 그다음 크기의 카테터를 삽입하면, 두 배 가까운 공기가 효율적으로 유입된다.

⑥ 바늘 끝에 3.0 mm 소아용 기관 내 튜브 연결부를 부착시킨다.

⑦ 카테터가 기관 직경을 채우지 않기 때문에 바늘 윤상갑상연골절개술은 흡인에 대비하여 환자를 보호할 수 없다(그림 6-60).

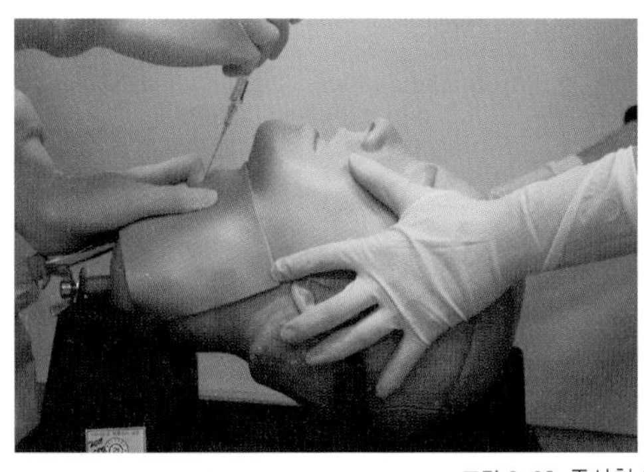
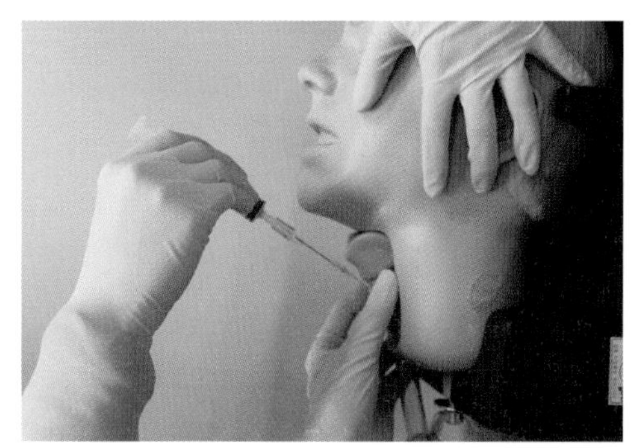

그림 6-60. 주사침 윤상갑상절개술 방법

9) 경기관 제트 환기법

① 피하 경기관 카테터 환기법은 바늘 카테터를 윤상갑상막에 삽입하는 것으로 간헐적으로 제트환기를 시키는 것이다.

② 일시적인 것으로, 상기도 폐쇄로 인한 질식 상해를 다른 방법으로 해결하지 못했을 때 즉각적으로 수행하는 마지막 방법이다.

③ 30초밖에 걸리지 않아 특별한 소생 노력을 기울이지 않아도 된다.

④ 단점

㉠ 과도팽창으로 인한 압력손상을 입는다.

㉡ 환기하는 동안에 발생한 고압력으로 인한 기흉을 일으킬 수 있다.

㉢ 부적절한 카테터 위치로 인한 과도 출혈이 발생할 수 있다.

㉣ 바늘이 너무 깊이 삽입되면 식도를 천공할 수 있다.

㉤ 분비물을 직접 흡인해 낼 수 없다.

㉥ 이산화탄소의 효율적인 제거가 안 된다(그림 6-61).

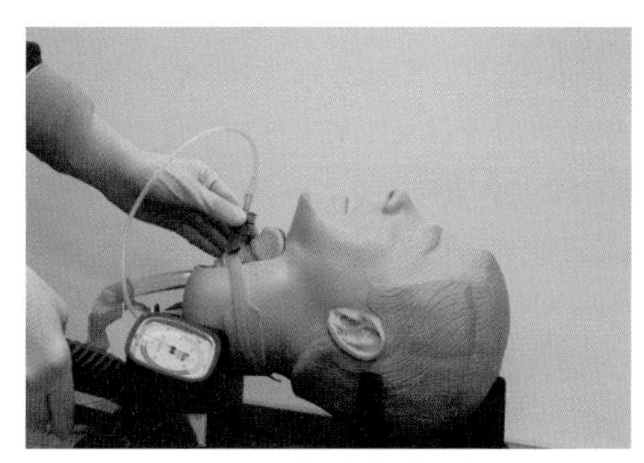

그림 6-61. 경기관 제트 환기법

11 보조환기

1) 수요밸브 소생기

(1) 용도 : 손으로 제공 가능한 기구

산소공급원과 연결된 고압관을 가지고 있어 최대 분당 40 L의 속도로 100%의 산소를 공급할 수 있으며, 호흡이 없는 환자에게 버튼(또는 트리거)을 눌러 수동으로 양압 환기를 시킬 수 있다(그림 6-62).

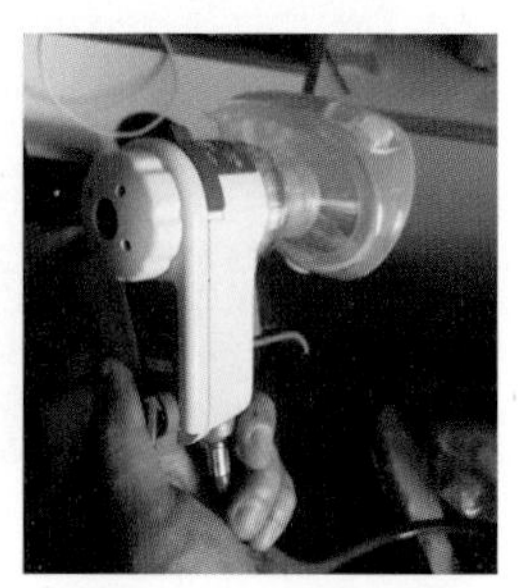

그림 6-62. 수요밸브 소생기 (demand valve)

(2) 특징

① 수요밸브 소생기는 2단계 압력 감소체계로서 1단계는 조절장치이고 2단계는 밸브의 머리 부분 제어이다.

② 백-밸브마스크 환기와 비교해 사용이 편리하여 초기 병원 전 응급처치에서 주로 널리 사용되었으나, 적당량의 호흡량을 제공하기가 쉽지 않고 호흡문제가 있을 때 인지하기 어렵다는 단점이 있다.

③ 수동조작 기능이 있어 밸브 머리 부분의 작동버튼을 누를 때 압력에 의해 산소가 환자에게 들어가며, 버튼을 놓으면 압력이 멈추고 두 번째 밸브와 배출구를 통해 환자의 호기가 나간다.

④ 기구의 사용으로 일어날 수 있는 위확장을 줄이기 위하여 유량은 30 cmH_2O나 이하로 제한한다.

⑤ 고농도 산소 제공 시에 이용되나 결점은 환기동안 이 기구는 흉부의 수용능력에 맞추어 제공하지는 못한다.

㉠ 폐의 과팽창을 주의(고압은 폐 손상 : 기흉, 피하기종)가 필요로 하다.

⑥ 수요밸브 소생기 작동 시에 식도로 열리기 때문에 기관삽관을 하지 않은 환자에게 사용하면 위 팽만을 일으킬 수 있다.

⑦ 자발 호흡이 시작되면 매번 흡기 시 산소를 확보할 수 있도록 수요밸브는 분리되고 흡기에 맞추어 고농도의 산소가 공급된다. 이때는 비재호흡마스크로 교체해 주는 것이 바람직하다.

Tip. 자발호흡이 있는 환자는 흡기 시 음압이 밸브 주위에서 감지되어 밸브가 열리면서 산소가 기도로 들어가며 환자가 흡기를 멈추면 자동으로 산소흡입을 멈춘다.

(3) 단점

① 압력방식이기 때문에 과도한 압력으로 위 팽만, 폐 손상, 기흉, 피하기종이 발생할 수 있다.

② 성인용으로 제작되어 소아(16세 이하 환자)들에게 사용하여서는 안 된다.

③ 산소 소비량이 많기 때문에 500 psi 보유 이하인 탱크는 가득 찬 것으로 교체해야 한다.

2) 인공호흡기(자동식 인공호흡기)

(1) 용도

호흡이 정지된 환자나 호흡부전 환자에게 자동 또는 수동으로 적정량의 산소를 공급할 수 있는 호흡보조 및 소생장비이다. 소형기계 환기장기가 병원 전 처치에서 사용한다(그림 6-63).

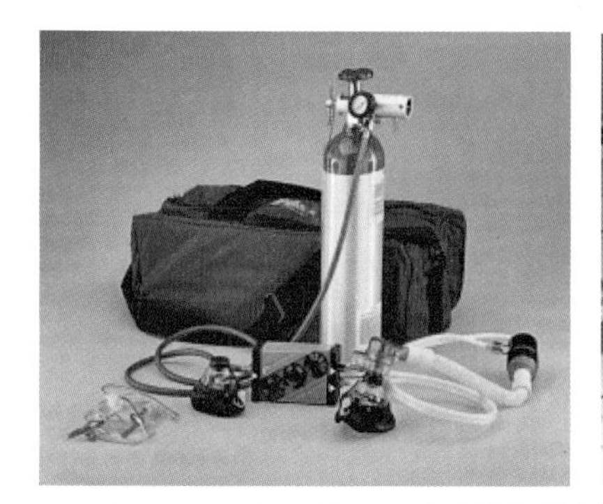

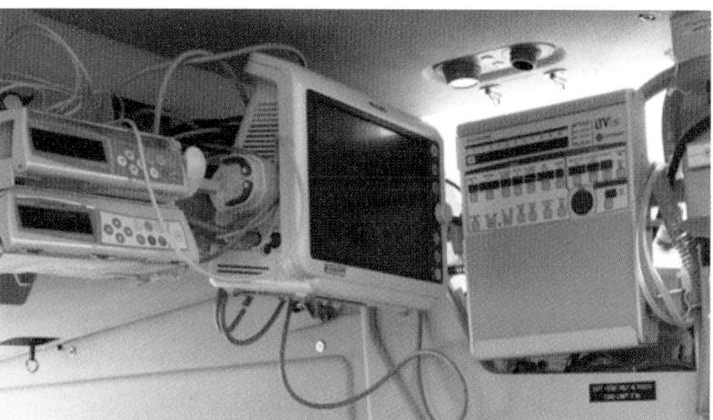

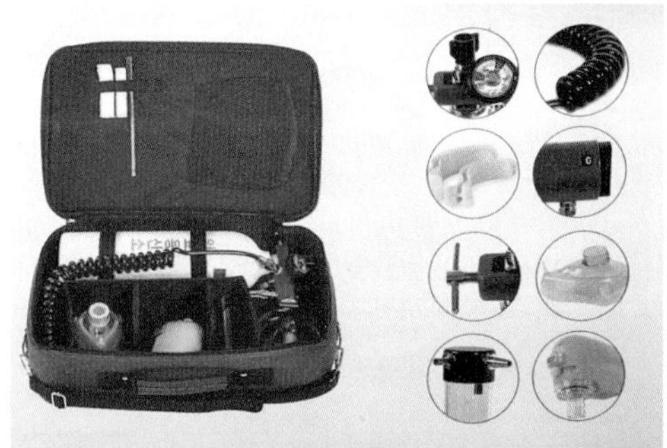

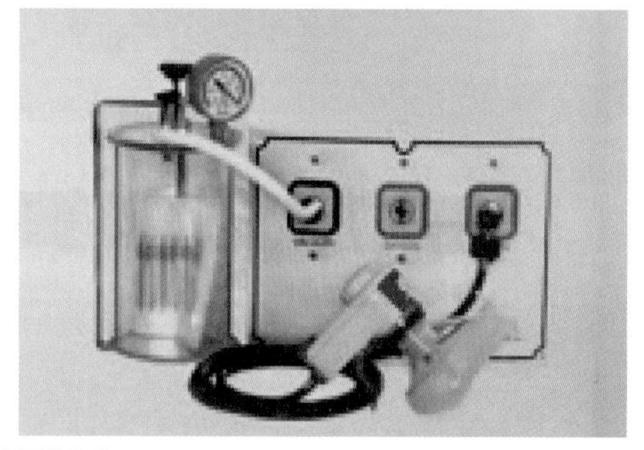

그림 6-63. 인공호흡기

(2) 방식

① 압력(Pressure cycle)방식 : 미리 정해놓은 압력에 도달할 시 환자가 호기를 할 수 있도록 설계되어 있다.

② 부피/시간(Volume/Time cycle)방식 : 응급구조사가 원하는 호흡횟수와 1회 환기량을 조

절하여 사용할 수 있도록 설계되어 있다.

③ 압력과 부피/시간 방식의 차이점

구분 / 종류	압력(Pressure cycle)방식	부피/시간(Volume/Time cycle)방식
차이점	① 순간 유량이 높게 설정되어 있어 호흡 시에 산소가 과다 공급될 수 있다. ② 분당 호흡횟수 조정이 명확하지 않다.	① 환자에 따라 호흡횟수와 1회 환기량을 조절하므로 과다공급 우려가 적다. ② 분당 호흡횟수 조정이 확실하다.

(3) 기능 및 특성

무게가 가볍고 사용이 편리하게 만들어져 환자 응급처치가 쉽고 이동이 쉽고, 분당 호흡량을 유지하는데 백-밸브 기구보다 인공호흡기가 더 유리하다. 심정지의 경우 인공호흡기는 기계적 호흡에 맞추어 흉부를 압축시킨다.

(가) 공통점

① 압축산소를 동력원으로 사용한다.

② 대부분 제품에 수동버튼 기능을 추가하여 자동/수동을 선택하여 사용할 수 있다.

③ 대부분 호기말 양압(positive end-expiratory pressure, PEEP) 기능이 있다.

④ 오염된 자동전환기의 세척 및 교체를 할 수 있다.

⑤ 과압력방지장치(pop-off)가 있다(대부분 50-60 cmH_2O).

⑥ 환자에게 고농도의 산소공급이 가능하다.

⑦ 휴대용이 경우 대부분 산소호흡기 및 흡인기의 기능이 부가되어 있다.

Tip. 압축산소로 작동하는 인공호흡기

① 분당 호흡수와 일회 호흡량을 조절할 수 있는 조절장치가 있어 수요밸브보다 분당 호흡량을 유지하는 데는 유리하다.

② 인공호흡기는 흡입압력 안전밸브가 있어 기도 내의 압력이 일정 수치 이상(50 mmH_2O)으로 증가하면 공기의 유입이 중단되므로 폐 손상을 방지한다.

(4) 주의사항

① 인공호흡과 동시에 흉부압박을 병행하는 것은 손상의 우려가 있고 국제기준에 상반되므로 자동전환기를 사용하지 말고 수동버튼을 이용하도록 한다.

② 마스크 연결부위에 이물질이 묻어 있으면 수동버튼을 2-3회 눌러 이물질을 제거한 다

음 자동전환기를 사용한다.

③ 인공호흡용 마스크를 환자에게 완전히 밀착시키지 않으면 적절한 환기가 어려우므로 기도확보 및 마스크 밀착에 유의해야 한다.

④ 장비별 사용법 및 적용 연령을 철저히 지켜야 한다.

⑤ 인공호흡기는 현재 응급의료에 관한 법률상 1급 응급구조사가 의료지도를 받아서 사용할 수 있는 장비이다.

⑥ 심장성 폐부종, 성인호흡곤란 증후군(ARDS), 폐타박상, 기관지연축 또는 고 기도압력을 견뎌내야 하는 다른 질환들을 가진 환자들 환기에 방해될 수 있다. 이러한 문제가 생기면 백-밸브 기구 사용을 고려한다.

⑦ 5세 이하 어린이들이나 깨어 있는 환자들 또는 폐쇄된 기도나 높아진 기도 저항이 있는 환자들에게 기계적인 인공호흡기를 사용해서는 안 된다.

⑧ 삽관된 환자들의 기계적인 인공호흡기는 다른 활력징후에 관련된 일들을 수행하게 된다. 이것의 단점은 산소통 압력에 따른 안전과 적절한 기능을 하기에 어렵다는 것이다.

3) 산소탱크 등 산소저장기구

(1) 용도

산소를 압축된 가스형태로 저장하고 고압의 산소를 환자가 사용 가능한 압력 및 유량으로 조절하는 기구이다. 응급환자의 1시간 이송에 최소한 144.4L의 산소가 필요하다. 우리나라

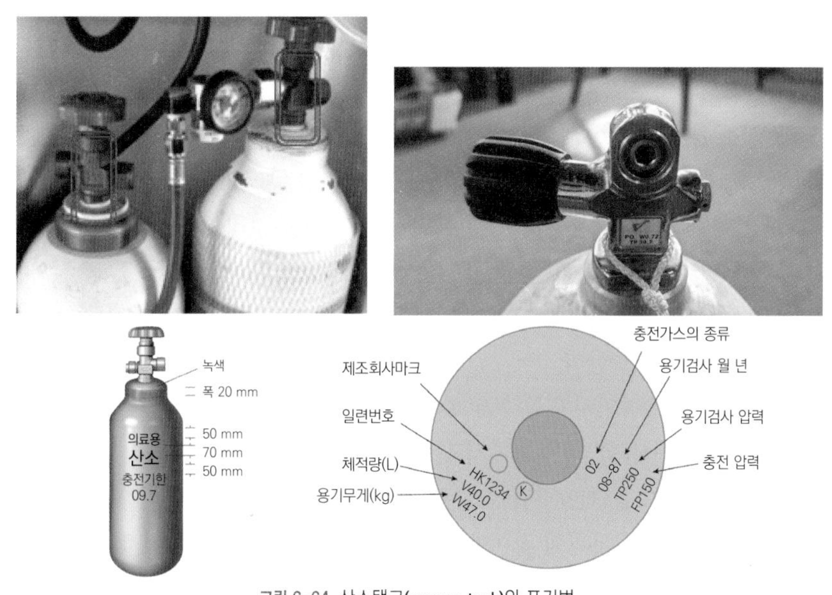

그림 6-64. 산소탱크(oxygen tank)와 표기법

에서 많이 쓰는 E형 산소탱크에는 650 L, M형에는 3,000 L의 산소가 저장된다. 따라서 구급차 안에는 각각 한 통씩 탑재되어야 하며, M형은 구급차 이송 중에 E형은 단시간 현장에서 이동 중에 사용한다(그림 6-64).

(2) 구성

고압산소통, 압력조절기, 유량계, 가습기 등으로 구성되어 있다.

(3) 고압산소통 및 압력조절기

(가) 고압산소통의 종류

① D형 - 산소 약 350 L가 들어있다.
② E형 - 약 650 L 정도로 가장 일반적으로 사용한다.
③ M형 - 약 3,000 L 정도로 구급차에 고정된 장비로 주로 사용한다.
④ G형 - 약 5,300 L가 들어있다.
⑤ H형 - 약 6,900 L가 들어있다.

(나) 안전규칙

① 산소 사용 목적으로 압력계, 유량조절기, 튜브를 항상 사용한다.
② 항상 압력계와 유량조절기 바꾸거나 유량을 조절하기 위해서는 비철금속 산소 렌치를 사용한다.
③ 항상 밸브 대 삽입물과 틈박이의 상태가 좋은지 확인한다.
- 산소탱크에 있는 일회용 개스킷(gasket)을 산소탱크를 바꿀 때마다 교체한다.
④ 항상 의료용 산소를 사용한다.
- 산소 U. S. P 또는 KP로 표시되어 있다.
⑤ 밸브를 열려고 완전히 돌리지 않아야 한다.
⑥ 항상 예비 산소탱크는 시원하고 환기가 잘되는 방 자리에 적절하게 보관한다.
⑦ 항상 5년마다 산소탱크를 정수로 검사한다.
⑧ 산소탱크를 떨어뜨리거나 환자와 함께 이동할 때, 산소탱크를 들것에 묶거나 기타 방법으로 고정하도록 한다.
⑨ 산소탱크를 고정되지 않은 채로 수직으로 세워놓지 않도록 한다.
⑩ 산소장비를 사용할 때 주위에서 담배를 피우지 않도록 한다.
⑪ 불꽃에 직접 노출되는 주위에서는 산소장비를 사용하지 않는다.
⑫ 산소공급 탱크에 부착할 장비에 윤활유, 기름, 비누를 사용하지 않는다.
⑬ 산소탱크 출구를 보호하거나, 산소통 또는 산소 공급 장치를 표시하거나 라벨을 달기

위해서 반창고를 사용하지 않도록 한다.

⑭ 산소탱크를 끌거나 눕혀서 또는 바닥을 돌려서 운반하지 않도록 한다.

(4) 주의사항

① 산소통은 2개를 준비하여 사용하는 것이 안전하다.

② 산소탱크의 안전잔유량은 압축계를 보아서 200 psi 이상이며, 200 psi에 도달하기 전에 새 산소탱크로 교환해야 한다.

③ 산소탱크의 압력(2000 psi)은 너무 높으므로 압력조절기를 산소탱크에 연결하여 30-70 psi 정도로 안전하게 낮추어 사용해야 한다.

④ 산소 사용 시에는 항상 화재 및 폭발사고 등에 유의하여야 하며 금연하도록 한다.

⑤ 응급환자의 1시간 이송에 최소한 144.4 L의 산소가 필요하다.

† 우리나라 구급차량의 고압산소통

① 2.3 L형 : 휴대용 인공호흡기에 주로 사용하는 소형 산소통으로 100 kg/cm^2의 압력으로 충전 시 230L 정도 들어간다(계산법 : 2.3 L × 100 kg/cm^2).

② 10.2 L형 : 구급차 내에 탑재하는 산소통으로 100 kg/cm^2 의 압력으로 충전 시 1,020 L 정도 들어간다(계산법 : 10.2 L × 100 kg/cm^2).

③ 46 L형 : 대형 산소통으로 병원에서 주로 사용한다.

4) 유량계

(1) 기능

분당 방출되는 압력을 조절하는 장치로 버튼-게이지 유량계와 압력-보정 유량계가 보편적으로 사용된다.

(2) 종류

① 버튼-게이지 유량계 : 중력에 영향을 미치지 않으므로 어떤 각도에서도 작동하고 튼튼하며, 휴대용 의료장비에 유용하다.

㉠ 역 압력에 대한 보정능력이 없다.

㉡ 튜브가 꼬이는 등으로 부분적으로 폐쇄될 경우 실제 유량보다 유량계 눈금이 높아질 수 있다.

② 압력-보정 유량계 : 눈금이 새겨져 있는 관에 부유구가 들어있으며 계량기의 값은 중력에 따라 달라지기 때문에 정확한 측정을 위해서는 똑바로 세워야 한다.

5) 가습기

(1) 기능

산소를 가습화하여 기도와 폐 점막의 건조로 인한 손상을 방지한다.

(2) 주의사항

① 가습기에는 물이 들어있는데 쉽게 오염되어 해로운 세균, 위험한 곰팡이의 서식지가 되어 감염원이 될 수 있다.

② 가습기의 물통에는 증류수나 깨끗한 물을 사용하고 자주 교환해주어야 한다.

③ 감염 위험 때문에 단기간 이송 시 사용하지 않은 추세이지만, 소아나 만성폐쇄성폐질환 환자에게는 특히 가습산소가 편하다.

6) 사용방법

(1) 산소통 1

① 산소통에 압력보정유량계를 부착한다(그림 6-65).

② 압력보정 유량계에 증발성 산소가습기를 연결한 후 산소관을 연결한다.

③ 압력보정 유량계를 돌려서 산소량을 결정한다.

(2) 산소통 2

① 산소통의 밸브를 열어서 처음의 산소를 버린다.

② 압력조절기를 부착한다.

③ 압력조절기를 산소통에 고정한다.

④ 밸브를 열어서 처음의 산소를 버린다.

⑤ 산소농도를 결정한다.

⑥ 산소농도를 올린다.

⑦ 산소관을 연결한다.

(3) 수요밸브

① 수요밸브 소생기를 부착한다.

② 하악거상법으로 기도를 유지한다.

③ 수요밸브 소생기로 환기시킨다.

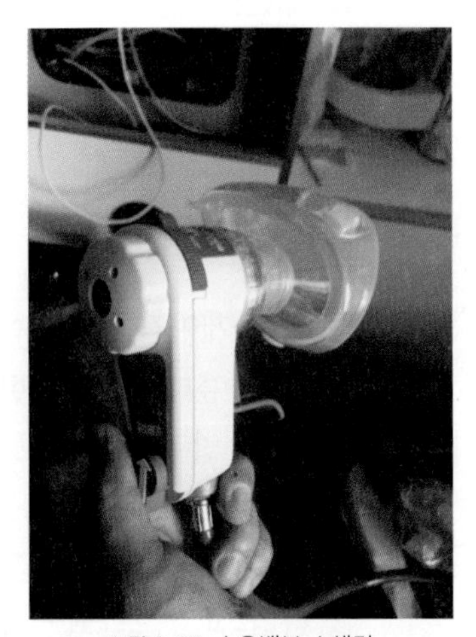

그림 6-65. 수요밸브 소생기

Tip. 산소탱크(O_2 TANK) 용량

Tank	용량	15 ℓ/min	10 ℓ/min	6 ℓ/min	2 ℓ/min
C	240 L	16 min	24 min	40 min	120 min
D(휴대용)	360 L	24 min	36 min	60 min	180 min
E	625 L	41 min	62 min	104 min	312 min
M	3000 L	200 min	300 min	500 min	25 hr
G	5300 L	353 min	530 min	14:43 h	44:10 h
H	6900 L	460 min	690 min	19:10 h	57:30 h

Tip. 공기통의 사용가능 기간 계산법(단위 : 분)

$$\text{계산법}= \frac{(\text{현재의 압력}-\text{안전잔류량}) \times \text{상수}}{\text{유속(liter/min)}} = \text{사용가능 시간(min)}$$

각 산소통의 상수

D	0.16
E	0.28
G	2.41
H&K	3.14
M	1.56
안전잔류량	200psi

예] M산소통, 현재의 압력 1,200 psi, 안전잔류량 200 psi, 유속 5/min

$$\text{답 : } \frac{(1200-200)*1.56}{5} = \frac{1,560}{5} = \text{312분(5시간 12분)}$$

12 흡인장비

1) 흡인기

(1) 용도

의식수준이 저하 및 무의식 환자가 자신의 기도(구강 또는 비강)를 스스로 관리할 수 없는 환자의 체액, 구토물, 혈액, 이물질 등을 진공압력으로 흡인(suction)하여 기도를 유지해 준다. 현장에서는 전지형과 수동형이 일반적으로 많이 쓰인다(그림 6-66, 6-67).

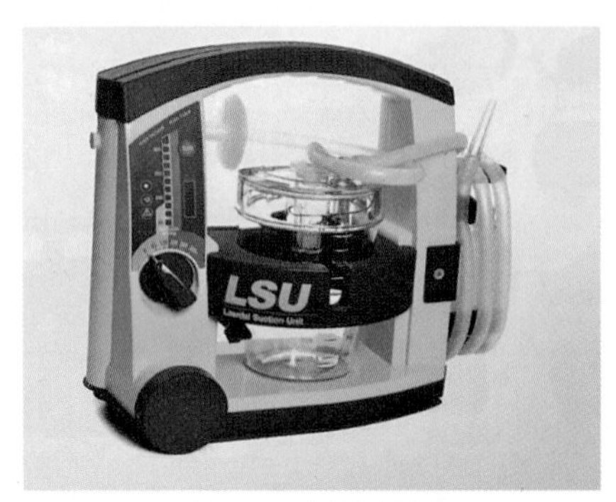

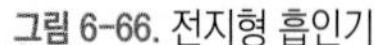
그림 6-66. 전지형 흡인기

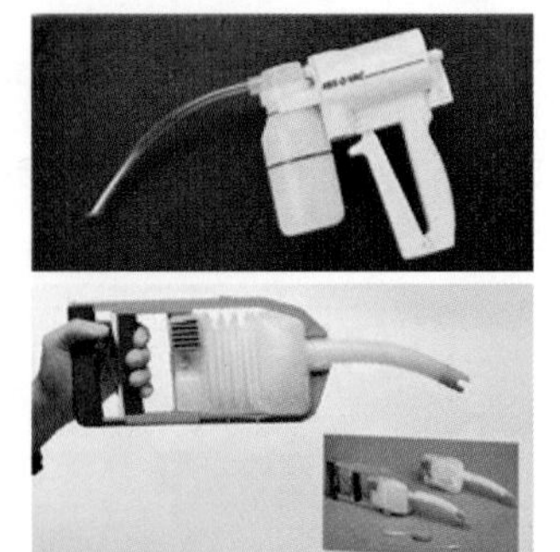
그림 6-67. 수동식 흡인기

(2) 종류

① 고정용 흡인기 : 보통 환자의 머리 쪽에 설치하며, 엔진의 분기관이나 전기 동력원으로 흡인 진공압력을 생성한다.

② 휴대용 흡인기 : 전기작동식(충전지나 가정용 전기), 산소 또는 공기 작동식이다.

(3) 구성

흡인기계, 흡인물 수집용기, 연결튜브(관), 흡인 tip, 카테터, 물통으로 구성되어 있다.

(가) 흡인기계 : 진공을 발생시키는 근원과 진공압을 측정할 수 있는 계기 포함한다.

(나) 흡입 연결튜브(tubing) : 벽이 두껍고 꼬임방지가 된 구경이 넓은 관을 말한다.

(다) 흡인 팁(tip)은 2종류가 있다.

① 흡인 카테터(French catheter)

유연하고 부드러운 플라스틱 또는 고무튜브로 되어 있으며, 비강 및 구강내 흡인과 기관내관을 통한 흡인용으로 사용된다. 휘슬팁(whistle tip, 길고 유연해서 사용하기 편리하고 크기가 작기 때문에 하부 기도까지 들어갈 수 있다)이 부착된 것을 사용하고, 번호가 클수록 직경이 크다(14Fr>8Fr)

② 경성 흡인팁

보통 톤실팁(tonsil tip) 또는 양커팁(Yankauer tip) 이라 불리며 폐흡인을 피하기 위하여 구강, 인후로부터 과량의 구토물, 혈액, 이물질의 빠른 배출을 위해 사용된다. 크고 딱딱한 관으로 원위부 끝에는 많은 구멍이 있다. 구강 인두를 따라 삽입하거나 후두경 사용 시에 이용된다. 휘슬팁보다 크고 많은 양의 분비물을 제거해준다. 그러나 오직 상기도 흡입에만 이용되며 거칠게 삽입하면 열상이나 다른 손상을 초래할 수 있다. 환자가 무반응이 아니거나 의식을 되찾기 시작할 때는 주의해서 사용한다.

(라) 흡인물 수집용기 : 쉽게 분리해서 소독할 수 있어야 하며, 일회용 용기를 많이 사용한다.

(마) 깨끗한 물통 : 정화수 또는 멸균수 사용하여 부분적으로 튜브를 막고 있는 물질을 청소하기 위해 사용한다.

(4) 특징

① 수집관의 개방된 끝부분에서 최소한 분당 30 L의 공기가 흡수되거나 수집관을 막았을 때 300 mmHg 이상의 진공압력이 생겨야 한다(대부분 제품이 500 mmHg 이상의 진공압력이 나온다).

② 흡인압력은 기계 및 사람의 크기에 따라 적절하게 시작하고 약하면 점차 올린다.

㉠ 벽부착식 : 성인(100-120 mmHg), 소아(95-100 mmHg), 영아(50-95 mmHg)

㉡ 이동식 : 성인(10-15 cmHg), 소아(5-10 cmHg), 영아(2-5 cmHg)

(5) 사용방법

① 장치의 모든 부분이 제대로 연결되어 있는지 확인한다.

② 스위치를 눌러서 작동시킨다.

㉠ 흡입튜브를 막아서 압력계기가 300 mmHg 이상 되도록 조정한다.

③ 흡인을 하는 동안에 항상 적절한 감염통제 방법을 사용해야 한다.

㉠ 보안경, 마스크, 일회용 장갑을 착용한다.

④ 환자를 흡인하기 편한 자세로 유지한다.

㉠ 의식이 있는 환자의 입인두 흡인 시 : 옆으로 돌린 반좌위 자세를 취한다.

㉡ 무의식 환자의 흡인 시 : 흡인자의 얼굴을 마주보는 측위 자세를 취한다.

㉢ 비강흡인 시 : 고개를 과신전시킨 상태를 취한다.

⑤ 흡인을 하기 전, 사이, 하고 난 후에는 1-2분 동안 100% 산소로 환자를 과환기시킨다.

㉠ 흡인은 환자의 산소량을 감소시키기 때문에, 흡인시마다 10-15초 이내로 제한하여야 한다.

⑥ 흡인막대기를 흡인관을 연결한다.

⑦ 삽입하는 깊이를 적절하게 측정하고 흡인기의 흡입능력을 검사한다.

㉠ 구강흡인 : 입 가장자리(구각)에서 귓불까지 거리를 측정한다.

㉡ 비강흡인 : 코에서 귓불까지의 거리를 측정한다.

⑧ 교차수지법으로 입을 벌린 후 흡인 막대를 넣는다.

⑨ 흡인 전에 환자를 1-2분 동안 전산소화(과환기) 한다.

⑩ 교차수지법으로 입을 벌린 후 흡인기를 넣는다.

⑪ 흡인력이 생기지 않도록 휘슬 스탑(Whistle stop)을 개방하고 원하는 부위까지 관을 삽입한다.
  ㉠ 원하는 부위에 관이 삽입되었으면 흡인력이 생기도록 Whistle stop을 엄지나 검지로 막고 조심스럽게 돌리면서 빼낸다.
  ㉡ 카테터 삽입 시에는 흡인하면 안 된다.
⑫ 흡입은 10-15초(폐로의 산소공급을 차단함)를 넘지 않는 것이 좋다.
⑬ 관을 증류수 등에 통과시켜 부분적으로 막힌 것을 씻어내고 다시 흡입한다.
⑭ 흡인 후에는 흡인기에 물을 통과시켜 세척한다. 씻는 동안 환자는 전산소화 한다.

2) 수동식 흡인기

(1) 용도

가볍고 작으며 외부의 배터리에 의존하지 않고 수동으로 즉각적인 흡인이 가능하여 산악이나 야외에서 임시로 사용한다.

(2) 단점

① 흡인력이 약하고 오물 수집통이 작다
② 환자의 구강 안으로 흡인도관의 끝을 정확하게 삽입하면서 수동으로 펌프질하는 것이 수월하지는 않다.

3) 주의사항

① 흡인 시 whistle tip catheter에서 눈을 떼지 말고, 절대 한번에 10-15초 이상 흡인하지 않도록 한다.
② 환기(산소공급)도 매우 중요하므로 5초 이내에 흡인을 종료하도록 노력하고 다시 흡인을 시행해야 할 경우에는 적어도 20초 정도 과환기(2분 동안 인공호흡) 후 재흡인을 시도한다.
③ 흡인의 주요 위험인 저산소증, 환기의 지연, 미주신경자극(인두 뒤쪽)으로 인한 부정맥(서맥) 촉발, 구토와 흡인의 유도 등을 잘 알고 대응할 준비를 해야 한다.
④ 이동용 흡인기의 경우 배터리 유지 및 조절이 필수적이므로 철저하게 관리한다.
⑤ 흡인은 환자가 측면으로 누워 있을 때 실시한다.
  ㉠ 흡인하는 동안 입에서 분비물을 쉽게 나올 수 있도록 해준다.
⑥ 두개골 골절에서 뇌 기저부 골절환자(골절부위를 건드려 심한 손상 우려) 금기 및 주의가 필요하다.

PART 03

대량재해

07 대량재해 총론

1 개요

지진, 토네이도, 홍수, 그리고 태풍 등의 자연재해는 전 세계적으로 발생하고 있으며, 막대한 인명피해, 재산 피해를 동반하고 있다. 홍수나, 지진, 그리고 태풍 등의 호발 하는 지역의 인구 밀도가 높아짐에 따라서, 같은 강도의 재해에 노출되는 인구가 많아지고 있다. 또한 수천 가지 이상의 독성물질 및 화학물질의 개발이 이루어지고 있으며, 이러한 물질에 의한 지역적인 피해가 유발될 수 있다. 그리고 핵, 폭발물, 생물학적 무기, 화학적 무기에 의한 테러들이 미래의 재해의학의 중요 관점으로 변화하고 있는 추세다(그림 7-1).

최근의 큰 재해로는 인도네시아, 인도, 터키, 대만의 지진, 그리고 세계 무역센터의 비행기 테러, 탄저균 테러, 발리섬 폭탄테러, 이라크 폭탄 테러 등을 열거할 수 있겠다. 응급구조학 및 응급의학은 이러한 테러나 재해 후의 환자 발생에서 응급환자에 대한 응급치료를 담당하는데 중추적인 역할을 감당하고 있으며, 재해 계획 및 취급(management) 그리고 환자 응급치료의 일차적인 역할을 하게 된다.

보통은 1명의 응급환자를 진료하는 상황만을 언급하나, 재해 상황에서는 여러 명의 환자를 치료하는 경우가 발생한다. 이러한 상황에서는 소수의 응급구조사가 다수의 응급환자를 치료하고 단시간 내에 많은 환자가 집중하기 때문에 별도의 계획(재해의료대책 등)이 필요하다. 소수의 응급구조사가 많은 환자를 효율적으로 치료하기 위해서는 환자의 중증도에 따라서 처치순위와 이송순위를 결정해야만 한다. 이러한 상황에서 순위를 결정하는 방법이 '중증도 분류(triage)'이다. triage는 프랑스에서 기원한 단어로 '골라내다', ' 분류하다', '선택하다'는 의미가 있다. 많은 환자가 동시에 발생하였을 때, 환자의 우선순위를 분류하여, 이에 따라서 대응책을 세워주는 것이다. 중증도 분류는 대형 사고나 재난이 있을 때 시행된다. 중증도 분류는 가능하면 응급의료진 혹은 경험이 많은 응급구조사가 시행하는 것이 바람직하다.

응급구조사로 근무하다 보면 많은 대량재해를 접할 수 있다. 안정적인 환자에서부터 극히 중증의 환자까지 다양한 손상 수준을 보이는 10명 이내의 사고가 일반적이다. 환자가 50명,

100명 또는 그 이상인 큰 규모 대량재해사고(MCI)는 드물다. 대량재해 사고관리에 대한 역할을 이해하고 그러한 사고에 반응을 보일 응급의료종사자를 조직화할 방법을 아는 것이 필수적이다(그림7-1).

그림 7-1. 대 테러범에 의한 현장

2 재해의 정의

면 단위의 의원에 교통사고로 화상과 동반되어 3-4명의 환자가 한꺼번에 진료를 필요로 하는 경우에는 일상적인 치료가 불가능하게 된다. 한편으로 광주에 위치한 3차 대학교병원 응급의료센터에 30-40명의 중환자가 일시에 진료를 필요로 하는 경우에도 일상적인 치료가 불가능하다. WHO에서 내린 재해의 정의는 "외부의 도움을 필요로 하는 상당한 정도의 갑작스러운 생태적 현상"이다. 응급의료센터의 측면에서 재해를 정의하자면, 환자들이 일시에 내원하여 외부적 도움 없이는 최소한의 응급처치도 불가능한 상태라고 할 수 있다. 환자의 수 및 중증도 정도, 그리고 재해의 특성에 의한 다양한 병원 내의 재해가 있을 수 있다.

재해의 구분으로는 자연재해 및 인위재해로 구분할 수 있으나 현재는 이러한 재해가 혼합되어 나타나는 양상이다. 따라서 재해란 자연적 혹은 인위적 원인으로 인하여 파괴와 손실, 대량환자 발생 등을 유발하는 대형사고나 재앙을 지칭한다. 재해는 넓은 지역에서 각종 피해가 발생하는 지진, 홍수, 전쟁 등을 의미하며, 대량 환자 발생은 국한된 지역에서 많은 환자가 발생하는 교통사고, 건물화재 등을 말한다. 재해는 인적피해 이외에도 재산피해, 사회시설 파괴, 지역기능의 마비 등 큰(많은) 피해를 동반하므로 많은 환자의 개념보다 상당히 광범위한 것이다. 그러나 일부에서는 재해와 대량 환자 발생을 같은 범주로 정의하기도 한다.

Tip. 용어의 정의

① 재해란? 자연적 혹은 인위적 원인으로 인하여 파괴와 손실. 대량환자 발생 등을 유발하는 대형사고나 재앙을 지칭한다.

② 재난 : 시민의 생명 · 신체 · 재산과 지역사회에 피해를 주었거나 줄 수 있는 사건이다.
③ 재난 등 : 재난과 재난으로 선포되지 않은 다수사상자사고이다.
④ 재난사태 : 재난(우려)의 영향과 피해를 줄이기 위해 긴급조치가 필요한 상황이다.

3 재해의 종류와 재해 등급

1) 재해의 종류

재난은 혼재되어 나타나며 시간의 경과에 따라 변화하기도 한다. 종류를 구분 짓기 어렵지만 주된 양상을 파악함으로써 신속하고 적절하게 효과적으로 대응할 수 있게 된다.

재해는 일반적으로 인위적 재해와 자연적 재해로 분류할 수 있다.

① 인위(사회)적 재해는 인간에 의하여 발생하는 전쟁, 테러, 교통사고, 건물 붕괴, 방사능 혹은 화학물질 누출 등에 의한 재해를 말한다.
② 자연재난은 지진, 태풍, 홍수, 폭풍, 화산 폭발 등의 자연적 현상에 의하여 발생하는 재해를 의미한다(표 7-1).

표 7-1. 재해의 분류와 종류

대분류	세분류	종류
자연재해	기후적 재해 지진성 재해	태풍, 홍수 지진, 화산폭발
인적재해	사고성 재해	교통사고(자동차, 철도, 항공, 선박) 산업사고(건축 붕괴 등) 폭발사고(갱도, 가스, 화학물질, 폭발물 등) 화재 생물학적 사고(박테리아, 바이러스 독혈증) 화학적(유독물질, 부식성 물질) 방사능
	계획적 재해	테러, 폭동, 전쟁

전쟁을 제외한 인위(사회)적 재난 시는 수십, 수백 명의 환자가 발생하는 반면에, 자연재난에는 수백 명에서 수만 명의 환자가 발생할 수 있다. 국내의 경우에는 자연적 재해보다 대형 교통사고에 의한 인위(사회)적 재난이 가장 빈번히 발생하고 있다(표 7-2). 전쟁으로 인해 외상환자가 주로 발생하지만 난민수용소에서는 감염병으로 인한 질병환자가 발생하기도 한다.

또 다른 재해 분류법으로는 다음과 같다.

① 외상재해는 피해자들이 주로 외상을 당하는 재난으로써 건물붕괴, 화재, 각종사고, 지진 등에 의한 재해를 지칭한다.

② 질환재해는 화학물질 누출, 방사능 누출, 유독물질 누출 등에 의하여 호흡기 장애, 대사기능 장애 등을 발생하는 재해를 말한다.

③ 외부재난은 병원 밖의 재난이다.

㉠ 지진 · 태풍 · 홍수 · 폭우 · 교통사고 · 폭발사고 · 테러 등의 다양한 원인이 해당한다.

④ 내부재난은 병원 내의 재난을 의미한다.

㉠ 원내의 기능에 심각한 장애를 유발할 수 있는 정전 · 화재 · 치료용 방사선 노출 등 환자치료에 영향을 미치는 사고이다.

㉡ 태풍으로 인한 외부단전이 병원의 정전을 일으켜 영향을 끼치는 경우도 있다.

⑤ 사고 후 확산여부에 따라 닫힌 재난과 열린 재난으로 구분할 수 있다.

㉠ 닫힌 재난인 폭발사고에 대한 대응이 미흡하여 교통 · 전기 관련 피해가 지역사회에 퍼지면 열린 재난으로 바뀔 수 있다.

표 7-2. 국내에서 발생하였던 대표적인 재해

사고내역	부상자(명)	사망자(명)	피해액
충주호 유람선 화재 '94.10.24	33	29	260만원
서울 아현동 화재 '94.12.7	49	12	60만원
삼품백화점 붕괴 '95.6.29	502	937	72,433백만 원
인천 논현동 히트노래방	80	57	64백만 원
대구 지하철화재(중앙로 역) '03.2.18	148	192	615억 원
천안초등학교 축구부합숙소 '03.3.26	16	9	1,600만원
대구수성씨티월드빌딩 '05.9.27	53	5	-
대구 서문시장 '05.12.29	-	-	186억 원
여수출입국관리사무소	18	8	500만원
허베이 스피리트 유류유출 사고 '07.12.7	어장 29,454ha 및 해안 70.1km 오염		843억 원
세월호 사건 '14.04.16	-	304 (미수습 9명)	900억 원

2) 재해의 등급

재해는 피해 규모에 의하여 크게 3등급으로 구분된다.

① 재해 1급 : 재해 발생 후 수 시간 이내에 해당 시, 군, 구(기초지방자치단체) 단위에서 자체의 계획에 의하여 모든 수습이 가능한 재해를 말한다.

② 재해 2급 : 지역(시, 군, 구) 자체적으로 재해 수습이 불가능하여 인근 지역(지방자치단체)으로부터 인적 혹은 물적 지원이 필요할 정도로 큰 규모의 재해를 말한다.

㉠ 외부지원이 해당 지역으로 도달하기까지는 수 시간에서 1일 정도의 시간적 공백이 생긴다.

③ 재해 3급 : 재해지역이 상당히 넓고 피해 규모가 크거나, 국가 전체가 재해의 피해를 받은 전쟁 등의 대형 재해를 말한다.

㉠ 국가적인 비상대책이 필요한 경우이다.

㉡ 정부의 지원이 해당 지역으로 도달하기까지는 1-2일 정도의 시간이 소요되는 경우가 많다.

㉢ 모든 재해대책을 수립하면서 최소 48시간은 자체적으로 재해에 대처(인적 · 물적 자원)할 수 있는 계획을 수립하고 비상물자를 비축해야 한다.

재해의 등급은 해당 지역의 능력에 따라 달라지며 효과적인 대응여부에 따라 달라지므로 상대적이기도 하다.

Tip. 재해의 등급과 정의

① 재해 1급 : 재해가 발생한 지역에서 재해 발생 후 수 시간 이내에 해당 지역 자체의 계획에 의해 수습이 가능한 재해를 말한다.

② 재해 2급 : 재해가 발생한 지역 자체적으로 수습할 수 없어 인근 지역으로부터 인적 혹 물적 지원이 필요한 정도로 큰 재해 규모이다.

㉠ 수 시간에서 1일 정도의 시간이 걸린다.

③ 재해 3급 : 재해의 규모가 커서 국가 전체가 적극적인 지원이 필요한 재해(전쟁, 대형재해 1일-2일 정도의 시간이 필요한 규모)를 말한다.

㉠ 모든 재해 대책 수립하면서 자체적으로 재해에 대처할 수 있는 계획을 수립하고 비상물자를 비축(최소 48시간)해야 한다.

3) 재해의 특징

재해는 발생 시점부터 종료까지 일정한 형태로 진행된다. 대부분의 재해에서 몇 가지 요소들은 반복적으로 발생하며 재해의 과정을 구성하고 있다. 재해에 따라 과정을 다양하게 정리하고 있으나 일반화하는 것은 매우 유용하다. 재난의 주기를 통해 각 기간의 특성을 이해하면 보다 효율적으로 대책을 세워 대처할 수 있게 된다.

(1) 재난주기(general phase of the disaster life cycle)

① 무활동기 또는 휴지기(재난간기, quiescent phase)

㉠ 재난 사이의 기간으로 명확하지 않은 경우라도 드러나지 않는 사고요인은 있을 수 있다.

㉡ 미세한 위험의 감지 · 측정 · 평가(재난위험평가)가 재난의 발생과 형태를 예측하는데 도움을 주며 과학적으로 입증된 징후는 전구기기를 늘려 피해를 줄일 수 있게 해 준다.

㉢ 제도정비 · 안전점검 · 시설확충 등의 예방활동이 있다.

② 전구기 또는 경고기(prodrome phase)

㉠ 사고의 명확한 징후를 확인하는 기간이다.

㉡ 재난종류(예 : 열대성 저기압, 화산 폭발, 무력 충돌)의 예측능력에 따라 짧아지거나 길어진다.

㉢ 빠른 징후감지로 늘어난 전구기는 피해를 감소시키는 조치를 하는데 도움을 준다.

㉣ 사고 발생 전의 대중 홍보 및 방어 활동으로 주민대피(피난처 제공 및 주민 소개) 등의 활동이 있다.

③ 충격기(impact phase)

㉠ 사고의 발생과 동시에 시작되는 기간이다.

㉡ 지진이라면 짧고 기근이라면 길다.

- 초기 대응이 미비하면 재난의 충격을 줄일 수 있는 방법은 더 적어진다.
- 적절한 계획과 유용한 선제적 대비 · 대응활동을 한다면 실제적인 재난의 충격을 효과적으로 감소시킬 수 있다.

④ 구조기(응급, 구호, 고립기 rescue phase)

㉠ 사고 후 20분 이내에 피해자의 75-85%가 치명적인 상태에 빠지므로 일반인 구조자의 즉각적인 간단한 도움으로 인명을 구할 수 있는 기간을 의미한다.

㉡ 재난관리주관기관이 적절한 초기 대응을 하지 못할 경우에는 목격 구조자의 활동에 의존한다.

㉢ 사고현장과 의료기관에서 희생자의 생명을 처음 구조자의 활동(진압 · 탐색 · 구조 · 응급처치) 및 탐색과 구조 그리고 인면소생술(응급처치 · 수술) 등을 통해 구할 수 있다.

⑤ 회복 또는 복구기(재건기, recovery phase)

㉠ 피해자들뿐만 아니라 지역사회구성원들의 정상적인 생활에 필요한 응급의료서비스, 공중보건, 재활, 심리, 정신, 건강, 사회보장, 건축, 토목 등의 전반적인 서비스를 제공한다(그림 7-2).

㉡ 이 기간은 수개월에서 수년 동안 지속될 수 있으며 복구활동 이후에 휴지기로 이어진다.

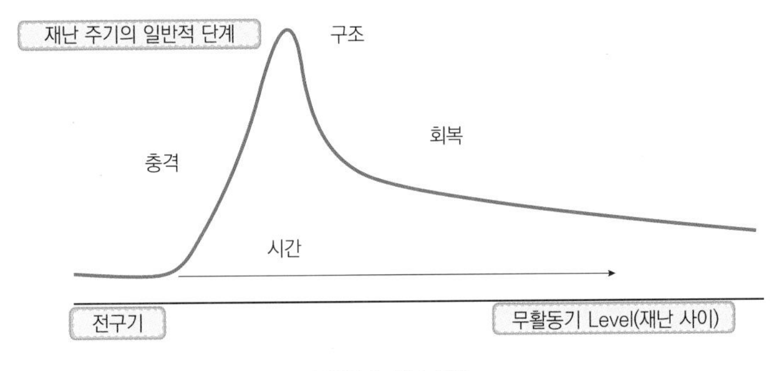

그림 7-2. 재난 주기

(2) 재난지역(Disaster zones)

사고지점을 중심으로 동심원의 지역구분을 통해 보다 효과적인 대응활동이 가능해지며 무엇보다 안전을 확보할 수 있게 된다. 세 지역으로 구분되며 지역의 특성에 따라 적절한 대응활동이 이루어진다(그림 7-3).

① 오염 및 주변지역(Impact & marginal zone)

㉠ 직접적으로 파괴되고 위험 · 오염이 상존하는 지역으로 현장안전담당관이 통제해야 한다.

㉡ 심각한 재난 시에는 많은 사상자가 구조를 필요로 하는 지역으로 위험이 제거되지 않은 상황에서는 통제된 채로 안전장비를 갖춘 진압 · 특수구조대가 활동을 한다.

㉢ 매쓰 분류(MASS triage)와 간단한 응급처치를 한다.

㉣ Hot Zone · 적색구역 · 배타구역 · 위험구역이라고 한다.

② 완충지역(Filtration zone)

㉠ 직접적 피해는 없지만 잠재적 위험으로 보호장구를 갖추어야 한다.

㉡ 충격 및 주변지역을 탈출한 피해자들이 모여 있거나 제염통로를 거쳐 환자들을 수집한 곳이다.

㉢ 제염절차를 진행하며 분류반이 스타트 분류(START triage)와 간단한 응급처치를 한다.

㉣ Warm Zone · 황색구역 · 오염감소구역 · 준위험구역이라고 한다.

③ 안전구역(National and international zone)

㉠ 안전한 구역으로 현장지휘소, 현장응급의료서(응급처치반 · 이송반) 대원들이 활동한다.

㉡ 전문적인 세이브 중증도 분류(SAVE triage)와 응급처치(ACLS, ATLS, PALS)를 한다.

㉢ 물품 · 봉사자들이 도착하여 조직화되는 지역으로 임무교대, 피로, 부상 시에 휴식 · 평가 · 처치 · 회복을 하는 자원지원부가 있다.

㉣ Cold Zone · 녹색구역 · 안전구역이라고 한다.

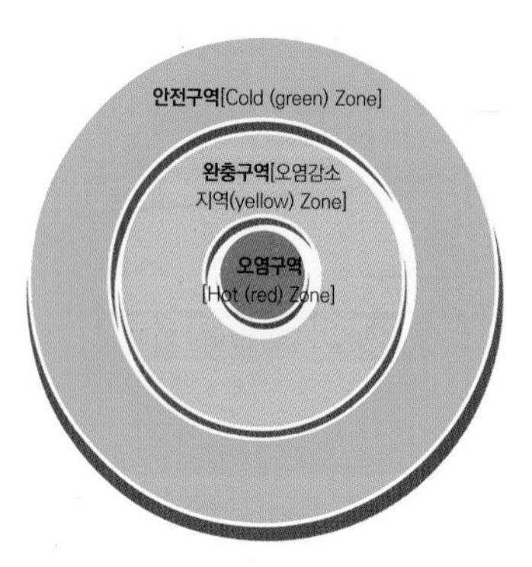

그림 7-3. 재난지역

Tip. 통제구역

① 위험지역(Hot zone : 오염지역)

㉠ 사고를 바로 둘러싸는 통제구역, 오염농도 높음. 전문대응 요원만 출입 가능

② 완충지역(Warm zone)

㉠ 대응요원과 장비 오염제거, 위험지역의 활동지원이 이루어지는 곳

③ 안전지역(Cold zone)

㉠ 현장지휘, 환자후송, 지원기관, 자원봉사자 등 사고대응을 위해 필요한 인력, 장비 설치 운영

㉡ 현장대응요원 대기

(3) 이중파동현상(The dual wave phenomenon)

이중파동현상은 재해의 피해자들은 두 집단을 형성하여 응급실로 몰려든다.

① 1차 파동

㉠ 재난이 발생한 후 15-30분 정도 되어 보통 의료기관에서 재난이 발생하였는지도 모르는 상황에서 재난현장에서 스스로 탈출하여 찾아온 보행가능 피해자, 경환자들을 볼 수 있는데 이 상황이 환자 내원을 말한다.

㉡ 이때 중환자들은 현장에서 구조가 되고 있는 시간일 것이다.

㉢ 병원 응급의료종사자는 1차로 맞는 환자들의 상황을 보고 2차적으로 현장에서 중환자가 내원할 가능성이 높음을 미리 인지하고 준비를 해야 한다.

② 2차 파동

㉠ 재난 발생 후 30-60분 지나서 재난현장으로부터 중환자들이 이송되어 오기 시작하는데 이들은 구조와 이송이 필요한 환자들로서 집중적인 처치를 요하는 환자들이다.

㉡ 스스로 움직일 수 없는 상황에서 구조 · 이송되는 긴급 · 응급환자들이다.

㉢ 지리적 효과가 큰 의료기관에서 명확히 발생한다.
- 위험한 상황은 2차 파동을 구성하는 긴급환자가 내원하기 전에 응급실이 경증환자로 붐비는 것이다.
- 재난현장에 인접한 응급실이 마비되는 이러한 상황을 병원의 2차 재난이라고 한다.
- 인근 의료기관에 재난상황을 미리 알려 환자들이 응급실 진입 전에 중증도 분류를 거치도록 하면 병원의 2차 재난을 최소화할 수 있다.

㉡ 가끔은 내원한 의료기관에서 응급처치를 받고 궁극적 처치가 필요한 의료기관으로 전원하게 될 수도 있다.
- 이런 경우에는 환자 이동의 3차 파동이 된다.

(4) 지리효과(Geographic effect)

재난현장에서 가장 가까운 의료기관일수록 재난에 의하여 더 심각한 충격을 받는다고 알려져 있다. 원칙적으로 재난 시 피해자는 경환자일수록 재난현장에서 먼 소규모의 의료기관으로 분산되어야 하고, 중환자일수록 재난현장에서 가까운 대규모 의료기관에서 집중치료를 받아야 한다. 혼란한 재난 상황에서는 대다수 피해자들이 스스로 걸어서 혹은 자신이 차량을 이용하여 본인이 원하는 의료기관을 방문하게 된다. 이 기관이 보통 재난현장에서 가까운 큰 의료기관이므로 이러한 의료기관은 외부의 재난에 의하여 수많은 환자가 갑자기 내원하게 되므로 또 다른 재난상황에 빠지기가 쉽다. 지리효과의 예로서 대구지하철 화재 시 발생 환자의 병원별 환자의 분산 현황을 보면 대부분 사고발생 지점인 대구 중앙로역에서 1 km 이내의 대형 병원에 환자가 방문하였고 한다.

① 피해자가 걸을 수 있는 경우에는 가장 가까운 병원으로 모든 방법을 동원해 이동하며 일반인 구조자는 보행이 불가능한 환자들을 가장 가까운 병원으로 운반한다.
② 초기에 출동한 대원들조차 이송반의 통제가 없다면 빠른 이송을 위해 지역의 친숙한 가까운 응급실로 환자를 이송하게 된다.

지리적 효과는 상당한 정도로 사상자 이송을 왜곡시켜 가장 가까운 병원은 환자로 넘치는 반면에 이외의 병원은 비게 된다. 재난 초기에 경찰이 적절한 교통통제를 하도록 하면 병원의 2차 재난을 최소화할 수 있다.

(5) 바벨효과(The Babel effect)

어떤 재난이든지 평소와 다르게 의사소통과 효율적 통신의 어려움이나 부재 상황을 만날 수 있다. 갑작스러운 통신요구 증가, 유·무선 전화망의 파괴, 공용 주파수 부재, 재난상황에 맞게 훈련되지 못한 통신요원 등의 문제가 결국 의사소통의 장애요인이 된다. 재난 시에는 평소 잘 사용하지 않던 용어나 코드를 이야기하나 무슨 의미인지 모르는 경우가 많고, 통신 훈련 부족과 더불어 기관 간 다른 주파수나 코드를 사용함으로써 통합적인 의사 관리에 어려움이 있는데 이는 마치 바벨탑의 붕괴 시와 비슷한 상황이다. 재난이 발생하여 피해자, 목격자, 구조자 등의 통신이 갑작스럽게 증가 및 시설 파괴되면 인근의 유·무선망이 불통상태로 될 수 있는 '통신 장애'를 말한다.

① 국가재난안전통신망을 지속적으로 유지·보수하는데 문제가 있을 수 있으며 통신장비의 노후화·기능저하도 일어난다.

② 훈련이 부족한 상황에서는 통신장비를 능숙하게 사용하지 못하게 된다.

㉠ 각 기관은 약어·부호·암호를 활용하며 전문분야의 용어를 사용하고 있기 때문에 의사소통에 문제가 생길 수 있다.

이처럼 통신망은 작동불능의 가능성이 있으며 정보전달은 왜곡의 개연성이 크기 때문에 국가재난안전통신망의 꾸준한 관리와 재난관리기관 간의 원활한 의사소통을 위한 교육과 훈련이 필요하다.

(6) 연합효과(The federation effect)

재난 시의 일반인의 역할은 현장에서 초기의 1차적 대응을 하는 가장 중요한 인력이고, 간단한 수색 및 구조 역할도 하며 응급구조사가 도착하기 전 응급구조사의 응급처치 및 간단한 이송 역할도 대신할 수 있는 초기 핵심인력이다. 그러나 많은 재난대응 계획에는 일반인이 현장에서 대피하라고 되어있으며, 일반인이 재난의 피해를 당하지 않도록 주의해야 하는 측면이 있으나 실제로는 초기에 대부분 주위 시민에 의한 구조 및 초기 대응이 이루어지게 된다.

① 간단한 수색·구조는 소방대원이 도착하기 전에 일반인에 의해 끝나는 경우가 많다.

② 일반인은 논리적이며 체계적인 방법으로 반응하며 대원의 지시에 잘 따르지만 일반인을 봉사자로 활용하려면 재난교육과 훈련에 노력을 기울여야 한다.

③ 사상자들을 도우려는 마음으로 현장에 온 의료인은 도움이 될 수도 있지만 병원 전 재난 환경에는 훈련되지 않은 상태이다.

㉠ 대부분의 자원봉사 의료인은 재난위험에 대한 사전정보도 없고 통제되지 않은 채 무소속으로 활동하여 훈련된 응급구조사보다 적절한 응급치료를 제공하지 못하는 것이 사실이다.

㉡ 응급의료종사자는 병원재난대책에 따라 대응해야 하며 재난훈련을 받지 않은 의료진은 현장에 파견되지 말아야 한다.

㉢ 일부 연구에서는 피해자의 생존에 의사나 간호사의 역할이 없다는 보고도 있었고

환자구조 · 분류 · 이송활동에 방해가 될 수도 있다.

㉣ 일반인이나 의료인이 자원봉사자로서 대응활동에 가세하는 경우에는 조직전인 현장활동에 방해가 될 수 있으므로 사전에 통제해야 한다.

(7) 재난자원(Disaster supplies)

재난자원은 내부의 비축자원과 외부의 지원자원으로 구성되는데 재난이 발생하면 초기에는 지역 내의 비축자원에 전적으로 의존해야 하므로 현장에서는 즉시 사용할 수 있는 재난물품을 비상계획에 따라 확보하고 있어야 한다. 이후에는 필요에 따라 공급받거나 수시로 기부되는 지원자원의 체계적 관리를 통해 물품부족을 최소화해야 한다. 물품과 함께 인력도 우선순위에 따라 적절히 배치하여 인력의 활용을 최대화해야 한다.

(8) 파상풍 공포증(Tetanophobia)

재난 지역에서 시행되는 예방접종은 파상풍독소이다.

① 접종목적 : 자원봉사 및 공중보건

② 대상 : 재난과 연관된 사람 등

③ 파상풍 감염 시기 : 재난의 충격 당시 또는 회복기

④ 예방접종 : 파상풍 위험을 제거 하지 못함

⑤ 파상풍 독소의 가장 많은 부작용 : 과면역반응 환자에게서 발생, 국소 부종, 통증, 발적 및 주사 부위의 부종

㉠ 주사 부위 근처의 조직 내의 혈청으로부터 면역반응 시작한다.

㉡ 보통 5년 이내에 추가 접종을 시행하는 경우 발생한다.

㉢ 병원(의원 및 응급실)에 내원하여 부은 팔, 중심부 화농이 있는 상처, 붉은 발적 및 열 등을 호소한다. 이러한 반응을 아르투스 반응(Arthus reaction)이라고 한다.

㉣ 특징은 항생제로 연조직염으로 간주하고 치료하면 치료에 잘 반응하지 않는다.

4) 재난 인식의 체계(Disaster paradigm)

재난 상황과 환자의 응급처치를 인지하고 관리하기 위해 고안된 표준지침이다. 반복적인 훈련, 구조화된 도구를 이용하여 강화할 수 있다(표 7-4).

(1) 발견(Detection)

재난 상태(수요가 가용 자원을 넘어선 것)를 인지하고 재난 유발원인을 찾아내는 단계이다.

(2) 재난지휘체계(ICS)

소방 활동에서 발전된 단일화된 구조(uniform structure)이다. 명백하게 구분된 역할과 명령체계, 단일화된 명령, 수치화된 반응(scalable response)을 가능하게 된다. 지휘관(Commander)이 계획, 세부계획, 실행, 재원을 담당하는 하부구조로 단일화된 명령을 전달한다.

(3) 안전과 보안(Safety & Security)

재난이 발생하기 전부터 준비하는 것이 중요하다. 계획과 훈련을 통해 현장에서 발생할 수 있는 문제에 대비해야 하고, 상황 변화에 대처하는 능력도 길러야 한다. 현장에서 "정신분열"을 주의하고 안전하게 대처해야 한다. 입구와 출구를 검토하고 날씨, 풍향, 시간대를 고려해야 한다. 현장에서는 자신과 자신의 팀의 보호를 우선시 하고, 대중, 환자, 환경의 보호를 우선 시 해야 한다.

(4) 위해인자 평가(Assess Hazards)

전력, 가스, 시야, 날씨, 연기와 독성 가스 흡입, 분진과 외상, 화재와 화상, 혈액과 체액, 위해 물질, 홍수 및 익수, 폭발, NBC(Nuclear, Biological, Chemical) 노출, 방사능 물질이 들어 있는 폭탄(Dirty Bombs), 저격자, 이차 장치 등의 여부를 평가해야 한다.

(5) 자원(Support)

인적, 물적, 연관 단체와 기구, 이송수단 등이 필요한 만큼 공급되어야 한다. 예기치 않던 자원봉사자와 기부는 좋은 의도를 가지더라도 관리와 보관 측면에서 부정적인 효과를 초래할 수 있다.

(6) 중증도 분류(Trigage and treatment)

손상의 심각성과 생존가능성에 따라 환자를 분류하는 것으로 가능한 많은 환자에게 최선의 응급처치를 제공하는 것을 목표로 한다. 가용한 자원에 따라 달라질 수 있다.

다양한 중증도 분류법과 표시법, 색상, 기호가 존재하나 이상적인 것은 지역 응급의료체계와 유관기관이 단일한 체계를 사용하는 것이다.

① MASS 중증도 분류

대량사고에서 미군이 사용하는 환자분류 방법이다. 다수의 환자가 발생한 경우에 유용하다.

※ 매쓰(MASS, Move, Assess, Sort, Send) 중증도 분류
위험구역에 있는 충격 및 주변지역에서 구조대가 적용한다. 걸을 수 있는 환자들을 경상자(녹색환자)구역으로 이동시키고 남은 환자들이 팔이나 다리를 올릴 수 있는지 확인하고 각 환자의 위팔(여의치 않다면 가급적 오른손목)에 적 · 황 · 녹 · 흑색 띠를 묶어 분류(분류한 환자들의 수에 구애받지 않고 기준에 따라 정확히 분류하여 간단한 응급처치라도 실시)하고 귀가 · 병원 안치소 혹은 오염감소 구역이 있는 완충지역이나 응급처치반이 활동하는 조정지역으로 안전하게 바로 보낸다.

② 보행(Move) 여부

걸을 수 있는 사람은 환자 수집소(녹색)로 가도록 하고, 남아 있는 사람 중에 팔이나 다리를 움직이도록 한다.

㉠ 1단계 : 보행이 가능한 환자들을 녹색 천으로 모이도록 하고, “ID-ME”의 Minimal(경증) group에 속하게 된다. Immediate(긴급), Delayed(응급) group 다음에 평가한다.

㉡ 2단계 : 움직일 수 없으나 의식이 있고 명령에 따라 팔 다리를 움직이는 환자를 분류하고, Delayed(응급) group에 배정한다.

③ 평가(Assess)

움직임이 없이 남아있는 환자들, 즉 일차 긴급을 평가하고 즉각적인 응급처치를 시행한다. 신속하게 ABC를 평가하고 치명적인 위협을 교정한다.

④ 분류(Sort)

대부분의 분류체계를 네 개의 집단 “ID-ME, Immediate, Delayed, Minimal, Expectant”로 환자를 분류하고 각 집단은 색깔로 표시된다. MASS 중증도 분류 모델에서 효과적으로 이용된다. 역동적인 상황 속에서 지속적으로 재평가해야 한다(표 7-3).

표 7-3 . ID-ME 분류법

1 순위 : 긴급(Immediate)	치명적이거나 사지절단의 위험이 있는 손상 손상이 심하지만 최소한의 자원으로 치료될 수 있는 손상 치료 후에 생존할 것으로 예상되는 피해자 단순한 수술로 멈출 수 있는 대량출혈이나 튜브만 있으면 고칠 수 있는 기흉 등 ABC의 지속적인 이상으로 교정이 필요한 환자
2 순위 : 응급(Delayed)	최종적인 치료가 필요하지만 초기 응급처치가 지연되어도 악화되지 않는 손상 손상이 심하지만 치료가 지연 되어도 괜찮은 피해자 추후에 치료가 제공되어야 하는 대퇴골이나 상완골 단순골절 등

3 순위 : 경증(Minimal)	손상이 경미하여 치료를 기다릴 수 있는 걸어 다니는 피해자로 "걷을 수 있는 부상(Walking wounded)" 심각한 환자를 치료한 후에 여유가 생기면 치료 다른 환자들보다 먼저 확인하여 경상자(녹색환자)구역으로 이동시키고 추후에 2차 중증도 분류를 시행하여 환자인적사항을 기록하고 버스 등으로 귀가시키거나 멀리 있는 병 · 의원으로 보냄 찰과상, 타박상, 염좌, 미세골절 등 향후 자원봉사자로 활용 가능
4 순위 : 지연(Expectant)	생존의 가능성이 희박한 중증의 손상환자 긴급환자를 모두 이송 후에도 생존해 있다면 재평가와 처치가 필요하다.
사망(Dead)	손상이 너무 심각하여 많은 양의 자원을 사용해도 생존할 가능성이 없는 피해자 발견되었을 당시 무반응, 무맥, 무호흡 환자는 사망한 것으로 분류 중증의 뇌손상, 95% 이상 3도 화상 등 중요한 증거를 손상시킬 수 있으므로 사망환자는 이송시키지 않음

⑤ 이송(Send):

원칙적으로 긴급(Immediate) → 응급(Delayed) → 경증(Minimal) → 지연(Expectant) 순으로 이송한다. 공간적 여유가 있다면 경증(Minimal) 환자를 각각의 긴급(Immediate) 환자와 함께 이송하여 모든 생존 환자를 이송하는 것을 목표로 한다.

(7) 구조(Evacuation)

재난이 발생한 경우의 단기적인 목표이며 병원이나 대형건물(빌딩)의 경우 재난 계획이 준비되어 있어야 하고, 환자 이외에 가족과 시민들의 이송까지 고려되어야 한다.

(8) 회복(Recovery)

재난사건의 장기적인 목표로 사고의 충격을 최소화시켜야 하고 재난 발생과 동시에 시작되어 수년 후까지 지속된다. 조직과 물류적인 문제 외에 정신사회적인 문제도 고려되어야 한다.

생필품 및 대피소 등이 즉각적으로 제공되어야 하고 회복활동은 전체 사회가 참여해야 한다. 종교(교회, 사찰), 마트, 식당과 같은 지역사회가 가장 중요하고 지역, 시 · 도, 정부가 참여되어야 한다. 이후에는 재난 예방법과 재난 대처법의 개선을 위한 논의와 노력이 있어야 한다.

표 7-4. 재난 인식의 체계(Disaster paradigm)

D	발견(Detection) 재난을 인지, 재난 원인을 찾아내는 단계
I	재난지휘체계(ICS) ICS 필요성 인지, 지휘관(Commander)이 어느 부서에서 어떤 업무를 담당할 것인지 판단하는 단계
S	안전과 보안(Safety & Security) 현장에서는 안전과 보안상의 문제는 없는지 파악하는 단계
A	위해인자 평가(Assess Hazards) 현장의 위해성 평가를 시행하는 단계
S	자원(Support) 현장에서 필요한 인적, 물적 등 파악하는 단계
T	중증도 분류(Trigage and treatment) 현장에서 중증도를 분류하고 응급처치의 우선순위를 결정하는 단계
E	구조(Evacuation) 환자들을 이송시키는 단계
R	회복(Recovery) 어떤 종류의 복구 문제가 남았는지 파악하는 단계

4 응급실에 내원하는 대량 환자의 특징

응급실 대량 환자 관리의 특징으로는 치료 가능한 환자의 내원 때에도 많은 어려움을 겪는다는 사실이다. 이러한 이유로는 재해 관리의 원칙에서의 혼란, 계획의 부재, 훈련의 부재를 꼽을 수 있다. 보통 병원은 지역 사회의 재해 계획 노력에서 잘 통합되지 못하는 양상을 보이고 있다.

미국 911사태 때의 병원 전 의료서비스(EMS)의 단점으로 혼란, 통신의 어려움, 접근 통제 등의 요소들이 자체적으로 제시되었으며, 이는 우리나라에서도 크게 시사한 바이다. 결과적으로 중환자들이 가장 가까운 병원으로 이송되었으며, 이곳의 인력 및 병원 수준이 뒷받침되지 못하였고, 경환들도 많이 내원하여 환자의 적절한 치료가 이루어지지 못하였다. 특히 도시 지역의 재난 시 가장 가까운 병원으로는 30분 이내에 환자가 도착하며, 가장 많은 환자의 내원은 사고 후 2-3시간 사이에 집중되는 특징이 있다. 또한, 특징적으로 상대적으로 경환들이 구급차를 이용하여 먼저 내원하며, 구출에 많은 시간이 걸리는 중환이 늦게 내원하는 양상이 나타나며, 주의 깊은 계획이 없는 경우에 중환이 도착하기 전에 상대적인 경환들이 치료가 시작되는 경우가 많다.

다음과 같은 또 다른 요소들은 응급실의 효과적인 재해환자 치료에 방해가 많다.

① 현장과 치료 시설 간의 통신 부재
② 사고 통제 체계의 부재
③ 응급실내의 구조자, 응급구조사, 대중 매체의 집중
④ 응급실내의 테러 및 외상, 그리고 특수한 경우의 경험이 없는 다른 의료진의 집중 가족 친지들의 집중

결론적으로 이러한 대량 사고가 응급실을 마비시킬 수 있기 때문에 대량 사고의 특징을 이해하고 만반의 준비를 하는 노력이 중요하다.

5 재해현장에서의 요구조사의 생존율에 관여하는 요소

재해의 피해자들에게는 신속한 구조, 의료제공, 구호품 제공 등의 다각적인 지원이 필요하며, 특히 부상자나 환자의 생존율을 높이기 위해서는 기본적으로 다음에 관한 사항들이 체계적으로 구성되어야 한다.

(1) 응급의료 신고체계의 일원화

재해 발생 시에는 신속히 신고할 수 있도록 신고창구를 단순화하고 일원화한다. 즉, 한국 119, 일본 119, 미국 911, 소련 03과 같이 일반인이 쉽게 암기하고 이용할 수 있도록 한다.

(2) 주민에 대한 교육

주민들이 간단한 응급처치(first aids)를 시행할 수 있도록 하고, 각종 유해물질을 감지하여 신고할 수 있도록 교육을 한다. 이러한 교육은 지속적이고 반복적으로 시행되는 것이 바람직하다. 재해 발생 시에는 피해자의 대부분이 인근 주민에 의하여 구조되므로 주민에 대한 교육은 매우 중요하다. 예를 들면, 재해로 인한 초기 사망자의 25-50%는 초기에 간단한 응급처치가 시행되었으면 생존할 가능성이 컸다고 보고되고 있다.

(3) 응급출동팀

수 분 이내에 재해현장에 도착하여 재해 진압과 기본적인 응급처치를 시행할 수 있도록 응급출동팀(소방, 경찰, 관련기관)을 구성해야 한다.

(4) 응급이송팀

피해자를 신속하게 의료기관으로 이송하며, 이송 중에도 전문적인 응급처치를 시행할 수 있는 응급구조사와 구급차를 구성하는 것이다.

(5) 응급의료팀

대량환자가 일시에 병원으로 이송되더라도 체계적으로 응급의료센터를 운영하고, 수술실과 중환자실을 효율적으로 운영할 수 있도록 응급의료종사자를 구성하고 비상계획을 수립해야 한다.

※ 재해피해자의 생존율 관여하는 요소(부상자나 환자의 생존율을 높이기 위한 기본적인 구성 항목)
(1) 응급 의료 신고체계의 일원화
(2) 주민에 대한 교육
(3) 응급출동팀
(4) 응급이송팀
(5) 응급의료팀

6 현장에서의 구급차와 구조차 주차

1) 주차요령

재해가 발생하고 있는 위험한 현장에 구조팀이나 응급팀이 직접 노출되어 피해를 보면, 각종 구조 및 응급의료업무의 기능이 더욱 저하되므로, 최우선은 자신의 안전을 최대한 중요시하여야 한다. 그러므로 재해현장에 최초에 도착한 구조 및 구급차를 다음의 요령에 따라 주차시켜야 안전하다.

① 도로 외측에 정차시켜 교통 장애를 최소화하도록 하며, 도로에 주차해야 할 때는 차량 주위에 안전표시판을 설치하거나 비상등을 작동시킨다.

② 사고현장의 후방 15M에 정차하여 뒤에서 오는 차량으로부터 보호한다.

③ 화재 자동차가 있는 경우에는 화재 자동차로부터 30 m 밖에 위치한다(그림 7-4).

④ 구조차 및 구급차가 주행 자동차의 전면을 향한 경우 비상등만 작동시키고, 경광등과 전조등을 끈다.

⑤ 전깃줄이 지면으로 노출된 경우에는 전봇대와 전봇대를 반경으로 한 원의 외곽에 주차한다(그림 7-5).

⑥ 폭발물이나 유류를 적재한 위험물 자동차로부터는 600-800 m 밖에 위치한다(그림 7-6).

⑦ 위험물질이 유출되어 흘러내리는 경우에는 위험물질이 유출되어 흘러내리는 반대편 방향에 위치한다.

⑧ 유독가스가 누출된 경우 바람을 등진 방향에 위치한다(그림 7-7).

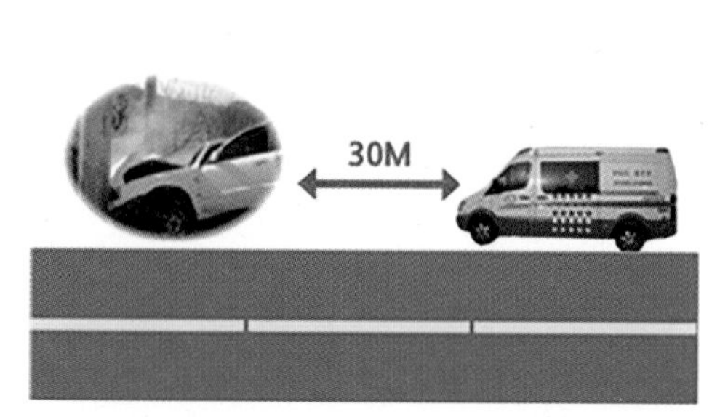

그림 7-4. 자동차 화재 시 초기 출동차량 주차

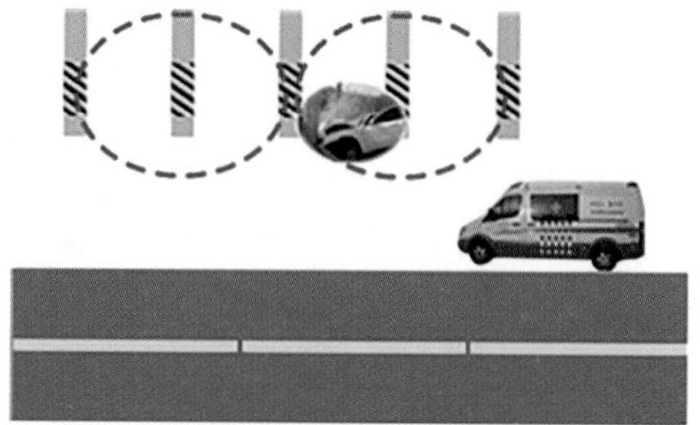

그림 7-5. 전깃줄 파손시 주차

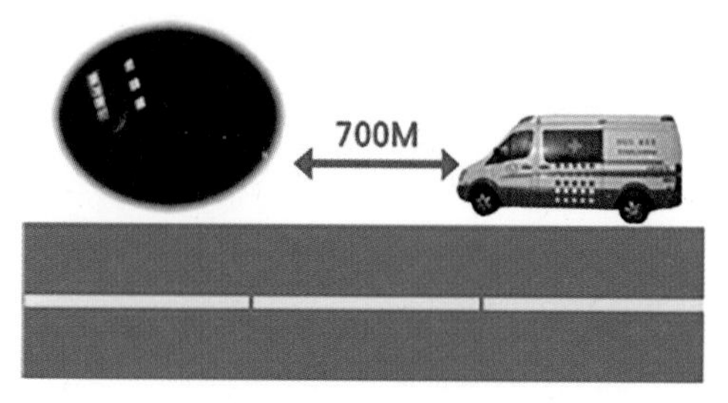

그림 7-6. 유류를 적재한 차량사고와 차량 화재 시 주차

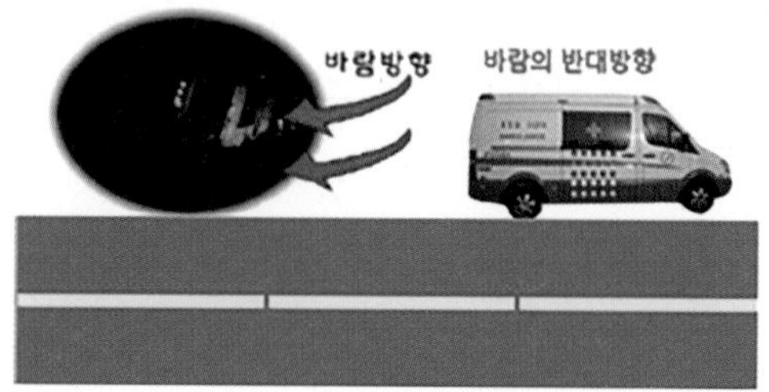

그림 7-7. 유독가스 및 발화성 물질 누출 시의 주차

7 최초 출동팀의 업무

최초로 재해현장에 도착한 응급의료 출동팀은 환자구조보다 다음과 같이 단계별로 행동하는 것이 요구조자를 더 줄일 수 있다(그림 7-8).

① 대량환자가 발생한 재해 현장에 처음으로 도착한 응급 출동팀(소방, 경찰, 응급의료 등)은 모든 상황을 신속하고 정확히 평가하여 보고하여야 한다.

㉠ 대부분의 경우에는 상황을 과대평가하는 경향이 있다.

㉡ 응급 출동팀 중에서 가장 경험이 많은 책임자가 모든 상황을 객관적으로 정확히 평가하여 119종합상황실에 상황을 보고한다.

㉢ 팀원들이 즉시 각자의 임무를 수행할 수 있도록 지휘하여야 한다.

② 재해현장을 파악하여 응급의료팀의 추가요청 여부를 즉시 판단하여야 하고 재해 선포의 필요성 여부를 즉시 판단하여야 한다.

㉠ 최초로 현장에 도착한 구급차가 1대이고 응급구조사가 2-3명이라면, 선임대원(최고 경험자)이 재해현장 및 환자 수에 대한 보고를 하면서 필요한 응급의료 및 구조팀을 요청한다.

㉡ 나머지 응급의료 및 구조팀은 응급처치 및 구조에 필요한 장비를 정리하면서 재해현장에서 환자를 대피시킬 안전지대와 현장지휘소의 위치 선정 등을 시행한다.

㉢ 나중에 연속적으로 도착할 구급차 및 구조차의 배치장소를 선정하여 교통 혼잡이 유발되지 않도록 조치한다.

㉣ 119종합상황실 상담원에게 인근 병원으로 연락을 취하도록 요청한다.

③ 연락조치를 한 후 선임대원은 즉시 중증도 분류표(triage tag)를 이용하여 중증도 분류를 시행한다.

㉠ 초기 도착팀이 중증도 분류를 우선 시행함으로써 추가 지원팀이 재해현장으로 도착 시에 즉시 중증환자를 인지하고 즉각 치료할 수 있도록 한다.

㉡ 중증도 분류표는 환자의 오른쪽 손목이나 가슴에 부착(육안 식별이 쉬운 곳, 이마 등)하여 응급의료팀이 즉시 식별할 수 있도록 한다.

㉢ 부착된 중증도 분류표에 따라서 응급처치의 순위 및 이송순위를 결정한다.

㉣ 나머지 대원은 중증도 분류에 따라서 응급처치나 환자이송을 다음과 같이 시행한다.

- 현장에 위험이 없는 경우
  - 중증으로 판정된 긴급환자(적색)부터 응급처치를 시행한다.
  - 비응급환자(녹색)들은 스스로 안전지대로 대피하던지, 혹은 인근 주민들의 도움

으로 안전지대로 대피시킨다.

· 최초 응급의료팀은 긴급환자(적색)를 우선 응급처치하고, 긴급환자에게 응급의료팀이 모두 배정되면 나머지 응급의료팀은 응급환자(황색)에 대한 응급처치 및 이송을 시행한다.

· 중증도 분류를 시행 중에 긴급환자로 판정되면 전문외상처치술(Advanced Trauma Life Support, ATLS)의 ABC's(기도확보와 경추고정, 호흡처치, 순환유지)에 대한 기본적인 응급처치를 시행하고 바로 안전지대 혹은 환자수집소로 이동한다.

- 현장이 위험한 경우

· 현장에 유독물질이 있거나 화재 등이 있는 경우에는 경상자부터 우선 안전지대로 이송한다.

· 보행이 가능한 환자를 일차적으로 대피시키고, 중증환자는 나중에 이송하거나 재해구조팀이 중증환자를 구조한다.

④ 재해지역에서 응급의료팀의 안전이 불확실한 경우에는 재해구조팀이 도착할 때까지 재해지역에서의 활동을 중지하도록 한다. 우선, 안전지대의 확보와 비교적 위험하지 않은 지역에 있는 요구조자들에 대한 응급처치를 시행하도록 한다.

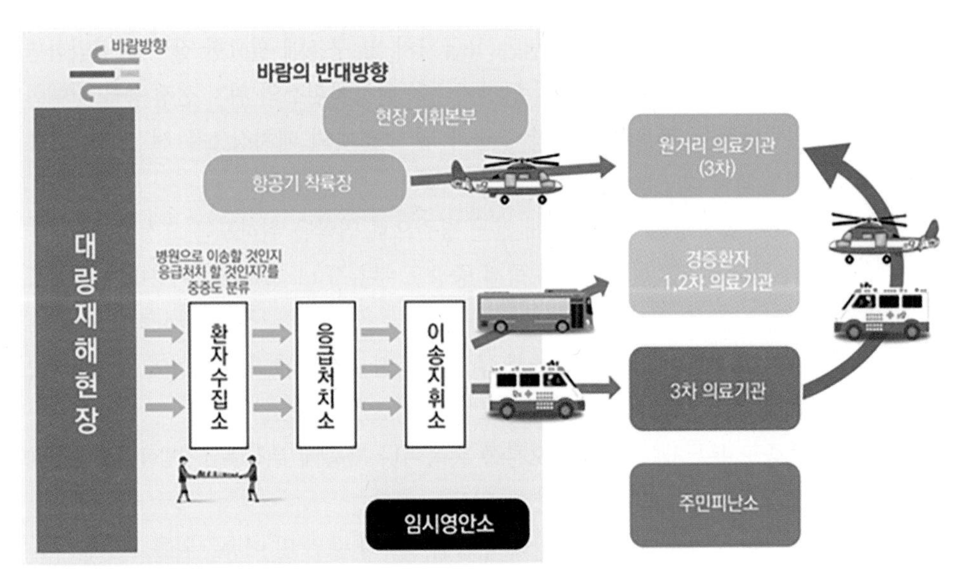

그림 7-8. 재해지역에서의 환자흐름도와 현장지휘소 분포도

Tip. 최초 출동팀의 업무

① 출동 팀 중에서 가장 경험이 많은 책임자가 모든 상황을 객관적으로 정확히 평가하여 상황을 보고한다. 또한, 팀원들이 즉시 각자의 임무를 수행할 수 있도록 지휘한다.
② 재해현장을 파악하여 응급구조팀의 추가요청 여부와 재해선포 필요성 여부를 즉시 판단한다. 선임대원은 지원요청하고, 나머지 대원은 장비정비, 안전지대, 현장지휘소 선정을 한다.
③ 선임대원이 중증도 분류표를 이용하여 중증도 분류 시행한다. 분류표는 손목, 가슴(오른쪽 우선)에 위치한다.
  ① 선임대원은 중증도 분류를 실시한다.
    ㉠ 현장에 위험이 없는 경우에는 중증도가 높은 긴급환자(적색)부터 응급처치 시행한다.
    ㉡ 현장에 위험한 경우에는 경상자부터 우선 안전지대로 이송한다.
④ 응급팀의 안전이 불확실한 경우 재해진압팀이 도착할 때까지 활동을 중지한다.
  ㉠ 안전지대 확보 : 안전이 불확실한 경우에는 활동을 중지한다.
  ㉡ 대량환자발생 : 환자수집소 – 응급처치소 – 이송지휘소(바람 부는 반대 방향)

8 재해진압팀의 업무

재해진압팀은 대부분 소방대원으로 구성되는데, 재해를 진압하고 피해자의 색출 및 구조를 수행한다. 그러나 최근에는 응급처치에 대한 교육을 이수한 소방대원이 색출과 구조를 별도로 담당하고 있다. 재해지역에서는 어떤 지역에서 투입되었는지에 상관없이 일률적인 지휘와 통제를 받아야 한다. 초기에 현장 도착한 후에는 다음과 같은 체계적인 방법으로 임무를 수행한다.

① 붕괴한 건물이나 사고 구조물 등의 파손정도와 위험정도, 추정되는 갇힌 생존자에 따라 분류를 시행하여 업무수행의 우선순위를 결정한다.
② 현장 주변에 일시적으로 피해자를 이송할 안전지대를 확보하고, 재해주변에 산재하여 있는 피해자들을 안전지대로 이송시킨다.
③ 재해를 진압하는 과정에서 자신의 안전을 최대로 도모하며, 화재, 붕괴, 폭발 등의 일차적인 재해를 완전히 진압한다.
④ 주변에 화학물질, 폭발물질, 유독물질, 불안전한 붕괴 구조물, 방사능 등의 위험요소가 있는지를 확인하고, 필요시에는 현장지휘소로 연락하여 해당 전문가의 도움을 요청하도록 한다.

⑤ 파괴된 구조물이 더 이상 붕괴하지 않도록 조치한 후에 구조물로부터 피해자들을 구출하는데, 1차적 손상이 더욱 악화되지 않도록 기본응급처치(ABC's)를 시행하면서 구출해야 한다.

⑥ 외부에서 육안으로 식별된 피해자들을 구출한 다음에는 피해자들을 재차 탐색한다. 방법은 다음과 같다.

㉠ 훈련된 수색견

㉡ 음성확인장비

㉢ 산업용내시경장비

㉣ 무인 촬영기

⑦ 구출된 피해자로부터 건물의 구조와 피해 당시의 구조물 내 인원수, 구조물 내 위험요소 등에 관한 정보를 입수한다.

⑧ 붕괴한 구조물로부터 피해자를 구출할 수 있는 공간이나 터널을 만들기 시작하며, 각종 특수 구조장비와 구출훈련을 받은 구조팀의 지원을 받아 구출 및 구조작업을 수행한다.

⑨ 현장 구조팀은 피해자의 상태가 악화되지 않게 하려고 의료진과의 긴밀한 협조체계를 구축해야 한다.

⑩ 구조팀이 구조물 내의 피해자에게 접근하여 주변 구조물이 붕괴되지 않도록 안전조치를 취한 후에, 응급처치를 시행할 수 있는 의료진이 투입되어 피해자의 상태를 안정시킨다.

⑪ 공간이 좁은 현장에서 환자상태를 정확히 평가하기 어려우므로, ABC's에 대한 응급처치를 시행하고 고정장비를 이용하여 환자를 안정시켜 구조물 밖으로 이송시킨다.

⑫ 환자를 외부로 이송 시에는 주변 구조물에 의하여 환자가 손상당하지 않도록 천천히 이송한다.

⑬ 외부에서 대기하고 있는 응급구조사나 의료진은 구출된 환자에 대하여 추가적인 응급처치를 시행한 후에 응급처치소로 이송한다.

9 재해 현장에서 자원봉사자의 선발

재해로 인한 피해가 커서 자체의 인원으로 수습이 어려운 경우에는 지역주민 중에서 자원봉사자를 선발하여 경증환자의 이송이나 물품의 운반 등을 의뢰해야 한다. 그러나 육체적 손상은 없더라도 재해로 인한 정신적 충격으로 인하여 정상적인 활동을 수행할 수 없는 경우가 많으므로, 재해팀에게 필요한 인원을 선발하는 데는 상당히 어려움이 있다. 그러므로 현장 주민들이 재해로 인한 정신적 충격에서 벗어나, 재해현장에서 정상적인 활동을 수행할 수 있는지를 구조팀은 파악해야 한다. 정신적 충격에 의한 행동반응은 다음과 같으며, 다음 분류에 따라 조치를 취해야 한다.

1) 정상반응

① 불안감이 나타난다.

② 심한 경우에는 발한, 쇠약, 오심, 구토 등의 증상이 나타날 수 있다.

이러한 자원봉사자들은 구조팀 요청에 정상적인 도움을 부여할 수 있다. 간단한 구급 · 구조업무를 부여해 줌으로써 정신적인 쇼크에서 벗어날 수 있다. 예를 들면 '환자의 팔을 잡아 주세요', '붕대를 잡아 주세요', '부목을 손으로 잡아 주세요' 등이다.

2) 외상성 우울증

① 멍하니 서있거나 앉아 있는 상태를 나타낸다.

② 외부적으로 정신이 나간 듯한 느낌을 받게 된다.

이러한 자원봉사자에게는 '정상 반응'과 같이 간단한 임무를 부여함으로써 구급 · 구조업무에 도움이 될 수 있다.

3) 심한공포

① 대부분 자신의 판단이 소실된 상태이다.

② 다른 자원봉사자 및 다른 사람들에게도 공포를 전가할 수 있으므로 심리학적 조기 치료 및 신속히 격리되어야 한다.

4) 과잉반응

① 협박적이거나, 부적절한 유머, 안절부절, 여기저기로 뛰어다닐 수 있다.

② 업무 등을 시행하지 않은 등의 과잉반응을 나타나, 재해현장에서는 전혀 도움이 되지 않는다.

③ 가능한 재해현장에서 빠른 격리 및 치료가 필요하다.

5) 전환반응

① 정신적 불안감이 신체적 증상으로 나타난다.

② 청각장애, 신체마비, 히스테리성 혼수 등의 증상을 호소한다.

이러한 증상은 외상에 의한 신체 증상과 감별을 필요로 하는 경우가 많다. 이러한 자원봉사자들은 재해현장에서 전혀 도움이 되지 않으므로 가능한 즉시 격리 및 치료가 필요하다.

10 재해의료대책

1) 개요

재해 동안의 혼란을 최소화하기 위해서는 재해 계획에서 각 반응 단계별로 역할, 책임, 그리고 서로 간의 협조 사항이 명문화되고 훈련이 시행되어야 한다. 재해 계획의 과정에는 다음 질문에 대한 답을 생각해 보는 것이 좋다.

① 지역 사회에서 발생 가능성이 가장 큰 사고의 종류는?

② 재해 계획에 참여하는 위원회의 성격과 구성은?

③ 병원의 능력과 책임 한계는?

2) 재해의료대책의 필요성

재해 시는 피해자가 수십 명에서 수천 명까지 일시에 발생하는 반면에 국한된 인원으로 응급의료 및 구조를 수행하여야 하므로, 체계적인 재해대책이 수립되어야만 고귀한 생명을 구할 수 있다. 또한, 재해로 인하여 전기시설, 통신서설, 수도공급, 도로망, 의료시설 등도 파괴되어 대부분의 사회적 혹은 의료적 기능이 상당히 저하되므로 최악의 사태에 대비한 치밀한 재해대책과 충분한 훈련이 요구된다. 그러나 그렇지 못한 경우는 다음과 같다.

① 대부분의 주민과 재해에 관련된 부서원들이 자신은 재해의 피해자가 된다고 생각한다.

② 재해구조에 참여할 가능성이 없다고 생각한다.

③ 재해훈련에 참여하는 것을 시간 낭비라고 생각하고 있다.

위와 같은 이유로 재해대책이 완벽히 수립되지 않고 훈련이 되지 않으므로 재해가 발생 시에는 대처할 능력이 부족하여 최선의 방법을 실행하지 못하고, 2차적인 재해를 당하게 되는 경우가 빈번히 발생하고 있다. 국내에서도 다음과 같은 재해가 발생하였다(표 7-5).

표 7-5. 국내에서 발생하였던 대표적인 재해 유형

사고내역	부상자(명)	사망자(명)	피해액
충주호 유람선 화재 '94.10.24	33	29	260만원
서울 마포구 아현동 화재 '94.12.7	49	12	60만원
삼품백화점붕괴 '95.6.29	502	937	72,433백만원
인천 논현동 히트노래방	80	57	6천 4백만원
대구지하철화재(중앙로 역) '03.2.18	148	192	615억원
천안초등학교 축구부합숙소 '03.3.26	16	9	1,600만원
대구 수성 씨티월드빌딩 '05.9.27	53	5	-
대구 서문시장 '05.12.29	-	-	186억원
여수출입국관리사무소	18	8	500만원
허베이 스피리트 유류유출 사고 '07.12.7	어장 29,454ha 및 해안 70.1km오염		843억원
세월호 사건 '14.04.16	-	304 (미수습 9명)	900억원

재해의료대책이란 대량 환자가 일시에 발생하므로 다음과 같은 계획이 필요하다.

① 재해 진압 계획

② 재해현장에서 많은 환자를 신속히 색출하고 구조할 계획

③ 적절한 응급치료와 함께 체계적으로 이송할 계획

④ 병원 도착 시 최선의 의료지원을 시행할 계획

⑤ 응급의료종사자뿐만 아니라 응급의료에 관여하는 소방, 경찰, 적십자, 구조단 등은 응급의료체계를 최대한 이용할 수 있는 효율적인 재해의료대책 수립

⑥ 재해의료대책 수립에 따른 지속적인 훈련

재해의료대책의 수립 시에는 다음과 같은 체계적이고 효율적으로 이용할 방안을 모색해야 한다.

① 모든 관련 부서가 함께 참여해야 한다.

② 재해 시 발생하는 환자의 인원수에 중점을 두지 말고 응급의료를 수행하는 부서 간의 협조체계와 각 부서의 대처능력에 중점을 둔다.

③ 재해는 규모와 형태가 다양하게 발생한다.
④ 지역별로 특성이 다르며, 재해에 대처할 능력에 차이가 있기 때문에 재해대책이 일률적으로 수립될 수 없다.
⑤ 재해대책은 기본적인 원칙이 수립되어야 하고, 각 상황에 따라서 유연성 있게 대처할 수 있도록 탄력성을 갖추어야 한다.

재해 시에는 외상환자 이외에, 화재에 의한 화상환자, 화학물질이나 방사선 유출에 의한 환자, 질병자의 상태 악화, 정신질환 발생, 저체온증이나 익사 등의 환자 발생 등, 각양각색의 환자가 대량으로 발생할 수 있으므로 다음사항을 준비한다.
① 만일의 사태에 대비한 각종 구조방법, 재해 진압방법, 환자이송방법, 응급처치법 등이 부서별로 마련되어야 한다.
② 어떤 환자부터 치료 및 구조를 시행할 것인지 교육 및 훈련이 필요하다.
③ 어떤 응급의료기관으로 이송할 것인지 대한 교육 및 훈련이 필요하다.

일반적인 의료대책과 재해의료대책은 의학적인 면에서 상당한 차이가 다음과 같다.
① 평상시에는 치명적인 중증의 환자 1명을 위하여 각종 구조장비, 의료장비와 의료기구를 모두 이용하여 심폐소생술과 수술 등을 시행하지만, 재해 시에는 최소의 인원과 장비로 많은 생명을 구해야 하므로 생존 가능성이 적다고 판단되면 응급의료를 시행하지 않는 경우가 있다.
② 응급의료종사자 및 구조팀 등의 의료적 역할도 평상시보다 증가하므로 직접 간단한 응급처치를 시행해야 하며, 의사는 오직 중증의 환자만을 처치하는데 전념할 수 있도록 하여야 한다.
③ 대량 환자 발생 시에는 병원으로 입원할 환자의 자격도 강화되어, 경증환자는 병원 외부의 환자수집소 등에서 대부분 치료를 받고 중증환자만 병원에서 치료를 받게 된다.
④ 재해의료대책은 여러 부서의 협동과 함께 각 부서원의 임무를 정확히 전달해 주어야 한다.
⑤ 재해에 따른 훈련과정이 수립되어야 한다.

※ 재해의료대책의 필요성
① 의료 대책과 재해의료대책은 의학적인 면에서 상당한 차이가 있다.
② 재해 시는 최소의 인력과 장비로 많은 생명을 구해야 하므로 생존 가능성이 적다고 판단되면 응급의료를 시행하지 않는 경우가 많다.
㉠ 평상시 : 위급한 환자
㉡ 재해 시 : 생존 가능성 높은 환자

3) 위험 분석

병원에서 재해 계획을 세우는 데 있어 그 지역의 재해는 어떠한 종류의 재해가 발생할 것인지를 아는 것이 중요하다. 즉, 지진이 호발하는 지역인지, 태풍이 잦은 지역인지를 인식하고 지역 내에 있는 경기장, 공항, 항구 등의 위험 시설물을 파악하고 대비하여야 한다. 한 예로는 1995년 도쿄에서 있었던 옴 진리교의 사린(sarin)가스 테러 때 해독제로서 2-PAN 및 아트로핀이 필요했던 것처럼 재해의 위험에 맞추어 계획을 세우는 것이 중요하다.

4) 재해 계획 시 병원-지역 사회 간 협조

도시에서 대량 환자(보통 500명 이상) 발생 시 지역에서 체계적으로 환자를 간호하는 모델들이 최근에 서구 지역에서 개발되고 있다. 이 모델에서 중추적으로 보건 의료체계 및 병원이 핵심적인 역할을 담당하고 있다. 각 병원은 지역의 재해 관리 본부와 연관이 되어 고유한 재해 계획을 하고 있어야 한다.

① 재해 발생 인지, 통신, 사상자 이송, 그리고 재해 현장으로의 의료진과 파견 등에 매우 유용하게 사용된다.

② 지역 관계기관과의(예 : 소방서, 지역 구급체계, 관공서 등) 유기적인 관계가 재해 반응에 매우 중요한 역할을 한다.

③ 군부대, 대한적십자사, 자원봉사자 그룹, 질병관리본부 등의 기관과도 병원의 재해 계획 수립 시 서로 상호 연락이 필요할 수도 있다.

④ 병원 재해 담당자가 또 염두에 두어야 할 사항으로는 특별한 위험에 대한 정보(예 : 화학물질, 방사선), 전문가(예 : 독성 물질 취급), 그리고 특별한 재해 상황에서 필요할 수도 있지만 바로 사용할 수 없는 특별한 공급 물질(예 : 해독제) 등을 예상하고 준비해 두어야 한다.

5) 재난의료 대응단계

(1) 관심(Blue)

다수사상자 발생위험이 큰 사건 · 행사현상으로 태풍 · 홍수 · 지진 · 해일 등의 자연재난이 예측되거나 경기 · 시위 등의 군중행사가 해당한다. 사상자가 발생할 수 있는 사고나 첩보 등의 징후를 감시하는 대비단계이다.

(2) 주의(Yellow)

다수사상자 발생으로의 전개가 예측되는 사고 · 현상으로 다중이용시설의 예측수용인구가 20명 이상인 상태에서 화재 · 붕괴 · 침수가 발생했거나 다중교통사고 · 군중운집행사 및 태풍 · 홍수 · 해일 · 지진 등으로 사상자가 발생한 단계이다. 아직 사상자는 없으나 화학물질누출, 방사선 사고도 포함한다. 국지전 · 테러(위협) 등에 대한 능동감시 및 경고전파를 하는 대비 단계이다.

(3) 경계(Orange)

다수사상자가 발생하고 추가 사상자 발생 위험이 현저하게 높아 대응 개시가 필요한 상황이거나 10인 이상의 사상자가 이미 발생하고 추가 사상자 발생이 의심되는 상황 · 사건단계이다. 운항 · 운행 중인 여객선박 · 여객항공기 · 여객열차 · 대형승합차의 추락 · 침몰 · 탈선 · 전복을 확인한 경우이다. 다수사상자사고, 군중운집으로 재난관리주관기관 · 책임기관에 의료대응을 요청하고 의료대응을 개시한다.

(4) 심각(Red)

일상적인 응급의료서비스로는 대응할 수 없는 명백한 재난으로 대응단계이다.

구분	판단 기준	비고
관심 (Blue)	① 다수사상자 발생 위험이 큰 사건 또는 행사/현상 등 ㉠ 태풍, 홍수, 지진, 해일 등 자연재해 진행 ㉡ 군중 운집(mass gathering) 행사 개최 ② 사상자가 발생할 수 있는 사고 메시지/첩보 수신	징후활동 감시
주의 (Yellow)	① 다수사상자 발생으로의 전개가 예측되는 사고/현상 ㉠ 다중이용시설로서 해당 시간의 예측 수용인구수가 20명 이상인 경우의 화재, 붕괴, 침수 등 ㉡ 다수교통사고, 군중운집행사에서 사상자 발생 사고 ㉢ 태풍, 홍수, 해일, 지진 등에서의 사상자 발생 ㉣ 화학물질의 누출, 방사선 시설 사고 ㉤ '사상자 있음' 메시지 ② 국지전/테러 발생의 위협	능동감시 경고전파
경계 (Orange)	① 다수사상자가 발생하고 추가 사상자 발생 위험이 현저하게 높아 대응 개시가 필요한 상황 ㉠ 10명 이상의 사상자가 이미 발생하고 추가 사상자 발생이 의심되는 상황/사건 ㉡ 운항/운행 중인 여객선반, 여객항공기, 여객열차 및 대형승합차의 추락, 침몰, 탈선 및 전복 확인 ㉢ 10대 이상 차량의 다중 교통사고 확인 ㉣ 화학, 방사선 물질에 의한 인구집단의 노출 확인 ② 다수사상자사고, 군중운집 등으로 재난관리주관기관 및 재난관리책임기관의 의료대응 요청	의료대응 개시
심각 (Red)	일상적인 응급의료체계로는 대응할 수 없는 명백한 재난 등	의료대응 확대

11 재해대책의 종류와 수립 원칙

재해발생에 대비한 대책을 수립하지 않으면 실제 상황에서 효율적으로 대처하기 어려우므로, 재해대책 수립은 가장 기본적인 것이다. 재해대책 수립의 가장 근본적인 요소는 재해에 따른 위험도 분석과 참여할 부서의 편성이다.

1) 재해대책의 분류

재해대책은 초기에 투입되는 참여자를 기준으로 하여 '주민중심체계(civil defense system)'와 '응급의료 중심체계(EMS defense system)'로 구분된다.

① 주민중심체계는 재해지역의 주민들의 중심이 되어 피해자들의 구조 및 이송업무를 담당하면서 행정기관은 기본적인 지원을 담당하는 체계이다.

㉠ 장점으로는 비용이 적게 든다.

㉡ 단점으로는 현장에서의 구조 및 응급처치 등이 미약하고, 환자이송에도 상당한 시간이 지연된다.

㉢ 환자가 인근 병원으로 집중되어 응급의료가 효율적으로 시행되지 않는다.

② 응급의료 중심체계는 구조팀과 의료팀이 초기에 현장으로 투입되어, 현장에서의 구조 및 응급처치를 적극적으로 시행하는 체계이다.

㉠ 장점으로는 응급의료가 효율적이다.

㉡ 단점으로는 체계유지에 상당한 인적요소와 물적인 투자가 필요하다.

재해대책은 초기에 투입되는 참여자를 기준으로 체계가 구분되는데 두 체계의 장 · 단점은 표 7-6 과 같다.

표 7-6. 재해대책의 분류와 장 · 단점

	주민중심체계	응급의료 중심체계
특성	재해복구에 중심	인명구조 · 응급의료에 중심
구조 · 재해진압	지연	신속
현장응급처치	비효율적이고 지연	효율적이고 신속
피해자 이송	혼란스럽고 비체계	체계적 신속
환자 분산	일부 의료기관으로 편중	여러 의료기관으로 분산
병원업무의 효율성	혼란과 마비	효율적이고 체계적
운영비용	비교적 적은 비용	상당히 많은 비용

* 모든 부분에서 응급의료중심체계가 좋지만 단 한 가지 운영비용 부분만 단점으로 한다.

2) 재해신고

재해발생 시는 인근 주민과 피해자들이 사고를 신고하게 되는데, 신고를 접수하는 부서는 단일체계로 운영되는 것이 바람직하다. 단일체계란? 소방, 경찰, 응급의료팀들을 동시에 통제할 수 있는 통제센터에서 직접 신고를 접수하는 방식이다. 단일체제로 운영 시는 재해신고와 동시에 각 부서에서 신속히 대처할 수 있으나, 신고체계가 분산된 경우에는 상호 정보교환 및 연락업무가 지연되어 상당한 혼란을 일으킬 수 있기 때문이다(표 7-7).

표 7-7. 신고접수 유형의 비교

	분산 접수 창구	단일접수창구
신고의 신속도	느리다	신속하다
재해 규모의 추정	부정확하다	비교적 정확하다
초기 출동지시	무분별한 충돌	여러 부서가 동시 출동
재해 상황 확산	느리다	빠르다
운영의 경제성	비경제적이다	경제적이다

3) 재해대책 수립 전에 파악할 사항(수립의 원칙)

재해대책을 수립하기 전에 지역적인 특성을 정확히 파악해야 한다. 지역적 특성은 다시 지형적 특성, 인구분포도, 구조물 특성으로 나누어 세밀한 자료를 수집해야 한다.

(1) 지형적 특성

지역별로 태풍, 홍수, 지진, 폭설 등에 의한 피해의 발생빈도와 피해정도가 다르므로, 지역별로 피해 특성을 세밀히 분석해야 한다. 지형적 특성을 파악하기 위해서는 다음과 같은 것들을 파악한다.

① 해당 지역의 지질학자, 기상학자, 역사학자, 응급의료 관계자들의 조언을 받는 것이 효율적이다.

② 지형적 특성을 조사하는 과정에는 계곡과 하천의 특징, 홍수 시 범람지역 등을 파악한다.

③ 도로망, 교량, 고가도로 등에 대한 자료를 수집한다.

㉠ 홍수에 의하여 도로나 교량이 파손 시에 재해팀이 접근이 가능한 방법들에 대한 계획을 수립한다.

(2) 인구분포도

도심지역은 인구분포가 조밀하므로 재해 시에 대량환자가 발생할 수 있으며 군중에 의한 교통나비 등이 발생할 수 있으므로 다음과 같은 사항을 파악한다.

① 외곽지역은 인구가 적고 피해자가 넓은 지역에 산재해 있으므로 구조 및 색출작업이 상당히 지연될 수 있다.
② 도심지역에 대한 재해대책에는 재해팀 진입로 확보, 대량환자에 대비한 환자수집소 선정과 이송로 확보 등에 대한 사항이 충분히 검토한다.
③ 군중을 통제하는 방법과 군중 중에서 지원자를 선별할 방법도 검토한다.
④ 외곽지역에 대한 재해대책에는 산재한 피해자를 효율적으로 구조하고 응급처치를 할 수 있는 재해팀의 분산방법, 환자수집소 설치장소의 설정법 등에 대한 사항을 검토한다.
⑤ 외부인들은 해당 지역의 특성(도로망, 병원위치 등)을 잘 모르며 언어소통에 장애가 있으므로, 관광객이나 외국인이 많은 지역에서는 이에 대비한 기본적인 방침이 수립한다.

(3) 구조물 특성

지역 내에 위치한 군부대(폭약, 발화성 물질 등), 화학공장, 원자력 발전소, 대형 백화점, 호텔, 경기장이나 극장 등에서 재해가 발생 시는 대량환자가 발생할 가능성이 높다.

① 지역 내에 위치한 구조물에 따라 재해팀의 구성에서도 변화해야 하고, 각종 구조물에 대한 정확한 자료를 입수한다.
② 철도, 교량, 지하철 등에 대한 자료도 수집한다.
③ 재해구조에 관련된 소방서, 병원들이 재해를 입은 경우에 대비한 대책도 수립한다.

4) 재해대책 수립의 기본적인 원칙

① 재해에 대비한 예비물품을 보관하는 데는 시간적 유효기간(최소 48시간)이 있으므로, 재해대책을 수립할 때는 경비를 최소화해야 한다.
② 재해대책을 수립하는 것은 '가장 최근에 어떤 규모의 재해가 발생하였는가?'와 깊은 연관이 있으므로 지역별로 과거에 발생하였던 재해양상과 피해 정도, 구조상의 문제점 등을 정확히 파악해야 한다.
③ 재해 시에 주민이나 재해팀이 수행해야 할 의무를 강조하는 것보다는, 주민이나 재해팀이 무엇을 할 수 있는가에 초점을 맞추어야 한다(긍정적인 참여).
④ 재해대책이 효율적으로 시행되려면 각 부서 간의 상호 협조체계를 우선 구축해야 한다.
  ㉠ 부서별로 독립적인 업무수행을 강조하기보다는 부서별 업무를 상황별로 연관시키고 협조하는 체계가 필요하다.
⑤ 재해의 결과에 대한 보고서보다 재해 중의 부서별 업무의 진행과정이 더욱 중요하다.
  ㉠ 재해 시에 진행되었던 각 부서의 업무에 어떠한 문제점이 있었는가를 정확히 파악

하여 재해대책을 보완해야 한다(효과성).

⑥ 재해 시에 발생하였던 통신상의 문제가 실제로는 부서 간의 협조가 부족하여 발생한 것이 많다.

㉠ 기존의 통신장비를 최대로 활용할 수 있는 방법과 부서 간 상호통신 연락방법을 체계화해야 한다(무선통신은 일원화).

⑦ 재해 시에 주민을 피난시키는 과정에서 발생하는 문제점의 원인은 주민의 공포가 주원인이 아니다.

㉠ 주민을 피난시키는 방법과 피난경로 확보방법, 피난소 선정 등에 관한 계획이 수립되어야 한다(주민통제).

⑧ 재해지역에서 안전하고 가까운 곳에는 재해에 관한 안내정보센터가 마련되어야 한다.

㉠ 재해지역에 있는 가족이나 친구들에 대한 정보를 외부인에게 정확히 제공하면, 사회적 혼란을 줄일 수 있다.

⑨ 재해대책은 주민을 위하여 계획되는 것이 아니라, 주민과 함께 계획되어야 한다.

㉠ 행정중심의 일관된 계획을 수립하기보다는 지역 특성에 맞도록 수립되어야 한다.

⑩ 재해본부가 필요한 정보를 모두 수집함으로써, 보도기관에서 궁금해 하는 많은 질문을 줄일 수 있다.

㉠ 정확한 정보를 보도기관에 제공함으로써 재해를 수습하는 데 많은 도움을 받을 수 있다.

㉡ 보도기관에 정보전달이 정확히 안 되면 상당한 사회적 혼란과 재해 지역에 혼란을 일으킬 수 있다.

5) 재해대책 수립에 반영해야 할 사항

재해대책은 여러 부서의 임무와 활동영역이 일정한 원칙에 따라 체계적으로 수립되어야 한다. 재해유형별로 재해대책을 수립할 수 없으므로, 다음과 같은 사항을 기초로 하여 계획을 수립하는 것이 바람직하다.

(1) 재해의료대책은 다음과 같이 접근할 수 있도록 한다.

① 각종 상황에 유연히 대처할 수 있는 탄력성이 필요하다.

② 각 부서가 신속하고 쉽게 대처할 수 있도록 수립되어야 한다.

③ 각 부서가 평상시에 수행하고 있는 업무를 재해대책에 최대한으로 활용하여 급작스러운 환경변화에서도 각 부서원이 자연스럽게 접근할 수 있도록 해야 한다.

(2) 재해의료대책이 중앙 행정적이고 일률적으로 수립되기보다 지역별(국가, 도, 시, 군)로 지

역적 특성에 적합하도록 수립되어야 한다.

㉠ 응급의료체계에 관여하는 인원수와 구조장비, 지형적 특성에 따른 사항, 주변의 구조물 등을 고려하여 재해대책수립이 되어야 한다.

(3) 재해 시 발생할 수 있는 모든 상황에 대처할 수 있도록 계획이 수립되어야 하고, 필요한 장비와 물품이 비축되어야 한다.

㉠ 자주 발생하는 재해(홍수, 교통사고, 화재 등) 이외에도 산악 혹은 수중에서 발생하는 재해, 방사능 누출, 화학물질, 유독물질 누출 등의 상황에도 대처할 수 있도록 각각의 기본적인 계획을 수립한다.

(4) 재해신고체계와 통제체계는 일원화되도록 구성하며, 통신체제의 구축 시는 반드시 유·무선 통신망을 모두 갖추어야 한다.

① 재해 시는 기존의 유선망이 파괴될 경우가 빈번히 발생하기 때문이다.

② 재해대책에 관여하는 각 부서책임자와의 통신망을 주기적으로 확인하여야 한다.

(5) 재해대책을 수립하는 위원들은 행정부 중심보다 실제 참여하는 모든 부서의 책임자로 구성되어야 하며, 지휘계통 자체 결정사항을 명확히 해야 한다.

① 재해 진압, 통신체계, 의료지원, 재해복구, 이송체계, 피난체계, 특수구조 등의 각 전문분야별로 위원이 선정되어야 한다.

② 재해대책수립과정에서 현실적으로 시행하기 어려운 문제점과 예상되는 문제점을 보완해야 한다.

(6) 지역별과 대량환자 100-200명을 가정한 재해대책을 수립한다.

① 재해에 대비한 예비물자는 재해발생 후 48시간 동안 자체 보급할 수 있는 물량 비축하도록 한다.

② 대량 환자의 10-15%는 중증환자이므로 중증환자를 효율적으로 치료할 수 있는 이송체계와 환자분산법 등을 수립해야 한다.

(7) 재해본부와 지원부서도 재해를 당할 수 있다.

① 각 부서에서는 인원손실, 전기공급 마비, 통신마비, 급수중단, 급식중단, 도로망 파손 등에 대비한 계획을 수립한다.

② 재해본부 혹은 구조단체가 재해로 인하여 기능이 마비된 경우에 대비하여 별도의 계획이 수립되어야 한다.

(8) 재해의 등급에 따라 다양한 재해대책이 수립되어야 한다.

① 재해 2급 : 신속히 인근 지역과 상호 협조될 수 있는 체계를 구성한다.

② 재해 3급 : 중앙 정부와의 상호 지원체계를 구성한다.

(9) 재해발생의 우려가 높은 지역별로 재해 진압방법, 피난소 선정, 차량의 진입로와 이송로 선정 등을 사전에 구축하여야 한다.

㉠ 정유소가 위치한 지역은 유류화재에 대비한 계획, 화공약품공장 주변에서는 유독가스 누출에 계획, 원자력 발전소가 위치한 지역에서는 방사능 사고에 대비한 계획이 수립되어야 한다.

(10) 지역 내 의료기관별로 의료수준과 의료진 정보가 정확히 파악되어야 하며, 환자의 중증도별로 이송할 병원이 분산되는 계획이 수립되어야 한다.

㉠ 재해본부는 의료기관별로 자체적인 재해대책이 수립되어 있는지를 확인해야 한다.

(11) 지역별로 재해를 수습할 수 있는 각 부서의 능력과 한계에 대한 정확한 평가가 이루어져야 하며, 이러한 평가에 따라 자체 수습할 수 있는 재해범위를 설정해야 한다.

㉠ 재해등급을 신속히 결정할 수 있는 체계를 구축하여 외부의 지원을 요청해야 하는 시기와 지원받을 인원이나 물자를 신속히 결정할 수 있어야 한다.

(12) 재해대책이 수립되면 연 1회 이상의 훈련이 필요하다.

① 훈련의 결과를 평가하여 문제점을 지속적으로 수정하고 보완해야 한다.

② 재해훈련은 계획된 시나리오에 의한 것이 아니라, 임의로 재해 장소, 재해규모를 변화시키며 훈련을 수행하도록 한다.

③ 부서별로 반복적인 훈련을 시행한 후에는 모든 부서가 동시에 참여하는 훈련을 통하여 각 부서 및 개인별 임무를 확인하고, 각 부서대원이 친숙하고 체계적으로 협조할 수 있는 계기를 부여해야 한다.

Tip. 재해대책 수립 시 확인해야 할 사항

① 재해의 신고와 확인 ② 재해본부와 현장지휘소 편성
③ 재해현장의 임무 수행 ④ 통신방법에 관한 대책
⑤ 재해 진압 및 응급의료 ⑥ 특수 부서와의 협조체제

Tip. 용어의 정의

① 재난대책 : 재난계획과 훈련으로 구성된다.
② 재난관리 : 재난의 예방 · 대비 · 대응 · 복구(회복)와 관련된 모든 활동이다.
③ 예방(mitigation): 평시에 재난위험요인을 감소시키기 위해 사전에 수행하는 안전규제, 예방점검 등의 활동이다.
④ 대비(preparedness): 재난발생을 가정하여 준비하는 단계로 재난대비 교육, 훈련, 매뉴얼 정비, 비상계획, 물품비축 등의 활동이다.
⑤ 대응(response): 발생한 재난에 대한 현장지휘, 응급조치, 긴급구조, 상황관리, 기관 간의 협조 · 지원 등의 활동이다.
⑥ 복구(recovery): 재난발생 이전상태로 회복시키기 위한 복구계획수립 · 시행 · 재난대응체계평가 · 개선 등의 활동이다.

6) 재해확인

대량환자 발생에 관한 혹은 재해에 관한 신고는 119(소방서)로 접수되면 119종합정보센터 근무자는 재해 지역에서 가장 인접해 있는 초기 출동팀(구급차 및 소방차, 경찰차)을 재해현장으로 출동 지시하여 재해현장의 상황, 재해규모, 피해자 수, 중증환자 수, 재해 진압에 필요한 장비와 인원 등을 신속히 보고하도록 한다. 또한, 119종합정보센터 근무자는 신고자와 통화를 계속하면서 다음과 같은 정보를 충분히 얻어야 한다(표7-8). 최초 출동팀은 재해의 피해자가 되지 않도록 자신의 안전을 우선으로 행동하여야 한다.

표 7-8. 상황관리자가 신고자로부터 확인해야 할 사항

① 재해 장소에 관한 정확한 정보
㉠ 장소를 정확히 알 수 있는 표식이나 상징물(기념탑, 건물명 등)
㉡ 적절한 지리적 표기(서울에서 광주방향으로 100 km 지점)
㉢ 신고자의 전화번호
② 교통사고의 경우는 사고 차량의 수와 차량 종류
㉠ 어떠한 물질을 적재(유류, 폭발물, 유독가스 등)
㉡ 사고 차량 중에 대형버스 포함
㉢ 사고 차량의 상태(전복, 화재 등)
③ 환자 수는 몇 명 정도이며 중증환자
④ 사고 현장에 위험요소
㉠ 화재, 위험물질 누출, 파편 등
㉡ 고압전기 줄 노출
㉢ 차량의 위치 불안정
㉣ 사고현장의 교통상황

※ 상황관리자가 신고자로부터 확인해야 할 사항으로 장소 - 차량 수, 종류 - 환자 수 - 위험요인이다.

12 재해의료대책의 시행단계

재해의료대책은 크게 3단계로 구분하고, 1단계는 재해신고 및 비상소집 단계, 2단계는 재해진압, 구조 및 처치단계, 3단계는 복구단계로 구분할 수 있다. 각 단계는 다시 세부적인 여러 개로 나뉜다(표 7-9).

표 7-9. 재해단계

단계	주 업무	세부업무
1	재해신고 및 비상소집의 활성화 (=재해 활성화 단계)	① 신고접수 및 초기출동 ② 재해확인 및 재해선포 ③ 비상연락 및 재해본부 소집
2	재해진압 · 구조 및 처치 (=구조 및 처치 단계)	① 환자색출 및 구조 ② 중증도 분류 ③ 현장에서의 응급처치 ④ 환자이송 ⑤ 병원에서의 의료처치
3	복구단계	① 현장에서 철수 ② 정상업무로 복귀 ③ 상담 및 조언 ④ 업무수행 중의 문제점 파악 ⑤ 재해대책의 수정

13 재해의료대책에 필수적인 요소

재해대책을 수립하기 위해서는 여러 요소가 체계적이고 효율적으로 구성되어야 한다. 특히, 재해의료대책을 수행하는 과정에서 가장 문제가 되는 것은 정확한 각종 정보의 수집과 상호 통신의 유지이므로 이에 유의해야 한다.

1) 통신

재해신고, 재해팀 출동, 현장지휘, 지원요청, 부서 간 협조체계의 유지 등을 수행하는 데 가장 중추적 역할을 한다. 특히, 재해 시는 유선 통신망이 끊기는 경우가 많으므로 무선 통신망의 구축이 요구되는데, 최근에는 통신장비가 발달하여 이동전화 혹은 휴대폰을 이용하는 방법이 효과적이라고 보고되고 있다. 재해현장의 통제와 환자의 균형적 분산을 위하여 다음과 같은 통신계획이 수립되어야 한다.

(1) 통신방법에 대한 원칙이 수립되어야 한다.
① 무선통신을 하는 사람은 본인의 위치, 부서, 성명들을 정확히 밝혀야 한다.
② 긴박한 상황이나 중증환자에 대하여 우선 보고해야 한다.

(2) 통신통제자는 각종 보고사항을 부서별로 정확히 기재하고 분석해야 한다.

(3) 통신부는 현장지휘소와 인접해야 한다.
① 재해본부, 지원부, 외부병원 등과의 통신 연락이 가능해야 한다.
② 통신체계를 확인해야할 부서는 다음과 같다.
㉠ 재해본부, 재해정보센터, 경찰서, 소방서
㉡ 현장 지원부 : 재해진압반, 구조반, 응급의료반, 이송반, 지원반
㉢ 의료기관 : 인근 병원, 타 지역 병원, 외상센터, 화상센터, 중독센터 등

(4) 재해 시에는 무선통신량이 급증하므로 기존의 응급통신망으로는 각종 정보입수나 정보전달에 많은 차질이 생길 수 있다.
① 재해현장에서는 현장에 참여하는 부서원끼리 이용할 수 있는 별도의 무선주파수를 갖추어야 한다.
② 응급의료센터나 응급의료기관의 주파수 또는 구급차의 무전기 주파수는 정보통신부에서 지정한 응급의료전용 주파수를 이용한다.

2) 비상 통신업무

현장에 최초에 투입된 출동팀으로부터 보고로 재해발생이 확인되면, 출동 가능한 재해진압팀, 구조반과 의료반에 신속히 출동을 요청해야 하며, 재해본부 소집을 위하여 관계 부서에 신속히 연락한다. 또한, 유 · 무선망 통신채널을 모두 개방하여 소방, 경찰, 의료 부서간의 상호통신이 가능하도록 하고, 재해피해가 확산되지 않도록 관계부서의 협조를 요청한다. 즉, 전기 시설의 붕괴 시에는 해당 지역으로의 전력공급을 중단하도록 하며, 가스가 누출 시에는 가스공급을 중단하는 등의 비상연락을 관계 부서에 전달한다. 재해지역에 특수상황이 발생 시에 관련 전문가의 호출을 시행한다. 따라서 비상통신을 담당하는 부서는 표 7-10과 같은 부서와의 유 · 무선 통신연락망을 항시 구축해야 하며, 부서별 책임자의 명단을 보유하고, 해당 책임자와의 통신두절에 대비한 비상연락망이 구축되어야 한다.

표 7-10. 상황관리자가 신고자로부터 확인해야 할 사항

(1) 재해본부 위원	(10) 적십자사	(19) 화학물질 전문취급인
(2) 소방서	(11) 전력공급소	(20) 방사능 전문인
(3) 경찰서	(12) 가스공급소	(20) 폭발물 취급인
(4) 응급의료단	(13) 대중교통 회사	(20) 상수도 관리부서
(5) 특수구조반	(14) 중장비 회사	(20) 공공건물(피난소)
(6) 인근 의료기관	(15) 민방위대	(20) 군부대
(7) 응급구조단	(16) 이동통신업체	(20) 응급처치 수료자
(8) 항공이송반	(17) 차량견인 업체	(20) 기타
(9) 언론기관	(18) 도로공사	

3) 부서간 협조체계

재해는 일개 부서가 수행할 수 있는 범위나 수준을 초월하는 대형사고 이므로, 여러 부서간의 긴밀한 협조로 대처해야 한다. 각 부서간의 협조를 유도하기 위해서는 다음과 같은 사항이 재해대책에 삽입되어야 한다.

① 각 부서의 임무를 정확히 부여하고, 업무범위를 정확히 규정하여야 한다.

② 각 부서에서 공용으로 사용할 수 있는 장비를 파악하고, 각 부서원에게 명확한 역할을 분배해야 한다.

③ 같은 업무를 수행하는 부서원이 여러 지역에서 유입되므로, 소속과 관계없이 공동으로 임무를 수행할 방법을 세워야 한다.

④ 각 부서간의 상호 통신법을 확보해야 하며, 통신에 이용할 용어와 언어는 비전문적 이이어야 하고, 반드시 표준어를 사용한다.

⑤ 훈련을 통하여 공동 참여시 파생될 수 있는 문제점을 파악하여, 재해대책을 수정하고 보완해야 한다.

4) 위원회 결성

재해대책에 참여하는 모든 부서의 책임자로 구성된 위원회가 결성되어야 한다.

① 재해대책의 문제점과 현실성을 정확히 평가하여야 한다.

② 각 부서의 임무를 정확히 부여하여야 한다.

③ 재해 시에 발휘할 수 있는 업무의 수행능력을 정확히 판단해야 한다.

④ 임무수행 능력은 재해훈련 혹은 모의훈련을 통하여 정기적으로 평가되어야 한다.

재해본부는 기능적으로 5개 부서로 구성하고 부서별 기능은 그림 7-9와 같다.

① 재해본부장 : 재해대책에 관한 모든 사항을 지휘하고 통제하는 책임자이다.

② 실행부서 : 재해본부장의 지시사항을 전달받아, 세부사항을 각 해당부서로 지시하는 역

할을 맡는다. 임무를 수행하기 위한 실무부서는 다시 소방서, 경찰서, 응급의료부, 인원지원부, 물자지원부의 5개 부서로 구성된다.

③ 계획부서 : 재해 상황에 대한 모든 정보와 동원 가능한 자원에 대한 정보를 입수하여 재해본부장과 실행부서에 제공한다. 또한, 나중에 더욱 추가 지원해야 할 사항들에 대한 준비를 세운다.

④ 지원부서 : 필요한 물자를 추가로 공급하고 지원하는 역할을 맡는데, 다시 공급부와 유지부로 구분된다. 공급부는 물품, 장비, 인원, 설비를 공급하는 임무를 수행하며, 유지부는 원활한 통신체계를 도모하고, 모든 장비를 유지하며, 주민들의 의식주와 의료혜택을 지원하게 된다.

⑤ 재정부서 : 모든 재정을 책임지며 재해에 드는 모든 비용을 분석하는 업무를 수행한다.

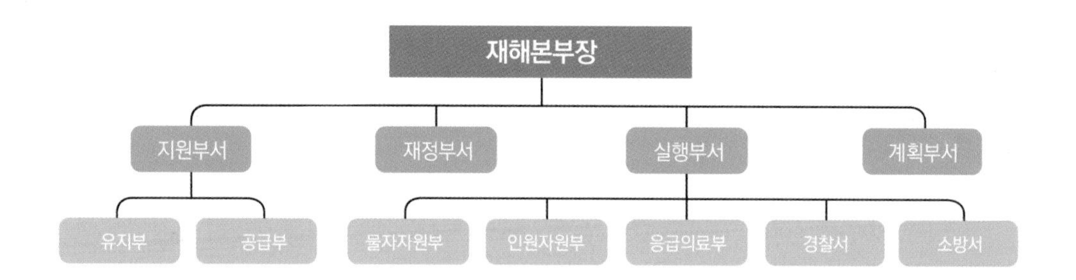

그림 7-9. 재해본부 기능위원회의 구성도

5) 평가

재해훈련 혹은 재해 발생 시에 수행된 각 부서의 활동을 정확히 추적하여 평가함으로써 재해대책의 질적 향상을 가져올 수 있다. 재해 시에 발생하였던 문제점을 파악하는 과정은 재해대책의 교육 자료로 사용할 수 있으므로 추적평가의 가치는 크다고 할 수 있다.

더욱이 지역적인 재해대책을 수립하는데 있어서, 과거의 문제점을 정확히 인지하는 것이 중요하다고 할 수 있다. 재해발생 후 3일 이내에 평가를 시행하는 것이 가장 효과적이다.

6) 중증도 분류

중증도 분류(triage)의 가장 큰 목표는 인적 혹은 물적 자원을 최대로 활용하는데 있다. 평상시의 중증도 분류와 재해시의 중증도 분류법에는 개념상에 커다란 차이가 있다. 평상시에는 가장 중증인 환자를 먼저 응급처치하는 반면에 재해 시에는 생존 가능성이 가장 높은 환자에게 응급처치 및 이송의 우선권을 부여하게 된다. 다만, 초기 평가, 기도확보, 호흡처치 및 순환처치 등의 필수적인 처치는 모든 중증환자에게 시행한다.

재해 시는 중증도 분류에 따라 환자별로 중증도 분류표(Triage tag)가 부착되는데, 재해에 참여하는 모든 부서원은 중증도 분류표의 의미와 이용방법을 숙지해야 한다.

7) 재해대책 수립

재해발생에 대비한 대책을 수립하지 않으면 실제 상황에서 효율적으로 대처하기 어려우므로, 재해대책 수립은 가장 기본적인 것이다. 재해대책 수립의 가장 근본적인 요소는 재해에 따른 위험도 분석과 참여할 부서의 편성이다. 그러나 재해는 여러 유형으로 발생할 수 있으며 재해규모도 다양하므로 재해의 형태와 규모별로 재해대책을 수립할 수는 없을 것이나, 기본적인 계획은 완벽히 구축하고 상황에 따라 탄력적으로 운영을 해야 한다. 각 부서에 각종 상황별 유연하게 대처할 수 있는 재량권이 부여되어야 한다.

8) 재해훈련

재해훈련은 년 1회 이상 모든 부서가 참여하여 시행되어야 한다. 재해훈련은 규모가 크므로 가능한 부서별로 충분하고 반복적인 훈련이 시행된 후에 소규모 훈련이 시행되며, 마지막으로 대규모 훈련을 시행하는 것이 효율적이다(그림 7-10).

일정 지역에 재해가 발생한 것으로 가정하여, 각 부서와의 협조 관계, 응급요청 시 인력이나 장비 동원의 신속도, 특수상황이 방생 시에 대처하는 능력 등을 세밀히 점검해야 한다. 재해훈련 책임자는 수시로 상황을 변화시키면서 대응능력을 판단해야 한다. 예를 들면, 다음과 같이 상황을 부여하여 훈련을 실시한다.

① 재해 지역으로 출동 중에 도로가 파괴되는 상황
② 부서에 연락하여 긴급 보수반이나 중장비의 출동을 지시하는 상황
③ 지원팀이 출동부터 복구까지의 문제 검토되는 상황
④ 지역의 구조팀 혹은 응급의료종사자가 모두 재해의 피해를 받은 상황
⑤ 유선 통신망이 전면적으로 마비되는 상황
⑥ 무선망을 이용하는 상황 등

9) 주민교육

재해 발생 시에 초기의 신고는 대부분 주민에 의하여 이루어지며, 경증환자의 90% 이상은 응급팀이 현장에 도착하기 이전에 주민의 도움으로 안전지대로 이송된 경우가 많다. 특히 대량재해가 발생 시는 주민 중에서 자원봉사자가 선별되는데, 재해와 응급처치방법에 대한 주민의 훈련정도와 교육정도에 따라 현장에서 도움이 되기도 하며, 반대로 진행에 방해가 되기도 한다. 그러므로 평상시에도 주민에 대한 다음의 교육이 필요하다.

(1) 재해나 대형사고시 신고방법
(2) 심폐소생술
(3) 기본적인 응급처치법
(4) 재해 시 피난법

소규모 재해훈련

환자 10~20명을 대상으로 한 소규모 재해훈련을 시행
각부서간 협조체계와 통신체계 확인
현장지휘소통 최소단위로 설치

부서별 재해훈련

응급팀	중증도분류훈련, 현장응급처치훈련 인근병원과의 통신망확인, 환자수집소선정훈련
경찰부	일정지역통제훈련, 피난로선정 및 유도훈련 재해지역치안확보훈련, 재해팀진입로 확보 훈련
소방부	화재 등의 재해진압훈련, 각종 유해물질 제거훈련 특수구조훈련, 위험 구조물 제거훈련, 기본적 응급처치 훈련
지원부	텐트이송 및 구축훈련, 전기 및 급수시설 설치훈련, 지원물품 배치훈련 지원자 소집 및 배치훈련, 의료물품 등의 조달훈련, 특수장비조달훈련

그림 7-10. 재해훈련의 단계적 실행방법

14 중증도 분류

1) 중증도 의의와 중요성

'중증도 분류(triage)'란 환자의 응급처치와 환자이송의 손상 심각성에 근거하여 우선순위를 결정하기 위한 중증도별로 구분하는 것이라고 정의할 수 있다. 즉, 대량재해사고(MCI)에서 대량환자 발생 시는 응급의료서비스의 목적은 한정된 인원으로 모든 사람에게 최선의 응급의료를 제공하여야 하므로, 응급의료종사자가 중증도 분류를 이용하여 즉각적인 응급처치를 받아야 하는지, 어느 환자가 지연된 응급처치를 받아야하는지를 결정하여 우선순위를 부여하는 것이다.

제한된 인원으로 많은 환자를 구조 및 응급처치하기 위해서는 정확한 중증도 분류가 필수적이라 할 수 있는데, 중증도 분류는 환자의 확인, 분류, 안정화, 응급처치, 그리고 이송단계로 연결되게 된다. 그러므로 모든 대원은 환자분류를 훈련을 받아야 하며, 모든 대응 부서는 환자분류 장비를 갖추어야 한다. 재해현장에 도착한 최초의 구조팀 혹은 응급구조사는 즉시 중증도 분류를 시행하여야 한다.

Tip. 중증도 분류란?

응급처치와 환자이송의 우선순위를 결정하기 위하여 환자를 중증도별로 구분한다.
목적 : 한정된 인원으로 최대의 환자에게 최선의 응급의료로 제공한다.

2) 중증도 분류의 종류

중증도 분류의 종류를 다섯 가지[일상, 다수사상자(사고), 재난, 전쟁, 그리고 특수상황]로 나누면 다음과 같다.

① 일상 환자분류	평상시에 반복적으로 시행 가장 심각한 환자들에게 신속한 평가와 처치를 하는 것 가장 심각한 환자들에게는 가장 높은 수준의 치료를 제공(생존률이 낮다고 해도 시행)
② 다수사상자 환자분류	주변 의료기관이 부담을 받지만 환자로 넘치지 않을 때 적용하는 방법 최고 수준의 치료는 가장 심각한 환자에게 제공 추가자원이 사용될 수도 있으나 재난계획은 시행되지 않을 수 있음 심각하지 않은 환자들은 평시보다 더 오랜 시간을 기다려야 할 수도 있으나 결국 치료를 받음
③ 재난 환자분류	주변 의료기관이 환자들에게 신속한 치료를 제공할 수 없을 때 적용 응급처치와 지역자원으로 살아날 확률이 높은 환자들을 찾아내 치료 제공 가벼운 손상을 입고 살아날 확률이 적은 환자들에게는 공감, 진통제, 모니터링 제공

④ 전장(전략) 환자분류	근본적으로 분류는 의료원칙이 아닌 군사적 목적에 따라 정해짐 장병을 살리는데 실패한다면 더 많은 사람들에게 부정적인 영향을 끼칠 수 있기 때문에 일반 시민보다 군인에게 우선순위를 두고 치료 제공
⑤ 특수상황 환자분류	화생방 물질 등의 부가적인 위험요소들이 상존할 때 쓰임 위험요소가 환자분류에 영향을 미치는 상황에서 환자들은 이러한 물질의 부가적인 영향으로 고통을 겪을 수 있다.

중증도 분류 시에 2가지 오류는 다음과 같이 2종류가 있다.

① 미흡분류는 중증도 분류 시에 손상의 심각성을 과소평가하여 심각한 환자에게 필요한 처치를 제공하지 못하는 결과를 낳는다. 이것은 환자의 이환율과 치사율을 높인다. 어떤 분류체계도 완벽하지 않기 때문에 인정되는 미흡분류는 5% 이내 이어야 한다.

② 과다분류는 경미한 환자를 심각한 환자로 분류할 때 발생한다. 과다분류는 미흡부류를 감소하려는 노력으로 인식되어 수용되지만 의료자원에 지나치게 부담을 준다는 점에서 드러나지 않은 악영향을 끼친다. 과다분류는 심각한 환자들의 상태를 악화시키고 치사율을 높이는 것으로 알려져 있다.

3) 중증도 분류 방법

제한된 인원으로 많은 환자에게 최상의 의료혜택을 부여하기 위하여 시행하는 중증도 분류는 환자의 중증도에 따라 4개의 집단으로 구분되며(표 7-11), 모든 의료진이 분류등급을 신속히 인지할 수 있도록 '중증도 분류표(triage tag)'를 이용하고 있다(그림 7-11). 중증도 분류표는 환자의 중증도에 따라 4가지의 색상을 이용하여 구분된다.

① 가장 중증인 환자는 '적색'으로 분류하며 경증환자에게는 초록색의 분류표가 부착되고, 사망하였거나 치료 불능인 환자는 '흑색'으로 분류된다.

② 중증도 분류를 시행하는 과정에서 치료를 포기하는 '지연환자'의 선정이나, 발견 즉시 응급처치를 시행할 '긴급환자'의 선정 등을 위하여 상당한 임상적 경험과 의학지식이 요구된다.

③ 재해현장에서의 중증도 분류는 최초에 도착팀 중에서도 가장 경험이 많은 응급구조팀 응급구조사나 응급의학 전문의, 혹은 경험이 많은 외과 전문의가 시행하는 것이 가장 바람직하다.

④ 중증도 분류표는 중증도 분류에 따라 환자의 손목이나 의류에 중증도 분류표(triage tag)를 부착한다.

⑤ 중증도 분류표는 멀리서도 식별이 쉬운 크기여야 하고, 재질은 튼튼하고 물에 젖어도 변질되지 않는 것이 바람직하다.

⑥ 의식이 있는 환자에 대하여는 중증도 분류표에 표기된 사항들을 모두 기록하여야 한다.

중증도 분류표에 기록할 사항은 표 7-12와 같다.

표 7-11. 중증도 분류와 중증도에 따른 환자별 중증 정도

분류	분류색	환자의 중증도
긴급환자 우선순위-1	적색	수분 혹은 단시간 내에 응급처치를 시행하지 않으면 생명을 잃을 가능성이 있는 환자 (3차 의료기관, 구급차, 항공기)
		환자 소견 혹은 증상
		기도폐쇄, 심한 호흡곤란 혹은 호흡 정지 심장마비의 순간이 인지된 심정지 개방성 흉부열상, 긴장성 기흉 혹은 Flail chest 대량출혈 혹은 수축기 혈압이 80 mmHg 이하의 쇼크 혼수상태의 중증 두부손상 개방성 복부열상, 골반골 골절을 동반한 복부손상 기도화상을 동반한 중증의 화상 경추손상이 의심되는 경우 원위부 맥박이 촉지 안 되는 골절 기타 : 심장병, 저체온증, 지속적인 천식 혹은 경련 등
응급환자 우선순위-2	황색	수 시간 이내에 응급처치를 시행하지 않으면 생명을 잃거나, 치명적인 합병증이 발생할 수 있는 환자, 응급처치 필요로 하는 중증환자(구급차)
		환자 소견 혹은 증상
		중증의 화상 경추를 제외한 부위의 척추골절 중증의 출혈 다발성 골절
비응급환자 우선순위-3	녹색	수 시간/수일 후에 치료하의 생명에 관계없는 환자(도보, 버스) 응급처치가 필요 없는 가벼운 손상환자(일명'보행환자')
		환자 소견 혹은 증상
		소량의 출혈 경증의 열상 혹은 단순골절 경증의 화상 혹은 타박상
지연환자 우선순위-0	검정	사망하였거나 생존의 가능성이 없는 환자(냉동차, 장의차)
		환자 소견 혹은 증상
		20분 이상 호흡이나 맥박이 없는 환자 두부나 몸체가 절단된 경우 심폐소생술을 시도하여도 효과가 없다고 판단되는 경우

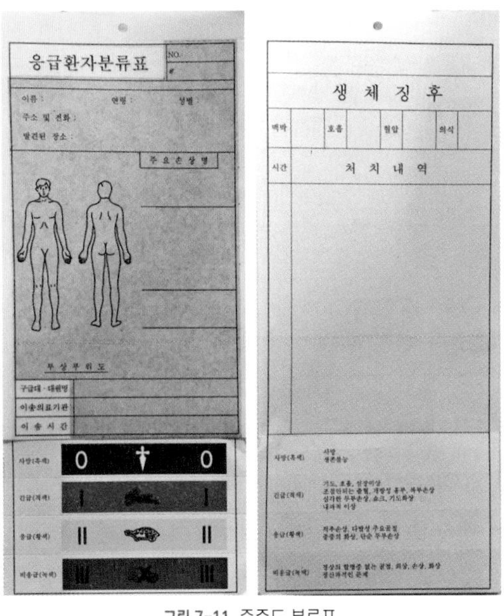

그림 7-11. 중증도 분류표

Tip. 중증도는 손목, 가슴에 부착
(오른쪽 우선)

- 머리서도 식별이 쉬운 크기
- 재질 : 튼튼하고 물에 젖어도 변질되지 않은 것
- 분류 : 색상(검정, 적색, 황색, 녹색)

표 7-12. 중증도 분류표에 기록할 사항

(1) 환자의 인적사항	(4) 신체적 손상에 관한 사항
① 이름, 나이, 성별 ② 환자와 연락 가능한 주소 ③ 전화번호	① 생체징후 ② 신경학적 소견 ③ 이학적 소견
(2) 재해현장에 관한 정보	**(5) 응급처치 사항**
① 환자발견 장소 ② 발견 당시의 자세 ③ 사고와 관련된 증거물	① 응급치료내용 ② 투약내용
(3) 병력에 관한 사항	**(6) 중증도 분류(색상을 이용)**
① 알레르기 ② 현재 복용 중인 약물 ③ 과거의 병력 및 혈액형 ④ 마지막 식사시간 ⑤ 손상 당시 신체적 상황	① 우선순위 1(긴급환자) : 적색 ② 우선순위 2(응급환자) : 황색 ③ 우선순위 3(비응급환자) : 녹색 ④ 우선순위 4(지연환자) : 흑색

환자의 기도유지 여부, 호흡상태, 혈압과 맥박 상태를 관찰하여 중증도 분류를 시행하고, 바로 다음 환자의 중증도 분류를 시행한다. 대량환자 발생 시는 혈압계를 이용하여 혈압을 측정하는 것보다 경동맥, 넙다리 동맥, 자동맥을 촉지하여 혈압을 예측하는 방법이 더욱 효과적이다(표 7-13).

표 7-13. 맥박을 이용하여 혈압을 추정하는 방법

맥박이 촉지 되는 동맥	예상되는 수축기 혈압
목(경)동맥이 촉지 되는 경우	최소 60 mmHg 이상
대퇴동맥이 촉지 되는 경우	최소 70 mmHg 이상
요골(척)동맥이 촉지 되는 경우	최소 80 mmHg 이상

현장에서 중증도 분류와 기본적인 응급처치 원칙은 다음과 같다.

① 응급처치를 시행하는데 걸리는 시간은 환자 1인에 1분을 초과하지 말아야 한다.

② 팀장은 중증환자의 치료에는 관여하지 말고 계속 중증도 분류를 시행하여야 한다.

③ 팀장이 중증도 분류를 시행하는 동안에 나머지 팀원은 구급차로부터 응급장비를 내려서 정리하고, 황색분류 이상의 중증환자가 발견되면 즉시 응급처치를 시행한다.

㉠ 적색분류 환자가 발견되면 황색환자보다 우선 응급처치를 시행하여야 한다.

④ 응급처치소까지는 초기에 치료한 응급구조사(대원) 1인이 지속적으로 관리하여야 한다.

⑤ 응급팀원에 비하여 상당히 많은 환자가 발생한 경우에는 심폐소생술이 필요한 적색환자에 대한 치료를 시행하지 말고 생존 가능성이 높은 환자부터 치료하도록 한다.

⑥ 초기 도착한 응급팀원들이 중증도 분류를 시행하고 적색환자에 대하여 응급처치를 시행하는 반면에, 계속 도착하는 응급팀원들은 환자에 부착된 중증도 분류표에 따라 중증환자부터 응급치료를 시행한다.

⑦ 적색분류 환자에 응급팀들이 모두 배정되면, 나머지 인원은 황색분류의 환자를 관리한다.

(1) 환자분류표/꼬리표

각 환자에게 한 개의 색상 꼬리표를 부착해야 하며 환자분류표/꼬리표는 다음의 장점이 있다.

① 응급구조사에게 조직적인 응급처치를 제공하는 등 환자의 우선순위를 표기한다.

② 같은 환자의 중복적인 분류를 방지한다.

③ 환자 응급처치 및 이송과정에 따른 추적체계로서 도움을 준다.

METTAG(medical emergency triage tag)의 꼬리표와 색깔이 있는 조사자 테이프(colored surveyor/s tape)를 쓸 수도 있다. 이는 각각 장단점이 있다.

① 꼬리표의 장점 및 단점

㉠ 각 범주의 환자 수를 셀 수 있게(뜯어내는 부분) 되어 있다.

㉡ 환자추적, 치료정보 기록, 이송 사고에 있어 환자의 위치 표시 등을 쉽게 알 수 있다.
㉢ 습한 날씨에 훼손이 된다.
㉣ 뜯어내는 부분은 환자의 분류범주를 바꾸기 어렵다.

② 조사 테이프(colored surveyor/s tape) 장점 및 단점
㉠ 비용이 덜 든다.
㉡ 환자를 셀 수 없다.
㉢ 검은색 테이프는 밤에 쉽게 볼 수가 없다.
- 일부 체계에서는 분류표와 꼬리표의 사용을 병행한다.

분류표를 사용할 때에는
① 즉각적인 이송이 불가능할 때 사용한다.
② 환자를 분류된 치료 구역으로 분류할 필요가 있을 때 사용한다.
③ 사용하기 쉬워야 한다.
④ 색깔이 눈으로 빠르게 확인이 가능해야 한다.

4) 중증도 분류 원칙

대량의 사상자가 발생한 재해 상황에서는 환자의 평가 및 치료적 접근이 일반적인 상황과는 매우 다르다. 대량 재해 상황에서는 한 환자에게 활용 가능한 양질의 응급처치를 더 이상 제공할 수 없다는 사실이다. 다수의 환자에게 최선의 치료를 제공하기 위해서는, 중증도 분류팀이 응급실 앞에서 손상 정도와 필요한 치료의 수준을 고려하여 중증도 분류를 시행해야 한다는 점이다. 의학적 치료의 몇몇 원칙들이 최선의 결과를 위해서는 변형될 수도 있다. 이 시기에는 확실하게 소생을 위한 치료 또는 결정적 처치를 시행해서는 되지 않는다. 응급치료는 손으로 시행하는 기도 유지 또는 외부 지혈 등의 한정된 치료로 제한해야 한다.

환자의 전신 상태의 현황 및 긴급성뿐만 아니라 중증도 분류 시에는 환자의 나이, 건강상태, 환자의 과거력, 그리고 치료자의 수준 및 핵심 의료 물품의 정도 및 장비 등과 같이 예후에 민감하게 영향을 미치는 요소를 같이 고려해야만 한다.

최선의 치료에도 불구하고 생존 가능성이 희박한 손상환자는 사망대기("expectant")환자로 분류한다(즉 흑색 : 95% 이상의 화상환자, 심장마비 환자, 패혈성 쇼크가 동반된 탄저병 환자 등). 또한, 시간이 지남에 따라 치료 도중 생존 가능성이 없는 환자들이 발생한다. 이러한 사망대기 환자의 치료 목적은 적절한 통증치료 및 가족 및 친구들과 같이 지낼 수 있는 기회를 제공하는 것이다.

5) 중증도 분류의 시행횟수

응급환자의 상태는 시시각각 변화하며 재해현장에서의 중증도 분류는 일부 부정확할 수 있으므로, 재해 시의 중증도 분류는 보통 2-4회 정도 시행된다(그림 7-12). 경험이 많은 의료진이 중증도 분류를 시행하여도 정확성은 80%라고 보고되고 있으므로, 중증도 분류를 반복하는 것이 바람직하다. 응급 팀원에 비하여 환자가 많고, 재해현장에 환자수집소가 설치된 경우의 중증도 분류는 3-4회 시행하는 것이 보편적이다.

① 1차 중증도 분류는 환자가 발생한 재해현장에서 시행한다.
② 2차 중증도 분류는 환자수집소 재해지역에서 시행한다.
③ 3차 중증도 분류는 이송된 병원에서 시행한다.
④ 병원으로 상당히 많은 환자가 이송된 경우에는 병원 내에서 다시 4차 중증도 분류를 시행하기도 한다.

환자가 적은 경우에는 재해현장에서 바로 병원으로 이송되는 경우가 많은데, 이런 경우에는 2차 중증도 분류가 병원에서 시행된다.

(1) 1차 중증도 분류

1차 환자분류는 사고 초기에 수행되며, 빠르고 효율적으로 수행되어야 하고, 지휘자는 현장의 응급처치와 자원을 결정할 수 있어야 한다. 재해현장에서 1차 중증도 분류를 시행하면서 중증도 분류표를 환자에게 부착하는데, 특히 환자 중에서 '긴급환자(적색)'를 파악하는데 중점을 두어야 한다.

① 중증도 분류표가 준비되지 않은 경우에는 환자의 이마에 처치의 우선순위를 1-4까지의 숫자로 표기할 수도 있다.
② 중증도 분류를 시행하는 응급의료종사자는 '긴급환자'로 판정되는 환자를 대하여도 응급처치를 시행하지 말고, 다른 응급의료종사자에게 '긴급환자'라고 알려 응급처치를 시행한다.
   ㉠ 중증도 분류자는 계속 중증도 분류를 시행하여야 한다.
③ '긴급환자'에 대한 현장의 응급처치는 의료 기구를 이용하지 않고 손으로 직접 시행할 수 있는 기도확보, 인공호흡과 외부 출혈의 압박지혈법이다(표 7-14).
④ 심정지가 나타나거나 생명을 구하기 어려운 심한 외상환자는 응급처치를 시행하지 말고, 다른 '긴급환자'의 응급처치에 응급팀을 배치한다.
⑤ '긴급환자'는 응급처치와 함께 환자수집소로 이송되며, '응급환자'와 '비응급환자'는 응급처치 없이 바로 환자수집소로 이송된다.

표 7-14. 중증도 분류장소에 따른 응급처치

문제점	현장/환자수집소	응급처치소	병원
기도폐쇄	기도확보 (Manual 이용)	기관삽관술 Cricothyrotomy	Tracheostomy
호흡마비	인공호흡 (구강대 구강법)	마스크로 산소투여	인공호흡기
심장정지	심장마사지	심장마사지, 산소투여, 수액처치(투약, 제세동)	투약과 제세동
개방성 흉부창상	창상부위 압박	밀폐식 드레싱 (흉관삽관술)	흉관삽관술
창상 출혈	압박 지혈	MAST, 수액처치	
긴장성 기흉		주사침에 의한 감압 산소투여(흉관삽관술)	흉관삽관술
중증의 쇼크		MAST, 산소투여	수액처치와 수술
혈흉(대량)		산소투여	흉관삽관술, 수혈
심낭내 출혈		산소투여, 심장마사지	Pericardiocentesis

(2) 2차 중증도 분류

환자가 수집, 치료구역 이송, 적절한 응급처치를 받는 전체과정을 통해 2차 환자분류가 시행된다.

① 환자의 상태는 시간을 두고 바뀔 수 있으므로 분류의 범주가 변경될 수 있다.

② 환자수집소에서 간단한 응급처치가 시행된 후에 응급처치소로 이송된다.

③ 응급처치소 입구에서 재차 중증도 분류가 시행되고, 환자의 중증도별로 구분된 구역으로 배치된다.

④ 응급처치소에서 '긴급환자'는 손상에 대한 기도확보, 흉관삽관술 등의 응급시술이 시행되고, '긴급환자'에 대한 이차적 이학적 검사와 '응급환자'에 대한 최초의 이학적 검사가 시행된다.

⑤ 환자수집소가 설치되지 않아도 될 정도의 소규모 재해에서는 환자가 직접 병원으로 이송되므로 병원입구가 2차 중증도 분류를 시행하는 장소가 된다.

(3) 3, 4차 중증도 분류

현장에서 이송되어 병원에 도착하면, 병원입구나 응급센터 입구에서 재차 중증도 분류가 시행된다. 일부에서는 수술 후나 중환자실에서 최종적인 4차 중증도 분류를 시행하기도 한다.

Tip. 중증도 분류의 시행 횟수

① 응급환자의 상태는 시시각각 변화하며 일부 부정확할 수 있으므로 재해 시 중증도 분류는 보통 2-4회 정도 시행

② 재해현장에 응급수집소(응급처치소)가 설치된 경우에는 3-4회 시행

㉠ 1차-환자가 발생한 재해 현장에서 시행
긴급환자(적색) - 의료기구로 이용하지 않고 손으로 직접수행
(기도유지, 인공호흡, 출혈(압박지혈)) 충분한 EMT, 의료진 배치가 안 된 경우

㉡ 2차-재해 지역에서 시행 - 응급처치소 입구

㉢ 3차-이송된 병원에서 시행

㉣ 4차-병원 내에서 (환자가 많은 경우) - 수술 후나 중환자실에서

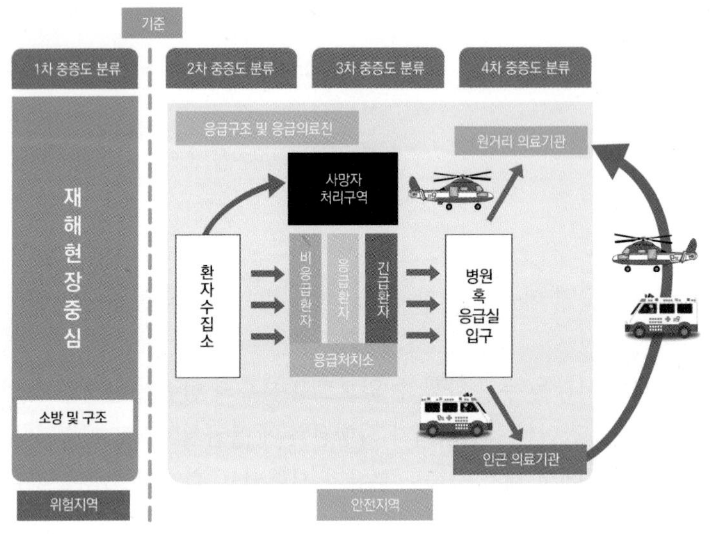

그림 7-12. 중증도의 단계별 시행 장소

6) START 중증도 분류

START란 단순한 분류 및 빠른 치료를 위한 약어로, 1980년 초 캘리포니아의 뉴포트 비치(Newport beach)에서 개발된 환자 분류 및 치료 방법이다. START방법은 가장 널리 사용되는 간단한 분류와 빠른 이송(Simple Triage And Rapid Transport)과 '간단한 중증도 분류 후 신속한 처치 방법(Simple Triage And Rapid Treatment)'의 첫 글자를 딴 스타트(START) 분류 방법이다. 즉, 첫 글자를 딴 START 분류법을 사용하여 환자의 호흡, 관류 및 의식 상태(RPM법 : R; respiration, P; pulse, M; mental status)만을 사용하여 중증도를 분류하고 어떠한 처치가 필요한지 그리고 얼마나 많은 처치가 요구되는지를 알 수 있다. 따라서 START 분류 방법은 진단 대신에 RPM 같은 증상 혹은 징후에 집중한다.

▸ 걸을 수 있는 능력, 호흡, 순환-맥박, 의식수준(신경-정신상태)

따라서 대량환자 분류에 대한 효과적이며 빠른 분류를 가능하게 한다. 그것의 이점 중의 하나는 제한된 의료훈련만으로 효과적으로 사용된다는 것이다.

Tip. START 체계의 임상적 목표

① 호흡상태 평가(R, respiration)
② 혈역동학적 상태 평가(P, pulse)
③ 정신상태 평가(M, mental status)

(1) 1단계

START 개념에서, 현장에 처음 도착한 응급구조사의 START 체계는 걸을 수 있는 환자를 지정된 장소로 이동하라고 말함으로써 시작된다.

① 모든 환자는 부상정도에도 불구하고 "녹색"으로 분류된다.
② 환자는 안정된 장소로 이동하게 되고, 위험지역 밖으로 이동하게 된다.
③ 이후에 도착한 응급구조사들은 보다 자세히 환자평가하며 손상을 응급처치하게 된다.
④ 부상자는 심각한 손상이 숨겨져 있을 수 있으므로, 시간과 자원이 충분할 때에는 '최소의 우선순위' 또는 '제3우선순위'로 분류된다.
⑤ 부상자들은 항상 전반적인 평가가 이루어져야 한다.
⑥ 환자에게 적절한 꼬리표를 달아야 한다.
⑦ 현장은 이미 아주 혼란스럽기 때문에 걸을 수 있는 환자를 안정된 장소에 있을 수 있도록 모든 노력을 해야 한다.

(2) 2단계

다친 보행자가 밖으로 이동한 후, 응급구조사들은 분류를 빠르게 지속한다. 환자들은 각 평가의 완결 즉시 분류표를 달게 된다. 각 환자의 분류 평가는 60초 이내에 완결되어야 한다.

① 2단계 평가에는 걷지 못하는 환자에게 집중한다.
② 먼저 이송이 필요치 않은 환자부터 분류를 시작하고 다음으로 첫 평가는 호흡을 평가하는 것이다.
③ 호흡이 있는 환자는 호흡수를 빠르게 평가하여 호흡이 30회/분당 이상, 분당 10회/분당 이하인 경우 "적색"의 꼬리표를 부착해야 한다.
④ 환자가 호흡이 없다면, 손으로 환자의 기도를 개방하여 자발적으로 호흡을 시작한 환자

는 "적색"으로 분류하고, 반응이 없는 환자들은 "흑색"으로 분류한다.

⑤ 호흡이 10-30회/분당인 환자는 다음 평가를 한다.

Tip. 2단계 : 호흡

① 호흡의 유무 호흡(-) : 우선 단순한 도수조작으로 기도 개방
　㉠ 호흡(-) : 사망/구조가망 없음(검정, expectant) 분류
　㉡ 호흡(+) : 긴급환자(적색, 회복자세유지)
② 호흡 속도를 신속하게 측정
　㉠ 30회 이상 및 10회 미만의 호흡 또는 기도를 유지하기 위해 도움이 필요한 환자 : 중증/즉각적인 중재("적색" 분류)
　㉡ 10회-30회 이하의 호흡은 다음 평가로 넘어간다.

(3) 3단계

3단계 평가는 혈역동학적(맥박/관류상태) 상태를 평가하는 것이다.

① 환자의 노동맥 맥박을 점검한다.
　㉠ 맥박이 있으면 환자는 수축기 혈압이 낮아도 80 mmHg가 된다.
② 요골맥박이 존재하는 것만을 점검한다는 것을 명심하고, 맥박수는 고려되지 않는다.
③ 관류상태를 평가하기 위해서는 응급구조사는 빠르게 피부 체온, 상태, 그리고 색깔을 빠르게 점검한다.
　㉠ 차고, 습하고, 그리고 창백하거나 청색증을 보이는 피부는 좋지 않은 관류상태를 의미한다.
　㉡ 따뜻하고 건조하며, 핑크빛의 피부는 적절한 관류상태를 의미한다.
　㉢ 눈의 결막, 입술, 또는 손발톱에서 색깔을 점검한다(특히, 까만 피부환자인 경우).
④ 모세혈관 재충혈 시간을 점검한다(그림 7-13).
　㉠ 2초 또는 그 이하의 정상으로 돌아오는 경우는 관류상태가 정상이다(모세혈관 재충혈 시간은 성인에 비해 영아 또는 소아에서 보다 타당한 관류 측정법이다).
　㉡ 2초 이상이면 성인의 저관류 증표이다.

관류를 평가하는 좋은 방법은 노동맥 맥박이다. 노동맥 맥박이 없는 환자는 "적색"으로 분류될 것이고, 환자의 호흡이 10-30회/분당이고, 요골맥박이 있다면 다음 평가 단계를 실시한다.

Tip. 3단계 : 순환

① 노동맥 확인

  ㉠ 순환 (-) : 저혈압 상태를 의미('긴급'분류)

  ㉡ 순환 (+) : 다음 단계평가

② 중증/즉각적 중재

  ㉠ 요골맥박 소실 또는 피부가 차고, 습하고, 창백하거나 청색증을 보임 또는 모세혈관 재충혈이 2초 이상 ("적색"으로 분류)

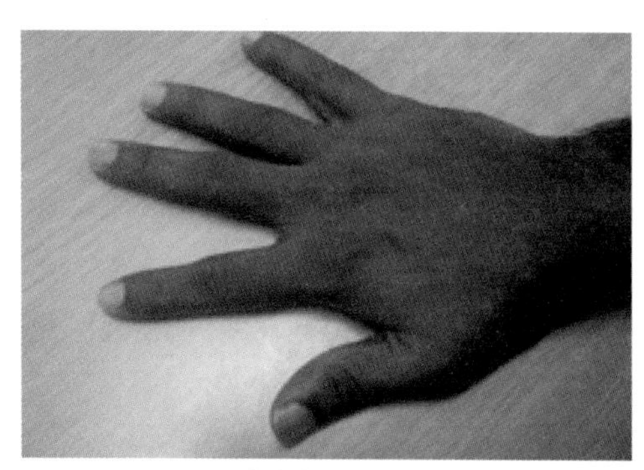

그림 7-13. 흑인의 모세혈관 재충혈 측정

(4) 4단계

4단계 평가는 환자의 신경학적(정신상태)상태를 점검하는 것이다.

① 환자에게 "손을 잡으세요?" 했을 때 환자가 잡으면 "황색"으로 분류한다.

② 환자가 행위를 할 수 없다면 "적색"으로 분류한다.

③ 다른 평가는 AVPU 척도에 의한 다음의 4가지 범주 중 하나에 속하게 된다.

  ㉠ 중증/즉각적인 중재(적색) : 무반응, 통증 또는 구두 자극에만 반응
  명료하나 지남력 없음(시간, 장소, 자신에 대한 지남력 없음)

  ㉡ 응급(황색) : 명료하고 시간, 장소 그리고 사람/자신에 대한 지남력 있음

Tip. 4단계 : 신경학적 상태의 평가

①"세 손가락을 보여 주세요" 등 간단한 지시를 따를 수 있는 능력평가

  ㉠ 환자가 의식이 없거나 간단한 지시를 따를 수 없는 경우 : 긴급환자

  ㉡ 간단한 지시를 따를 수 있는 환자 : 응급환자(delayed, 황색)

이들 평가의 처음에 "중증/즉각적인 중재" 범위에 속하게 되는 경우에는 더 이상의 모든 분류평가가 중지되어야 한다. 환자는 이미 "중증/즉각적인 중재" 꼬리표를 붙이게 된다. 기도 폐쇄 또는 심한 출혈과 같은 생명에 위험을 주는 문제의 교정에 한하여 다음 환자로 이동하기 전에 시행될 수 있다.

START 과정은 소수의 응급구조사가 많은 수의 환자를 매우 빠르게 분류할 수 있게 한다. 환자들이 치료지역으로 이송된 후, 응급구조사에 의해 보다 상세한 평가가 이루어진다. 예를 들면, 다음과 같다(그림 7-14).

① 환자 수가 많지 않고 중증도가 낮아서 평상시의 응급의료체계만으로도 훌륭하게 환자를 돌볼 수 있다고 판단이 되면 현장 응급처치 후 가장 가까운 병원으로 환자를 이송한다.

② 구조 시간이 장시간 걸릴 것으로 예상하는 경우에는 저혈량 쇼크에서 수액처치를 하는 것과 같은 생명을 구할 수 있는 현장 응급처치를 병행하여야 한다.

③ 구조 현장이 위험상황(화재, 폭발, 건물 붕괴, 위험물질 노출) 그리고 기상 악화와 같은 요인으로 인해 구조자 및 사상자가 위험에 처해 있는 경우에는 현장에서는 최소한의 응급처치만 시행 후 빠르게 환자를 구조 및 이송하여야 한다.

㉠ 환자이송 능력 이상의 대량 환자발생 시에는 중환자를 구조하는데 시간이 많이 소요될 수도 있기 때문에 현장에서 전문외상소생술 및 전문심장소생술이 환자에게 도움이 될 수도 있다.

㉡ 중환자인 경우에는 수술이 가능한 현장 병원이 도움될 수 된다.

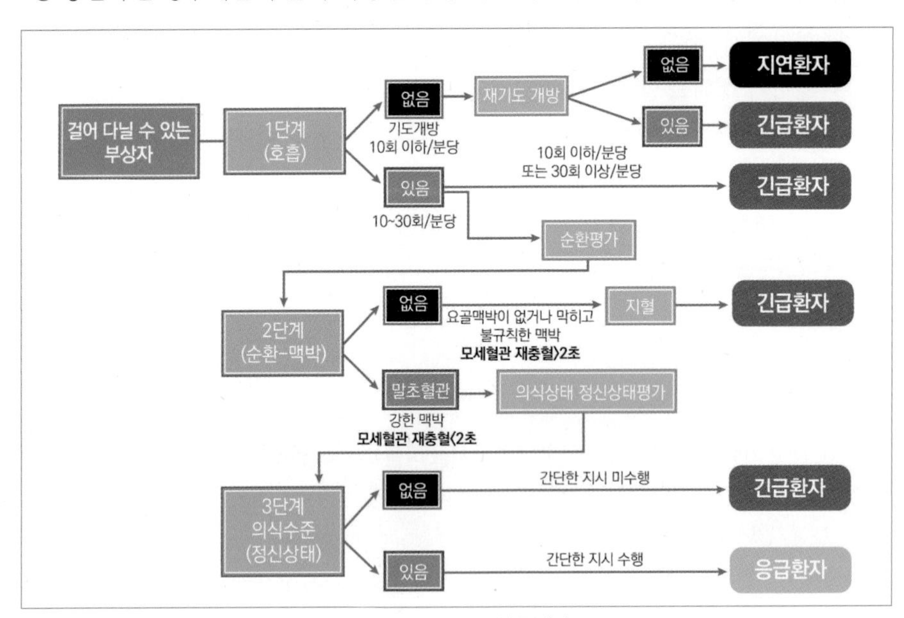

그림 7-14. START 중증도 분류 체계도

ⓒ 현장 병원으로 사용될 수 있는 공간은 교회, 학교나 체육관을 이용할 수 있다.

ⓓ 사상자들을 현장 병원으로 이송 후 환자 재평가 및 응급처치 등을 수행한다.

ⓔ 일정 기간의 환자 관찰 후 환자상태에 따라 퇴원 조치하거나 다른 병원으로 이송할 수 있다.

④ 중환자들보다 먼저 도착한 비응급환자들로 인해 지역병원의 처치 능력이 마비된 경우, 중환자들을 지역적으로 처치할 수 있다. 이럴 때 '최종 피해자의 이차평가(SAVE: secondary assessment of victim endpoint) 체계'에 의한 중증도 분류를 할 수 있다.

⑤ SAVE 체계에 의한 중증도 분류는 열악한 현장 상황에서 어느 환자가 처치를 받는 것이 가장 환자에게 도움이 되는지를 알기 위해 사용한다.

⑥ 많은 환자가 결정적인 의료 처치를 받기까지의 시간이 지연되는 경우 START 지침과 SAVE 체계를 같이 사용하는 것이 도움이 된다.

⑦ SAVE의 분류방법은 다음과 분류한다.

ⓐ 어떠한 처치를 해도 사망할 환자

ⓑ 응급처치 여부와 관계없이 생존이 가능한 환자

ⓒ 열악한 환경의 응급처치로도 의미 있는 도움이 되는 환자

7) 소아환자를 위한 Jump START 중증도 분류

의학박사인 Lou Romig는 START 중증도 분류시스템이 소아 환자의 생리적 발달 차이를 고려하지 않았다는 사실을 발견하여 그림 7-15와 같이 고안하였다. jump START의 적용과 시작은 아래와 같다.

① 적용대상 : 8세 이하 또는 45 kg 이하의 소아

② 시작 : 환자가 걸을 수 있는지 파악

유아 또는 아직 걸을 수 없거나, 지시를 따를 수 없는 소아는 가능한 한 빨리 응급처치 분야로 옮겨서 긴급 2차 중증도 분류를 한다. START 분류법에 비해 jump START 중증도 분류법은 발달 정도의 차이가 있기 때문에 대응도 매우 달라진다는 원칙을 가지고 다음과 같은 차이가 있다.

① 호흡상태 평가 차이

ⓐ 성인은 호흡이 없고(-) 맥박이 없으면(-) 사망환자(expectant)로 분류한다.

ⓑ 소아는 호흡이 없고 맥박이 있다면(+) 도수조작으로 기도 유지한다.

- 시행에도 불구하고 호흡이 없으면(-) 5회 구조호흡 시행(호흡상태 확인)한다.
- 호흡 시작 없으면(-) 사망환자 분류(이유 : 심정지의 원인이 호흡정지이기 때문)한다.

② jump START의 호흡 정도 평가

- 15회/분 이하 또는 45회/분 이상을 호흡환자는 긴급환자로 분류한다.
- 15-45회/분 이내이면 환자를 좀 더 평가한다.

③ jump START의 환자의 혈액순환상태

- 가장 쉽고 편하게 확인할 수 있는 지점에서 확인(원위부)한다.
- 맥박이 없으면(-) 가장 긴급한 우선순위로 분류한다.

④ jump START의 신경학적 상태(jump START에서는 변형된 AVPU 척도 사용)

㉠ 긴급/응급

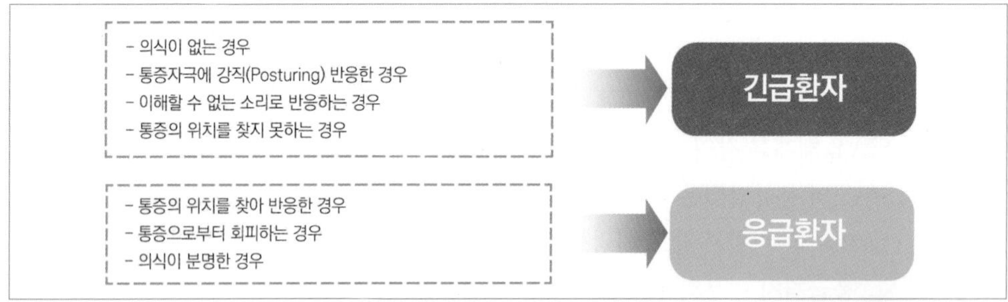

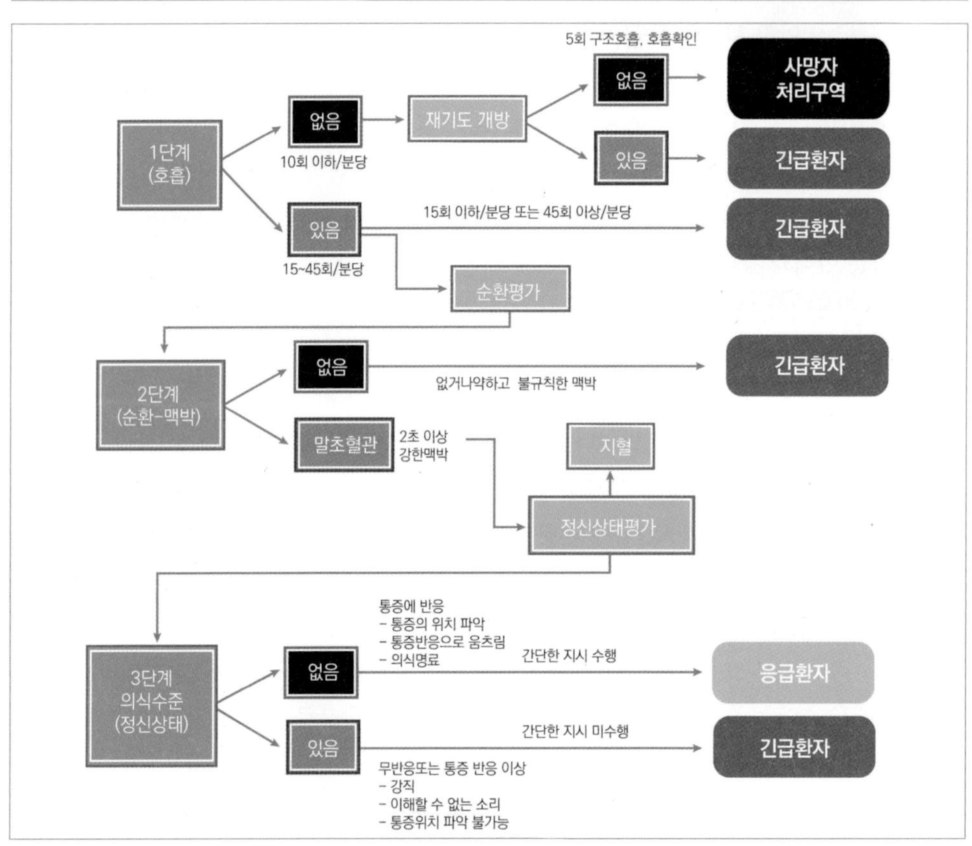

그림 7-15. Jump START 체계도

Tip. ATLS 분류

대량재난 이외의 상황에서 전문외상소생술(ATLS)에서 제시하는 환자 중증도 분류 체계의 4단계 중 1, 2단계는 다음과 같다.

(1) Step 1

다음 상황에 해당하는 환자의 경우에는 즉시 외상센터로 환자를 이송한다.

· GCS 〈 14
· 수축기 혈압 〈 90 mmHg
· 호흡수 〈 10회/분 또는 〉 30회/분
· PTS(소아외상점수) 〈 9에 해당하는 경우

(2) Step 2

step 1에 해당하지 않지만 다음의 경우에는 외상센터로 환자를 이송한다.

· 연가향 흉부(flail chest)
· 사지마비
· 골반골 골절
· 2개 이상의 장골 골절이 동반된 환자에 해당하는 경우
· 팔목 또는 발목 윗부분의 사지 절단
· 몸통을 관통하는 관통상
· 중증 화상
· 화상과 동반한 외상

※ 위 단계에서 조금이라도 환자 상태가 좋지 않다고 판단되거나 확신이 없는 경우에는 환자를 외상센터로 빨리 이송한다.
① 환자상태를 확신이 없는 경우
② 조금이라도 환자 상태가 좋지 않다고 판단된 경우

8) 기타 분류

(1) 중증도 분류(Establishment of triage system)

① 중증도 판정의 원칙
㉠ 생명의 구조가 우선이다.
㉡ 질식과 출혈을 즉시 처치한다.

(2) 중증도 분류 등급

① 긴급(severe : immediate)

호흡정지, 기도폐쇄 및 심한 호흡곤란	목격된 심정지	경추손상이 의심되는 경우
지혈이 어려운 출혈 또는 2군데 이상의 출혈	의식이 없는 환자	말초부위에 맥박이 만져지지 않은 골절
심각한 쇼크, 수축기 혈압이 80 mmHg가 안 되는 환자	중증도의 두부손상 (의식이 없는 환자)	호흡기를 포함한 화상
개방성 흉부손상 및 분쇄성 흉부손상		대퇴골 골절
개방성 복부손상 및 분쇄성 복부 및 골반의 손상		개방성 안구손상
심각한 내과적 문제를 동반된 경우 - 심질환, 뇌졸중, 열사병, 저체온증, 간질중첩증, 중증의 천식 발작, 고열, 약물중독 등		

② 응급(moderate : secondary)

중증도의 화상	경추외의 척추손상
중증도의 출혈 및 2군데 미만의 출혈	다발성 골절
두부손상이 있으나 의식이 있는 환자	배부(back)의 손상
안정화된 약물과용(stable drug overdose)	

③ 경증(minor : delayed)

경증의 골절 및 경증의 연부조직 손상	경증의 출혈
생존이 불가능한 치명적인 손상이 명확한 경우	중등 또는 경증의 화상

④ 사망(dead : deceased)

두부가 절단된 경우(decapitation)	신체가 절단된 경우(severd trunk)
20분 이상 호흡과 맥박이 없는 경우 (예외 : 차가운 물에 익사한 경우, 극도의 저온상태)	몸이 타 버린 경우(incineration)
효과적인 심폐소생술이 불가능하거나 맥박과 호흡이 없는 손상을 입은 경우	

(3) 두 번째의 중증도 판정은 중증도 판정지역에서 행한다.

① 두 번째 중증도판정시 해야 할 일

㉠ 기관내삽관과 같은 보다 적극적인 처치를 한다.

㉡ 추가 2차적인 손상이 진행되지 않는다고 판단될 때 다음 환자로 옮긴다.

㉢ 고정 등 이송을 위한 준비를 한다.
㉣ 한 명의 의료인은 환자의 인적사항을 수집한다.

(4) 중증도 판정지역의 조건

① 현장으로부터 모든 피해자를 용의하게 운반할 수 있는 지역
② 밝고 위험이 없는 되도록 넓은 지역
③ 모든 장비를 준비한 차량의 진입이 가능한 지역을 선정

9) 재난 패러다임 분류

재난 패러다임(Disaster paradigm)에서 사용하는 중증도 분류는 다음과 같다.

(1) 중증도 분류

① 손상의 심각성과 생존 가능성에 따라 환자를 분류하는 것으로 가능한 많은 환자에게 최선의 처치를 제공하는 것을 목표로 하며 가용한 자원에 따라 달라진다.
② 다양한 중증도 분류법과 표기법, 색상, 기호가 존재하나 지역 응급의료체계 내에서는 모든 유관단체와 병원에서 단일한 체계를 사용하는 것이 이상적이다.

(2) MASS 중등도 분류

대량사고에서 미군이 사용하는 환자분류 방법이며 다수의 환자가 발생한 경우 유용하다.

(3) 보행가능 여부(Move)

① 걸을 수 있는 사람은 환자 수집소(녹색 깃발)로 가도록 하고, 남아 있는 사람 중에 팔이나 다리를 움직이도록 한다.
㉠ 1단계 : 보행이 가능한 환자들을 녹색 깃발 아래로 모이도록 하고, “ID-ME”의 일차 경증(Minimal) 그룹에 속하게 된다.
㉡ 2단계 : 움직일 수 없으나 의식이 있고 명령에 따라 팔 다리를 움직이는 환자를 분류하고, 일차 응급(Delayed) 그룹에 배정한다. 다음으로 긴급(Immediate)을 평가한다.

(4) 평가(Assess)

① 움직임이 없이 남아있는 환자들, 즉 일차 긴급을 평가하고 즉각적인 응급처치를 한다.
㉠ 신속하게 환자 ABC를 평가하고 치명적인 생명의 위협을 교정한다.

(5) 분류(Sort)

① "ID-ME"로 환자를 분류한다.

㉠ MASS 중증도 분류 모델에서 효과적으로 이용되며 역동적인 상황 속에서 지속적으로 재평가해야 된다.

(6) 이송(Send)

① 긴급(Immediate) → 응급(Delayed) → 경증(Minimal) → 지연(Expectant) 순으로 이송한다.

㉠ 공간적 여유가 있다면 경증(Minimal) 환자를 각각의 긴급(Immediate)환자와 함께 이송하여 모든 생존 환자를 이송하는 것을 목표로 한다.

(7) 치료

① 현장에서 모든 환자가 이송되거나 의료자원이 고갈될 때, 안전상의 문제가 발생할 때까지 지속되어야 한다.

② 모든 치료계획에는 처치행위에 대한 알고리즘이 있어야 하고 환자의 중증도 분류표와 의료기록을 남겨야 한다.

10) 중증도 분류표 작성

중증도 분류표 작성시에 반드시 기재해야 할 사항으로는 중증도 분류표 번호, 성별, 환자의 연령, 현장출발시간, 환자 이송시간, 구급차번호 등 이다.

① 의식이 있는 환자의 기록은 중증도 분류표의 인적사항을 기록한다.

② 인적사항을 바로 파악할 수 없는 환자는 중증도 분류표에 번호를 반드시 기입해야 한다.

㉠ 중증도 분류표 번호는 중증도 분류표에 미리 기입되어 있는 고유연번을 쓰는 것이 좋다.

㉡ 미리 기입되지 않을 경우에는 현장에서 통일된 방법으로 기입해도 된다.

㉢ 중증도 분류표 서식은 자체 제작한 중증도 분류표도 활용할 수 있다(다만, 이해와 사용이 쉬운 양식으로 일원화해야 한다).

㉣ 일련번호 #은 고유연번으로 미리 인쇄된 것이 좋고 색으로 구분된 각 분류부분은 쉽게 떼어 낼 수 있어야 한다.

11) 다른 중증도 분류

① 세이브(SAVE, Secondary, Assessment of Victim Endpoint) 중증도 분류

㉠ 스타트 중증도 분류와 연계하여 응급처치반과 이송반이 활동하는 조정지역에서 적용한다.

㉡ 의료자원이 부족하고 병원에서의 정상적인 처치가 지연될 때 내과 및 외상 환자의 생존 통계자료를 바탕으로 살릴 수 있는 환자를 구별하기 위해 사용한다.

㉢ 전문적인 2차 평가와 재분류를 통해 현장에서 이송이 지연되는 환자들의 우선순위를 확실하게 정할 수 있게 해준다.

② 솔트(SALT, Sort, Assess, Lifesaving Intervention, Treatment · Transport) 중증도 분류체계

㉠ 방사능재난 현장에서 적용한다.

㉡ 중증도 분류는 재난의료지원팀원 가운데 가급적 현장경험이 가장 많은 응급의료종사자가 시행한다.

㉢ 재난의료지원팀원이 환자에 비해 부족하면 중증도 분류와 응급처치 업무를 통합하여 수행한다.

③ ID-ME

대부분의 분류체계를 네 개의 집단 "ID-ME, Immediate, Delayed, Minimal, Expectant"로 환자를 분류하고 각 집단은 색깔로 표시된다. MASS 중증도 분류 모델에서 효과적으로 이용된다. 역동적인 상황 속에서 지속적으로 재평가해야 한다(표 7-15).

표 7-15 . ID-ME 분류법

1 순위 : 중증도 분류 긴급(Immediate)	치명적이거나 사지절단의 위험이 있는 손상 손상이 심하지만 최소한의 자원으로 치료될 수 있는 손상 치료 후에 생존할 것으로 예상되는 피해자 단순한 수술로 멈출 수 있는 대량출혈이나 튜브만 있으면 고칠 수 있는 기흉 등 ABC의 지속적인 이상으로 교정이 필요한 환자
2 순위 : 중증도 분류 응급(Delayed)	최종적인 치료가 필요하지만 초기 응급처치가 지연되어도 악화되지 않는 손상 손상이 심하지만 치료가 지연 되어도 괜찮은 피해자 추후에 치료가 제공되어야 하는 대퇴골이나 상완골 단순골절 등
3 순위 : 중증도 분류 경증(Minimal)	손상이 경미하여 치료를 기다릴 수 있는 걸어 다니는 피해자로 "걷을 수 있는 부상(Walking wounded)" 심각한 환자를 치료한 후에 여유가 생기면 치료 다른 환자들보다 먼저 확인하여 경상자(녹색환자)구역으로 이동시키고 추후에 2차 중증도 분류를 시행하여 환자인적사항을 기록하고 버스 등으로 귀가시키거나 멀리 있는 병 · 의원으로 보냄 찰과상, 타박상, 염좌, 미세골절 등 향후 자원봉사자로 활용 가능
4 순위 : 중증도 분류 지연(Expectant)	생존의 가능성이 희박한 중증의 손상환자 긴급환자를 모두 이송 후에도 생존해 있다면 재평가와 처치가 필요하다.
사망(Dead)	손상이 너무 심각하여 많은 양의 자원을 사용해도 생존할 가능성이 없는 피해자 발견되었을 당시 무반응, 무맥, 무호흡 환자는 사망한 것으로 분류 중증의 뇌손상, 95% 이상 3도 화상 등 중요한 증거를 손상시킬 수 있으므로 사망환자는 이송시키지 않음

15 재해발생과 초기 흐름

재해발생 초기에는 지역주민이나 피해자들로부터 119 종합정보센터에 신고 접수되기 시작한다.

① 신고접수

119종합상황정보센터에 신고사항을 정확히 파악한다.

② 최초출동팀의 상황보고

응급의료를 제공하기 위하여 대기 중인 응급출동팀이 현장에 급파되어 현장에서 피해규모를 파악하고, 정확한 재해정보를 보고한다.

③ 재해확인 및 재해발동 요구

현장에 급파된 초기출동팀 중 가장 경험이 많은 대원이 단순한 사고인지 재해로 규정할 것인지를 직접 판단하는 것이 중요하다.

④ 재해발령 및 확산

재해발생부터 재해대책의 발동까지 소요시간이 최소화되어야 한다.

⑤ 지원팀 출동

재해에 대한 정확한 정보가 접수되면, 출동 가능한 모든 부서원을 현장으로 출동시킨다.

⑥ 재해본부 소집

비상연락망을 통하여 재해위원을 소집하도록 한다(그림 7-16).

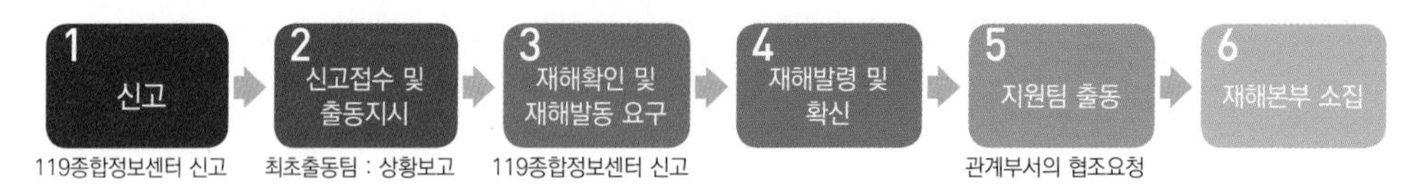

그림 7-16. 재해 초기의 일반적 흐름도

16 재해본부와 현장지휘소 설치

재해본부에서 소집된 재해위원들은 재해본부에서 재해의 규모와 피해자에 관한 정보를 분석하여 재해의 등급을 판단하고, 현장에 설치할 현장지휘소의 규모를 결정한다.

재해현장이 재해 2, 3급으로 판단되면 인근 지역의 재해본부나 국가 재해본부로 재해 상황을 연락하여 비상소집을 요청해야 한다. 재해본부 위원들은 다음과 같은 사항에 대하여 신속히 결정해야 한다.

① 현장지휘부의 설치 여부와 규모를 결정한다.

② 현장으로부터의 정보를 분석하여 재해 2, 3급의 선포 여부를 결정한다.

㉠ 재해 선포 결정 시에는 인근 지역의 재해본부장이나 국가기관으로 연락을 취한다.

③ 사전에 수립된 재해대책에 따라서 현장지휘부와 관련된 각 부서원의 출동을 지시하고, 실무위원은 진행 상태를 확인한다.

④ 각 위원회와 부서별로 비상소집 상황과 가동할 수 있는 인적 자원과 물적 자원을 파악하고, 임무 수행에 문제점이 예상되면 위원회에서 협의하여 해결한다.

⑤ 현장지휘부가 현장에 도착하는 시점부터 현장에서의 진행 상황을 직접 확인할 수 있도록 모든 통신망을 개방한다.

⑥ 인근 주민을 피난시킬 것인지 아닌지를 결정한다.

㉠ 주민 피난이 필요할 것으로 결정되면 통신체계와 언론매체를 이용한다.

㉡ 지역주민에게 피난방법, 피난로와 피난소를 알려준다.

⑦ 재해 지역에서 발생할 수 있는 위험요소(도시가스, 전기 등)를 제거하려는 안전조치를 취한다.

17 재해현장에서의 응급처치 및 이송

최초로 현장에 도착한 응급구조사가 대략적인 피해 정도와 현장 상황을 119구급상황관리센터로 연락하고 중증도 분류를 시행하며, 필요한 장비와 인원을 다시 119구급상황관리센터에 요청한다.

① 팀원은 중증도 분류에 따라서 중증인 환자부터 'ABC's를 시행한다.

② 중증도 분류를 시행하는 중증도 분류관의 첫 번째 임무는 응급처치에 참여하는 것보다는 중증도 분류를 신속하고 정확하게 수행하는 것이다.

③ 치료해도 생존하기 어렵다고 판단되는 환자들은 현장에서 치료하지 않고 그대로 둔다. 즉, 생존 가능성이 높은 중증 환자부터 응급처치를 시행하게 된다.

④ RTS (revised trauma score, 수정된 TS나 CRAMS score (circulation: 순환, respiratory:호흡, abdomen:복부, motor:운동, speech:언어) 와 같은 외상지표가 환자의 생존 여부를 판단하기 위해 이용되기도 한다(표 7-16, 7-17, 7-18).

⑤ 응급통신망을 통하여 연락된 응급구조사들이 현장에 도착하기 시작하면, 비교적 안전한 지역에 장비와 물품을 하역하고 **현장지휘부**를 설정한다.

⑥ 경험이 풍부한 응급의료종사자가 현장에 도착하면 중증도 분류를 인계하고 자신의 업무로 되돌아간다.

㉠ 중요한 사항들을 간단히 구두로 설명한 후에 임무를 완전히 인계한다.

- 손상환자의 숫자와 손상 정도를 설명하는 내용에 포함해야 한다.

㉡ 중증도 분류와 응급처치에 관하여 시행된 것들은 서면으로 보고한다.

㉢ 추가적인 인원과 물품을 요구해야 한다.

㉣ 어떤 환자가 이송되면 중증도 분류관은 이송된 환자의 수와 손상 정도, 어떤 의료기관으로 이송되었는지를 알아야 한다.

중증도 분류관의 두 번째 임무는 기도, 호흡기능, 순환기능 등을 유지하기 위하여 응급처치가 필요한 환자를 파악하고, 의료기관으로 이송할 준비를 시행한다.

① 원칙은 '생명보존은 사지보호에 먼저 한다'는 것이다.

② 긴급한 상태를 벗어난 비교적 경미한 환자를 응급치료 한다.

㉠ 척추손상, 개방성 혹은 중요한 골절, 화상, 복부 타박상과 같은 이차적인 손상을 확인하고 안정을 유지한다.

중증도 분류에 따라서 응급처치가 시행되면 의료기관으로 이송할 준비를 한다.

① 이송은 중증인 환자부터 이송되며, 사망자가 마지막으로 이송된다.

② 이송을 시행하는 경우에는 동원이 가능한 구급차량 수, 의료장비, 응급구조사 수 등을 모두 고려해야 한다.

③ 응급환자가 일부 병원으로 집중되는 것을 방지하기 위하여, 환자의 중증도별로 이송할 의료기관을 결정해 주어야 한다.

④ 중증인 환자는 대형종합병원으로 이송하며, 경미한 환자는 원거리에 위치한 의원이나 병원으로 이송한다.

표 7-16. 외상점수

항목	기준	점수
호흡횟수	10-29/min	4
	〉 29/min	3
	6-9/min	2
	1-5/min	1
	없다.	0
호흡기 팽창	장상	1
	견인성(함몰)	0
수축기압	〉 89 mmHg	4
	76-89 mmHg	3
	50-75 mmHg	2
	0-49 mmHg	1
	맥박 없음	0
모세혈관 재충혈	정상	2
	지연	1
	없다	0
심폐 평가		

항목	기준	점수
눈뜨기	자발적으로	4
	음성을 이용하여	3
	동통으로	2
	반응이 없다	1
언어적 반응	똑바로 안다	5
	혼동된다	4
	부적절한 단어 사용	3
	불완전한 단어 사용	2
	반응이 없다	1
운동반응	명령에 순종한다	6
	국소화된 동통	5
	위축(동통)	4
	구부림(동통)	3
	신전(동통)	2
	반응이 없다	1
Glasgow Coma Scale Total		
총 Glasgow Coma Scale 점수 13-15 = 5 9-12 = 4 6-8 = 3 4-5 = 2 4점 미만 = 1	전환 = 대략 총점수의 1/3	
신경학적 평가		

총 외상 점수 = 심폐평가 + 신경학적 검사

※ 0점에서 16점까지

① 외상지수 12점 이상이면 비교적 양호한 예후

② 외상지수 10점 미만이면 예후가 불량

③ 외상지수 4-12점 일 때 적극적인 치료

④ 외상점수는 환자 상태의 중증도를 나타내는 객관적인 점수이다.

⑤ 의사에게 미리 얘기해 줌으로써 의사가 환자 도착시에 필요한 처치에 대한 계획을 세우는 데 이용된다.

⑥ 응급구조사에게 전달되는 의료지시에서 전문소생술의 필요성을 결정하기 위하여 혹은 연구목적이나 응급의료의 질을 향상하기 위한 목적으로 사용될 수 있다.

※ GCS 점수는 얼마인가요?

① 두부손상 환자가 통증을 주면 눈을 뜨고, 언어반응은 전혀 관찰되지 않으며 통증에 대해서 대뇌제거자세를 보인다면 E2, V1, M2로 GCS 점수는 5점이다.

※ 2세 미만 소아의 경우 자극후 계속 울기만 하면 언어반응에서 5점을 주는 것이 일반적인 소견이다.

표 7-17. 수정된 외상점수

구분	값	점수
호흡횟수	10-29/min	4
	〉29/min	3
	6-9/min	2
	1-5/min	1
	없다.	0
수축기압	〉89 mmHg	4
	76-89 mmHg	3
	50-75 mmHg	2
	0-49 mmHg	1
	맥박 없음	0

총 Glasgow Coma Scale 점수	
13-15 = 4	전환 = 대략 총점수의 1/3
9-12 = 3	
6-8 = 2	
4-5 = 1	
4점 미만 = 0	
신경학적 평가	

수정된 외상 점수 = 심폐평가 + 신경학적 검사

※ 0점에서 12점까지
① 0점은 가장 심각한 손상, 12점은 최소한 의 손상을 의미한다.
② 이송과 함께 RTS를 계산하는 것은 평가의 기초를 제공한다.
③ 무선보고(radio reports)와 병원전체치보고서를 참조하여 계산한다.

※ RTS 점수는 얼마인가요?
① 두부 손상환자가 자발호흡이 분당 30회, 수축기 혈압 80 mmHg, GCS 12점이며, R 3점, S 3점, GCS 3점으로 9점이다.
② 두부 손상환자가 자발호흡이 분당 18회, 수축기 혈압 62 mmHg, GCS 7점이며, R 4점, S 2점, GCS 2점으로 8점이다.

※ 소아외상점수는 6가지로 평가한다.
① 소아의 크기(몸무게), 기도상태, 의식, 수축기 혈압, 골절, 피부손상을 평가한다.
② 소아의 사망률과 뚜렷한 반비례관계를 보인다.
③ 8점 이하인 소아는 소아외상센터에서 치료를 받아야 한다.
④ 소아들은 순환용적의 25% 가량을 잃을 때까지 종종 쇼크의 고전적인 징후들이 보이지 않는다.

표 7-18. CRAMS 점수

순환	2 – 모세혈관 재충전이 정상이고 수축기 혈압이 100 mmHg 이상일 때 1 – 모세혈관이 지연되거나 수축기 혈압이 85-99 mmHg 미만일 때 0 – 모세혈관 재충전이 안 되거나 수축기 혈압이 85 mmHg 미만일 때
호흡	2 – 정상 1 – 비정상(힘들거나 얕은 호흡 또는 호흡수가 35회 / 분 이상 시) 0 – 없음
복부	2 – 복부 및 흉부에 압통이 없다. 1 – 복부 또는 흉부에 압통이 있다. 0 – 복부가 딱딱하고 흉부는 덜렁거리며 또는 복부나 흉부에 심부 관통상이 있을 때
운동	2 – 정상(명령에 모두 반응) 1 – 통증에만 반응 0 – 무반응
언어	2 – 정상(조리가 있는) 1 – 혼돈 또는 부적당 0 – 비정상이거나 알아들을 수 없는 언어
총 CRAMS score (다섯 항목의 점수를 더함)	

주의 : 6점 이하는 심각한 손상이다.

병원 전 처치에서 다음과 같은 상황이 있을 수 있다.

① 환자의 수가 적고 치료대원과 이송수단이 충분할 경우
   ㉠ 현장에서의 의료처치는 신속히 안정화한다.
   ㉡ 가까운 병원으로 이송하는 일상적인 수준의 가까운 방법으로 이루어질 수 있다.

② 구출 작업이 장기화되는 경우
   ㉠ 환자가 저혈량 쇼크나 탈수가 진행된 환자는 현장에서 수액투여를 시작할 수 있다.

③ 현장이 위험한 상황(화재, 폭발, 건물 붕괴 및 위험물질)으로 환자와 응급구조사가 위험할 경우
   ㉠ 최소한의 응급처치 후에 가능한 빨리 신속한 이송이 이루어져야 한다.

④ 환자의 수가 이송 능력을 넘어설 경우
   ㉠ 중증의 손상을 입은 환자는 이송될 때까지 몇 시간이 소요될 수 있기 때문에 현장에서 전문적인 내과적, 또는 외과적 처치가 이루어지는 것이 유리할 수 있다.
      - 수술실의 능력을 갖춘 현장병원을 구축하는 것이 필요할 수 있다.
   ㉡ 부상자들이 재해 현장으로부터 현장 병원으로 이동되어 손상에 대한 추가적인 평가와 초기 처치를 받은 후 집으로 보내지던지 병원으로 이송된다.

⑤ 방사능 오염으로 고통 받는 환자와 방사능 입자를 지니고 있는 환자에 대한 분류의 독립된 범주가 있다.

㉠ 다른 어떠한 것보다 우선한다.
㉡ 다른 환자, 응급구조사, 구급차, 의료기관을 방사능으로부터 오염시키지 않기 위하여 오염된 환자는 즉시 격리되어야 한다.
㉢ 오염 환자가 정상 환자로 처치받기 위해서는 유독물질에 대한 노출 종료, 환자의 안정화, 적절한 결정적인 의료 처치의 시작 등이 이루어져야 한다.

다른 구조기술처럼 중증도 분류 또한 숙련될 정도로 연습을 해야 한다. 재난에 대비한 훈련은 병원이나 다른 공공단체와 연결하여 적어도 매년 2회씩 실시해야 한다. 이러한 임무를 수행할 수 있는 병원은 오염 제거를 위한 안전지역, 환자의 외부 오염물을 씻어 낼 수 있는 수단, 오염물질을 모을 방법, 환자를 처리하는 대원 및 다른 병원의 대원을 위한 보호 장비, 일회용 또는 세척 가능한 의료 장비 등을 갖추어야 한다.

18 환자 발생장소와 환자수집소에서의 응급처치

환자가 발생한 재해현장에서의 처치 범위에 대하여는 많은 논란이 있으나, 일반적으로는 조작이 간단한 의료 기구를 이용하는 응급처치와 함께 환자수집소로 이송하는 것이 바람직하다. 응급구조사(paramedics)가 주로 응급처치를 시행하게 되며, 응급치료에 1분 이상을 지나지 않도록 한다.

① 응급환자가 적은 상황에서는 바로 병원으로 이송하는 'Scoop and Run' 방식이, 현장에서 응급처치에 시간을 소요하는 것보다 결과가 양호하다
② 현장에서의 치료가 필요한 것인지는 지역적 의료여건, 이송까지의 시간, 응급의료진의 숙련도에 따라 결정되어야 한다.
③ 현장에서의 치료는 기도확보와 호흡처치, 척추고정, 지혈 등의 기본적인 것만 시행하면서 병원으로 신속히 이송하는 것이 바람직하다.

1) 현장에서의 응급처치

(1) 신체를 이용한 기도유지법이나 호흡보조 기구(airway)를 이용한 기도유지
(2) 구강 내 이물질 제거
(3) 개방성 흉부 창상의 폐쇄식 드레싱(occlusive dressing)
(4) 심폐소생술(충분한 인력이 투입된 경우에만)

(5) 경추 및 척추 고정
(6) 대량 출혈부위의 압박 지혈법

2) 신체 일부를 절단하는 경우

환자의 신체 일부가 붕괴한 구조물에 깔려서 환자를 구조하지 못하는 상황에서는 신체 일부를 절단하고 환자를 구조해야 한다. 그러나 현장의 공간적 제한, 구조물의 붕괴 위험성, 불충분한 조명, 제한된 의료장비 사용, 높은 감염 가능성 등으로 신체 절단은 최후의 선택이 되어야 한다. 신체 일부 절단방법은 다음과 같다.

(1) 절단할 부위의 피부를 국소마취제(lidocaine)로 마취시킨다.
(2) 피부 절개부위의 근위부에 tourniquet이나 혈압계의 pressure cuff를 감고 압력을 높여 동맥을 압박시킨다. 즉, 절개 시에 출혈을 최소화한다.
(3) 피부를 타원형으로 절개하고, 근육과 근막은 피부보다 조금 근위부를 절개한다.
(4) 근육 절개부위보다 조금 근위부에서 뼈를 톱으로 절단한다.
(5) 절단부위를 두툼하게 드레싱하고 환자를 외부로 구조하여 응급처치소나 병원으로 이송한다.
(6) 응급처치소나 병원에서는 절단부위에 대한 소독과 세척을 시행하고, 혈관들을 결찰 한다. 후에 압박하고 있는 tourniquet이나 pressure cuff를 제거하고, 절단부위를 봉합한다.

19 응급처치소에서의 응급처치

환자수집소 혹은 현장에서 이송된 환자들은 기본적인 응급처치를 받았기 때문에 환자를 병원으로 이송하기 전에는 환자상태를 최대로 유지하기 위한 전문적 응급처치가 시행되는 것이 바람직하다. 응급처치의 수준은 기본적으로 Advanced Trauma Life Support(ATLS)가 시행되어야 한다. 이러한 처치는 응급의학 의료진, 응급구조사, 응급간호사 등에 의하여 시행되며, 필요한 경우에는 집중처치(critical care)도 시행하는 것이 바람직하다.

1) 구성인원

지원 가능한 구급차가 절대적으로 부족하거나, 의료기관의 환자 수용능력을 훨씬 초과하는 대량 환자가 발생한 경우에만 현장에 응급처치소를 구성하게 된다. 응급처치소에서는 주로 응급구조사(paramedics)가 응급처치를 수행하는데, 의료기관에서 파견된 소수의 의료진이 간단한 응급수술 등을 시행하거나 응급구조사의 처치를 지도하게 된다.

최근에는 ATLS와 ACLS (Advanced Cardiac Life Support)도 가능한 응급의료종사자가 현장에 투입되는 것이 환자의 사망률을 낮출 수 있다고 보고되고 있다. 현장에 출동한 응급의료종사자는 가능한 병원 외 환경에 익숙하고 응급환자의 치료 경험이 많고, 중증도 분류가 가능한 응급의학 전문의와 응급구조사 그리고 응급간호사가 바람직하다.

2) 응급처치소에서의 단계적 응급처치

응급처치는 가능한 집중처치도 가능하도록 의료장비와 물품이 비축되어야 하며, 생명유지에 직접 관련된 의료술기만 시행되어야 한다. 재해현장의 응급처치소에서 시행하는 응급처치의 단계는 다음과 같다(표 7- 19).

표 7-19. 응급처치소에서 시행하는 응급처치 단계

단계	내용
① 기도확보	붕괴한 구조물에 갇혀 있던 환자는 흙, 먼지, 이물질 등이 구강 내로 유입된 경우 외상에 의한 구강 내 출혈, 치아손상, 구토에 의한 이물질 등으로 호흡곤란 된 경우 · 환자의 구강 내 이물질을 흡입기나 손가락으로 즉시 제거 의식이 명료하지 않은 경우 : airway를 삽입하거나 intubation 시행
② 산소투여	호흡곤란 환자, 의식이 명료하지 않은 환자, 혈압저하 환자, 다발성 외상환자 등에게는 · 산소마스크로 산소 투여 · 중증의 외상환자에게는 마스크를 이용하여 FiO_2 0.85 이상으로 산소 투여 · 화학물질이나 기도화상 등으로 호흡곤란이 동반된 환자 : 조기에 기관삽관술과 함께 PEEP (Positive End Expiratory Pressure)를 이용한 호흡 처치 시행 · 현장에서 portable pulse oxymetry를 이용하여 혈액산소 포화 정도 측정
③ 호흡처치	다발성 늑골골절, 흉벽의 피하기종(subcutaneous emphysema), 개방성 흉부열상 등이 관찰 ⇒ 청진상 호흡음이 감소, 심한 호흡곤란 호소 · 흉관삽관술(thoracostomy) 시행
④ 수액투여	환자가 도착하자마자 바로 정맥로 확보하고 수액(Hartman's solution)을 투여 ⇒ 정맥로는 14-16 gauze의 주사침 이용, 상지에서 정맥로 확보가 어려운 환자 : 중심정맥 삽관술(central catheterization) 시행 · 혈압이 90 mmHg 미만인 경우 ⇒ 최소한 2개 이상의 정맥로 확보 ⇒ 수액 2리터를 신속히 투여 및 즉시 이송 · 병원으로의 이송이 지연되고 수액처치로도 혈압이 유지되지 않는 출혈환자 ⇒ 혈액량 확장제(volume expander) - modified gelatine fluid - starch 제제 - 덱스트란(dextran) 투여
⑤ 심기능 감시	압좌증후군(crushing syndrome)이나 조직손상 등에 의해 hyperkalemia 등이 발생 · 심전도 시행

단계	내용
⑥ MAST 착용	수액처치로 혈압이 계속 유지되지 않거나, 출혈이 동반된 골반골이나 하지의 골절 등의 환자 · MAST (Military Anti-Shock Trousers) 착용 · 금기 : 임신 3기의 산모, 복강 내 장기가 외부로 돌출된 경우, 이물질이 복부를 관통한 경우
⑦ 진통제 투여	환자의 통증을 효율적으로 해소해야만 응급처치와 이송이 원활 진통제는 합병증이 적고, 작용시간이 짧은 것이 바람직함 · 재해현장에서 사용되는 진통제 ① 모르핀(Morphine) : 가장 많이 사용되는 약제, 3-5mg을 정맥주입 혹은 5-10mg을 근육주사 주의 : 혈압저하, 호흡저하, 구토 등 유발 ② 나이트로옥사이드(Nitrous oxide) : nitrous oxide와 산소를 50 : 50 비율로 하여 마스크를 통해 호흡기로 투여 단, 밀폐된 공간에서는 시행하지 않음 ③ 그 외 진통제 ㉠ 벤조디아제핀(benzodiazepine) 계통 - 디아제팜(diazepam, valium) - 미다졸람(midazolam) ㉡ 케타민(ketamine) ㉢ 바르비튜레이트(barbiturate) 등
⑧ 기타 확인	① 재해현장에서 시행한 경부고정과 척추고정, 골절부위 고정이 안전하게 착용 되었는지 확인 ② 구토가 심하거나 복부팽만이 심한 환자 ⇒ 위장관 튜브(Levin tube) 삽관 ③ 절단부위에서 출혈이 계속되며 접합할 가능성이 없다고 판단된 경우에만 tourniquet 사용 ④ 재해현장에서의 시술은 감염 발생의 위험이 높으므로, 생명과 직접적인 관련이 없는 외상에 대한 수술이나 처치는 시행하지 않는 것이 바람직함 ⑤ 개방성 창상은 신속히 드레싱하고 항생제 투여

20 응급의료종사자 역할

지역 내 병원과 응급의료체계에서 종사하는 의료진과 응급구조팀은 상호 긴밀한 협조체제를 유지하여야 한다. 일반적으로, 재해발생 직후에는 현장 응급처치에 경험이 많은 응급구조팀의 팀장이 재해현장을 지휘하게 되며, 현장 지휘소의 설치가 결정되어 현장 지휘소의 책임자가 현장에 도착할 때까지 임무를 계속 수행하여야 한다.

① 재해현장에서의 응급처치는 응급구조사 등의 구조팀이 병원의료진보다 효율적으로 응급업무를 수행할 수 있다.

② 응급의료진의 현장출동은 최소의 인원만이 참가하는 것이 효율적이다.

㉠ 악천후에서의 현장 활동이 병원 의료진에게는 익숙하지 않다.

㉡ 의료장비를 충분히 가동할 수 없는 재해현장에서의 의료 효율성이 의문시되고, 많

은 병원의 의료진이 현장에 투입 시는 현장지휘에 혼선이 생긴다.

㉢ 병원으로 이송되는 환자에 대한 처치가 불충분할 가능성이 있기 때문이다.

㉣ 응급의료진은 응급구조팀이나 응급구조사들이 결정할 수 없는 상황에 대한 조언, 구조에 상당한 시간이 소요되는 환자에 대한 현장 응급처치, 집중처치가 필요한 환자에 대한 처치, 호흡유지나 순환유지에 필요한 간단한 수술처치, 병원과 현장과의 연락업무 등을 수행하는 것이 더 바람직하다.

㉤ 재해발생에 대한 연락을 받은 병원의 응급의료진은 재해의 규모, 환자 수, 손상 정도, 재해지역 인근의 의료기관을 즉시 추정하여 자체적인 비상계획을 수립해야 한다.

㉥ 환자 수가 적은 경우에는 모든 환자가 병원으로 직접 이송되기 때문에 응급의료진이 직접 현장에 출동할 필요가 없다.

㉦ 소규모의 병원에서는 보통 1-2명의 응급의료진이 근무하므로 현장으로 출동하기보다는 병원에서 대기하는 것이 효율적이다.

Tip. **응급의료진의 역할**(재해 발생에 대한 연락을 받은 병원의 응급의료진)

① 재해의 규모
② 환자 수
③ 손상 정도
④ 재해 지역 인근의 의료기관을 즉시 추정하여 자체적인 비상계획을 수립해야 한다.

Tip. **재해 시에 환자의 구조까지 상당한 시간이 지연되어 scoop run의 개념이 없어진다.**

① 재해로 인해 인근 이송로 등이 파괴 → 구급차가 신속히 이송할 수 없다.
② 재해로 인해 인근 의료기관의 기능이 마비되었을 가능성이 있기 때문에
→ 응급처치소에서 ABC'S에 준하는 응급처치 한 후 → 병원으로 이송하는 것이 바람직하다.

Tip. **환자 발생 장소와 환자 수집소에서의 응급처치**

① paramedics가 주로 응급처치 시행, 응급처치에 1분 이상을 경과하지 않도록 한다.
② 응급환자가 적은 상황에서는 바로 병원으로 이송하는 scoop and run 방식이 것이 낫다.

Tip. **현장에서 처치가 필요한 것인지 · 지역적 의료여건 · 이송까지의 시간 · 응급의료진의 순련도에 따라 결정**

21 재난환자 이송

이송지휘관은 '환자의 수', '인근 병원의 정보', '이송방법', '이송 중 응급처치' 등에 대하여 신속히 판단을 내릴 수 있도록 인근 병원의 정보에 해박한 정보를 가진 대원이 적절하다.

① 중증환자는 가장 가까운 종합병원으로 이송한다.

㉠ 응급처치를 시행한 후에, 이곳에서 환자의 상태가 안정되면 인근 병원으로 이송한다.

㉡ 항공기로 이용하여 최종 처치가 가능한 병원으로 직접 이송하기도 한다.

③ 경증의 환자는 대형버스를 이용하여 원거리에 위치한 병원으로 직접 이송하는 것이 바람직하다.

④ 119구급상황관리센터 및 응급의료정보센터의 컴퓨터를 활용하여 각 병원으로의 이송환자 수, 처치능력을 평가, 이송방법 등을 종합 관리하여 효율적인 이송체계를 유지한다(그림 7-17).

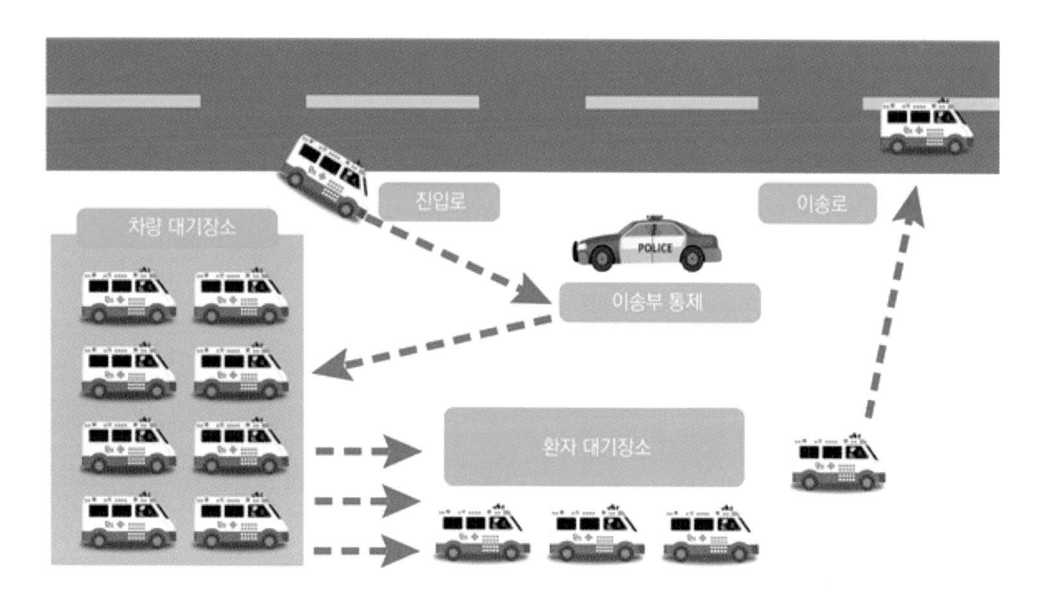

그림 7-17. 이송부의 차량 흐름도

1) 이송지휘관의 역할

이송지휘관은 재해발생 즉시 현장에 투입되어 다음과 같은 사항에 대한 조치를 해야 한다.

(1) 환자수집소나 응급처치소와 통신하여 환자에 대한 정보를 파악한다.
① 환자 수
② 환자의 중증도의 수
③ 특별환자 및 항공이송이 필요한 환자 수

(2) 인근 혹은 타 지역 의료기관에 대하여 정보를 파악한다.
① 인근 의료기관에서 재해인지
② 각 의료기관 응급의료진 소집
③ 각 의료기관에서 소용 가능한 환자 수
④ 각 의료기관에서 수술이 가능한 임상팀과 중환자실 병상 수

(3) 이송지역의 통제 혹은 구역구분이 잘 되었는가 파악한다.
① 구급차 진입로와 이송로 확보
② 구급차 대기소와 탑승 장소의 구분
③ 이송지역을 통제할 인원배치
④ 항공기 착륙장은 마련과 착륙 유도자 선정

(4) 이송수단에 관한 정보 파악한다.
① 출동 가능한 구급차
② 구급차 탑승 가능한 응급구조사 또는 구급대원
③ 출동 가능한 항공기
④ 자원봉사자의 환자 이송차량이니 비응급환자를 위한 대중 교통수단(버스)

2) 이송원칙

(1) 이송원칙

많은 환자 중에서 '어떤 환자를 어떤 순서에 따라 어느 병원으로 이송해야 하는가?'는 상당히 중요한 사항으로서 이에 대한 원칙이 수립되어 있어야 하며, 이송 책임자는 의사가 바람직하다(그림 7-18). 일반적으로 아래와 같은 원칙에 따라 이송업무를 수행하나, 환자 수가 비교적 적은 경우에는 각 지역적 상황에 따라 변할 수 있다.

① '긴급환자' → '응급환자' → '비응급환자' → '지연환자' 순으로 이송한다.

② '긴급환자'와 '응급환자'는 구급차나 항공기로 이송하고, '응급환자'는 구급차로 이송한다.

③ 환자를 이송하는 데에는 응급구조사(Paramedics)가 탑승하지 말고, 현장에서의 응급처치에 주력해야 한다.

④ 구급차로 이송 시는 치료가 가능한 인근의 3차 병원으로 이송하며, 항공이송은 비교적 원거리의 외상센터나 화상센터로 긴급환자를 이송할 때 이용한다.

⑤ '비응급환자'는 대중교통을 이용하여 비교적 원거리에 위치한 1, 2차 병원으로 이송하거나 임시로 마련된 경증환자 치료소로 이송한다.

⑥ 사망자는 특수차량(냉동차, 트럭)을 이용하여 병원이 아닌 임시영안소로 이송하며, 사망자가 소수인 경우에는 병원의 영안실로 이송한다.

⑦ 환자의 중증도별로 치료가 가능한 병원으로 직접 이송하는 것이 바람직하며, 각 병원의 환자 수용능력과 이송된 환자 수를 파악하여 환자가 일부병원으로 집중되는 것을 방지해야 한다.

⑧ 환자의 성명이나 분류번호를 이용하여 어느 환자가 어떤 병원으로 이송되었는가를 기록해야 한다.

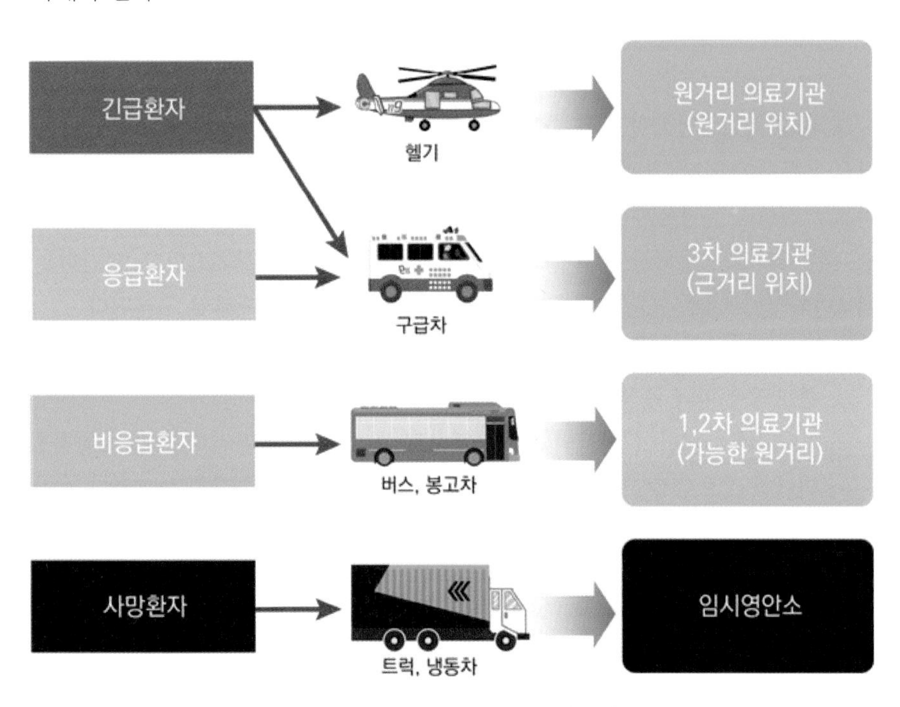

그림 7-18. 환자 중증도별 이송수단 및 이송병원

(2) 이송수단이나 응급구조사가 부족한 경우의 조치

이송수단보다 환자 수가 많을 경우가 상당히 많으므로 이에 대한 대책이 수립되어야 한다. 일반적으로 다음과 같은 방법으로 해결해야 한다.

① 이송수단이 부족할 것으로 판단되는 즉시 자원봉사자나 사설 이송구조단의 구급차를 동원하도록 한다.

② 비교적 상태가 안정된 응급환자는 소방차나 경찰차를 이용하여 이송한다.

③ 응급구조사가 부족한 경우에는 소방대원, 경찰관 혹은 자원봉사자가 구급차를 운전하고, 응급구조사는 이송 중의 환자 응급처치에 임한다. 즉, 구급차 1대에 2명의 응급구조사가 탑승하므로, 일반인이 운전할 때에는 2대의 구급차에 응급구조사가 탑승할 수 있다.

④ 경찰지휘관에게 구급차 통행로를 확보하도록 연락하여 구급차의 운행시간을 단축한다.

22 인근 주민의 피난대책

재해 발생으로 인하여 인근 주민에게도 재해가 확산될 가능성이 있다고 판단되면, 즉시 피난을 유도해야 한다. 그러나 주민이 피난할 때에는 상당한 사회적 혼란과 막대한 비용이 소요되므로 신중히 결정해야 한다. 주민 피난을 결정하는 책임자의 선정이 가장 중요한데, 일반적으로는 지역의 소방서장이 결정하는 것이 바람직하다고 보고되고 있다. 피난하는 단계는 크게 4단계 '경고단계 → 피난단계 → 피난소 선정단계 → 귀환단계'로 구분된다.

① 경고단계 : 재해위험 가능성이 있기 전까지는 절대로 피난하지 말고, 정규 안내방송이 통보되면 피난 목적지를 정확히 안내한다.

② 피난단계 : 피난이 결정되면 체계적으로 피난한다. 주민의 99%가 자동차를 이용하여 피난할 것으로 보고되고 있으며, 피난로의 교통통제가 상당히 중요하다.

③ 피난소 선정단계 : 주민의 72%는 가족이나 친척 혹은 친구의 집으로 이동하며, 28%가 임시로 마련된 공공장소(학교, 체육관 등)를 선택한다.

④ 귀환단계 : 대부분 자신의 판단으로 귀환하므로, 위험요소가 남아 있다면 방송을 통하여 귀환을 지연시켜야 한다.

주민의 피난을 유도하는 과정에서는 혼란을 최소화하여 신속하고 체계적인 방법을 모색해야 하며, 부서별로 다음과 같은 임무를 시행해야 한다.

1) 계획부서(재해본부)의 임무

현장에서 수집된 정보와 지역적인 특성을 참조하여 피난로와 피난소를 설정한다. 재해 지역이 넓은 경우에는 구역별로 피난로와 피난소를 달리 설정해야 하며, 이들을 대한 의식주 제공을 계획해야 한다.

① 재해가 발생한 지역의 정확한 피해규모를 파악하고, 재해 주변에 교량이나 도로망 등이 파괴되었는지를 파악하도록 현장지휘부에 지시한다.

② 재해지역 주변의 안전한 지역에 위치한 학교나 체육관 등의 넓은 공간을 피난소로 지정하고, 이동이 가능한 피난로를 선정한다. 피난로는 출동팀이나 이송팀이 이용하는 도로망과 달리하는 것이 바람직하다.

③ 피난로와 피난소에 대한 안내 및 통보를 경찰부와 언론매체에 의뢰한다.

④ 지원부서에 의뢰하여 피난소에 필요한 물자의 지원을 요청한다.

⑤ 필요시는 피난이 쉽도록 대중 교통수단을 동원한다.

⑥ 자체적으로 피난이 어려운 대상에 대한 사전 계획이 수립되어야 한다.

- 교도소 및 보호소, 각종 사회보호시설, 정신질환자 수용소, 의료기관에 입원한 환자 등

2) 경찰부서의 임무

경찰의 기능을 치안, 교통통제, 이송(사전계획수립 어려운 대상)으로 구분하여 부서별로 임무를 정확히 부여해야 한다.

① 피난에 대비하여 주민들의 재산을 보호하기 위한 치안을 강화한다.

② 치안을 유지하면서 주민들의 피난을 안내하고 도와준다.

③ 설정된 피난로를 최대한 효율적으로 이용할 수 있도록 통제와 교통안내를 한다.

④ 교도소나 보호소에 수감 중인 죄수들을 안전한 장소로 이송시킨다.

⑤ 지역이 광범위하여 자체적인 임무 수행이 어려운 경우에는 민방위대, 군부대, 예비군 등의 지원을 요청하여야 한다.

3) 언론매체

재해에 대한 정확한 정보가 없으면 가능한 보도를 제한하는 것이 사회적 혼란을 최소화할 수 있다. 추정된 자료를 보도하는 경우에는 인근 주민이 재해현장을 구경하기 위하여 재해 지역으로 몰려서 교통이 마비되고, 피해에 비교하여 많은 자원봉사자가 재해 현장이나 의료기관으로 집중되어 업무에 지장을 줄 수 있으며, 안전한 지역에 거주하는 주민들이 피난하는 경우 등이 발생할 수 있기 때문이다.

① 재해본부에서 얻은 정보를 토대로 하여 재해가 확산될 가능성이 있는 지역을 보도하며, 피난방법과 피난로를 상세하게 안내한다.

② 항공기를 이용하여 재해가 확산되는 방향, 피난로의 교통상태 등을 보도함으로써 주민들과 경찰부서에 많은 정보를 제공하도록 한다.
③ 재해 지역에서 구조된 피해자와 사망자 명단을 보도하고, 피해자의 경우에는 이송된 의료기관을 알려준다. 즉, 인근 지역의 주민들이 가족이나 친구를 찾기 위하여 재해 지역으로 이동하거나 여러 병원을 돌지 않도록 하여 도로망의 교통체증을 줄일 수 있다.
④ 피난소에서 추가로 필요로 하는 물자와 자원봉사자를 모집할 수 있도록 방송을 시행한다.

4) 자원부서의 임무

(1) 재해에 대비하여 비축된 비상물자를 피난소로 이송하며, 피난 주민이 많으면 적십자사 등의 구호단체로부터 협조를 얻도록 한다.
(2) 피난하는 도로망이 파손되어 피난 주민이 차량을 이용할 수 없는 경우에는 인근지역의 대중 교통수단을 이곳으로부터 피난소까지 이동시킨다.
(3) 지원부서는 침구류, 급식, 급수, 의복류, 전기시설, 방한물품, 식기 등을 피난소에 지원하도록 한다.
(4) 피난소에서 감염증이 발생하지 않도록 방역 및 동물 예방접종을 시행한다.
(5) 피난민 중에는 임산부와 천식, 심질환 등의 환자가 있으므로 이들을 치료할 수 있는 의료소를 설치한다.

23 부서별 역할과 점검사항

기본적인 재해대책이 수립되고 재해에 참여할 부서와 책임자가 확정되면, 부서별로 각각의 기능과 점점 사항을 확인해야 한다.

1) 재해본부 및 현장지휘부

재해 발생의 신고가 접수되면 재해 지역에서 가장 가까운 도시에 재해본부가 즉시 설치되어야 한다.

① 재해본부는 행정부서 및 소방서 등에서 설치되는 것이 바람직하다.
② 현장지휘소나 인근 지역 해정부서와의 통신이 항상 가능해야 한다.
③ 재해본부는 현장지원팀이 임무를 수행하는 과정에서 발생할 수 있는 문제점을 해결하

고, 필요한 사항을 지원하며, 외부와의 접촉 등을 수행한다.

현장지휘소는 현장에 출동한 각 지원팀을 통제하고 지휘하는 부서로서, 지휘 책임자는 소방서장 및 소방본부장이 임명되며, 각 팀에서 파견된 참모들로 구성된다. 그러나 실제적인 현장지휘소가 구성되기 이전의 현장 상황에서는 최초에 출동한 재해진압팀의 책임자가 비상소집된 현장지휘팀이 현장에 도착할 때까지 임시적인 현장지휘를 한다.

㉠ 재해현장에서 모든 업무를 지휘하고 통제하다.
㉡ 재해본부나 지역 의료기관과의 상호협조를 수행하게 된다.
㉢ 현장지휘소의 책임자는 재해 초기에 항공기 및 헬기를 이용하여 재해의 정도와 피해지역에 대한 정보를 신속히 입수하는 것이 바람직하다.

① 재해현장에서 임시로 요구조자들을 이송할 안전지대를 확보하고, 현장지휘소로 적합한 장소를 선정한다. 현장지휘소로 적합한 장소는 다음과 같다.
㉠ 지원 차량의 진입이 편리한 지역
㉡ 재해현장과 각종 현장처치소의 업무 흐름도를 육안으로 판별이 가능한 지역
㉢ 무선통신에 장애가 없는 지형
㉣ 각종 현장처치소와 인접한 지역

② 초기에 출동한 각종 차량과 인원들을 업무별로 분류하고, 재해 지역을 구역별로 나누어 인원과 장비를 고르게 분포시킨다.

③ 현장으로 유입되는 지원 차량이 혼잡하지 않도록 유입로와 이송로를 분리하고, 위험한 지역으로 일반 차량이나 군중이 들어오지 못하도록 경찰에게 통제를 요청한다.

④ 현장에서의 임무수행에 필요한 기본적인 장비를 확보한다.
㉠ 팀원이 사용할 물과 음식
㉡ 팀원이 기거할 천막 혹은 은식처
㉢ 자가발전기 : 통신장비, 의료장비, 조명기구, 구조장비, 난방기 등에 이용
㉣ 난방기 혹은 냉방기, 이동화장실
㉤ 기타

Tip. 현장 지휘부와 위치 선정과 준비

(1) 현장 지휘소

지휘소장 – 소방서장, 응급구조단장, 응급의학 전문의

① 재해현장에 임시적 피해자들을 이송할 안전지대를 확보하고 현장 지휘소 적합한 장소를 선정

- 지원 차량의 진입 편리
- 재해 현장, 각종 현장처치소 흐름도로 육안으로 판별이 가능한 지역
- 무선통신이 장애가 없는 것
- 각종 현장 처치소와 인접한 곳

2) 경찰부

재해 지역의 통제, 재해팀의 출동로 및 환자 이송로 확보, 주민 피난로 확보 등을 수행하며, 재해 지역의 치안도 확보해야 한다. 또한, 외부에서 유입되는 자원봉사자를 관리해야 하며, 피해자를 발견하는 경우에는 병원으로 직접 이송하지 말고 구조팀이 도착할 때까지 피해자를 보호하도록 지시하고 통제해야 한다.

경찰 책임자는 다음과 같은 사항을 점검해야 한다.

① 재해 지역은 완전히 통제되고 있는가?

② 재해 지역으로의 도로망(진압로, 이송로, 피난로)은 확보되었는가?

③ 현장지휘부와의 통신은 가능한가?

④ 현장지휘부는 별도로 통제되고 있는가?

⑤ 비상 소집되어 재해현장으로 도착하는 재해관련 부서원은 일반인과 어떠한 방법으로 식별되며, 어떻게 해당 부서로 안내되고 있는가?

3) 소방부

재해 지역에서 재해를 진압하고, 재해확산을 방지하며, 위험물을 제거하는 소방업무를 지시하고 대원을 통제한다. 행정 구조상으로는 특수구조반과 구급대원이 소방부 소속이다. 책임자가 재해현장에서 점검할 사항은 다음과 같다.

① 재해는 모두 진압되었는가?

② 재해가 계속 확산되는 지역은 어느 곳인가?

③ 재해 지역에서 위험한 요소(화재, 손상된 전선, 가스누출 등)는 모두 제거되었는가?

④ 위험물질들은 없는가?

4) 응급의료소

'응급의료소'는 환자의 구조부터 응급처치와 이송까지의 모든 단계를 지휘하게 된다. 그러므로 책임자는 응급의료체계, 재해의료대책, 응급구조학, 응급의학, 지역병원들에 대한 의료정보 등에 많은 학식과 경험을 가진 전문가 및 보건소장이 바람직하다. 책임자는 다음과 같은 사항을 반드시 점검해야 한다.

① 각 부서의 편성은 완벽하고, 각 부서의 책임자는 누구인가?
② '현장지휘소'나 재해 지역 구조대와의 통신체계는 구성되어 있는가?
③ 현장에서의 환자처치 과정을 수시로 확인할 수 있는가?
④ 필요시에는 새로운 부서를 구축하고 인원을 배치할 수 있는가?
⑤ 불필요한 부서를 해체하고 필요한 부서로 인원을 재배치할 수 있는가?
⑥ 인근 병원과의 통신이 가능하며 병원정보를 통신부나 이송부에 연락할 수 있는가?

5) 지원부서

모든 부서의 인원과 물자를 지원하고 통제하는 책임을 맡고 있으며, 필요시에는 충분한 인원과 물자를 추가로 지원한다. 재해에 대비하여 비축되는 물품은 기본 물품, 재해 물품, 특수물품으로 구분되는데, 이중 기본물품의 소모량이 가장 많으므로 이에 대한 수급계획이 세워져야 한다(표 7-20). 책임자는 다음과 같은 사항을 기본적으로 점검해야 한다.

① 부서별로 필요한 장비와 인원에 대한 사항을 확인하고 목록을 작성해야 한다.
② 필요하면 충분한 물자와 인원을 지원할 수 있도록 공급처와 공급책임자의 연락망을 확보해야 한다.
③ '응급의료 지휘소'와 항상 통신이 가능한지 확인해야 한다.

표 7-20. 재해에 대비한 비축 물품

물품 분류	세부 종류
기본 물품	외상처치 세트(거즈, 붕대, 소독약품, 반창고 등) 각종 고정장비(골절 고정 장비, 척추 고정 장비 등) 수액 투여 세트(수액, 수액 세트, 주사침 등)
재해 물품	대형 텐트, 들것, 조명등, 자가발전기, 침구류 등 운송장비 혹은 차량(물품 운반용)
특수 물품	크레인, 불도저, 절단장비, 방한 혹은 방수장비 등
기타 물품	재해팀의 의식주에 필요한 물품

6) 통신반

재해신고가 접수되어 재해가 확인되면 비상연락부는 재해위원의 소집, 각 부서로 비상연락, 현장지휘소와 연락업무, 재해 지역으로의 진입로 및 이송로 통보, 필요한 부서로 지원 및 협조 요청, 인근 주민에 통보업무, 인근 지역의 지원요청 등을 수행하게 된다. 현장에 투입된 통신반은 임무의 완벽한 수행을 위하여 다음과 같은 사항을 점검해야 한다.

① 모든 부서는 무선망을 보유하고 있는가?
② 각 부서의 통신 주파수와 통신책임자는 누구인가?
③ '구조반'과 '특수구조반'과의 개별 통신은 가능한가?
④ 해당 지역 혹은 인근 응급의료정보센터와의 지속적인 통신이 가능한가?
⑤ 통신장비 혹은 특수 통신장비의 지원을 담당하는 물자지원부와의 통신이 가능한가?
⑥ 현장에 파견된 부서끼리 독자적으로 이용할 수 있는 주파수를 갖추었는가?
⑦ 피해자, 가족, 보도기관들에 정기적으로 정보를 줄 방법이 준비되었는가?

7) 구조반

'구조반'의 임무는 주로 응급구조사나 소방 구급대원이 수행되는데, 재해발생 24시간 후에 색출된 피해자의 사망률은 급격히 증가하므로 재해발생 24시간 내에 모든 피해자를 구출하는 것이 중요하다. 일반적으로 위험요소가 제거되지 않은 현장에서는 임무를 수행하지 않고, 재해진압반이나 특수구조반이 위험한 현장에서 피해자를 구출하여 인계하면 임무를 수행하게 된다. 모든 재해피해자는 응급의료를 받아야 하므로 '구조반'과 '응급의료 지휘소'와의 상호협조가 상당히 중요하다. 책임자는 다음과 같은 사항에 대하여 차질이 없도록 확인해야 한다.

① 담당구역에 응급환자가 있는지와 담당구역에 대한 새로운 재해정보를 '응급의료 지휘소'에 신속히 연락할 수 있는가?
② 각종 상황에 따라서 '특수구조반'이나 '재해진압반'과 신속히 연락할 수 있는가?
③ '재해진압반' 혹은 '특수구조반'이 위험지역에서 환자를 안전하게 구조할 때까지 상호 긴밀한 통신과 협조를 할 수 있는가?
④ 지원부와 상호 긴밀한 통신을 수행할 수 있는지와 필요한 구조장비나 환자를 환자수집소까지 이송할 장비들을 언제든지 지원받을 수 있는가?
⑤ 담당구역에서의 임무가 완료되면 다른 지역으로 이동하여 지원을 할 수 있도록 항시 '응급의료지휘소'와 연락이 가능한가?

8) 특수구조반

재해현장의 위험한 환경에서 피해자를 구조하는 업무를 주로 담당하므로 주로 소방대원들로 구성된다(그림 7-19). 그러나 구출과정 혹은 응급구조반이 대기하고 있는 안전지대로 환자를 이송하는 과정에서도 기본적인 응급처치를 시행하여야 하므로, 응급처치에 대한 교육을 이수해야 한다. 책임자는 다음과 같은 상황을 기본적으로 점검해야 한다.

① '구조반'과의 통신이 일차적으로 가능하며, 환자 발견할 때에 즉시 연락할 수 있는가?

② 필요한 구조팀(산악구조, 해상구조 등)을 즉시 소집할 수 있는가?

③ 필요한 추가 장비나 인원에 대한 지원요청을 신속히 할 수 있는 통신체계가 확보되었는가?

④ 해당 구역에서의 임무가 완료되면 다른 구역으로 이동하여 지원할 수 있도록 '지원지휘소'와의 통신이 가능한가?

그림 7-19. 특수구조반의 기본구성

9) 중증도 분류반

재해 지역에서 일차적으로 중증도 분류를 시행하면서 기본적인 응급처치를 수행하게 되는데, 다음과 같은 사항에 대해 점검이 이루어져야 한다(그림 7-20).

① 부서원은 중증도 분류를 정확히 인지하도록 교육이 시행되고 있으며, 중증도 분류표는 보유하였는가?

② 중증도 분류반의 부서원은 재해현장에서 다른 부서원과 어떻게 식별될 것인가?

③ '응급의료 지휘소'와 통신이 항시 가능하여, 현장에 설치된 '환자수집소'나 '응급처치소'의 위치 등을 즉시 확인할 수 있는가?

④ 재해 지역이나 '환자수집소'에 적절한 인원을 신속히 배치할 수 있는가?

⑤ 현장 피해자의 손상 정도에 대하여 응급처치반 책임자와 항시 연락할 수 있는가?
⑥ 해당 구역에서의 임무가 완료할 때에 '응급의료지휘소'와 연락하여 즉시 다른 구역으로 이동할 수 있는 체계가 확립되었는가?

그림 7-20. 중증도 분류반

10) 환자수집소

최초로 현장에 도착한 응급구조팀의 반장은 재해현장에 환자수집소가 위치할 안전한 장소를 선정하고, 현장에서 구출되어 이송되는 환자들에게 중증도 분류와 함께 기본적인 응급처치를 시행한다.

① 출동팀 대원 중 1명은 현장에서 구출되어 이송되는 환자들의 인적사항과 정보를 표 7-21에 따라 기록하여야 한다.
② 환자수집소는 다음과 같은 조건이 부합되는 지역을 선정한다.
- 재해 지역 중에서 피해 위험성이 없는 안전한 지역
- 비교적 넓고, 전기시설이 가능하며, 어둡지 않은 지역
- 재해현장에서 환자의 이송에 어려움이 없으며, 지원 차량의 유입이 원활한 곳
- 환자 수에 따라 유연하게 규모를 축소 혹은 확대할 수 있는 지역
- 재해현장과 응급처치소가 설치될 지역의 중간지점
③ 환자수집소는 현장에서 식별이 잘 되도록 각종 안내판과 야간 조명 등을 설치한다.
④ 가장 경험이 많은 응급구조사가 유입되는 환자별로 중증도 분류를 시행한다.
⑤ 중증환자부터 응급처치를 시행하면서 응급처치소로 환자를 이송한다. 단, 초기에 응급처치소가 설치되지 않았으면 중증환자부터 병원으로 이송한다.

표 7-21. 환자수집소에서 이용하는 기록지

연번	환자이름	성별	나이	중증도	이송여부	이송병원
1		남 여		적 황 초 흑	유 무	
2		남 여		적 황 초 흑	유 무	
3		남 여		적 황 초 흑	유 무	
4		남 여		적 황 초 흑	유 무	
5		남 여		적 황 초 흑	유 무	
6		남 여		적 황 초 흑	유 무	
7		남 여		적 황 초 흑	유 무	
8		남 여		적 황 초 흑	유 무	
9		남 여		적 황 초 흑	유 무	
10		남 여		적 황 초 흑	유 무	
		작성일자 :		소속 :	작성자 :	

11) 응급처치소

재해현장에서 환자를 즉시 병원으로 이송하는 것과 응급처치소에서 응급처치를 시행한 후에 병원으로 이송하는 것에 대해서는 주변 상황에 따라 판단해야 한다. 평상적인 응급의료체계에서는 환자를 즉시 병원으로 이송하는 'Scoop and Run' 개념이 통용되지만, 재해 시에는 다음과 같다(그림 7-21).

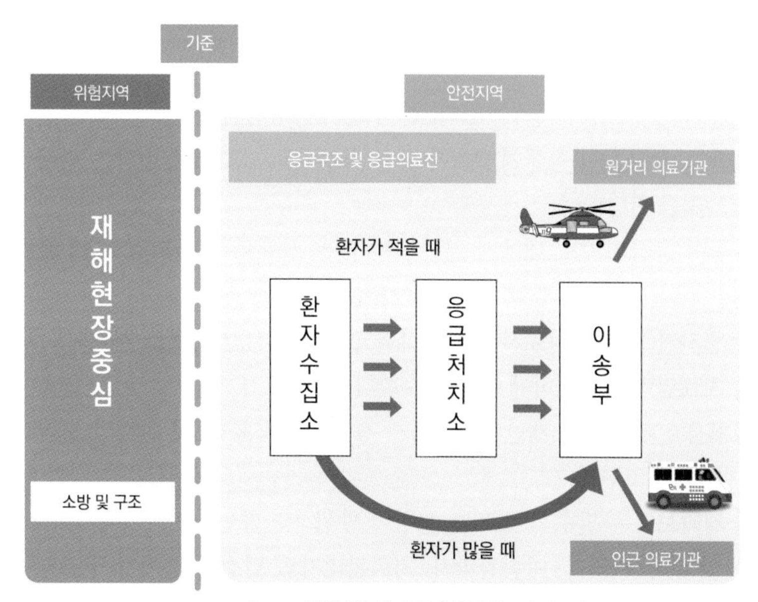

그림 7-21. 재해 규모에 따른 응급처치소의 필요성

① 환자의 구조까지 상당한 시간이 지연되어 'Scoop and Run'의 개념이 없어진다.
② 재해로 인하여 환자 이송로 등이 파괴되어 구급차가 신속히 이송할 수 없다.
③ 재해로 인하여 인근 의료기관의 기능이 마비되었을 가능성이 있기 때문에 응급처치소에서 ABC's에 따라 응급처치를 받고 확인된 병원으로 이송하는 것이다.

환자수집소가 설정된 후 곧바로, 응급치료소를 만들어야 한다. 치료관리자는 환자가 수집될 수 있고 치료될 수 있는 지역에 설정한다. 중심치료지역은 사고 시 최대 환자를 수용한다.

① 치료관리자는 필수 의료용품뿐만 아니라 얼마나 많은 치료인력이 모든 환자에게 필요한지 결정한다.
② 기본원칙은 최소한 환자 1인당 1인의 치료요원 1 : 1이 요구된다.
③ 다수의 경증환자인 경우에는 보다 적은 응급구조사대 환자 비율 1 : 3으로 관리될 수 있다.
④ 지휘자는 적절한 자원이 치료소에 보내져야 하는지를 지원 관리자에게 알아본다.
   ㉠ 어떤 경우에는 상황보고로 인해 재해 지휘자에게 현장에 추가 지원을 요청한다.
⑤ 중증환자의 치료에 참여해야 하며 그 다음 낮게 분류된 환자를 치료해야 한다.
⑥ 대부분의 전문소생술로 훈련된 대원은 응급처치소 운영에 배정된다.
   ㉠ 소수의 응급구조사는 필요한 경우 환자수집소에 있게 된다.
   ㉡ 환자수집소에서 일차적으로 장시간의 구출이 요구되는 갇힌 환자를 치료한다.
⑦ 많은 시스템에서는 부서 관리자의 책임을 응급구조사에게 배정하는 것을 피하거나 최소화하기 위하여 그러한 높은 순위의 환자 치료요구를 제공한다.

응급처치소는 2곳으로 나눌 수 있다. 한 부분은 중증환자를 치료하고, 다른 부분은 경증환자를 치료한다. 환자들이 응급처치소에 도착하면, 응급처치소 관리자는 환자들이 어떤 지역을 거쳐 왔는지를 판단한다.

① 환자들이 응급처치소 내에서 분류되지 않는 상태로 도착되었으면, 바로 분류를 시행한다.
② 모든 환자가 적절한 치료지역에 배치되고 적절한 시간 순으로 치료되도록 해야 한다.
③ 모든 치료인력을 밀접하게 감독해야 한다.
④ 응급처치소 관리자는 재난지휘자에게 경과보고를 통해 첫 환자의 도착과 마지막 환자의 이송을 보고한다.
⑤ 기타 경과보고는 필수 정보 또는 상황이 발생하면 재난지휘자에게 보고된다.
⑥ 구출 및 분류 관리자, 이송관리자, 치료관리자의 밀접한 중재가 구조활동 전반에 걸쳐 유지한다.

Tip. 치료관리자의 책임

① 적합한 치료소를 선정하여 구출 책임자 및 지휘자에게 알린다.
② 환자치료를 위한 자원을 평가하고, 필요항목을 지휘자에게 보고한다.
③ 적절한 "긴급" 및 "지연" 치료지역을 제공한다.
④ 자원을 할당한다.
⑤ 부서 내의 요원을 배정, 지시, 감동 그리고 조정한다.
⑥ 경과를 지휘소에 보고한다.

(1) 최초에 출동한 응급의료팀은 응급처치소의 위치를 선정한다.

① 재해 지역 중에서 피해 위험성이 없는 안전한 지역
② 비교적 넓고 평탄하며, 전기시설이 가능하고, 어둡지 않은 지역
③ 지원 차량의 유입이 원활하고, 가능하면 항공기의 임시 착륙장에서 가까운 장소
④ 환자 수에 따라서 유연하게 규모를 확대 혹은 축소할 수 있는 지역
⑤ 환자수집소와 차량이 유입되는 도로의 중간지점(환자이송 원활하기 위해)

Tip. 환자수집소(안전한 장소를 선정)

※ 지역선정
① 안정한 지역
② 비교적 넓고, 전기시설 가능. 어둡지 않은 곳
③ 환자의 이송에 어려움이 없으며 지원 차량 유입 원활 하는 곳
④ 규모축소와 확대할 수 있는 곳
⑤ 재해현장과 응급처치소 중간지점

(2) 응급처치소에는 다음의 의료장비가 갖추어져야 한다.

① 환자 들것 혹은 임시침대
② 환자 들것 1개당 다음의 장비가 1개씩 배치되어 있어야 한다.
㉠ 수액투여 : 수액, IV set, IV 받침대
㉡ 청진기와 혈압계
㉢ 호흡보조기구(oropharyngeal airway), 산소마스크
㉣ 휴대용 산소통, 흡입기
㉤ 외상세트 : 소독거즈, 탄력붕대, 삼각대, 의복 절개 가위

③ 응급처치소의 중심부에 위치할 장비
  ㉠ 응급시술을 위한 소독기구
    - 기관내삽관 세트(endotracheal intubation set)
    - 중심정맥로 세트(cutdown set, central catheterization set)
    - 윤상갑상막절개 세트(Cricothyrotomy set)
    - 흉관삽입 세트(thoracostomy set)
    - 주사기와 주사침
    - 각종 의약품(가능한 prefilled syringes 이용품)
    - 위장관 튜브와 뇨관(levin tube, urethral catheterization)
  ㉡ MAST(Military Anti-Shock Trousers)
  ㉢ 척추 혹은 골절 고정 장비
    - 척추고정장비
    - 경부고정장비
    - 각종 부목 혹은 air splint
  ㉣ 최소한 1개 이상의 심전도 관측장비와 제세동기
  ㉤ 휴대용 산소포화도 측정기(protable pulse oxymetry)
  ㉥ 휴대용 인공호흡기

(3) 응급처치소의 기능을 유지하기 위한 지원 장비와 물품

① 의료진이 거주할 천막과 휴식공간
② 자가발전기와 조명시설
③ 이동수술실 혹은 이동처치실 : 주로 구급차 내에 설비된다.
④ 급수시설, 방한시설, 오물처리장 등

Tip. 응급처치소(주변 상황에 따라 판단)

① 환자의 구조까지 상당한 시간
② 이송로 등 파괴
③ 인근 의료기관의 기능 마비 → ABC'S에 응급처치 *Scoop-바로 이송

12) 응급처치반

재해 지역에 설치된 치료에서 환자에 대한 응급처치를 주관하는 부서이다. 책임자는 응급처치에 경험이 많은 전문가가 하는 것이 바람직하며, 때에 따라서는 경험이 많은 응급구조사

가 될 수 있다. 책임자는 다음과 같은 사항에 대한 점검이 필요하다.

① 응급처치에 필요한 물품은 비축되었고, 비상시에는 즉시 동원될 수 있는가?

② 부서원에게는 재해의료에 관한 지속적인 교육이 시행되고 있으며, 재해현장에서 다른 부서원과 식별될 수 있는 조치를 했는가?

③ '구조반'이나 '중증도 분류반'과의 긴밀한 협조체계가 구축되어 있는가?

④ 환자의 중증도별로 치료구역을 달리 설정하였는가?

⑤ 응급처치소에서 추가로 필요로 하는 인원을 신속히 보충받을 수 있는가?

⑥ 지원지휘소와 통신을 할 수 있어 필요한 의료진이나 의료장비를 추가로 공급받을 수 있는가?

⑦ 이송부와의 통신이 원활하며 인근 병원으로의 환자이송에 문제는 없는가?

13) 환자 이송반

재해 지역에서의 응급처치가 완료된 환자를 병원으로 이송하는 업무를 받게 되는데, 환자의 중증도에 따라 이송할 병원을 선정해야 한다. 이송책임자는 인근 병원에 대하여 많은 정보를 가진 응급의료 전문의나 119구급대원의 책임자가 바람직하다. 책임자는 다음과 같은 사항에 대하여 점검해야 한다.

① 응급처치반과의 긴밀한 통신체계가 유지되는가?

② 인근 병원의 의료수준과 환자 수용 능력에 대한 정확한 정보를 가지고 있는가?

③ 구급차나 소방헬기가 쉽게 접근할 수 있고, 환자대기소도 편리한 지역을 선정하였는가?

④ 환자를 실은 구급차와 대기 중인 구급차의 식별이 쉬우며, 이송반으로 진입 중인 구급차와 출발하는 구급차의 도로망이 확실히 분리되어 있는가?

⑤ 각 병원으로 이송할 환자 인원과 환자의 중증도에 대한 정보를 항시 연락할 수 있는가?

⑥ 지원지휘소로 필요한 인원과 구급차를 항시 요청할 수 있는 통신체계를 유지되었는가?

현장에서도 구급차 및 구조차의 진입이 수월한 장소를 선택해야 하며, 또한 헬기 및 항공기 착륙이 안전한 착륙장도 선정해야 한다. 환자 이송부는 구급차의 진입로, 대기 장소, 환자 탑승 장소, 이송로를 지정하여 통행 차량의 주행에 혼잡이 없도록 해야 한다.

① 최초 도착팀은 각종 차량이 재해현장에 너무 접근하지 않도록 하며, 조기에 환자 이송부의 위치를 선정하여 재해 진압팀을 제외한 모든 차량은 이곳에 주차한다.

② 환자 이송부의 위치는 다음과 같은 조건을 갖추는 것이 바람직하다.

- 차량진입이 수월하고 진입로가 넓은 지역

- 응급처치소와 가까운 지역
- 주위에 헬기 및 항공기 착륙이 가능한 지역

Tip. 환자 이송부관리자의 책임

① 구급차 대기소(지휘소에 설정되어 있지 않았으면) 및 환자 탑승지를 설정한다.
② 헬리콥터 착륙지를 설정, 운영한다.
③ 의료시설 수용실태 및 치료능력을 파악하기 위하여 통신센터와 병원 간 통신한다.
④ 환자 할당 및 이송에 대해 치료소, 통신센터, 그리고 병원과 조정한다.
⑤ 자원요청을 지휘소에 보고한다.
⑥ 배정 대원을 감독한다.
⑦ 다른 부서와 업무를 조정한다.
⑧ 지휘소에 경과보고를 한다.

14) 언론매체 연락반

재해지휘부 내에는 언론매체와 직접 연락하는 창구를 마련해야 한다. 언론매체는 인근 지역의 주민들에게 피난방법 및 피난로 방송, 피해자와 사망자에 관한 보도, 지원자 및 지원물자의 모집, 재해 확산에 대한 보도, 도로 통제에 따른 안내방송 등을 시행한다.

① 모든 자료는 현장지휘소에서 공식적으로 집계된 자료만을 보도한다.
② 피해자의 가족이나 군중, 지원자들이 일부 지역으로 집중되지 않도록 체계적인 보도체계를 유지한다.
③ 부정확한 정보가 언론매체를 통하여 보도되면 사회적 혼란이 유발된다.
　㉠ 군중이 재해 지역으로 유입될 수 있다.
　㉡ 의료기관이나 재해본부로 불필요한 문의 전화가 집중되어 업무에 상당한 지장을 받을 수 있다(그림 7-22).

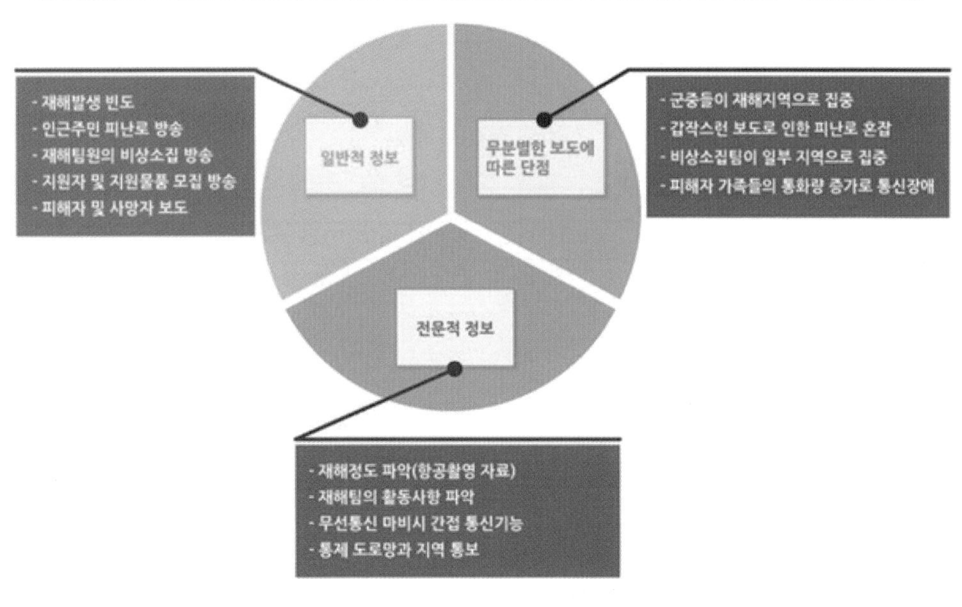

그림 7-22. 언론매체가 재해시 미치는 이점과 단점

24 병원 재해 계획

병원 내의 사고지휘체계는 재해 상황 동안 병원을 마비시킬 수도 있는 혼란이나 혼동 등을 최소화시키기 위해 발전되어 왔다. 이러한 체계는 분명한 책임 소재 및 명령 체계, 그리고 병원의 각 구성원 간의 명확한 의사 전달체계 및 이해가 확립되어야 한다. 이러한 체계의 구성요소는 다음과 같다.

① 보편화된 언어
② 정의된 그리고 예상 가능한 치료 체계
③ 유연한 반응
④ 우선순위가 있는 반응
⑤ 책임 있는 기능
⑥ 책임을 위한 지침서

1) 병원 계획의 핵심 사항

병원 재해 계획은 행정, 의료진의 책임이다. 이 계획은 재해 현장으로부터 이송되는 사상자의 치료에 있어 병원에서 조직적인 반응을 포함해야만 한다. 또한, 인근 지역 병원의 환자 이송을 포함해야만 한다.

아래의 사항들은 병원 계획의 몇 가지 핵심 기능이다.

① 계획의 활성화	② 병원 능력의 평가
③ 재해 명령 체계 확립	④ 통신
⑤ 보급	⑥ 병원 내의 재해 행정 구역 및 치료 구역
⑦ 연습 및 훈련	⑧ 보안 및 군중 통제

2) 재해 계획의 활성화

병원 재해 계획에는 계획이 효과적으로 운영되기 위한 책임자가 있어야 한다. 이 책임자는 병원 경영과 연관된 책임자일 필요는 없다. 또한, 계획의 활성화가 필요한 상황들도 정의되어야 한다. 재해 프로토콜에서는 재해 상황 시 사용 가능한 응급의학과 의료진 및 다른 과의 의료진들을 정의하여야 한다.

계획의 활성화 후에는, 모든 재해 시에 필요한 자원들을 즉시 활용할 수 있는 방안들이 강구되어야 한다. 이러한 자원에는 인력, 공급, 장비, 통신, 그리고 수송 등이 포함된다.

3) 병원 능력의 평가

병원에서 재해로 인한 사상자들을 수용하기 전, 병원 자체의 재해로 인한 구조적 피해 유무나, 또는 기능적인 활동이 가능한지를 반드시 파악하여야 한다. 파악해야 할 문제들은 다음과 같다 :

① 통로 폐쇄 또는 승강기 고장
② 화재, 폭발 또는 건물 붕괴의 위험
③ 산소를 포함한 장비나 공급의 부족
④ 어떠한 장비든지 사용을 못하는 경우
⑤ 수질 오염
⑥ 환자 진입 불가능 등

이러한 문제점들에 대한 책임은 보통 병원 기술자나, 병원 안전 책임자들에게 있다. 만약 병원 자체의 구조적 문제가 있는 경우에는 환자 및 병원 관계자들의 대피도 고려해야 한다.

병원이 안전하다고 판명된 경우에는 재해 현장으로부터 최대한 몇 명의 환자를 이송해서 안전하게 치료 가능한지를 판단한다. 이러한 판단은 의료 인력, 병상 수, 수술실 및 중환자실

수용 능력, 그리고 공급 및 자원의 활용 정도에 의해 제한되어 질 수 있다.

재해 상황 시에는 다음과 같은 사항을 파악하는 것이 중요하다.

① 병원 자체의 능력(평가) 어떠한가?
② 얼마나 많은 병상 수 확보가 가능한가?
③ 혈액을 포함한 중요한 의료 소모품 및 약제가 얼마나 이용 가능한가?
④ 얼마나 많은 의료 인력이 근무 가능한가?
⑤ 무슨 손실이 발생 했는가?
⑥ 얼마나 많은 수술실이 사용 가능한가?
⑦ 어떠한 의사들이 병원에 필요한가?
⑧ 기타 예상 가능한 문제가 있는가?

이상적으로는 계획 속에 가장 빠른 명령체계를 통해 이러한 자료들을 수집할 수 있어야 한다.

4) 재해 명령의 확립

병원 내의 명령 체계는 별도의 공간을 두어 설치해야 한다(예; 재해 관리 센터).

① 별동의 공간은 중증도 분류 구역(재해현장), 환자 처치 구역, 그리고 지역 구급체계, 경찰, 소방, 그리고 정부 책임자와 통신을 할 수 있어야 한다.
② 다양한 통신 방법들도 강구되어야 한다(핸드폰, 무전기, 대면통신, 기타 등등).

병원 내 명령체계 내에는 반드시 병원 행정 책임자 및 응급의료종사자가 포함되어야 한다. 또한, 명령체계는 그 자체로 확고해야 한다.

5) 통신

훌륭한 통신의 지속은 어떠한 경우의 재해나 대량사고 시에도 핵심적 역할을 담당한다. 적절한 통신의 부재는 재해 계획 실패의 가장 큰 원인이다.

① 세계 각국의 재해 현장에서는 다양한 원인으로 인한 적절한 통신 유지가 이루어지지 않고 있는 것이 현실이다.
   ㉠ 재해기간에는 다양한 방법의 통신들이 끊기고 있다.
② 제일 중요한 목적은 사용 가능한 모든 통신 수단을 이용해 통신을 유지하는 것이다.
   ㉠ 통신방법으로는 휴대 전화, 칠판, 이메일, 통신, 폐쇄회로 텔레비전, 단파 라디오, 또는 심지어 사람(대면통신)을 이용한 통신들도 고려해야 한다.

통신은 병원 간 또는 병원 내에서도 필요하다.

① 환자 치료에 필요한 혈액, 항생제, 또는 수액 등 환자의 생명과 연관이 있는 물품이 부족한 경우

② 인큐베이터 또는 수술 기구 등이 부족한 경우

③ 응급의료종사자, 의료기사, 물리 치료사 등의 인력이 부족한 경우 등

불행하게도 현재 의료 체계에서 일상적으로도 최대한 기능을 하는 상황에서 재해 시 더 보강된 기능을 요구하기에는 많은 무리가 있다. 또한, 환자가 과중하게 몰린 병원에서 상대적으로 여유가 있는 병원으로의 환자 이송도 고려해야 한다. 그렇지만 현재 일상적으로 진행되고 있는 병원 간 환자 이송의 문제도 해결 안 된 상태에서 재해 시 이러한 기능을 요구하는 것 또한 많은 문제가 될 것이다.

6) 재해 물품들의 공급

재해 기간 중, 필요한 장비나 물품은 병원 내에서 가장 필요로 하는 곳에 즉시 공급되어야 한다(휠체어나 침대가 환자 접수 구역에 필요한 것 등).

각 병원은 재해 시 예상되는 사용 물품들을 재고 형태로 정상적으로 현재 사용하고 있는 의료 물품 이상을 보유하고 있어야 한다. 그러나 국내에서는 이에 대한 실태조사조차 이루어지지 않고 있다.

7) 병원 재해행정 및 치료구역

재해계획의 일환으로서 병원 내에 환자 도착구역, 치료 및 퇴원구역을 정하는 것은 매우 중요하다. 이 계획은 이러한 구역의 기능에 맞게 특화되어야 하며, 인력정도, 그리고 기본물품 등의 개념이 확립되어야 한다. 아래와 같은 기능들이 원활하게 기능을 하여야 한다.

(1) 재해 통제 센터

재해 통제 센터는 응급실에서 되도록 멀리 위치하는 것이 적절하다. 적절한 통신유지는 매우 기본적인 요소이다.

① 병원내의 사고통제를 제외한 재해현장의 기능을 조절해야 한다.

② 다른 기능으로는 다음과 같은 내용을 포함한다.

㉠ 병원의 다른 병동을 개설하는 것

㉡ 외부의 도움 요청하는 것

㉢ 위험에 처한 환자이송

㉣ 환자 처치구역에 의료진 배정

㉤ 원래 역할의 재조정 등

(2) 중증도 분류

효율을 극대화하기 위해서는 병원에 내원하는 환자를 한 곳으로 집중해야 한다. 즉 중증도 분류 구역으로 집중하는 것이다.

① 구역의 핵심 기능은 모든 내원 환자를 빠른 시간 내에 평가하고, 치료의 우선순위를 정하는 것이다.
② 환자의 분류를 전담하는 것이다(즉 적절한 구역으로의 환자 이송 등).
③ 중증도 분류 구역의 부재 시에는 중요 치료 구역의 혼잡이 가중될 수도 있다.

(3) 환자의 돌봄 구역

환자의 돌봄 구역을 다음과 같이 구분하는 것도 고려할 수 있다.

① 중환구역 : 중증도 분류 구역으로부터 중환을 위주로 치료하는 곳으로 응급실 내에 위치하는 것이 이상적이다.
② 경환구역 : 대부분의 재해 상황에서 대다수의 환자는 심하게 손상을 받지 않는다. 대부분 환자는 보행이 가능한 손상을 입거나 걱정이 많은 환자들이다. 이러한 환자들은 가벼운 치료, 즉 골절에서의 부목치료, 열상의 봉합, 또는 파상풍 예방접종 등의 치료가 필요하며, 이러한 환자의 치료구역은 응급실에서 구별된 장소에 마련하는 것이 혼잡을 줄일 수 있는 방법이다.

(4) 수술 전 입원 구역

중환구역에서 안정화된 대부분의 환자 평가 및 관찰하는 구역이다.

(5) 수술

다수의 수술이 필요한 환자의 발생 시 적절한 치료에 영향을 주는 가장 중요한 요소는 사용 가능한 수술방의 수이다. 경험 많은 외과의사에게 가장 빠르게 환자를 의뢰하여 수술하는 것이 중요하다.

(6) 영안실

대부분의 재해 시에는 많은 사망자가 발생한다. 이러한 장소는 되도록 병원 외의 장소에 확보하는 것이 바람직하며, 학교, 학교 강당, 교회, 또는 종합 경기장 등이 대안이 될 수 있다. 병원에서는 생존 가능한 환자의 치료에 집중하는 경향이 있기 때문에 사망자에 대해서 소홀해질 수밖에 없다.

(7) 오염 제거

재해 시 방사선적으로 또는 화학적으로 오염된 경우를 대비하여 몇 가지 필요한 것들이 있을 수 있다.

① 제독을 위한 안전한 장소
② 환자의 외부 오염을 씻어 내기 위한 방법
③ 오염 물질을 담을 용기
④ 환자로부터 오염을 방지하기 위한 적절한 보호
⑤ 일회용/소독 가능한 의료 장비
⑥ 이러한 오염 제거의 목적은 회부 오염의 최소화, 남아있는 오염 물질의 제거, 그리고 잠재적으로 위험한 물질의 전파 방지에 있다. 이러한 제독 구역은 단지 오염 물질의 제거에만 목적이 있는 것이 아닌 환자 소생을 위한 인력 및 장비도 필요한 구역이다.

(8) 정신과

재해 시 또는 다른 많은 원인으로 불안 또는 우울증 등의 정신과적 치료가 필요한 경우가 환자들에게서 많이 발생한다. 히스테릭한 사람의 경우(환자, 방문자, 또는 병원관계자)에는 병원의 재해 진료 기능을 방해할 수도 있다. 특히 정신과적 면담이 필요한 경우를 생각하여 분리되고 고립된 치료 구역을 확보해 놓아야 한다. 이러한 정신과적 지지치료가 점점 더 중요하게 간주하고 있다.

(9) 가족 대기 및 퇴원 구역

과거의 재해 현장에서는 가족 및 친지들이 사상자들을 찾기 위해 병원 내에서 혼잡을 초래하는 많은 경우를 경험하였다. 이러한 혼잡은 재해 상황에 최선의 대응을 요구하는 상황에서 병원 기능의 방해를 일으키는 경우가 대부분이다. 이러한 이유로 인해, 가족 및 친지들에게 정보를 제공해 줄 수 있는 별도의 공간을 확보해 놓아야 한다. 이러한 구역은 동시에 병원 내의 환자 퇴원 시 그리고 재해 시의 환자들을 위해서도 사용될 수 있다.

(10) 자원봉사자

대량 재해의 경우에는 수혈 등의 도움을 주려는 일반인들이 갑작스럽게 많이 모일 수 있다. 이러한 자원 봉사자들이 일부 도움을 줄 수도 있지만, 보통은 도움보다는 병원 기능에 장애를 초래하는 경우가 대부분이다.

별도의 공간을 확보한 후, 이러한 자원 봉사자들의 도움을 받을 것인지를 판단하는 것도 중요하다.

8) 교육과 훈련

정기적인 훈련 및 연습이 병원 관계자들이 재해 상황 시에 적절하게 대처하는 데 도움을 줄 수 있다. 또한, 이런 훈련을 통하여 취약점이나 생략된 사항들을 확인하며, 계획의 재수립 및 수정을 할 수도 있다. 이러한 훈련들은 실제와 같은 상황을 가정하고 대규모로 할 수도 있으며, 또한 간단하게 가상 상황을 설정하여 훈련으로 끝낼 수도 있다.

9) 사고 지휘 체계

사고 지휘 체계(ICS: incident command system)는 현장 대응을 조직화하기 위한 유연한 명령 및 조정을 하기 위한 표준 응급 관리 체계를 의미한다. 사고 지휘 체계는 일반적으로 비행기 추락 사고와 같은 확인 가능한 한 장소의 재해의 경우 사용된다. 표준화된 조직 체계와 공통 용어의 사용으로 사고 지휘 체계는 다수의 기관과 여러 관할 지역이 관여되는 사고에 적용할 수 있는 관리 체계를 제공한다. 가장 기본적인 요소의 구성은 다음과 같다.

① 사고 지휘
② 작전
③ 계획
④ 병참
⑤ 재정

현장의 사고 지휘 체계의 원칙은 병원 상황에 적용될 수 있다. 이러한 형태의 하부 구조와 필요에 따른 유연한 조직의 확장 및 축소는 이론적으로는 모든 재해 시에 체계적이고 효율적인 대처를 가능하게 한다.

10) 재해 현장과 병원 간 통신

지역 응급 의료 체계 또는 재해 센터에서는 지역에서의 재해 또는 대량 사고 발생 시에 지역 병원에 경보를 제공해야 한다. 이상적으로, 이러한 경보에는 부상자의 수, 특별히 많이 다친 중환자의 수(중환자실 치료가 필요한 환자 포함), 그리고 경환자의 수 정도의 정보면 충분하다. 병원에서는 지역 응급 의료 체계에 다음과 같은 사항을 보고해야 한다.

① 병상 수
② 현재까지 수용한 환자 수
③ 병원에서 앞으로 수용 가능한 환자 수
④ 병원 내의 부족한 물품 등의 목록

11) 지역 병원으로의 환자 분산

대량 사고 시의 환자들은 위에서 이미 언급한 대로 대부분은 불균형하게 이송되는 경향이 있다. 그렇지만, 이러한 불균형한 환자의 이송을 최소화하기 위해서는 병원과 현장의 응급의료 체계와 적절한 통신이 유지 되어야만 한다.

① 현장 책임자에게 즉각적으로 환자가 많이 이송된 병원에 대한 정보를 제공한다.

② 상대적으로 안정된 환자 및 경환들을 지역 외의 병원으로 이송해야 한다.

③ 병원의 환자 치료능력 범위 밖의 환자 이송 시에는 다른 병원으로 환자를 이송하기 위한 이차적인 중증도 분류를 시행한다.

㉠ 심한 화상, 일산화탄소 중독, 척수 손상 또는 화학적이나 생물학적 테러에 의한 환자들과 같이 특별한 문제를 가지고 있는 환자들은 환자의 수가 많아서 수용할 수 없는 경우라도 직접 이러한 환자를 치료할 수 있는 시설이 있는 병원으로 이송해야만 한다.

12) 현장 재해 의료팀

병원에서 파견하는 현장 재해 의료팀은 희생자들을 구출하는 데 시간이 많이 소요될 수 있는 경우에 도움이 될 수 있으며 다음과 같은 상황을 고려할 수 있다.

① 이송로가 막힌 경우

② 병원으로 환자 이송을 쉽게 할 수 없는 상황

③ 대량 환자의 발생으로 환자 이송 능력을 초과한 경우

응급의료종사자를 파견할 경우에는 큰 주의가 필요하다. 대부분 의사와 간호사의 기능은 병원 내의 환경에서 가장 잘 조화를 이루고 있다. 그러나 열악한 환경에서는 교육되고 준비된 소수의 응급의학 출신 의사와 응급구조사(특히)가 제대로 기능할 수 있다.

응급의료종사자는 응급실에서 환자를 진료할 수 있는 예비 응급의료종사자가 없는 상황에서는 의료인을 현장으로 보내서는 안 된다.

① 어떻게 응급의료종사자를 활용할 것인지에 대해서는 병원재해 계획에 철저히 포함해야 한다.

② 지역의 다른 기관과의 유기적인 협조가 상호간의 협력을 통해 사전에 확보되어야 한다.

③ 응급의료종사자를 지원하기 위한 자원의 확보 노력은 지역사회의 능력 내에서 신중하게 계획되어야 한다.

④ 병원에서 재해 의료팀을 보내기 위한 능력들은 여러 가지가 개발되어 있다.

㉠ 수련병원의 의료진 또는 지역 사회의 개원의들이 재해 현장의 중증도 분류팀을 구성할 수 있다.

㉡ 지역별로 한 기관이 역할을 전담하는 것이 바람직하다.

⑤ 병원은 재해 상황에서 사용하는 필수 소생 및 안전화를 위한 장비가 갖춰진 중증도 분류 도구를 갖고 있어야 한다.

25 응급실에서의 환자 처치

대량환자 발생 시의 치료는 응급실에서 평상적인 환자 치료와는 많은 차이점이 존재한다. 예를 들면, 모든 실제적인 재해 상황에서는 상처의 치료가 큰 문제점으로 부각한다. 1998년에 미국의 지진, 1999년의 터키 지진 때에 상처와 괴저(gangrene)가 큰 문제 중의 하나였다. 많이 오염된 상처를 일차 봉합할 경우에는 많은 합병증을 유발하였다. 이러한 심각한 상처 오염의 경우에는 일차적으로 상처 소독을 철저히 하면서 매일 환자의 상처를 소독하고, 상처의 상태를 파악한 후 3-4일 후에 봉합을 고려해야 한다. 또한, 파상풍 예방 접종이 같이 병행되어야 한다.

재해 현장에서 둔상을 입은 후 수 시간에서 수 일후에 구출된 환자의 경우에는 압좌 증후군의(Crush syndrome) 증상 및 징후에 대한 철저한 감시 및 치료가 필요하다. 압좌 증후군의 증상 및 징후로는 심장 부정맥, 고칼륨혈증, 그리고 신부전 등이 있다. 흡입 손상으로 인한 전격성 폐부종 또는 폐렴이 건물 붕괴 시에 폭발에 의한 손상을 입은 환자의 지연성 사망의 원인이 될 수도 있다.

1) 방사선 및 임상병리 검사

방사선 검사와 임상병리 검사는 대량재해의 경우에는 삼가는 것이 좋다. 시행하는 경우는 검사 결과가 치료방법을 바꾸는 데 도움이 되는 경우로 한정한다.

① 어긋나지 않은 사지 골절의 경우
- ㉠ 적절한 석고붕대 고정과 사지 거상 및 냉찜질 치료를 시행한다.
- ㉡ 24-48시간 정도 지연되어도 안전하게 x-ray 검사를 시행할 수 있다.

② 흉부 방사선 검사는 흉통을 호소하는 경우
- ㉠ 호흡 곤란, 또는 비정상적인 흉곽 운동
- ㉡ 폭발물에 의한 폐 손상이 의심되는 환자에게서 시행할 수 있다.

③ 복부의 방사선 검사
- ㉠ 외상의 경우에는 유용한 정보를 별로 환자에게서 얻을 수 없다.

④ 복부, 골반, 그리고 넓적다리뼈의 이상 소견이 있는 경우
- ㉠ 환자가 영구적인 신경 손상이나 쇼크로 인한 사망을 유발할 수 있다.
- ㉡ 의심스러운 경우에는 방사선 검사를 시행할 수 있다.

⑤ 초음파로 혈복증 및 기흉을 검사
- ㉠ 시간을 절약하는 방법인 동시에 비용을 줄일 수 있는 좋은 방법이다.

임상병리 검사가 적응증이 되는 경우도 매우 제한적이다(예외 : 생물학적 무기에 노출이 의심되는 경우).

① 저혈량 쇼크인 환자에서 전혈 검사 및 혈색소, 혈액형 검사가 도움이 된다.
② 콩팥이나 비뇨생식기계의 손상이 의심되는 경우에는 혈뇨 막대 검사가 도움이 된다.
③ 호흡 곤란이나, 호흡 부전이 있는 경우에는 동맥혈 검사를 시행한다.
④ 대부분의 임상 병리 검사는 보조적으로 활용한다.
⑤ 흡입 손상이 있는 경우에는 예외적으로 일산화탄소 농도 검사를 시행한다.

2) 혈액의 확보

재해 시에 임상병리과의 가장 중요한 업무는 충분한 혈액(50 pint 이상)을 확보하는 것이다. 재해가 발생하면 사회봉사 활동의 하나로 헌혈운동(헌혈이 가능한 자원봉사자들을 확보하는 것도 중요)이 빈번하게 이루어진다. 그러나 혈액의 절대량이 모자라서 문제가 발생하는 경우도 있다.

① 가족이나 친구 등과 같은 인적 자원의 활용도 고려해야 한다.
② 필요한 혈액은 인근 병원 및 혈액원으로부터 지원을 받는다.
③ 재해 시에는 혈액의 수량보다는 급박한 상황에서 즉시 수혈해야 하므로 $Rh^{-}O$형의 혈액을 충분히 준비해야 한다.

3) 임상검사실의 운영

검사실 운영의 문제점은 짧은 시간에 많은 검사의뢰가 들어오기 때문에 발생한다. 일반적인 검사를 지연시키고 재해환자의 검사를 먼저 시행하며 재해환자의 검사도 중증도에 따라 우선순위를 정하여 시행한다(그림 7-23).

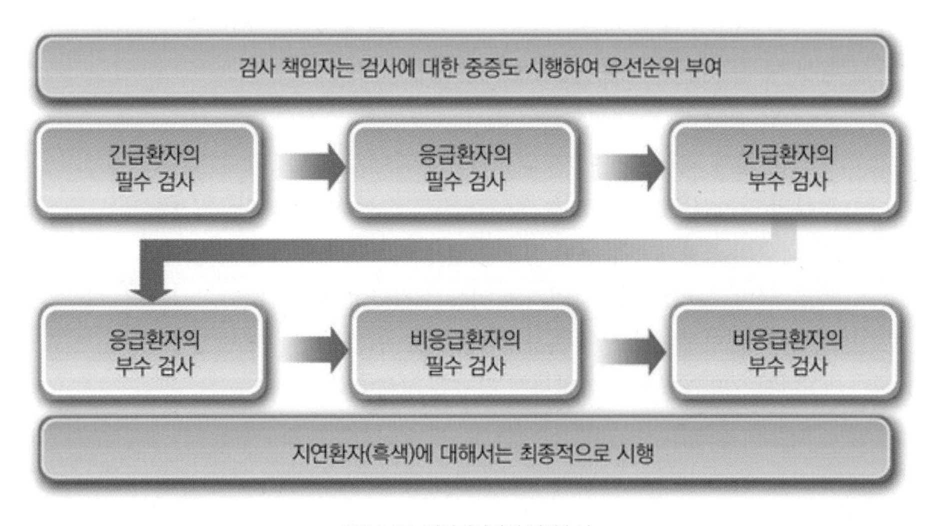

그림 7-23. 임상검사반의 검사순서

① 재해 시에는 별도의 검사용지를 사용하는 것이 바람직하다.
② 검사결과도 중증도에 따라서 보고순서를 결정한다.
③ 긴급환자의 검사결과와 응급을 필요로 하는 검사결과는 담당의사에게 직접 전해주거나 전화로 결과를 통보한다.

4) 영상의학과의 운영

정확한 방사선검사는 많은 피해자를 적절히 치료하는데 필수적인 요소이다. 그러나 방사선을 촬영하는 데는 적지 않은 시간이 소요되므로 환자의 흐름에 병목현상을 일으킨다. 따라서 중증도에 의한 우선순위에 따라 필요한 부위만 촬영하도록 엄격히 제한하여야 한다.

5) 의료처치

재해 시의 의료처치는 평상시와 다르므로 다음과 같은 방법으로 치료를 시행한다.

(1) 소생의 대상범위를 환자의 손상정도, 연령, 과거력 및 의료장비를 고려하여 결정하며, 소생이 가능한 경우에는 복잡한 시술보다는 신속하고 안전한 방법을 시행한다. 즉, 개방성 경골골절로 출혈이 심하며 감염 가능성이 높으면 하지절단술을 시행한다.

(2) 제한된 의료진으로 동시에 여러 명의 환자를 수술해야 하는 경우는 수술의 우선순위를 부여해야 한다. 수술의 우선순위는 다음과 같다.

① 간단하고 수술시간이 적게 소요되며 수술로 환자의 생명을 구할 확률이 매우 높은 환자
② 간단하고 수술시간이 적게 소요되지만 수술로 환자의 생명을 구할 확률이 비교적 낮은 환자
③ 복잡하고 수술시간이 많이 소요되지만 수술로 환자의 생명을 구할 확률이 매우 높은 환자
④ 복잡하고 수술시간이 많이 소요되지만 수술로 환자의 생명을 구할 확률이 비교적 낮은 환자

(3) 임상검사와 방사선검사 등의 진단적 검사는 필요한 것만 최소한으로 시행하여야 한다.

(4) 수액처치, 외상처치, 약물투여 등에 대하여 간호사와 응급구조사의 자율권을 확대시킨다.

(5) 인근 병원에서도 치료가 가능한 환자는 즉시 후송한다.

(6) 생존가능성이 적더라도 사망하기 전까지는 기도확보, 호흡처치, 순환처치, 적절한 통증치료, 체계적인 환자평가, 환자상태의 평가 증을 계속 시행하여, 환자의 인격존중은 재해시라도 평상시와 같이 엄격하게 지켜져야 한다.

6) 과거의 재해 환자의 응급실 의무 기록은 없거나 빈약한 경우

대부분 환자 기록은 중증도 분류 구역에서부터 시작해야 한다.

① 병원의 중증도 분류표를 적절하게 부착하는 것이다.
   ㉠ 환자의 신원 확인, 제공된 치료, 그리고 가족이나 방송 등에 환자의 정보를 제공하는데 매우 중요하다.
② 중증도 분류 팀의 한명(보통 병원 행정요원)은 병원내의 환자 치료 구역으로 이송하는 환자의 중증도 분류표 부착 및 이름 확인 작업을 맡아야 한다.
   ㉠ 환자의 신원이 확실하지 않는 경우에는 중증도 분류표에 인종, 성별, 적절한 나이 등의 정보를 기록하여야 한다.
③ 처음의 추정되는 진단명도 같이 기록해야 한다.
   ㉠ 환자 차트 및 중증도 분류표에 반드시 기재가 필요하다.

7) 언론 통제

재해 상황에서는 실제적인 사상자 보다 방송 관계자들로 병원이 더 혼잡할 수도 있다. 미국의 경우에는 2001년 탄저병 사태와 2002년 워싱턴시의 저격 사건 등에서 이러한 사태를 경험하였다. 통제되지 않은 방송 관계자들이 환자 치료 구역에 진입할 경우 의료진의 적절한 환자 치료에 많은 장애가 발생할 수 있다. 언론 관계자들을 응급실과 가급적 멀리 떨어진 곳의 장소로 이동시키는 작업이 필요하며, 병원 행정 담당자나 민간 전문가에게 이 역할을 담당시켜야 한다. 책임자는 재해 통제 센터와 긴밀히 연락하여야 한다. 의료진들은 언론과 격리가 필요하며, 또한 언론 관계자들에게 지속적인 정보 제공도 동시에 이루어져야 한다.

8) 가족 친지 통제

동일하게, 환자에 대한 정보를 얻고자 하는 가족들을 위한 구역도 준비해야 한다. 환자 가족들을 환자가 사망하였거나 아주 중환이 아닌 경우에는 치료 구역으로 들여보내서는 안 된다. 또한 많은 전화들은 한 곳으로 집중하며, 이러한 전화를 전담하는 요원을 배치하여야 한다.

26 병원 내에서의 중증도 분류

1) 목적

일반적으로 중증도 분류는 손상/질병의 중증도, 예후, 그리고 의료 자원의 이용을 고려하여 환자 치료의 우선순위를 정하는 것이다. 중증도 분류를 담당한 의료진은 응급실에 도착한 환자를 정해진 환자 구역을 보내는 것이 목적이다. 환자가 정해진 구역으로 이송되면 중증도 분류에 따라 응급처치의 우선순위를 정한다.

① 몇몇 환자들은 중증도와 관계없이 도착하자마자 즉각적인 오염 제거한다.

② 호흡부전이나 쇼크상태 등으로 즉각적인 응급처치가 필요로 하는 환자들은 즉각적으로 소생구역으로 이송한다.

③ 사망자들은 바로 영안실로 이송한다.

④ 중환자이지만 즉각적인 소생술이 필요 없다고 판단된 환자는 앞에서 언급한 중환구역으로 이송한다.

⑤ 보행이 가능한 경환자들은 응급실 밖에 위치한 외래나 다른 공간으로 이송하여 진단 및 치료를 담당한다.

2) 의료진

응급의학과 의사 또는 외과의사, 응급구조사, 간호사, 그리고 의무기록 요원이나 행정요원이 팀을 이루어 모든 환자를 평가한다. 아주 드물게 몇 개의 중증도 분류 팀이 필요할 수도 있다. 중증도 분류를 책임진 의사는 중증도 분류 구역의 명령을 내리고, 구분을 위해 색깔 있는 옷을 착용하며, 가능한 모든 중증도 분류법을 숙지하고 있어야 한다.

의사가 중증도 분류를 할 상황이 아니 경우에는 교육된 응급구조사 또는 간호사 환자의 중증도 분류를 한 후 환자 평가는 중증도 분류를 담당할 수 있는 병원요원이 도움을 준다.

3) 책임

현장에서와 마찬가지로 도착한 환자들의 이차 중증도 분류를 시행하는데 보통은 구급차 도착 구역이 가장 선호되는 장소이다.

중증도 분류를 담당하는 의료진의 책임은 다음과 같다.

① 도착한 환자를 의료진의 즉각적인 필요 또는 자원 활용 정도에 따라서 적절한 구역 (즉, 소생구역, 중환구역, 경환구역 등)으로 이송하기

② 경구 기도기 삽입, 심폐소생술, 그리고 지혈 등의 기본인명구조술 시행

③ 손상의 정도 평가는 환자 또는 응급구조사 등에게서 병력청취를 하면서 빠른 일차평가를 통해 실시

④ 중증도 분류 팀은 사상자의 수, 손상의 정도, 그리고 더 필요한 추가자원의 여부 등을 응급실 및 병원 재해 대책 본부와 긴밀하게 의사소통을 통해 파악

㉠ 의사소통이 전화로 되지 않는 경우에는 인명편이나, 휴대폰, 또는 무전기 등을 통해 통신 유지

⑤ 중증도 분류 요원들은 다양한 치료 구역의 환자 치료 능력을 파악하여 추가로 환자를

얼마나 더 수용할 수 있는가 또는 안구 손상 또는 화상 같은 특별한 환자의 치료 유무 파악

⑥ 환자의 혼잡 구역의 위치 파악 및 대처 방법 등도 알 필요 파악

⑦ 중증도 분류 담당자는 가족, 친구, 또는 방송 관계자들이 중증도 분류 구역 내로 들어오려고 하는 경우가 빈번하므로 병원 내의 가족대기 구역 및 방송 관계구역 등의 위치 파악

⑧ 중증도 분류 팀의 일원으로 행정 요원의 역할은 사상자에게 환자 분류표를 완성해서 부착하며, 수거 가능한 귀중품이나 의류 수거

㉠ 수거한 가방에 분류표를 부착한 후 완전하게 보관

4) 중증도 분류를 시행하는 장소의 선정

재해발생에 관한 연락을 처음 접한 응급의료진은 병원 내에 중증도 분류를 위한 장소와 응급처치 장소를 선정한다. 중증도 분류는 중증도 분류 지휘관에 의해 시행된다.

① 중증도 분류팀의 구성은 소집 가능한 의료진 수와 예상되는 환자 수에 따라 결정된다.

㉠ 가능한 신속히 피해자 수와 피해규모에 대한 정보를 입수해야 한다.

㉡ 대형화재에 의한 대량환자 발생 시는 화상 응급처치에 필요한 장비와 인원을 충분히 소집해야한다.

② 병원으로 이송되는 환자는 우선 병원이나 응급센터 입구에 설정된 중증도 분류소에서 중증도 판정을 한다.

③ 중증처치를 해야 하는 환자는 병원 내로 이송하며 경증의 환자는 별도로 마련된 경증환자 수집소에서 응급치료를 실시한다.

④ 장소를 선정할 때에는 환자를 이송하는 구급차나 이송팀이 현장으로 즉시 복귀할 수 있도록 진입로 상황을 고려한다.

5) 중증도 분류의 시행

대부분 환자는 재해현장에서 중증도 분류가 시행되어 중증도 분류표가 부착된 상태이므로 병원의 중증도 분류는 비교적 수월하다. 현장에서의 중증도 분류와 마찬가지로 병원에서도 응급처치와 수술의 우선순위를 결정하기 위한 중증도 분류를 시행한다. 다만 경증환자 중에서 상태가 악화되었거나, 경증환자가 중증환자로 잘못 분류된 환자들을 재평가해야 한다.

① 병원에서는 중증도 분류는 응급센터, 수술과 내과적 처치능력 및 병원의 처치 한계를 고려한다.

② 중증도 분류관은 응급의학 전문의가 시행한다.

③ 중증도 분류가 끝난 후에는 환자가 소생지역에서 전문응급처치 지역으로 이송되는 것을 도와준다.

④ 중증도 분류 중에는 기본적인 임상검사와 방사선검사를 시행한다(표 7-22).

㉠ 비개방성 단순골절은 고정만 하고 다음에 방사선검사를 시행한다.

㉡ 수술환자에게서도 혈색소와 헤마토크릿 검사와 수혈검사 등의 응급검사만을 시행한다.

㉢ 상처의 세척과 드레싱, 파상풍 예방은 시행하나 상처의 봉합은 나중에 시행한다.

⑤ 효율을 극대화하기 위해서는 병원에 내원하는 환자를 한 구역으로 집중해야 한다.

㉠ 중증도 분류 구역으로 집중한다.

㉡ 중증 구역 핵심기능은 모든 내원 환자를 빨리 평가하고, 응급처치의 우선순위를 정한다.

㉢ 환자의 분류를 전담하는 것이다(적절한 구역으로의 환자 이송 등).

- 중증도 분류 구역의 부재 시에는 중요 치료 구역의 혼잡이 가중될 수 있다.

표 7-22. 병원 내 중증도 판정

· 현장과 같은 체계
· 응급실, 수술실, 중환자실, 외상팀, 내과적 처치능력 및 병원의 전체적인 수용 능력을 고려
· 응급실 및 구급차 도착지역과 가까운 장소
· 재해의 규모에 따라 응급의학과 의사, 응급구조사 및 간호사로 팀 구성
· 기본적인 임상병리검사와 방사선 검사
· 상처의 변연절제술(debridement), 소독 및 파상풍 예방

27 외국의 재난대책

1) 프랑스

세계최초 현장의료의 효시적인 프랑스의 재해대책은 기존의 응급의료체계를 확대 운영하는 것을 원칙으로 하는 '응급의료 중심체계'를 채택하고 있다. 1956년에 시작된 프랑스의 응급의료체계는 Service d´Aide Medicale d´Urgence(SAMU)이며, SAMU의 협력체계 하에 기동파견대를 운영하고 있다. SAMU 중에 재해대책에 관여하는 부서는 SAMU 94로서 지역별로 배정되어 있으며, 지역의 중심에 위치하여 신속하고 체계적으로 임무를 수행할 수 있다. 기동파견대는 항공재난대(DICA), 의료지원대(DAM), 전방조정대(DACO)와 정찰대(ERE)로 구성된다.

① 항공재난대는 의사 2인을 포함한 60명의 인원으로 구성된다.
　㉠ 재해 발생 3시간 이내에 6톤(t)의 장비를 갖추고서 출동한다.
　㉡ 6일간 독자적으로 임무를 수행할 수 있다.
② 의료지원대는 의사 5인과 간호사 5인을 포함한 15인으로 구성된다.
　㉠ 각종 의료장비를 갖추고, 유사시는 항공재난대를 지원하기도 한다.
③ 전방조정대는 다수의 항공재난대와 의료지원대가 파견되는 경우에 전체적인 지휘 및 통제의 임무를 수행한다.
④ 정찰대는 소방관 1인, 의사 1인과 평가요원으로 구성된다.
　㉠ 재해현장에 초기에 출동하여 재해의 규모를 파악하고 파견대의 규모를 결정한다.

2) 미국

미국 연방차원의 방재관리조직으로는 대통령 직속의 재해 재난 관리 전담기관인 연방비상관리청(Federal Emergency Management Agency : FEMA)과 중앙안전대책위원회 등 비상대책기구 조직이 있으며 중앙정부와 지방정부를 연계하기 위한 조직들이 있다. FEMA는 자연재해 및 인위재난을 포함한 비상사태시 인명과 재산 피해를 최소화하기 위하여 1979년에 설립된 대통령 직속의 재해 및 재난관리 전담 기관이다.

2,600여명의 인력, 10개의 지방사무소, 36억 달러의 예산, 140여개의 비상관리와 관련된 프로그램을 관리 ・조정하고 있다. 2,600여명 의 정규직원 외 비상시엔 4,000명 정도의 시간직 직원 및 기타 자원봉사자의 동원도 가능하다. 또한 주요 재해 및 재난복구에 사용되는 중앙정부 보조금의 재원이 되는 대통령 직속의 재해 및 재난구조기금(Disaster Relief Fund)을 관리한다. 재해 및 재난 및 비상사태와 관련되는 제반 기획, 대비 훈련, 피해경감, 대응 및 복구 지원 등과 같은 업무를 관장하고 지방정부와 긴밀한 협조 아래 재해 및 재난 발생 시 기술적 지원과 교육, FRP(연방긴급 대응계획)를 통한 연방정부 차원의 지원조정 등도 주요 업무로 하고 있다. 특히 워싱턴 본부와 전국의 지방사무소 및 기타관련 기관들을 연결하는 국가비상정보관리시스템(NationalEmergencyManagementInformation System : NEMIS)을 구축하여 언제 어디서 일어날지 모르는 비상사태에 대비하여 신속히 대처 할 준비를 하고 있다.

1973년 기존 '재해대책'의 응급체계를 이용하여 재해에 대비하기 위한 체계로 영역을 확대하였다. 1981년 개편된 긴급동원준비위원회(Emergency Mobilization Preparedness Board, EMPB)는 응급의료체계의 최고 협의기관으로 공중위생국(Public Health Service), 국방성 전문가 관리(Department of Defend, Veteran's Adminsistration) 및 연방재난관리청(Federal Emergency Management Agency, FEMA)로 구성되어 있다.

① 재해가 발생하여 재해 지역의 대응한계를 넘으면 사전계획에 의하여 FEMA에 지원을 요청한다.

② FEMA는 대통령에게 보고하여 국가적 차원에서 지원을 수행하게 된다.

③ FEMA는 재해의 해결을 위하여 연방조정관(Federal Coordination Officer, FCO)에게 명하게 된다.

④ FCO는 재해 지역과 인근지역에 위치한 각종 재해지원팀과의 협력 혹은 지원업무를 수행하게 된다.

⑤ FEMA의 계획에는 11개의 응급지원기능이 있는데, 이중 제8번이 보건과 의료지원이다.

㉠ 제8번 안에 국가재난의료시스템(National Disaster Medical system, NDMS)이 포함되어 있다.

⑥ NDMS는 효율적인 재해대책을 위하여 미국 전역을 71개의 NDMS 지역으로 나누었다.

㉠ 각 NDMS는 최소한 2,500개의 병상을 응급환자를 위하여 준비할 수 있으며 대규모의 항공수송을 위한 활주로를 확보하고 있다.

㉡ NDMS는 50개에 가까운 의료지원팀(Medical assistance teams)를 갖고 있으며, 각 팀은 의사, 간호사, 의료기술자 및 보조요원 등 29명의 대원으로 구성되어 있다.

⑦ 미국의 군대도 신속한 의료적인 대응을 위한 몇 개의 전 세계적인 규모의 체계를 구축하고 있다.

㉠ 유럽에 위치한 공군비행구급차수술외상팀(Air Force Flying Ambulance Surgical Trauma Teams, FAST), 공군에 의해서 유지되고 있는 항공 수송이 가능한 병원(Air Transportable Hospitals, ATH), 육군 전방 수술팀(Forward Army Surgical Teams, FAST) 등이 군에 소속되어 있다.

㉡ 재해 발생과 같은 특수한 경우에 민간을 위해 작전을 수행한다.

3) 영국

영국에서는 소방, 경찰, 구급차와 병원의 연합으로 재해에 대한 계획을 세우고 있으며, 이중 경찰이 총괄적으로 지시하고 통제하는 임무를 맡고 있다. 재해 현장에서 경찰소속의 현장 지휘관이 총 책임자가 되어 소방, 구급차, 의료 현장 책임자와의 협조체계를 구축한다. 구급차 통제센터에서 환자를 이송할 병원을 지정하며, 병원은 미리 정해진 계획에 의하여 근처에 병원과 응급의료체계와 협조한다.

행정부가 아닌 부서에서도 재해 발생시 재해대책에 관여하는데, 각 부서별 업무는 다음과 같다.

① 영국적십자사(British Red Cross Society)는 기본적 응급처치(first aids)와 구호업무를 수행하게 된다.

② '세인트루이스 대성당, 존 앰뷸런스 협회(The St. John Ambulance Association)'은 대량환자 발생 시 또는 국가적인 재해 발생 시에 구급차와 필요 인원을 지원한다.

③ 영국즉시진료서비스협회(British Association for Immediate Care Service, BASICS)는 주로 의사로 구성되어 있으며 응급의료와 관련된 부서원에게 응급처치에 관한 교육과 훈련을 책임진다.

④ '소생자문위원회(Resuscitation council)'은 일반인이나 의료인들에게 소생술 등을 교육하고 훈련하는 업무를 맡고 있다.

4) 스웨덴

스웨덴에서는 의과대학 교육과정에 재해의학이 독립되어 있다. Loik ping 대학병원에서 시작된 이 제도는 재해의학에 대해서 20시간의 이론교육과 20시간의 실습시간으로 구성되며 이러한 제도는 의사와 간호사에게까지 확장되었다. 스웨덴에는 모든 형태의 재해에 직접 관여하는 스웨덴 재해의학협회(Swedish Association of Disaster Medicine, SADA)과 재해에 관여하는 요원들의 교육과 조직을 관장하는 CAMEDO로 구성되어 있다.

08 재해유형별과 재해와 관련된 질병

1 개요

재해 시 나타나는 환자의 손상은 재해의 유형에 따라 아래 표 8-1처럼 다르다. 재해 시 발생하는 환자에 대한 의료 자료는 향후 재해의료대책을 수립하는 과정에서 매우 중요하다.

① 1976년 과테말라에 지진이 발생했을 때 외국으로부터 100 t(톤)의 약품이 공급되었다. 그러나 이 중 90% 이상이 필요가 없거나 사용 기간이 지나서 사용하지 못하였다.

② 1988년 아르메니아의 지진 때, 적어도 5,000 t(톤)의 의료품이 지원되었으나, 지원물품 중 30%만이 쓰였다.

③ 병원에서도 재해의 양상에 따른 손상의 유형에 관한 정보가 충분히 입수되어야 한다.

㉠ 외상 팀을 중심으로 응급의료진을 확보하여야 할 것인지?

㉡ 내과 팀을 중심으로 응급의료진을 구성할 것인지?

㉢ 입수된 정보에 따라 팀 구성이 결정된다.

④ 병원(병실과 중환자실)에 대해서도 사전에 조정하고 표 8-1과 같이 자연재해의 단기적 손상 효과도 예상하여야 한다.

표 8-1. 재해에서 흔히 발생하는 손상 유형

	손상의 유형										
재해	손상	압전	두부 손상	척추 손상	골절	열상	화상	저체 온증	흡입 손상	익사	후유증
자연재해											
지진	○	○	○	○	○	○	○	○	○		○
화산	○						○		○		
선풍	○										
폭풍	○	○	○	○	○	○					
홍수								○		○	○

	손상의 유형										
재해	손상	압전	두부 손상	척추 손상	골절	열상	화상	저체 온증	흡입 손상	익사	후유증
인위재해											
자동차사고	○	○	○	○	○	○					
열차사고	○	○	○	○	○	○	○				
비행기사고	○	○	○	○	○	○	○		○		
선박사고								○	○	○	○
유해물질							○		○		
테러	○	○	○	○	○	○					

2 자연재해

1) 화산

화산이란 마그마(가스 거품, 융해된 휘발성물질 및 고체 크리스털을 다양하게 함유한 용해물)나 다른 물질이 지표로 분출하는 현상을 말한다. 과거 400년 동안 화산의 분출로 인하여 266,000명의 피해자가 발생하였다. 1902년 인도네시아의 크라카토아에서 36,000여 명 사망하였으며, 최근에는 콜롬비아의 네바다 델 루이스에서 28,000명 사망하였다. 화산지역에 거주하는 인구가 점차 증가함으로 화산에 의한 피해가 더욱 증가할 것으로 보인다.

(1) 유독가스와 화산쇄설류

화산폭발은 많은 양의 화산재를 분출하므로 이물질 흡인에 의한 질식환자가 발생한다.

① 고온의 증기에 의한 화상, 치명적인 유독가스의 분출에 의한 치명적인 손상을 유발한다.

㉠ 공기 중의 10%만 이산화탄소가 있어도 사람은 질식사할 수 있다.

㉡ 화산에서 많은 양의 이산화황을 만들기도 하는데 이산화황은 강한 냄새를 가지고 있고 질식사를 실킬 수 있는 독성의 기체이다.

② 마그마 분출에 의한 화산쇄설류(pyroclastic flow, 폭발구름과 용암유출의 혼합체로 가스와 용암의 작은 파편이 조밀하게 섞여 있는 것)의 급격한 흐름이 특히 치명적이다.

㉠ 매우 높은 온도의 가스와 화산쇄설류들이 1초에 수백 미터의 속도로 수백 제곱미터의 넓이에 퍼져 나가므로, 신속히 대피하기가 거의 불가능하다.

㉡ 고온의 진흙이나 라하(1ahar, 유동성 진흙의 집단)에 의해서 사망하는 피해자는 화산과 관련된 사망자의 10%를 차지한다.

- 진흙은 화산쇄설류와 물의 혼합물인데 고온에 의한 화상을 유발할 수 있다.

㉢ 1985년 콜롬비아의 네바다 델 루이스의 화산폭발시 1ahar에 의해서 22,000명이 사망하였다.

③ 화산폭발의 간접적인 영향은 깊은 분화구에 위치한 호수에 유독한 가스가 녹아드는 것이다.

㉠ 가스의 돌발적인 분출은 치명적인 손상을 초래할 수 있다.

㉡ 1984년과 1986년에 카메룬의 모노운 호수와 니오스호수에서 이산화탄소가 분출되어 1,800명의 피해자를 냈다.

④ 유독가스에 의해서 폐부종, 결막염, 관절통, 근육 쇠약, 피부의 물집 등을 유발할 수 있다.

㉠ 유독가스의 손상을 줄이기 위해서는 공기 중의 이산화황(sulfur dioxide), 유화수소(hydrogen sulfide), 불화수소산(hydrofluoric acid) 및 이산화탄소 등의 농도를 측정하여야 한다.

(2) 화산재

화산폭발은 종종 대단한 양의 화산재를 생성하여 문제가 되는데, 심하면 지붕에 싸인 화산재로 인하여 건물이 붕괴하기도 한다(그림 8-1).

① 화산재는 눈, 점막 및 호흡계에 자극을 주어 상기도의 자극, 기침 등을 유발하기도 한다.

② 만성 폐질환을 악화시키기도 한다.

③ 고농도의 화산재는 심각한 기도손상, 폐부종 및 기관지 폐쇄를 초래하여 급성 폐손상이나 질식에 의한 피해자를 발생시킨다.

㉠ 1980년에 발생한 성 헬렌 산(Mt. St Helens)의 화산폭발에서 23명이 사망을 하였는데, 부검결과에서 18명이 질식사한 것으로 밝혀졌다.

㉡ 질식사한 피해자들의 사망원인은 화산재와 점액이 마개를 형성하여 일차적으로 기도폐쇄를 초래하기 때문이다.

(3) 이류(진흙)

정상에 얼름과 눈이 많은 화산에서 쉽게 나타나는데, 중력에 의해 언덕 아래로 이동하는 유동성 진흙의 집단으로 라하(Lahar)라고도 한다. 이류는 많은 양의 얼음과 눈이 급하게 녹으면서 화산사면 아래로 빠른 속도로 흐르면서 통양과 화산재와 혼합하여 모든 것을 휩쓸어 버린다.

① 진흙 속에서 구출된 피해자들은 심각한 탈수, 화상 및 안질환이 발병한다.

② 화산 폭발할 때 진흙에 오염된 상처를 일차적 봉합하면 조직괴사, 골수염, 구획증후군(compartment syndrome), 패혈증 등의 심각한 합병증이 발생할 수 있다.

㉠ 상처를 입고 6시간이나 12시간이 경과 하였거나 오염되어 있으면 수상 후 3일 후에 봉합하는 것이 좋다.

㉡ 적절한 파상풍에 관한 처치도 병행하여야 한다.

그림 8-1. 화산 폭발에 따른 용암과 화산재

2) 홍수

재해로 인한 사망자 중에 홍수에 의한 사망자가 가장 많다. 자연재해 가운데 홍수가 **40-50% 가량**(가장 빈번하게 발생) **차지**하며 사망률도 이와 비슷하다.

① 급류에 의해 나무나 돌이 떠내려가면서 이로 인한 손상이 발생하기도 하지만, 가장 많은 사망원인은 익사이다(그림 8-2).

㉠ 저체온증 등에 의한 사망이 발생할 수도 있다.

㉡ 자동차 안에 갇힌 채 급류에 휩쓸려 사망하는 경우도 있다.

② 생존자 가운데 0.2%에서 2% 정도만이 집중적인 내과적 치료가 필요하다.

③ 대부분의 손상이 찰과상, 열상 및 궤양 등의 경증이다.

④ 홍수로 인한 열상은 작은 상처라도 감염증이 빈발할 수 있으므로 주의해야 한다.

⑤ 지역에 따라 특이 손상이 있을 수 있다.

㉠ 인도나 필리핀 같은 지역에서는 뱀에 의한 손상이 발생하기도 한다.

㉡ 급류에 의하여 휘발유 탱크가 파괴되어 기름막이 형성되고 넓은 지역에 화재가 발생하기도 한다.

공중보건학적인 측면에서 보면 가장 심각한 **문제**가 상수도와 하수시설의 파손이다. 또한, 피난처의 인구과밀에 의한 문제도 발생한다. 이러한 문제들이 **복합**되어 매우 독성이 높은 생물학적 혹은 화학적 독극물에 의한 손상이 발생할 수 있다.

① 야토병(tularemia), 렙토스피라증뿐만 아니라 장티푸스, 파라티푸스, A형 간염, 살모넬라, 이질균 및 대장균과 같은 수인성 전염병이 발생한다.

② 전염병 매개체들이 번성할 수 있는 조건이 형성되므로, 아보 바이러스(arbovirus), 말라리아 등이 발생하기도 한다.

㉠ 1973년 필리핀의 홍수 때는 임시 피난소의 인구과밀로 인하여 호흡기질환이 주로 발생하였다.

③ 재해 후에 전염병이 발생하기도 하지만 집단으로 예방접종을 하는 것에 대한 효과가 의문시 된다.

㉠ 집단접종은 오히려 접종된 곳의 공중보건을 경시하게 되어 안전에 관한 잘못된 믿음을 갖게 된다.

㉡ 홍수가 발생한 지역에서 장티푸스 접종을 하는 경우가 있으나, 장티푸스에 관한 항체가 형성되려면 몇 주가 소요되기 때문에 그 효과는 미약하다.

㉢ 파상풍에 관한 집단 접종도 그 효과가 증명되지 않았으므로, 접종 적응증에 부합되는 환자에게만 접종하여야 한다.

공인된 역학조사팀이 홍수피해 지역에서 전염병이 증가하는지를 감시하는 것이 올바른 접근방법이다. 특히 전염병이 자주 발생하는 지역에 관한 특별한 감시가 필요하다. 예를 들면 특별한 전염병을 옮기는 절족류의 수를 감시하여, 수가 절대적으로 증가하면 이에 대한 방역사업을 하여야 한다.

그림 8-2. 홍수에 따른 인명피해

3) 열대성 저기압(태풍)

열대성 저기압(cyclone, hurricanes, typhoons) 정의는 적어도 45.9 km/h(74mph)의 강도를 유지하고 열대성 비를 형성하는 회전성 폭풍이다. 멕시코만에서는 허리케인, 제주 남방 해역(동중국해) 방면에서는 타이훈, 인도양 방면에서는 사이클론이라 부른다.

태풍 중심부의 바로 가장자리가 가장 바람이 강해서 바람의 속도가 240km/h에 달하기도 한다. 강한 태풍은 홍수와 많은 비로 피해를 낸다. 그러나 홍수로 인한 피해는 많은 양의 비가 원인이 아니며, 강한 바람(폭풍 :storm surge) 때문에 발생하는 경우가 더 많다.

① 폭풍에 의한 피해는 주로 바닷가에서 발생하지만, 내륙에서도 종종 큰 피해가 발생한다.

② 태풍이 강한 바람을 동반하지만 바람 자체에 의한 피해보다는 강한 폭풍해일에 의한 사망과 손상이 주로 발생한다.

㉠ 사망원인의 90%가 익사이다.

③ 발생 초기에는 폭풍과 홍수에 의한 건물붕괴나 파편에 의한 손상이 발생한다. 후반기에는 재해를 복구하는 과정에서 감전과 같은 사고가 발생한다.

㉠ 기아, 탈수, 전염병 및 상처감염에 의한 질병이 발생한다.

④ 사망자의 대부분이 4세 이하의 어린이, 70세 이상의 노인과 여성이다.

⑤ 많은 생존자가 급류에 저항해서 나무 등을 잡고 있었기 때문에 가슴과 팔 및 넓적다리 안쪽에 찰과상이 발생하는 '태풍 증후군(cyclone syndrome)'이 나타난다.

일반적으로 태풍은 이차적인 홍수나 해일 등을 동반하지 않으면 비교적 적은 사망자를 나타낸다. 1974년 인구 45,000명의 다윈(호주)에서 발생한 태풍의 경우에서는 사망 51명, 입원 145명 및 110명의 심한 열상 환자가 발생하였다. 1977년 11월 인구 700,000명의 안드라 프라데쉬(인도)에서 태풍과 해일로 10,000명의 사망자와 골절환자 177명이 발생했다. 이 당시 외국의 지원팀이 수술팀까지 갖추고 현장에서 병원을 운영했으나 이러한 노력은 그다지 효과적이지 못했다. 태풍시의 손상은 파편에 의한 가벼운 열상환자가 대부분이다. 그러나 이러한 상처가 심각한 이차적인 감염을 초래할 위험이 있으므로, 모든 상처를 철저히 소독해야 한다. 홍수에 의한 재해와 마찬가지로 피난처에서의 공중보건도 매우 중요하다.

4) 회오리바람

회오리바람(선풍 : tornadoes)은 자연재해 가운데 가장 파괴적이고 치명적이다. 선풍은 깔때기꼴의 구름이 뇌운(thunder cloud)의 바닥으로부터 지상으로 향하는 모양을 나타내는 무서운 속도를 가진 소용돌이 바람이다. 바람 구름이 가운데의 빈 곳(공간) 주위를 돌면서 구심력을 형성해 부분적인 진공상태를 만든다. 강한 선풍은 넓이가 1km에 달하고 500km/h의 속도로 300km의 거리를 진행하는 경우도 있다.

회오리바람으로 인한 피해는 회전하는 강한 바람과 중심에 형성된 진공에 의해 발생한다. 이와 같은 현상으로 인하여 선풍이 건물을 통과할 때, 건물의 외벽은 비트는 힘을 받게 되고 건물 내부는 선풍의 중심부(tornado's eye)에 형성된 압력으로 인하여 폭발적인 힘을 받게 되어

건물은 완파된다. 이때 파괴된 건물의 파편으로 인하여 여러 손상을 당하게 된다.

① 회오리바람으로 인한 손상은 피해자의 4% 정도가 사망한다.

② 60세 이상의 연령층은 20세 이하의 연령보다 7배 이상 사망률이 높다.

㉠ 원인은 노인들이 대체로 홀로 거주하고 있고, 선풍에 대한 경고에도 신속히 대피할 수 없다.

㉡ 과거 질병이 많으며 물리적인 힘에 적응하는 힘이 약하기 때문이다.

③. 거주의 형태나 선풍이 불 당시의 위치가 손상에 중요한 요인으로 작용한다.

㉠ 고정식 집에 거주하는 사람보다 이동식 집에 거주하는 사람이 40배, 오토바이를 타고 가던 사람은 5배 정도 치명적인 손상을 당한다.

④ 두부손상이 가장 많은 사망원인이다. 다음으로 흉부와 몸체의 손상이다.

㉠ 치명적이지 않은 손상으로는 골절이 가장 많다.

㉡ 대부분 상처가 심하게 오염되어 있으며 이물질이 연부조직 내에 침투하여 있는 경우가 많다.

㉢ 상처의 오염이 수술 후에 발생하는 패혈증의 가장 많은 원인이다.

- 경증과 중증의 손상에서 모두 나타난다.
- 경증에서도 50-65% 정도 발생한다.
- 대부분의 원인균은 호기성 그람 음성 간균(aerobic gram negative bacilli)이다.
- 드물지만 가스 괴사(gas gangrene)도 나타난다.

5) 지진

지진은 모든 자연재난 중에서 **인명손실 및 재산 파괴가 가장** 심각한 재난이다. 지진은 지구의 표면을 이루고 있는 거대한 판이 접하고 있는 사이에서 내력이 갑자기 소실되어 발생한다. 과거 20년 동안 지진으로 인하여 백만 명이 목숨을 잃었다.

① 병원과 같은 의료시설에서도 치명적인 피해를 본다.

㉠ 원인으로는 절수 및 절전이 발생한다.

㉡ 생명유지에 필수적인 의료장비(인공신장기, 호흡기, 방사선 장비, 임상병리 장비)와 수술 기능을 상실할 수 있다.

② 외상은 주로 건물붕괴나 파편으로 인한 손상이 많다.

㉠ 건물이 붕괴한 후에 사망자 증가에 관여하는 요인(갇혀 있었는지 아닌지, 손상 정도, 의학적인 처치를 받을 때까지의 시간, 구조 때까지의 시간 등)이 있다.

③ 사망원인으로는 머리와 가슴 등의 압좌손상, 외부출혈이나 내출혈로 인한 합병증이다.

④ 지진으로 발생하는 해일에 의하여 사망자가 급증한다.

㉠ 질식, 저혈성 쇼크 및 저체온증에 의하여 수분 혹은 수 시간 내에 사망하기도 한다.

㉡ 탈수, 저체온증, 고체온증, 압좌증후군 및 패혈증으로 인하여 며칠 후에 사망하기도 한다.

대부분 자연재해에서와 마찬가지로 생존자들의 대부분은 수술을 필요로 하지 않는 가벼운 골절 등이 주로 발생되며 입원을 필요로 하는 경우가 많지 않다. 1988년 아르메니아의 지진 때에는 복합손상이 39.7%, 열상과 좌상과 같은 표재성 손상이 24.9%, 두부 손상 22%, 하지의 손상 19%, 압좌손상(crush syndrome) 11%, 팔의 손상이 10% 순으로 나타났다. 상처의 감염과 괴사가 아르메니아 지진 때의 가장 많은 합병증이었다.

① 건물더미에 수 시간 혹은 수일씩 깔렸던 환자들에게는 구획증후군(compartment syndrome)이 발병되어 절단이나 근막절개술을 받아야 한다.
   ㉠ 환자들에게는 심각한 횡문근변성(rhabdomyolysis)이 발생한다.
   ㉡ 저혈성 쇼크, 고칼륨혈증, 신부전증 및 부정맥 등 압좌증후군과 관련된 증상들이 발생할 수 있다.

② 먼지로 인하여 질식이나 상기도 폐쇄가 발병하기도 한다.

③ 먼지의 흡인으로 인하여 폐부종이 발생하기도 한다.

④ 석면이나 먼지 속에 포함된 여러 물질의 독성에 의하여 피해자나 응급구조사에게 아급성 또는 만성적인 폐질환이 유발될 수 있다.

⑤ 피해자의 사망률을 줄이기 위해서는 신속한 수색과 구조가 가장 중요하다.

표 8-2. 주요 자연재해의 단기적 손상효과

효과	지진	태풍	해일/급류 홍수	홍수(범람)
사망	많다	적다	많다	적다
심각한 손상; 적극적 치료 필요	매우 많다	보통	적다	적다
전염병	모든 재해에서 발생할 수 있다.			
식량난	드물다	드물다	빈번하다	빈번하다
주민 이동	드물다(도시에서는 가능)		빈번하다	빈번하다

3 인위적 재해

인위적 재해로 인하여 발생하는 환자는 내과적인 환자, 외과적인 환자 및 정신과적인 환자로 구분할 수 있다.

① 외과적인 손상은 물리적 충격에 의한 손상과 화상이 주로 발생한다.

② 내과적인 손상은 주로 유독물질의 흡입에 의한 폐손상 또는 흡수된 유독물질에 의한 전신증상이 발생한다.

㉠ 방사능에 의한 손상이 발생할 수 있다.

③ 재해 시에 입는 정신적인 충격 중에서는 즉각적인 정신과적 처치를 해야 하는 것들이 있다.

㉠ 간혹 어린이들이 겪는 정신적 충격은 심각한 양상을 보이기도 한다.

재해에 대한 전반적인 정보가 입수되면 발생되는 환자의 양상을 예측할 수 있어야 한다. 그러나 가장 정확한 정보는 환자들이 응급센터로 이송되어 정확한 평가를 시행해야 인지할 수 있다(표 8-3). 그러나 중환자실의 운영과 응급의료종사자의 재배치를 시행하는 데는 많은 시간이 소요되기 때문에, 재해대책의 수립과 시행은 초기의 정보만으로 조속히 결정되어야 한다(그림 8-3).

표 8-3. 재해의 유형에 따른 손상의 종류

재해의 유형	손상의 종류
건물붕괴	물리적 손상, 압좌손상
항공기	물리적 손상, 화상, 흡입손상
기차/버스	물리적 손상
원자력 발전소	방사능에 의한 손상
위험물질	화학물질에 의한 화상, 흡입손상, 전신증상
테러	사고유형에 따라 다르다.: 총상, 폭발손상, 관통상

1) 자동차 사고

교통의 사전적 의미는 사람이나 화물을 한 장소에서 다른 장소로 옮기는 행위를 말한다. 오랜 옛날에 사람들은 위험으로부터 부족이나 식량과 목숨을 지키기 위해 주변 환경조건을 이용하여 좀 더 신속하고 용이하게 짐을 나를 수 있는 기술을 고안해내기 시작했다. 이러한 인간의 노력의 결과로 오늘날 교통수단의 발전을 가져올 수 있게 되었다. 일반적 교통사고라 함은 교통사고처리특례법 제2조 제2항에서 규정하고 있는 개념을 의미하며 장소적 범위로는 도로교통법상 도로를 불문한다. 교통사고처리특례법상 형사책임의 기준이 된다.

자동차사고로 많은 생명이 목숨을 잃지만, 재해로 발전하는 경우는 매우 적다. 그러나 많은 환자가 동시에 발생하기도 하며, 화학물질을 운송하는 교통사고에는 심각한 재해가 발생하기도 한다.

① 1982년 아프가니스탄의 살랑 터널에서 발생한 석유(petroleum)탱크의 폭발 사고로 인하여 1000명이 사망하였으며, 주된 사망원인은 petroleum에 의한 일산화탄소 중독이었다.

② 국내에서는 2015년 인천공항고속도로 영종대교에서 105중 추돌 교통사고가 발생해 65명의 사상자가 발생했습니다. 이날 사고는 오전 9시 40분에 안개가 워낙 짙게 낀 상황이다 보니 앞에서 발생한 사고 사실을 모르는 차량들이 잇따라 앞차들을 들이받으면서 발생하였다.

2) 열차사고

열차사고로는 백만 명의 여행객 중 평균 0.05명이 사망하므로, 열차는 가장 안전한 운송수단이라고 할 수 있다. 그러나 일단 사고가 나면 쉽게 재해로 발전된다. 열차사고에서 특징은 다음과 같다.

① 좁은 터널이나 산악에서의 발생이 많아 구조가 늦어진다.

② 유해물질을 수송하는 경우가 많으므로 재해 규모가 심각하다는 것이다.

③ 손상의 정도는 사고의 유형에 따라 다르나, 주로 다발성 손상과 골절이다.

④ 화상이나 화학물질에 의한 손상이 발생하기도 한다. 그 외에 환경에 의한 저체온증이나 익사 또는 노광에 의한 손상이 발생하기도 한다.

3) 비행기사고

세계적으로 일 년에 60건 이상의 비행기사고가 발생하며 탑승자의 절반 이상이 사망한다. 대부분 사고가 착륙이나 이륙 시 공항에서 발생하며, 다발성 손상, 압좌 손상(crush injuries), 화상, 골절, 비행기 내의 플라스틱이 타면서 발생하는 유독가스로 인한 질식 등이 발생한다.

4) 선박사고

침수로 인한 익사, 저체온증 및 기름에 의한 오염 등이 주로 발생하며, 기아와 탈수 및 노광(exposure)등에 의한 손상이 발생할 수 있다.

영종대교 교통사고('2015)

구포역 기차 전복사고('1993)

허드슨강의 기적('2009)

세월호('2015)

그림 8-3. 인위적 재해 유형

Tip. 노광(exposure)

① 노출(露出), 폭로(暴露), 노광(露光). 속속들이 드러내는 것. 예컨대 외과적 노출(surgical exposure)
② 조사(照射), 피폭(被爆). 무엇인가를 받고 있는 상태. 예컨대 감염인(感染因), 유해한 효과를 줄 수도 있는 극단의 기후나 방사
③ 조사선량(照射線量). 방사선의학에 있어서는 조사되는 대상, 즉 신체표면에서의 전리방사선량

4 재해와 관련된 질병

대량환자가 발생 시 미숙한 요원이나 부족한 자원으로 인하여 환자의 응급처치가 잘못되는 경우가 발생된다. 이것은 재해라는 특수한 상황에 대하여 가능하면 효과적인 응급처치를 할 수 있도록 적응해야 하며 다양한 지식을 갖추어야 할 응급의료종사자가 책임져야 할 부분이다.

① 재해의 초기에 주로 발생하는 문제는 저혈성 쇼크, 의식손실, 기도의 문제, 저산소 혈증 및 호흡부전, 정신과적 질환 등이다.

② 재해의 후기에는 심한 근육의 손상 뒤에 주로 발생하는 전염병, 신부전, 상처의 감염, 패혈증 및 다발성 장기부전증 등의 문제가 발생한다.

㉠ 가능한 빨리, 병원의 정상적인 기능을 유지하기 위한 노력을 해야 한다.

③ 재난물품 보충 및 청소뿐만 아니라, 병원의 의료진 및 병원 전 응급구조사 등이 겪을 수 있는 스트레스도 관심을 기울여야 한다.

㉠ 특별히 구조를 담당했던 사람에게서 단시간 또는 장시간 후에 외상 후 스트레스 증후군 등이 발생할 수 있다.

㉡ 환자 치료에 관계했던 모든 사람을 대상으로 서로 대화 및 위로 등이 반드시 필요하다.

㉡ 1993년에 소개된 위기 상황 스트레스 관리(CISD : critical incident stress debriefing)가 의료진의 스트레스를 해소하는 데 도움을 준다.

- CISD는 전반적인 재해 반응에서 중요한 부분이다.
- 의료진의 즉각적인 감정 지지를 위해 사용해야 한다.
- 훌륭한 직무 수행 및 만족감, 그리고 더 나은 환자 진료 결과를 도출하는 것으로 나타났다.

④ 재해 기간의 병원 재해 계획의 미비점들의 철저한 기록, 검토 및 비평 과정이 필요하다.

㉠ 문제점들은 수정하기 위한 즉각적인 노력이 요구된다.

5 압좌증후군

장시간 파편이나 붕괴한 구조물 등에 깔려서 수 시간에서 며칠 동안 눌려 광범위한 근육의 손상을 초래하여 전신증상을 보이는 것을 압좌증후군(compartment syndrome)이라 한다. 구획증후군이 발생하면 절단수술이나 근막절개술을 해야 한다.

① 관련된 증상으로는 횡문근변성, 저혈당쇼크, 과칼륨증, 신부전, 부정맥 등이 나타났다.

② 깔려 있던 때나 구조 시에 안정적이던 환자는 구조완료 후 짧은 시간 내에 사망할 수 있다.

③ 생존하더라도 적절한 응급처치가 지연되어 급성신부전에 빠지는 경우가 많다.

㉠ 심장, 신장 및 대사에 문제가 발생하여 구조 당시 외견상으로는 양호하던 환자가 짧은 시간에 돌발적으로 사망한다.

㉡ 생존자도 치료가 지연되면 급성신부전에 빠지는 경우가 많다.

1) 진단

압좌 손상은 조기 치료가 중요하다. 따라서 구출되기 전에 진단되는 것이 이상적이다. 불행하게도 임상증상과 징후가 구출되기 전이나 구출된 직후에는 별다른 특징이 없다. 눌려 있을 때는 혈압 등 생체징후가 안정되어 있고 근육의 손상에 비교하여 피부의 변화가 심하지 않다. 근육부종도 눌려있던 압력이 해소되고 재관류가 이루어지기 전까지는 심하지 않다. 만약 장기간 사지의 일부가 무엇인가에 눌려 있었으면 눌려 있는 부위의 감각이 없어지고 환자가 아프지 않다고 한다. 손상 자체가 근육의 기능손실을 초래하여 감각의 손실을 주고 척추손상과 감별이 어려워진다. 근위부가 눌려있어도 심장에서 먼 쪽은 정상적으로 맥박이 느껴질 수 있고 피부의 색도 정상일 수 있다.

① 구출된 후 외견상 별다른 증상이 없음에도 환자가 심한 고통을 호소한다.

② 압박이 풀려난 후 환자의 소변에서 미오글로불린(myoglobulin)이 검출되기도 한다.

㉠ 때때로 미오글로불린 때문에 소변의 색이 짙은 적갈색으로 보이기도 한다.

㉡ 혈뇨와 감별이 필요하다.

③ 초기에 보일 수 있는 생화학적인 변화로는 고칼륨혈증(hyperkalemia), 크레아틴(creatine)의 상승, 과인산염혈증(hyperphosphatemia) 및 크레아티닌 카이나제(creatinine kinase)의 상승이 나타날 수 있다.

④ 심각한 정도의 출혈이 아닌데도 적혈구 용적(hematocrit)이 증가할 수 있으며 저칼슘혈증(hypocalcemia)도 자주 나타난다.

Tip. 압좌증후군(crush syndrome) 임상 증상

국소적 영향	① 근육에 대한 직접적인 압박과 동맥 압박 ⇒ 근육의 혈류량 감소 ⇒ 근육의 손상 ㉠ 상지(forearm)나 하지(lower leg)의 근육은 탄력이 적은 근막으로 쌓임 ㉡ 정상 시에는 근육과 동맥 사이에 적절한 압력 차이로 정상적인 혈류 유지 ㉢ 근육 압박 ⇒ 근육 내의 압력이 급상승하고 혈류량이 감소 ⇒ 저산소 혈증에 의한 손상으로 인해 세포사 됨 ⇒ 구획증후군(compartmental syndrome) ② 40 mmHg 이상 8시간 이상 지속되면 진단할 수 있음 ③ 압좌손상 시에 근육 내의 압력이 240 mmHg까지 상승 ⇒ 근육 내 세포 손상 ⇒ 세포의 부종 발생 ⇒ 60분 이후에 모세혈관 외로 누출(capillary leak) ⇒ 재관류로 인한 세포 내와 세포 밖의 압력이 동시에 높아져 손상 더욱 진행
전신적인 영향	① 파편 더미에 의한 압전 효과(tamponade effect)로 인해 압박을 받는 부위는 ⇒ 구조될 때까지 순환이 어렵고, 구조 당시에는 환자는 외견상 안전하게 보임 ② 구조가 되면서 동맥의 재관류와 압박을 받던 부위로부터 정맥유입이 일어나고 여러 병리학적인 현상이 진행되어 압좌 증후군의 전신증상이 일어남 ③ 즉각적인 처치가 이루어지지 않으면 급격히 증상이 악화되며 사망할 수 있음 ④ 가장 먼저 나타나는 위험한 증상 : 혈액량 감소(hypovolemia) - 관류장애 ㉠ 손상당한 부위에 많은 체액 저류 ⇒ 혈액농축(hemoconcentration)이 발생하고 쇼크 발생 ㉡ 다른 손상으로 인하여 출혈 발생 ⇒ 구조되기 전에 수액 처치가 늦어지면 더 많은 혈액 감소 ㉢ 젖산(lactic acid)과 같이 손상된 세포로부터 여러 물질 발생 ⇒ 혈관의 자기자동조절(autoregulation) 능력 파괴 ㉣ 칼륨(potassium)양의 상승과 갑작스러운 산혈증 발생 ⇒ 부정맥 발생 ⇒ 구출 후 얼마 안 되어 사망 ㉤ 과칼륨증(hyperkalelmia)과 그로 인한 심혈관계의 이상증상 ⇒ 즉각적인 처치 필요
신장의 영향	① 생존자들은 혈류량의 감소 ② 미오글로블린뇨증(myoglobuliuria)로 인하여 급성 신부전 가능성이 매우 높음 ③ 초기의 적절한 응급처치로 과뇨성(oliguric) 신부전 예방

2) 치료

압좌손상에 대한 적극적인 치료는 1984년 레바논에서 테러에 의한 폭발사고로 건물에 깔린 환자들의 구출 경험이 많은 Ron 등에 이루어지기 시작하였다.

치료과정은 다음과 같다.

1단계 : 많은 양의 등장성 수액처치 실시
(눌려 있을 때부터 또는 구출되는 즉시 시작하여 중환자실까지 지속)

↓

2단계 : 만니톨(Mannitol) 투여하여 소변량 300 ml/hr 이상 유지

↓

3단계 : 중탄산염(Sodium bicarbonate)이나 아세타졸라마이드(Acetazolamide) 투여
→ 소변 ph 6.5 이상 알칼리화

압좌손상의 응급처치는 다음과 같다.

① 미오글로불린 뇨증(myoglobulinuria)과 고칼륨혈증(hyperkalemia)이 해결될 때까지 계속 고용량의 수액 치료 및 소변의 알칼리화 치료가 되어야 한다.

㉠ 1988년 아르메니아의 지진 시에 조기에 이러한 고용량의 수액 요법과 소변의 알칼리화 처치가 이루어지지 않아 적어도 600명의 환자가 투석요법을 받아야 했다.

㉡ 압좌 증후군으로 인한 급성 신부전 환자들은 투석을 받았던 경우라도 비교적 예후는 나쁘지 않다.

② 손상된 근육의 감염 문제이다.

㉠ 과거에는 구획(compartment)증후군이 의심되면 즉시 근막절개술(fasciotomy)을 시행했다.
- 이로 인하여 괴사가 일어난 근육조직이 노출되어 감염이 많은 문제를 일으켰다.

㉡ 압력측정기(manometry)로 압력을 측정한다(필요 없는 근막절개를 하지 않는다).

㉢ 적시에 적절한 치료를 받으면 압좌손상을 받은 부위의 예후는 비교적 좋으며 기능 회복도 기대된다.

㉣ 상처의 치료를 세심히 하고 감염이 의심되는 경우 항생제를 적극적으로 투여한다.

③ 손상 부위를 심장 높이로 조절하여 혈류량이 줄지 않도록 한다.

④ 마스트(MAST)를 해서는 안 된다.

㉠ 중립위치로 부목 및 척추고정판을 이용하여 고정만 해주는 것이 좋다.

⑤ 깔린 환자가 다수일 경우에는 투석을 받아야 할 환자가 대량으로 발생하기 때문에 이에 대한 대비도 사전계획에 포함되어야 한다.

Tip. 압좌증후군에서의 저혈류량 발생 요인

① 혈관 이외의 장소의 혈류저장(Third spacing)
② 출혈(Distant hemorrhage)
③ 탈수(Dehydration)
④ 혈관 확장(Vasodilation)
⑤ 부적절한 소생술(Inadequate resuscitation)

6 정신과적 질환

1) 단계적인 정신적 반응

재해 후에는 신경정신과 질환자가 많이 발생한다. 대부분은 재해를 전후에는 가볍고 일시적인 증상으로 나타나는 자연적 현상에 불과하지만, 일부에서는 수개월씩 정신적 고통을 수반하는 경우가 있다. 재해를 전후한 정신적 반응은 표 8-4와 같다.

표 8-4. 재해단계에 따른 행동 변화

재해단계	정신과적 행동 양상
재해발생 직전	불안감과 재해를 부정하는 감정이 나타난다.
재해발생 시	75% : 일시적으로 어리둥절하고 당황해한다.
	12-75% : 침착하고 재해에 대비해 분주해진다.
	12-25% : 비정상적인 행동, 정신 혼란, 히스테리 등이 나타난다.
재해발생 직후	90% : 자신을 돌아보며 자신의 감정을 표현한다.
재해발생 후	슬픔, 우울증, PTSD, psychosomatic 증상들이 나타날 수 있다.

2) 재해 직후 나타나는 증상

재해 직후에는 피해자, 피해자 가족, 구조대원들에게서 여러 가지 정신적 증상이 나타나므로, 가능한 빠른 시간 내에 정신과적 상담과 조언이 이루어져야 한다. 자주 발현하는 증상은 표 8-5와 같다.

표 8-5. 재해 직후의 정신적 증상

증 상	발현 빈도(%)
재해가 재현되는 느낌	88
슬픔	83
피로감	57
악몽	52
죄의식	44

3) 외상 후 스트레스 장애

외상 후 스트레스 장애(post traumatic stress disorder : PTSD)는 생명을 위협하는 천재지변이나 재난이 발생했을 때, 그 자체가 정신과적 외상(psychic trauma)이 되어 이에 수반되는 다양한 정신적 증상을 보일 경우를 말한다.

① 자동차사고, 기차, 비행기 사고 등 교통수단에 의한 사고나 테러 및 폭동, 전쟁의 영향, 때로는 홍수, 폭풍, 지진 등의 자연재해로 인한 충격을 받은 후 발병할 수 있다.

② 최근에 산업의 발전으로 인한 산업재해의 증가로 의료계는 물론 법률, 산업 등의 각 분야에 적지 않은 문제를 제기하고 있다.

③ 외상 후 스트레스 장애는 어떤 연령층에서도 발생할 수 있다. 많이 발생하는 연령층은 활동하는 연령층이다.

Tip. 외상 후 스트레스 장애(Post Traumatic Stress Disorder : PTSD)

증상	① 위협적이던 사고에 대한 반복적 회상이나 악몽에 시달리고 일시적인 기억장애가 동반된다. ② 일상생활에 대한 집중곤란, 흥미 상실, 무관심하고 멍청한 태도를 보이면서 짜증, 놀람, 수면장애 등을 보인다. ③ 희생자가 있으면 혼자 살아남은 데에 대한 죄책감이 있다. ④ 사고경험과 비슷한 위험 상황을 회피하며 그런 자극으로 증세가 악화된다. ⑤ 불안, 우울 및 지나친 흥분이나 폭발적이거나 갑작스러운 충동적 행동을 보일 때도 있다. ⑥ 전쟁이나 산업재해로 인한 경우일 때는 2차적 이익에 대한 욕구가 강해 증상의 과장을 보이는 특색이 있다.
진단 및 감별진단	① 생명을 위협한 자극이 있고 난 뒤 수반되는 정신장애가 특징 ② 적응장애, 보상성 장애, 우울 및 불안장애, 기질적 정신장애 등과 감별진단 하여야 하는데 이런 장애와 동반되어 나타나는 경우가 많다.
경과 및 예후	① 급성 : 증세가 사건 발생 6개월 이내에 생겨서 6개월 이내에 회복 ② 만성 : 6개월 이상 지속될 때 ③ 예후 : 평상시의 가족관계, 경제적 사회환경 및 신체적 장애가 정신적 균형에 끼친 정도에 따라 예후는 일정치 않다.
치료	① 경증 : 발병 초기에 적절한 투약 및 단기 정신치료를 하여 조기에 업무에 임하도록 하는 것이 좋다. ② 심한 경우 : 입원하여 지지적 정신치료 및 사회복귀를 위한 재활치료를 시도한다. ㉠ 약물 : 삼환계 항우울제 : 우울증이나 공황장애가 있을 때 사용한다. - 아미트리프틸린(amitriptyline) - 이미프라민(imipramine) - 페넬진(phenelzine) ③ 정신치료 : 시간제한 정신치료가 바람직하다. ㉠ 치료할 때 주의할 점 : 보상 문제가 제기되어 있는지를 알아보아야 한다.

Tip. DSM-Ⅲ 진단기준 외상후 스트레스 장애

① 거의 모든 사람에게 심각한 고통의 증상을 일으킬 수 있는 인정될 만한 스트레스가 있다.

② 다음 중 최소한 하나로서 증명되는 외상의 재경험이 있다.

㉠ 사건에 대해 반복적이고 침범적인 환상

㉡ 사건에 대한 반복적인 꿈
㉢ 환경적 또는 상상적 자극과 연관되어, 외상적 사건이 재발되고 있는 것 같은 갑작스러운 활동이나 느낌

③ 외상이 있고 난 뒤 얼마 후 시작되는바, 외부 환경에 대한 반응이 마비되거나 외부환경에의 참여가 감퇴하는데, 이는 다음 중 최소 한가지로 나타난다.
㉠ 하나 또는 그 이상의 활동에 흥미가 현저히 감소
㉡ 타인과 멀어진 또는 생소한 느낌
㉢ 제한된 정동

④ 외상 전에는 없었던 다음 증상 중 최소 2가지
㉠ 과민성, 과장된 놀라는 반응
㉡ 수면장애
㉢ 다른 사람은 죽고 혼자 살았음에 대한 또는 살려고 행동한 것에 대한 죄책감
㉣ 기억장애 또는 주의집중 장애
㉤ 외상적 사건의 회상을 야기하는 활동의 기피
㉥ 외상적 사건을 상징적으로 나타내거나 그와 유사한 사건에 노출되어 증상 악화

⑤ 치료
㉠ 경증 : 투약 및 단기 정신치료를 하여 조기에 업무에 임하도록 한다.
㉡ 중증 : 입원하여 지지적 정신치료 및 사회복귀를 위한 재활치료를 시도한다.

7 감염병

재해발생 후에 많은 경우에는 생존자에게 각종 감염증이 발생하며, 특히 풍토병이 있는 지역에서는 풍토병이 급작스럽게 발병하기 시작한다. 재해에 의한 인적 피해와 물적 피해는 재해 시에 발생하지만, 감염증은 재해 발생 후 일정 시간이 흐르면서 발생하기 시작한다. 감염증은 재해 발생 후 4일부터 4주까지의 기간에 잘 발생하는데 주로 호흡기 감염증과 수인성 감염증이다.

1) 감염증 발생에 영향을 미치는 요소

감염증의 발생은 여러 가지 요소와 관련되어 있는데, 크게 5가지로 구분할 수 있다.

① 환경적 요인 : 재해가 발생한 지형적 특성, 지역의 기후와 계절에 따라 감염증 발생빈도와 양상이 다르다.
㉠ 추운 기후에서는 군중들이나 피해자들이 일정한 공간에 많이 군집하게 되므로 주로 호흡기 감염증이 많다.

㉡ 더운 기후에서는 수인성 전염병이 많이 발생한다.

㉢ 지형적 특성으로 인하여 재해 지역이 고립된 정도에 따라 전염병 발생률이 다르다.

② 풍토병 유무 : 재해 지역에 풍토병이 있었는지와 어떠한 풍토병이 있는지에 따라 감염증의 발생빈도가 다르다.

㉠ 일반적으로는 재해가 발생하면 풍토병이 급작스럽게 확산하는 양상을 나타낸다.

㉡ 재해 후에 흔히 발생하는 풍토병은 말라리아, 간염, 주혈흡충증(schistosomiasis), 상기도염, AIDS 등이다.

③ 주민의 특성 : 인구의 밀도와 연령별 인구분포도에 따라 전염병 발생률이 다르다.

㉠ 주민의 교육 정도와 위생 수준은 감염증 발생빈도와 큰 연관이 없다.

㉡ 재해 후에 바뀐 환경에 따라 감염증의 발생빈도가 변한다고 보고되고 있다.

④ 재해의 종류와 규모 : 재해의 종류에 따라 피해양상이 다르므로 감염증의 성격도 달라진다.

㉠ 지진은 붕괴사고보다 감염증 발생률이 높다.

㉡ 태풍에 의한 재해 시는 수인성 전염병이 자주 발생한다.

㉢ 재해 규모가 큰 경우에는 수도와 전기 등의 시설복구에 상당한 시간이 소요되므로 감염증 발생빈도가 증가하게 된다.

⑤ 이용자원 : 재해 후에 이용할 수 있는 의료물품과 의료시설의 보유량과 응급의료종사자나 보건인의 능력도가 중대한 요소로 작용한다.

㉠ 재해 시에 보급될 수 있는 식품과 의류, 임시 피난소의 규모에도 감염증 발생빈도가 관련된다.

2) 감염증의 양상

재해 후에 발생하는 감염증은 여러 가지 요인에 의하여 발생빈도와 양상이 다르며, 크게는 4가지로 구별할 수 있다. 특히, 생존자가 일정 지역에 밀집된 경우에는 호흡기질환, 간염, 소화기질환, 홍역 등이 자주 발생한다.

(1) 호흡기 감염증 : 바이러스성 혹은 박테리아성 호흡기질환, 결핵, 레지오넬라(legionella), 마이코플라즈마(mycoplasma), 수막염 등이 자주 발생한다.

(2) 수인성 전염병 : 콜레라, 이질 등이 자주 발생한다.

(3) 식중독 : 부패한 음식물 등에 의한 식중독 등의 감염증이 발생한다.

(4) 동물이나 곤충에 의한 감염증 : 말라리아, 광견병, 페스트 등이 증가한다.

(5) 기타 : 화상, 방사능, 유독물질, 열상 등에 의하여 면역기능이 저하되거나 피부가 손실되면 각종 질병의 발생빈도가 증가한다.

3) 감염증에 대비한 대책

재해 지역에 각종 감염증이 자주 발생하면 즉시 보건요원과 응급의료종사자를 최대로 투입하여 질병의 확산을 저지해야 한다. 우선 재해 지역의 위생 상태를 점검하고, 주거환경 개선, 위생적인 급수 및 급식 유지, 지속적인 방역 활동을 수행해야 한다. 그 외에 감염방지를 위해서는 다음의 순서에 따라 실시한다.

(1) 임상병리 검사

① 모근 검사가 가능한 인근 지역의 의료진이 세균학적 검사를 조기에 시행한다.
  ㉠ 감염증의 원인에 대한 분석을 시행하여야 한다.
② 기본적으로는 미생물 염색, 배양 및 감수성 검사를 시행한다.
  ㉠ 필요시에는 재해 현장에도 설치가 가능한 스트렙토자임 또는 로타자임 분석법 (Streptozyme or Rotazyme assay) 등을 이용하여 검사를 시행한다.

(2) 항생제 투여

① 경증환자인 경우에 일차적인 항생제는 경구로 투약한다.
② 중증의 환자에서는 근육 혹은 정맥으로 항생제를 투여한다.
  ㉠ 초기에 주로 이용되는 항생제로는 페니실린, 세파로스포린1세대, 트리메토프림, 설파메톡시종 등이다.

(3) 예방접종

① 재해 지역 주민 모두에게 감염증 발생을 억제하기 위한 예방접종은 효과가 거의 없는 것으로 보고되고 있다.
② 감염증 발생빈도가 높은 소아, 고령자 및 병약자에게는 헤모필루스 인플루엔자(hemophilus influenza), 폐렴(쌍)구균(pneumococcus), 인플루엔자바이러스(influenza virus)에 대한 예방접종은 필요한 것으로 보고되고 있다.

(4) 의무기록

① 임상적 증상, 감염치료와 예방접종 등에 대하여 기록하여 보관해야 한다.
  ㉠ 재해지역의 주민이 많은 경우에는 자원봉사자나 보건요원이 임상적 증상을 간단히 기술한다.
  ㉡ 응급의료종사자의 기록을 검토하여 감염증 발생에 대한 기초자료로 이용할 수 있다.
② 응급의료종사자가 아닌 자원봉사자가 작성하는 기록지에는 임상적 증상을 가능한 간단하고 특징적인 소견만을 기술하게 되는데, 분류는 표 8-6과 같다.

(5) 재해 팀원의 예방

① 재해 지역에서 활동하는 구조팀, 응급의료종사자를 자원봉사자들은 자신이 감염되지 않도록 주의해야 한다.

㉠ 자신의 질병이 생존자에게 전파되지 않도록 해야 한다.

㉡ 자신이 결핵이나 기타의 전염성 질환이 있는 경우에는 재해지역에서 근무하지 말아야 한다.

㉢ 상처나 혈액 등으로 전파되는 간염, AIDS 등에 대한 각별한 주의를 기울여야 한다.

② 풍토병이 있는 지역에서는 풍토병에 대한 예방접종이나 예방 약물을 복용해야 한다.

㉠ 말라리아, 콜레라, 수막염균혈증(meningococemia) 발생지역에서는 반드시 약물을 투여하도록 한다.

Tip. 파상풍

대부분의 재난지역에서 시행하는 예방접종은 파상풍이다. 실제적인 파상풍 위험은 외상재난의 충격기나 보건의료서비스가 미비한 복구기에 발생하기 때문에 예방접종 시 이러한 상황을 고려한다.

① 파상풍 예방접종의 흔한 부작용 : 국소부종 · 통증 · 발적으로 이상면역반응 환자이거나 5년 내 추가접종을 시행하는 경우에 발생

→ 아르투스 반응(arthus reaction)이라고 함

② 연조직염(cellulitis)으로 오인하여 항생제로 치료하는 경우에는 잘 낫지 않음

표 8-6. 비의료인이 작성한 증상별 의무기록

증상분류	특징
홍반을 동반하지 않은 발열증	홍반 없이 발열, 두통, 피로감이 나타나며, 소화기 증상은 동반되기도 하고 없기도 한 경우
황반을 동반한 발열증	국소적 혹은 전신적으로 홍반이 나타난 발열 증세
출혈성 발열증	발열증이 있으며, 발열 3-5일 후부터 피부나 점막에 출혈성 반점이나 황달이 나타난 경우
발열 및 림프샘 비대	국소적 혹은 전신적으로 림프샘이 비대해진 발열증
발열 및 신경학적 증상	의식장애, 경련, 마비증상 등이 동반한 발열증
발열 및 호흡기 증상	피로감, 기침, 호흡곤란, 흉통, 가래가 동반된 발열증
발열 및 소화기 증상	구토, 설사, 복통, 강직현상 등 동반된 발열증
발열 및 황달	초기 발열만 나타나다 황달이 나타나는 경우
발열이 없는 증상	발열을 동반하지 않는 임상적 증상

8 순환 및 호흡기계 손상

재해와 같은 응급상황에서는 환자 각각에 대한 조직적인 순환 지원이 필요하다. 응급소생에 관한 임상적인 순서도(algorithm)가 발달한 후 재해 시에 사용될 수 있는 더욱 간결하게 변형된 순서도가 발전하였다. 이러한 순서도의 원칙은 아래와 같고 화상 및 압좌 증후군과 같은 특수한 상황에서의 적절한 응급처치 순서도는 따로 마련되어야 한다.

① 초기의 수액 처치는 현장이나 수액 처치가 가능한 응급구조사로부터 시작되어야 한다.

② 적혈구 용적(hematocrit), 중심정맥압, 동맥혈 검사를 계속하면서 수액 처치를 하여야 한다.

9 기도손상

기도의 문제는 재해 시 흔히 발생하는 문제이다. 건물의 붕괴 시 발생하는 콘크리트, 벽돌에서 발생하는 먼지구름으로 인하여 심각한 문제들이 발생한다. 생존자들은 구조과정에서 발생하는 먼지들로 인하여 다시 먼지들에 노출된다. 그러므로 가능하면 신속히 기도를 보호하여야 한다.

① 젖은 옷, 단순한 먼지 마스크, 재호흡이 안 되는 산소마스크 등으로 보호한다.

② 화산재에 노출된 경우는 기도 내의 점액과 화산재와 마개(plug)를 형성하여 기도폐쇄가 초래될 수 있다.

③ 화상이나 유해물질에 의한 손상 시에는 상기도의 부종이나 성인호흡곤란증후군(adult respiratory distress syndrome) 등이 발생할 수 있다.

④ 기도손상 상황에서의 처치는 더 이상의 손상을 방지하고 가습산소의 공급하는 것이 중요하다.

⑤ 기도의 손상이 심각해지면 조기에 기도내삽관을 고려하여야 한다.

⑥ 적절한 호흡과 산소의 공급을 위하여 양압호흡, 가습산소(humidified oxygen) 및 호기말 양압(positive end-expiratory pressure, PEEP)환기 등이 가능하여야 한다.

⑦ 이동 가능한 산소포화도측정기(pulse oximetry), 호흡기, 흡입기 등의 여러 장비가 병원 전 치료와 응급센터서의 치료를 보다 쉽게 할 수 있다.

10 둔상

둔상(blunt trauma)을 입은 환자를 구출한 후에는 될 수 있으면 빨리 이송을 하여야 한다.

① 둔상 시 내부출혈이 있을 때는 현장에서 할 수 있는 것은 기도유지와 고정 정도이다.

② 갇힌 환자에서는 정맥로의 확보가 매우 유용하나 둔상만 입은 환자의 경우 현장에서의 정맥로 확보가 꼭 필요하지 않다.

③ 현장에서 줄 수 있는 수액은 1 ℓ에서 2 ℓ 정도이다.

④ 분당 100 ㎖ 이상 출혈이 되면 이 정도의 수액 처치로는 생명을 유지할 수 없다.

㉠ 둔상의 경우 기도확보와 고정은 현장에서 실시한다.

㉡ 정맥로 확보는 현장의 중증도 분류반과 병원의 중증도 분류반이 협조한다.

- 현장의 환자 수, 현장의 기구, 인근 병원의 능력 등을 고려하여 결정하여야 한다.

11 재해시 수액처치

일반적으로 응급상황에서 소생에 실패하는 원인 중 피할 수 있는 가장 많은 것은 결정적인 순간에 신속한 처치가 이루어지지 못하는 경우이다. 결과적으로는 적절한 처치가 이루어졌다 하더라도 이러한 처치가 적시에 적량으로 적절한 방법으로 이루어지지 않았을 경우에는 소생할 수 없다. 응급상황에서는 정확하게 검사를 하고 이를 바탕으로 처치를 할 여유가 없다. 신속성의 요구가 다른 많은 관심 상황들을 생각할 여유를 주지 않는다.

응급환자의 소생에 영향을 주는 요인은 다음과 같다.

일반적 소생에 영향주는 원인	① 일차적인 손상의 정도 ② 실혈량 ③ 손상 전의 건강상태 ④ 환자의 나이
직접적인 원인	① 동반된 내과 질환 ② 치료지연시간 ③ 처치된 수액의 양과 주입속도, 수액 종류 등

응급상황에 경험이 많은 능숙한 의사와 응급구조사들은 객관적인 방법으로 환자를 소생시

켜 나가는 데 큰 문제가 없으나 응급상황에 미숙한 의사나 간호사에 있어서는 문제가 될 수 있다. 따라서 순서도에 따라 처치를 하는 것이 중요한 처치를 신속하고 정확하게 시행할 수 있다. 이러한 순서도에 입각한 처치는 응급센터의 많은 경험에 기초한 개념과 정확한 결정을 내리는 데 기준과 논리를 제공한다.

응급처치와 소생에 관한 이론은 잘 알려져 있다. 그러나 중요한 문제는 이러한 이론이 실제상황에 어떻게 적용되느냐 하는 것이다. 상황에 따라 즉시 응급처치가 제공되어야 함은 물론 중요한 단계를 간과해서는 안 된다.

응급처치가 진행되는 과정은 특별히 정해진 기준과 우선순위에 따라 순서대로 시행하여야 한다. 이러한 순서도에 의해 처치를 하는 것이 치료의 지연을 방지하고 처치의 수준을 향상시킬 수 있으며, 모든 소생에 관한 처치를 간단하게 반사적으로 할 수 있다.

1) 평상시와 재해 시 수액처치의 차이

(1) 평상시의 순서도

평상시 수액처치는 그림 8-4과 같다. 평상시 가장 위급한 문제로는 기도확보이며, 가장 자주 발생되는 문제는 수액처치이다. 수액처치의 첫 판단기준은 평균동맥압이다(그림 8-4).

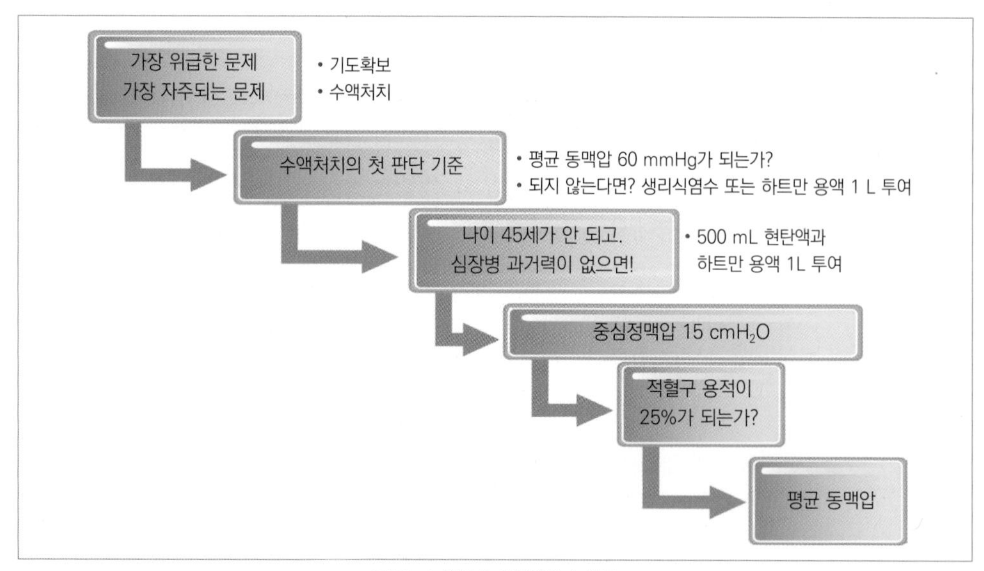

그림 8-4. 평상시 수액처치 순서도

기본적으로 평균동맥압 60 mmHg 이하가 수액처치 시작의 기준이며, 나이, 심장병의 과거력 및 적혈구 용적이 수액의 종류와 양을 결정하는 요소이다. 평균동맥압 상승으로 치료반응 여부를 판정하여 중심정맥압을 측정하여 수액처치의 상한을 정한다. 너무 과다한 수액의 주입을 피하고 되도록 빨리 부족한 양을 보충하여야 한다. 이를 단계별로 정리해보면 다음과 같다(그림 8-5).

1단계 : 중심정맥압 0 mmHg이거나 거의 0에 가깝게 되면? → 심정지 확인 → 심폐소생술 결정
중심정맥압 20mmHg 되지 않으면? → 심정지 대비

↓

2단계 : 평균동맥압 60 mmHg 미만? → 즉시 Ringer's lactate : RL 또는 5% 포도당과 D5RL 1,000 mL의 주입 시작
특히 50 mmHg 되지 않으면? → 신속하게 주입

↓

3단계 : 환자 나이 45세 되지 않고, 심질환 과거력 없으면? → 중심 정맥로 확보, 다시 1000 mL의 RL 주입
또한 다른 정맥로 통하여 500 mL의 plasma protein fraction (PPF) 또는 합성된 현탁액(colloid) 주입

↓

4단계 : 3가지 수액을 투여하면서 자주 중심정맥압 측정하여 15 cmH_2O가 넘지 않도록 함
만약 15 cmH_2O가 넘으면? → 바로 집중치료의 단계로 넘어 감

↓

5단계 : 적혈구 용적 25% 안 되면? → RH-O 혈액 또는 같은 혈액형 RH- 혈액 2단위 투여
교차시험(Crossmatch) 되면? → Hct가 33% 이상 유지될 때까지 전혈이나 적혈구 농축액 주입

↓

6단계 : 평균동맥압 60mmHg 이상의 평균동맥압 관찰되면? → 7단계

↓

7단계 : 평균동맥압 80 mmHg 되지 않으면? → 8단계(손상 전 환자의 평균동맥압 체크)

↓

8단계 : 평균동맥압 20 mg 되지 않으면? → 환자, 환자의 가족 또는 과거의 병원 기록을 토대로 건강하였을 때의 평균동맥압 체크, 평균동맥압 20 m 되지 않으면서 심박동 분당 80회 이상이면? → 기립성 혈압 체크

↓

9단계 : 3단계에서 심질환이 있는 경우? → 소금(salt)과 물을 제한하고 현탁액 주입
환자 나이 45세 이상이거나 심질환 과거력이 있으면? → 현탁액 500 mL 주입
환자 나이 45세 이하이고 심질환 과거력이 없으면? → 1,000 mL RL과 500 mL 현탁액 주입

↓

10단계 : 중심정맥압 15 cmH_2O 넘지 않으면? → 안심하고 수액 주입
필요하면 → 허파동맥쐐기압(pulmonary artery wedge pressure, PAWP)이 18 mmHg 될 때까지 주입

↓

11단계 : 중심정맥압 15cmH_2O 넘지 않으면 평균동맥압 80 mmHg 이상 되면? → 수액요법 목적 이룸
평균동맥압 80 mmHg 이상 되지 않으면? → 7단계부터 시행

※ 기립성(orthostatic) 혈압을 측정해서 앉은 자세와 선 자세에서의 평균동맥압의 차이가 10 mmHg 이상의 차이가 있으면 적어도 1000 mL 이상의 혈액이 부족한 것이다.

※ 평균동맥압이 정상치(80 mmHg)로 회복된 후 손상 전 환자의 평균동맥압이 정상이었는가 알아야 한다. 손상 전 환자의 혈압이 고혈압이었으면 7단계부터 다시 시행하여 손상 전 혈압의 80%까지 회복시켜 주어야 한다.

※ 환자가 중추신경계(central nervous system)가 저하되거나 약물중독, 약물오용 등이 있는지 확인한다.

※ 환자가 두부손상 및 다른 손상이 있는지 확인한다. 두부손상이 있으면 혼수 및 두부손상의 치료 계획에 따라 처치한다.

※ 평균 동맥압(mean arterial pressure)은 이완기압이 수축기압보다 2배 길게 지속되기 때문에 이들 합의 평균이 아니다.

Mean arterial BP(MAP)란, 한 번의 Cycle 동안 Time weighted 동맥압의 평균치

$$= \text{이완기압} + \frac{\text{수축기압} - \text{이완기압}}{3} = (SBP+2DBP)/3$$

= 혈액을 조직에 운반할 때의 평균압력

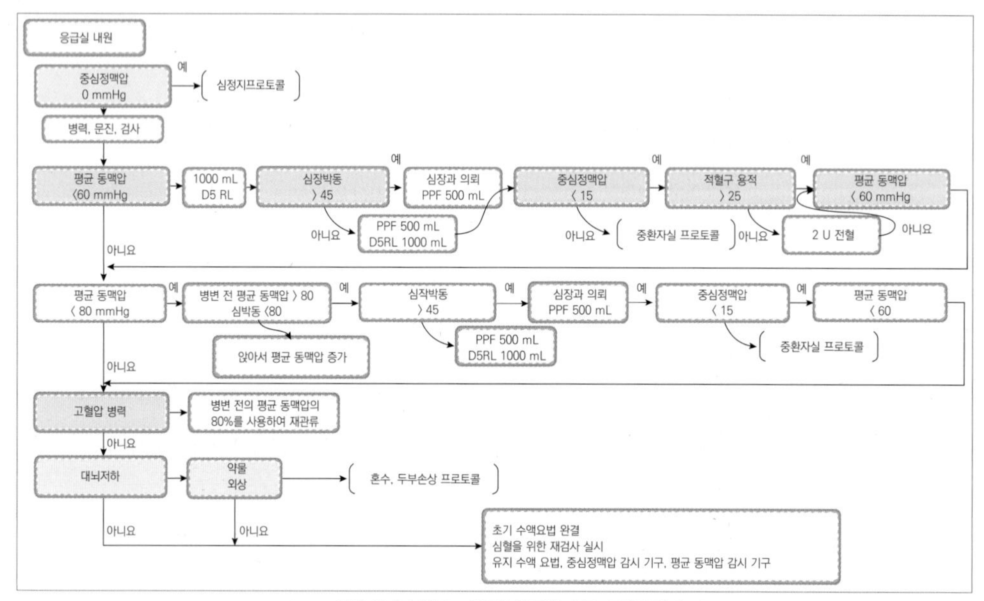

그림 8-5. 평상시 응급실로 내원한 응급환자를 수액처치 순서도

(2) 재해시의 순서도

(가) 재해 시에는 평상시의 수액처치와 다른 점은 다음과 같다.

① 수액 처치의 시작은 현장 또는 응급실 내에서 기도확보, 심폐소생술이 이루어지는 것과 동시에 이루어진다.

② 적혈구 용적, 중심정맥압 및 동맥혈검사가 이루어지는 곳이라는 점이다.

(나) 재해시 수액처치의 기본가정은 저혈류량으로 인한 순환부전이 있고 손상 환자에 있어서 가장 위급한 문제는 저산소증이다.

① '심장 또는 호흡이 멈추었느냐?'와 '호흡 문제가 상기도에서 발생했느냐?'를 판단한다.

② 저혈압을 수축기 혈압으로 판단하고 전해질 용액(crystalloid)과 현탁액으로 수액처치를 시작한다.

③ 심하지 않은 저혈압은 적혈구 용적, 중간정맥압, 동맥혈검사, 소변량 및 치료에 반응하는 평균동맥압으로 수액처치의 기준으로 삼는다. 중심정맥압을 측정하여 수액처치가 지나치지 않도록 하여야 한다.

이를 정리하면 다음과 같다(그림 8-6).

1단계 : 심정지 또는 호흡정지가 있으면? → 심폐소생술, 수액처치, 기도삽관 및 인공호흡

↓ 없음

2단계 : 상기도 폐쇄 및 호흡곤란이 있으면? → 코인두(nasopharynx) 내 이물질 제거, 기도삽관 및 인공호흡

↓ 그렇지 않으면

3단계 : 수축기 혈압 80 mmHg 안 되면? 1 L RL이나 생리식염수 주입

↓ 그렇지 않으면

4단계 : 환자의 나이 45세가 넘고 심질환의 기왕력 있으면? → 500 mL 현탁액 주입
그렇지 않으면? → 1 L RL 또는 생리식염수와 500 mL 현탁액 주입

↓

5단계 : 수축기 혈압 80 mmHg가 넘으면 6단계 진행
그렇지 않으면? → 3단계부터 처치, 2-3번 반복하여도 수축기 혈압이 반응 없으면? → 수술 고려

↓

6단계 : 수축기 혈압이 120 mmHg 안 되거나 평균동맥압 80 mmHg 안 되면? 1 L RL과 500 mL의 현탁액 주입

7단계 : 적혈구 용적 25% 안 되면? → 농축 적혈구용액이 25% 될 때까지 투여

8단계 : 중심정맥로 확보하고 중심정맥압 18 cmH_2O 넘으면? → 수액 투여를 줄이거나 멈춤
평균동맥압 80 mmHg 이상 유지되도록? → dopamine 또는 norepinephrine 같은 혈관수축제 투여

9단계 : 동맥혈 검사가 가능하면? → 시행하여 산혈증과 저산소증 교정

10단계 : 뇨관 삽관 → 시간당 배뇨량 측정, 30 mL 되지 않으면? → 수액요법 시작

11단계 : 평균동맥압이 회복되지 않으면? → 6단계에서 시작
평균동맥압이 회복되면? → 수액 유지, 임상적으로 다시 검사하고 이상 있으면 재반복없음

※현탁액 : 5% 알부민, 5% plasma protein solution, hydroxyethy starch(HES)

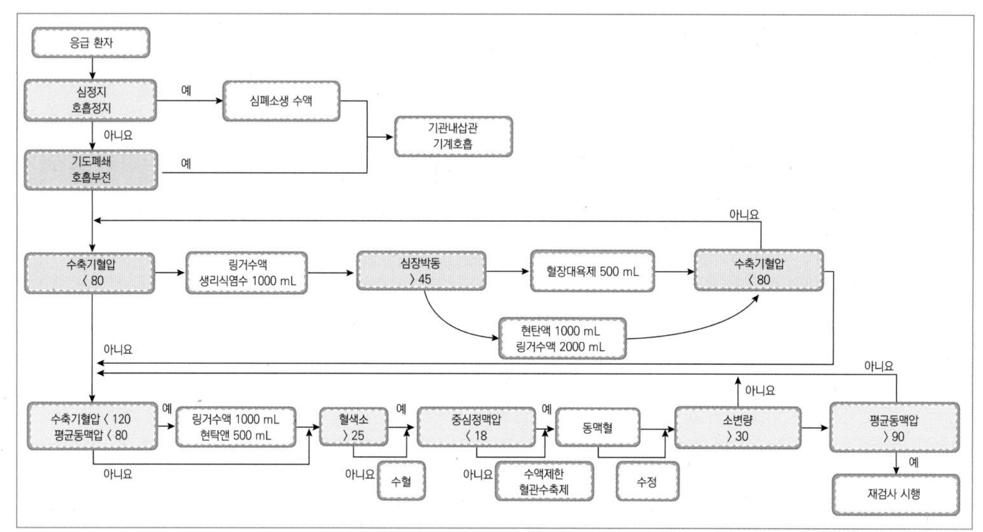

그림 8-6. 재해 시 수액처치 순서도

Tip. 수액제의 종류

① 식염수

㉠ 생리 식염수(NS, 0.9%) : isotonic or physiologic

- 150mEq의 Na+와 150mEq의 Cl-함유
- Volume loss의 경우 주로 사용
- 용액 중 포함된 Na^+는 체액과 비슷한 농도나, Cl^-은 고농도이므로, 다량 투여 시 고염소혈대사성산증(hyperchloremic metabolic acidosis) 유발 가능

㉡ 고농도 식염수(hypertonic saline. 3 or 5%)

- 주로 고나트륨혈증(hypernatremia)를 치료하기 위해 사용
- 너무 빨리 주입하면 폐부종이나 뇌 손상 발생

㉢ Half saline

② Ringer 용액 및 하트만 용액

㉠ Ringer 용액(triple chloride 용액)

- NaCl, KCL, CaCl2를 혼합하여 전해질 조성이 체액과 유사

㉡ 하트만 용액(lactated Ringer's solution, Hartman's solution)

- Ringer 용액 + lactate

㉢ 대부분 생리식염수와 치환되어 사용할 수 있고, 전해질 조성이 체액과 유사하여 흔히 사용되는 용액이며, metabolic acidosis 때 선호된다. 단, 심한 metabolic acidosis에서는 saline + NaHCO3 사용이 바람직함

③ 콜로이드성 용액

㉠ 예 : 전혈, 혈장 packed RBC, 알부민, Dextran, HES(hydroxyethyl starch)

ⓛ 주입 후 대부분 혈관 내에 존재 - 혈관 내 용적 증가에 아주 효과적

ⓒ 주로 shock 등이 있을 때 사용

1) 단점

- 과민 반응 발생 위험
- 혈관 내 용적이 지나치게 증가되면 폐부종 발생 위험

1) Albumin 용액 : 5%, 20%

- 간질환, 신장 질환 등으로 혈중 albumin 농도가 현저히 감소되어 유효 혈관내 용적의 감소가 심한 경우 사용
- 용액 100 mL 중에는 약 16mEq의 Na+이 포함되어 있으므로 다량을 사용하는 경우 유의
- Albumin은 부종 치료에 효과적이지 않은 경우가 더 많고, 예후에도 영향을 미치지 않으며, 주로 비필수 아미노산으로 구성되어 있으므로 영양제라고 할 수는 없음

2) Dextran : 고분자의 탄수화물로 Dextran 70, Dextran 40등이 있음

- 출혈, 화상 등에 의한 shock에서 혈관 내 용적 증가에 유용
- 부작용 - 과민반응, 다량 사용 시 혈소판 기능 저하

3) Mannitol : 삼투성 이뇨제로 주로 사용됨

- 신혈류의 증가 - 사구체 여과율 증가 - 다량의 이뇨 발생
- ARF의 예방/치료에 유용
- 전신 부종이 일반 이뇨제에 듣지 않는 경우 초기 이뇨 촉진
- 안압, 두개내압이 높은 경우에도 치료제로 사용
- 부작용 : 다량 사용 시 잉여수(water excess), 용적 과다 발생

위험물/테러

PART 04

09 위험물 사고 관리

1 개요

교통사고, 항공기 사고, 화재 등으로 발생되는 환자는 물리적 충격에 의한 손상, 화상 및 총상 등이 많으므로, 비교적 일반 의료인에게도 경험이 많은 손상들이다. 그러나 위험물질에 의한 재해는 일반 응급의료종사자에게 친숙하지 않은 손상들을 유발하며, 위험물질에 의한 손상에 대하여는 의학적인 논의가 활발하지 못하였다. 위험물질은 독특한 형태의 폐손상이나 전신적인 손상을 유발할 뿐만 아니라 부식성의 물질들은 화상을 유발하기도 한다.

위험물질(hazardous materials)은 소방관계자들에 의해 관습적으로 유독성(toxic), 가연성, 폭발성, 부식성, 또는 방사능 물질로 구분되고, 고체, 기체, 액체 등 다양한 상태로 존재하고 피부 자극, 화상, 중독, 부식, 질식이 유발할 수 있다. 한때는 유해물질을 소방관계자들만 위험물질에 의한 사고에 관계하였기 때문에 '위험물질'이라는 용어를 사용해 왔다. 최근에는 응급의료체계와 함께하는 응급의료종사자들이 관여하기 시작하면서 '화학적으로 오염된 환자'이나 '유독 화학물질에 노출된 환자' 등의 용어가 사용되기 시작하였다. 그러나 아직도 '위험물질에 노출된 환자'라는 용어를 가장 많이 사용하고 있다. 위험물질은 1 L부터 많게는 35,000 L까지 적재할 수 있는 탱크에 담겨져 운반된다(그림 9-1). 이러한 위험물질들은 운반 도중 각종 사고에 의해 유출될 수 있다. 특히 열차운반은 종종 여러 종류의 위험물질을 동시에 운반하는데, 열차사고 시에는 이러한 위험물질이 서로 화학반응을 일으킬 수 있어 화재를 유발하거나 유해물질을 생성하기도 한다. 응급의료체계의 발전과 더불어 응급의료종사자가 '위험물질에 노출된 환자'를 처치하기 시작하면서 오염된 옷과 피부를 현장에서부터 오염제거(decontamination)하는 것이 중요한 개념으로 발전되었다.

그림 9 -1. 트럭에 부착된 위험물 경고판(위험물)은 유해물질을 현장 대원에게 직접적으로 알리는 신호이다.

Tip. 유해물질이란?

처리, 저장, 제조, 가공, 포장, 사용, 처분, 운송 과정 동안 적절하게 통제되지 않을 경우, 작업자, 응급 의료종사자 인력, 시민 등의 건강 및 안전에 위험한 상황을 일으킬 수 있는 물질이다.

2 사고현장에서의 응급구조사 역할

유해물질 사고는 응급구조사로서 처할 수 있는 가장 힘든 상황 중 하나이다.

① 유해물질 사고 현장에서 관여 될 수 있는 물질은 다음과 같다.

㉠ 부식성 화학물질, 화학성 질식제, 살충제, 폐 자극제, 탄화수소 용매, 방사능 폐기물 등이다.

② 유해물질에 대한 노출은 소수의 희생자에 그칠 수도 있지만, 대량 살상의 참극을 빚게 될 수도 있다.

③ 소규모의 유해물질 사고라도 항상 여러 응급의료에 관할 기관이 관여하기에 다음과 같은 훈련을 실시하여야 한다.

㉠ 유해물질 사고 대처방법

㉡ 현장출동이 필요한 기관과 연락 방법

지금까지 응급구조사는 유해물질 사고에 대한 대응을 할 때 차단과 같은 방어적 기능이나 진압과 같은 공격적인 기능을 하지 않았다. 하지만 응급구조사는 여전히 유해물질 사고대응 체계의 중요한 일부이다. 응급구조사는 유해물질 사고발생 시 다양한 임무를 수행한다.

현장 대응 전문가로서 현장평가, 독성학적 위험요소 평가, 사후 대응에 필수적인 사고지휘체계(ICS)의 활성화를 하고 소독 방법의 평가, 유해물질 감염환자의 치료 및 이송, 사고 현장에 진입한 유해물질 제거반에 대한 의료적 모니터링을 할 수 있다. 이러한 임무로 출동지령을 받을 수 있다.

Tip. 용어 정의

① 사고지휘체계(Incident Command System, ICS)

㉠ 사건의 목적에 알맞은 효율적인 수행을 위한 일반 조직구조 내의 이용 시설, 장비, 인사, 통신 등의 조화(=사고관리체계, Incident Management System, IMS)

㉡ 재난이나 대량환자사고(MCI)의 처리를 수행하기 위해 재정, 조달, 작전, 계획 등의 책임자를 지정하고 최고 사고책임자(IC)에 대해 보고토록 하는 시스템

② 대량상해사고(Multiple Casualty incident, MCI)

㉠ 정상적으로 신고받은 상황보다 아프거나 다친 희생자의 수가 더 많은 상황. 이런 상황에서 환자 사정, 처치와 이송의 방법으로 변경되며 변경의 정도는 환자의 수와 지역 응급처치지침에 따라 달라질 수 있다.

㉡ MCI 여러 명의 부상자가 발생되는 재난상황. 사상자의 규모 및 한정된 지역자원을 통한 극복 능력의 범위에 따라 보건 의학적 측면에서 사상자 5-15명 범위의 의료적 응급(mass casualty incident, MCI) 혹은 다중사고, 16-50명 범위의 주요 의료적 응급(mass casualty disaster, MCD) 혹은 대형재난, 의료적 재난(50명 이상의 재난) 혹은 위기적 재난(catastropic casualty disaster: CCD)으로 구분할 수 있다. = 대량재해사고, 대량환자발생사고, 대량부상자발생사고.

③ 대량환자사고(Mass-Casualty incident, MCI)

㉠ 큰 규모의 응급의료 장비와 자원을 필요로 하고, 이용 가능한 자원을 압도하는 대형 긴급상황

④ 대량살상무기(Weapon of Mass Destruction, WMD)

㉠ 많은 인명을 살생, 살상하거나 재난 및 시회기반(교량, 터널, 공항, 항구 등)을 파괴할 목적으로 만들어진 것, 대량살생물기(Weapon of Mass Casualty, WMC)라고도 한다.

1) 표준과 규제

국가기관은 유해물질 응급상황의 대응에 대한 규제와 표준을 마련하고, 이 중에서 **가장 중요한** 위험물 폐기 및 **긴급상황대응 표준**은 사고지휘체계, 개인보호구, 안전관리관, 특수훈련 등을 구체적인 대응 절차를 제시하고 있다.

2) 훈련의 단계

유해물질 대응 인력은 단계별 훈련을 제시하고 있다. 단계별 훈련으로는 1단계, 인식 단계

와 2단계, 기본적인 훈련 단계인 응급의료 단계(1단계, 2단계)로 구분된다. 이를 통해 감염된 환자에 대한 치료를 시작하고, 소독 세척 작업이 끝나고도 환자의 응급처치를 지속할 수 있다. 훈련의 단계는 유해물질 사고대응체계 속에서 수행해야 하는 역할에 따라 결정된다.

① 인식 단계(Awareness Level) : 도착한 사고 현장에서 유해물질을 발견한 최초 반응자에게 적용된다.

㉠ 유해물질 사고의 발견, 유해물질 기본 탐지법, 유해물질 사고로부터 개인보호 훈련을 한다.

㉡ 모든 응급의료 인력(경찰대원, 소방대원)은 인식 단계 훈련을 받아야 한다.

② 응급의료 단계

㉠ 1단계 훈련(작업 단계)

- 2차 감염을 겪지 않고 Cold zone에 있는 환자를 치료하는 응급의료 인력에게 필수 훈련이다.
- 위해평가, 환자평가, 기존 감염환자 치료를 중점으로 다루는 훈련한다.

㉡ 2단계 훈련(기술자 단계)

- 2차 감염 위험을 보이는 환자를 치료하는 응급의료 인력에게 필수적인 교육과정이다.
- 개인보호, 소독 절차, 감염에 노출/노출 시작된 환자의 치료를 중점적으로 다루는 훈련이다.

3 현장평가

응급구조사는 종종 부정확하고 불완전한 정보를 받고 현장으로 출동하게 된다. 현장도착한 후 위험물 현장평가는 매우 어렵고 위험할 수 있다. 사건의 각 단계 동안 추가 사건은 빠르게 결정되는 경향이 있다. 응급구조사 등 현장 활동하는 대원들은 사건 관리 체계(IMS)의 사용에 능숙해야 하고, 일반적으로 위험물사고를 다루는 다른 기관과 합동 훈련이 규칙적으로 필요하다.

1) 사고지휘체계(ICS)와 위험물 초기 대응

위험물 사고에 대한 우선순위는 생명안전, 현장안전, 재산보호이다. 응급구조사는 위험물 사고에 특별히 대비해야 할 사항이 아래와 같다.

① 오염된 지역으로부터 즉시 환자를 대피시켜야 할 것이다.
② 현장에 도착하자마자 오염된 환자를 만날 수 있다.
③ 당면의 과제로 초기 위험물 작업 수행하는 중에 위험물 노출을 피해야 한다.
④ 위험물 운영의 초기단계에 현장안전을 위협해서는 안 된다.
　㉠ 위협된다면 응급구조사가 감염된 환자가 되는 위험에 빠질 수 있다.
⑤ 우선순위를 정하는 데 있어 위험물이 개방형인지, 폐쇄형인지를 빨리 결정해야 한다.
　㉠ "더 많은 환자가 발생할 가능성이 있는가?"를 판단하여야 한다.
⑥ 필요 물자를 요청하는 방법 및 계획 방법 그리고 대원들을 배치하는 방법을 결정해야 한다.
　㉠ 결정을 내릴 때에는 어떤 위험물은 효과가 늦게 나타난다는 것을 알고 있어야 한다.
⑦ 환자 분류는 계속 진행한다.
　㉠ 환자 상태가 빠르게 변할 수 있기 때문이다.
⑧ 현장을 관리할 때 특별한 상태가 있는지를 고려한다.
⑨ 현장 도착하여 응급물자를 비치하기에 가장 좋은 장소는 오르막과 바람을 등진 쪽이다.
　㉠ 지하수, 증기밀도가 높은 가스, 흐르는 물, 증기로부터 오염되는 것을 막는데 도움이 된다.

위험물 사건에서 기본 사건관리체계(IMS)는 사건 초기에 다음과 같은 사항을 결정한다.
① 지휘소, 계획구역, 오염제거 제한 통로를 필요성을 결정한다.
② 사건에 따라 지휘자(통솔자)는 불필요하게 오염에 노출되지 않게 치료구역과 대원 계획 구역 등으로 나눌 것을 결정한다.
③ 작전 구역에 대한 지원계획을 결정한다.
　㉠ 바람의 방향이 갑자기 바뀌어, 유독가스가 응급구조사가 대기하고 있는 작전 구역으로 불어올 경우를 대비 계획을 한다.

2) 사건인지

유해물질 사고 대응에 있어서 가장 중요한 부분 중 하나는 위험물질의 존재를 알아차리는 것이다. 주거지, 농촌, 시내, 고속도로 등 모든 응급상황 현장에서 위험물질의 위험성이 있다. 이러한 위험성을 무시해서는 안 된다. 현장 접근할 때에는 언제나 위험물질에 대한 가능성을 열어 두고, 현장 활동을 해야 한다. 위해물질이 의심되는 경우에는 먼 거리에서 쌍안경을 이용하여 현장을 평가한다(그림 9-2).

그림 9-2. 위험 요소를 간과하지 않는다. 잠재적 위험이 있는 상황일 경우, 안전거리를 확보하고 먼 거리에서 쌍안경을 이용하여 의심스러운 저장 탱크와 같은 위험 장소를 살핀다.

Tip. 클로라민 가스(Chloramine gas)

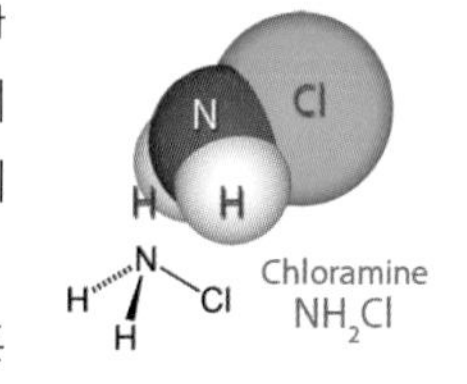

대부분에 가정의 주방이나 세탁실에는 암모니아와 액상 표백제(물, 가성 소다 및 염소)가 비치되어있다. 표백제는 하얀색 옷 같은 의류 세탁과 주방 용품 세정 등에 많이 사용되고, 암모니아는 타일, 유리 및 보석 등의 세정 및 얼룩 제거에도 효과적이다.

세정력과 살균력 등의 효과를 높이기 위해서 표백제와 암모니아(NH3)를 혼합하여 사용하면 인체에 심각한 문제가 발생할 수 있다. 이 두 물질이 혼합될 경우에 클로라민 가스(Chloramine gas)[1]가 발생할 수 있다.

클로라민 가스는 암모니아가 물 속에서 염소와 반응하면 생성되는 물질로, 상수도내 세균 등 미생물을 제거하기 위해 첨가하는 물질이고, 포름알데히드처럼 인체가 모든 화학물질에 더욱 민감하게 반응하도록 만들 수 있다.

클로라민 가스가 습기가 있는 눈, 피부, 코, 기도 등 신체에 접촉하게 되면 물 분자와 결합하여 염산과 산성 물질을 생성하는데, 이 물질들이 인체 내부의 세포를 자극하여 두통, 기침, 따끔거림 및 눈물 등 다양한 증상을 나타내고, 심한 경우에는 호흡곤란과 숨참 등이 오랫동안 지속될 수 있다. 증상이 나타나면 실외에서 신선한 공기를 호흡하고, 기관지 확장제나 병원에서 산소를 이용한 치료를 하는 것이 좋다.

Tip. 가정에서 사용 중인 케로신 히터나 막힌 굴뚝에 일산화탄소가 가득 차 있을 수 있다.

1) 클로라민은 인체가 모든 화학물질에 더욱 민감하게 반응하도록 하는 촉매 역할을 한다. 클로라민은 두통, 기침, 눈물, 호흡곤란 및 숨참 등의 증상을 동반한다.

(1) 교통사고

자동차, 트럭, 열차 등의 교통사고 현장에서는 위험 물질에 대한 의심 지수를 높여야 한다(그림 5-3). 일반 차량, 살충제 운송 차량, 유조선 트럭, 트랙터, 대체 연료로 구동되는 차량이 관여된 충돌 현장에 출동할 때는 항상 위험물질에 대한 경계심을 가져야 한다. 유해물질 경고판을 보지 못했다고 위험 물질이 없다고 단정 지어서는 안 된다. 예를 들면, 병원과 연구실의 경우, 위해 물질 표시가 따로 없는 차량을 통해 합법적으로 방사성 동위원소을 자주 운송된다. 사고현장에서 응급구조사는 차량의 뒷좌석에 방사능 물질 라벨이 붙은 용기를 발견할 수도 있다.

열차 사고는 두 가지 이유에서 특별한 주의를 요한다.

① 다량의 유해물질을 운송할 수 있다.

㉠ 가장 규모가 큰 유조선 트럭은 약 50,000 L의 용량을 운반할 수 있는데 반해 열차 탱크 차량은 최대 130,000 L을 운송할 수 있다.

② 여러 개의 탱크로리 차량이 화물 열차에 묶여서 운송되는 경우도 있다.

㉠ 탱크로리가 사고로 인해 폭발할 경우 사고의 정도가 더욱 심각해질 수 있다.

㉡ 열차는 고정된 선로로 이동하기 때문에 열차사고 발생할 경우 대응 방안을 미리 수립할 수 있다.

Tip. 위험구역 설정

① 화재에 의해 폭발 위험성이 있는 위험물인 경우 위험구역은 물질의 속성에 따라 결정한다.

② 초기 대응팀은 안전거리에서 쌍안경을 활용하여 트럭에 부착된 위험 경고판(플래카드)을 확인한다.

㉠ 응급 상황별 대응 지침서를 참고

㉡ 사고지휘체계 지휘소 설치

③ 컨테이너에서 위험물이 유출되는 경우 건강상의 문제뿐만 아니라 화재의 위험성이 있다.

④ 화학물이 유출되는 경우 구급차는 바람을 등진방향(안은) 방향으로 정차해야 한다.

⑤ 유해물질이 확인될 경우 119구급상황관리센터나 화학물질 수송 비상대응센터를 통해 전문가 자문을 얻는다.

(2) 고정시설(고정설비)

유해물질 사고는 위험 물질이 생산되거나 저장되는 고정 시설에서 발생할 수 있다. 화학공장과 모든 제조 공정에서는 제품 혹은 폐기물 운송을 위해 탱크, 저장소, 파이프라인을 사용한다. 유해물질의 위험이 잠재된 추가 고정 시설은 창고, 철물점, 농업 용품 판매점, 폐수처리장, 하역장 등을 포함한다. 교외 지역에서 근무를 하는 응급구조사는 농장이나 목장(저장고, 곳간, 비닐하우스 등)에서 위험 물질을 발견할 수 있는 장소를 염두 해야 한다.

특히 도시 지역의 경우, 많은 지역에서 고정된 파이프라인이 있다는 점을 기억하고 이러한 파이프라인은 지진과 같은 자연 재해, 공사, 지상에 노출된 경우에는 교통사고에 의해 파괴될 수도 있다. 송유관이나 가스관의 파열 혹은 누출은 화재 폭발과 연계될 경우 큰 재난으로 확대될 수 있다.

5) 테러 행위(폭력주의)

불행히도 유해물질 사고의 새로운 유형으로 테러 행위가 급부상하고 있다. 테러리스트는 정부 관련 표적물 혹은 주요 핵심 시설에 대한 공격을 위해 생화학 무기나 핵무기 등 다양한 무기를 사용한다. 이러한 **대량 살상 무기**는 흔하게 발견할 수 있는 단순한 물질로도 만들 수 있다. 테러를 일으키는 범인은 국내·외 모두에서 나타날 수 있다.

테러 행위의 가장 무서운 점은 언제 어디서 사고가 터질지 모른다는 것이다. 하지만 테러리스트는 보통정부나 산업 활동이나 현장의 사람 수에 따라 표적물을 설정한다. 테러의 표적이 될 수 있는 대상은 공공건물, 다국적 본부, 쇼핑몰, 사업장, 경기장, 교통 중심지, 종교 행사장과 같은 집회장 등을 포함한다. 이러한 장소는 모두 현지의 대량 사상자 혹은 재난 대비책에 고려되어야 한다.

테러 행위가 의심될 때는 실마리가 되는 단서를 샅샅이 살펴본다. 지하철이나 사무실과 같은 폐쇄된 환경에 갇힌 환자는 만약 대량 살상용 생화학 무기에 노출이 된 경우 유사한 증상을 보일 것이다. 폭발 사고가 있는 경우, 2차 폭발이 있을 수도 있다는 점을 기억한다. 응급구조사 자신이 테러 공격의 희생이 되지 않도록 최대한 예방 조치를 취한다. 테러가 의심되는 현장에 효과적으로 대응할 수 있도록 사고 관리 체계와 모든 특수 기관과 협응력을 최대한 높인다.

Tip. 테러 공격의 잠재적 대상

① 공공건물 ② 다국적 본부 ③ 쇼핑몰
④ 사업장 ⑤ 집회장

Tip. 테러 이야기

테러(terror)란? 원래 라틴어 "terrier" 에서 기원하여 공포, 공포조성, 커다란 공포 혹은 죽음의 심리적 상태를 의미하며, 이는 곧 떠는, 떨게 하는 상태, 그리고 '죽음을 야기하는 행위나 속성'을 뜻하는 것이다.
테러리즘이란? 주권국가 혹은 특정 단체가 정치, 사회, 종교, 민족주의적인 목표달성을 위해 조직적이고 지속적인 폭력의 사용 혹은 폭력의 사용에 대한 협박으로 광범위한 공포분위기를 조성함으로써 특정 개인, 단체, 공동체 사회, 그리고 정부의 인식변화와 정책의 변화를 유도하는 상징적, 심리적 폭력행위의 총칭이다.

① 1969년 12월 11일 고정 간첩 조영희
강릉발 서울행 대한항공 소속 YS-11기가 승객 47명을 태우고 대관령 상공을 비행하던 중 고정 간첩 조영희에 의해 북한으로 납치됨. 북한은 최초 자진 월북이라고 사실을 날조했으나, 국제사회의 비난 여론이 비등해지자 사건 발생 65일만인 1970년 2월 14일에 탑승자 51명 중 12명을 제외한 39명만을 판문점을 통해 송환함. 납치범 조영희를 제외한 억류자 11명과 기체는 아무런 이유 없이 현재까지 억류중임

② 2001년 9월 11일 미국 뉴욕 세계무역쎈터
오전8시45분에 미국 뉴욕 세계무역쎈타 건물(높이3백96 m) 건물에 항공기 테러로 사망자 5,097명의 사상자 발생

3) 위험인식

유해물질을 시각적으로 탐지하기 위해 두 가지 간단한 체계가 개발되었다. 미교통부는 운송 중인 위해 물질을 확인하기 위해 경고판 사용을 실시했고, 미국 방화 협회는 고정 시설을 위한 체계를 개발했다.

(1) 유해물질 경고판(플래카드) 분류

유해물질 경고판의 부착은 많은 차량에 법적으로 강요되지만, 경고판이 없다고 해서 유해물질의 위험이 없는 것이 아니다. 관련 규제는 유해물질의 유형과 운송중인 유해물질의 양에 의해 결정된다. 유해물질 경고판은 다이아몬드 형이기 때문에 쉽게 식별이 가능하다(그림 9-3). 각 경고판은 색상코드와 위험 등급 번호를 통해 유해물질을 분류한다.

그림 9-3. 유해물질을 운송하는 차량은 물질의 속성을 나타내는 경고판을 반드시 부착해야 한다.

유해물질을 운송차량은 운송 물품의 속성을 나타내는 경고판을 반드시 부착해야 하고(그림 9-4), 이러한 경고판에 이미 익숙하다고 하더라도, 주기적으로 경고판 기호, 색상 코드, 유해 등급 번호를 숙지하여 유해물질을 효과적으로 파악할 수 있도록 해야 한다.

폭발성, 자기반응성, 유기과산화물	인화성, 발화성, 물 반응성, 자기반응성, 자기발화성	독성물질 (피부, 호흡기, 입 등)
분류번호 : GHS01	분류번호 : GHS02	분류번호 : GHS03
호흡기과민성, 발암성, 생식세포변이원성, 생식독성, 특정 표적장기 생식독성, 흡인 유해성	수생환경유해성	산화성물질
분류번호 : GHS04	분류번호 : GHS05	분류번호 : GHS06
고압가스 (압축가스, 액화가스, 냉동액화가스, 용해가스 등)	금속 부식성, 피부 부식성, 눈 손상성 물질	경고
분류번호 : GHS07	분류번호 : GHS08	분류번호 : GHS09

그림 9-4. 모든 포장물, 저장 컨테이너, 유해물질 운반 차량을 위해 지정된 라벨과 경고판 샘플

일부 경고판은 (실제 화학물에 지정된 4자리 숫자인) UN 번호로 적혀있다. UN 번호에 따른 유해물질 분류는 표 9-1를 참고한다. 경고판은 번호나 색상뿐만 아니라 여러 가지 기호를 통해 유해물질의 유형을 분류한다. 또한 경고판의 모양은 번호와 색상과 함께 사용하여 유해물질의 특수한 속성을 쉽게 파악할 수 있다(그림 9-5).

표 9-1. 유해물질 등급과 경고판 색상

<table>
<tr><th>유해물질</th><th>등급 유해물질</th><th colspan="2">유형 색상 코드</th></tr>
<tr><td>1</td><td>폭발성(화학류)</td><td>오렌지</td><td rowspan="9">Tip. 경고판 의미

- 불꽃 모양 : 가연성
- 화염구 모양 : 산화제
- 프로펠러 모양 : 방사능 물질
- 해골과 사선으로 엇갈린 뼈 모양 : 독극물 의미
- ₩ : 물에 반응

Tip. 경고판의 모양

- 빨간색 바탕에 숫자 2와 불꽃 모양이 있는 경고판→ 염화성 가스를 운송 중</td></tr>
<tr><td>2</td><td>가스류</td><td>적색 또는 녹색</td></tr>
<tr><td>3</td><td>인화성 액체</td><td>적색</td></tr>
<tr><td>4</td><td>가연성 물질(고체)</td><td>적색과 백색</td></tr>
<tr><td>5</td><td>산화성물질/
유기과산화물</td><td>황색</td></tr>
<tr><td>6</td><td>독성/전염성물질</td><td>백색</td></tr>
<tr><td>7</td><td>방사능 물질</td><td>흑색과 백색</td></tr>
<tr><td>8</td><td>부식성 물질</td><td>흑색과 백색</td></tr>
<tr><td>9</td><td>기타 위험 물질/제품
및 환경유해성 물질</td><td>흑색과 백색</td></tr>
</table>

경험이 늘어날수록 응급구조사는 경고판 기호에 익숙해진다. 하지만 경고판의 한계점도 염두 해야 한다. 일부 물질은 운송량에 상관없이 경고판 표시를 해야 하지만, 다른 유형의 유해물질은 다량으로 운송할 경우에만 경고판을 부착해야 한다. 그렇기 때문에 트럭이 실제로는 유해물질을 운송 중이지만 운송량이 경고판 표시를 할 수준에 이르지 못하지 때문에 경고판 부착을 하지 않는 경우도 있다. "위험" 경고판은 총 450-2,300 ㎏에 달하는 두 개 이상의 위험 물질이 운송 중이라는 것을 의미한다. 하지만 일반 경고판은 유해물질의 위험성에 대해 아무런 정보를 제공하지 않는다. 또한 운전자가 경고판 부착을 깜빡하거나 잘못 붙이는 오류도 배제할 수 없다. 이 경우, 위험한 유해물질 사고에 대한 즉각적인 경고를 찾아볼 수 없다.

(2) 독성 등급

독성 등급(toxicity levels)은 물질에 포함되어 있는 건강 요소, 즉 사람이 물질에 닿았을 때 피해를 줄 수 있는 건강 요소를 측정하는 것이다. 독성레벨은 총 5단계인 0, 1, 2, 3, 4 로 숫자가 높을수록 독성이 강하다. 대부분의 구급차에 레벨 0보다 높은 유해물질을 다루는데 필요한 특별 개인보호장비를 갖추고 있을 가능성은 희박하다.

① level 0 : 사람과 접촉 시 아주 적은 피해를 주는 것을 말한다. 유일하게 특별 보호장비가 필요 없는 수준이다.

② level 1 : 접촉 시 자극을 줄 수는 있지만 처치가 없이도 경미한 후유증을 주는 수준을 말한다.

③ level 2 : 즉각적인 치료를 받지 않는 한 일시적인 피해나 후유증을 주게 되는 단계이다. 레벨 1과 2 모두 유해성이 적게 판단되지만 이 수준의 환자와 접촉 시에는 자급식 공기

호흡기(SCBA)를 사용할 필요가 있다. 이에 따라 응급구조사는 유해물질 사고 현장에서 SCBA를 쓰는 방법을 교육받아야 한다.

④ level 3 : 건강에 굉장히 해로운 물질들을 포함한다. 이런 물질과의 접촉 시에는 완전히 보호구를 갖추어 피부표면이 노출되지 않도록 한다.

⑤ level 4 : 독성이 너무 강해 최소한의 접촉 시에도 사망에 이를 수 있는 것을 말한다. 레벨 4의 물질을 다룰 때에는 특정 위험방지를 위해 만들어진 특별보호구를 착용해야 한다.

표 9-2. 유해물질 독성 등급

level	레벨 건강에 해로운 점	필요한 보호구
0	위험성이 적거나 해롭지 않다	불필요
1	위험성 적음	SCBA(레벨 C 복장)만 요구
2	위험성 적음	SCBA(레벨 C 복장)만 요구
3	위험성 큼	피부 노출이 없는 완전한 보호구(레벨 A나 B 복장)가 요구
4	최소 노출로 사망할 수 있음	특별 보호구(레벨 A 복장) 요구

(3) NFPA 704 체계

미국화재예방협회(National Fire Protection Association, NFPA)에서 발표한 규격의 일종으로 응급상황에서 위험 물질에 대해 신속한 대응을 하기 위해 만들어진 소위 "fire diamond"로 표현하고 있다. 이 규격은 응급상황 발생시, 필요하다면 어떤 장비가 요구되는지, 어떤 처리 절차가 필요한지, 어떠한 대책을 취해야 할지 도움을 준다. NFPA 704 체계는 고정 시설에서 사용되는 유해물질을 구분한다. NFPA 704 체계는 탱크나 저장소에 부착되는 다이아몬드 문양을 사용하고 네 가지 구획과 색상 코드로 구분된다(그림 9-4).

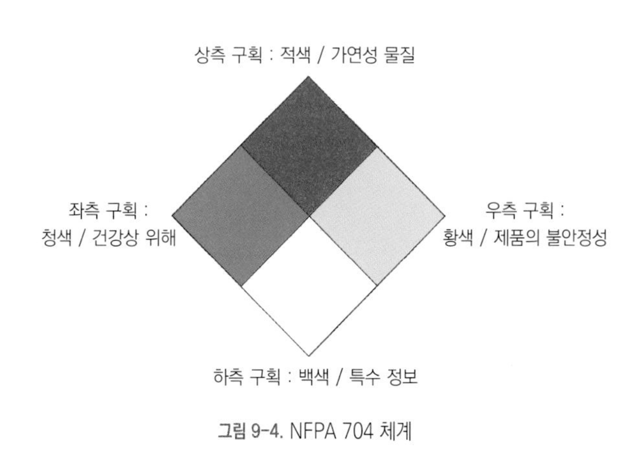

그림 9-4. NFPA 704 체계

① NFPA 704 체계에서 구획별 유해 정보 :물에 대한 반응성, 산화성, 질식제

② 염화성, 건강상 위해, 반응성 : 0-4점으로 측정

(0점 : 위해하지 않음, 4점 : 매우 위해 의미)

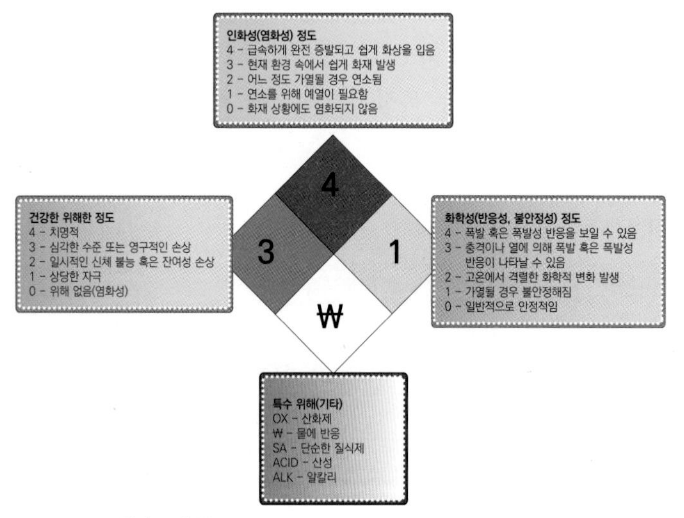

그림 9-5. NFPA 704 위해 물질 분류(응급 대응시 위해 물질의 확인을 위한 체계, 탱크에 부착된 NFPA 704 라벨)

Tip. 색정보/기타

청색 : 건강 관련 정보

4: 매우 짧은 신체적 노출로도 사망 혹은 심각한 부상 야기(예 : 시안화수소)

3: 매우 짧은 신체적 노출로도 일시적 혹은 만성적 부상 야기(예 : 기체상태의염소)

2: 만성적 접촉이 아닌 지속적/일반적 접촉으로 일시적 장애 혹은 부상 유발(예 : 클로로포름)

1: 노출시 경미한 부상을 유발(예 : 송진/테레빈유)

0: 건강상 위협이 되지 않으며, 특별한 주의가 필요하지 않음(예 : 리놀린)

적색 : 인화성

4: 평상적인 대기 환경에서도 즉시 혹은 완전히 증발하거나, 공기중에 확산되어 불타게 됨. 인화점 섭씨 23도 아래인 물질(예 : 프로판가스)

3: 일반적인 대기환경에서 연소할 수 있는 액체/고체류, 인화점 23도 이상 38도 이하인 물질(예 : 가솔린)

2: 발화가 일어나려면 상대적으로 더운 환경에 위치하거나 지속적으로 가열되어야 함. 인화점 섭씨 38도 이상 93도 이하인 물질(예 : 경유)

1: 충분히 가열되었을 경우 바로 인하함. 인화점 섭씨 93도 이상인 물질(예 : 콩기름)

0: 타지 않음(예 : 물)

황색 – 불안정성/반응성

4: 일반적인 대기 환경(기온/기압)에서도 폭발할 수 있는 물질(예 : 니트로글리세린, RDX)

3: 반응에 직접적인 원인이 필요하거나, 충분히 가열되었거나, 큰 충격을 받으면 폭발하는 물질. 혹은 물과의 반응성이 높은 물질(예 : 불소)

2: 기온/기압 상승시 화학적 변화를 수반할 수 있고, 물과 쉽게 반응하거나, 물과 혼합시 폭발할 가능성이 있는 물질(예 : 나트륨)

1: 일반적으로 안정적이나, 기온/기압 상승시 불안정해질 수 있는 물질(예 : 아세틸렌)

0: 화기에 노출되어도 일반적으로 안정적이며, 물과 반응하지 않는 물질(예 : 헬륨)

백색 – 기타

\: 물과 반응할 수 있으며, 반응시 심각한 위험을 수반할 수 있음(예 : 세슘, 나트륨)

OX or OXY : 산화제(예 : 질산 암모늄)

COR : 부식성, 강한 산성/염기성(예 : 수산화나트륨)

- ACID: 산성 - ALK: 염기성

BIO : 생물학적 위험(예 : 천연두 바이러스)

POI : 독성(예 : 뱀독)

방사능 표시 : 방사능 물질(예 : 우라늄, 플루토늄)

CRY or CRYO : 극저온 물질

4) 위해 물질의 확인

응급구조사가 발생한 사고에 위해물질이 관여했다는 판단을 된다면 위해물질을 확인해야 한다.

① 해당 물질이 무엇인지를 확인해야 한다.

㉠ 위해 물질 사고 대응에 있어서 가장 어렵고도 중요한 작업이다.

② 현장에서 얻은 수 있는 정보는 불충하거나 새로운 정보가 기존의 정보와 상충되는 경우가 많다.

㉠ 위해물질의 확인에 도움이 될 수 있는 자원을 잘 알고 효과적으로 사용할 수 있어야 한다.

③ 선부른 판단을 피하기 위해 2개 이상의 참고 자료를 활용한다.

④ 해당 위해물질에 대한 자료를 찾지 않고 선부른 조치를 취할 경우 실수를 하고 부적절한 환자 치료를 제공하게 될 수 있다.

(1) 현장대응 지침서

실제 화학물이 지정된 네 자리 번호인 UN 번호가 있을 것이다. 일부 경고판은 UN 번호 뿐만 아니라 위해분류 정보도 포함되어 있다. 특정 물질을 확인하기 위해 응급구조사는 유해물질 비상대응 지침서를 볼 필요가 있다(그림 9-6). 지침서를 활용방법으로는 다음과 같다.

① 위험물 차량의 형태나 표식 또는 관계자의 송장 등에서 UN번호(노랑), 영문물질명(청색), 한글물질명(갈색)을 확인한다.

② 확인된 해당 물질명(영문, 한글)이나 UN번호, CAS번호의 지침 번호를 찾아 주황색부분에서 대응방법을 확인한다.

㉠ UN No (United Nations Number) : 국제 연합 '경제사회이사회'하의 위험물수송전문가 위원회에서 설정된 권고 중에서 정해진 위험물질마다 지정된 4자리 숫자의 고유번호를 말한다.

㉡ CAS (CAS Registry Number) : 미국 화학학회(American Chemical Society)에서 부여하는 화학구조나 조성이 확정된 화학물질에 부여된 고유번호이다.

③ 유해물질목록이 음영으로 표시되어 있으면 녹색부분을 찾아 초기 이격거리와 방호활동거리를 확인한다.

④ 물질 미확인시 지침번호 111번을 활용한다.

유해물질 비상대응 지침서는 모든 응급 차량에 비치되어야 하고, 경고판, UN 번호, 화학물 이름과 함께 천 개의 유해물질이 정리되어 있다. 유해물질 비상대응 지침서는 자주 수정이 되고 응급의료 인력은 누구나 지침서의 최신판을 쉽게 구할 수 있어야 한다. 지침서의 최신 수정 사항은 환경부(화학물질안전원 등) 관련 웹페이지에서 확인할 수 있다.

우리나라의 비상대응 가이드북(2020 Emergency Response Guidebook)은 노란색, 파란색, 갈색, 보라색 부분은 각각 물질의 UN 번호, 영문이름, 한글이름, CAS 번호로부터 지침번호를 찾기 위한 색인란에 불과하며 실제 초동대응자가 참고하여야 할 대응지침(guide)은 오렌지색과 녹색 부분에 있다. ①-④은 물질별 지침번호 찾기이고, ⑤-⑥은 지침번호(또는 UN번호)별 대응요령에 대한 설명이다. 그리고 오렌지색 부분에는 지침번호에 해당하는 물질의 잠재적 위험성과 이에 대한 공공안전대책 및 비상대응요령이 수록되어 있다 녹색 부분에는 인체에 유해한 가스(또는 이를 발생시키는 물질)에 관한 대응 안전거리(초기격리거리, 보호조치거리) 및 해당 유해가스 정보가 수록되어 있다(그림 9-6).

① 노란색 페이지 : UN 번호 ⇒ 지침번호
② 파란색 페이지 : 영문물질명 ⇒ 지침번호
③ 갈색 페이지 : 한글물질명 ⇒ 지침번호
④ 보라색 페이지 : CAS 번호 ⇒ 지침번호
⑤ 오렌지색 페이지 : 지침번호 ⇒ 대응 지침
⑥ 녹색 페이지 : UN 번호 ⇒ 안전 거리

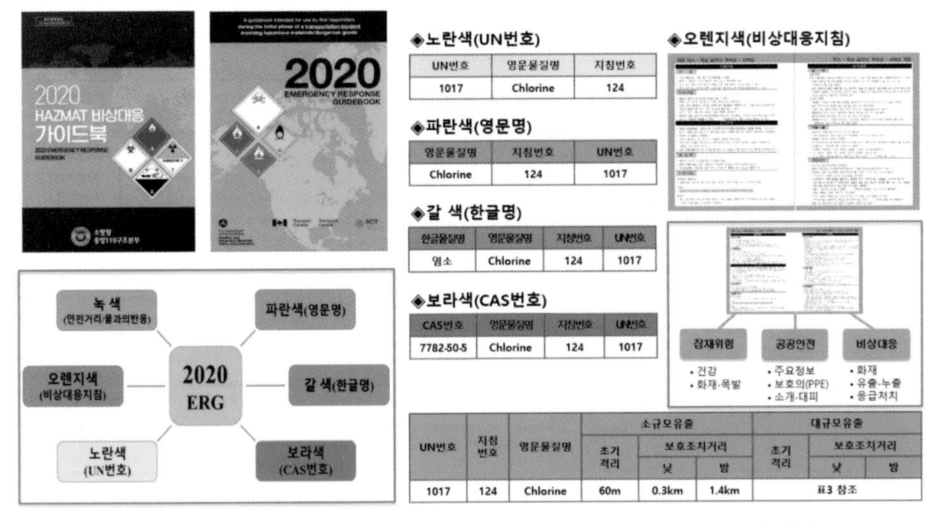

그림 9-6. 비상대응 지침서(구성)는 응급차량에 유해물질 비상대응 지침서의 사본이 비치되어 있어야 한다.

유해물질 비상대응지침서 사용법은 아래 그림과 같다.

① 무작정 사고현장으로 뛰어 들어 가지 말라

② 바람이 불어오는 방향, 언덕, 또는 물의 상류 쪽으로 부터 현장에 접근한다.

③ 유출물, 증기, 연기 및 의심 물질과 거리를 유지하고 가까이 다가가지 말라.

④ 경고 : 사고에 관련된 위험물질/위험화물이 하나 이상인 경우 비상대응기관 전화번호로 즉시 연락한다(그림 9-7, 9-8).

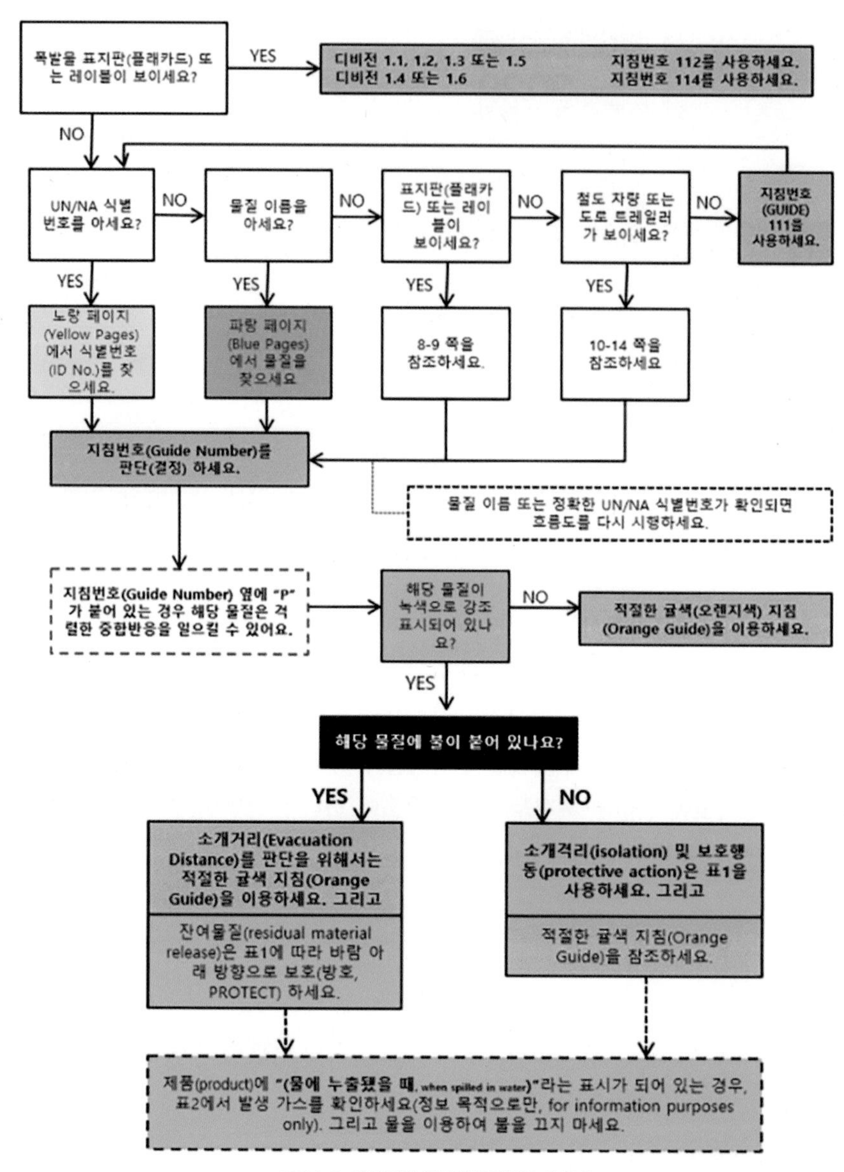

그림 9-7. 유해물질 비상대응지침서 사용법

지역 비상 연락처(전화번호)

(사고발생)지역으로부터 지원을 받기 위해서는 이 페이지에 비상 전화번호를 기입하세요:

위험물 계약자(HAZMAT CONTRACTORS)

____

____

____

____

____

철도회사/운송회사

____

____

____

____

____

연방/주/지방 기관(agencies)

____

____

____

____

____

그 밖

____

____

____

____

그림 9-8. 지역 비상 연락처

유해물질 비상대응 지침서를 사용할 때는 두 가지 제한점을 염두 한다.

① 지침서는 실제 치료를 위한 기본적인 정보만을 제공한다.

㉠ 지침서는 응급의료 인력에 대한 지원 요청을 권고할 수도 있지만, 해당 권고사항이 응급의료 인력에게 큰 도움이 되지 않을 수 있다.

② 동일한 UN 번호를 지닌 화학물이 하나 이상인 경우가 많다.

㉠ UN 1203은 내연기관용 연료 또는 휘발유 또는 페트롤이 될 수 있다(그림 9-9).

㉡ 서로 너무 다른 물질이기 때문에 다른 방법을 사용해야 한다.

IMDG 상세정보					
유엔번호	1203			개정번호	40
정식운송품명 (국문)	내연기관용 연료 또는 휘발유 또는 페트롤				
정식운송품명 (영문)	MOTOR SPIRIT or GASOLINE or PETROL				
급	3	부위험성		포장등급	II
특별규정	243			비상대응절차	F-E,S-E
소형 용기	포장지침	P001			
	특별규정				
중형 산적용기	포장지침	IBC02			
	특별규정				
이동식 탱크 및 산적용기	탱크지침	T4			
	특별규정	TP1			
소량 및 극소량 규정	소량	1 L			
	극소량	E2			
적재 규정	적재방법 E.				
격리 규정					
특성 및 주의사항	물과 섞이지 않음.				
표찰	주위험성 표찰	부위험성 표찰			
	3				

그림 9-9. UN NO 1203 상세정보

(2) 위험물 운송(선적) 서류

운송되는 물질에 대한 가장 정확한 정보는 운송 서류 혹은 운송 목록에서 확인할 수 있다. 트럭, 선박, 항공기, 기차는 정기적으로 선적 서류를 보유하고 있다. 이상적으로는 운반되는 물질의 이름과 운송량까지 기록되어 있다(그림 9-8). 하지만 운전수, 선장, 조종사, 엔지니어는 차량, 선박, 항공기, 혹은 기차에서 밖으로 나갈 때 선적목록을 챙기지 않을 수도 그렇지 않을 수도 있다. 운송 목록을 챙기기에 현장이 너무 위험할 수도 있다. 일부의 경우 운송목록이 불충분하거나 부적절하게 작성되어 위험물질의 확인을 위한 추가적인 정보가 필요할 수도 있다.

운송서류는 위험물질/위험화물에 대한 중요정보를 제공하여 보호행동을 개시할 수 있게 돕는다. 운송서류에서 찾아 볼 수 있는 정보의 통합 버전은 다음과 같을 수 있다.

① 도로 : 차량의 운전석에 보관

② 철도 열차 : 승무원이 소지

③ 항공 : 기장 또는 승무원이 소지

④ 선박 : 함교의 보관대에 보관

위험물 운송서류에 제공하는 정보는 다음과 같다.

① 4자리 숫자의 식별 번호, UN

② 적합한 운송명(물질이름)

③ 물질의 위험 등급 또는 분류 번호(Hazard class or division number)

④ 포장 그룹(Packing group)

⑤ 비상대응 전화번호

⑥ 물질의 위험성에 대한 설명 정보(운송서류에 기입되거나 첨부되어 있음)

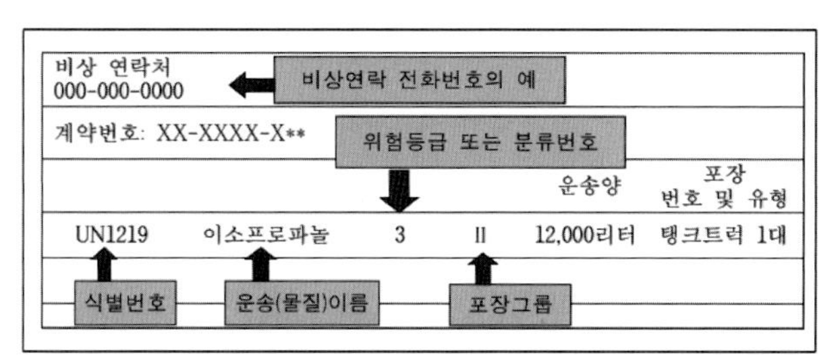

그림 9-9. UN NO 1203 상세정보

▸ 화물 상세

운송사에게 통보되는 Booking 번호는 본 페이지에서 자동으로 생성되는 Booking 번호에 운송오더 번호를 공백없이 붙여서 사용합니다. (예:PANSEL1301500101)
운송 요청일은 2013/11/08 15:30 또는 201311081530과 같은 형식으로 입력해주세요.
기작업 건의 수정 및 캔슬은 부킹담당자와 유선상으로 진행 가능합니다.

◉ COC(선사컨테이너) ○ SOC(화주컨테이너) ◉ Full Container ○ Empty Container Order 추가

No	TYPE	QTY	특수화물	운송구분	운송정보	비고
-	20DRY	1	D/G	선택		

Class	UN No	Gross Wgt	Net Wgt	PKG Group	PKG Code	PKG Q'ties	F/P(인화점(℃))
				I			

추가

Technical Name | Segregation Group
SAPT(Self-accelerating polymerization temperature) ◉ 섭씨(C) | D/G Packing Code

Emergency Contact Point 국가 번호 기재 요망 (Tel No Ex : 82-51-123-1234)	Shipper PIC Name 영문 성함 기재 요망 (English)

▸ 위험물 필수 제출서류 첨부

* 파일 선택 시 한번에 여러개를 선택할 수 있습니다.

중문 MSDS	찾아보기..
Certificate	찾아보기..
Label 사진	찾아보기..

▸ 일반 서류 첨부

첨부 파일	찾아보기..

그림 9-10. 위험물 운송서류 제공정보 및 화물 선적 입력 화면

(3) 물질안전보건자료

물질안전보건자료(Material Safety Data Sheets, MSDS)는 화학물질 및 화학물질을 함유한 제제(대상 화학물질)의 명칭 및 함유량, 응급조치요령, 안전・보건상의 취급주의사항, 건강유해성 및 물리적 위험성 등을 설명한 자료로서 사업주는 MSDS상의 유해성・위험성 정보, 취급・저장방법, 응급조치요령, 독성 등의 정보를 통해 사업장에서 취급하는 화학물질에 대한 관리를 하고 근로자는 이를 통해 자신이 취급하는 화학물질의 유해성・위험성 등에 대한 정보를 알게 됨으로써 직업병이나 사고로 부터 스스로를 보호할 수 있게 된다.

MSDS 요약정보

물질명	암모니아

1. 일반정보

CAS No. : 7664-41-7　　KE No. : KE-01625
물질성상 : 기체　　분자량 : 17.03
끓는점 : -33.35 ℃　　녹는점 : -78 ℃
인화점 : 132 ℃
주요용도 : 자료없음

2. 물질정보

물질명	CAS No.	함유량(%)
암모니아	7664-41-7	100%

3. 그림문자

4. 유해위험 문구

극인화성 가스
고압가스 포함 : 가열하면 폭발할 수 있음
피부에 심한 화상과 눈 손상을 일으킴
눈에 심한 손상을 일으킴
흡입하면 유독함
흡입시 알레르기성 반응, 천식 또는 호흡 곤란을 일으킬 수 있음
신체 중 (...)에 손상을 일으킴
장기간 또는 반복노출 되면 신체 중 (...)에 손상을 일으킬 수 있음
수생생물에 매우 유독함
장기적인 영향에 의해 수생생물에게 유해함

5. 응급조치요령

눈에 들어갔을 때	긴급 의료조치를 받으시오 눈에 묻으면 몇 분간 물로 조심해서 씻으시오. 가능하면 콘택트렌즈를 제거하시오. 계속 씻으시오.
피부에 접촉했을 때	피부(또는 머리카락)에 묻으면 오염된 모든 의복은 벗으시오. 피부를 물로 씻으시오/샤워하시오. 다시 사용전 오염된 의복은 세척하시오. 뜨거운 물질인 경우, 열을 없애기 위해 열맞은 받은 부위를 다량의 차가운 물에 담그거나 씻어내시오 긴급 의료조치를 받으시오 오염된 옷과 신발을 제거하고 오염지역을 격리하시오 액화가스에 접촉한 경우 미지근한 물로 해당 부위를 녹이시오 가스 또는 액화 가스와 접촉 시 화상, 심각한 상해, 동상을 유발할 수 있음
흡입했을 때	즉시 의료기관(의사)의 진찰을 받으시오. 과량의 먼지 또는 흄에 노출된 경우 깨끗한 공기로 제거하고 기침이나 다른 증상이 있을 경우 의료 조치를 취하시오.
먹었을 때	삼켰다면 입을 씻어내시오. 토하게 하려 하지 마시오. 긴급 의료조치를 받으시오 물질을 먹거나 흡입하였을 경우 구강대구강법으로 인공호흡을 하지 말고 적절한 호흡의료장비를 이용하시오

6. 저장방법

빈 드럼통은 완전히 배수하고 적절히 막아 즉시 드럼 조절기에 되돌려 놓거나 적절히 배치하시오.
열·스파크·화염·고열로부터 멀리하시오 – 금연
용기는 열에 노출되었을 경우 압력이 올라갈 수 있으므로 열에 폭로되지 않도록 하시오
용기는 환기가 잘 되는 곳에 단단히 밀폐하여 저장하시오.
직사광선을 피하고 환기가 잘 되는 곳에 보관하시오.
피해야할 물질 및 조건에 유의하시오

7. 피해야 할 조건 및 물질

피해야 할 조건	열·스파크·화염·고열로부터 멀리하시오 – 금연
피해야 할 물질	물 강산화제, 산, 할로겐화물, 중금속 분리 그룹(segregation group) :

8. 누출 및 폭발·화재 사고시 대처방법

누출	(분진·흄·가스·미스트·증기·스프레이)의 흡입을 피하시오. 가능하다면 누출용기를 돌려 액체보다는 가스로 방출되도록 하시오 가스가 완전히 확산되어 희석될 때까지 오염지역을 격리하시오 노출물을 만지거나 걸어다니지 마시오 누출성 가스 화재 시 누출을 안전하게 막을 수 없다면 불을 끄려하지 마시오. 누출원에 직접주수하지 마시오 매우 미세한 입자는 화재나 폭발을 일으킬 수 있으므로 모든 점화원을 제거하시오. 물분무를 이용하여 증기를 줄이거나 증기구름을 흩뜨려서 물이 누출물과 접촉되지 않도록 하시오 엎질러진 것을 즉시 닦아내고, 보호구 항의 예방조치를 따르시오. 위험하지 않다면 누출을 멈추시오 피해야할 물질 및 조건에 유의하시오 화재가 없는 누출시 전면보호형 증기 보호의를 착용하시오

9. 법적규제현황

노출기준	자료없음
특수건강진단주기	자료없음
작업환경측정주기	6개월
산업안전보건법	작업환경측정대상물질 관리대상유해물질 공정안전보고서(PSM) 제출 대상물질
화학물질관리법에 의한 규제	유독물질 사고대비물질
위험물안전관리법에 의한 규제	자료없음

10. 취급시 주의사항

개인 보호구 착용	배기설비 가동 / 용기밀폐	금연 화기엄금

(암모니아(7664-41-7)

기타. 중독사례

그림 9-11. 물질 안전 보건 자료의 예시 (MSDS)

화학공장처럼 고정시설 경우, 고용주는 법에 의해 물질안전보건자료를 공시할 것을 1996년 7월부터 의무로 한다(산업안전보건법 제41조 물질안전보건자료의 작성.비치 등, 시행령 제32조의2 물질안전보건자료의 작성.비치 등 제외 제제). 물질 안전 보건자료는 현장에서 발견될 수 있는 모든 잠재 위험 물질에 대한 상세한 작성항목 16개는 화학제품과 회사에 관한 정보, 유해성 · 위험성, 구성성분의 명칭 및 함유량, 응급조치 요령, 폭발 · 화재 시 대처방법, 누출 사고 시 대처방법, 취급 및 저장방법, 노출방지 및 개인보호구, 물리화학적 특성, 안정성 및 반응성, 독성에 관한 정보, 환경에 미치는 영향, 폐기시 주의사항, 운송에 필요한 정보, 법적 규제현황, 그 밖의 참고사항이 있다.

우리가 흔히 사용하는 유리 세척제와 같은 간단한 화학물이라 할지라도 물질안전보건자료에 기록하여 쉽게 찾을 수 있는 곳에 공지해 두어야 한다. 그림 9-11는 상당히 익숙한 화학물인 염소계 표백제에 대해 공지된 물질 안전 보건 자료를 보여준다. 물질안전보건자료는 무엇보다도 유해물질의 사고성 유출, 노출 등으로 인한 악영향을 설명한다. 이러한 세척제가 표백제와 섞일 경우 유독 가스를 방출하는 물질을 기억해 둘 필요가 있다. 가정의 주방이나 세탁실에서 사용하는 암모니아와 액상 표백제가 합성될 경우 독성 가스(클로르아민 가스: 두통, 기침, 눈물, 호흡곤란, 숨찬 등)가 발생할 수 있다.

(4) 감시 작업 및 테스팅

기존의 시설과 자원을 가지고 위험물질을 확인할 수 없다면, 감시 작업이나 테스팅 작업을 할 수 있다. 감시 작업의 훈련을 받지 못했거나 감시 장비가 없을 경우에는 테스팅 작업을 위해 다른 물질 제거팀에게 작업을 이관 시켜야 한다. 감시 장비나 감시기는 다음과 같다.

① 공기/기체 감시기
  ㉠ 공기 속의 산소 비율을 측정한다.
  ㉡ 폭발성 가스, 일산화탄소, 황화수소와 같은 독성 가스의 존재 여부를 파악한다.

② 리트머스 감시기
  ㉠ 액체의 산성도를 측정한다.
  ㉡ 산성인지 알칼리성인지 여부를 판단한다.

③ 비색관
  ㉠ 공기를 흡입해 낸다.
  ㉡ 특정 화학물질을 찾는다.

(5) 다른 정보 출처

유해물질을 발견하고 나면 응급구조사는 해당 물질의 화학적 혹은 물리적 속성을 확인할 필요가 있다. 해당 응구조사는 핸드북, 교재, 웹페이지, 위험물 전문가에게 문의할 수 있다. 환경부(화학물질안전원 등) 관련 웹페이지 등 해당 기관에 발견된 기술적인 문제에 대한 질의응답, 교육 훈련의 기회, 자료 등을 제공받을 수 있다.

6) 위험물(위해물질) 구역

위험물 사건에서의 주요 우선순위 첫 번째는 안전이다. 첫째, 응급구조사는 자신의 안전과 동료의 안전을 지켜야 한다. 그리고 환자와 대중의 안전을 확인해야 한다. 전문가의 안전하게 도착하기 위해서는 배운 것처럼 즉시 사고지휘체계(ICS)에 요청하여야 한다. 또한, 명령을 설립하고 명령의 고리에서 다른 지휘관에게 교대할 때까지 유지해야한다. 추가 지원을 기다리는 동안, 사고지역에서 피신한 사람에 의해 좋지 않은 현장상황이 더 나빠지지 않게 유지한다. 영웅 심리로 인해 누군가의 안전을 위협하지 않도록 한다. 또한 감염환자의 수만 늘어날 수도 있다. 그림 9-12에 설명된 통제 구역을 설치하여 추가 자원의 도착에 대비한다. 독물사건에서는 다음과 같은 전형적인 3개의 통제구역을 설정하고 있다.

① 위험지역[hot (red) znoe]
- ㉠ 배타적 구역
- ㉡ 오염된 장소(감염 구역)
- ㉢ 상급 개인 보호구를 착용하지 않는 한 아무도 핫 존에 진입해서는 안 됨
  - 높은 수준의 적절한 개인 보호 장비(PPE) 착용
- ㉣ 핫 존을 빠져나오는 환자는 소독 및 치료 조치

② 오염감소 지역[Warm (yellow) Zone]
- ㉠ 오염 감소 지역(감염 저하 구역)
- ㉡ 위험지역(hot znoe)에 가장 인접한 구역
- ㉢ 위험지역(hot znoe)을 떠나는 환자와 응급 의료(EMS) 인력을 위한 소독 통로(오염제거)가 설치된 "완충 지대" 형성
- ㉣ 소독 통로의 양끝단에는 "Hot zone" 지점과 "Cold zone" 지점에 둘 다 가짐

③ 안전구역(Cold (green) Zone)
- ㉠ 안전구역은 사고처리 작업이 진행되는 지역
- ㉡ 현장지휘 통제소(**지휘소**), **의료적 감시와 복귀 치료 지역**(의료 모니터링), 재활소, 치료소, **기계장치**, 기구 준비소 등을 포함
- ㉢ 안전구역은 어떤 오염도 있어서는 안 됨(감염이 전혀 없어야 함)
- ㉣ 필요한 오염제거가 이루어지기까지는 Hot zone에서 온 어떤 사람이나 장비는 소독이 되지 않고서는 Cold zone 들여서는 안 됨
- ㉤ 응급구조사와 당신 동료는 다른 구역에 진입하기 위해 필요한 훈련, 장비를 갖추고 다른 지역에 들어가는 것이 허락되기 까지는 Cold zone에 머물러 있어야 함

Tip. 통제구역

① 위험지역(Hot zone : 오염지역)

㉠ 사고를 바로 둘러싸는 통제구역, 오염농도 높음. 전문대응 요원만 출입 가능

② 준위험지역(Warm zone)

㉠ 대응요원과 장비 오염제거, 위험지역의 활동지원이 이루어지는 곳

③ 안전지역(Cold zone)

㉠ 현장지휘, 환자후송, 지원기관, 자원봉사자 등 사고대응을 위해 필요한 인력, 장비 설치 운영

㉡ 현장대응요원 대기

- **오염구역[Hot (red) Zone]**
  - 실제로 오염된 지역
  - 적절한 보호복을 반드시 착용
  - 필요한 경우에만 구조 인원을 투입(제한)
  - 일반인 절대 출입금지
- **통제구역[오염감소 지역Warm (yellow) Zone)]**
  - 오염된 인근 구역
  - 오염을 퍼지지 않도록 보호(감염 확산을 방지)
  - 대원은 적절한 보호구를 반드시 착용
  - 생명구조를 위한 응급처치 실시
- **안전구역[Cold (green) Zone)]**
  - 부상자의 분류, 안정, 치료를 실시
  - 투입된 구조인력은 콜드 존을 진입하기 전에 오염된 보호구나 장비를 해체한다.

그림 9-12. 유해물질 사고 현장에 주로 형성되는 3가지 구역

4 특수 용어

유해물질 사고를 다루는 인력 및 부서간의 혼란과 충돌을 방지하기 위해, 모두가 사용하는 용어가 통일되어야 한다. 용어의 통일은 작업과 치료에 있어서 위험한 오해를 막을 수 있게 한다.

1) 유해물질 관련 의료 작업과 관련된 용어

유해물질 관련 의료 작업 시 자주 사용하는 일반적인 용어이다. 이 용어들은 모두 화학물질과 방사능 물질이 연관된 용어이다.

① 끓는점 : 액체 물질의 증기압이 외부 압력과 같아져 끓기 시작하는 온도. 즉, 액체가 기회되기 시작하는 온도

② 폭발(연소) 한계 : 폭발(폭연 포함)이 일어나는데 필요한 농도(공기의 밀도), 압력 등의 한계. 공기 등 지연성 기체 중 가연성 기체의 농도에 대해서는 연소하는데 필요한 하한과 상한을 각각 폭발 하한계(LEL), 폭발 상한계(UEL)라 하고 보통 1기압 상온에서의 측정치로 나타낸다. 하한계와 상한계 사이를 폭발범위 또는 연소범위라고 한다. 폭발 범위 내인 경우에도 폭발을 일으키기 위해서는 보통 점화 에너지를 필요로 한다. 폭발 상한계 위에서는 연소를 도울 화학물질이 너무 많고 산소는 불충분하다.

③ 인화점 : 가연성 증기를 발생하는 액체 또는 고체와 공기와의 계에 있어서 기상부에 다른 불꽃이 닿았을 때 연소가 일어나는 데 필요한 초저의 액체 또는 고체의 온도. 인화점에서는 점화용의 불꽃을 제거하면 연소는 곧 멈추므로 연소가 계속되게 하려면 인화점보다 약간 높은 연소점(fire point) 이상으로 가열하지 않으면 안 된다(=연소점).

불이 붙는 가장 낮은 온도. 즉, 기체가 증발하면서 점화되기 충분한 증기를 내뿜기 시작하는 온도

④ 점화온도 : 공기 중에서 가열된 물질이 연소되기 시작하는 가장 낮은 온도이고, 기체가 증발하면서 연소되기 충분한 증기를 내뿜기 시작하는 온도(인화점보다 조금 더 높다).

⑤ 비중 : 어떤 물질의 질량과 그것과 같은 체적의 표준 물질(물)의 질량과의 비율. 고체나 액체의 경우에는 표준 물질로서 4℃의 물을 사용하며, 비중이 1보다 높은 화학물은 물에 가라앉지만 1보다 낮으면 물 위에 뜬다.

⑥ 증기밀도 : 같은 양의 건조공기와 비교한 일정량의 증기밀도. 즉, 똑같은 부피의 공기와 비교한 증기나 가스의 질량.

⑦ 증기압력 : 일정한 온도에 있어서 액상(液狀) 또는 고상(固相)과 평형한 증기상의 압력. 증기압은 같은 물질이라도 온도가 높아짐에 따라 더욱 커진다.

⑧ 수용성 : 어떤 화학물질이 물에 녹는 성질.

2) 독성학 용어

유해물질의 독성 효과와 관련된 용어를 알아야 한다. 다음의 용어들은 현장에서 사용되는 중요한 용어이다.

① 독성(Toxicity) : 흡입, 섭취 시 적은 양으로도 사망 또는 급성, 만성 장애를 일으키는 물질

② 산화성 : 일반적으로 불연성 물질, 가열 충격 및 다른 화학물질과 접촉 등으로 격렬히 반응하는 고체 및 액체 물질, 다른 물질을 산화시킬 수 있는 산소(O_2)를 다량 함유하고 있는 강산화제

③ 금수성 : 물과 접촉하여 폭발 또는 인화성 기체를 방출하는 물질

㉠ 물과의 반응위험성 : 일반적으로 물(H_2O)은 소화 시 가장 많이 사용되고 있으나, 화학물질 중 일부는 물과 반응하여 직·간접적으로 연소하거나 폭발 등을 초래하는 위험성

④ 인화성 : 대기압 하에서 인화점이 섭씨 65℃ 이하인 가연성 액체물질

㉠ 핵심 위험요인 : 발화원(열·불꽃·화염 등)에 접촉 시 인화, 폭발위험

⑤ 부식성 : 생체조직에 접촉하면 화학반응에 의해 손상을 가져오거나 조직(세포)을 파괴할 우려가 있는 물질

⑥ 자극성 : 순간적, 지속적 또는 반복적으로 피부염증 등을 일으킬 우려가 있는 비부식성 물질

⑦ CAS No. (CAS 번호, Chemical Abstracts Service Registry Number) : 미국 화학회(ACS)에서 운영하며 알려진 모든 화학물질에 지정(기록)하는 고유번호

⑧ UN No. (UN 번호, United Nations Number) : 유해위험물질의 국제적 운송보호를 위해 UN이 지정한 물질분류번호

⑨ 비중(=상대밀도, Specific Gravity)

㉠ 액체·고체 : 1보다 크면 "물" 아래, 1보다 적으면 "물" 위 → 층 형성

㉡ 유류 : 대부분 1보다 적어 "물" 위 → 층 형성

㉢ 알코올류 : 비중 의미 없음. "물"과 용해력이 우수→ 층 형성되지 않음

⑩ 증기밀도(Vapor Density)

㉠ 기체 : 1보다 크면 "공기"보다 무거움, 1보다 적으면 "공기"보다 가벼움

㉡ 누출 시 증기의 "상하 확산형태" 결정(※ 증기의 온도에 따라 누출 형태 크게 좌우)

⑪ 인화점(Flash Point) : 점화원(화염·열 등) 존재 하 인화되는 최저온도

⑫ 폭발범위(=연소범위, 연소한계, 폭발한계)

㉠ 점화원(화염·불씨 등) 존재 하 밀폐공간에서 연소되거나 폭발할 수 있는 농도

㉡ 폭발하한계(LEL) : 폭발 발생 최소농도, 하한치보다 낮으면 폭발(불) 하지 않음

㉢ 폭발상한계(UEL) : 폭발 발생 최대농도, 상한치보다 높으면 폭발(불) 하지 않음

⑬ 용해도 (Solubility) : 용매 100 mL에 녹을 수 있는 최대 용질의 질량(g)

㉠ 예) 소금물(용액) = 소금(용질) + 물(용매)

⑭ 증기압 (Vapor Pressure) : 누출 물질이 "증기(증발)화"되려는 경향의 척도를 압력으로 나타낸 것

㉠ 실온 상태에서 증기압이 높은 액체상태의 물질 → 휘발성을 갖는 물질

⑮ 끓는점(=비점, Boiling Point) : 대기압에서 끓는 온도, 증기압이 대기압과 같아지는 온도

⑯ pH(수소이온농도) : 산성, 염기성을 나타내는 척도

㉠ pH 7보다 낮으면 산성, pH 7보다 높으면 염기성

⑰ 노출기준 : 근로자가 유해인자에 노출되는 경우 노출기준 이하 수준에서는 거의 모든 근로자에게 건강상 나쁜 영향을 미치지 아니하는 기준을 말하며, 1일 작업시간동안의 시간가중평균노출기준(Time Weighted Average, TWA), 단시간노출기준(Short Term Exposure Limit, STEL) 또는 최고노출기준(Ceiling, C)으로 표시한다.

⑱ 허용 한계(Threshold Limit Value, TLV): 근로자가 유해요인에 노출되는 경우, 노출기준이하 수준에서는 거의 모든 근로자에게 건강상 나쁜 영향을 미치지 아니하는 기준을 의미하며, 1일 작업시간(하루 8시간, 주당 40시간)동안의 시간가중 평균노출기준(TWA), 단시간 노출기준(STEL) 또는 최고노출기준(Ceiling, C)으로 표시한다. TLV값들은 ppm, mg/㎥으로 보고된다(=최대허용농도(MAC)로 불리기도 함).

⑲ 시간가중평균노출기준(Time Weighted Average, TWA): 1일 8시간 작업을 기준으로 하여 유해인자의 측정치에 발생시간을 곱하여 8시간으로 나눈 값을 말하며, 다음 식에 따라 산출한다. 허용 한계/시간가중평균노출기준(TLA/TWA)이 낮을수록 물질의 유독성이 높아진다.

$$\text{TWA환산값} = \frac{C_1 \cdot T_1 + C_2 \cdot T_2 + \cdot \cdot \cdot \cdot \cdot \cdot \cdot + C_n \cdot T_n}{8}$$

주) C : 유해인자의 측정치(단위 : ppm, ㎎/㎥ 또는 개/㎤)

T : 유해인자의 발생시간(단위 : 시간)

⑳ 단시간노출기준(Short Term Exposure Limit, STEL) : 15분간의 시간가중평균노출값으로서 노출농도가 시간가중평균노출기준(TWA)을 초과하고 단시간노출기준(STEL) 이하인 경우에는 1회 노출 지속시간이 15분 미만이어야 하고, 이러한 상태가 1일 4회 이하로 발생하여야 하며, 각 노출의 간격은 60분 이상(각 노출 사이에 60분간 휴식기)이어야 한다.

㉑ 최고노출기준(Ceiling, C): 근로자가 1일 작업시간동안 잠시라도 노출되어서는 아니 되는 기준을 말하며, 노출기준 앞에 "C"를 붙여 표시한다.

㉒ 허용 한계/상한선(TLV/CL) : 잠시라도 초과되지 않아야 하는 물질의 최대 밀도

㉓ 치명적 밀도/치사량(LCt/LD) : 연구 대상 집단의 50%를 죽일 수 있는 물질의 농도(복용, 주입, 흡수를 통한 투여량). 표시는 ppm, mg/L, mg/m^3 등으로 할 수 있으며 수치가 낮을수록 더욱 독한 물질이다(참고 : LCt50이나 LD50).

㉔ 백만분율/십억분율(PPM/PPB) : 공기나 용액상에 있는 백만분율(parts per million, ppm), 십억분율(parts per billion, ppb)의 입자 중 존재하는 물질의 밀도

$$\text{PPM} = \frac{\text{용질의 질량}}{\text{용액의 질량}} \times 106 \quad , \quad \text{PPB} = \frac{\text{용질의 질량}}{\text{용액의 질량}} \times 109$$

㉕ 생명과 건강에 대한 즉각적인 위험(Immediately dangerous to life and health, IDHL) : 생명과 보건에 대한 즉각적인 위험을 초래하는 물질의 밀도. 탈출할 때 불구증상이나 건강에 대한 유해한 영향 없이 30분 내에 탈출이 가능한 최대농도. 지연 효과/비가역적 효과를 유발하거나 환자가 오염 구역에서 스스로 벗어날 수 있는 능력을 감퇴시킬 수도 있다. 이 한계는 방독면의 선택을 결정하는데 사용된다.

㉖ % (Percentage, 백분율), ppm (Part per million, 백만분율)

㉠ 1% = 10,000 ppm

3) 유해화학물질 사고 시 필수 점검사항

유해화학물질 사고 시 필수 점검사항은 대응 전, 중, 후로 구분할 수 있고 다음과 같다.

(1) 대응 전

① 사고원인 화학물질 정보 수집 파악한 것
② 수집된 사고 물질 대응 정보 신속 공유한 것
③ 개인 보호 탐지 제독·누출 자단 장비 자랑 적재 확인 점검할 것
④ 현장 상황 지속 관리 및 필요에 따라 관계기관 협조 요정한 것

(2) 대응 중

① 현장 상황을 외부 육안 판단만으로 무작정 진입하지 것
② 신속보다는 정확한 상황 파악 후 확산범위 판단 및 위험구역 설정할 것
③ 바람이 불어오는 방향 및 상류 방향에서 연장으로 접근할 것
④ 누출(유출) 증기 빛 미상 물질과는 충분한 거리를 유지할 것
⑤ 현장 진입은 2인 1조 이상으로 하고 진입 대원 동선 실시간 감시할 것

(3) 대응 후

① 인체 제독 장비·차량 간에 제독 후 차량에 탑승할 것
② 향후 현장 활동대원 신체 정밀검사를 시행한 수 있도록 할 것

유해화학물질의 성상에 따라 다음과 같은 점검사항이 있다. 현장 활동 시에는 유의해야한다.

① 산성 물질은 대표적으로 염산·질산·황산·물산·아세트산·포름산 등이 있다.

㉠ 개인보호장비(호흡·피부) 착용했는지?
㉡ 누출 물질의 상대가 액체인지 기체인지? 액체 상대 누출 시 증기 상대로 기화되는지?
㉢ 누출통제(공격적·방어적) 방법은 선정했는지?

㉣ 직접 염기중화제 투여 또는 물에 녹인 중화액 분무가 필요한지?

② 염기성 물질은 대표적으로 암모니아·가성소다·수산화테트라메틸암모늄·히드라진 등이 있다.

㉠ 개인보호장비(호흡·피부) 착용했는지?

㉡ 누출 물질의 상태가 액체인지 기체인지?

㉢ 누출통제(공격적·방어적) 방법은 선정했는지?

㉣ 직접 염기중화제 투여 또는 물에 녹인 중화액 분무가 필요한지?

③ 독성(가스) 물질은 대표적으로 아황산가스·염소·포르말린·포스겐·포스핀·황화수소 등이 있다.

㉠ 개인보호장비 특히 호흡보호구 착용 및 성능에는 문제없는지?

㉡ 사고 물질이 공기보다 무거운지? 가벼운지?

㉢ 증기압의 세기(휘발도)는 어느 정도인지?

㉣ 사고 위치가 밀폐공간인지? 노천공간인지?

④ 가연성 물질은 대표적으로 부타디엔·산화에틸렌·수소·아세톤·프로판 등이 있다.

㉠ 사고물질 주변 모든 장비 접지 및 점화원은 제거되었는지?

㉡ 사고 물질이 공기보다 무거운지? 가벼운지?

㉢ 증기압의 세기(휘발도)는 어느 정도인지?

㉣ 가연성이면서 독성 또는 조연성 등의 양쪽성 믇질인지?

⑤ 금속 화재 폭발 물질은 대표적으로 나트륨·리튬·마그네슘·아연·알루미늄 등이 있다.

㉠ 주수소화 절대 금지한다.

㉡ 화세가 강하다면 주변 안전 확보 후 탈 수 있도록 조치한다.

㉢ 질식소화재인 건토, 모래 에 수분이 함유된 젖은 모래는 아닌지?

㉣ 최근 비교 연구에서 검증된 평창질석·팽창진주암 구비되어 있는지?

㉤ 상황에 따라 일반(A형) 화재 형대로 진화할 수 있는지?

⑥ 유류 화재 폭발 물질은 대표적으로 휘발유·시너·벤젠·스타이렌·아세톤 등 인화성 액체류가 있다.

㉠ 다른 가연물에 비해 소화 어렵다.

㉡ 화세가 강하다면 주변 안전 확보 후 인근 연소 확대 방지 조치한다.

㉢ 화재 중인 위치가 밀폐 공간으로 폭발의 우려는 없는지?

㉣ 제한적으로 다량의 분무(무상) 형태 주수 소화 가능한 상황인지?

㉤ 화재 진압 종료 후 가연 증기 발생 등 재발화 우려는 없는지?

⑦ 가스 화재 폭발 물질은 대표적으로 LPG·LNG·프로판·부탄·수소·산화에틸렌 등이 있다.

㉠ 탱크로리, 가스용기 등 밀폐공간 화재 시 폭발 위험성 매우 높다.

㉡ 화세가 강하다면 주변 안전 확보 후 완전히 탈 수 있도록 조치한다.

㉢ 사업소 관리자에게 밸브 차단 등을 요청할 수 있는지?

㉣ 충분한 초기이격거리 및 방호활동기리 유지하고 있는지?

⑧ 밀폐공간 누출 물질은 대표적으로 황화수소·트리클로로에틸렌·질소·이산화탄소 등이 있다.

㉠ 반드시 2인 1조 구조작업을 실시한다.

㉡ 지하실·맨홀 등 밀폐공간 진입 시 반드시 환기 조치 진입할 것

- 산소농도측정기, 공기호흡기, 무전기 소지한다.

㉢ 현장 투입 대원의 동선을 실시간 감시·파악하고 있는지?

4) 위해물질에 노출된 환자의 처치

유해물질에 의해 손상을 입은 환자를 처치하는 응급의료종사자는 다음과 같은 손상 및 피해 범위를 유의하여야 한다.

① 폭발에 의한 손상

② 열에 의한 손상

③ 화학물질에 의한 화상

④ 흡입손상 등

위와 같은 환자를 응급처치하는 응급의료종사자들에게는 특별한 훈련이 필요하다. 중요한 문제 중의 하나는 환자의 피부나 의복 등을 통해 응급의료종사자가 감염될 수 있다는 것이다. 이에 다음과 같은 사항을 유의한다.

① 눈을 보호할 수 있는 특수 안경, 수술 마스크, 가운, 수술 장갑 등이 충분히 마련되어야 한다.

② 현장 응급처치도 위험물질에 따라서 분류소 등을 다르게 운영한다(그림 9-13).

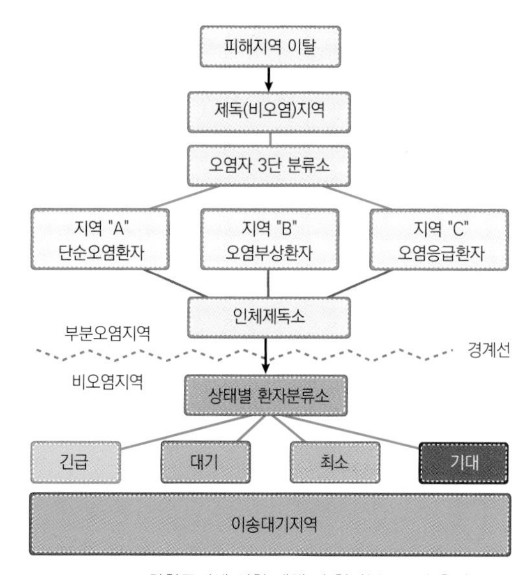

그림 9-13. 화학물질에 의한 재해 시 현장분류소의 운영

③ 화학물질에 감염된 환자로부터 응급의료종사자에게 위험을 줄 수 있는 화학물질은 다음과 같다.
　㉠ 산이나 알칼리와 같은 농축된 부식제
　㉡ 많은 양의 가로된 된 석면(asbestos)
　㉢ 청산염(cyanide salts) 및 합성물(예 : nitrites)
　㉣ 불화수소산
　㉤ 도시가스 착취제(Mercaptans)
　㉥ 메드헤모글빈혈증을 유발하는 질소함유 산화제
　　(aniline, aryl amines, aromatic nitro-compounds, chlorates etc)
　㉦ 살충제(Pesticides)
　㉧ 폴리염화바이페닐(polychlorinated biphenyls)
④ 위험물질에 대한 정보가 사전에 충분히 마련되어 있어야 한다.

5 감염과 독성학

(1) 감염의 유형

사람이나 장기가 유해물질로 의심되는 것에 접촉했을 때는 감염되었다고 간주한다. 감염은 크게 1차 감염과 2차 감염으로 나뉜다.

① 1차 감염 : 사람이나 물체가 유해물질에 직접 노출되었을 때 발생한다. 이 경우, 감염은 접촉된 대상에 한정되고 타인에게 확산되지 않았다.
② 2차 감염 : 감염된 사람이나 물체가 또 다른 사람이나 물체에 접촉하여 감염이 확산되는 단계이다. 예를 들어, 응급구조사가 감염된 환자와 접촉한 경우 본인도 감염자가 된다. 가스 감염은 2차 감염으로 확대되는 경우가 드물지만, 액체나 분자성 물질은 확산이 쉽게 된다.

1차 감염과 2차 감염의 차이점을 더욱 쉽게 이해하기 위해서는 다음의 예시가 효과적이다. 화학물 수송용 파이프 라인이 파열되어 주변에 있던 사람에게 화학물이 분사되었다. 이는 1차 감염이다. 환자 중 한 명은 오염 구역을 벗어나 구급차를 요청한다. 이 환자는 현장에 도착한 구급차의 뒤 칸에 탑승하면서 응급구조사와 구급차를 오염원에 노출시킨다. 이는 2차 오염에 해당한다. 응급 구조팀의 일원으로서 응급구조사는 2차 오염의 대상이 되지 않도록 주의를 기울여야 한다.

(2) 노출(감염) 경로

인체는 주로 네 가지 경로를 통해 감염이 된다. 가장 흔한 경로는 흡인이다. 가스, 액체, 분자성 고체는 비강이나 구강을 통해 흡인될 수 있다. 물질이 기관지에 진입하면 (특히 산소가 부족한 환경일 경우) 급속하게 흡수된다. 흡수된 물질은 중앙 순환계로 향해 전신으로 분배된다. 그 결과, 흡인된 물질은 특정 증상을 유발하게 된다.

독성 물질은 국부성 흡수나 비경구 투여를 통해 피부를 건너 체내로 유입될 수 있다. 겉으로 노출된 피부를 통해 국부적으로 흡수되어 체내 순환계로 유입된 독성 물질은 의료적으로 볼 때 신체에 대한 위험 요소로 간주된다. 독성물질은 투여되는 경우 열상, 화상, 자상 부위를 통해 직접적으로 유입된다.

유해물질 사고의 경우, 가장 드물게 작용하는 감염경로는 위장으로의 흡입이다. 하지만 위장으로의 흡입이 발생하는 경우는 분명히 있다. 유해물질이 관여되는 직군에 종사하는 사람은 그리 멀지 않은 거리에서 음식이나 음료수를 먹고 마시거나 담배를 피면서 유해물질에 노출이 된다. 이 경우, 음식에 화학물이 노출되어 섭취되는 경우가 많다. 혹은 손을 깨끗이 씻는 것을 깜빡하고 음식을 섭취하다가 유해물질이 체내로 유입될 수도 있다.

(3) 유해물질의 감염 주기와 작용

특정 물질이 체내로 유입되어 혈류로 이동하는 속도인 흡수 속도는 독성 물질의 유형과 양에 따라 달라진다. 일반적으로 투여량이 많아질수록, 유해물질에 신체에 미치는 영향이 커진다. 독성 물질은 매우 다양하기 때문에, 응급구조사는 앞서 언급된 유해물질 관련 참고 정보를 통해 해당 물질의 영향, (체내에 축적되는 지점과 같은) 전달되는 대상 장기 등을 확인해야 한다.

독성 물질의 영향은 주로 급성 효과와 지연 효과로 나뉜다.

① 급성 효과 : 유해물질에 노출된 이후 곧바로 나타나는 증상 징후를 의미한다.
  예) 염소 가스에 노출될 경우에는 즉각적으로 호흡 가쁨이 나타날 수 있다.

② 지연 효과 : 몇 시간, 며칠, 수주, 수개월, 심지어 수년에 걸쳐 분명히 나타나지 않을 수 있다.
  예) 발암 물질에 노출이 되는 경우에는 악성 증상이 발생하기까지 수년이 걸릴 수 있다.

① 전쟁 환경에서 사용되는 수표작용제인 겨자 가스 물질
  ㉠ 즉각적은 손상을 입히지만, 피해자는 수시간에 걸쳐 증상을 보이지 않는다.

② 체내에 외부 물질이 한번 유입되면 표적이 되는 장기로 확산이 된다.

③ 화학물질로 인해 야기되는 효과는 국소적으로 혹은 전신에 걸쳐 나타날 수 있다.

㉠ 국부성 효과
- 직접적인 노출 부위에서 발생한다.
- 9의 법칙과 같은 표준방법으로 평가된다.
- 보통 (국부적인)피부 자극이나 (호흡기의)급성 기관지 경련을 의심해볼 수 있다.
- 예) 피부에 분사된 **염산**은 접촉 지점에 즉각적인 피부 손상을 유발한다.

㉡ 전신 작용
- 신체 전반적으로 발생한다.
- 심혈관, 신경학, 간, 신장 체계에 영향을 줄 수 있다.
- 예) **불산**은 접촉 지점인 피부에 국소적인 화상을 유발할 수 있고, 저칼슘혈증과 부정맥 또한 초래할 수도 있다. 그 결과, 불산에 대한 접촉은 치명적 일 수 있게 된다.

독성 물질에 가장 자주 영향을 받는 장기는 간과 신장이다. 간과 신장은 다른 장기 체계와 마찬가지로 화학물에 의해 악영향을 받을 수 있다. 이 경우, 신체가 독성 물질을 해독시키지 못하여 치명적인 상황을 초래할 수도 있다.

① 간 : 생체 변형이라는 과정을 통해 대부분의 물질을 화학적으로 변환시키면서 대사 처리를 한다.
② 신장 : 소변을 통해 유해물질을 배출한다.

독성 물질에 감염된 환자를 치료할 때는 다음과 같은 사항을 고려한다.

① 약제 또는 물질의 공동작용 효과를 고려한다. 이는 의학적인 표준 약학적인 접근방법의 일부이다.
㉠ 개별적으로는 아무런 영향이 없지만 두 개의 물질이나 약제가 함께 화학작용을 하면서 발생하는 효과도 있다는 점을 고려한다.
② 약제를 투여하기 전에는 예상치 못한 공동 작용이나 몰랐던 치료법을 확인하기 위해 항상 의료감독자나 독성물질통제센터와 상의를 한다.

(4) 일반적인 감염에 대한 처치

환자가 노출될 수 있는 화학물의 수는 놀라울 정도로 많다. 이에 대한 치료책은 보조치료에서 특정 해독제까지 다양하다. 응급구조사는 첫째 자신의 안전을 확보한 후, 모든 환자의 기도 보조 및 호흡보조, 산소투여, 순환 및 정맥로 확보 등과 같이 필요한 보조치료를 받고 있는지를 확인한다. 특정 약학적 치료를 시작하기 전에는 다음과 같은 사항을 고려한다.

① 치료의 효용을 뒷받침하는 최소 2개 이상의 근거를 찾아야 한다.
② 응급구조사는 의료감독자와 협의한다.

(가) 화학물질에 의한 화상

화학물질에 의한 화상은 열에 의한 화상과 비슷한 양상을 보이나, 원인물질이 완전히 제거될 때까지 손상이 계속된다는 점이 다르다. 생리식염수를 이용하여 적극적으로 씻는(세척) 것이 치료에 가장 중요하다. 이러한 치료는 현장에서부터 시작되어야 하며, 병원에 도착해서도 계속되어야 한다. 화학물질은 손상당한 피부를 통해 매우 빠른 속도로 흡수되어 전신적인 증상을 나타낼 수 있다는 점에 유의하여야 한다. 또한, 체내에서 분해되거나 새로운 합성물질을 만들어 이차적인 전신증상을 유발할 수 있다.

일부 화학물질들은 뚜렷한 화상을 남기고 치료된다. 예를 들면 불화수소산(hydrofluoric acid)은 불화물 이온(fluoride ion)이 피부 깊숙이 침투하여 심각한 문제를 일으키지만, 치료법은 잘 알려져 있다. 10%의 글루콘산 칼슘(calcium gluconate)를 피하주사 하거나 2.5% 국소 도포용 글루콘산 칼슘(calcium gluconate) gel을 바른다. 알칼리에 의한 화상도 장시간(1시간 이상) 씻어야(세척) 한다.

Tip. 글루콘산 칼슘(calcium gluconate)

칼슘은 크게 무기염제제와 유기염제제로 나뉩니다. 무기염제제는 칼슘 함량이 더 많고 유기염제제는 흡수율이 더 높은 편인데 글루콘산칼슘은 유기염제제에 속하며 순수칼슘 함유량은 약 9%정도이다.

글루콘산칼슘은 글루콘산 석회라고도 불린다. 다른 칼슘제와 비교했을 때 냄새가 없고 쓴 맛이 적기 때문에 많이 첨가해도 제품의 맛에 악영향을 미치지 않는 다는 특징이 있다. 또한, 따듯한 물에 쉽게 녹고 차가운 물에도 녹지만 에탄올에는 녹지만 알코올 등 다른 유기용매에는 녹지 않기도 한다.

* 유기 용매 : 주로 탄산, 수소, 산소 등으로 이루어진 유기물들로 구성된 용매(용액)

(나) 부식성 물질

① 산성이나 알칼리성과 같은 부식성 물질은 일상 속 많은 물질에서 확인될 수 있다.
   ㉠ 알칼리성 수산화나트륨은 대부분의 배수관 청소기에서 배출된다.
      - 알칼리성 수산화나트륨은 물질 밀도에 따라 피부와 신체 조직에 손상을 입힐 수 있다.

② 부식성 물질은 흡인, 흡입, 흡수, 혹은 투여될 수 있다.
   ㉠ 주요 영향은 피부 화상, 호흡기 화상, 부종을 포함한다.
   ㉡ 일부 부식성 물질은 전신성 효과를 유발할 수도 있다.

③ 감염된 환자를 소독 및 응급처치할 때에는 다음과 같이 실시한다.

㉠ 고형의 부식성 물질에 감염된 환자를 소독할 때는 건조한 분자를 솔로 털어내야 한다.

㉡ 기체 형태의 부식성 물질에 감염된 경우에는 감염 부위를 다량의 물로 세척해야 한다.

㉢ 녹색 비누의 팅크(tincture)는 소독 효과가 있다.

㉣ 안구 손상 부위에는(테트라카인과 같은 안구용 국부 마취제를 사용하면서) 안구를 물로 세척하여 눈을 편안하게 만든다.

㉤ 폐부종 환자의 경우에는 (라식스와 같은)푸로세마이드나 알부테롤의 투여를 고려한다.

㉥ 환자가 부식물을 삼켰을 때는 절대로 구토를 유발시키지 않는다.

- 환자가 삼킬 수 있고 침을 흘리지 않는다면, 환자가 5 mL/kg짜리 물을 200 mL까지 마시게 할 수 있다.

㉦ 기도, 호흡, 순환(ABC)를 유지 및 보조한다.

Tip. 팅크(tincture)

팅크(tincture): 동식물에서 얻은 약물이나 화학 물질을, 에탄올 또는 에탄올과 정제수의 혼합액으로 흘러나오게 하여 만든 액제(液劑). 요오드팅크, 캠퍼팅크 따위가 있다.

(다) 유독가스의 흡입(폐 자극제)

순식간에 넓은 지역으로 퍼질 수 있는 가스의 특성 때문에 유독가스의 흡입(toxic inhalation)은 많은 환자를 발생시킬 수 있다. 응급의료종사자가 유독가스를 흡입한 환자의 치료를 하는 경우에 유독가스의 독성이나 가스에 대한 정확한 정보를 갖고 처치를 시작하는 경우가 드물다. 그러나 대부분 유독가스는 염소나 암모니아나 황화수소와 같이 비교적 의학적 치료가 잘 알려진 성분을 포함하고 있다. 일반적으로 환자의 증상 또는 이학적 소견으로 유독가스의 성분을 알아내기 어려우나, 치료방법의 선택은 몇 가지로 구분할 수 있다.

(1) 질식제

질식가스는 화학적으로 비활성이며 물리적인 손상을 주지 않는다. 그러나 공기 특히 산소를 대치함으로써 의학적인 문제를 유발한다. 질식은 공기 중의 산소농도가 15% 이하일 때 시작되어, 6-8% 이하 시에는 의식이 없어지고 사망하게 된다. 따라서 질식제는 폐쇄된 공간에서 주로 치명적인 문제를 일으킨다. 가장 흔하게 접할 수 있는 질식제는 일산화탄소, 질소, 메탄, 프로판과 청산가리(고편도 기름, 시안화수소산, 포타슘산, 야생 체리 시럽, 청산, 니트로프루시드와 같은)

를 포함한다. 환자가 연기 흡인 증상을 보이는 경우에 일산화탄소와 청산가리 물질에 감염되었는지를 반드시 확인하여야 한다. 이러한 물질 생성은 연소의 부산물이기 때문에 대부분 흡인을 통해 감염된다. 청산가리는 흡입, 흡수, 투여를 통해 체내에 유입될 수 있다는 점을 기억하여야 한다.

일산화탄소와 청산가리는 흡인될 경우 체내에서 서로 다른 작용을 한다.

① 일산화탄소 : 헤모글로빈과 속성 유사

㉠ 산소보다 헤모글로빈과의 유사성이 200배나 더 높아, 일산화탄소가 적혈구 내의 산소를 대체 결합한다.

㉡ 주요 영향 : 정신적 상태의 변화, 흉부 통증, 의식 상실, 발작, 저산소증 등

② 청산가리 : 사이토크롬 산화 효소의 작용 억제

㉠ 세포 내 미토콘트리아에서 발견되는 사이토크롬 산화 효소는 산소가 (모든 근육 에너지를 위한 필수 성분인) 아데노신 3인산(Adenosine triphosphate, ATP)을 생성하게 한다.

㉡ 주요 영향 : 무의식 상태, 발작, 심폐정지 등(급격한 시작)

일산화탄소와 청산가리 질식제에 노출된 환자에 대한 소독 조치는 보통 불필요하며, 환자는 위험한 환경으로부터 구조해야 한다.

① 유독 가스가 옷 아래에 쌓이지 않도록 환자의 옷을 벗긴다.

② 환자의 기도, 호흡, 순환을 보조 및 유지한다.

③ 일산화탄소 흡인을 위한 결정적 치료법은 산소화이다.

㉠ 산소 주입을 통해 헤모글로빈 분자 속의 일산화탄소를 산소로 대체하는 고압산소요법을 통해 산소화를 제공한다.

청산가리 감염에 대한 결정적 치료를 하는 데에는 두 개의 해독제가 있다. 페서디나, 릴리, 테일러 키트라고도 불리는 청산가리 해독제 키트는 3가지 약제(아질산아밀, 아질산나트륨, 티오황산나트륨)가 있다. 해독제 키트를 사용할 때는 다음과 같이 실시한다.

① 아질산아밀을 투여한다.

㉠ 단기적으로 작용하는 혈관 확장제인 아질산아밀은 헤모글로빈을 메트헤모글로빈(시안화 이온과 함께 무독성 복합제를 형성)으로 전환시키는 효능이 있다.

㉡ 거즈나 천으로 감싼 앰플병을 손가락 사이에 끼우고, 매 15초마다 자발적으로 호흡을 하는 환자 앞에 둔다. 아질산나트륨의 흡인이 될 때까지 1분 간격으로 반복한다.

㉢ 아질산아밀은 산소나 공기와 혼합되었을 때 매우 변동성과 인화성이 높아진다.

② 아질산나트름은 5분에 걸처 정맥 주사를 통해 300 mg를 투여한다.

㉠ 아질산나트륨은 메트헤모글로빈을 생성할 수 있다.

③ 아질산나트륨과 함께 티오황산나트륨을 5분에 걸쳐 정맥 주사를 통해 12.5 g을 신속하게 투여한다.

㉠ 티오황상나트륨은 청산가리/메트헤모글로빈 복합제(신장에 의해 분비되는)를 티오시안산염으로 변환시킨다.

④ 증상 · 징후가 재발할 경우에는 투여량을 ½로 줄이고 해독 조치를 반복한다.

최근에는 더욱 안전성이 높고 유독성이 낮은 해독제가 사용할 수 있게 되었다(그림 9-14).

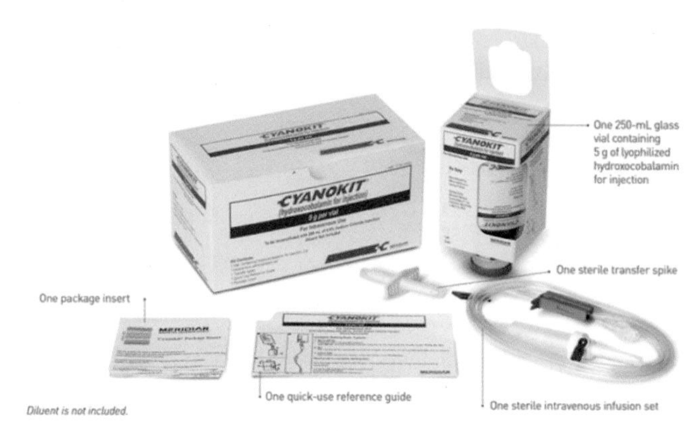

그림 9-14. 시아노키트(Cyano-Kit™)

① 히드록소코발라민으로 불리는 해독제는 시아노키트(Cyano-Kit™)라는 상표로 판매되고 있다.

㉠ 히드록소코발라민은 시아노코발라민(비타민 B12)의 전구체이다.

㉡ 히드록소코발라민이 투여될 경우, 청산가리와 사이토다.

㉢ 시아코노발라민이 지나치게 축척될 경우 신장을 통해 체외로 배출된다.

(2) 호흡기 자극제

호흡계통의 조직에 자극을 주는 화학물들은 일차적으로 분비를 촉진시키고 부종과 후두경련(laryngospasm)을 일으켜 기도폐쇄를 유발한다. 환자가 눈물과 콧물이 많고, 쉰 목소리(hoarseness)이나 천명음(stridor)이 발생하면 적극적인 기도확보가 필요하다. 이러한 환자들은 화학적 폐렴과 비심인성 폐부종이 발생하므로, 기도삽관과 양압을 줄 수 있는 기계적 호흡이 필요하다. 암모니아, 포스겐(phosgen), 염소(chlorin), 취소(브롬 : bromine), 염화수소, 포름알데하이드, acrolein 및 기체성 황화수소 등이 잘 알려진 가스이다.

(3) 전신증상을 일으키는 유독물질

폐를 통해 흡입된 가스가 폐나 기도에 손상을 주지 않고 전신증상을 일으킬 수 있다. 일부

가스는 성분을 알면 치료할 수 있는데, 이러한 가스로는 일산화탄소, 황화수소, 염화 메틸렌과 사이안화수소(hydrogen cyanide)가 있다.

Tip. 청산가리(시안화수소)

나치의 아우슈비치 수용소에서 유대인을 학살할 때 사용했던 독가스는 치클론 B(Zyklon B)로서 시안화수소(청산가리)가 발생되어 사망에 이르게 하는 것이었다.

참고 : 아우슈비츠 수용소에서 유대인을 학살할 때 사용한 치클론 B

(라) 탄화수소 용매(화합물)

사회의 발전과 함께 많은 탄화수소 화합물(hydrocarbon compounds)들이 생산되어 사용되고 있다. 대부분의 탄화수소 화합물들은 가연성이며, 연소할 때 발생하는 산화물이 독성을 나타낸다. 자일렌(=크실렌)과 메틸렌 클로라이드과 같은 용매로 작용할 수 있는 화학물은 많다. 일반적으로 액체의 형태인 자일렌과 메틸렌 클로라이드는 쉽게 흡인될 수 있는 증기를 내뿜는다. 이로 인한 주요 증상으로는 다음과 같다. 이러한 화합물들은 상기도나 폐에는 특별한 손상을 유발하지 않으나, 산화물이나 그 자체의 물질이 일정 농도 이상으로 농축되면 전신증상을 나타내는 경우가 많다.

① 증상은 부정맥, 폐부종, 호흡기 부전 등이 있다.
② 간이나 신장에 독성이 있다.
③ 지연 효과로는 중추 신경계와 신장계의 손상이다.
④ 간혹 혈액계에 이상을 초래한다.

손상을 일으킨 원인물질이 무엇인지 확인되면 쉽게 처치방법을 알 수 있을 것 같지만, 화학물질에 의하여 생성되는 복합물질에 의한 손상일 경우에 치료가 어려운 경우가 많다. 잘 알려진 탄화수소화합물에는 벤젠, 페놀, 크실렌, 톨루엔, 메틸에틸케톤과 염화메틸 등이 있다.

자일렌(=크실렌)과 메틸렌 클로라이드는 약물 중독자의 고의적인 노출 경우도 있다. 위와 같은 물질을 태움으로써 발생하는 연기를 마시면서 중추 신경계에 자극을 주어 쾌락을 느끼는 경우가 있고 환자가 화학물을 삼키고 구토를 하는 경우에 흡인은 폐부종으로 이어질 수도 있다.

탄화수소 용매의 치료는 감염 경로에 따라 달라질 수 있다.

① 국부성 감염의 경우에는 다량의 물과 녹색 비누의 팅크로 소독한다.
② 용매를 삼킨 경우에는 구토 유발하지 않는다.
③ 발작 증세를 보일 경우에는 5-10 mg의 디아제팜 투여한다.
④ 흡인한 경우에는 기도, 호흡, 순환 유지 및 보조를 한다.

많은 물질 속에는(염소나 암모니아로 부터 나오는 연기와 같은) 폐 자극제가 포함되어 있다.

① 염소 : 흡인되었을 때 폐 분비물과 혼합되어 염산을 생성한다.
② 암모니아 : 폐 분비물과 혼합되어 알칼리인 수산화암모늄을 생성한다.
  ㉠ 조직 손상뿐만 아니라 폐부종을 유발한다.
  ㉡ 액체형 암모니아는 냉동 화상을 유발한다.
③ 염소나 암모니아 : 피부에 닿으면 심각한 손상을 유발할 수 있다.
④ 일반적으로 호흡기 감염을 소독을 할 수가 없다.

응급구조사는 위와 같은 화화물을 다루 때는 다음과 같은 상황에 행동에 주의를 한다.

① 환자의 옷을 제거해서 신체를 덮은 옷 안에 유독 가스가 갇히지 않게 한다.
② 감염된 피부를 다량의 물로 세척해야 한다.
  ㉠ 테트라카인과 같은 안구용 국부 마취제를 사용하면서 물로 안구를 세척하여 눈을 편안하게 만든다.
③ 폐부종은 푸로세마이드로 치료한다.
④ 기도, 호흡, 순환(ABC)의 유지 및 보조는 필수적이다.

(마) 살충제(농약)

살충제는 현재 많은 양이 생산되고 있다. 파라콰트(paraquat)를 제외한 제초제나 살균제와 살서제(예 : 쥐약)는 살충제보다 독성이 약하므로 중증환자를 동시에 발생시키지는 않는다. 제초제인 파라콰트는 체내에 유입되면 폐의 섬유화로 진행되는데 특별한 치료 방법이 알려지지 않았다. 대부분의 살충제는 유기인제와 카바메이트(carbamates)로 나눌 수 있다. 이러한 화학물질에 관한 의학 정보는 비교적 잘 알려져 있다. 이러한 물질은 피부를 통한 흡수도 매우 빨리 일어나므로, 환자를 처치하는 요원들은 환자의 옷이나 피부를 통해 자신들이 중독되지 않도록 세심한 주의를 하여야 한다.

유독성 살충제에는 주로 카르바민산염과 유기인산염이 있다. 환자는 4가지(흡인, 흡수, 흡입, 투여) 감염 경로를 통해 화학물질에 접촉될 수 있다.

유해물질은 신경전달물질인 아세틸콜린의 작용을 멈추게 하는 아세틸콜린에스테라아제(AChE)를 차단할 수 있다. 그 결과는 다음과 같다.

① 무스카린 수용체에 대한 과도한 자극과 슬러지(SLUDGE) 또는 DUMBELS 증상이 나타날 수 있다.

㉠ SLUDGE : 유연증(Salication), 최루증(Lacrimation), 배뇨증(Urination), 설사(Diarrhea), 소화불량(Gastrointestinal distress), 구토(Emesis)

㉡ DUMBELS : 설사(Diarrhea), 배뇨(Urination), 동공축소(Miosis, 축동), 기관지경련(Bronchospasm), 구토(Emesis), 눈물흘림(Lacrimation), 타액분비(Salivation)

② 니코틴 수용체의 자극은 근육과 동공의 불수의적 수축이 발생할 수 있다.

㉠ 근연축, 진전, 근력약화 등이 나타나고 대개 호흡근 마비에 의해 사망한다.

Tip. 아세틸콜린(ACh)

중추신경계, 교감/부교감신경의 신경절, 횡문근신경접합부, 일부 장기와 샘(glandular) 구조를 지배하는 부교감신경말단, 땀샘을 지배하는 교감 신경 말단에서 중요한 신경전달물질이다.

분비된 신경절단물질 후신경연접 수용체와 결합하여 밀초기관 또는 뇌에 신경 자극을 전달하면 정기나 근육이 활동하게 된다. 신경연접틈새에 분비된 ACh는 acetylcholinesterase(AChE)에 의해 빠르게 acetic 산과 chloine으로 가수분해되어 작용을 끝내게 된다. 후신경연접 수용체는 크게 무스카린성 수용체와 니코틴성 수용체로 나눌 수 있다.

모든 증상과 징후는 기본적으로 ACh 과다 형태이며 수용체의 형태에 따라 무스카린성, 니코틴성, 중추신경계에 영향을 미친다.

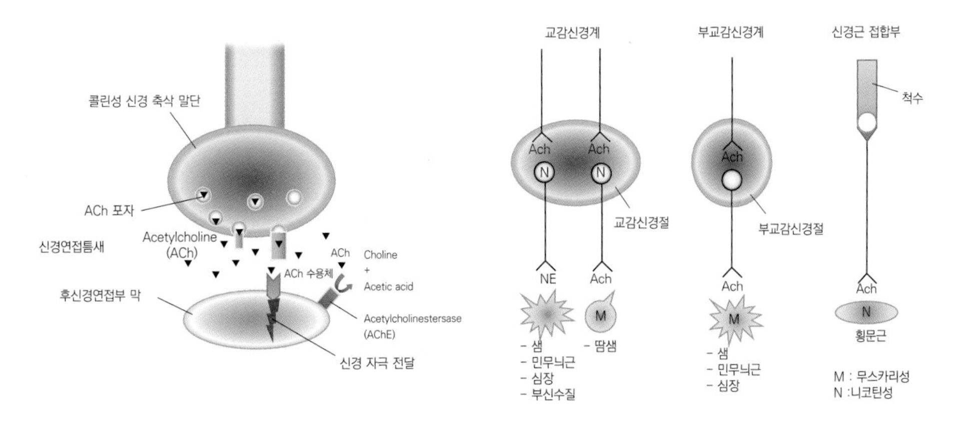

참고 그림. 신경접합부 및 말초기관에서의 ACh 작용

Tip. 유기인제 살충제의 급성 중독 증상

말초기관	무스카린성	말초기관	니코틴성
위장관계	타액분비, 증가된 위장관 운동, 복통, 구토, 설사, 뒤무직, 대변실금	근골격계	근연축, 근놀람, 근경직, 근육약화, 근긴장도 저하, 근마비, 저호흡
눈	축동, 시야혼탁, 눈물		
호흡기계	콧물, 기관지 연축, 천명음, 기관지 분비물, 기침, 폐부종, 호흡곤란, 과호흡, 저산소증	교감신경항진	산동, 빈맥, 고혈압
심혈관계	서맥, 부정맥, 전도장애, 저혈압		
비뇨기계	배뇨, 요실금		
피부	땀		
중추신경계	초조, 의식혼탁, 환상, 졸림, 조화운동불능, 혼수, 호흡저하, 경련		

살충제 같은 화학물이 피부에 머무는 한 지속적으로 체내로 흡수되기 때문에 다음과 같이 행동한다.

① 다량의 물과 녹색 비누의 팅크를 통한 소독 처리가 필수적이다.
② 화학물이 갇혀서 피부에 짓눌리지 않도록 모든 옷과 장신구를 제거시킨다.
③ 기도, 호흡, 순환(ABC)의 유지 및 보조한다.
④ 기도의 분비물은 흡인기로 흡입 시켜내야 할 수도 있다.
⑤ 살충제에 감염되었을 때는 주로 아트로핀을 투여한다.
　㉠ 투여량은 슬러지 증상이 완화되기 시작할 때까지 늘린다.
⑥ 카르바민산염의 경우에는 프랄리독심(pralidoxime)의 사용은 권장되지 않는다.
　㉠ 프랄리독심(pralidoxime)은 근력약화와 근연축 및 의식변화를 완화시키기 위해 투여된다.
⑦ 발작 증상이 있는 경우에는 5-10 mg(성인)의 디아제팜을 투여한다.
⑧ 화학물을 삼켰을 때는 구토를 유발시켜서는 안 된다.

(바) 방사능 물질

방사능물질에 의한 사고는 방사선 검사실, 방사는 기계 공장, 동위원소 생산 공장, 원자로 등의 장소에서 발생한다. 방사능 사고가 사회에까지 영향을 미치는 경우는 매우 드물지만, 다른 어느 위험물질에 의한 재해보다도 위협적이다. 노출(external radiation), 오염(contamination)과 침착(incorporation) 형태의 사고가 일어나며, 이러한 것들이 복합되어 발생하기도 한다. 방사능에 의한 손상은 방사선의 종류, 노출된 시간 및 영상의학과의 거리 등에 의해 결정된다.

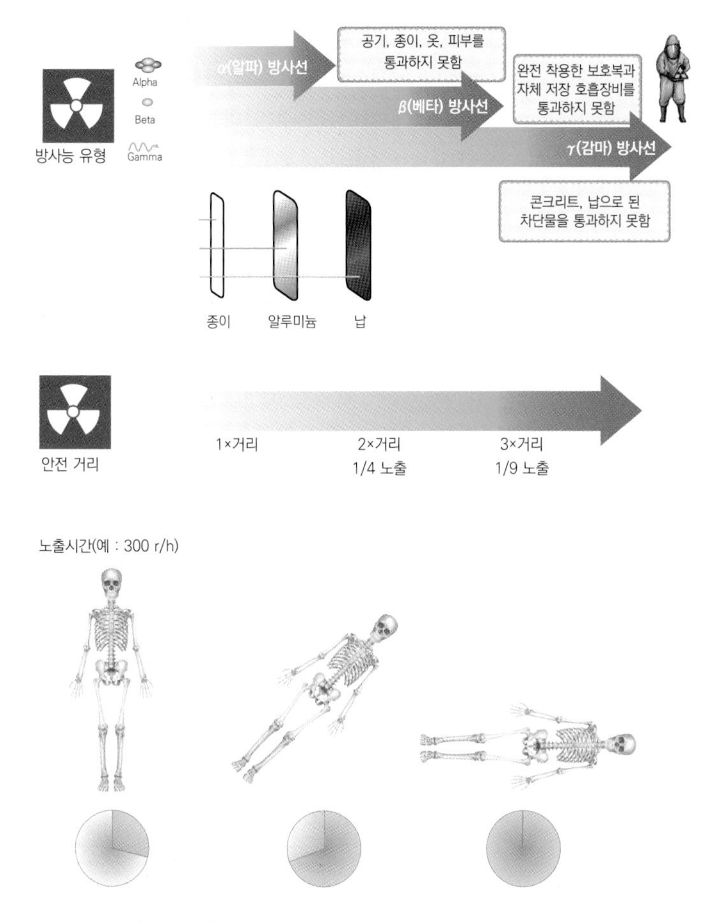

$$I_1L_1^{\ 2} = I_2L_2^{\ 2}$$, I: 방사선의 강도, L: 근원으로부터 거리

그림 9-15. 방사능에 의한 손상은 방사선의 종류, 노출된 시간 및 거리 등에 의해 결정된다.

방사능 물질은 α, β, 및 γ선의 형태로 전리 방사선(ionizing radiation)을 내는 동위원소를 함유하고 있다. 노출거리는 방사원으로부터 멀리 떨어진 거리의 증가는 다음과 같이 역제곱 법칙에 따라 방사선의 강도(역관계)를 감소시킬 수 있다.

① α(알파) 방사선 : α입자는 핵에서 방출되는 입자로 두 개의 양자와 두 개의 중성자로 구성되어 있고 느리게 움직이고 파장이 극도로 짧으며 저에너지 입자이다.

㉠ 물질의 이동거리는 매우 짧아 공기 중 약 10 cm 정도 밖에 되지 않는다.

㉡ 침투력이 매우 약해 옷, 종이, 살갗을 통과하지 못한다.

- 피부에 닿으면 단지 몇몇 세포만 투과할 수 있으며 위험도는 극히 낮다.

㉢ 알파선을 흡입(inhalation)하거나 체내로 들어가면(소화) 매우 위험하다(그림 9-15).

② β(베타) 방사선 : 핵에서 방출되고 음전하를 운반하는 원소입자들(방사선 붕괴)로 구성되며 입자는 α선 보다 작으나 에너지는 더 높다.

㉠ 투과력은 X선이나 γ선 보다 약해 1.3 cm 정도이다.

㉡ 알루미늄판이나 실내벽에 의해 차단 될 수 있다.

- 목재는 약 4 cm, 인체는 0.2-1.3 cm 정도만 투과한다.

㉢ 과도한 노출 시에는 피부화상을 일으킨다.

㉣ α입자보다 국소손상이 적지만 흡입했거나 섭취 시는 매우 위험하다.

③ γ(감마) 방사선 : 질량이나 무게가 없는 순수한 에너지의 극초단 전자파이다.

㉠ α나 β입자보다 에너지와 투과력이 강하다(엑스레이와 같은 고에너지 중성자).

㉡ 파장은 X선과 유사하여 두꺼운 차단물을 통과할 수 있는 고차원 에너지를 갖는다.

㉢ 피부가 노출되면 광범위한 세포의 손상을 야기하며 내부조직에 α와 β입자를 방출하게 하여 간접손상을 일으킨다.

㉣ 납으로 된 차단물로 방어를 해야 한다.

㉤ 감마선은 (분자 구조가 아니라) 전자파이기 때문에 소독이 필요 없다.

입자형태에 따라 손상의 정도가 다르기 때문에 어떠한 형태의 입자를 함유한 동위원소에 노출되었는지 아는 것이 중요하다. 일반적으로 사용되는 가이거-뮬러 계수관(Geiger-Mueller counter)은 β와 γ만 감지할 수 있으므로, α입자를 감지하기 위해서는 특수한 감지기를 사용하여야 한다.

방사능 물질에 오염된다는 것은 가스, 액체 또는 고체형태의 방사능 물질이 의복이나 신체의 일부에 묻는 것을 말한다.

① 노출오염은 방사능 물질이 의복이나 피부에 묻었을 때 발생된다.

② 흡수오염은 상처를 통해 흡수되거나 흡입 등에 의해서 일어난다.

③ 침착이라는 것은 방사능 물질이 신체에 흡수되어 세포나 조직 내로 침투한 것을 말한다.

㉠ 일반적으로 침착은 방사능 물질의 화학적인 성상과 원자에 의해 일어난다.

㉡ 라듐(radium)과 스트론티움(strontium)은 뼈에 침착되며 요오드(iodine)는 갑상샘의 조직에 침착된다.

치료에 있어서 신체 일부나 전체가 방사능에 노출된 경우에, 피폭량이 많다고 하더라도 의학적으로 응급상황은 아니다. 방사능에 노출된 경우 방사능의 효과가 나타나려면 수일에서 수주의 시간이 걸린다. 방사능에 노출된 초기에 여러 문제가 발생할 수 있으나 무시할 정도이다. 그러나 방사능에 오염된 경우는 피해자나 응급의료종사자가 흡수오염(internal contamination)을 당하지 않으려면 세심한 주의를 하여야 한다. 흡수오염은 세포나 조직에 방사능의 침착을 초래하여 방사능에 노출된 지 수년 후에 신체에 이상이 나타날 수 있다.

방사능 사고를 당한 피해자의 생명을 위협하는 위급한 의학적 문제의 처치가 방사능의 측정, 오염관리 및 사고 장소의 오염제거보다 선행되어야 한다. 그러나 일단 환자에 대한 치료가 시작되면, 피해자의 피부나 의복에 오염된 방사능을 정화하여 흡수 오염으로 진행되는 것을 방지하고 방사능 물질을 탐지하여 확산을 막아야 한다. 일단 방사능이 탐지되면 다음과 같이 실시한다(그림 9-16).

① 제독을 하여야 하는데 사람의 경우는 비누를 사용하고, 따뜻한 물로 목욕을 한다.
② 특히 피부의 주름진 부분, 머리 손톱 부분을 잘 씻는다.
③ 세척 후에 재차 방사능을 탐지하여 제독이 안 된 부분은 다시 씻고, 완전히 세척된 후에 옷을 갈아입힌다.
④ 식품이나 음료수를 끓여도 제독이 되지 않으므로, 식품은 흐르는 물에 씻고 물은 15-30cm의 토층을 통과시키면 제독 된다.
⑤ 오염이 심하면 증류법, 이온교환수지법 등을 이용하거나 정제물 소독약, 치아염소산으로 소독한다.

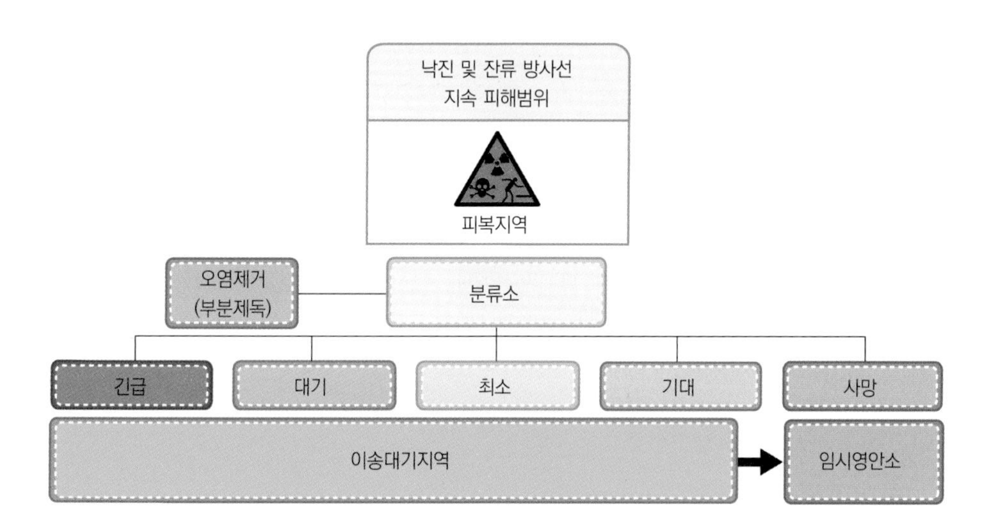

그림 9-16. 방사능물질에 의한 재해 시 현장분류소의 운영

(1) 조사사고

외부 방사선에 노출되는 것을 조사(irradiation)사고라고 하며 신체 일부가 노출되면 질환이 발생된다. 외부 방사선에 노출된 환자의 신체에는 방사능을 가지고 있지 않으므로, 응급의료종사자에게 위험을 주지는 않는다. 전신이 방사선에 노출(irradiation)된 환자라도 방사능(radioactive)은 없다. 조사된 양에 따라 증상이 발현되는 시간은 다르다.

① 1Gy의 방사능이 전신에 노출된 환자는 노출된 지 6-12시간이 지나면 오심 및 구토가 나타난다.

② 2-3Gy의 방사능이면 수 시간 만에 증상을 나타낼 수 있다.

③ 4Gy의 양이면 사망률이 50%에 이르며 30-40일이면 주증상인 골수 기능의 저하가 나타난다.

④ 10Gy의 양이면 며칠 안에 위장관의 점막이 손상되어 심각한 위장관 출혈이 나타나는 '위장관 증후군'이 발현되어 죽음에 이른다.

방사능에 노출된 환자의 중증도 분류를 할 때는 위장관 증상이 있는지가 중요한 기준이 된다. 0.75Gy 이하의 양이 전신에 조사된 환자는 증상이 24시간 동안 나타나지 않으며 단순히 추적관찰만 해도 된다. 골수는 조사(irradiation)에 매우 민감하므로 방사능에 노출되는 즉시 혈액검사를 하고 48시간 후까지 3-4회 정도 추적검사를 하여야 한다. 림프구의 수가 임상적으로 중요한 척도가 되며 예후를 평가하는 기준이 된다(표9-3).

표 9-3. 방사능 피해자의 림프구의 수

임파구/㎣	의미
〉2000	정상이며 의미 있는 손상이 아니다.
1000-2000	의미 있는 손상이나 치명적이지 않다.
〈1000	심각한 손상으로 예후가 나쁘다.
〈500	치명적일 수 있다.
〈100	치명적으로 적극적인 치료가 필요하다.

(2) 오염 및 침착 사고

넓은 지역에 걸쳐 방사능 물질이 사람들에게 영향을 주는 체르노빌 사고와 같은 원자력 발전소의 파괴나 핵무기의 폭발 때에 나타날 수 있다. 체르노빌과 같은 사고의 가장 큰 문제는 환경오염이다. 방사능이 식량의 사슬에 오염되어 침착을 일으킬 수 있다. 브라질과 멕시코에서 폐기된 60Co 암 치료기가 파괴되어 범국가적인 문제가 발생하였다. 지름 1 ㎜의 작은 입자(pellets)들이 넓은 지역으로 퍼져나가 사람, 집, 거리 등을 오염시켰다. 정화하는 데 전 국가적인 노력이 필요하였다. 이러한 방사능 오염에 익숙한 전문 의사는 많지 않다. 따라서 이러한 전문가들이 즉각적으로 투입될 수 있는 유기적인 관계를 준비하여야 한다.

6 위험물 소독(오염제거)에 대한 접근법

소독(오염제거)은 위험물질을 사람 또는 장비 그리고 환경으로부터 건강상 위해를 방지하기 위해서 유해물질을 감소 혹은 제거시키는 작업이다. 소독(오염제거) 작업은 물리적 혹은 화학적 방법을 통해 제거할 수 있다. 물리적인 소독은 사람이나 장비로부터 화학물질을 제거하는 것인 반면, 화학적 소독은 유해물질의 유독성을 감퇴(위험물의 위험을 줄이는 것)시키는 작업이다.

소독 절차에는 몇 가지 달성 목표가 있다.

① 소독은 감염 환자에게 노출된 유해물질의 양을 줄인다.

② 소독은 구급 인력, 현장의 인력, 주변 행인, 병원 인력, 구조 인력의 가족, 일반 시민의 2차 감염의 위험을 감소시킨다.

1) 소독법(오염제거)

소독의 주요 4가지 방법은 희석, 흡수, 중화, 격리 및 폐기(차단)이다. 소독법은 유해물질의 유형과 감염 경로에 의해 달라진다. 대부분에 있어서 소독작업을 위해 2가지 이상의 방법을 사용한다.

(1) 희석

희석은 감염된 사람이나 물체를 다량의 물로 세척하는 작업이다(그림 9-17). 물은 국소적 흡수를 감소시키기 위해 세계적 보편적인 오염제거 해결책으로 간주된다. 팅크제(녹색 비누)와 같은 비누를 사용하면 더욱 효과적으로 오염제거 작업을 실시할 수 있다.

① 다량의 물로 세척하면 물질의 밀도를 크게 줄여, 더 이상 위험하지 않게 된다.

② 반드시 기억하고 주의해야 할 점은 화학물질을 '소량의 물'과 섞여서는 안 된다.

그림 9-17. 오염제거를 위한 희석방법

(2) 흡수

패드나 수건을 통해 유해물질을 닦아내는 작업이다. 흡수 작업은 환자를 건조시키는 차원에서 보통 물 세척이 끝난 후 적용된다. 흡수 조치는 감염의 정도(오염수치)를 더욱 낮출 수 있다.

① 일반적으로 오염제거를 위한 **첫 번째 방법은 아니다.**
② 주요 소독법으로 고려되지 않는다.
③ 사고 환경 정리 및 청소 작업으로 위해 자주 사용된다(그림 9-18).
④ 가장 적합한 흡수제(Sorbent)/흡착제(Absorbent)를 선택한다.
⑤ 해당 유출을 가장 효율적으로 제어하는 방식으로 흡수제(Sorbent)/흡착제(Absorbent)를 배치한다.

그림 9-18. 가장 적합한 흡수제(Sorbent)/흡착제(Absorbent)를 선택하여 흡수한다.

(3) 중화

산성을 알칼리성에 추가하는 것과 같이 한 물질을 통해 다른 물질의 독성을 줄이거나 없애는 작업을 말한다.

① 오염 제거 시키는 **3번째 방법**이다.

② 응급의료 인력 사이에서는 거의 사용되지 않는다.

㉠ 현장에서는 유해물질과 적절한 중화제를 파악하는 것이 어렵다.

㉡ 중화는 발열반응을 일으키거나 다량의 열을 방출시키는 경우가 많다.

㉢ 발생하는 열로 인해 더 큰 손상을 입을 수 있다.

③ 세척 작업은 보통 화학물질을 더욱 빠르게 희석 및 제거시키다.

㉠ 현장에서 가용할 수 있는 장비를 고려할 때 더욱 실용적인 방식이다.

(4) 격리 및 폐기(처단/처분)

격리 및 폐기는 환자나 장비를 유해물질로부터 떨어뜨리는(분리) 작업이다. 격리는 추가적인 오염(감염)과 노출을 방지하기 위해 사고 현장에 별도의 구역(establishing zone)을 설치하면서 시작된다.

① 유해물질 제거팀 및 응급구조 인력은 환자를 위험지역(hot znoe, red)에서 오염감소 지역(Warm Zone, yellow)으로 이동시킨다.

② 환자의 옷이나 장신구(보석 등)를 제거하여 환자와 유해물질 접촉을 줄인다.

③ 감염된 물체는 모두 적절하게 폐기되거나 별도로 보관한다.

2) 소독법 결정 요소

소독 작업을 위해서는 사고관리의 우선순위를 항상 기억해야 한다. "생명 안전, 사고 안정화, 재산 보존"이라는 이러한 우선순위는 사고현장에서 항상 고려되어야 한다.

① 생명에 위태롭다면 환자가 우선이고 환경은 나중이다.

② 환경적인 고려는 생명에 대한 위험 요소가 없을 때에만 우선순위를 갖는다.

㉠ 소독에 사용된 물이 환경 파괴의 원인이 되지 않도록 주의한다.

㉡ 오염을 완전히 **제거**하는 것은 사고를 수습하는 것보다 **우선된다.**

③ 생명이 안전한 뒤에 사고를 안정시키고 재산 보호를 한다.

(1) 응급의료 작업 운영 방법

응급의료 인력은 환자를 발생시키는 유해물질 사고현장에서 2가지 유형의 작업 중 하나를 선택해야 한다.

① 빠른(단기) 의사결정하기(fast break decision making)

: 응급의료(구조) 인력의 오염을 방지하거나 생명에 대한 분명한 위험요소를 다루기 위해 즉시 적용이 필요할 때 사용한다.

② 장기 의사결정하기(long term decision making)

: 유해물질 제거반 또는 응급의료 인력이 환자를 구조하고, **회복**을 위한 환자의 연장된 사건 또는 유해물질을 확인하고 소독법 및 치료방법을 결정하는 상황에서 사용된다.

(가) 빠른 의사결정하기(fast break decision making, 단기적 결정)

환자의 의식이 남아있는 유해물질 사고현장에서 감염 환자는 스스로 현장을 탈출하는 경우가 많다. 이러한 환자는 주요 사고구역을 벗어나 응급의료팀이 있는 곳으로 걸어서 이동할 것이다. 이러한 경우, 응급구조사는 응급의료 대원의 감염을 방지하기 위해 빠른 의사 결정을 내려야 한다.

① 유해물질 제거반이 도착하고 작업을 시작하는 데까지는 시간이 소요 된다는 점을 항상 기억한다.

㉠ 시간이 소요되는 동안, 감염된 환자는 현장을 완전히 벗어날 수도 있다.

㉡ 모든 응급의료 인력은 전체적인 감염에 대한 대비가 있어야 한다.

㉢ 기본적 개인보호 장비는 항상 제 위치에 비치되어야 있어야 한다.

㉣ 응급의료 인력은 2단계 정화(소독) 절차를 숙지하고 있어야 한다.

② 중증의 환자가 발생하거나 알 수 없는 혹은 생명에 치명적인 물질이 있는 모든 사고현장에서는 빠른 의사결정을 내릴 수 있어야 한다.

㉠ 제독과 관련된 모든 대응요원이 긴급 제독 대응활동(Emergency Decontamination Operation)을 수행하는 데 적절한 개인보호장비를 착용하고 있는지 확인한다.

㉡ 오염 지역(Contaminated Area)으로부터 피해자를 이동시킨다.

㉢ 긴급 제독(장소)이 안전한 장소에 설치되었는지 확인한다.

㉣ 오염된 개인보호장비/의복 또는 노출된 신체 부위를 대량의 물로 즉시 씻어낸다.

- 환자의 옷을 제거한다.
- 생명에 치명적인 문제를 응급처치하기 위해서는 다량의 물로 세척을 해야 한다.
- 다량의 물로 인해 저체온증 방지를 위해 온수의 사용이 권장된다.

  * 현장에서 항상 온수를 사용할 수는 없다.
  * 혹한기에는 따듯한 물을 이용할 수 없는 경우 취약한 노인이나 어린이에게 감기나 저체온증을 유발할 수 있다.

㉤ 개인보호장비/의복을 신속히 제거한다. 오염물질의 확산을 막는다.

- 응급의료체계의 제1원칙인 “자신이 환자가 되지 않는다”라는 원칙을 기억한다.
- 응급구조사나 동료대원이 오염원에 노출되지 않도록 한다.

- 추가 요청된 지원부서가 오기 전까지는 환자를 최상으로 격리하고 차단시켜야 한다.

ⓑ 머리부터 발끝까지 신속하게 하나의 순환주기로 헹구고, 씻고(보통 비누 등과 함께), 헹구기를 실시한다.

ⓢ 상태평가, 응급 처치 및 의학적 치료를 위해 피해자를 응급구조사에게 보낸다.

- 유해물질에 감염된 중환자를 치료할 때는 위험 대 혜택 평가(risk to benefit)를 신속히 평가하는 것이 중요하다. 다음과 같은 문제를 파악해야 하고 스스로에게 질문한다.
  - · 얼마나 많이 위험이 있는가?
  - · 지금 정말로 환자에게 필요한가?

ⓞ 구급차와 병원 직원에게 관련된 오염물질에 대해 알려준다.

ⓩ 요구되는 보고서(Report) 및 지원 문서(Supporting Documentation)를 작성한다.

9-19A 오염 지역으로부터 피해자 이동

9-19B 노출된 신체 부위를 대량의 물로 즉시 세척

9-19C 개인보호장비/의복을 신속히 제거 및 오염 확산 방지

그림 9-19. 빠른 의사결정하기에 따른 긴급 제독

현장에서 섣불리 행동을 전에 잠시 생각해 볼 필요가 있다. 서둘러서 실시하는 전문응급처치가 효과를 바로 보이지 않겠지만, 하나의 실수가 응급의료 인력을 환자로 만들 수 있다.

① 환자의 상태가 치명적이지 않은 사고현장의 경우

㉠ 응급의료 인력은 더욱 신중한 접근법을 취한다.

㉡ 일반적인 절차를 마치고 난 뒤 정화 및 응급처치를 **동시**에 진행한다.

② 유해물질이 확인되었는지의 여부에 따라 다른 문제에 주의를 전환하게 될 수 있다.

㉠ 유출되는 유해물질을 차단할 수 있다.

㉡ 보행중인 환자는 더욱 통제된 환경에서 정화함으로써 환자의 사생활을 더욱 보호해야만 한다.

㉢ 환자에 대한 모니터링, 환자의 의복 재착용, 환자의 격리 등과 같은 작업을 수행할 수 있다.

(나) 장기적 의사결정하기(longterm decision making)

시간적 여유가 상황인 경우에는 장기적 의사결정을 생각하게 된다. 이러한 결정은 주로 환자가 위험지역(hot zone)에 있고 스스로 구조할 수 없는 상황에서 결정한다.

① 응급의료 인력은 위험지역(hot zone)에 진입하여 구조 훈련 및 장비를 갖추지 못한 경우
　㉠ 유해물질 제거반에 즉각적으로 지원 요청한다.
② 응급의료 인력은 위험물질 제거반을 의료적 모니터링을 실시한다.
③ 소독 통로를 설치할 때까지 현장에 접근하지 않는다.
　㉠ 유해물질 제거반이 현장에 도착하는 데까지는 60분 이상이 소요된다.

장기적 의사결정은 다음과 같은 장점이 있다.

① 소독 치료, 개인보호장비(PPE) 확보, 2차 감염 감소, 환경 고려, 유해물질 조사 등
② 장기적 결정은 시행착오의 가능성을 감소시킨다.
　㉠ 빠른 의사결정보다 더 선호된다.

응급의료종사자 인력은 스스로 위험구역을 탈출하려는 환자로 인해 유해물질 사고현장에서 결정을 서두르게 된다. 이에 빠른 의사결정하기에 대해 항상 준비가 되어 있어야 한다.

3) 현장 정화(현장 소독)

소독법과 개인보호장비(PPE) 유형은 문제의 유해물질에 따라 달라진다. 조금이라도 확신을 할 수 없다면 최악의 상황을 가정하고 대비한다.

① 잘 모르는 유해물질을 다룰 경우에는 중화시키려 하지 않는다.
　㉠ 화학반응을 유발하지 않기 위해 물 세척을 전에 건조한 상태인 화학물질 입자를 솔로 털어낸다.
　㉡ 녹색(팅크) 비누와 함께 다량의 물로 세척을 한다.
② 이소프로필 알코올은 이소시안산염을 위한 효과적인 물질이다.
③ 식물성 기름은 물과 반응도가 있는 물질을 소독할 때 사용할 수 있다.

(1) 2단계 소독 절차

보통 단기적 결정이 필요한 종합적 소독 절차를 위한 시간적 여유가 없는 환자에게는 전신 정화를 위한 2단계 소독 절차이다.

① 1단계 : 급발성 사건에 대한 환자이고, 응급의료종사자 대원은 신발, 양말, 장신구 등을 포함한 환자의 의복을 모두 제거한다(유해물질 사고 처리 전에 환자 개인별로 효과가 다르게 나타날 수 있다는 설명을 미리 대비 해 놓는 것을 잊지 않아야 한다).

② 2 단계 : 응급의료종사자 대원은 환자를 비누와 물로 세척하고, 세척된 물이 자신에게 접촉하지 않도록 주의한다. 세척을 반복하면서 세척된 물이 매번 안전하게 배수되도록 해야 한다
.

※ 정화가 까다로운 부위(소독이 힘든 부위)는 세심한 주의가 필요하는 부위는 다음과 같다.
- 두피, 모발, 귀, 비강, 액와, 손톱, 배꼽, 성기, 서혜부, 둔부, 무릅 뒤편, 발가락 사이, 발톱 등

(2) 8단계 소독 절차(8단계 과정)

8단계 절차는 완전 정화지역(통로)에서 실시되고 핫 존을 벗어나기 위해 유해물질 제거는 다음과 같은 절차를 따른다.

① 1단계 : 소독 통로의 위험지역(hot znoe) 구역을 통해 정화구역으로 진입하고 환자로부터 오염물질을 기계적으로 제거한다.

② 2단계 : 오염된 장비를 회수 구역에 두고 외피 장갑을 벗는다.

③ 3단계 : 정화 대원이 응급의료종사자 인력을 전신 소독 및 샤워를 시키고, 모든 환자와 응급의료종사자 대원을 세척 솔로 문지르면서 전체를 세척한다. 피부 표면 소독이 끝나면, 감염 부위에 희석 조치를 한다. 환자는 6-7단계로 넘어갈 수도 있다.

④ 4단계 : 응급의료종사자 대원은 자급식 공기 호흡기(SCBA)를 제거하고 격리시켜야 한다. 오염구역에 재진입해야 할 경우, 응급의료팀은 비오염 구역에서 준비한 새 자급식 공기 호흡기(SCBA)를 착용한다.

⑤ 5단계 : 응급의료종사자 대원은 위험지역(hot znoe)에서 나온 응급의료종사자 대원의 모든 보호복을 제거한다. 오염된 물품은 따로 격리시키고, 폐기 처리가 필요한 물품은 라벨(label)을 붙여 오염된 공간(오염지역 쪽)에 보관한다.

⑥ 6단계 : 오염된 의복을 제거되지 않은 환자는 의복을 제거시킨다. 제거된 모든 물품은 모두 비닐봉지에 넣어 격리시키고 차후 폐기 처분이나 보관을 위한 라벨(label)을 붙인다.

⑦ 7단계 : 응급의료종사자 대원과 환자는 부드러운 솔이나 스펀지, 물, 성분이 순한 비누나 세제를 사용하여 전신 세척을 받는다. 세척 도구는 추후 폐기 처분될 수 있게 비닐봉지에 따로 보관한다.

⑧ 8단계 : 환자는 병원으로 이송되어 추가 응급처치를 받기 전에 신속한 환자평가로 응급진단 및 진료를 받게 하고 안정화시켜야 한다. 응급구조사는 응급의료종사자 대원을 의료 모니터링 및 감염 노출 기록을 작성하고, 필요한 경우 응급의료종사자 대원을 병원으로 이송한다.

8단계 소독 절차 단계는 고정된 절차가 아니다. 현장 상황에 따라 약간씩 수정할 수 있다.

응급구조사는 정화(소독)법 절차를 잘 알고 있어야 한다.

(3) 환자 이송 시 고려사항

현장에서 정화를 받은 환자는 완전히 소독된 것이 아니라는 것을 기억하고 있어야 한다. 현장에서 정화를 받은 환자는 반소독 환자라고도 불리고, 의료시설에서는 적극적 침습적인 정화 절차를 받을 필요가 여전히 있을 수도 있다. 감염의 유형에 따라 손상 부위는 괴사 조직을 변연절제술을 필요로 할 수 있고, 모발이나 손톱은 다듬어지거나 제거될 필요가 생길 수 있다. 그러나 너무 완벽하게 소독을 실시하기 위해 시간을 낭비하다 환자가 사망하는 것보다는 환자를 살아있는 상태로 병원에 이송하는 훨씬 낫다. 현장에서 정화된 환자는 더욱 세부적인 정화 처리가 가능한 의료시설로 이송된다는 것을 명심하면 된다.

현장에서 정화된 환자를 이송할 때는 항상 환자의 신체에 오염물질이 남아있을 수 있다는 점을 기억한다. 예를 들면, 어떤 한자는 자신이 기침하거나 구토할 경우에 뱉어낼 수 있는 화학 약품을 삼켰을 수도 있다. 이런 경우는 가능한 폐기 처분 가능한 장비를 사용하여야 한다. 화학물질을 삼킨 경우 환자가 기침이나 구토를 하면서 독성 화학물이 밖으로 배출될 수도 있다. 공기를 통해 확산되는 유해물질은 구급차 뒤편에 있는 응급의료종사자 대원뿐만 아니라 운전자까지도 감염시킬 수 있다는 점을 기억한다. 구급차 내부를 플라스틱 재질 감싸서 격리하기는 실질적으로 어렵다 하더라도 환자를 들것 정화풀(stretcher decon pool)을 이용하여 환자를 격리시킬 수 있고 오염된 체액을 담는 데 도움이 된다. 이 플라스틱 백은 정화풀을 덮는 데 사용할 수 있어 추가적으로 보호막 기능을 더해준다.

7 유해물질 보호 장비

유해물질 사고현장에서 사용되는 개인보호장비는 응급의료종사자 대원의 부상을 방지하거나 감소시킬 수 있도록 특별 제작되었다. 기본적으로 유해물질 보호 장비에는 레벨 A(최고수준)부터 레벨 D(최저수준)까지 총 4단계가 있다.

① 레벨 A: 호흡 기능과 위험물질의 튀김 방지 기능이 있는 최고 보호구를 제공한다. 이러한 유해물질 보호구는 자급식 호흡기를 착용(Self-Contained Breathing Apparatus, SCBA)하고 있는 구조대원을 화학물질로부터 완전한 보호하는 기능, 즉 응급의료종사자 대원을 완전히 감싸서 캡슐화(encapsulating)하여 유해물질로부터 보호하고 있다. 알 수 없는 물질이 있고 호흡기 및 피부에 대한 위험이 잠재적으로 있는 경우와 알 수 없는 물질이 있

는 위험지역(hot znoe)에 진입하는 응급의료종사자 대원은 완전히 밀봉된 불투과성 보호복을 착용한다.

level A (고급 안전보호장비)

① 화화적, 생물적 내구성이 있는 완전밀폐형
② 보호복 내장형 단독 공기호흡장치(50분 이상)
③ 착용조건
  - 고위험 병원체 오염 의심장소
  - 호흡기, 피부, 눈 등 점막에 치명적인 상황
④ 구성 : 냉방자켓, 보호장화, 공기호흡기, 송수신헬멧, 무전기
⑤ 사용 후 오염제거 및 세척 용이
⑥ 두창, 페스트, 바이러스성출혈열 등의 병원체 검체 채취 착용
⑦ 탈착용이, 독가스에 대한 보호성능, 착용 후 공기주입 가능, 밀폐식 특수 지퍼

② 레벨 B: 피부 손상에 대한 위험이 비교적 낮은 경우 호흡기에 대한 완전한 보호 기능을 한다. 레벨 B 보호복은 전신을 완전히 덮지는(캡슐화, encapsulating) 않지만 화학적 저항력이 높은 편이다. 지퍼, 장갑, 부츠, 마스크의 접점을 위한 솔기(천의 끝과 끝을 봉합했을 때 생기는 선)는 강력 접착 테이프로 밀봉할 수 있도록 되어있다. 자급식 호흡기(SCBA)는 보호복 밖에 착용되어 기동성을 높이고 호흡기 용기의 교체를 아주 용이하게 만든다. 일반적으로 소독(정화) 처리하는 대원이 레벨 B 보호 장비를 착용한다.

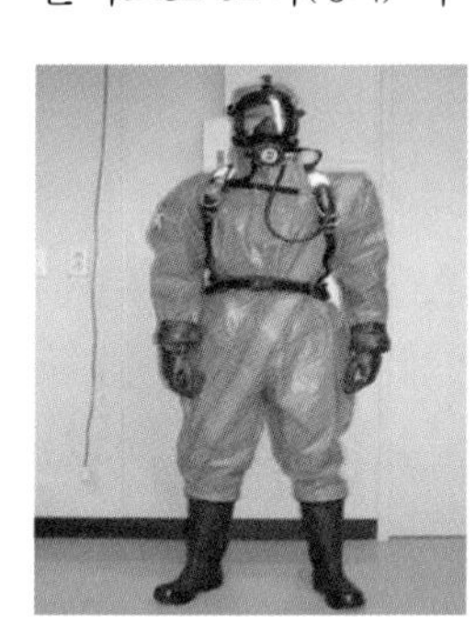

level B (기초 안전보호장비)

① HEPA 필터 장착 방독마스크
② 타이벡 소재, 보호력이 있는 부직포 소재
③ 착용조건 : 저 위험 병원체 오염
  - 피부에 악영향 및 흡수 가능성 적은경우
  - 대기 중 오염물질이 확인된 경우
④ 단순 백색가루 등 미립자 형태의 병원체
⑤ 구성 : 상하 일체형 보호의복, 보호 장갑, 보호 장화, Hepa Filter (p100)호흡보호구
⑥ 1회 사용 후 폐기

③ 레 벨 C : 불투과성 복호복, 장화, 손과 눈을 보호하는 장비가 포함한다. 레벨 C 보호 장비는 자급식 호흡기(SCBA) 대신 공기 정화기(APR)를 사용한다. 공기 정화기는 환경에서 인지하고 있는 오염물에 대한 보호는 정화통(필터기)을 통해 오염물을 걸러낸다. 이때 정화통은 특별히 선택되어야 하고, 유해물질 응급사고 대응시 통상적으로 지급되지 않으며 자주 사용되지 않는다. 레벨 C 보호복은 2차 감염의 위험이 있는 환자를 이송할 때 착용한다.

level C (표준예방장비)
① 피부로 흡수되는 위험 없는 경우
② 가운, 장갑, 공기 정화기(APR) 마스크, 고글, 손 씻기

④ 레벨 D : 소방복인 방화복과 같은 장비로 구성된다. 일반적으로 레벨 D 장비는 유해물질 사고에 적합하지 않다.

level D (일반예방조치)
① 피부로 흡수되는 위험 없는 경우
② 가운, 장갑, KF-94 (N-95마스크), 고글, 손 씻기

착용해야 하는 유해물질 보호 장비는 현장에서 발견되는 유해 화학물질에 의해 결정된다. 이상적인 경우, 사고현장의 화학물질을 신속히 파악하여 물질안전 보건자료(Material Safety Data Sheets, MSDS)를 통해 물질의 명칭과 속성, 유해물질로 인해 인체의 유해, 화재, 반응성 위해 유형 그리고 유해물질의 안전한 취급에 필요한 장비 및 기술, 응급처치에 대한 것들을 파악해야 한다. 모든 유해물질 사고에 효과적인 단 하나의 재질은 존재하지 않는다. 그러한 재질은 특정 화학물질에 저항력이 있지만, 다른 유해 화학물질에는 취약한 경우가 있다.

응급의료종사자 인력은 적절한 개인 보호장비 없이 유해물질 사고 현장에 진입해서는 안된다. 모든 구급차에는 완전한 수준(Full Turn Out Gear, Level D)의 보호 장비는 아니더라도 개인보호장비가 비치되어야 한다. 현장 상황이 급박하고 문제의 화학물질이 확인되지 않는 경우, 방호장비를 가능한 많이 착용(barrier protection)하여 최고수준으로 적용한다. 방화복이나 타이벡 보호복이라고 특별히 더 효과적이지는 않다. 헤파(HEPA) 필터 마스크와 이중/삼중 장갑은 몇 가지 유해물질에 대한 더 좋은 보호기능을 한다. 그리고 응급의료종사자 인력이 감염예방으로 자주 사용하는 라텍스 장갑은 화학적 저항력이 없다는 점을 명심한다. 대신 대부분의 화학물질에 대한 저항력(내화학성)이 있는 나이트릴 상갑을 사용한다. 또, 가죽장화는 화학물질을 영구적으로 흡수하기 때문에, 반드시 고무장화를 착용한다.

표 9-4. Level A, Level C 개인보호장비 재질 및 규격

구분	구 성	규 격
Level A	보호복	① 안면은 내충격용, 전방 시야각도 확보 가능한 넓은 창 ㉠ 안면 : 내충격용, 전방 160도 이상 ② 밀폐형화학보호복(공기호흡기 내장형)으로 탈착이 용이한 구조 ㉠ 착용후 공기주입이 가능, 공기 및 산호 호흡기 내장형 ③ 겨자가스, 신경가스, 독가스, 사린 등에 대한 보호성능을 갖춘 제품 ④ 화학적, 생물학적 내구성이 있는 밀폐형 보호장비 ⑤ 냉방자켓은 작업 시 열 스트레스로부터 보호 ⑥ 사용 후 오염제거 및 세척 용이, 반복사용 가능 ⑦ HD(겨자가스), VX(신경가스), soman(독가스), tabun(독가스), 사린, 루이사이트(독가스)에 대한 보호 성능 이상을 갖춘 제품 ⑧ 화학적, 생물적 내구성이 있는 밀폐형 보호장비 ⑨ 착용지퍼는 가스 침입 방지용 혹은 밀폐식 특수 지퍼
	보호장갑	① 보호복과 일체형으로, 쉽게 미끄러지거나 찢어지지 않는 구조이며 옷의 소매가 밀착되어야 함 ② 보호복과 탈착이 용이한 구조 ③ 쉽게 미끄러지거나 찢어지지 않는 구조
	보호장화	① 보호복과 일체형구조인 내화학성 장화
	공기호흡기	① 착용 후 최대 50분가량 사용가능
	골전도헤드셋	① 이어폰과 마이크 내장형 구조
	무선송수신기	① 6개의 채널이 있으며, 2,000 m까지 사용가능 ② 50분 이상 송수신이 가능
	송수신헬멧	① 두부보호 및 송신장치 장착
Level B	전신보호복	① 타이벡 소재, 1회 사용 후 폐기 ② 상하일체형 보호복
	보호장갑	① 보호복과 탈착이 용이한 구조 .옷의 소매가 밀착되어야 함. ② 쉽게 미끄러지거나 찢어지지 않는 구조로 1회 사용 후 폐기
	보호장화	① 내화학성 장화, 1회 사용 후 폐기
	공기호흡기	① 착용 후 최대 50분가량 사용가능

구분	구 성		규 격
Level C	전신보호복		① 폴리에틸렌 혹은 폴리프로필렌 소재(내화학 코팅)(1회 사용 후 폐기) ② 분진 및 바이러스 혈액에 대한 보호성능을 갖추어야 함 ③ 후드가 장착된 일체형 화학보호복
	보호장갑		① 보호복과 탈착이 용이한 구조로 옷의 소매가 밀착되어야 함 ② 쉽게 미끄러지거나 찢어지지 않는 구조(1회 사용 후 폐기)
	보호장화		① 내화학성 장화, 1회 사용 후 폐기
	마스크	면체	① 얼굴과 눈이 외부와 완전히 밀폐되는 전면형
		정화통	① 방독 및 방진이 가능하며, 사용 전 밀봉으로 포장되어 있어야 함 ② 방진능력은 특급/P100 이상, 생물학작용제의 차단 가능 ① 방독능력은 신경 · 혈액 · 겨자작용제의 차단 가능
Level D	전신보호복, 덧신		① 바이러스 비말이 전신과 의복에 오염되어 간접 전파 되는 것을 방지
	장갑		① 바이러스에 의한 손오염 방지, 노출정도를 고려하여 재질 선택
	장화		① 신발 덮개 대신 착용하며 바닥이 젖거나 오염이 심할 경우, 노출 위험에 따라 선택
	헤어캡		① 비말이 머리에 오염되는 것을 방지
	보안경		① 눈의 점막 오염방지
	안면보호구		① 눈의 점막과 안면부 오염 방지
	호흡기보호구 (외과용 마스크)		① 코와 입의 점막을 통한 호흡기 감염 방지, 착용 시 콧등의 철심을 코에 맞게 착용해야 효과 있음
	호흡기보호구 (KF-94 동급의 마스크)		① 코, 입 점막을 통해 호흡시 병원체 입자가 유입되는 것을 방지
	PAPR		① 코와 입의 점막을 통한 감염원 흡입 방지하며 충전, 소독 등 관리필요

표 9-5. 등급별 개인보호장비 착용 조건 및 구성요소

구 분	Level A급	Level B급	Level C급	Level D급
완전착용 모습				
구성 요소	① 완전밀폐형(미립자, 액체, 증기)보호복 ② 냉방자켓 ③ 보호장화 ④ 공기호흡기(SCBA) ㉠ 가장 높은 수준의 호흡기 보호 ⑤ 송수신 헬멧, 무전기 ㉠ 머리보호구 ⑥ 골전도헤드셋	① 상하일체형 보호복 ㉠ 약간 낮은 수준의 피부 보호 ㉡ 의복은 내화학성이어야 하지만 가스나 증기가 목, 손목을 통해 들어올 수도 있는 경우 ② 보호장갑 ③ 보호장화 ④ 공기호흡기(SCBA) ㉠ 가장 높은 수준의 호흡기 보호	① 전신보호복 ㉠ 낮은 수준의 호흡기 보호 (공기정화학식 호흡기 보호구 사용) ㉡ Level B와 동일한 피부 보호 ② 보호장갑, KF-94 동급 마스크, 보안경 또는 안면보호구(필요시 PAPR) ㉠ 낮은 수준의 호흡기 보호 (공기정화학식 호흡기 보호구 사용) ③ Hepa Filter (p100)호흡보호구	① 전신보호복 ㉠ 최소 수준의 보호에 사용 ㉡ 유해한 분진 입자나 액상물질의 분무에 대한 보호 ② 보호장갑, KF-94 동급 마스크, 보안경 또는 안면보호구(필요시 PAPR) ③ 피부를 특별히 보호할 수준이 아님 ④ 전형적으로 안전모, 보호안경, 안전화, 보호앞치마 등으로 구성
착용조건	① 고위험 병원체 오염 의심 장소 ㉠ 가장 높은 수준의 피부와 호흡기 보호 ㉡ 예 : 두창, 페스트 ② 고위험물질(미립자, 액체, 가스)로 확인되거나 의심되는 경우 ㉠ 가스/증기로부터 보호할 수 있는 캡슐형 보호의 ㉡ 양압형 자가공기공급식 호흡기보호구 또는 외부공기공급식 호흡기보호구 ③ 호흡기, 피부, 눈 등 점막에 치명적인 위해를 주는 경우 ④ Hot Zone(위험지역)에서 사용	① 저위험 병원체 오염 의심 장소 ② 저위험물질(미립자, 액체 비산)로 확인되거나 의심되는 경우 ③ 피부에 악영향을 미치지 않거나 흡수 가능성이 적은 경우 ④ 대기중 오염물질이 확인된 경우 ⑤ Warm Zone(경보지역)에서 사용	① 화학물질이 어느 정도의 농도로 존재하는지 알려진 상태이며 피부로 흡수되는 위험은 없는 경우 ② Clean Zone(제독 혹은 세척지역)에서 사용 ③ 예바이러스성 출혈열 등	① 호흡기보호구 불필요 ㉠ KF-94 등의 동급의 마스크 ② 일반적인 작업복 수준 ③ Cold Zone(안전지역)에서 사용 ④ 예 : SARS, MERS, CoV 등

표 17-6. 기타 개인보호장비의 종류

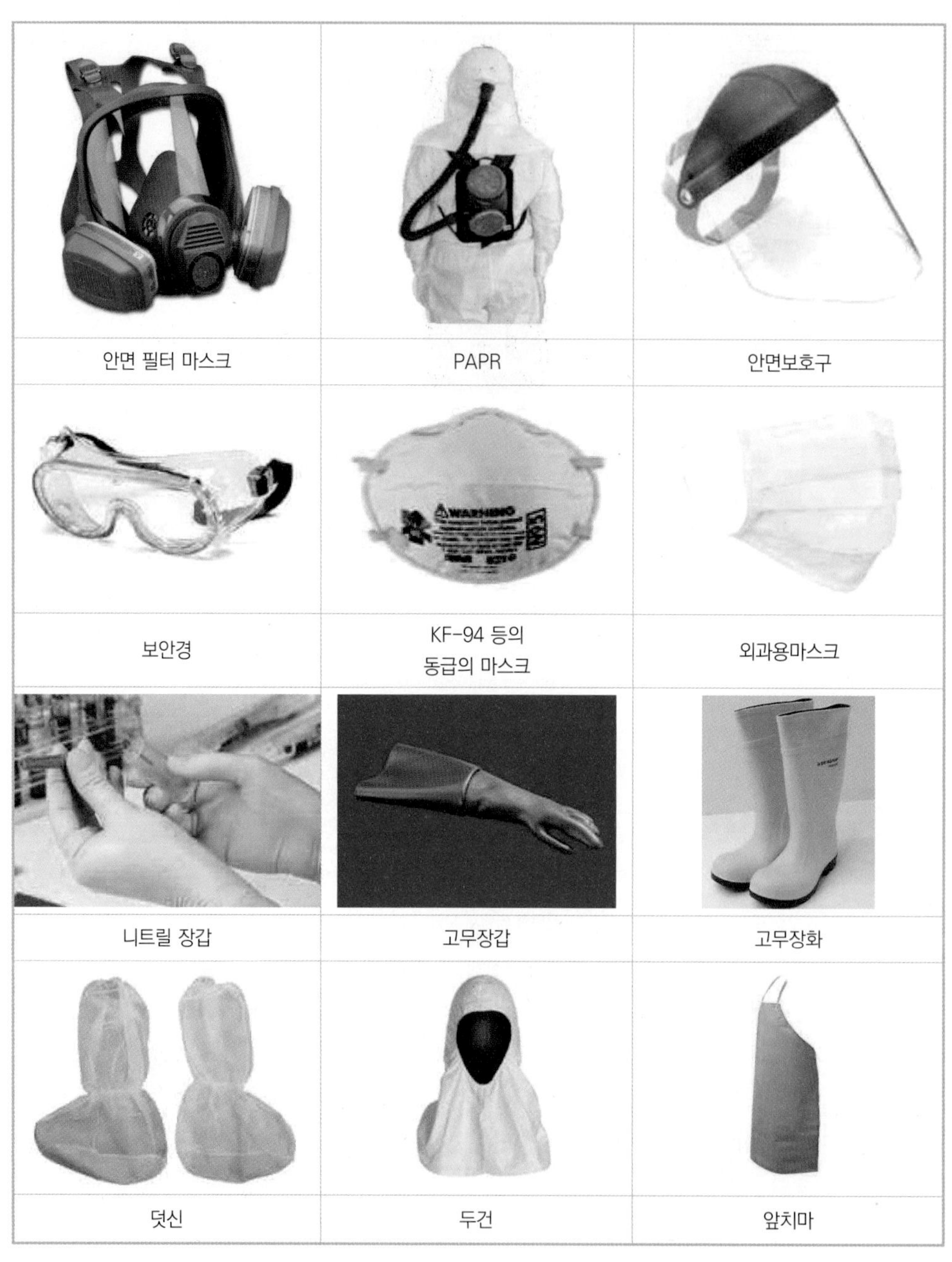

안면 필터 마스크	PAPR	안면보호구
보안경	KF-94 등의 동급의 마스크	외과용마스크
니트릴 장갑	고무장갑	고무장화
덧신	두건	앞치마

8 의료적 감시와 복귀

유해물질 사고에서 응급의료종사자 인력이 수행하는 주요 역할 중 하나는 현장에 진입하는 응급의료종사자(구조) 인력에 대한 의료적 감시이다. 모든 유해물질 제거 대원은 매년 신체 검진을 받고 기본 활력징후를 파일에 기록해야 한다.

1) 현장 진입 준비(투입가능 상태)

유해물질 현장에 진입하기 전에 응급의료종사자(구조) 인력을 평가하고 다음과 같은 의료정보(활력징후, 체중, 심전도, 정신적/신경적 상태)를 기록해야 한다.

① 비정상적인 징후가 발견되면, 응급의료종사자(구조) 인력이 현장에서 구조 작업을 하지 않도록 한다.

② 유해물질 제거하는 응급의료종사자(구조) 인력은 2인 1조로 위험지역(hot zone)에 진입한다.

③ hot zone의 바깥 부근에서 개인 보호 장비를 착용한 2명 이상의 인력을 대기시킨다.

④ 유해물질 위험지역(hot znoe)에서 사용되는 개인 보호장비는 상당한 스트레스와 탈수 증세를 유발할 수 있다.

㉠ 현장 진입하는 전에 250-500 L의 물이나 스포츠 음료수를 섭취하여 미리 수화 조치를 취한다.

㉡ 스포츠 음료수는 물에 50% 정도 희석하여 마시는 것이 좋다(물과 함께 섭취할 경우 더욱 효과적임).

2) 현장 대피 이후의 복귀

유해물질 사고 현장 응급의료종사자 인력이 위험지역(hot znoe)을 벗어나 소독 임무를 마치고 나면, 대피 후 의료적 감시를 위해 응급의료종사자 감시 감독관에게 보고를 해야 한다(그림 9-20). 계통 흐름상의 동일 변수에 대한 측정 및 기록이 필요하다. 유해물질 제거하는 대원에게는 더욱 많은 물이나 물로 희석한 스포츠 음료수를 제공하여 재수화(정맥이나 입을 통하여 수액을 제공하였을 때 환자의 정상적인 체액 균형이 회복되는 현상) 조치를 실시한다. 의료적 감시 감독관과의 검토와 현행 의료지침의 확인을 통해 수액 보충 방식(경구/정맥)을 결정하여야 한다. 유해물질 제거하는 응급의료종사자 인력은

그림 9-20. 소독 절차에 관여된 구조대원

의식이 명료하고, 정상 활력징후이며, 정상 체중인 경우가 아닌 경우에는 위험지역(hot znoe)에 재진입해서는 안 된다.

3) 열 스트레스 요인

열 스트레스를 평가할 때 응급구조사는 많은 요인을 고려한다. 그 주요 고려 사항으로, 온도와 습도가 있고, 평가대상으로는 다음과 같다.

① 사전 수화 조치
② 현장 활동의 시간 및 정도
③ 구조대원의 전반적인 체력 및 체질 등

보호복 중 레벨 A는 응급의료종사자(구조) 인력을 유해물질로부터 보호하지만 열 손상 및 스트레스에 노출하게 한다(그림 9-21). 응급의료종사자(구조) 인력은 캡슐화(encapsulating) 보호복에 의해 후덥지근한 여름 무더위 속에서 구급 · 구조 활동을 하는 것과 같은 열 스트레스를 받을 것이다. 응급의료종사자(구조) 인력의 보호복은 유해물질을 차단하는 동시에 열소실(복사, 전도, 대류, 증발작용)을 방지한다. 그렇기 때문에 현장진입 이후의 의료적 감시의 우선순위로 열 스트레스(목록 상위)이다.

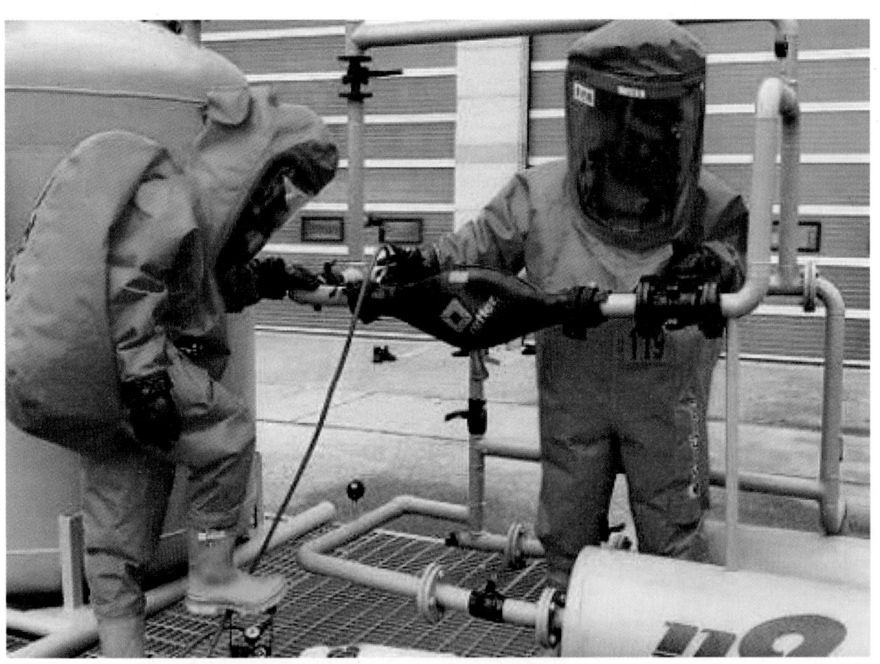

그림 9-21. 응급의료종사자 구조인력은 캡슐화(encapsulating) 보호복에 의해 열 스트레스를 받을 것이다.

10 테러에 대한 대응

1 개요

테러(terror)라는 용어는 원래 라틴어 “terrier” 에서 기원하여 공포, 공포조성, 커다란 공포 혹은 죽음의 심리적 상태를 의미하며, 이는 곧 떠는, 떨게 하는 상태, 그리고 ‘죽음을 야기하는 행위나 속성’을 뜻하는 것이다. 테러리즘은 주권국가 혹은 특정 단체가 정치, 사회, 종교, 민족주의적인 목표달성을 위해 조직적이고 지속적인 폭력의 사용 혹은 폭력의 사용에 대한 협박으로 광범위한 공포분위기를 조성함으로써 특정 개인, 단체, 공동체 사회, 그리고 정부의 인식변화와 정책의 변화를 유도하는 상징적, 심리적 폭력행위의 총칭이다.

Tip. 테러의 정의

테러란 정치적, 이념적인 목적으로 다른 사람에게 위해를 가하는 것을 말한다.

뉴욕과 워싱턴에서 동시 다발적 9.11테러리즘이 자행된 지 26일만에 미국이 오사마 빈 라덴의 본거지와 훈련 캠프에 대한 대대적 공격을 개시함으로써 21세기 첫 전쟁이 시작됐다. 미국의 테러리즘 근절을 위한 강력한 의지가 군사행동으로 옮겨진 유례를 찾을 수 없는 반(反) 테러리즘 전쟁이다.

과거의 테러리즘(Old Terrorism)이 극단적 수단을 동원한 의사소통 행위 측면이 강했다. 그러나 뉴 테러리즘(New Terrorism)은 전쟁의 한 형태로 자행되고 있다는 특징을 보이고 있다. 전쟁에서는 적의 궤멸이 목적이므로 승리 이외에 요구 조건이 있을 수 없으며, 상대방에게 최대의 타격을 입히는 것이 최종 목표이다. 뉴 테러리즘의 최종 목적은 대량 살상 자체가 목표이기 때문에 적은 비용으로 어마어마한 인명 손실을 가져올 수 있는 생화학 무기를 사용할 가능성이 매우 높은 실정이다. 지난 9월 11일 대 참사는 테러리스트들에게 도덕적 한계는 없다는 것을 보여주었다.

생화학 무기의 위협은 치명적 기능 외에 사용 범위와 피해 상황을 제대로 파악하기가 어렵다는 데에 있다. 폭탄은 눈에 보이지만 생화학 무기는 보이지 않기 때문이다. 이로 인해 방독면을 아예 쓰고 살지 않는 한 생화학 테러 앞에서는 사실상 무용지물이다. 누군가가 감염된 다음에야 무기가 사용됐는지 확인할 수 있고 그때쯤이면 이미 그를 통해 많은 사람들이 병에 걸린 후일 것이기 때문이다. 그동안 생물 무기를 이용한 테러는 공상과학소설이나, 007 시리즈 영화에나 등장하거나 도덕적으로 상상할 수 없는 일로 일축되어온 점이 없지 않다. 또한, 화학테러, 사이버테러 등을 통해 저렴한 비용으로 대규모 인명살상 및 국가인프라 파괴효과 달성이 가능하며, 얼굴 없는 테러로 사전 색출이 어렵고, 전쟁의 한 형태로 불특정 다수인을 상대로 무차별 인명살상을 기도하고, 테러조직이 여러 국가 · 지역에 걸쳐 그 물망 조직으로 연결된 결사체로서 하나의 중심세력을 제거해도 다른 조직이 그 역할을 수행하는 등 뉴테러리즘(New Terrorism)에 대한 종전과 다른 형태의 대처방식이 요구되고 있다. 이러한 인식을 계기로 응급의료종사자인 우리들 자신이 테러 행위에 대응할 수 있도록 준비를 하기 시작했다.

Tip. 테러

① 사람이 없는 공장이나 시설을 공격하기도 하지만, 대부분은 많은 무고한 사람들이 피해를 받는다.
② 사용 방법은 매우 많은데, 생물학적인 병원체나 독극물을 공기 중이나 물 또는 음식에 넣는 경우는 매우 조절하기가 어렵다. 이러한 형태의 테러 중에 전 세계적으로 문제시되고 있는 것은 많은 국가에서 보유하고 있는 다양한 종류의 군사용 가스를 테러분자들이 탈취하여 테러의 목적으로 사용하는 것이다.
③ 테러분자들은 최대의 효과를 내기 위하여 비행기나 기차와 같은 시설물을 목표로 하므로 동시에 수많은 피해자가 발생한다.

Tip. 테러 및 대량살생무기

① 언제나 주위를 잘 살피고 대량살생무기(WMD)로부터 자신을 보호는 최선의 방법은 접촉을 하지 않는 것이다.
② 많은 인명을 살생, 살상하거나 재산 및 사회기반(교량, 터널, 공항, 항구 등)을 파괴할 목적으로 만들어진 것을 말한다.
③ 핵, 화학, 생물학, 폭발무기를 포함한다.
④ 정부의 상징적인 건물(예 : 청와대 및 주요 건물 등)이나 국가를 대표하는 건물(주한 일본대사관)등을 공격하기 위해 테레리스트에 의해 사용되어진다.
⑤ 사건이 의심되면 현장 안전을 먼저 확인하고 안전이 보장되지 않으면 들어가지 말고 추가지원을 기다린다.

⑥ 경찰에 통보하는 것도 중요하다. 경찰에게 사건의 종류, 필요한 추가 지원사항 및 예상환자 수와 접근하기 좋은 바람 반대 방향의 위치를 알려준다.
⑦ 집결할 수 있는 장소를 확보하고, 접근 통로 및 출구확보를 한다.
⑧ 현장 안전을 계속 확인하고 재확인한다.
⑨ 응급구조사의 역할은 응급처치, 응급상태인 환자의 치료 그리고 이송을 포함한다.

테러 행위는 다양한 형태로 발생할 수 있다. 전 세계적으로 테러단체에서 사용되는 무기는 재래식 폭발물이다. 폭발사고는 고농축 질소 농약과 디젤 연료가 혼합된 폭발물을 가득 실은 차량을 사용하였다.

① 1972년 8월 16일, 승객 148명과 함께 로마에서 텔아비브로 비행하던 엘 알 항공기 수화물 칸에서 2백 파운드의 폭탄이 폭발했으나, 이스라엘이 항공기 공중폭파 공격에 대비하여 수화물 칸을 폭발물의 폭발에 견딜 수 있는 특수재질을 사용하여 보호했기 때문에 무사히 로마 공항으로 되돌아와 착륙했다.
② 1995년 4월 19일, 극우파 경향의 티모시 멕베이가 미국의 남서부 오클라호마시 연방청사 건물에 500 kg에 달하는 폭탄을 설치한 후 폭파시켜, 9층짜리 건물이 찢겨져 나가듯이 허물어지고 169명이 희생됨. 범인은 1993년 미국 정부의 사교집단인 다윗파에 대한 강경진압에 불만을 품고 범행을 모의한 것으로 밝혀졌다.
③ 1995년 11월 13일, 사우디아라비아 리야드의 국가 수비대 건물 앞에서 차량폭탄 공격이 발생하여 미군 5명과 인도군 2명이 사망하고 60여 명이 부상당함. 1996년 5월 사우디아라비아 정부는 체포된 폭탄공격의 주범 4명을 사형 시켰다.
④ 2001년 9월 11일, 전8시45분에 미국 뉴욕 세계무역센터 건물(높이3백96 m)에 항공기 테러로 사망자 5,097명의 사상자 발생했다.

최근에는 항공기와 드론 등으로 건물 파괴하는 등 테러 위험성이 증가되고 있다(그림 8-1). 그리고 대량살상무기(Weapon of Mass Destruction, WMD)로는 화학적, 생물학적, 방사선, 핵 및 폭발성(chemical, biological, radiological, nuclear, and high-yield explosive, CBRNE) 등을 포함할 것이다. 이러한 대량살사무기로 사용 예로는 다음과 같다.

① 1995년 일본 도쿄 지하철 환기시설에 사린가스 살포
② 2001년 북미 지역에서 발생한 탄저균이 들어있는 우편물 배달 사건 등
③ 결과
㉠ 광범위한 지역에서 수많은 사람들의 손상이 발생하고 사망할 수 있다는 것을 보여주었다.
㉡ 테러의 위험이 증가하면서 응급구조사 등 담당자들은 테러에 대한 경각심이 더욱

높아졌다. 응급구조사는 자신, 동료, 환자, 시민이 테러의 위험으로부터 보호받을 수 있도록 준비를 해야 하고, 테러리스트는 국내 · 외에 근거지를 둘 수 있다.

※ 1995년 3월 20일. 일본 도쿄 중심부의 지하철에서 독가스인 사린가스 공격 사건이 발생하여 12명이 사망하고 5,500여 명이 중 · 경상을 당하였다(그림 10-1). 사건은 옴진리교의 교주인 아사하라 쇼코가 자신의 교단에 비판적인 인사들에 대한 공격하고, 탈퇴하는 신자들의 납치 및 살해에 대한 경찰의 수사망이 좁혀져 오자 공권력에 대항하기 위해 독극물인 사린가스 테러리즘을 자행한 것으로 밝혀졌다.

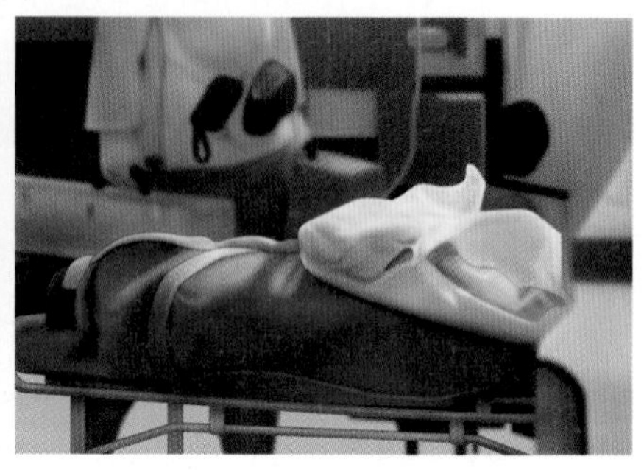

그림 10-1 . 일본 도쿄 지하철 사린가스 테러

테러리스트는 자신들의 주장을 위협하는 단체나, 단체의 임원을 목표로 삼을 수 있다. 뿐만 아니라 자신의 고용업체를 공격하거나 오염된 식품 또는 의약품 등 생산된 제품을 이용해 대중을 대상으로 테러 공격을 할 수 있다. 국내 · 외 테러 행위의 목적은 일반 시민들에게 공포감을 심어주는 데 있다.

2 테러의 목적 및 원인

1) 테러의 목적

(1) 대중의 지지획득
(2) 목표 대중의 공포화
(3) 자파 세력과시 및 정의감 선전
(4) 국내 · 외적으로 정부를 당혹시킴
(5)정부의 압제적 조치 유발

(6) 정부에 대한 보복
(7) 특정요구 관찰(죄수석방, 원조계획 방해) 등

2) 테러의 이념

(1) 민족주의(Nationalism)
(2) 인종차별주의(Racialism)
(3) 종교차별주의(Religionlism)
(4) 무정부주의(Anarchism)
(5) 반미주의(Anti-Americanism)

3) 테러의 발생원인

(1) 정치적

(가) 민중을 대표하지 않는 정부
(나) 정부에 대한 신뢰 결핍
(다) 비능률적인 정부기구
(라) 충성심의 결여
(마) 대중의 무관

(2) 사회적

(가) 빈곤, 높은 문맹률, 교육계획 빈곤
(나) 선도그룹의 차별
(다) 준법정신의 결여
(라) 기회의 상실
(마) 조직화된 집단주의
(바) 종교의 영역이 정치적 측면을 초월할 때

(3) 경제적

(가) 식량부족
(나) 실업 및 빈부격차
(다) 개발이 낙후된 산업과 농촌

3 테러경보의 단계별 조치

1) 관심단계

(1) 테러관련 상황의 전파
(2) 관계기관 상호간 연락체계의 확인
(3) 비상연락망의 점검 등

2) 주의단계

(1) 테러대상 시설 및 테러에 이용될 수 있는 물질에 대한 안전관리의 강화
(2) 국가중요시설에 대한 경비의 강화
(3) 관계기관별 자체 대비태세의 점검 등

3) 경계단계

(1) 테러취약요소에 대한 경비 등 예방활동의 강화
(2) 테러취약시설에 대한 출입통제의 강화
(3) 대테러 담당공무원의 비상근무 등

4) 심각단계

(1) 대테러 관계기관 공무원의 비상근무
(2) 테러 유형별 테러 사건대책본부 등 사건대응조직의 운영준비
(3) 필요장비 · 인원의 동원태세 유지 등

테러는 전 세계적으로 발생하기 때문에 의료진은 테러 시 발생하는 손상에 대하여 일반적인 개념을 가지고 있어야 한다. 프라이크버크(Frykberg)와 테파스(Tepas)는 220건의 테러에서 발생한 3,357명의 피해자를 조사하여 발표하였다. 발표 내용으로는 다음과 같다.

① 사망원인의 50% 이상으로 두부 손상이 가장 많다.
② 즉각적인 수술이 필요했던 환자 중 90% 정도가 근골격계 손상이다.
③ 허파의 폭발 손상(pulmonary blast injury)이 흉부의 손상 중에서 가장 많은 형태(전체 사망률의 11%)이다.
  ㉠ 폭발 손상은 폐, 귀, 위장관, 중추신경 및 심혈관계에 특별한 손상을 초래한다.
  ㉡ 폐에 대한 일차적인 폭발손상은 허파꽈리 내의 출혈이나 허파꽈리-정맥로(alveolar-venous fistulae)를 형성하여 정맥계에 대한 공기의 압력이 증가한다.

㉢ 폭발손상을 받은 환자에 대한 전신마취의 경우에는 초기 24시간에서 48시간 동안은 공기색전(air embolic)의 위험성이 매우 높다.

㉣ 폭발 손상을 입은 환자의 처치는 손상에 대한 병리를 잘 아는 의사가 처치를 하여야 한다.

④ 테러가 발생 시에는 위중한 환자뿐만 아니라 가벼운 상처만을 받는 피해자도 다수가 발생할 수 있다.

㉠ 현장에서 적절한 중증도 분류가 이루어져야 한다.

4 폭발물

폭발물은 테러리스트들이 공격할 때 가능성이 **가장 높은 사용 방법**이다. 폭탄은 소량의 다이너마이트 몇 개를 몸에 지니고 있는 자살폭탄에서 폭발성 물질을 가득 채운 대형 차량에 이르기까지 다양하다. 최근 들어 테러범은 일반 항공기에 폭발물 공격을 시도하고 있다. 순식간에 폭발물이 터지면서 여러 가지 손상기전을 통해 인체에 손상이 발생한다(그림 10-2).

그림 10-2. 폭발은 막대한 양의 열에너지를 유출하면서 압력파, 폭발풍, 파편을 유출한다.

① 폭발의 압력파동은 폐, 귀, 속이 빈 장기 등의 공기로 채워진 기관을 통과하면서 압박 손상과 감압 손상을 발생시킨다.

② 폭발이 건물이나 다른 구조물의 내부와 같은 밀폐된 공간에서 발생할 경우 손상이 더 커진다.

③ 폭발에 의해 발생한 파편은 관통상이나 무딘 손상을 유발하고, 폭발풍에 의해 환자가 멀리 밀려나면서 추가적인 손상이 발생할 수 있다.

④ 2차 폭발은 화상, 구조물 붕괴는 무딘 손상 및 으깸 손상이 발생한다.

1차 폭발 후 발생하는 위험 요소에는 구조물 붕괴, 화재, 전기감전 및 가연성 물질 또는 독성가스 등에 의한 위험이 포함된다. 응급대응팀을 손상시키기 위해 의도적으로 설치된 2차 폭발물에 유의해야 한다. 폭발 후, 응급대응팀은 환자를 찾아 구출하고 환자에게 응급처치를 제공하기 위해 현장에 남아 있어야 한다.

발화성 물질은 폭발력은 비교적 낮지만 훨씬 더 많은 열에너지를 유출하고 화상의 위험이 큰 폭발물의 유형이다. 그래서 일부 발화성 물질은 특히 주의를 기울여야 하고, 광범위한 심한 화상을 유발하기도 한다.

① 네이팜탄
 ㉠ 월남전 사용되었다.
  - 밀림 속이나 길고 긴 지하 벙커 속으로 숨는 적을 토벌하기 위해 사용하였다.
 ㉡ 순식간에 수천 도의 화염을 일으켜 주위를 잿더미로 만들어버릴 수 있는 군사작전에 사용되는 발화성 물질이다.

② 화염병이나 가솔린 폭탄
 ㉠ 테러리스트가 자주 사용하는 발화성 물질이다.

③ 백린탄
 ㉠ 공기 중에 노출될 경우 스스로 폭발할 수 있는 노란색 불꽃과 흰 연기를 내는 고체이다.
 ㉡ 군사용 무기이나 테러리스트들이 무기로 사용할 수 있다.
 ㉢ 백린탄의 특징
  - 공기에 노출되면 피부에 화상을 입을 수 있다.
  - 피부와 접촉하게 되면 부분 또는 전층 화상을 유발할 수 있다.
  - 한 번 몸에 불이 붙으면 매우 끄기 힘들다는 것이다.
  · 한 번 발화하면 물을 붓는 정도로는 잘 꺼지지 않는다.
  - 사람의 몸에 붙었을 때는 마치 촛농처럼 들러붙어 잘 떨어지지 않게 된다.
 ㉣ 백린에 대한 대처법
  - 노출된 부위에 식염수나 물에 적신 패드를 덮어 추가적인 백린의 산화(발화)를 막는 것이다(그림 10-3).
   · 피부의 화상 가능성을 감소시켜 준다.
   · 백린은 지용성이기 때문에 오일 드레싱을 적용하지 않는다. 오일 드레싱을 적용하게 되면 전신 흡수 및 독성의 가능성이 커질 수 있다.
  - 응급처치 시 무극성 용매를 사용하면 백린이 그대로 녹아 체내로 흡수되어 백린

자체의 독성으로 사망할 수 있으므로 반드시 물과 같은 극성 용매를 사용한다.

- 백린에 의한 신체 발화를 방치할 경우 백린이 신체의 지방층까지 뚫고 들어가 백린이 그대로 지방에 녹아 신체에 흡수되어 그 독성으로 사망할 수 있다.
- 물을 부어서라도 빠르게 온도를 낮추고 산소 공급을 차단하여 백린의 산화를 막아야 한다.
- 공기를 제거시키고 불을 끄기 위해서 내화성 기름을 사용하는 경우도 많다.
- 황산구리는 백린을 중화하는 데 사용하는데, 반응결과로 검은색 성분을 만들게 되어 피부에서 쉽게 확인할 수 있어 제거가 쉬워지나 사용에 따른 혈관 내 용혈과 같은 합병증 때문에 황산구리는 더 이상 사용하지 않는다.

그림 10-3. 백린탄(1921년 미군에서 폭격기를 이용해 퇴역 전함 앨라배마 호에 백린탄 투하 훈련)

④ 마그네슘

㉠ 분말 또는 고체 상태의 금속으로 고온(3,000℃)으로 격렬하게 불타는 발화성 물질이다.

㉡ 발화성 물질은 광범위한 심한 화상을 유발하기도 한다.

- 부분 또는 전층 화상을 일으킬 수 있다.
- 조직액과의 반응으로 알칼리성 화상을 일으킬 수 있다.
- 같은 화학 반응으로 수소 가스를 발생시켜 상처 부위에 거품을 만들거나 피부밑 공기증을 유발시킬 수 있다.
- 분진을 흡입하면 기침, 빠른호흡, 저산소증, 쌕쌕거림, 폐렴 및 호흡기 화상과 같은 호흡기 증상이 나타날 수 있다.

㉢ 창상 변연절제 또는 파편이 제거될 때까지는 세척해서는 안 된다.

- 다른 의심되는 물질의 오염제거와 같은 다른 이유로 세척이 필요한 경우 상처 부위에서 마그네슘 입자를 제거하는 것에 주의를 기울여야 한다.

㉣ 격렬하게 불타는 금속으로 진화하기가 어렵다.

테러리스트는 폭발물에 다른 물질을 첨가해서 폭발력을 강화시킨다.

① 폭발물에 자동차 배터리를 부착시켜 폭발사고 현장을 납과 황산으로 오염시키기도 한다.

② 폭발물에 금속, 나사, 못과 같은 조각을 추가시켜 상처에 더 많은 손상을 주기 위해 사용한다.

㉠ 파편에 살서제(농림업상 해를 주는 설치류를 방제할 목적으로 쓰이는 약제, 흔히 '쥐약')를 사용하여 치명적인 중독시킨다.

㉡ 파편에 와파린의 유도체인 구마딘을 코팅해서 출혈을 증가시킨다.

Tip. 보스턴 마라톤 폭탄 테러

2013년 4월 15일(한국 16일) 2시 50분경 미국 매사추세츠주 보스턴 시에서 폭탄 테러 사건.
이 날 4월 15일은 2013년 117회 대회가 개최된 날로 우승자가 결승점을 지난 지 2시간쯤 되어 결승점 부근에서 폭발이 2번 연달아 약 12초 간격을 두고 발생했다. 각 폭발물은 180 m 가량 거리를 띄우고 있었다. 폭발 시간이나 위치상 대량 인명피해를 노린 테러로 의심되었으며 아니나 다를까 폭발장치가 발견되면서 단순 폭발사건이 아닌 폭탄테러사건으로 규정되었다. 9.11 이래 미국 영토 내에서 최악의 테러 사건이다.
보스턴 경찰 발표에 따르면 폭발물은 사제폭탄 종류로 보이며 피해자 상처와 의복에서 베어링 등의 파편 발견이 보고되었다. 현장에서 유황 냄새가 진하게 났다는 소문도 있었다. 현장 영상에서 흰 연기가 자욱한 것이 확인되었다. 폭발물에 베어링, 파편 등을 넣는 것은 세열수류탄이나 클레이모어처럼 파편효과로 인해 비교적 작은 폭발물로도 높은 살상효과를 노릴 때 쓰이는 방법으로 범인이 의도적으로 많은 인명 피해를 노린 것으로 추정되었다.
조사에 따르면 폭발물 중 하나는 압력솥에 폭발물을 채우고 볼베어링과 못과 각종 파편을 집어넣어 살상력을 극대화한 형태의 것을 검은색 배낭 또는 더플백에 넣어 놓아둔 것으로 보인다고 한다. 현장에서 부서진 전자회로 기판을 발견한 관계로 일종의 타이머 장치가 되었을 수도 있다고 본다. 사용한 폭발물은 TNT, C4같은 군용 고폭약이라기보단 비교적 저폭약류, 현재는 총탄에 쓰는 화약을 채워서 만든 것으로 추정된다.

Tip. 사례 : 2001년 12월 22일 아메리칸 항공 63의 신발 폭탄 건

2001.11.12일 오전 9시17분(현지시간)경 미국 뉴욕시의 존 F 케네디 국제공항을 이륙한 미국 국적의 아메리칸항공사(AAL) A-300-600R 여객기(승객 251명과 승무원 9명 등 260명 탑승) 587편이 9시15분 이륙 직후 도미니카공화국 수도 산토 도밍고로 향하다 2,900피트(880미터) 상공에서 갑자기 케네디 공항에서 8㎞떨어진 거주지역이며 맨해튼에서 24 ㎞ 떨어진 부둣가 부근 거주지역에 추락하면서 건물들과 부딪쳐 화염에 휩싸여 탑승자 260명 모두 사망했고, 추락현장에서 적어도 4채 이상의 건물들이 검

은 화염에 휩싸여 지상의 5명이 추가로 사망하여 총 265명이 사망하는 대형항공사고가 발생하여 지난 9.11 항공테러사고 이후 두 달만에 미국 항공계는 큰 혼란에 휩싸이게 되었다.

Tip. 발화성 물질

① 네이팜 ② 가솔린 ③ 백린탄 ④ 마그네슘

1) 폭발에 따른 손상

① 압력파(압력 크기의 변화가 만들어 내어 매개물을 통해 전달되는 파동)

㉠ 내부의 압력이 팽창하면서, 공기 분자가 급속히 움직이면서 주변 공기 분자와 접촉하면서 연쇄 반응이 일어난다.

㉡ 공기 분자가 폭발에 반응하면서 또 다른 공기 분자와 접촉하게 되는데, 이때 압력파는 음속[소리가 매질(媒質)을 통하여 전파되는 속도]보다 더 빠른 속도로 밖으로 팽창한다.

㉢ 압력파의 전파 방향 앞에 서있는 사람은 순간적인 압력과 충격이 가해진 후, 주변 압력이 급감하게 된다.

㉣ 신체를 통과하는 압력파는 인체의 조직과 장기에 손상을 준다.

- 폐, 귓속(고막, 중이), 코 곁굴(부비동), 장관(소화관)이 가장 심각하게 손상을 입는다.
- 공기로 가득 찬 신체 부위는 급격한 압력 증가 및 압력 감소를 겪는다. 그에 따른 압력의 급증 · 급감과 관련된 손상이 발생한다.
- 체액으로 가득 차고 또는 단단한 신체부위에서는 매우 제한적인 손상을 입는다.

② 화상

㉠ 폭발의 범위에 있는 사람은 고온의 열에 의한 손상을 받는다.

㉡ 폭발에 생성된 열에너지는 방출 시간이 짧아서 손상은 1-2도 화상에 그친다.

- 이유는 인체는 주로 물로 구성되어 있기 때문이다.

㉢ 고온의 열로 인해 다른 물건(폭발물 잔해 등)이 불타면서 2차 연소가 발생하는 경우가 많다. 이러한 경우에는 1도-3도 화상까지 손상이 발생할 수 있다.

③ 폭발에 따른 파편

㉠ 무너진 벽이나 유리 조각의 잔해는 폭발에 의해 매우 높은 운동 에너지를 보유한 채 빠른 속도로 움직이게 된다.

㉡ 파편의 방향에 서 있는 사람을 관통하거나 신체를 손상시킬 수 있다.

④ 손상자의 이탈

㉠ 열폭풍과 압력파는 폭발 중심으로부터 환자를 밀어낸다.
- 열폭풍은 신체의 방향도 중요한 고려 대상인데, 열폭풍이 발생하는 방향으로 신체가 많이 향할수록, 손상자는 충격과 손상의 정도가 심하다.

㉡ 날아가는 손상자는 건물 잔해, 물체, 바닥 등에 의해 추가 손상을 받는다.

⑤ 건물 붕괴

㉠ 건물이 무너지면서 천장과 잔해가 환자를 누르게 된다.
- 건물 잔해에 손상을 입은 환자는 중증 압좌 손상을 입게 된다.
- 추가 붕괴, 화재, 감전, 연료나 누출된 가스 등으로 2차 폭발로 응급구조사 등 현장대원이 추가적인 위험에 노출될 수 있다.

㉡ 건물 잔해에 손상을 입은 경우에는 신체 조직과 혈관이 손상되고, 사지의 순환이 정지되거나 제한 정지될 수 있다.
- 순환이 감소하게 되면, 신진대사물의 부산물에 의한 독성이 축적하게 된다.
- 정상으로 혈액 순환이 돌아오면, 출혈이 발생하고 순환계의 중심으로 독소가 순환되게 된다.

Tip. 폭발로 인한 손상기전

① 압력파
② 화상
③ 폭발로 인한 파편
④ 열폭풍(폭발풍), 압력파에 의한 손상자의 이탈(튕겨져 나감)
⑤ 건물 붕괴

2) 폭발 손상의 유형

폭발 손상(blast injury)의 유형으로는 보통 4가지(1차/2차/3차/4차 손상)로 구분된다(그림 10-4). 폭발에 따른 일반적인 손상은 둔상/관통상과 열 손상으로 이루어지고, 정형외과적(연부 조직의 손상 등)인 손상과 두부손상이 대부분 차지한다.

(1) 1차 폭발 손상

① 폭발파(blast wave)와 폭발열에 의해 생기는 압력의 변화에 따른 직접적인 손상으로 발생한다(그림 10-4).

② 압력손상은 폭발 손상 중 가장 치명적이다.

㉠ 공기로 가득 찬 장기(귀, 코곁굴, 장관, 폐 등)에 손상을 입힌다.
- 폐 : 정맥 공기 색전증(venous air embolism)야기
  · 폐 1차 폭발손상이 의심되면 초기에 가능한 높은 FiO_2를 투여
  · 저산소혈증만 나타나는 경우 : 고유량 산소를 비재호흡 마스크나 지속양압호흡(continuous positive airway pressure, CPAP) 투여
  · CPAP은 두개기저골 골절의 의심되는 경우에는 사용 않음
  · 이송자세 : 엎드린 또는 반 좌측측와위 자세를 폐 1차 폭발 손상환자에서 권장
- 고막 손상 : 1-8 psi 에서 발생
- 늑골 골절 : 대부분 2차나 3차 BI (blast injury)에서 발생하나 1차 폭발 손상에서도 단독으로 골절을 만들 수 있으며 위중한 폐 손상 야기
- 갈비표지(rib marking) : 늑간 공간(intercostals space)과 평행하게 나타나는 띠 모양의 출혈반(ecchymosis)이 생김
- 서맥과 저혈압 : 폭발 부하(blast laods)가 직접적으로 흉곽에 접촉을 하면 미주신경에 의해서 보상적인 혈관수축이 없는 심인성 쇼크 발생, 수초 간 혹은 손상 후 1-2시간 내에 자연적으로 회복
- 기흉, 외상성 공기증이나 폐포정맥루(alveolovenous stula) : 공기 조직 간 표면에서 압력에 따른 손상, 기관흉막루(bronchopleural stula)나 동맥 공기색전증(arterial air embolism, 이하 AAE 또는 AGE) 발전
- 심장 타박상(cardiac contusion)이나 식도 파열 야기
- 장골골절(long bone fracture)이 있는 경우 : 정맥 지방 색전증이 발생하면 갑작스럽게 의식의 변화를 보이거나 저산소증(hypoxemia) 보임.
- 대장 : 출혈 및 천공이 가장 흔하게 나타나는 부위
  · 천공의 경우 : 사고 발생 시점부터 며칠 후까지 언제든지 발생
- 모든 폭발 환자에서 사망의 주 원인 : 심각한 두부 손상
  · 가장 흔한 사망 원인 : 뇌지주막하출혈(SAH)이나 경막하출혈(SDH)

③ 2차 연소가 발생하지 않으면, 화상은 제한적이다.

④ 흔하지 않으나 잠재적, 지연적으로 나타나서 추후에 생명에 위중한 문제로 변화할 수 있다.

Tip. 1차 폭발손상의 유형

① 호흡기 압력손상
② 고막 천공과 중이 손상

③ 복부 출혈과 천공
④ 안구 파열
⑤ 뇌진탕(두부의 물리적 손상의 징후없이 발생하는 외상성 뇌손상)

(2) 2차 폭발 손상

① 폭발을 통해 발생한 에너지에 의한 파편 손상이다.
② 폭발에 의해 날린 파편은 압력파나 열폭풍(blast wind)에 가속도가 붙은 물체에 의해 관통상이나 둔상이 발생한다(그림 10-4).
  ㉠ 사망의 흔한 원인 : 목이나 몸통의 관통상
③ 파편이 많이 집중될 경우 환자 신체의 여러 부분에 걸쳐 다발성 관통상이 발생할 수 있다.
  ㉠ 다발성 관통상은 심각한 출혈을 일으킬 수 있다.

Tip. 2차 폭발손상의 유형

① 탄도 관통　② 둔상　③ 안구 관통(잠재 손상 가능)

(3) 3차 폭발 손상

① 폭발과 연관된 강풍이나 가스로 손상자의 몸을 움직이게 하여 또는 날아가면서 발생하는 손상이다(그림 10-4).
  ㉠ 텀블링(tumbling)하게 되어 타박상, 찰과상 또는 둔상을 입을 수 있다.
  ㉡ 손상자가 뒤로 던져져, 고정된 물체나 시설에 부딪쳐 손상을 입을 수 있다.
② 폭발에 의해 환자가 강하게 밀려나거나 건물 구조물이 붕괴할 경우 발생한다.
② 폭발 손상 환자는 폭발력에 밀려 벽, 바닥, 다른 물체에 충돌하고 무딘손상 혹은 관통상을 입을 수 있다.
③ 건축물이 붕괴되면, 압좌 손상이 발생할 수 있다.

Tip. 3차 폭발손상의 유형

① 골절과 외상성 절단　② 흉부와 복부의 둔상　③ 관통
④ 안구 파열　⑤ 개방성/폐쇄성 뇌손상　⑥ 압좌손상
⑦ 구획증후군

(4) 4차 폭발 손상

① 폭발 기전으로 발생한 기타 유형의 손상을 말한다(그림 10-4).

㉠ 먼지, 연기, 일산화탄소 그리고 다양한 화학품의 흡입, 뜨거운 가스나 이차적인 화재에 의한 화상 또는 압좌 손상(crushing injury) 등의 복잡하고 다양한 손상을 입힌다.

② 기존 질환이나 만성질환 악화를 포함시킨다.

Tip. 4차 폭발손상의 유형

① 호흡기 압력손상
② 화상(화염, 부분 또는 전층 화상)
③ 흡입화상
④ 천식, 만성폐쇄성폐질환, 분진, 연기, 독성 증기에 의한 기타 호흡기 문제
⑤ 협심증
⑥ 고혈당증, 고혈압

1차 폭발 손상(압력파)

2차 폭발 손상(폭풍파)

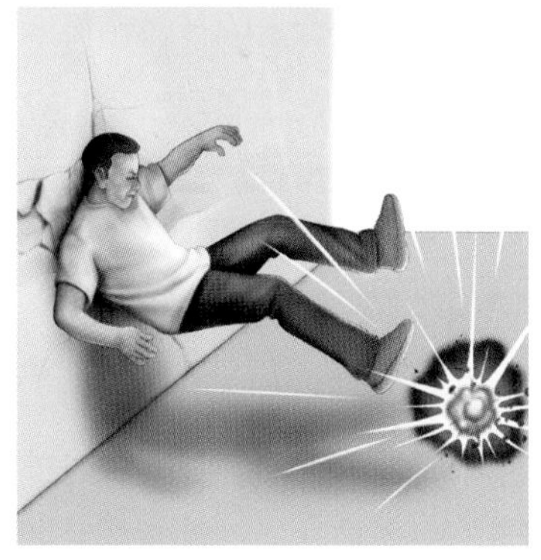

3차 폭발 손상(손상자 튕김)

4차 폭발손상(독소노출 등)

그림 10-4 . 폭발 손상의 종류

5 핵폭발

핵폭발은 핵분열이나 핵융합 시 발생되는 에너지를 유출한다. 핵폭발 시 광범위한 지역에 걸쳐 방대한 에너지가 유출된다. 재래식 폭발물과 관련된 극심한 손상 발생기전 중 복사열은 폭발지점 근처에 있는 모든 것을 태우고 폭발 시작 지점에서 멀리 떨어진 곳에서도 심각한 화상이 발생할 수 있다. 화상은 가장 치명적이며 핵폭발과 관련된 손상을 악화시킬 수 있다.

핵폭발과 관련된 손상은 심각하며, 완전한 파괴 및 사망률, 심각한 수준의 파괴 및 사망률, 상당한 수준의 파괴 및 사망률, 경미한 파괴 및 제한적 사망률을 보이는 여러 원형 구간에 따라 다르게 나타난다(그림 10-5). 폭발적인 에너지는 통신, 전력, 식수, 폐기물시설, 여행 및 의료, 응급의료, 공공안전 사회기반 시설을 붕괴시킨다. 핵폭발은 사고 현장으로 접근하는 것을 어렵게 하고, 심각한 환자를 파악하고 치료하는 응급의료서비스체계의 능력을 제한한다. 이는 수많은 인명 피해를 초래하는 재해현장에서 응급의료 대응팀이 업무 수행하는 데 있어서 위기로 다가올 수 있다.

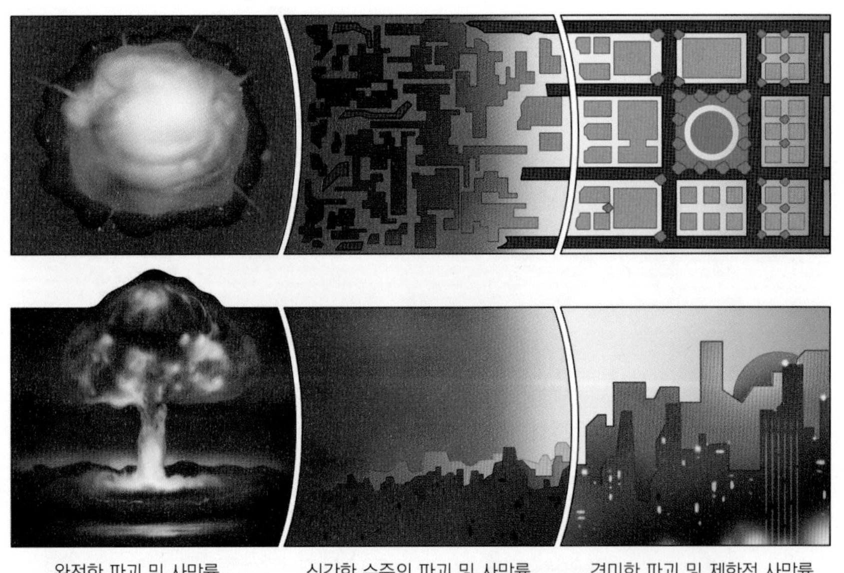

그림 10-5. 핵폭발에 의해 형성되는 원형 구간 핵폭발

1) 핵반응

핵반응은 핵 방사선을 파편과 먼지의 입자를 생성한다. 폭발로 인해 가열된 가스는 분진 가루를 모아 높은 고도로 올라가고 기류를 타고 이동하다가 낙진의 형태로 지상에 떨어진다. 방사선에 오염된 분진은 거의 1시간 만에 방사선 피해가 전혀 없는 지점까지 도달한다. 그렇

기 때문에 낙진은 핵폭발 사고 현장뿐만 아니라 바람이 부는 방향으로 수십 km 떨어진 곳까지 영향을 줄 수 있다.

핵 방사선은 무색, 무취이기 때문에 인간의 감각기관으로 알 수 없다. 그러나 방사선은 신체를 통과하면 세포를 손상시키는 데, 방사선은 분자구조와 세포의 필수원소를 변형시킨다. 손상된 세포는 스스로 회복하거나, 죽거나, 암과 같은 변형 세포로 변화된다. 노출된 강도 및 지속시간이 증가함에 따라서, 세포 손상과 생명을 위협하는 범위와 정도가 다르다. 사실 인체는 태양이나 자연에 존재하는 방사선을 지속적으로 받고 있다. 이런 노출은 매우 제한적이며 손상의 정도가 경미하다. 그러나 핵폭발과 낙진에 생성된 초기 방사선에 노출되는 경우 심각한 손상이 발생하거나 사망할 수도 있다.

2) 핵 물질 사고 대응

일반적으로 핵폭발 후 최초 1시간 동안은 환자를 낙진으로부터 보호할 수 있는 구조물로 이동시켜야 한다. 튼튼하게 지어진 건물의 중앙 부분이나 낙진을 피할 수 있는 장소로 환자를 이동시키는 것이 가장 바람직하다. 동시에 응급구조사는 낙진이 떨어지는 방향을 파악하고 폭발 지점의 외곽 지점에서 걸어 다니는 환자와 심각한 손상이 있는 환자를 구조한다. 또한 낙진이 떨어질 것으로 예상되는 지역에 있는 사람들도 이동시킨다. 구조된 사람들은 최소 48시간 동안 낙진 지역을 벗어나 방사선을 측정하여 안전하다는 것이 확인될 때까지 사고현장으로 들어가지 않는다. 사고 현장에 진입하는 응급의료 대원은 낙진에 대한 노출을 최소화하기 위해 맞바람 또는 상승하는 기류의 측면 방향으로 이동해야 한다.

구조팀이 구성이 되면, 다음과 같이 현장 활동을 한다.

① 대피로, 구출경로를 확보하고, 환자를 수색 및 구조하기 위해 폭발 시작 지점 가까이 접근한다.
② 일반적으로는 환자가 발견되는 사고현장에서는 제한적인 치료가 제공한다.
③ 핵폭발 사고의 경우에는 심각하게 붕괴된 지역이나 낙진이 예상되는 지역으로부터 멀리 떨어진 응급처치소에서 응급처치를 시행한다.
④ 감염지역에서 구조된 환자는 제염을 실시한 후 응급처치를 시행한다.

핵폭발 환자에 대한 처치는 필요한 경우 오염제거 후 재래식 폭발 손상 환자와 동일한 압력손상, 감압손상, 무딘 손상, 관통상, 열화상 치료 등을 시행한다.

핵폭발로 인한 손상 중 화상이 가장 흔하고, 증상이 치명적인 경우가 많기 때문에 현장에서는 생명을 위협하는 손상부터 중점적으로 처치를 시행한다.

핵 물질 사고대응은 다음과 같이 현장 활동을 한다.

① 핵폭발 사고 피해자를 응급의료센터로 이송하기 전에 방사선 측정기를 이용해 오염 정

도를 확인한다.

② 방사선이 측정되는 경우에는 다음과 같이 현장 활동을 한다.

㉠ 환자의 옷을 제거한다.

㉡ 부드러운 솔로 문지르면서 비누와 물로 씻는다.

㉢ 오염된 옷은 모두 별도의 폐기물 용기에 따로 보관한다.

㉣ 세척에 사용된 물은 폐기 처리될 수 있도록 따로 모아둔다.

㉤ 오염이 제거된 환자는 더 이상 환자 자신이나 다른 사람들에게 방사선 관련 위험이 되지 않는다.

㉥ 핵폭발 사고 의심 지역에 활동하는 응급구조사는 자신의 방사선 노출량을 기록하기 위해 선량계를 착용한다.

㉦ 선량계의 수치를 확인해 자신의 안전이 위협받을 정도로 노출된 경우 사고현장에서 대피해야한다.

㉧ 특수 훈련을 받은 대원이나 보건 물리학자는 방사선 노출도를 감시하고 응급의료 인력이 사고현장에서 안전하게 임무를 수행할 수 있는 시간을 결정해 주어야 한다.

낙진과 지속적인 방사선 노출의 위험이 있다면, 다음과 같이 현장 활동을 한다.

① 응급구조사는 요드화칼륨(KI) 약물을 요청할 수 있다.

㉠ 요드화칼륨은 약물은 갑상선에 흡수되는 방사성요오드의 양을 감소시켜 갑상선 손상이나 암이 발생할 수 있는 위험요소를 감소시킬 수 있다.

② 응급구조사도 낙진이 예상되는 지역에서 시민을 대피시키는 업무에 참여할 수도 있다.

③ 심하게 방사선에 노출된 환자는 일반적으로 구역질, 피로감, 권태감(아픈 느낌) 등을 호소한다.

㉠ 환자에 대한 처치는 체온유지, 수액요법과 같은 보조적인 처치로 제한된다.

④ 핵폭발 이후 관련된 증상이 빨리 나타날수록 감염의 정도가 더욱 심각하다.

㉠ 핵폭발이후 관련 증상이 6시간 내에 나타나는 경우, 방사선감염도가 매우 높다.

㉡ 방사선 감염의 영향은 개인차가 있기 때문에 감염에 대한 초기진단은 신뢰할 수 없다.

핵폭발의 특징으로 인해, 재해현장에서 중증도 분류가 필요하고 환자의 수가 너무 많고, 의료체계에서 감당할 수 있는 환자의 수가 한정적이기 때문에 방사선 감염 환자 중 다수는 사망한다.

3) 방사능 오염

방사능 오염은 재래식 폭발물을 사용하여 확산 될 수 있다. 재래식 폭발물은 핵폭발에 비해 비교적 약한 수준의 파괴력을 보이지만 방사능 물질을 넓은 지역에 걸쳐 주변 공기로 방사성 물질을 퍼트린다.

① 재래식 폭발물은 폭발 지점 근처를 방사선 물질로 오염시킨다.

㉠ 테러 무기의 가장 큰 위험은 사건이 끝날 때까지 방사선 물질과 같은 공격을 알지 못할 수 있다는 것이다.

㉡ 수많은 시민과 구조대원이 노출되거나 오염될 수 있다.

② 방사능이 많이 포함된 폭탄의 폭발로 발생한 환자의 상처치료는 사고지역에서 멀리 떨어진 장소로 이동시킨다.

③ 재래식 폭발물 사고에서 발생하는 손상에 준하며 방사선 제염 및 처치를 시행한다.

6 화학물질(화학작용제)

세계의 국제정치사회가 화학전을 위한 대량 화학무기의 생산을 저지하려는 노력에도 불구하고 초보적인 기술로도 쉽게 만들 수 있기 때문에 많은 양의 화학 무기가 저장되고 있다. 이러한 무기는 군사용으로만 한정되어야 하지만 많은 테러리스트 집단에서 화학전쟁 물질을 소유하고 있어 일반 시민들에게 심각한 피해를 유발할 수 있다.

독가스를 화학무기로 처음 사용한 것은 1915년 세계 제1차 대전이다.

① 독일군은 압축 용기로 약 180톤의 염소(chlorine)가스를 이프레(Ypres)에 있는 프랑스 및 영국군을 향해 살포하여 약 5,000명의 사상자와 10,000명 이상의 부상자를 냈다.

㉠ (며칠 뒤)화학공격에 대하여 영국군은 질산염(nitrates)이 포함된 솜으로 간단하게 개인해독을 할 수 있게 되었다.

㉡ (2주 후)가스마스크를 영국과 불란스군에 지급하여 근본적인 대처를 하게 되었다.

② 전쟁 유독가스제의 1세대이며 폐 자극제인 염소는 다른 유독가스 제제로 변천되었다.

㉠ 1917년(제1차 세계대전이 끝날 무렵)에 머스타드(겨자) 가스(sulfur mustard : dichloroethyl sulfide)가 이프로(Ypres) 지방에서 사용되었다.

- 자극가스보다 방어 도구를 침습할 수 있는 독성이 강한 것이었다.
- 머스타드(겨자) 가스는 다시 유기인제의 개발로 이어졌다.
- 10배에서 100배 더 강한 독성을 가지고 있었다.

㉡ 이후 여러 화학물질의 작용제가 발달되었다(표 10-1).

표 10-1. 화학작용제의 분류

종류	제제
신경작용제	비지속성 : GA (tabun), GB (sarin), GD (soman) 지 속 성 : VX
수포작용제	머스타드, 비소제, 포스겐 옥심(phosgen oxim)
질식작용제	포스겐(phosgen), 디포스겐(disphosgen), 염소(chlorin)
혈액작용제	청산가리(시안화수소), 염화시안

Tip. 용어정리

① G물질(G agents)

㉠ 독일의 과학자들이 1차 세계대전과 2차 세계대전 사이에 발견한 초기 신경물질로 사린, 소만, 타분의 세가지 물질이다.

② 사린(sarin, GB)

㉠ G 물질에 포함되는 신경물질로 높은 휘발성의 무색, 무취 액체, 상온에서 수 초 이내에 액체에서 가스로 변한다.

③ 타분(tabun, GA)

㉠ G 물질에 포함되는 신경물질로 사린의 약 50%의 치사율을 가지지만, 36배 더 큰 지속성을 가진다.

㉡ 과일 향이 나며, GA를 만드는 데 사용되는 요소는 쉽게 얻을 수 있으며, 이 물질은 쉽게 만들 수 있다는 특징을 가진다.

④ 소만(soman, GD)

㉠ G 물질에 포함되는 신경물질로 사린보다 2배 큰 지속성이 있고, 5배 더 치명적이다. 알코올이 들어있기 때문에 과일 향을 내며 일반적으로 무색이다.

㉡ 피부와 호흡기를 통해서 인체로 진입할 수 있기 때문에 접촉과 흡입위험을 동시에 가진다.

⑤ V물질(V agents, VX)

㉠ G 물질에 포함되는 신경물질로 무색의 깨끗한 기름질의 물질로 베이비오일과 비슷하다.

㉡ 사린보다 100배 더 치명적이며 아주 높은 지속성을 가진다.

⑥ 포스젠(phosgene)

㉠ 허파관련 물질로 섬유공장이나 집의 화재, 제철소 또는 프레온(내장시설에 사용하는 화학액체) 연소 등에 의해 발생한다.

㉡ 아주 강력한 물질로 그 증상은 몇 시간 동안 잠복한 후에 나타난다.

⑦ 포스젠 옥심(phosgene oxime, CX)

㉠ 수포성 물질로 증상이 빠르게 나타나고 접촉 즉시 심한 고통과 불편함을 동반한다.

⑧ 시안화물(cyanide)

㉠ 인체가 산소를 사용하는 능력에 영향이 미치는 물질이다. 무색의 가스로 아몬드와 비슷한 향이 난다.

ⓛ 효과는 세포에서부터 시작하여 빠르게 내장기관으로 퍼진다.
처치는 하드록소코발라민을 정맥라인으로 투여하면 시안화물과 결합하여 비독성인 시아노코발라민(비타민 B12)으로 전환된다.

⑨ 염소(chlorine, CL)

㉠ 가장 처음 전쟁에 사용된 화학물질이다.

ⓛ 표백제의 냄새를 가지며 가스로 발포되면 녹색 안개를 만든다.

ⓒ 처음 노출되면 상기도 손상과 호흡곤란을 가져온다.

⑩ 유황머스타드(H물질, sulfur mustard)

㉠ 황갈색이 나는 기름성질로 아주 지속적인 물질이다.

ⓛ 발포되면 마늘이나 겨자의 특징적인 냄새와 함께 빠르게 피부나 점막으로 흡수된다.

ⓒ 치료가 불가능한 상태로 세포를 손상시킨다.

테러리스트가 사용하는 또 다른 유형의 대량살상무기는 화학물질의 유출이다. 화학물질 작용제는 염소가스와 같은 일상생활에서 일반적으로 볼 수 있는 단순한 유해물질에서 신경가스와 같이 인체에 해를 가하기 위해 제조된 정교한 화학물질까지 형태가 다양하다.

화학물질 작용제는 개방되거나 바람이 부는 장소에서 쉽게 퍼지기 때문에, 일반적인 공격의 목표는 지하철이나 대형 건물, 중앙난방이나 에어컨, 또는 많은 사람이 모이는 경기장, 쇼핑몰, 컨벤션센터 등의 장소이다.

화학물질 작용제가 공기 중에서 퍼지는 방식을 이해하기 위해서는 휘발성(증기압) 개념과 비중을 이해하는 것이 중요하다. 휘발성이란 액체가 기체로 화학적으로 변화하여 날아 흩어지는 속성(증발 경향이 있는 화학작용제)이다. 대부분의 화학물질 작용제는 휘발성 액체이다. 화학물질 작용제는 **폭발에 의해 퍼지거나 공기 중에 분무제로 분사되어 퍼진다.**

① 액체상태의 화학물질은 쉽게 없어지지 않고 접촉 후 흡수될 위험이 있다.

② 증기, 가스, 에어로졸은 흡인의 위험이 있다.

③ 지속적인 화학물질 작용제의 예로는 겨자가스(mustard agent)가 있다.

④ 휘발성이 강하고 흡인될 수 있는 화학무기의 예로는 루이사이트(lewisite, 미란성 독가스)가 있다.

공기보다 적은 비중[1)]의 증기와 가스는 공기 중에서 쉽게 퍼진다.

① 공기보다 비중이 큰 가스는 아래쪽으로 가라 앉아 지표 가까이 퍼지고 저지대에서 모이게 된다.

1) 비중 : 공기와 비교해서 증기 또는 가스의 밀도와 무게를 말한다.

㉠ 지하층과 같이 폐쇄된 공간, 강이나 계곡 등과 같은 저지대는 증기의 분산을 막아 위험이 지속된다.

㉡ 비중이 큰 화학물질에는 염소와 포스겐이 있다.

화학물질 작용제는 환경적 조건이 확산에 영향은 다음과 같다.

① 바람이 강하게 부는 경우에는 가스와 증기는 많은 양의 공기와 섞이면서 매우 빠르게 흩어지면서, 농도와 유효성이 약해진다.

② 바람이 약하게 부는 경우에는 화학무기가 가스층이 되어 바람을 타고 이동하면서 독성이 더욱 강해지고 피해 지역도 넓어진다.

③ 바람이 전혀 불지 않는 경우에는 가스층이 움직이지 않기 때문에 피해 지역이 감소한다.

④ 건물이나 나무는 가스가 퍼지는 것을 막는 반면, 개방된 공간은 가스가 더 잘 퍼진다.

⑤ 비(강수량)는 염소와 같은 화학물질을 불활성화시키거나 흡수할 수 있다.

⑥ 새벽이나 일몰 직전은 하루 중 풍속이 가장 약하기 때문에 화학가스를 뿌리기에 좋은 시간대이다.

⑦ 창문이 거의 없는 건물에서 냉난방기를 작동하는 경우에는 건물 내부에 갇힌 화학가스는 밀도가 높아 장기간 동안 치명적인 영향을 미칠 수 있다.

화학물질 작용제는 인체에 영향을 주는 방식에 따라 분류한다. 이러한 화학물질은 신경작용제, 수포작용제, 질식작용제, 생물 독소, 무능화 작용제, 기타 유해 화학물질로 분류할 수 있다.

Tip. 화학 무기에 대한 분류

① 신경작용제(Nerve agents)
② 수포작용제(Vesicants)
③ 폐 작용제(Pulmonary)
④ 생물 독소(Biotoxins)
⑤ 무능화 작용제(Incapacitating Agents)
⑥ 기타 유해 화학물질(Other Hazardous chemicals)

Tip. 인체 작용기전에 따라 분류

① 질식제 : 호흡기를 침법하여 숨을 쉬지 못하도록 함
② 미란성 : 피부에 미란을 일으키는 동시에 눈을 상하게 하고 호흡기까지 침범함
③ 최루성 : 저농도에서 눈 점막을 자극하여 일시적인 시력장애를 일으킴
④ 중독성 : 신경계통과 혈액을 침범함.

Tip. 독가스의 역사

① 1899년 헤이그 평화회의에서 '독가스사용금지선언'을 채택하여 독이나 독을 이용한 무기 사용을 금지함
② 1915년 독일군이 대량의 염소가스 방사로 연합군을 공격했으며 최초로 독가를 사용한 공격임
③ 1919년 베르사유(Versailles) 강화조약에서 독일에 대해 독가스 등의 사용 · 제조 · 수입을 금지함
④ 1922년 '잠수함과 독가에 관한 5국 조약'체결
⑤ 1925년 '독가스 기타 사용 금지에 관한 의정서'는 질식성 물질 및 기타 독가스의 전쟁에서의 사용 금지 명시함. 그러나 베트남 전쟁에서는 비치사성 가스와 고엽제 등이 사용되었으므로, 1969년 국제연합총회 결의로 고엽제(에이전트 오렌지) 사용을 위법으로 정함
⑥ 1993년 화학무기에 개발 · 생산 · 저장 · 사용의 금지 및 그 폐기에 관한 화학무기금지협약을 작성함

1) 머스타드(겨자) 가스

제1차 세계대전 때 가장 위험한 화학무기였던 이 제재는 강한 침투력과 낮은 경보 특성으로 현재까지 사용되고 있다. 여러 복합적 화학무기를 개인적으로 방어하기는 매우 어렵다. 이 제재는 용액 안에서 수황기(sulfhydryl-), 탄산기(carboxyl-), 아미노기(amino-) 및 다른 단백질들로 알킬화하여 활동성 설포늄 유도체(sulfonium derivative)로 변환된다. 머스타드 가스의 두 활동성 말단(reactive ends)이 데옥시리보 핵산(DNA)의 인접한 사상체(adjacent strand)에 붙어 이중 알킬화(double alkylation)를 형성함으로써 세포의 복제(cell replication)를 방해한다. 머스타드 가스는 다음과 같은 사항으로 요약할 수 있다.

① 일명 '수포형성 겨자'라고 한다.
② 투명한 노란색 또는 호박색(amber)의 기름 같은 액체로 달콤한 냄새가 난다.
③ 빠르게 피부와 점막을 통과한다.
④ 침투 속도와 정도는 농도(mg/㎥)와 노출 시간(min)에 의존한다[농도 시간(CT)].
  ㉠ 농도시간(CT)이 40-90 정도이면 2-10시간 후 가벼운 증상을 나타낸다.
⑤ 체내에서 티오다이글라이콜(thiodiglycol)로 전환되고 이것은 혈청과 소변에서 검출된다.
⑥ 발암성이다.
⑦ 노출 시 피부와 점막을 파괴한다.
  ㉠ 과도한 용량에 노출되면 골수와 위장막같이 복제(replication)가 빠른 조직에 치명적 손상이 발생한다.

(1) 증상

대상 장기(target organ)는 눈, 호흡기, 피부 등이고 심한 중독이 되면 골수까지 영향을 미친다.

① 눈 : 농도 시간(CT)이 40-90 정도일 때 자극으로 인하여 결막염이 약 1주일 정도 지속되며, 일반적인 치료로 중복감염(super infection)을 막을 수 있다.

㉠ 농도 시간(CT)이 90-100 정도이면 심한 화상이 생기며 궤양과 안구 파열이 생길 수 있다.

㉡ 증상은 노출된 농도시간 내 발생하며 부종, 충혈 및 자극이 시작된다.

㉢ 눈에 점적되면 상피뿐만 아니라 깊숙이 손상이 진행되어 각막이 혼탁해지고 심한 경우 전체가 혼탁해진다.

② 피부 : 피부로 빨리 흡수되어 혈액으로 흡수된다.

㉠ 열이 나고, 얇고 수분이 있는 피부에서 더욱 잘 흡수된다.

- 특히 겨드랑이부와 서혜부에서 잘 흡수된다.

㉡ 노출된 후 6-12시간 정도의 잠복기가 지나면 가렵고 자극적인 홍반이 발생하고 수포가 발생하며 쉽게 터진다.

㉢ 피부가 직접 노출되면 피부 괴사와 궤양이 즉시 발생한다.

③ 호흡계 : 노출의 정도가 약하면 10-12시간 정도 지나서 상기도에 염증이 발생한다. 심하면 상기도의 점막부터 허파꽈리 내의 점막까지 영향을 미친다.

㉠ 호흡계의 회복은 늦고 몇 달씩 걸릴 수 있다.

- 이 시기 동안 반복된 노출 문제는 기관지폐샛길(bronchopulmonary fistula)이 생기는 것이다.

④ 전신 독작용 : 전신 독작용은 심한 중독시 발생한다.

㉠ 전신 독작용의 발생은 조직재생률(replication)이 빠른 골수와 위장관막에 주로 나타난다.

㉡ 수일 내에 백혈구 감소증(leukopenia)과 빈혈이 발생할 수 있다.

- 메트헤모글로빈혈증 발생

㉢ 신장과 간의 기능장애를 유발할 수 있다.

- 혈청 크레아티닌(creatinine) 증가, 빌리루빈(bilirubin) 증가 및 간의 아미노기 전이효소(transaminase) 증가

(2) 진단

혈청, 소변 및 수포액(fluid from blister)의 티오다이글라이콜(thiodiglycol)을 검출하면 확진된다.

(3) 오염제거와 치료

머스타드 가스는 알칼리에서 산화에 의해 신속하게 불활성화가 된다. 따라서 여러 가지 형

태의 염소유리용액(chlorine-liberating solution) 및 표백제(bleach)에 의해 효과적으로 불활성화 시킬 수 있다.

① 장비나 건물의 오염 제거할 때에는 3-5%의 표백제가 효과적이다.

② 전신적인 오염제거에는 티오황산나트륨(sodium thiosulfate)을 사용할 수 있다.

㉠ 티오황산나트륨은 알칼리에서 안정하기 때문에 전신 오염제거를 할 때는 짧은 시간 동안 노출되게 하는 것이 효과적인 오염제거 방법이다.

㉡ 비누나 세척제로도 충분히 오염을 제거할 수 있다.

㉢ 피부와 의복은 10% 티오황산나트륨을 포함한 녹색의 알칼리(green alkaline)비누로 씻어내어 해독시킨다

㉣ 눈은 2.5% 티오황산나트륨 용액으로 씻는다.

③ 건조한 오염 제거 방법은 훌러스 어스(Fuller's earth)나 중탄산나트륨(sodium bicarbonate) 같은 알칼리 분말로 흡수시킨다.

④ 치료는 대개 대중적인 요법이다.

㉠ 예방과 중복 감염(super infection)에 대한 즉각적인 치료가 치료의 주요한 부분이다.

(4) 눈의 치료

홍채(iris)와 각막의 유착을 막기 위해 항생제(인산나트륨 덱사메타존 네오마이신 :dexamethasone sodium phosphate-neomycin)의 국소 도포나(topical antibiotics), 국소 마취제 및 아트로핀을 투여한다.

① 치료 도중 눈을 붕대로 감거나 눈꺼풀이 서로 붙도록 해서는 안 된다.

② 암실에 있도록 하는 것이 좋다.

㉠ 검은 안경이나 눈가리개를 사용할 수 있다.

(5) 피부 치료

피부를 씻고 모발은 자른다. 0.5% 차아염소산 나트륨 용액으로 피부와 모발을 세척한다.

① 가벼운 홍반은 치료할 필요가 없다.

② 소양감이 심할 경우는 스테로이드 연고 등으로 치료한다.

③ 수포와 피부가 벗겨진 부위는 화상 치료에 준하여 치료한다.

④ 감염이 우려될 경우에는 항생제 투여를 고려한다.

(6) 호흡기 치료

적당한 물리적인 치료에 의해 화학물질을 제거하고 감염을 치료 예방한다.

① 이차적인 감염이 우려되는 경우는 광범위한 항생제를 초기에 투여한다.

(7) 전신증상의 치료

① 비타민 E의 투여한다(실험적으로 증명).

② 정맥용 아세틸시스테인(N-acetyl cysteine, NAC)을 사용한다.

2) 유기인산염

아세틸콜린에스터라제(AChE : acetylcholinesterase)의 억제물질로 세계 1차 대전 이후 화학무기로 사용되었다. 이것은 휘발성 복합물과 지속적인 복합물로 크게 분류되어 있다. 특히 쉽게 피부와 호흡기 같은 점막을 침투하고 자유롭게 blood brain barrier를 통과한다.

① 주된 작용 : AChE의 억제이다. 노출 후 분포된 성분은 AChE에 강하게 결합하고, 나머지는 다른 효소 시스템에 의해서 불활성화 된다.

㉠ 불활성화된 대사물은 소변으로 배출된다.

㉡ 강하게 노출되면 지방 등의 조직에 쌓여 천천히 재분배가 이루어진다.

Tip. 유기인제

유기인제는 AChE와 강하게 결합하며, 결합은 시간이 지날수록 더 강해진다. 이러한 숙성(aging)은 인산화된(phosphorylated) AChE로부터 알킬기 하나가 탈 알킬(dealkylation) 되어 일어난다. 숙성이 일어나기 전에 옥심(oxim)과 같은 약물로 치료하면 AChE의 재활성이 가능하다. 숙성이 일어나면 효소는 확실히 불활성화 되고 콜린성 신경말단(cholinergic synapse)이 정상 기능을 회복하려면 AChE의 재합성이 이루어져야 한다.

AChE는 ACh에 매우 강한 친화력을 갖는다. 그리고 콜린(choline)과 초산염(acetate)으로 빠르게 가수분해된다. 콜린도 ACh와 비슷한 작용을 하고 작용 강도가 100,000분의 1 정도가 약하므로 ACh가 가수분해되면 작용이 소실되게 된다. 콜린은 ACh를 재합성하는 데 사용된다. ACh의 작은 부분만 전접합부(presynaptic site)에 분비되어 후접합부(post synaptics)까지 도달하고 나머지는 AChE에 의해 가수분해 된다.

ACh의 작용은 체내에 있는 모든 콜린성 수용체와 직접 결합하여 이를 흥분시킴으로써 나타난다. 콜린성 수용체에는 무스카린성 수용체(muscarine receptors)와 니코틴성 수용체(nicotinic receptors)가 있어 이 두 가지 작용이 나타난다.

(1) 무스카린성 작용

절후부교감신경 섬유로 분포된 주효세포에 있는 무스카린성 수용체를 흥분시켜 나타나는 작용과 같으며 아트로핀(atropine)에 의해서 봉쇄된다. 무스카린 수용기는 홍채 수축과 방광근 및 위장관의 평활근, 장의 분비샘, 기도의 분비샘, 모든 외분비샘(exocrine gland)의 후접합부에 존재한다. 또한 심장에도 존재한다.

① 심장박동수 및 심근수축력을 감소시킨다.

㉠ 심장 내 자극전도를 억제하므로 심박출량이 감소한다.

② 혈관의 확장을 일으켜 혈압이 떨어진다.

③ 평활근 장기에 대하여 위 및 장의 운동을 항진시키고 기관지도 수축시킨다.

④ 수뇨관 및 방광의 수축도 강력하게 하여 배뇨를 촉진한다.

⑤ 분비샘에 대하여 침, 눈물 및 위액의 분비 촉진하고 땀 분비도 항진시킨다.

(2) 니코틴성 작용

자율신경과 신경-근 접합부(neuro-muscular junction)에 있는 니코틴성 수용체에 대하여 니코틴과 비슷한 작용, 즉 초기 및 소량에서는 이를 흥분시키고, 말기 및 대량에서는 이를 마비시킨다. 신경절의 종류에 따라 ACh에 대한 감수성이 다르고, 교감신경절이나 부교감신경절을 모두 흥분시키고, 또 마비도 시키므로 나타나는 작용이 매우 복잡하다. 니코틴 수용기는 자율신경계(부교감 신경계와 교감신경계)의 모든 신경절에 존재한다. 횡격막을 포함한 골격근(Striate muscle)과 말초신경 사이의 신경-근 접합부에 존재한다.

니코딘성 작용에 따른 나타나는 증상으로는 다음과 같다.

① 피하근육의 섬유속연축과 세동(fibrillation)으로 호흡계의 근육마비를 일으킨다.

② 부교감 신경과 교감신경계의 자극 때문에 빠른맥과 고혈압을 일으킬 수 있다.

(3) 중추신경계의 작용

경증 및 보통 정도의 경우에는 불안, 좌불안, 불면, 기억장애, 의식장애 등의 행동변화가 나타난다. 심하면 심한 좌불안, 혼수, 호흡중추마비, 경련, 무호흡을 유발한다.

(4) 임상진단

무스카린성, 니코틴성 및 중추신경계 증상이 나타난다. 기관지루(bronchorrhea), 기관지수축(brochoconstriction), 느린맥(bradycardia) 및 축동 같은 증상이 진단지표가 될 수 있다. 섬유속연축(fasciculation)은 심한 중독의 콜린성 위기의 중요한 지표가 되며, 심한 근무력은 심한 니코틴성 증상을 나타낸다. 혼수와 경련은 심한 중독을 의미한다. 또한 심한 중독 시 호흡중추의 마비로 무호흡이 나타날 수 있다.

(5) 검사실 소견에 의한 진단

급성중독 시에는 AChE는 항상 정상 범위의 30% 미만이다. 혈청 AChE량은 심한 중독 시 떨어져 있으므로 혈청 AChE의 농도를 측정하는 것이 중요한 지표이다.

(6) 오염제거

오염제거는 현장에서부터 시작되어야 하며 알카리성으로 습포식 오염제거(wet decontamination)를 한다. 신속한 피부세척이 중요하며 오염 후 1분 이내에 시작하면 5분 후에 시작하는 것보다 10배 정도 효과가 있는 것으로 알려져 있다.

(7) 치료

치료의 가장 주된 목적은 급성 호흡부전을 막는 것이다. 노출이 예상될 때는 카바메이트(carbamate : 단시간 작용하는 ChE 억제제)와 피리도스티그민(pyridostigmine : 8시간마다 30mg)으로 예방할 수 있다. 모든 증상이 있는 환자를 응급처치 후 가능하면 빨리 오염제거 하여야 한다.

(8) 아트로핀

아트로핀(atropine)은 무스카린 수용체에서 아세틸콜린의 과작용을 억제하지만, 니코틴성 수용체와 중추신경계에는 적용하지 못하는 말초 무스카린성 치료제이다.

① 사용용량으로는 성인은 1회 1-2 mg이다(소아 : 0.003-0.005 mg/kg).

② 첫 주사 후 10분 간격으로 기관지루증(bronchorrhea), 기관지수축(bronchospasm)이 조절될 때까지 투여한다.

③ 저산소증(hypoxia) 상태에서 정맥 아트로핀의 투여는 심실성 부정맥을 유발할 수 있다.

㉠ 느린맥이 없고 정상 청진소견이 보이면 중단할 수 있다.

(9) 옥심

옥심(oxime : reactivator of AChE)은 콜린에스터라아제 억제제 중독에 있어 치료 효과를 증대시키는 역할을 한다. 아트로핀과는 달리 옥심은 무스카린수용체 뿐만 아니라 니코틴수용체 부위에서도 억제된 콜린에스터라아제를 재활성화시켜줌으로써 말초신경 마비도 회복시킬 수 있다. 그러나 옥심제제는 초기에만 효과가 있으며 시간이 지나면 효과가 사라진다.

① 프랄리독심(pralidoxime): 1g을 20분 이상 정맥주사한 후 혈청 농도가 10 mg/L이 유지되게 시간당 500 mg의 속도로 주입한다.

② 오비독심(obidoxime): 프랄리독심 보다 더 강한 치료 효과를 나타내나 독성이 강하다.

③ 트리메독심(trimedoxime): 자동주사방식(automatic injector)으로 주사할 수 있으며 효과는 적으나 독성이 약하다.

(10) 기타

① 경련과 불안 흥분을 조절 : 벤조다이아제핀계(benzodiazepines, 디아제팜; diazepam, 로라제팜; lorazepam)

② 스코폴라민(scopolamine): 중심성 항콜린계 제재로 치료 사용범위가 좁고 독성으로 사용 시 주의가 필요하다.

3) 화학작용제의 효과에 있어서 기상조건의 영향

화학작용제의 효과에 있어서는 기상조건이 중요한 관건이 된다.

① 무더운 날씨에서는 효과적인 방어를 하지 못하므로 치명적이다.

② 강풍 속에서 화학작용제의 사용은 비효과적이다.

4) 화학작용제에 대한 방어준비

중독 위험에 대한 주민들의 교육과 화학무기의 작용기전과 방어법의 교육이 필수적이다.

① 95% 중독을 피할 수 있는 효과적인 장비는 가스 마스크이다.

② 화학작용제 방어용 의류는 비효과적이지만 사용할 수 있으면 사용하는 것도 좋다.

③ 건물, 선박 및 차량의 내부 오염은 압력을 이용해 가제 배기해 내는 것이 효과적이다.

④ 피난처 내에서는 습식 또는 건식 오염제거법이 이용될 수 있다.

㉠ **건식 오염 제거방법**은 훌러스(Fuller's earth)나 중탄산나트륨(sodium bicarbonate)같은 알카리성 파우더가 이용된다.

㉡ 습식 오염제거(wet decontamination)는 더 효과적이다.

⑤ 대피소에는 깨끗한 마실 물과 의복, 식량, 점등기구, 장갑, 해독제, 마스크. 라디오 등을 갖추어야 한다(표 10-2).

⑥ 화학작용제에 노출된 후에는 중독된 환자를 이송할 수 있도록 연락을 해야 한다.

㉠ 중독자들은 반드시 습식 오염제거(wet decontamination)를 한 후 병원으로 이송하여야 한다.

표 10-2. 화학작용제의 운영 효과에 영향을 미치는 요소

개인 활동 정도, 훈련 상태 ,보호 장비, 기상 및 지형, 지속성

표 10-3. 화학물질 Summary

이름	기관 코드	향	특징	증상발현	휘발성	일차 노출경로
발포제	머스타드(H)	마늘향	수포발생	잠복	아주 낮음	접촉
	루이사이트(L)	제라니움(L)	흡기시 상기도에 심한 손상, 심한 통증과 피부가 회색으로 변함(L, CX)	즉시	아주 낮음	약간 증기 위험
	포스젠 옥심(CX)			즉시	보통	
허파관련물질	염소(CL)	표백제	자극유발, 호흡곤란	즉시	아주 높음	증기위험
	포스겐(CG)	잔디	심한 폐부종	잠복		

이름	기관 코드	향	특징	증상발현	휘발성	일차 노출경로
시안화물	시안화수소(AC)	아몬드	높은 치사율의 화학가스, 수 분내에 사망 가능, 해독제로 완치 불가능	즉시	아주 높음	증기위험
	시안염소(CK)	자극성				

7 신경작용제

신경작용제 및 살충제 중 일부는 신경자극전도에 치명적인 손상을 줄 수 있다. 일반적으로 신경작용제 신경전달물질(아세틸콜린)의 감소를 억제하고, 빠르게 신경계 과부하를 유발한다. 그 결과 근육의 뒤틀림, 경련, 발작, 무의식상태, 호흡기능상실 등이 나타난다. 신경작용제는 GB(사린), VX, GF, GD(소만), GA(타분) 등이 있다. 무기 제작용으로 사용되지는 않지만, 유기인산염(말라티온, 파라티온)과 카르바메이트(세빈) 살충제는 신경작용제와 유사한 작용을 한다. 이러한 살충제는 비교적 약하지만 독성이 강한 위험물질이다.

신경작용제는 기체나 액체의 상태로 존재하며, 피부를 통해 흡수되거나 호흡기계를 통해 흡입될 수가 있다.

① 신경작용제에 노출되는 경우 다음과 증상과 징후가 빠르게 나타날 수 있다.

㉠ 의료 약자를 딴 덤벨스(DUMBELS), 군기관 약자로 슬러지(SLUDGE)로 기억한다.

- DUMBELS : 설사(Diarrhea), 배뇨(Urination), 동공축소(Miosis, 축동), 기관지경련(Bronchospasm), 구토(Emesis), 눈물흘림(Lacrimation), 타액분비(Salivation)
- SLUDGE : 타액분비(Salication), 눈물흘림(Lacrimation), 배뇨증(Urination), 설사(Diarrhea), 복통(Gastrointestinal distress), 구토(Emesis)

㉡ 위 증상과 징후 이외에도 호흡곤란, 근섬유연축, 콧물, 흐릿한 시력, 동공수축, 욕지기, 땀 흘림 등을 호소할 수 있다.

환자는 결국 혼수상태에 빠지고, 발작을 보이다가 호흡정지로 사망할 수 있다. 신경작용제는 노출 후 즉시 해독제를 투여하는 경우 막을 수 있다. 그러나 많은 신경작용제는 신경전달물질을 재흡수하고, 영구적으로 신경작용제와 결합하여 치료하기가 힘들어질 수도 있다. 신경작용제에 감염된 환자에 대한 예후는 적극적인 인공 환기와 신속하게 해독제를 투여하는 경우 좋아진다.

신경작용제 감염에 대한 치료는 다음과 같이 한다.

① 아트로핀과 염화프랄리독심(팜, pralidoxime chloride)의 투여가 있다.

㉠ 해독제 자동 주사기 세트인 신경해독제 키트(Mark I kit)를 사용해서 아트로핀과 염화프랄리독신을 투여한다.

㉡ 응급구조사는 Mark I kit(신경해독제 키트)를 더 자주 사용할 수 있다.

㉢ 자가 주사기(Mark I kit)는 군인에 대한 자가주사 또는 동료에게 투여하거나 구조대원에 의해 투여될 수 있다.

㉣ Mark I kit는 신경작용제에 노출된 많은 환자를 접했을 때 신속하고 간편하게 사용할 수 있다.

② 해독제 투여 후 발작을 감소시키기 위해 디아제팜을 투여한다.

자가 주사기는 간단하고 편리한 약물투여방법 이지만 정맥주사가 가능하고 시간이 허락된 때는 더 신속하게 효과가 나타나는 정맥투여를 한다.

Tip. Mark I kit

① 아트로핀 2 mg과 염화프랄리독심 600 mg이 들어있다.

② 신경작용제에 노출된 후 흐릿한 시력, 경미한 호흡곤란, 콧물과 같이 경미한 증상이 나타나는 경우 투여한다.

③ 증상이 호전되지 않는 경우 10분 이내 반복 투여한다.

④ 심각한 증상과 징후가 나타나는 경우, 아트로핀과 염화프랄리독심을 3회 투여 한다.

⑤ 정맥투여인 경우 매 5분마다 아트로핀 2 mg을 분비물이 건조해지거나 또는 20 mg을 투여할 때까지, 매 1시간마다 염화프랄리독심 1 g을 자발적 호흡이 돌아올 때까지 투여한다.

⑥ 소아용 Mark I kit도 사용할 수 있다.

Tip. 용어정리

① MARK-1

- 아트로핀과 2-PAM 클로라이드(프랄리독심 클로라이드) 자동 투여기가 들어있는 신경물질 해독제 키트를 말한다.
- 신경물질 해독제 키트(NAAK)라고도 한다.

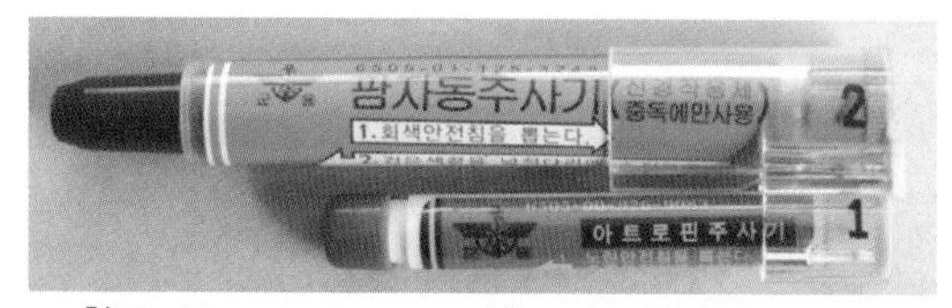

참고 : Nerve agents antidote kit, KMARK-1

표 10-4. 신경물질 summary

이름	코드	향기	특징	증상	휘발성	노출경로
타분	GA	과일향	생산 쉬움	즉시	낮음	접촉과 증기
사린	GB	없거나 강함	옷에 묻으면 가스발생	〃	높음	호흡기 증기, 피부 접촉 치명
소만	GD	과일향	빠르게 노화, 치료 어려움	〃	보통	피부 접촉, 낮은 증기 위험
V물질	VX	없음	가장 치명적이며 정화 어려움	〃	아주 낮음	피부 접촉, 증기 없음

8 수포작용제(발포제)

수포작용제는 감염된 조직에 손상을 주어 수포(물집)을 형성하는 작용제이다. 수포작용제는 피부, 눈, 호흡기계, 폐 손상을 일으킬 수 있으며, 뿐만 아니라 일반적인 질환을 유발할 수 있다.

1차 세계대전에 사용된 겨자가스가 수포작용제의 한 예이다. 이 외에도 유황겨자(HD), 질소겨자(HN), 루이사이트(L), 포스겐 옥심(CX) 등이 있다. 포스겐 옥심(발진성 작용제)을 제외하고, 수포작용제는 따뜻한 온도에서 독성증기를 내뿜는 점도 높은 액체이다. 그러나 액체형태의 수포작용제를 손으로 만질 경우 매우 강한 독성이 작용한다. 루이사이트와 포스겐 옥심은 접촉 또는 흡인 즉시 자극을 유발하는 반면, 겨자 계열 수포작용제는 시간이 지나면서 더 심해지는 불편감을 유발한다. 서서히 진행되는 증상과 징후로 접촉시간이 늘어날 수 있고, 노출의 심각성이 증가할 수 있다.

수포작용제에 감염된 환자는 다음과 같은 증상과 징후가 나타난다.

① 피부, 점막, 폐 손상관련 증상이 나타난다.

② 노출된 피부는 통증, 홍반, 수포를 포함한 화학적 화상의 징후를 나타낸다.

③ 눈과 상부기도에서는 눈물 및 콧물과 함께 타는 듯하고 따끔거리는 느낌이 나타날 수 있다.

④ 호흡기 노출은 호흡곤란, 기침, 천명음, 폐부종이 나타난다.

⑤ 전신에 걸쳐 나타나는 증상과 징후는 구역질, 구토, 피로 등이 나타난다.

⑥ 겨자가스의 경우에는 증상과 징후가 천천히 나타나기 때문에 접촉시간이 길어질 수 있다.

수포작용제 감염된 환자에 대한 응급처치는 즉시 오염을 제거하는 것이다. 심지어 몇 분만 노출 되더라도 영구적인 손상이 발생할 수 있다.

① 노출된 부위는 가능하면 호스를 이용하여 제한적인 압력으로 세척한다.
② 눈은 수돗물이나 생리식염수를 이용해서 세척한다.
③ 수포가 발생한 경우에는 화학화상 손상에 대한 처치와 동일하게 시행한다.
④ 손상부위는 멸균드레싱을 적용한다.
⑤ 손상된 눈에도 드레싱을 적용한 후 통증이 심한경우 약물을 투여한다.

Tip. 용어정리

① 발포제(vesicants)
　㉠ 수포유발물질, 일차적인 노출경로는 피부이다.
② 루이사이트(Lewisite, L)
　㉠ 수포성 물질로 증상이 빠르게 나타난다.
　㉡ 접촉 즉시 심한 고통과 불편함을 동반한다.

9 폐 작용제

폐 작용제는 주로 폐에 화학적 손상을 발생시키는 물질이다. 폐 작용제는 포스겐, 염소, 황화수소, 기타 유사한 물질 및 플라스틱과 같은 합성 물질이 연소할 때 발생하는 부산물 등이 포함된다. 폐 작용제는 입인두, 코인두, 세기관지, 폐포와 같은 호흡기 점막에 작용한다. 염증 및 폐부종을 일으켜 호흡곤란과 저산소증이 발생한다.

폐 작용제 감염 초기 증상과 징후는 상부기도의 자극과 관련이 있다.

① 증상과 징후는 콧물, 입안, 코안, 목구멍 자극, 쌕쌕거림, 기침 등이 있다.
② 환자는 눈물을 흘리며 안구 자극을 호소한다.
③ 감염에 대한 후기 증상으로 폐부종이 나타난다.

폐 작용제 감염된 환자에 대한 응급처치는 오염된 환경으로부터 환자를 이동시켜 신선한 공기를 마시게 하고 고농도의 산소를 공급하면서 휴식을 취하게 한다. 기관내삽관과 인공환기가 필요한 경우도 있다. 심한 호흡곤란이 나타나는 경우, 네블라이저를 이용해 **알부테롤 0.5 mL**를 흡입시킨다.

10 생물 독소

생물 독소는 생물학적 작용제로 분류되지만 화학물질처럼 작용한다. 이런 생물 독소는 생물체에 의해 만들어지지만 그 자체는 살아있는 상태가 아니다. 생물 독소에는 리신, 포도상구균 창자독소B(SEB), 보톨리눔 독소 및 트리코테신 곰팡이 독소(T2) 등이 있다.

(1) 리신(ricin)

① VX보다는 다섯 배 더 치명적이다.

② 피마자 오일(빻은 아주까리 씨)에서 만들어진다.

③ 생체에 들어오면 폐부종을 일으키고 호흡기계와 순환기계에 영향을 미쳐 사망에 이르게 하고 인체의 단백질 합성 능력을 억제한다.

④ 아주까리 씨의 모든 부분에 독성이 있기는 하지만, 그 씨앗이 가장 독성이 강하다.

㉠ 씨를 섭취하면, 즉시 어지럼증, 구토, 복통, 심한 설사를 겪게 되고, 혈관이 이완된다.

⑤ 임상적 접근은 노출의 경로에 따라 달라진다.

㉠ 흡입을 포함한 여러 노출경로에서 치명적이다.

㉡ 1-3 mg의 리신으로 어른 한 명을 죽일 수 있고 하나의 씨앗을 삼킴으로써 아이가 죽을 수 있다.

㉢ 에어로졸 형태로 흡입되거나 섭취의 경로를 통해 인체에 침입하는데 입을 통해 섭취했을 때 가장 독성이 약하다. 흡입 및 섭취를 통해 리신에 중독될 경우, 쇼크나 여러 장기의 기능상실을 초래할 수 있다.

- 리신 섭취시 위장관 증상을 나타내고, 증상으로는 고열, 오한, 두통, 근육통, 어지럼증, 구토, 설사, 심한 복통, 탈수, 위장출혈, 간 · 비장 · 콩팥(신장) · 위장의 부분적인 출혈과 괴사가 일어난다.
- 위장에서의 흡수율이 낮고, 얼마만큼 소화가 되고, 구토로 인해서 다시 배출되기 때문이다.
- 흡입시 폐부종이 나타나고, 흡입은 무기력증, 기침, 고열, 저체온, 저혈압을 유발하고, 증상으로는 고열, 오한, 어지럼증, 눈 · 코 · 목의 부분적 통증, 심한 발한, 두통, 근육통, 마른기침, 가슴통증(흉통), 호흡곤란, 폐수종, 심한 폐염증, 치아노제, 경련, 호흡정지가 발생한다.
- 증상은 노출 후 4-8시간 후에 나타난다. 몇 시간 후에 땀이 많이 나는데, 이는 증상이 모두 끝났음을 의미한다.

⑥ 적절한 치료가 없다면 3일 안에 사망한다.

㉠ ABC 치료법 및 백신은 없지만, 치료는 보조적으로 처치한다.

㉡ 필요 시 호흡 및 심폐기능을 지원해야 한다.

- 빠른 삽관법, 환기, 날숨(호기)끝양압과 함께 폐수종을 치료하는 것이 좋다.
- 정맥주사와 전해질 보충도 심한 구토와 설사로 인한 탈수를 치료하는 데 유용하다.

(2) 포도상구균 창자독소

항색포도상균에 의해 생성되고, 일반적으로 식중독을 일으키는 가장 흔한균이다. 포도상구균 창자독소 감염은 구강 경로를 통해 일어나 구역질이나 구토가 나타나고, 흡인 경로를 통해 일어나 호흡곤란이나 발열이 나타난다. 소량의 독소로도 증상이 나타날 수 있으며, 감염된 환자 50%에서는 무능력하게 되고, 심한 경우는 치명적이다.

(3) 보툴리눔 독소(Clostridium botulinum)

① 절대 혐기성 그람양성 간균으로 난형의 포자를 형성하며, 운동성을 지닌다(그림 10-6).

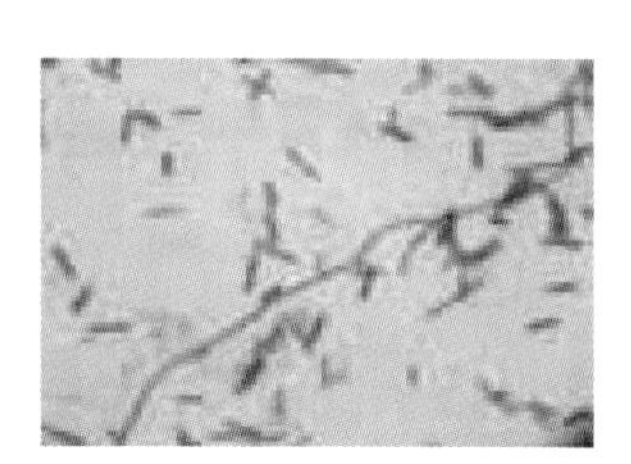

그림 10-6 . 보툴리눔균(혐기성 그람양성 간균)

② 혐기성조건이나 약산성 식품을 감염시킨다.

③ 치명적인 7종류의 신경독소를 생산하며, A · B · E · F형이 사람에게 병증을 유발한다.

④ 가장 독성이 강한 것으로 알려져 있고, 부적절한 캔 통조림 기술로 인해 발생한다.

⑤ 가장 치명적인 신경작용제 VX보다 15,000배 더욱 강력하나, 매우 불안정하여 대량살상무기로 사용하는 데에 제한적이다.

⑥ 신경작용제처럼 신경계를 공격하여 중추신경계의 자극전달과 차단을 방해한다.

㉠ 쇠약, 마비, 호흡기능상실로 인해 사망할 수 있다.

㉡ 흡입 또는 섭취할 수 있다.

⑦ 병원성 감염증상 : 신경말단에서 신경전달물질인 아세틸콜린의 방출을 억제하여 근육마비 및 신경장애를 유발하며, 감염되는 경우 구토 · 복통 · 안면을 포함한 근육의 마비로 인한 호흡곤란 및 사망으로 이어진다.

㉠ 식품매개 보툴리눔 독소 : 식품에 포함되어 있는 보툴리눔균의 섭취로 인하여 발병하며, 사망률이 약 5-10% 정도이고, 피로와 호흡곤란으로 몇 달의 회복기가 필요하다.

㉡ 상처 보툴리눔 독소 : 상처에 독소를 분비하는 세균이 유발되며, 비교적 긴 잠복기(4-14일)를 보인다.

㉢ 유아 보툴리눔 독소 : 감수성이 있는 유아가 보툴리눔균이 오염된 음식물을 섭취해 발생하며, 6개월 이하의 영아의 경우 장내에 정착한 보툴리눔균이 생산한 독소가 흡수되는 경우에 급사 발생할 가능성이 있다.

⑧ 국내 생물테러전염병 독소이며 미국의 경우 CDC caergory A에 속한다.

⑨ 독소분자는 에어로졸에 의해 안정적으로 전파될 수 있으며, 균보다는 독소가 더 강한 독성을 보이고 2차적으로 식품에 의해서 감염될 수 있음

⑩ 생물무기로서 이용가능성

㉠ 1930년대 일본과 영국에서 보툴리눔 독소가 생물테러무기로 사용될 수 있다는 가능성이 보고되었다.

㉡ 1984년 캐나다인이 생물테러를 목적으로 ATCC에서 보툴리눔균을 구입하고자 하였으며, 1980년대 파리 내 은신처에서 독소제조 사례가 보고되었다.

㉢ 1990년, 1993년, 1995년 일본에서 보툴리눔 독소의 살포에 의한 생물테러가 발생하였으며, 사망자는 없었다.

⑪ 예방과 치료

㉠ 위해성 평가를 통하여 생물안전을 위한 장갑과 실험복 등 적합한 개인보호장비를 사용한다(에어로졸 발생실험 시 호흡기보호장비를 사용한다).

㉡ 항생제요법을 사용(테트라사이클린; tetracycline을 사용하며, 독시사이클린; doxycycline을 우선 선택 치료제로 사용)한다.

㉢ 항생제의 사용은 발병 3일 이내에 시작하는 것이 효과적이다.

Tip. 용어정리

① 리신(ricin)

㉠ 빻은 아주까리 씨의 기름에서 나오는 신경독, 폐수종(pneumonedema)을 일으키고 호흡기와 순환기에 영향을 미쳐 사망에 이르게 한다.

② 보툴리눔 독소(botulinum)

㉠ 바이러스로부터 생산하는 강한 신격독이다.

㉡ 생체에 들어가면 신경계통의 기능을 공격하고 근육의 미비를 가져온다.

③ 리신(ricin)과 보툴리눔 독소(botulinum)는 인간에게 가장 치명적인 신경독(neurotoxins) 생물학적 물질이다.

(4) 트리코테신 진균 독소(Trichothecene mycotoxins T2)

곰팡이에 의해 생성된 생물 독소이다. 이들은 단백질 및 핵산의 형성을 억제하고, 빠르게 분열하는 체세포 분열에 영향을 미친다. T2독소는 빠르게 작용하면서 피부 자극을 하는 경우 통증, 화상, 홍반, 수포가 나타나고, 호흡기 자극을 하는 경우 코안 및 입안, 콧물, 코 출혈, 쌕쌕거림, 호흡곤란, 객혈이 나타나고, 안구를 자극하는 경우 통증, 홍반, 눈물, 흐릿한 시야가 나타나고, 위 장관을 자극하는 경우 구역질, 구토, 복부 경련, 혈액이 섞인 설사가 나타난다. T2 독소는 피부를 통해 흡수될 경우 가장 위력이 강하다. 일반적인 증상과 징후는 중추 신경계 증상, 저혈압, 사망 등이 있다.

생물 독소에 감염된 환자의 관리는 보조적 처치이다. 항독소를 일반적으로 사용할 수 없다. 생물 독소는 매우 적은 양이라도 구조대원이나 현장에 있는 사람들을 위험에 빠뜨릴 수 있으므로 제염을 시행하는 경우 각별한 주의를 기울여야 한다.

Tip. 생물테러 관련 용어

① 생물테러란?
테러리즘의 일부로서 잠재적으로 사회붕괴를 의도하고 바이러스, 세균, 곰팡이, 독소 등을 사용하여 살상을 하거나 사람, 동물, 혹은 식물에 질병을 일으키는 것을 목적으로 하는 행위이다.

② 생물테러감염병
고의로 또는 테러 등을 목적으로 이용된 병원체에 의하여 발생된 감염병을 말한다.
(감염병의 예방 및 관한 법률 제2조 9항)

③ 생물무기
사람, 동물, 식물에 질병을 유발시키기 위해 군자작전 또는 생물테러에 사용되는 미생물과 독소를 말한다.
㉠ 미생물이란? 살아있는 유기체로서 인체에 피해주는 곰팡이, 세균, 리켓치아, 바이러스 등
㉡ 독소란? 화학 및 생물학 기술의 발달과 더불어 동물, 식물, 병원균의 신진대사 과정에서 추출한 물질로서 인공적으로 대량생산이 가능한 유독성 생화학 물질(보툴리눔 독소 등)

11 무능화 작용제

무능화 작용제는 경찰이 사용하는 시위 진압용 물질, 호신 용품, 군대에서 연구되고 있는 새로운 물질이 포함되어 있다. 이런 작용제는 목표가 되는 사람을 손상시키거나 해를 가하기 위해서 사용하는 것이 아니라 무능화시키기 위해 의도적으로 사용한다.

① 시위를 진압하기 위해 사용하는 CS, CN(최루탄), 캡사이신, CR등이 있다.
　㉠ 작용제를 접할 수 있는 경우는 경찰이 시위를 해산하거나 공격적이고 폭력적인 개인을 진압하기 위해 사용하는 경우이다.
② 감염된 환자는 눈 자극, 눈물, 콧물 등을 호소하는 경우가 많다.
　㉠ 무능화 작용제를 흡입한 경우, 기도자극과 호흡곤란 등의 증상이 동반된다.
③ 무능화 작용제 감염 치료
　㉠ 환자를 감염지역에서 대피시킨다.
　㉡ 신선한 공기를 마시게 한다.
　㉢ 필요한 경우 산소를 투여한다.
　㉣ 시간이 지남에 따라 감염 증상이 완화된다.

아트로핀과 같은 항콜린제(BZ과 QNB)는 군에서 사용하는 무능화 작용제로 사용하고 있다.
① 항콜린제를 살포하는 일차적인 방법은 폭약과 혼합한 물질을 폭발시키는 것이다.
　㉠ 혼합물이 폭발할 경우 분부형태의 구름이 형성된다.
② 항콜린제(BZ과 QNB)에 감염 증상은 점막건조, 동공확장, 불분명한 발음, 방향감각 상실, 흐릿한 시야, 발한감소, 체온 상승, 안면 홍조 등이 나타난다.
　㉠ 증상은 흡인을 통해 감염된 후 약 30분 후에 나타나기 시작해서 최대 8시간 동안 지속된다.
　㉡ 감염의 가장 위험한 증상은 발한억제로 인한 부정맥과 고열이 나타난다.
③ 항콜린제(BZ과 QNB)의 작용은 피조스티그민의 투여를 통해 반전될 수 있다.

12 기타 유해 화학물질

모든 독성 화학물질은 대량살상무기로 사용될 가능성이 있다. 산업은 수많은 유해 물질을 만들어내는 데, 이런 물질들이 공기 또는 식수원에 누출되거나 연소되어 독성가스를 유출하는 경우 인체에 큰 해를 입힐 가능성이 있다. 사고성 누출과 테러 목적을 위한 누출의 차이는 테러의 경우 많은 사람들에게 손상이 발생할 수 있도록 의도된다는 점에 있다.
① 테러 공격의 경우, 위험물질을 담은 용기에는 내용물에 대한 별다른 설명이 없기 때문에, 문제의 물질을 사전에 발견하기가 더 어려울 수 있다.
② 모든 구급차와 소방차에 비치되어야 하는 비상대응지침서(Emergency Response Guide-

book)는 무기로 사용될 수 있는 대부분의 유해 물질과 기타 대량살상 용무기에 대한 정보를 제공한다.

③ 비상대응지침서는 교통차단과 이송거리, 특수처치 관리 단계를 제시해줄 수도 있다.

13 화학물질 유출의 인지

화학무기의 유출은 안개, 증기, 가루, 고인 액체의 형태로 나타나거나 무색, 무취로 전혀 발견되지 않을 수도 있다.

① 화학물질은 갓 베어낸 풀 냄새(포스겐), 썩은 계란 냄새(황화수소) 등의 다른 이상한 냄새가 날 수 있다.

② 화학물질을 사용하지 않는 장소, 사용이 예상되지 않는 장소에서 화학물질 냄새가 나는 경우 화학물질 유출을 의심한다.

㉠ 냄새를 직접 맡거나 의심되는 액체 또는 물질을 직접 만지지 않는다.

③ 화학물질 감염으로 인한 증상, 손상, 무능력 등을 나타내는 환자, 죽어있는 곤충, 새, 동물을 발견 할 수 있다.

㉠ 광산에서 잉꼬새를 유독가스를 확인하기 위해 사용되어오고 있다는 것을 생각한다.

④ 테러리스트는 유독가스를 의도적으로 사용하려 한다는 점을 고려할 때, 대규모 군중이 모이는 행사, 공공건물 및 지하철역처럼 밀폐된 공간에 대한 경각심을 높여야 한다.

⑤ 테러리스트는 화학적 또는 생화학적 작용제를 음식이나 식수원을 공격하는데 사용할 수 있으며, 이로 인해 광범위한 피해가 발생할 수 있다.

⑥ 화학물질 유출의 기본적인 징후는 집단 내 개인 사이에서 유사한 증상과 징후를 보이는 것이다.

⑦ 화학물질 유출의 일반적인 징후는 점막염증(눈, 코, 입안, 목구멍 자극), 감염된 피부의 자극, 가슴 답답함, 화상, 호흡곤란, 위창자 장애(구역질, 복통, 구토, 설사), 중추 신경계 장애(혼동, 졸음증, 구역질/구토, 중독, 두통, 무의식 상태) 등이 있다.

Tip. 생화학적 작용제를 음식이나 식수원 공격

1923년 9월 1일 발생한 관동(關東)대지진의 혼란 속에 조선인 약 6,000명 이상의 조선인 대학살을 자행이 일본 자경단 등에 의해 억울하게 발생된 사건이 있다. '조선인이 우물에 독을 풀었다', '조선인이 방화한다'는 등의 유언비어를 퍼뜨리면서 일어난 비극적인 사건이다.

1) 화학물질 유출의 관리

화학물질이 유출된 지역에서 안전하게 멀리 떨어진 곳에 위치하며, 높은 곳에서 바람을 등지고 사고현장에 접근한다. 일반적으로 유출된 위험물질의 양이 적고, 좁고 폐쇄된 지역인 경우 즉시 대피한다. 그러나 많은 양의 화학물질이 유출(화물열차, 대형 저장탱크 등)되었다면, 다음과 같이 시민들을 대피시켜야 한다.

① 낮에 사고가 발생한 경우
  ㉠ 사고 발생 지점에서 반경 200-600 m 내의 시민들을 모두 대피 시킨다.
  ㉡ 바람이 불어가는 방향으로 2.5 km 내의 시민들 모두 대피시킨다.

② 밤중에 사고가 발생한 경우
  ㉠ 사고 발생 지점에서 반경 600 m 내의 시민들을 모두 대피 시킨다.
  ㉡ 바람이 불어가는 방향으로 9.5-11 km 내의 시민들 모두 대피시킨다(그림 10-7).

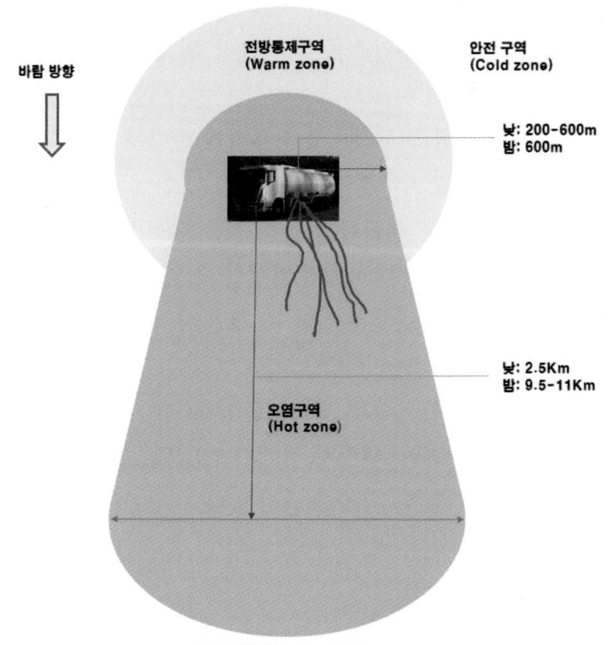

그림 10-7. 유해 물질 유출과 관련된 구역
오염구역(hot zone), 전방통제구역(warm zone), 안전구역(cold zone)

현장 격리 조치를 통해 시민에 대한 위험이 감소하게 되면, 응급구조사는 다음과 같은 행동을 실시한다.

① 손상에 대한 처치를 시작하기 전에 적절하게 오염 제거를 하였는지 확인한다.

② 대부분의 환자는 오염제거를 시행한 후 신선한 공기, 산소투여, 호흡보조 등의 처치가 필요하다.

② 위험지역에서 나오는 구조대원들도 오염 제거를 한다.

③ 만약을 대비해서 HEPA 마스크, 니트릴 글러브, 일회용 보호복 같은 개인보호장비(PPE)를 사용한다.

㉠ 라텍스 글러브는 화학물질에 대한 보호 기능이 높지 않다.

㉡ 가죽 재질된 장비(벨트, 시계줄, 신발 등)는 화학물질을 흡수하기 때문에 한번 오염이 되는 경우 지속적으로 위험에 노출된다. 이러한 장비들은 위험지역(hot zone), 전방통제지역(warm zone)과 같은 위험 지역에서는 개인 보호 장비로 적절하지 않다.

대량 살상용 핵무기와 화학무기에 대한 제염은 일반적으로 소방기관에서 실시한다. 이러한 소방기관은 유해 물질 사고 현장에서 유출 억제 및 오염제거를 시행한다.

2) 생물학적 작용제

생물학적 작용제는 의도적으로 질병, 무능력, 사망을 유발하기 위해 퍼트리는 살아있는 유기체에서 생산된 독소를 의미한다. 일반적으로 생물학적 작용제는 비접촉전염성 물질인 탄저병 등과 인간과의 접촉으로 인해서 퍼지는 전염성 물질인 천연두, 에볼라, 페스트로 분류된다.

① 비접촉전염성 생물학적 작용제

㉠ 최초 공격을 당한 환자에게만 영향을 미친다.

㉡ 질병의 확산범위가 제한된다.

㉢ 언제 어디서 접촉이 일어났는지 쉽게 확인할 수 있다.

② 전염성 생물학적 작용제

㉠ 의학계에서 생물무기 공격이 발생했다는 사실을 인지하기도 전에 감염자가 질병을 전파할 수 있기 때문에 각별한 주의가 필요하다.

㉡ 응급의료체계나 진료체계는 질병의 증상과 징후를 알지 못한 상태에서 최초질병이 발생한 환자를 치료하기 위해 출동하기 때문에 취약하다.

③ 특이한 냄새나, 먼지, 가스 구름을 동반하지 않기 때문에 유출된 경우 이를 감지하고 발견하는 것이 어렵다.

④ 작용제의 증상과 징후는 접촉 후 수일 또는 수주의 잠복기를 지나 질병이 나타나기 때문에 사전에 발견하는 것은 어렵다.

⑤ 작용제는 인플루엔자 또는 기타 많은 질환의 일반적인 증상으로 나타나기 때문에 원인이 생물학적 작용제라는 것을 구별하기가 어렵다(표 10-5).

표 10-5. 생물학적 작용제의 특성

질병	잠복기	사망률	증상과 징후				
			발열	오한	기침	권태감	욕지기/구토
탄저병	1-6일	90%	○		○	○	
※ 폐렴흑사병	1-6일	57-100%	○	○	○	○	
야생토끼병	3-5일	35%	○		○	○	
Q열(Q fever)	2-14일	1%	○		○	○	
※ 천연두	12일	30%	○			○	○
베네수엘라 말뇌염	1-5일	1%	○	○	○	○	○
콜레라	1-3일	50%					○
바이러스 출혈열	3-7일	5-20%	○				
※ 에볼라	3-7일	80-90%	○				

※ 사람과 사람간 전염되는 질병 : 폐렴흑사병, 천연두, 에볼라
※ 인수공통감염병이란 동물과 사람 간에 서로 전파되는 병원체에 의하여 발생되는 감염병을 말한다.
(출처 : 감염병의 예방 및 관리에 관한 법률 2조 11항)

⑥ 생물학적 작용제 공격 인지 및 의심을 다음과 같은 경우에 할 수 있다.
  ㉠ 가장 일반적인 생물학적 작용제 공격여부는 수많은 환자가 응급실이나 진료소에 동일한 증상과 징후를 호소하는 경우에 한다.
  ㉡ 환자가 집단적으로 발생한 지역을 인지할 때 가능하다.
  ㉢ 질병이 발생하는 계절이 아닌 경우, 일반적으로 질병이 발생하지 않는 지역(북반구에서 열대지방에서 발생하는 질병이 발생하는 등)에서 질병이 발생하는 경우에 의심한다.

⑦ 단서가 발견될 경우에만, 보건 당국은 언제, 어디서, 유출이 되었는지 질병이 원인에 대한 확인 작업을 시작할 수 있다.

⑧ 질병 발생이 생화학 테러로 인지될 때까지 전염성 작용제의 경우 이미 2차 감염자가 발생할 수 있다. 이러한 2차 감염의 원인은 가족, 친구, 직장동료, 응급의료인력 등이 포함된다.

Tip. 법령에 따른 감염병에 분류

① 제1급 감염병(전파 용이)

㉠ 특성 : 생물테러감염병 또는 치명률이 높거나 집단 발생의 우려가 커서 발생 또는 유행 즉시 신고하여야 하는 감염병 음압격리와 같은 높은 수준의 격리가 필요한 감염병

㉡ 종류 : 에볼라바이러스, **두창, 페스트, 탄저, 신종감염병증후군**(급성출혈열, 급성호흡기증후군, 급성설사증후군, 급성황달, 급성신경증후군 등), 중증급성호흡기증후군(SARS), 중동호흡기증후군(MERS), 동물인플루엔자 인체감염증, 신종인플루엔자, 디프테리아 등

② 제2급 감염병

㉠ 특성 : 전파가능성을 고려하여 발생 또는 유행시 24시간 이내에 신고하여야 하는 하는 감염병 격리가 필요한 감염병

㉡ 종류 : 결핵, 수두, 홍역, 콜레라, 장티푸스, 파라티푸스, 세균성이질, 장출혈성대장균감염증, A형간염, 백일해, 유행성이하선염, 풍진 등

③ 제3급 감염병

㉠ 특성 : 발생을 계속 감시할 필요가 있어 발생 또는 유행 시 24시간 이내 신고하여야 하는 감염병

㉡ 종류 : 파상풍, B형간염, 일본뇌염, C형간염, 말라리아, 레지오넬라증, 비브리오패혈증, 발진티푸스, 발진열, 쯔쯔가무시증 등

④ 제4급 감염병

㉠ 특성 : 유해여부를 조사하기 위하여 표본감시 활동이 필요한 감염병

㉡ 종류 : 인플루엔자, 매독, 회충증, 편충증, 요충증, 간흡충증, 폐흡충증 등

Tip. 재난생물학 테러에 이용될 수 있는 병원체(미국 CDC 분류)

분류 A	전파 용이 : 높은 이환율 및 사망률, 질병의 진단과 조사를 위해 질병관리본부의 수행능력 향상이 필요
	병원체 : 탄저병, 흑사병, 천연두, 출혈열, 보툴리누스 중독, 야토병
분류 B	전파 쉬움 : 중증도의 이환률 및 낮은 사망률, 질병의 진단과 조사를 위해 질병관리본부의 수행능력이 필요
	병원체 : Q열, 브루셀라증, 정막 마비저, 알파바이러스, 베네수엘라 뇌수막염, 동부 및 서부 말 뇌수막염, 리신 독소, 클로스트리듐 페르프린젠스의 ε독소, 포도상 구균 B 내독소, 음식이나 수인성 병원체, 살모넬라증, 이질, O157:H7 대장균, 비브리오증, 작은와포좌충
분류 C	향후 위험 가능 : 향후 병원체 조작기술이 개발여부에 따라 대규모로 전파될 가능성 있음, 이환율 및 사망률이 높고 여파가 매우 큼
	병원체 : 니파 바이러스, 한타 바이러스, 진드기 출혈열 바이러스, 진드기 뇌염 바이러스, 황열, 다약재내성 결핵

생화학 테러보다 더 두려운 대상은 아마 자연의 변화일 것이다. 더욱 다양하고 심각해지는 인플루엔자, 일반적인 질환의 돌연변이 균주, 복합약물 내성을 가진, 중증급성호흡기증후군(SARS) 등이 출현하고 있으며 갑자기 확산되어 수많은 환자가 발생할 수 있다. 자연적으로 발생하는 전염병은 생화학 테러보다 더 심각 할 수 있다. 이러한 자연적으로 발생하는 전염병의 근원을 찾고 대응을 하는 것은 생화학 테러 공격에 대한 대응 조치와 동일하다.

현재 잠재적인 대량살상무기(WMD)에 의해 발병할 수 있는 질병의 종류는 광범위하고 폐렴성작용제, 뇌염성 작용제, 등이 포함되어 있다.

(1) 중증급성호흡증후군

중증급성호흡증후군(SARS: Severe Acute Respiratory Syndrome)은 SARS coronavirus (SARS-CoV)가 인간의 호흡기에 감염되면서 나타나는 급격한 호흡기 증상을 동반하는 질환이다. 이 질환은 2002년 처음 동남아시아 지역에서 발생한 새로운 양상의 폐렴증세로 보고되었다. 이어서 2003년 동물에서 나타나는 코로나바이러스(coronavirus)가 인간에서도 감염이 가능하다고 보고되었다. 또 인간에서 인간으로의 SARS coronavirus가 전파되는 것이 증명되었다. 2004년 5월 18일 마지막으로 중국에서 대량 환자가 보고된 이후에 발생이 보고되지 않고 있다. 중국, 홍콩, 대만, 캐나다, 싱가폴, 베트남 등의 국가에서 많은 환자가 발생하였다.

① SARS Virus

SARS 환자와 대화 또는 SARS 환자가 기침할 때 발생하는 비말에 의한 눈, 코, 입 등의 점막을 통하여 전파된다. SARS coronavirus는 외부환경에서 3시간 정도 생존이 가능하므로, 환자가 만졌던 물건이나 체액을 통해서도 전달이 가능하다고 알려져 있다. 감염의 남녀의 차이는 없으며 젊은 성인에서 발생이 가장 많고 노인과 소아에서는 잘 감염되지 않는 것으로 알려져 있다.

② SARS coronavirus 감염에 의한 징후와 증상

우선 열, 근육통, 전신통증, 두통 등의 가벼운 감기 증세로 시작되어 다른 질환과 잘 구분되지 않는다.

- 가장 흔히 나타나는 증세로는 열(100%)이다.
- 다음으로 무력감(94.2%), 기침(92.1%), 두통(61.1%), 근육통(60%), 오한(46.8%), 어지러움(46.8%), 호흡곤란(42.9%), 설사(24.2%), 콧물(22.2%), 흉통(21.6%), 오심(19.7%), 인후통(17.2%), 구토(10%) 순으로 나타났다.
- 1주 정도 경과 후에 기침과 호흡곤란이 나타난다.
- 급격히 악화되는 양상으로 호흡기능의 저하와 저산소증이 나타난다.

- 대량의 물성 설사가 70% 정도에서 보고되어지고 있다.
- 90%의 환자는 2주 정도 경과 후에 증세가 호전되어진다. 병원균의 전파는 주로 2주째에 나타난다.

㉠ 노인

- SARS가 있는 노인에서는 발열이 나타나지 않을 수도 있을 뿐만 아니라, 다른 박테리아성 폐렴 또는 폐혈증과 동반되어 나타나는 경우도 있어서 진료와 치료가 더욱 문제가 되고, 예후가 좋지 않다.

㉡ 소아

- 소아에서 발생하는 SARS는 증상도 경미하고 예후도 좋은 것으로 알려져 있다.

㉢ 임산부

- 임산부에서 발생한 SARS는 유산을 유도할 수 있다.
- 임신 후기 사망률을 증가시키는 것으로 알려져 있다.
- SARS에 의한 사망률은 9.6% 정도이다.

③ SARS coronavirus 감염에 의한 진단

급성호흡기 증후군(Severe acute respiratory syndrome)은 임상적 증상에 의한 진단과 실험적 검사에 의한 진단이 있다.

㉠ 임상적 증상에 의한 진단은 다음 4가지가 만족될 경우

- 38℃ 이상의 열
- 하나 이상의 호흡기 증상(기침, 호흡곤란, 호흡, 숨참) 등의 증상
- 폐렴이나 급성호흡곤란증후군 등의 동반된 폐침습의 방사선 소견 또는 원인모를 폐렴이나 급성호흡곤란증후군 등이 동반된 병리학적 소견의 부검결과
- 다른 진단되는 병이 없는 경우

㉡ 실험적 검사에 의한 진단은 2가지 이상의 실험적 조사 시행

- Real Time-RCA를 통한 핵산 검사(Nucleic acid test)
- 엘라이사(ELISA)를 통한 혈청전환(seroconversion)
- Virus isolation

④ SARS 치료

- SARS의 치료는 바이러스가 원인이므로 고유의 치료는 존재하지 않는다.
- 증상완화 치료와 호흡기 치료를 통한 보전적 치료가 우선이다.
- 동반되는 폐렴을 막기 위해 항생제와 항바이러스 제제도 같이 사용할 수 있다.
  - 로피나비르/리토나비르(Lopinavir/ritonavir) 등의 항바이러스 제제가 사망률과 기도

삽관율을 낮춘다.

· SARS 환자의 치료에 인터페론 알파콘-1, 코르티코스테로이드(Interferon alfacon-1, corticosteroid)의 사용이 임상치료를 호전시킨다.

- 환자는 발견 즉시 격리되어서 치료받아야 한다(철저한 검역 작업 실시).
- 감염병에 대한 원칙적인 접근과 격리병실에서 정해진 지침에 의해 진료가 이루어져야 한다(병원 내 감염이 많이 발생).
- 현재까지 SARS에 대한 예방 Vaccine은 개발되어 있지 않다.
  · 폐렴증세의 유행 등에 대한 사전 감시망 구축한다.
  · 발열환자의 대량 발생 시에 역학적 조사를 한다.

⑤ SARS와 재난

SARS를 대량재난의 측면에서 보면 다음과 같은 사항을 먼저 고려해야 할 것이다.

㉠ SARS는 대량재난인가?

- 재난의 정의에 입각한 측면에서 고려해 보았을 때, 회복에 필요한 인적 · 사회적 자원을 넘어서는 사건이라는 측면에서 보면 재난이라고 볼 수 있을 것이다.
- 이전에 경험하지 못했던 새로운 감염 질환에 대해 이에 대처하는 의료적 자원이 마련되어 있지 않았다는 측면에서 보면 대량재난일 것이다.

㉡ 재난의 종류로 구분하면 어느 재난으로 구분해야 하는 것인가?

- 인위재난과 자연재난 어느 것으로도 완벽하게 설명이 되지 않은 재난이 있다.
- 재난에 대한 대비책에서도 양쪽 특성을 모두 고려하여 재난대책을 수립해야 할 것이다.

(2) 메르스바이러스

① MERS란?

메르스바이러스(MERS-CoV)는 Coronaviridae에 속한 양성극성의 RNA 바이러스로 2012년 사우디아라비아에서 처음 보고되어 낙타가 숙주로 의심되고 있다. 낙타에서 사람으로 감염된 후 사람 간 감염이 일어날 수 있는 것으로 알려 있지만 정확한 경로는 충분히 연구되어있지 않았고 바이러스의 전파양상에 대한 정보가 매우 부족하였다. 메르스는 40%에 달하는 높은 치명률을 보임에도 불구하고 아직 효과가 검증된 치료제와 백신은 개발되어 있지 않다.

② 감염재난이란?

생물학적 재난이란 세균, 바이러스 및 생물학적 독성에 의한 재난상황을 말한다. 생물학적 재난이 발생하고 반응계획이 활성화된 후 가장 우선적으로 시행되어야 하는 것은 병원 환경을 보호하는 것이다. 호흡기 전파를 통해 사람-사람 간 감염이 일어날 수 있는 병원체의 경우 환자를 격리시킬 수 있는 시설이 필요하다. 또한, 생물학적 제제에 대한 노출은 주로 생물학적 분무제(biological aerosols)의 흡입에 의해 발생한다. 점막이나 상체가 있는 피부로도 감염의 위험성이 있다.

미국의 환경 보호국은 보호 정도에 따라 개인보호장비(Personal Protective Equipment; PPE)를 4단계로 나누었다.

㉠ 호흡기를 통한 전파의 위험성이 있는 환자를 처치하는 의료인의 경우 Level C의 개인보호장비 필요

㉡ 생물학적 액체 또는 분말의 경우 Level D의 개인보호장비 필요

㉢ 알 수 없는 위험물에 노출된 환자를 처치하는 경우에는 Level B 이상의 개인보호장비 필요

생물학적 제제에 노출된 환자 대부분에게 제염(decontamination)이 항상 필요한 것은 아니지만, 생물학적 병원균을 사전에 알려주고 살포하거나 신속하게 작용하는 독소의 경우에는 제염이 환자관리에 있어서 중요한 역할을 하게 된다. 그런 예로는 다음과 같다.

- 포도상구균(Staphylococcus) B
- 장독소(Enterotoxin)
- 곰팡이독(T2 Mycotoxin) 등

현장에서 제염이 되지 않고 응급센터에 도착하는 경우 병원균의 재분무화(Reaerosolization)와 독소에 의한 이차감염의 가능성이 있는 경우에는 의복(옷)을 벗기고 샤워를 이용한 습식제염(wet decontamination)이 필요하다.

3) 폐렴성 작용제

폐렴성 작용제는 탄저병, 페스트, 야생토끼병, Q열 등이 테러 공격에 가장 자주 사용된다. 폐렴성 작용제는 일반적으로 기침, 호흡곤란, 발열, 권태감 등을 야기시킨다. 탄저병과 페스트는 사망률이 90-100%로 가장 치명적이다.

① 탄저병

㉠ 매우 치명적이지만 사람과의 접촉에 의해서 전염되지 않는 비전염성 작용제이다(그림 10-8).

㉡ 소, 말, 양, 염소 등의 초식동물에게 탄저균이 감염되어 발생하는 질병이지만 사람이

나 육식동물도 감염된 동물과 접촉을 하게 되면 전염될 수 있다(**인수공통감염병**).

㉢ 그량양성의 호기성으로 연쇄상 막대형의 병원체이며, 포자를 형성(생존력이 강함)한다.

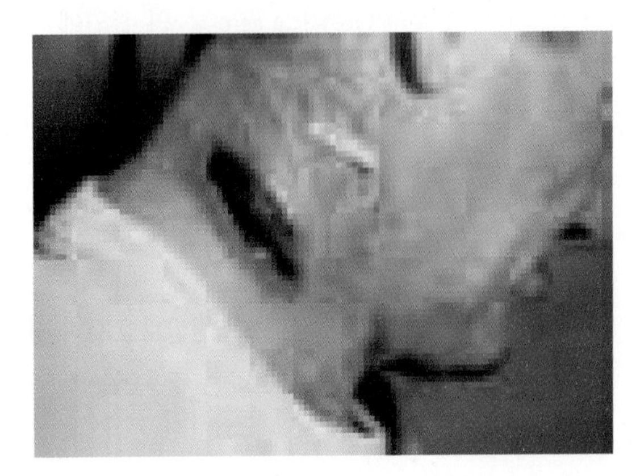

그림 10-8. 탄저균(중심부가 검은색 딱지 형성)

㉣ 탄저를 감염 경로에 따라 분류하면 피부(의 상처)를 통해 감염되는 피부형, 음식을 통해 감염되는 소화기형, 공기중의 탄저균이 호흡기를 통해 들어오는 호흡기형이 있다.

- 피부와 소화기에 발생한 탄저는 상대적으로 증상이 약하지만 호흡기를 통해 감염된 탄저균은 감염 즉시 항생제를 투여 받지 않으면 치사율이 80-95%에 이른다는 연구결과가 있다.
  - · 호흡기형 : 초기발열과 함께 기침 등 감기유사 증상이 나타나며, 이후 호흡곤란 · 피부탈색 등의 중증이 나타난 뒤 2-3일 안에 사망한다.
  - · 피부형 : 피부가 붓고 가려운 증상이 나타난 뒤 1-3 ㎝의 종기가 발생하며 중심부가 검은색을 띠며 약 20%의 치사율이 나타난다.
  - · 소화기형 : 현기증 · 식욕감퇴 · 복부통증 · 토혈 · 설사 등의 증상을 나타내며, 약 25-60%의 치사율이 나타난다.

㉤ 세계보건기구(WHO, World Health Organization)의 보고서에 의하면 50 kg의 탄저균 포자가 최적 기상조건에서 50-500만 명의 인구를 지닌 20 ㎢ 넓이의 산업화된 도시에 바람이 불어오는 것과 수직 방향으로 2 ㎞의 선모양으로 살포되는 경우 수만-수십만 명이 사망하거나 무능화할 것이라고 한다.

㉥ 국내 생물테러전염병 병원체이며 미국의 경우 CDC category A에 속함

㉦ 무색무취의 형태로 공기 중에 에어로졸로 살포 가능하다.

㉧ 폐탄저균의 경우 포자의 직경은 0.01 ㎜ 정도이며, 생물무기로서의 파급성이 있어

대량 살포가 가능한 미세분말로 제조여부가 중요하다.

㉧ 예방과 치료

- 백신을 통해 예방이 가능하며, 감염위험이 높은 지역 종사자를 대상으로 권고된다.
- 항생제(고농도 시프로플록사신; ciprofloxacin) 60일 이상 투여 및 해독제를 이용한다.

Tip. 2001 미국 탄저균 테러(9 · 11테러 이후 우편물을 이용한 탄저균 테러 : 5명 상망)

영어로는 "anthrax"라는 단어는 그리스어로 '석탄'을 의미하는 단어에서 유래한 것으로 '탄저'를 가리킨다. 사람에게 탄저가 발생하면 피부에 물집이 생기고, 검은색 딱지가 앉는 데서 유래한 이름이다.

② 페스트(Yersinia pestis)

㉠ 생물 테러에 자주 사용되는 폐렴성 작용제이다(그림 10-9).

㉡ 사망률이 치료를 받지 못할 경우 100%, 치료를 받을 경우 57%로 높을 뿐만 아니라 증상과 징후가 나타난다.

㉢ 18시간 내에 치료를 받지 못할 경우 환자 생존율이 최소화될 수 있다.

㉣ 폐렴성 페스트는 1-4일 간의 잠복기를 거쳐 작은 물방울과 흡인을 통해 확산된다.

㉤ 인수공통전염병 병원체이다.

㉥ 야생 설치류의 벼룩에 의해 매개된다.

㉦ 호기성 그람음성 간균으로 운동성이 없고, 포자를 형성하지 않는다.

- 실험실에서 배양이 용이하나 햇빛이나 건조한 공기에 노출 시 쉽게 사멸한다.

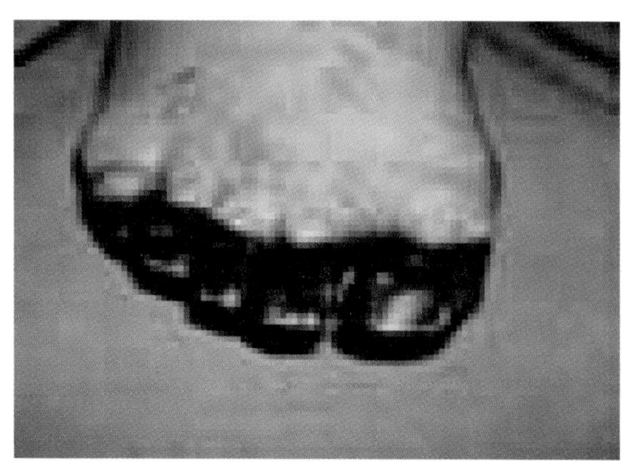

그림 10-9. 페스트 감염

㉧ 병원성 및 감염증상은 감염경로와 임상증상에 따라 선 페스트, 폐 페스트, 패혈증 페

스트로 분류된다.

- 선 페스트 : 사람페스트의 80-90%를 차지하며, 벼룩에 물린 감염부위의 림프절이나 물린 자리가 붓고 발열증상이 나타나고 치료하지 않을 경우 사망률 50%이다.
- 폐 페스트 : 2차적으로 폐를 침범하여 폐렴 · 고열 · 두통증세를 보이며, 치료하지 않으면 사망한다.
- 폐혈증 페스트 : 선 페스트에서 진행되거나 혈행성으로 퍼져 1차성 패혈증 페스트가 유발되며, 발열 · 급격한 쇼크 증상이나 DIC · 혼수 등의 증세를 보이고, 치료하지 않으면 2-3일 이내에 전신이 흑색이 되어 사망한다.

㉧ 국내 생물테러전염병 병원체이며, 미국의 경우 CDC category A에 속한다.

㉨ 생물테러 발생 사례

- 1346년 타타르족은 페스트로 사망한 사체를 이용하여 흑해연안 크리미안 포트에 생물테러를 감행한 바 있다.
- 2차 대전 중 일본군이 만주지역에서 페스트균을 생물학전에 이용하였다.

㉩ 예방과 치료

- 약독화된 생백신과 포르말린 처리된 사균백신이 일부 국가에서 사용되고 있으며 페스트 상재지역의 거주자 등 고위험군 대상으로 백신접종을 권장하고 있다.
- 항생제 스트렙토마이신(Streptomycin), 테트라사이클린(tetracycline), 독시사이클린(doxycycline)를 투여한다.
- 발병한지 15시간 이내 투여하며, 통상 10일정도 항생제 투여가 필요하고, 임상적 호전이 있더라도 최소 3일 이상 투여가 요구된다.

③ 야생토끼병(토끼열 또는 사슴등애열; Francisella tularensis)

㉠ 인수공통전염병 병원체이다(그림 10-10).

㉡ 2-10일 동안 증상과 징후가 나타난다.

㉢ 환자의 사망률은 최대 5%이다.

㉣ 고체 또는 액체의 초미세입자 형태로 공기 및 가스에 섞어 분산된다.

㉤ 편성 호기성 그람음성 간균으로써 운동성이 없으며, 포자를 형성하지 아니한다.

㉥ 전염성이 강한 A형과 비교적 가벼운 B형으로 분류된다.

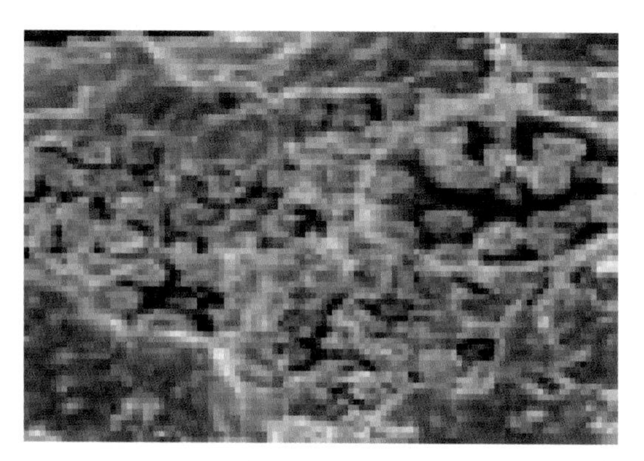

그림 10-10. 야토균(편성 호기성 그람음성 간균)

ⓢ 병원성 및 감염증상은 감염부위에 무통종기를 야기하며, 급성 통증과 발열 · 구토 · 기침 등 일반적인 감기와 비슷한 증상을 보인다.
- 흡입감염은 폐렴이나 전신성 질환이 발생하며, 치료하지 않을 경우 발열이 3-6주 정도 지속된다.

ⓞ 감염가능 위해요소는 환자의 감염 피부부위 및 분비물, 콧물 · 타액 · 뇌척수액 · 혈액 · 소변 · 조직 등 임상검체와 감염된 절지동물의 분비액 등을 취급하는 경우이다.
- 균 대량 배양, 에어로졸 실험, 감염동물 취급 실험 시

ⓙ 국내 생물테러전염병 병원체이며, 미국의 경우 CDC category A에 속한다.

ⓒ 생물테러 발생 사례
- 공기비말에 의해 호흡을 통하여 감염되고, 소수의 개체(10-50개)로 불특정 다수에게 감염유발(인구 5백만 명의 도시에 살포할 경우 약 25만명의 사상자를 내고, 이 중 19,000명이 사망할 것으로 추정)된다.
- 생물테러 발생보고사례 없음

ⓚ 예방과 치료
- 위해성 평가를 통하여 생물안전을 위한 장갑과 실험복 등 적합한 개인보호장비를 사용한다(에어로졸 발생실험 시 호흡기보호장비를 사용한다).
- 치병원체에 노출된 후 2주 동안 테트라사이클린(tetracycline)을 사용함으로써 효과적으로 예방된다.

④ Q열

㉠ 인수공통전염병 병원체이다(그림 10-11).

㉡ 그람음성균으로 구형 또는 간상의 다양한 형태로 운동성이 없다.

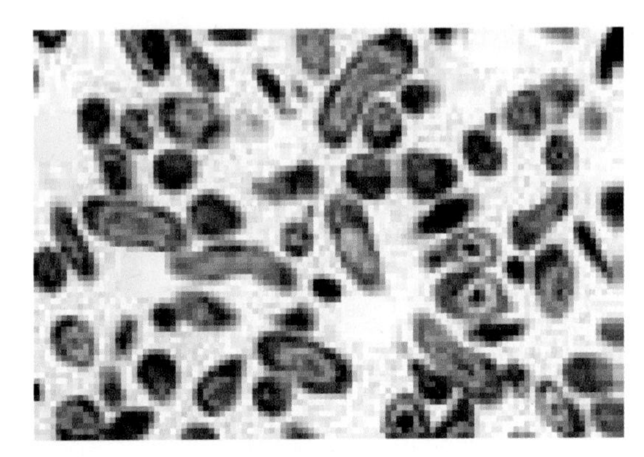

그림 8-11. Q열(그람음성균)

㉢ 감염 세포내에서 증식 시 배지환경이 산성 조건(pH 4.5 이하)에서 포자형으로 변한다.

㉣ 접촉 후 10-20일 내에 증상이 나타나기 시작한다.

㉤ 2일-2주 동안 증상이 지속되어 무능력화시키는 질병이다.

㉥ 병원성 및 감염증상은 급성 또는 만성 증상이 나타나며, 급성감염중 약 1-11%의 확률로 만성으로 진행한다.

- 급성 감염의 경우에는 심약 · 오한 · 식은땀 · 진폐증 · 심낭염 · 간염 및 급격한 체온의 변화를 보이며, 환자의 50-60%에서 흉부 방사선상의 이상증상 나타난다.
- 만성 감염의 경우에는 무자각증상이나 발열증상만 보이기도 하나 급성인 경우와 다르게 심내막염으로 발전하기도 한다.

㉦ 감염가능 위해요소로는 다음과 같다.

- 환자의 혈액, 소변, 배설물 등 임상검체, 감염된 동물의 조직이나 태반 등 취급 시
- 오염된 공기 비말 접촉 및 에어로졸 발생 실험 시
- 무증상 감염동물 취급, 감염동물의 밀짚이나 분비물 처리 시, 감염 벼룩에 의한 감염

㉧ 국내 생물테러전염병 병원체이며, 미국의 경우 CDC category B에 속한다(사망률은 낮다).

- 생물테러 발생사례는 보고된 바 없다.
- 열과 건조 상태에도 저항성이 강하여 높은 감염성을 보이며, 공기 중에 부유하여 사람의 호흡을 통하여 감염된다.

㉨ 예방과 치료

- 장갑과 실험복과 같은 개인보호장비를 사용하고, 공기비말 발생이 우려되는 상황의 경우에는 마스크 등의 호흡보호장비를 사용한다.
- 항생제요법을 사용한다(tetracycline을 사용하여 왔으며, 최근에는 doxycycline을 우선 선택

치료제로 사용).

- 발병 3일 이내에 투여하며, 경구로 1일 2회, 15-21일 투약한다.

Tip. 용어정리

① 탄저병(anthrax)

㉠ 포자(보호용 외피)에서 수면상태에 들어가는 치명적인 박테리아(bacillus anthracis)이다.

㉡ 알맞은 온도와 습기에 노출되면 포자에서 나온다.

㉢ 침입경로는 흡입, 피부, 소화기관(포자를 포함하는 음식의 섭취)을 통해서이다.

② 폐페스트(pneumonic plague)

㉠ 허파의 감염으로 전염성 박테리아의 흡입으로 발생하는 전염성 폐렴으로도 알려져 있다.

③ 림프절(선) 페스트(bubonic plague)

㉠ 아시아, 중동, 유럽으로 퍼져 25백만 명의 목숨을 앗아간 전염병이다.

㉡ 흑사병이라고도 하며 감염된 벼룩을 통해 퍼지다.

㉢ 특징은 급성 무기력증, 고열, 임파절이 염증으로 부어오르는 임파선종이 있다.

④ 천연두(smallpox)

㉠ 높은 전염성을 가지는 질병이다.

㉡ 수포가 발생할 때 가장 전염성이 높다.

⑤ 바이러스성출혈열(viral bemorrhagic tevers, VHF)

㉠ 에볼라, 리프트 밸리열, 황열병 등을 포함하는 종류로 생체의 혈액이 조직이나 혈관을 통해 나오도록 한다.

4) 뇌염성 작용제

천연두와 베네수엘라 말 뇌염(VEE)은 (아마도 중추 신경계를 공격하기 때문에) 두통, 발열, 권태감 등을 동반하는 독감 형태의 질병으로 중추신경계를 공격하기 때문에 사망률이 높다. 이 작용제는 초미세입자 형태로 적은 양으로도 질병을 일으킬 수 있기 때문에 생물학적 무기로 효과적이다.

① 천연두는 호흡기 경로를 따라 공기로 이동되기 때문에 매우 전염성이 높다. 감염자 중 약 30%는 증상과 징후가 12일 정도 지속되고 이중 1/3은 5-7일 이내에 사망한다.

㉠ 천연두는 자연적으로 발생하는 질환으로서 이미 박멸된 것으로 알려져 있지만, 일부 국가에서는 대량살상무기에 사용되는 것으로 생각된다.

② 베네수엘라 말 뇌염의 경우, 사람과의 접촉을 통해 전염은 일어나지 않으며 사망률은 20%미만이다.

5) 기타 작용제

① 콜레라는 개발도상국이나 위생상태가 불량한 국가에서 일반적으로 발생하는 질병이다.

㉠ 일반적으로 분변이 입안 경로를 통해 전염되고, 심한 설사로 인해 탈수와 쇼크를 유발할 수 있다.

㉡ 흡입경로를 통해 전염되지 않으며, 오염된 음식이나 물로 전염되는 작용제 중 하나이다.

② 바이러스성 출혈열(VHF)은 치명적인 에볼라 바이러스와 같은 질병과 같은 유형으로 이름에서 짐작할 수 있듯이, 출혈열로 혈관이 손상되어 혈액이 혈관 밖으로 누출되면서 출혈이 쉽게 발생한다.

㉠ 환자는 쉽게 멍이 들고 점상 출혈이 나타날 수 있다.

㉡ 이런 형태의 대부분의 질병은 호흡기나 감염물질과 직접 접촉을 통해 전파 될 수 있다.

㉢ 사망률이 90%이며 쉽게 고체 또는 액체의 초미세입자 형태로 공기 및 가스에 섞어 분산되고 세균을 배양하기는 어렵다.

14 생물학적 작용제 전염에 대한 보호

일반적인 생물학적 무기에 대한 보호는 전염성 질병의 전파를 방지하기 위해서 가장 신중한 의료단계에서 사용이 되어 진다.

생물학적 작용제 대량살상무기의 유출이나 테러 공격에 대한 경계가 높은 상황인 경우에는 다음과 같이 한다.

① 표준 예방조치보다 적극적인 조치를 취해야 한다.

② 체액을 통한 생물학적 작용제 감염에 대한 예방조치로 글러브를 착용한다.

㉠ 글러브는 매우 효과적인 예방조치이다.

㉡ 손을 자주 철저히 씻어야 한다.

③ 거의 모든 생물학적 작용제는 호흡기를 통해 전달되기 때문에 소량이라도 흡입되지 않도록 잘 맞는 KF-94 (HEPA 필터) 마스크를 착용한다(그림 10-12).

㉠ KF-94 마스크는 생물학적 작용제의 흡입을 막는데 효과적이다

㉡ 호흡기 질환의 어떤 증상이나 징후를 보이는 경우에 환자에게도 마스크를 적용하는 것이 좋다.

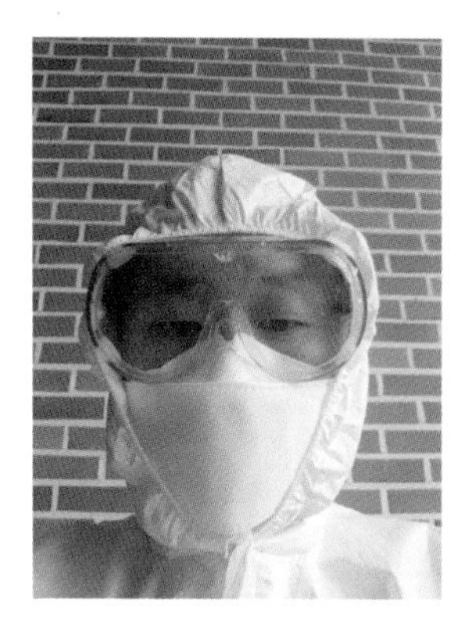

그림 10-12. KF-94 (HEPA 필터) 마스크를 착용하여 예방하여야 한다.

④ 나트륨하이포아염산염 용액 0.5%나 다른 소독제는 생물학적작용제를 죽이는 데 효과적이다.

㉠ 구급차 내부, 구급 장비와 오염이 예상되는 장비 등을 용액으로 철저히 세척한다.

⑤ 의료 지도의사와의 상담과 필요한 예방 접종을 확인한다.

㉠ 모든 생물학적 작용제에 대한 전체 예방접종은 이용할 수 없다.
(이용 가능한 예방접종은 부작용의 위험이 다소 있다)

㉡ 응급구조사에게 시행하는 예방접종은 반드시 감염을 방지한다는 보장이 없다.

생물학적 무기에 노출된 대부분의 환자에 대한 응급처치는 다음과 같다.

① 체온을 유지한다.

② 산소를 투여한다.

③ 수분공급 및 필요한 경우에는 정맥주사를 실시한다.

④ 생물학적 작용제 중 호흡기 손상이 발생하면 알부테롤 등 분무기 치료를 한다.

- 분무기 치료보다는 계량형 흡입기를 사용하는 것을 고려한다.
(이유 : 계량형 흡입기는 에어로졸된 작은 물방울 형성과 흡입의 결과로 오는 위험을 제한할 수 있기 때문이다.)

⑤ 병원 전 치료 후 정확한 유기체가 격리되면, 항생제 치료법을 결정한다.

생물학적 공격이 의심되는 경우에는 다음과 같은 행동요령을 준수한다.

① 환자와 신중하게 면담을 실시한다.

㉠ 면담을 통해 환자가 처음 증상을 발견한 시점과 그 후 접촉한 사람의 유무를 확인한다.

㉡ 전염성이 있는 작용제인 경우에는 접촉한 사람들이 감염될 수 있다.

② 생물학적 테러에 대한 공공보건의 접근 방식은 격리 및 검역소를 설치하는 것이다.

③ 전염성이 높은 질병에 노출된 환자나 보호자는 자택이나 숙박시설과 같은 시설을 이용해 격리하여야 한다.
　㉠ 질병의 증상과 징후를 보이는 사람도 격리한다.
　㉡ 감염된 환자는 다른 환자나 의료 인력에게 감염시킬 수 있기 때문에 의료시설이 아닌 다른 장소에 격리시킨다.

15 테러공격에 관한 일반적인 고려사항

테러공격에 관한 일반적인 고려사항은 다음과 같다.

① 테러리스트들은 구출시도를 방해하기 위한 목적으로 2차 폭발물을 설치하는 경우가 많다.
② 주의 깊게 현장 평가를 통해 자신과 동료에게 위험요소가 있는지를 확인 한다.
③ 유해물질을 다루는 특수한 훈련을 받고 장비를 갖춘 인력만이 현장에 진입한다.
④ 방사능 낙진의 경우 상승기류를 타고 이동하기 때문에 항상 맞바람 방향에 위치해야 한다.
⑤ 폭발물은 건물의 구조를 약화시킬 수 있기 때문에 건물붕괴에 주의해야 한다.
⑥ 모든 위험으로 현장이 안전하다고 판단될 때까지 사고현장에 진입하지 않는다.
⑦ 화학물질의 유출은 생각보다 명확하지 않을 수 있다.
　㉠ 피해자들은 비슷한 증상을 호소할 것이다.
　　- 증상이 나타나기 까지 시간이 좀 걸릴 수 있다.
　㉡ 무능화된 작은 동물, 새, 곤충들을 발견한 경우 화학물질에 의한 사고를 의심한다.
　㉢ 화학물질을 사용하지 않는 지역에서 화학물질 감염 증상이 나타나는 경우 화학물질 사고의 가능성을 의심한다.
　㉣ 대원들은 사고 현장보다 높은 지역에서 맞바람 방향에 위치한다.
　㉤ 피해자나 잠재적인 피해의 위험에 노출된 사람을 안전한 장소로 대피시킨다.
⑧ 환자를 치료하기 전에 스스로를 보호하기 위해 니트릴 글러브, KF-94 필터 마스크, 일회용 보호복을 착용해야 한다.
⑨ 위험지역(hot zone), 전방 통제 지역(warm zone)으로 진입하는 것은 고려해야 한다.
⑩ 생물학적 작용제는 누출이 되는 시점을 인지할 수 있다는 것은 아마도 불가능하다.
　㉠ 구름층이나 증기형태로 나타날 수는 있다.

ⓛ 노출된 후 즉각적인 증상과 징후를 보이는 환자가 없다.
- 편지와 같은 우편물에 탄저균 등

ⓒ 잠복기가 지난 후 환자들이 의료기관이나 응급실에서 진료 후 알 수 있다.
- 환자의 공통점과 생물학적 작용제의 유출 장소에 대한 조사를 시작할 수 있다.
- 많은 환자가 같은 시기에 유사한 질병의 증상과 징후를 나타낸다면 생물학적 테러를 의심한다.

ⓔ 잠재적인 질병처럼 글러브, 잘 맞는 KF-94 필터 마스크를 착용한다.
- 자신도 전염성 물질에 감염되어 보균자가 될 수 있다는 점을 기억한다.
- 응급구조사가 노출되거나 전염병의 증상과 징후가 나타나는 경우 프로토콜 및 질병관리본부(KCDC), 의료지도의사의 지시에 따라서 적절한 치료를 받고, 2차 감염자가 발생하지 않도록 사전 예방한다.

테러 공격에 대한 응급구조사의 역할은 다음과 같다.

① 자신의 안전 및 환자, 동료, 시민의 안전을 확보하는 것이다.

② 안전 확보되면 모든 환자에게 필요하다면 제염을 시행한다.

③ 환자에게 적절한 응급처치를 시행한다.
ⓖ 교육을 받은 내용과 프로토콜 및 재난대응계획을 따르도록 한다.

④ 대량살상무기 사고가 확인되면, 사고에 대한 준비를 시작한다.
ⓖ 사고지휘체계를 수립한다.
ⓛ 각자의 업무를 구분 한다.
- 구출, 오염제거, 환자분류, 응급처치 및 이송 등

⑤ 사용 가능한 자원을 적절하게 배분한다.
ⓖ 손상의 특성, 환자 수, 손상의 심각성 등

16 전쟁에 의한 재해

전쟁은 일류의 역사이며 전쟁과 함께 현장 의료와 응급의료체계 등이 발전했다. 그 중에서 가장 특징적인 것이 중증도 분류이다. 현대전쟁은 과학의 발전으로 인하여 점점 다양한 유형의 환자를 유발한다(표 10-6). 화상, 총상, 압좌손상 및 둔상 등의 일반적인 손상에서부터 화학물질에 의한 손상 및 방사능에 의한 손상 등의 매우 다양한 손상이 나타난다. 전쟁은 때로 상황이 매우 절박하여 제한된 인원과 물자로 의료를 시행하기 때문에 중증도 분류법이 중요시되고 있다.

표 10-6. 현대전의 특징

비선형 기동전	화생방전
화력전	공중전
단기 속결전	지휘, 통제, 통신, 전자전

1) 전쟁과 중증도 분류

중증도 분류의 목적은 다음과 같다.

① 즉각적인 응급처치를 필요로 환자를 신속히 분류하여 이송

② 생존 가능성이 없는 환자에게 의료지원이 낭비되는 일이 없도록 한다.

③ 의료자원과 인력을 가장 효율적으로 사용하는 데 있다.

그러므로 중증도 분류의 책임자는 경험이 많은 응급의학 및 응급구조사가 맡아야 한다. 일반적으로 정신적 손상을 받은 환자에 대한 중증도 분류는 시행하지 않는 경향이 있으나, 전쟁이라는 특수한 상황과 육체적 손상으로 유발되는 정신질환에 대해서는 경험이 많은 정신과 의사에 의한 중증도 분류가 필요하다(표 10-7).

표 10-7. NATO의 중증도 분류

환자의 분류	손상의 정도
T1 : 긴급환자	생명이나 사지를 구하기 위한 수술이 필요 수술시간이 짧다. 생존의 가능성이 높다.
T2 : 응급환자	시간이 오래 걸리는 수술 처치가 늦어도 생명에 위협적이지 않다. 지연되어도 안정화에 미치는 영향이 적은 경우
T3 : 비응급환자	가벼운 부상 숙련된 요원에 의해 처치를 받지 않아도 된다.
T4 : 지연환자	심각한 다발성 손상 치료가 복잡하고 시간이 많이 소요된다. 요원과 자원을 낭비한다.

2) 전쟁과 단계별 의료 체계

미국 시민전쟁 때부터 전쟁이라는 상황에서 효과적인 의료지원을 수행하기 위하여 '단계

별 의료지원체계'(단계별로 지역을 나누어 의료처치를 하는 체계)가 조너선 레터맨(Jonathan Letterman)에 의해 고안되고 발전되었다.

부상자들을 현장에서 적절히 분류하여 미리 지정된 지역으로 단계별로 보내어 치료하는 것이 중요 내용이다. 이러한 체계는 졸리(Jolly)에 의해서 환자 분류, 응급처치, 이송의 '삼점체계(three point system)'가 도입되면서 더욱 발전하였으며, 2차 세계대전에서 그 효용성이 증명되었다. 그림 8-13과 10-14는 단계별로 처치하는 체계를 간단하게 보여주고 있다. 병원 전 단계 즉 '대대 응급처치 구호소(battalion aid station)'와 의무중대(medical company)에서는 이송되는 환자를 수집하여 분류하고, 안정화하여 이송하는 역할을 한다. 즉각적인 처치를 받아야 하는 극히 일부분(3-10%)의 환자는 야전수술실(forward surgical facility)에서 처치하여 이송한다. 야전수술실은 구호소와 가까이 위치하여야 하고, 생명유지에 필수적인 수술에 능숙한 2명의 응급의료진이 배치된다. 이동 외과에서는 요원이 한정되어 있고 전투상황에 따라 계속 이동하여야 하므로 위급한 수술만 끝나면 12시간 이내에 다음 단계의 지역으로 이송하여야 한다.

1단계와 2단계의 구호소와 의무중대에서는 전문 외상처치법(ATLS)에 따른 처치가 이루어진다. 부상자들은 3단계의 병원으로 이송하기 위하여 우선순위를 정하고 이송방법을 결정하며, 가벼운 부상자들은 응급처치 후에 귀대시킨다.

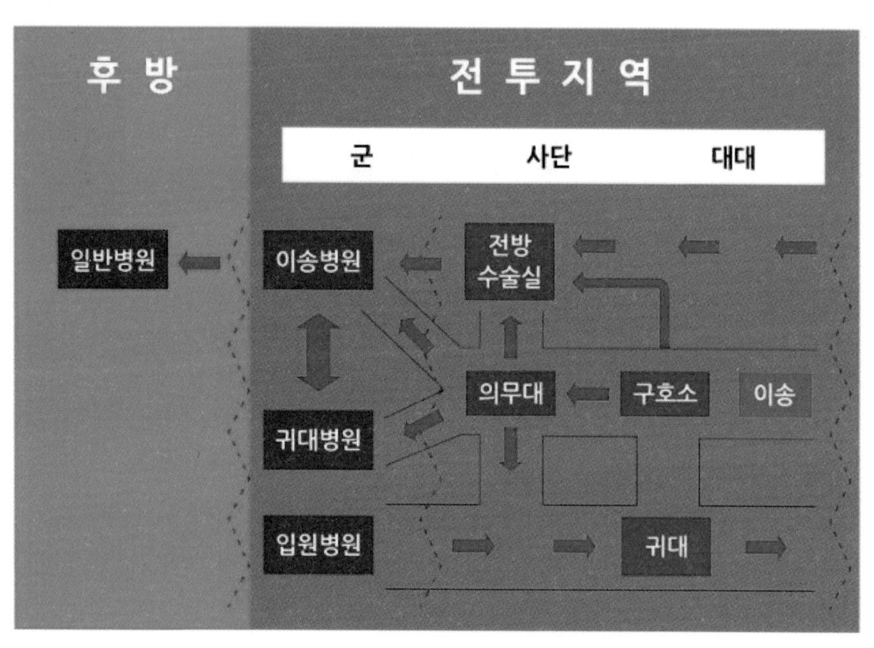

그림 10-13. 전쟁 시에 응급의료지원 조직과 환자의 흐름

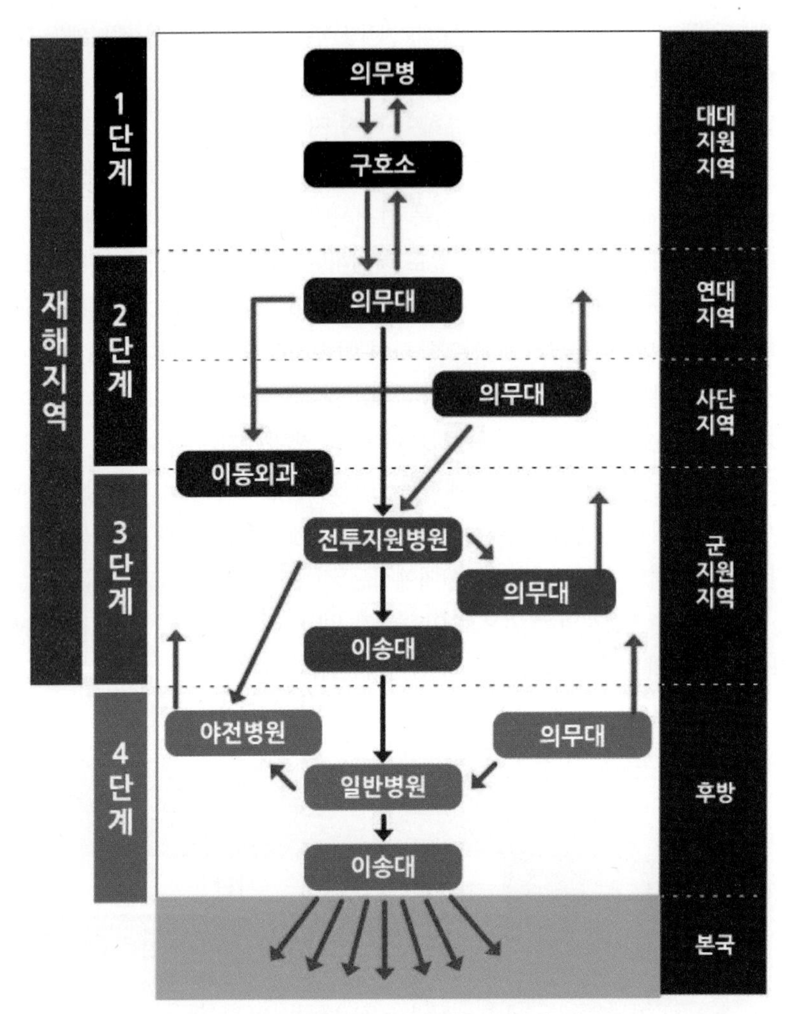

그림 10-14. 전쟁 시 단계별 응급의료처치 체계와 환자의 흐름

(1) 제1단계

1단계 지역에서는 동료, 구조대원 및 위생병들이 환자를 현장에서부터 구조하여 이송하고, 기초적인 생명유지수단과 안정화에 필요한 응급처치를 한다. 구호소(battalion aid station)는 두 개의 처치 팀으로 이루어지며 응급의료종사자가 배치된 최전방이다. 구호소에서는 기도확보, 지혈, 부목, 상처소독, 항생제 투여와 통증 치료 등을 시행하고, 환자를 의무중대로 이송하든지 귀대시켜야 한다. 구호소는 전투상황에 따라 계속 이동하고 300-500개의 전투 중대를 지원하여야 하므로 환자가 계속 머무를 수가 없다. 전투부대는 1.5-2 km 정도의 거리에 있는 구호소로 환자를 이송하여야 하므로 구급차를 보유한 4-6개의 이송 중대가 구성되어 있어야

한다. 1단계 지역의 의료지원능력은 전투에 의한 의료요원들과 의료자원의 소실에 비례하여 점차 감소한다. 2단계 지역과 3단계 지역의 의료지원능력도 비슷한 유형으로 감소한다.

(2) 제2단계

2단계에서는 연대급 지원지역과 사단급 지원지역이 포함되어 있다. 연대 지원지역의 의무대는 1단계 지역보다 5-10 km 후방에 위치하며, 3-9개의 구호소로부터 부상자가 이송되므로, 결국 1,500-3,500개 전투중대를 지원하게 된다. 사단 의무대는 10,000개 전투 중대를 지원하게 된다. 초기에는 전투위생병들에 의해서 중증도 분류가 이루어지지만, 2단계 지역의 의무대에서는 충분한 간호사, 위생병과 응급의료종사자가 배치되어 본격적인 중증도 분류가 이루어진다. 2단계 의무대는 72시간 동안 환자가 머루를 수 있으며, 중심정맥로 확보, 심낭천자, 기도삽관 등의 응급처치를 할 수 있다. 또한 야전수술실(FAST)이 가까이 위치하기 때문에 환자의 생명을 유지하는데 필수적인 수술(개흉술, 개두술, 개복술 등)을 시행할 수 있다. 이 지역에서의 중증도 분류는 응급수술로 생존 가능성이 가장 높은 환자를 분류하는 것이 가장 중요하다. 이러한 환자들은 야전 수술 응급의료종사자나 이동 외과(MASH: Mobile Army Surgical Hospital)로 조속히 이송되어야한다. 또한 수술을 필요로 하는 긴급환자나 응급환자는 3단계 지역의 전투지원 병원으로 이송되기도 한다.

(3) 제3단계

3단계 지역은 1단계 지역보다 20-60 km 후방에 위치하며, 이동 외과(MASH)와 전투 지원 병원(combat support hospital)이 충분한 응급의료종사자와 장비를 갖추고 현장 의료체계 전체를 책임진다. 3단계 지역의 목적은 4단계의 일반병원으로 환자를 이송하기 전에 소생술과 창상의 1차적 수술과 수술 후 처치를 시행하는 것이다. 3단계 지역의 병원은 가능하면 이송거리를 짧게 하려고 부분적으로나마 이동할 수 있어야 한다. 3단계의 병원은 화학 공격이나 로켓에 공격을 받을 수 있기 때문에 부상자들을 가능하면 빨리 4단계의 병원으로 이송하여야 한다.

(4) 제4단계

이 지역은 전투지역이 아닌 후방에 위치하게 된다. 이 지역은 전문적 치료와 재활을 할 수 있는 응급의료종사자와 장비를 갖추어야 한다. 이 지역은 전방으로부터 1500-200 km 정도 후방에 위치하기 때문에 이동이 가능할 필요는 없다.

3) 전쟁에서의 특수한 상황

전쟁이라는 상황에서 가장 특징적인 것은 짧은 시간에 다양한 유형의 환자가 몰린다는 것이다.

① 적개적인 환경 : 1단계와 2단계의 지역은 적의 공격이 진행되는 중에서 부상자를 구조하고 응급처치하고 이송하는 환경에 처해진다. 또한, 적의 공격에 동료가 죽고 장비가 소실되어 응급처치가 늦어지는 일이 일어날 수 있다.

② 전술적인 환경 : 현대전은 전선이 넓고, 갈수록 속도가 빨라진다는 것이 특징이다. 따라서 1단계 지역과 2단계 지역의 병원은 물론 심지어 3단계 지역의 병원도 수시로 이동할 가능성이 있다. 그러면서도 최대한의 의료지원을 하여야 하고, 적의 빠른 공격에 수시로 대비를 하여야 한다.

③ 간소한 조건 : 1단계, 2단계 및 3단계의 병원은 이동성과 전술적인 목적을 중시하여, 최소한의 인원으로 응급의료종사자를 구성하고 최소한의 장비와 물자만을 지원받는다. 처치는 간소화되어 있고 최소한의 임상병리검사와 방사선검사만으로 중증도 분류와 처치에 임하여야 한다. 집중적인 처치와 필요 이상의 물자를 준비하는 것은 금기시 되어 있다.

④ 기후 조건 : 해당 전투지역의 기후조건은 이송방법에 큰 영향을 주며 응급의료종사자의 활동성에 심각한 영향을 줄 수 있다.

⑤ 통신 : 일반사회에서와 같은 통신방법은 전시에 거의 무용지물이다. 1단계 및 2단계 지역은 전술적 상황 때문에 거의 통신이 불가능한 경우가 많다. 적의 도청을 피하여야 하고 전원이나 무전기가 자주 파괴된다.

⑥ 이송 : 전시에서는 환자의 이송이나 전술적인 이동이 적의 공격, 거리, 도로 사정에 따라 매우 제한적이다. 전시의 이송은 분 개념이 아니라 시간의 개념이므로 이송 시에 지속적인 처치를 위하여 적절한 장비와 요원이 준비되어야 한다.

⑦ 귀대와 전투 긴장 : 단계별 의료체계도 전체 군작전의 일부이므로 최상의 전투조건을 유지하는 데 도움이 되어야 한다. 따라서 될수록 많은 수의 군인을 다시 전방으로 복귀시키도록 최대한의 노력을 하여야 한다. 부상자들은 육체적인 부상뿐만 아니라 정신적인 스트레스(combat stress reaction)를 견뎌야 한다. 또한, 부상자나 응급의료종사자는 적의 일상적인 공격뿐만 아니라 핵 공격, 화학무기나 생물학적 공격에 대비하여야 한다.

⑧ 지연 : 위의 조건들로 인하여 환자를 구조하고 처치하고 이송하는 데 많은 시간이 소비될 수가 있다. 이러한 시간적 지연으로 인하여 단계별로 중증도 분류가 바뀔 수가 있다. 손상 처치의 '황금시간(golden hour)'이 병원 전 단계에서 모두 소비되는 경우가 많다.

부 록

- 구급차의 기준 및 응급환자 이송의 시설 등 기준에 관한 규칙
- 찾아보기
- 참고문헌

구급차의 기준 및 응급환자이송업의 시설 등 기준에 관한 규칙

보건복지부(응급의료과), 044-202-2560
국토교통부(자동차운영과), 044-201-3851

제1조(목적) 이 규칙은 「응급의료에 관한 법률」 제46조제2항에 따라 구급차의 형태·표시 및 내부장치 등에 관한 기준을 규정하고, 같은 법 제46조의2에 따라 구급차의 운행연한·운행거리 및 운행연한의 연장 등에 관한 사항을 규정하며, 같은 법 제51조제1항에 따라 응급환자이송업을 하려는 자가 갖추어야 할 시설 등에 관한 사항을 규정함을 목적으로 한다.

제2조(구급차의 형태 등)

① 구급차는 「자동차관리법」 제3조에 따른 승합자동차 또는 화물자동차로서 지붕구조의 덮개가 있어야 한다.

② 구급차에는 간이침대 또는 보조 들것에 누운 상태의 환자를 쉽게 실을 수 있는 충분한 크기의 문이 있어야 한다.

제3조(구급차의 표시)

① 구급차는 바탕색이 흰색이어야 하며, 전·후·좌·우면 중 2면 이상에 각각 별표 1의 녹십자 표시를 하여야 한다. 다만, 「119구조·구급에 관한 법률」에 따른 119구조대 및 119구급대의 구급차에 대해서는 소방관계법령에서 따로 정할 수 있다.

② 구급차 전·후·좌·우면의 중앙 부위에는 너비 5센티미터 이상 10센티미터 이하의 띠를 가로로 표시하여야 한다. 이 경우 띠의 색깔은 「응급의료에 관한 법률 시행규칙」 제38조제1항에 따른 특수구급차(이하 "특수구급차"라 한다)는 붉은색으로, 같은 항에 따른 일반구급차(이하 "일반구급차"라 한다)는 녹색으로 한다.

③ 특수구급차는 전·후·좌·우면 중 2면 이상에 붉은색으로 "응급출동"이라는 표시를 하여야 한다.

④ 일반구급차는 붉은색 또는 녹색으로 "환자이송" 또는 "환자후송"이라는 표시를 할 수 있다. 다만, "응급출동"이라는 표시를 하여서는 아니 된다.

⑤ 구급차의 좌·우면 중 1면 이상에 구급차를 운용하는 기관의 명칭 및 전화번호를 표시하여야 한다.

[별표 1]

녹십자 표지(제3조제1항 관련)

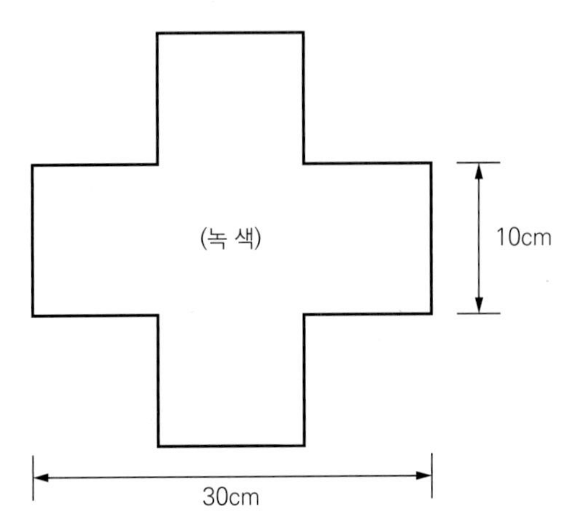

(정방형으로서 부착위치에 따라 확대표시할 수 있다)

제4조(환자실의 길이·너비·높이)

① 구급차 환자실의 길이는 운전석과의 구획 칸막이에서 뒷문의 안쪽 면까지 250센티미터 이상이어야 하고, 간이침대 매트리스의 끝에서 뒷문의 안쪽 면 사이에는 25센티미터 이상의 공간이 있어야 한다.

② 구급차 환자실의 너비는 간이침대를 바닥에 고정시켰을 때 적어도 한쪽 면과의 통로가 25센티미터 이상이어야 한다.

③ 구급차 환자실의 바닥에서 천장 안쪽 면까지의 높이는 특수구급차는 150센티미터 이상, 일반구급차는 120센티미터 이상이어야 한다.

제5조(내부표면)

① 구급차의 환자실 내부에 설치된 장치는 표면에 견고하게 부착되어야 하며 날카로운 부분이 없도록 하여야 한다.

② 구급차의 환자실 내부에 노출된 구조물의 가장자리는 16분의 5센티미터 이상의 반지름으로 깎아 내고, 노출된 모서리는 10분의 12센티미터에서 10분의 25센티미터의 반지름으로 둥글게 하여야 한다.

③ 구급차의 환자실 표면은 다음 각 호의 기준에 적합하여야 한다.

1. 비누나 물이 스며들지 아니할 것
2. 살균할 수 있을 것

3. 곰팡이에 저항성이 있을 것
4. 열에 강할 것
5. 청소하기가 쉬울 것

제6조(내부장치) 구급차의 내부에 갖추어야 할 장치의 기준은 별표 2와 같다.

[별표 2]

구급차의 내부에 갖추어야 할 장치의 기준(제6조 관련)

구 분	장 치	형식·형태·재질 등의 기준	설치 기준
1. 공통	가. 간이침대 (Main Stretcher)	1) 시트의 재질은 가죽·인조가죽 또는 비닐이어야 한다. 2) 침대의 금속부분은 강하고 가벼운 알루미늄 재질이어야 한다. 3) 차량에서 분리가 가능하고 견고하게 부착할 수 있는 부속장치가 있어야 한다. 4) 시트에는 가슴·엉덩이·발목 등 3개 이상의 부위를 고정시킬 수 있는 환자고정장치(너비 5센티미터 이상인 띠를 말한다)를 설치하여야 한다. 이 경우 띠는 가죽·나일론 등 쉽게 끊어지지 않는 재질이어야 하고, 쉽게 조이고 풀 수 있는 조임쇠가 있어야 한다.	1식(평상시는 차량에 부착)
	나. 보조 들것 (Sub-Stretcher)	들것의 지지대는 가볍고 강한 재질이어야 하며, 접고 펼 수 있는 형태여야 한다.	1식(평상시는 접어서 한쪽 면에 부착하여 보관)
	다. 갈고리	1) 비닐팩으로 된 정맥주사용 수액 세트 등을 걸 수 있는 형태여야 한다. 2) 접으면 부착 면과 평행상태를 유지하여야 하며, 접고 펼 수 있는 구조여야 한다.	1개 이상(천장 또는 옆면에 부착)
	라. 의료장비함	여러 의료장비를 신속하고 쉽게 이용할 수 있도록 보관할 수 있어야 한다.	1개 이상
	마. 응급의료인 좌석	간이침대 옆 또는 앞에 고정식 또는 접이식으로 설치하여야 한다(일반구급차에 간이침대 옆에 긴 의자가 설치되어 있는 경우 긴 의자로 대체할 수 있다).	1개
	바. 조명장치	1) 환자실의 이동조명장치를 제외한 모든 조명을 켰을 경우 구급차 간이침대 표면에서 측정시 150럭스 이상이 되어야 한다. 2) 환자실의 조명등은 천장에 부착되어야 하고, 흰색 외에 색깔이 있는 조명등을 사용하지 않아야 한다. 3) 조명등에는 조명등이 깨질 경우 인체에 영향을 미치지 않도록 플라스틱 덮개를 설치하여야 한다.	2개 이상
	사. 이동조명장치	1) 이동시키면서 환자의 신체 부위를 비추기 쉽도록 설치하여야 한다. 2) 이동조명장치는 조명장치보다 밝은 조도를 가져, 환자 국소 처치시 활용할 수 있어야 한다.	1개
	아. 환풍기	환자실 내부 뒷면의 천장에 설치하여야 한다.	1개 이상
	자. 전기공급장치(콘센트)	환자실에 설치하여야 한다.	2개 이상
	차. 기타	「응급의료에 관한 법률 시행규칙」 별표 16에 따른 의료장비 등을 갖출 수 있는 공간 및 설치대를 마련하여야 한다.	부착물을 견고하게 부착할 수 있는 적정한 수의 부속장치 설치

구 분	장 치	형식·형태·재질 등의 기준	설치 기준
2. 특수 구급차	가. 간이침대 (Main Stretcher)	공통사항에 다음의 사항이 추가되어야 한다. 1) 접고 펼 수 있는 것으로서 네 바퀴가 달려 밀거나 당겨서 손쉽게 옮길 수 있어야 한다. 2) 침대의 윗부분을 올리고 내릴 수 있는 장치를 갖춘 구조여야 한다.	
	나. 긴 의자	1) 환자를 실은 상태로 보조 들것을 놓을 수 있는 규모여야 한다. 2) 보조 들것을 고정할 수 있는 장치가 있어야 한다. 3) 간이침대와 긴 의자 사이에는 사람이 다닐 수 있는 공간이 있어야 한다.	
	다. 물탱크와 연결된 싱크대	1) 재질은 플라스틱 또는 알루미늄 등 가볍고 잘 부서지지 않는 것으로 한다. 2) 배수가 잘 되어야 하고, 사용한 물을 저장하였다가 버릴 수 있는 설비를 연결하여야 한다.	1개(환자실 내부의 1개 모퉁이에 설치)
	라. 교류발생장치	1) 의료장비 등에 사용할 수 있는 교류전기를 발생시킬 수 있어야 한다. 2) 환자실에 있는 전기공급장치에 연결하여 전기를 사용할 수 있어야 한다.	

제7조(통신장비) 특수구급차가 「응급의료에 관한 법률 시행규칙」 제38조제2항에 따라 갖추어야 하는 통신장비는 운전기사 및 환자실의 응급구조사가 동시에 사용할 수 있도록 설치하여야 한다.

제7조의2(운행연한)

① 구급차의 운행연한(이하 "차령"이라 한다)은 9년으로 한다. 이 경우 차령의 기산일은 다음 각 호의 구분에 따른다.
  1. 제작연도에 등록된 자동차: 최초의 신규등록일
  2. 제작연도에 등록되지 아니한 자동차: 제작연도의 말일

② 구급차의 차령은 다음 각 호의 요건을 모두 충족한 경우에는 최대 2년까지 연장될 수 있다. 다만, 시장·군수·구청장(자치구의 구청장을 말한다. 이하 같다)은 부득이한 사유로 구급차의 수급이 현저히 곤란하다고 인정되는 때에 다음 각 호의 요건이 모두 충족되는 경우에는 「응급의료에 관한 법률」 제46조의2제2항에 따라 6개월의 범위에서 본문에 따른 차령을 초과하여 운행하게 할 수 있다.
  1. 제1항에 따른 차령이 만료되기 전 2개월 이내 또는 차령이 연장된 구급차의 경우 매 6개월마다 「자동차관리법」 제43조제1항제4호에 따른 임시검사를 받아 검사기준에 적합할 것
  2. 제2조부터 제7조까지에서 정한 구급차의 형태·표시 및 내부장치 등에 관한 사항을 준수할 것

③ 「자동차관리법」 제44조에 따른 자동차검사대행자는 제2항제1호에 따른 임시검사에 합격한 구급차의 운용자에게 별지 제1호서식의 구급차 임시검사 합격통지서를 발급하여야 한다.

④ 구급차의 운용자는 구급차의 차령을 연장하려면 별지 제2호서식의 구급차의 차령연장 신청서에 다음 각 호의 서류를 첨부하여 시장·군수·구청장에게 제출하여야 한다.
  1. 「자동차관리법」 제7조에 따른 자동차등록원부
  2. 「자동차관리법」 제44조에 따른 자동차검사대행자가 제3항에 따라 발급한 별지 제1호서식의

구급차 임시검사 합격통지서

⑤ 제4항에 따른 차령의 연장 신청은 해당 구급차의 차령이 만료되기 전까지 하여야 한다. 다만, 다음 각 호의 어느 하나에 해당하는 경우에는 다음 각 호의 구분에 따른 날까지 하여야 한다.

1. 차령만료일이 토요일 또는 일요일인 경우: 그 다음 월요일
2. 차령만료일이 일요일 외의 공휴일인 경우: 그 다음날
3. 차량 파손에 따른 정비 등 불가피한 사유로 차령만료일까지 차령의 연장을 신청하는 것이 곤란하여 차령만료일 이전까지 시장·군수·구청장에게 별지 제2호서식의 구급차의 차령연장 신청의 연기 신청서에 연기 사유를 증명할 수 있는 서류를 첨부하여 제출한 경우: 시장·군수·구청장이 별도로 정한 날

⑥ 차령 연장에 관하여 이 규칙에서 규정한 사항 외에는 「여객자동차 운수사업법」 제84조, 같은 법 시행령 제40조 및 같은 법 시행규칙 제107조를 준용한다.

제8조(응급환자이송업의 시설 등의 기준) 「응급의료에 관한 법률」 제51조제1항에 따라 응급환자이송업을 하려는 자가 갖추어야 할 시설 등의 기준은 별표 3과 같다.

[별표 3]

응급환자이송업의 시설 등의 기준(제8조 관련)

구분	내용	
1. 시설 기준	가. 사무실	
	나. 차고 및 차고부대시설	
	다. 휴게실 및 대기실	
	라. 교육훈련시설	
	마. 통신시설	
2. 보유 구급차 기준	5대 이상의 특수구급차를 보유하여야 한다.	
3. 자본 기준	2억원 이상의 자본금을 보유하여야 한다.	
4. 인력 기준	보유하고 있는 특수구급차의 80퍼센트에 해당하는 특수구급차에는 1대당 운전자 2명, 응급구조사 2명을 두어야 한다. 다만, 의사 또는 간호사를 둘 때에는 그 인원만큼 응급구조사를 두지 않을 수 있다.	

제9조(규제의 재검토) 보건복지부장관은 제8조 및 별표 3에 따른 응급환자이송업의 시설 등의 기준에 대하여 2015년 1월 1일을 기준으로 매 2년이 되는 시점(매 2년이 되는 해의 1월 1일 전까지를 말한다)마다 그 타당성을 검토하여 개선 등의 조치를 하여야 한다.

찾아보기

한국어

[ㄴ]

[ㅇ]

영어

[A]

[B]

참고문헌

- 김흥환, 『특수재난 초동대응 매뉴얼(5판)』, 대가출판사(2020)
- 박희곤, 『응급구조학개론』, 대학서림(1995)
- 박희진 외 공저, 『환경응급』, 대학서림(2013)
- 서울대학교병원 의학역사문화원, 『전쟁과 의학』, 허원미디어(2013)
- 소방방재신문, 『119 구급차 운행 역사 다시 쓰다』, (2012년 11월 9일)
- 소방청 중앙119구조본부. 『특수재난 국내 최고의 현장대원 전문대응을 위한 화학사고 현장 대응 매뉴얼』, (2020)
- 생물무기금지협약 정보망(www.bwckorea.or.kr/main.do)
- 신동민 외 공역, 『기본인명소생술기』, 메디컬코리아(2009)
- 이은옥, 『응급처치의 원리와 실제』, 수문사(1990)
- 임경수, 황성오, 안무업 『대량환자의 구조와 응급처치』, 군자출판사(1995)
- 임경수, 황성오, 안무업, 안희철 외 『재난의학』, 군자출판사(2010)
- 전주 예수병원 최초의 구급차, 연합뉴스, (2014년 2월 2일)
- 중앙119구조대, 『산악 로프구조론』(2008)
- 중앙소방학교 교육훈련팀, 『인명구조사 2급』, (2012)
- 연세대학교 원주의과대학 응급의학교실, 『응급구조와 응급처치』, 군자출판사(2007)
- 윤형완, 『현장전문응급처치학』, 디아이텍(2011)
- 응급의료에 관한 법률 시행규칙 39조, 보건복지부령 228호.
- 응급의료에 관한 법률 시행규칙 별표 16, 보건복지부령 228호.
- 이동병원출현(동아일보. 1938년 10월 11일)
- 이재민, 『익수환자 조기 기본심폐소생술에 의한 소생 사례연구- 증례 보고』, 한국보건기초의학회지, (2010년)
- 의료법 제9조, 법률 제1035호, 1962.3.20. 전부개정.
- 전국응급구조과교수협의회, 『병원전응급처치학 총론』, 대학서림(2007)
- 전국응급구조과교수협의회, 『일반응급처치학』, 대학서림(2009)
- 전국응급구조과교수협의회, 『응급환자평가』, 한미의학(2006)
- 전국응급구조과교수협의회, 『전문외상응급처치학』, 대학서림(2019년)
- 전국응급구조과교수협의회, 『특수상황에서의 전문응급처치학』, 대학서림(2006)

- 전국응급구조과교수협의회 · 대한응급의학회, 『전문응급처치학 1 · 2권』, 대학서림(2000)
- 전국응급구조과교수협의회 · 한림대학교 의과대학 응급의학교실, 『기본외상소생술』, 군자출판사(2006)
- 정요한, 홍성복, 엄태환, 『소방정보와 응급통신』, 대학서림(2007)
- 정제명, 이중의 외 공저, 『BTLS 기본외상생명유지술』, 대학서림(2007)
- 정제명, 이중의 외 공저, 『기본외상생명유지술』, 대학서림(2007)
- 정의식, 『익사에 대한 응급처치』가정의학회지, (1998), 22-26.
- 최용철, 『EMS 사고관리체계론』, 군자출판사(2005)
- (사)한국응급구조학회 · 전국응급구조과교수협의회, 『현장응급처치학』, 정담미디어(2010)
- 한국응급구조학회 · 전국응급구조과 교수협의회, 『현장응급처치학』, 정담미디어(2010)
- 화학물질 및 물리적인자의 노출기준(개정 2020. 5. 6(노동부고시 제2002-8호))
- 황성오, 임경수, 『심폐소생술과 전문심장구조술』, 군자출판사(2021)
- 119 긴급 구조, 국가기록원, 『기록으로 만나는 대한민국』, http://theme.archives.go.kr/next/koreaOfRecord/disasters.do?menuId=0902050000
- 『1997 Medical Crew Survey』 AirMed, Vol. 5(1997).
- Association of Air Medical Services(AAMS) Database, 110 N. Royal St., Ste. 307, Alexandria, VA 22314(1998)
- Bledsoe, B. E., Poter, R. S., Shade, B. R. (1997). Paramedic emergency care. 3rd edition. NJ: A Prentice Hall Englewood Cliffs.
- Bolte, R. G., Black, P. G., Bowers, R. S., Thorne, J. K., Corneli, H. M.(1998).The use of extracorporeal rewarming in a child submerged for 66 minutes. Journal of the American Medical Association, 260(3), 377-379.
- History of Trauma. http://www.trauma.org/archive/history/prehospital.html Archived 2014년 8월 10일
- History of Ambulances. http://www.emt-resources.com/History-of-Ambulances.html Archived 2014년 2월 21일
- Holmatro 차량 인명 구출 기법/Copyright © 04-2007 Holmatro 구조장비, 네덜란드
- http://blog.knn.co.kr/44625
- http://msds.kosha.or.kr/
- https://www.cyanokit.com/
- Judith E. Tintinalli, MD, MS, 『EMERGENCY MEDICINE』, McGraw Hill Professional
- Mulchong, 한국소방 100년사. http://mulchong.ye.ro/spboard/board.cgi?id=m_phot

o6&category=%B1%B8%B1%DE%C0%E5%BA%F1&cate_cnt=7 Archived 2014년 2월 26일

- Orlowski, J. P. (1979).Prognostic factors in pediatric cases of drowningand near-drowning. Annals of Emergency Medicine, 8, 176-179.
- Walters, E. "Program Profile, 20 Years of Service." Journal of Air Medical Transport, Vol. 11, No. 9(1992)